中國國家圖書館編

國家圖書館藏敦煌遺書

第二十冊　北敦〇一三一五號——北敦〇一四〇〇號

北京圖書館出版社

圖書在版編目(CIP)數據

國家圖書館藏敦煌遺書·第二十册/中國國家圖書館編;任繼愈主編. —北京:北京圖書館出版社,2006.2

ISBN 7-5013-2962-1

Ⅰ.國… Ⅱ.①中…②任… Ⅲ.敦煌學—文獻 Ⅳ.K870.6

中國版本圖書館 CIP 數據核字(2005)第153403號

書　　名　國家圖書館藏敦煌遺書·第二十册
著　　者　中國國家圖書館編　任繼愈主編
責任編輯　徐　蜀　孫　彦
封面設計　李　璀

出　　版　北京圖書館出版社　(100034　北京西城區文津街7號)
發　　行　010-66139745　66151313　66175620　66126153
66174391(傳真)　66126156(門市部)
E-mail　cbs@nlc.gov.cn(投稿)　btsfxb@nlc.gov.cn(郵購)
Website　www.nlcpress.com
經　　銷　新華書店
印　　刷　北京文津閣印務有限責任公司

開　　本　八開
印　　張　59.5
版　　次　2006年2月第1版第1次印刷
印　　數　1-150册(套)

書　　號　ISBN 7-5013-2962-1/K·1245
定　　價　990.00圓

編輯委員會

主　　編　任繼愈

常務副主編　方廣錩

副 主 編　李際寧　張志清

編委（按姓氏筆畫排列）　王克芬　王姿怡　吴玉梅　胡新英　陳　穎　黄　霞（常務）　劉玉芬

出版委員會

主　任　詹福瑞

副主任　陳　力

委　員（按姓氏筆畫排列）　李　健　姜　紅　郭又陵　徐　蜀　孫　彦

攝製人員（按姓氏筆畫排列）

于向洋　王富生　王遂新　谷韶軍　張　軍　張紅兵　張　陽　曹　宏　郭春紅　楊　勇　嚴　平

目錄

舍利弗我今略說菩
若廣說者窮劫不盡是時
大迦葉聞說菩薩不可思議解脫法門歎未
曾有謂舍利弗譬如有人於盲者前現衆色
像非彼所見一切聲聞聞是不可思議解脫法門
不能解了為若此也智者聞是其誰不發阿
耨多羅三藐三菩提心我等何為永絕其根
於此大乘已如敗種一切聲聞聞是不可思
議解脫法門皆應號泣聲震三千大千世
界一切菩薩應大欣慶頂受此法若有菩
薩信解不可思議解脫法門者一切魔衆
无如之何大迦葉說是語時三万二千天子
皆發阿耨多羅三藐三菩提心
尒時維摩詰語大迦葉仁者十方无量阿僧
祇世界中作魔王者多是住不可思議解脫
菩薩以方便力教化衆生現作魔王又迦葉十
方无量菩薩或有人從乞手足耳鼻頭目髓
腦血肉皮骨聚落城邑妻子奴婢象馬車乘金
銀琉璃車磲馬碯珊瑚琥珀真珠珂貝衣服
飲食如此乞者多是住不可思議解脫菩薩
以方便力而往試之令其堅固所以者何住不
可思議解脫菩薩有威德力故行逼迫示
諸衆生如是難事凡夫下劣无有力勢不

BD01315號　維摩詰所說經卷中　（18–1）

銀琉璃車磲馬碯珊瑚琥珀真珠珂貝衣服
飲食如此乞者多是住不可思議解脫菩薩
以方便力而往試之令其堅固所以者何住不
可思議解脫菩薩有威德力故行逼迫示
諸衆生如是難事凡夫下劣无有力勢不
能如是逼迫菩薩譬如龍象蹴踏非驢所
堪是名住不可思議解脫菩薩智慧方便之
門

觀衆生品第七

尒時文殊師利問維摩詰言菩薩云何觀
於衆生維摩詰言譬如幻師見所幻人菩薩
觀衆生為若此如智者見水中月如鏡中見
其面像如熱時焰如呼聲響如空中雲如水
聚沫如水上泡如芭蕉堅如電久住如第五大
如第六陰如第七情如十三入如十九界菩薩
觀衆生為若此如无色界色如焦穀牙如須
陀洹身見如阿那含入胎如阿羅漢三毒如得
忍菩薩貪恚毀禁如佛煩惱習如盲者見色
如入滅盡定出入息如空中鳥跡如石女兒如
化人煩惱如夢所見已寤如滅度者受身
如无烟之火菩薩觀衆生為若此
文殊師利言若菩薩作是觀者云何行慈維
摩詰言菩薩作是觀已自念我當為衆生說
如斯法是即真實慈也行寂滅慈无所生故
行不熱慈无煩惱故行等之慈等三世故行无

BD01315號　維摩詰所說經卷中　（18–2）

如旡烟之火菩薩觀衆生為若此
文殊師利言若菩薩作是觀者云何行慈維
摩詰言菩薩作是觀已自念我當為衆生說
如斯法是即真實慈也行寂滅慈旡所生故
行不熱慈旡煩惱故行等之慈等三世故行旡
諍慈旡所起故行不二慈内外不合故行不壞
慈畢竟盡故行堅固慈心旡毀故行清淨慈
諸法性淨故行旡邊慈如虛空故行阿羅漢
慈破結賊故行菩薩慈安衆生故行如来慈
得如相故行佛之慈覺衆生故行自然慈
旡因得故行菩提慈等一味故行旡礙慈斷
諸愛故行大悲慈導以大乘故行旡猒慈觀
空旡我故行法施慈旡遺惜故行持戒慈
化毀禁故行忍辱慈護彼我故行精進慈
荷負衆生故行禪定慈不受味故行智慧慈旡
不知時故行方便慈一切示現故行旡隱慈
直心清淨故行深心慈旡雜行故行旡誑
慈不虛假故行安樂慈令得佛樂故菩薩
之慈為若此也
文殊師利又問何謂為悲答曰菩薩所作
功德皆与一切衆生共之何謂為喜答曰有
所饒益歡喜旡悔何謂為捨答曰所作福祐
旡所悕望文殊師利又問生死有畏菩薩當何
所依維摩詰言菩薩於生死畏中當依如来
功德之力文殊師利又問菩薩欲依如来功

所饒益歡喜旡悔何謂為捨答曰所作福祐
旡所悕望文殊師利又問生死有畏菩薩當何
所依維摩詰言菩薩於生死畏中當依如来
功德之力文殊師利又問菩薩欲依如来功
德力者當依何住答曰菩薩欲依如来功德
力者當住度脫一切衆生又問欲度衆生當
何所除答曰欲度衆生除其煩惱又問欲除
煩惱當何所行答曰當行正念又問云何行於
正念答曰當行不生不滅又問何法不生何法
不滅答曰不善不生善法不滅又問善不
善孰為本答曰身為本又問身孰為本答
曰欲貪為本又問欲貪孰為本答曰虛妄
分別為本又問虛妄分別孰為本答曰顛倒
想為本又問顛倒想孰為本答曰旡住為本又
問旡住孰為本答曰旡住則旡本文殊師利
從旡住本立一切法
時維摩詰室有一天女見諸大人聞所說
法便現其身即以天華散諸菩薩大弟子
上華至諸菩薩即皆墮落至大弟子便著不墮
一切弟子神力去華不能令去尒時天問舍利
弗何故去華答曰此華不如法是以去之天
曰勿謂此華為不如法所以者何是華旡所
分別仁者自生分別想耳若於佛法出家有
所分別為不如法若旡所分別是則如法觀
諸菩薩華不著者以斷一切分別想故譬如
人畏時非人得其便如是弟子畏生死故色

分別仁者自生分別想耳若於佛法出家有
所分別為不如法若无所分別是則如法觀
諸菩薩華不著者以斷一切分別想故譬如
人畏時非人得其便如是弟子畏生死故色
聲香味觸得其便已離畏者一切五欲无能
為也結習未盡華著身耳結習盡者華不
著也舍利弗言天止此室其已久如答曰我
止此室如耆年解脫舍利弗言止此久耶天曰
耆年解脫亦何如久舍利弗嘿然不答天曰
如何耆舊大智而嘿答曰解脫者无所言說
故吾於是不知所云天曰言說文字皆解脫
相所以者何解脫者不內不外不在兩間文
字亦不內不外不在兩間是故舍利弗无離
文字說解脫也所以者何一切諸法皆是解
脫相舍利弗言不復以離婬怒癡為解脫
乎天曰佛為增上慢人說離婬怒癡為解脫
耳若无增上慢者佛說婬怒癡性即是解脫
舍利弗言善哉善哉天女汝何所得以何為
證辯乃如是天曰我无得无證故辯如是所以
者何若有得有證者即於佛法為增上慢
舍利弗問天汝於三乘為何志求天曰以聲
聞法化衆生故我為聲聞以因緣法化衆生
故我為辟支佛以大悲法化衆生故我為大
乘舍利弗如人入瞻蔔林唯嗅瞻蔔不嗅餘
香如是若入此室但聞佛功德之香不樂聲聞

聞法化衆生故我為聲聞以因緣法化衆生
故我為辟支佛以大悲法化衆生故我為大
乘舍利弗如人入瞻蔔林唯嗅瞻蔔不嗅餘
香如是若入此室但聞佛功德之香不樂聲聞
辟支佛功德香也舍利弗其有釋梵四天王
諸天龍鬼神等入此室者聞斯上人講說正
法皆樂佛功德之香發心而出舍利弗吾止此
室十有二年初不聞說聲聞辟支佛法但聞菩
薩大慈大悲不可思議諸佛之法舍利弗此
室常現八未曾有難得之法何等為八此室
常以金色光照晝夜无異不以日月所照為
明是為一未曾有難得之法此室入者不
為諸垢之所惱也是為二未曾有難得之法
此室常有釋梵四天王他方菩薩來會
不絕是為三未曾有難得之法此室常說六波
羅蜜不退轉法是為四未曾有難得之法此
室常作天人第一之樂絃歌出无量法化之
聲是為五未曾有難得之法此室有四大藏
衆寶積滿周窮濟乏求得无盡是為六未曾
有難得之法此室釋迦牟尼佛阿弥陀佛阿
閦佛寶德寶炎寶月寶嚴難勝師子響一切
利益成如是等十方无量諸佛是上人念時
即皆為來廣說諸佛秘要法藏說已還去
是為七未曾有難得之法此室一切諸天嚴飾

利益我如是等十方无量諸佛是上人念時
即皆為來廣說諸佛秘要法藏說已還去
是為七未曾有難得之法此室一切諸天嚴飾
宮殿諸佛淨土皆於中現是為八未曾有難
得之法舍利弗此室常現八未曾有難得之法
誰有見斯不思議事而復樂於聲聞法乎
舍利弗言汝何以不轉女身天曰我從十二年
來求女人相了不可得當何所轉譬如幻師
化作幻女若有人問何以不轉女身是人為
正問不舍利弗言不也幻无定相當何所轉
天曰一切諸法亦復如是无有定相云何乃
問不轉女身即時天女以神通力變舍利弗
令如天女天自化身如舍利弗而問言何以不
轉女身舍利弗以天女像而荅言我今不知
何轉而變為女身天曰舍利弗若能轉此女
身則一切女人亦當能轉如舍利弗非女而現
女身一切女人亦復如是雖現女身而非女也
是故佛說一切諸法非男非女即時天女還
攝神力舍利弗身還復如故天問舍利
弗女身色相今何所在舍利弗言女身色
相无在无不在天曰一切諸法亦復如是无
在无不在夫无在无不在者佛所說也舍
利弗問天汝於此沒當生何所天曰佛化所
生吾如彼生曰佛化所生非沒生也天曰衆
生猶然无沒生也舍利弗問天汝久如當得

在无不在夫无在无不在者佛所說也舍
利弗問天汝於此沒當生何所天曰佛化所
生吾如彼生曰佛化所生非沒生也天曰衆
生猶然无沒生也舍利弗問天汝久如當得
阿耨多羅三藐三菩提天曰如舍利弗還為
凡夫我乃當成阿耨多羅三藐三菩提舍利
弗言我作凡夫法无有是處天曰我得阿耨
多羅三藐三菩提亦无是處所以者何菩提无
住處是故无有得者舍利弗言今諸佛得阿
耨多羅三藐三菩提已得當得如恒河沙皆
謂何乎天曰皆以世俗文字數故說有三
世非謂菩提有去來今天曰舍利弗汝得阿
羅漢道耶曰无所得故而得天曰諸佛菩薩
亦復如是无所得故而得爾時維摩詰語舍
舍利弗是天女曾已供養九十二億佛已能
遊戲菩薩神通所願具足得无生法忍住
不退轉以本願故隨意能現教化衆生

佛道品第八

爾時文殊師利問維摩詰言菩薩云何通達
佛道維摩詰言若菩薩行於非道是為通達
佛道又問云何菩薩行於非道荅曰若菩薩行
五无間而无惱恚至于地獄无諸罪垢至于畜
生无有无明憍慢等過至于餓鬼而具足功
德行色无色界道不以為勝示行貪欲離諸
染著示行瞋恚於諸衆生无有恚閡示行愚
癡而以智慧調伏其心示行慳貪而捨內外

五无間而无惱恚至于地獄无諸罪垢至于畜
生无有无明憍慢等過至于餓鬼而具足功
德行色无色界道不以為勝示行貪欲離諸
染著示行瞋恚於諸衆生无有恚閡示行愚
癡而以智慧調伏其心示行慳貪而捨內外
所有不惜身命示行毀禁而安住淨戒乃至
小罪猶懷大懼示行瞋恚而常慈忍示行懈
怠而懃脩功德示行亂意而常念定示行愚
癡而通達世間出世間慧示行諂僞而善方
便隨諸經義示行憍慢而於衆生猶如橋梁
示行諸煩惱而心常清淨示入於魔而順
佛智慧不隨他教示入聲聞而為衆生說未
聞法示入辟支佛而成就大悲教化衆生示
入貧窮而有寶手功德无盡示入形殘而具
諸相好以自莊嚴示入下賤而生佛種姓中
具諸功德示入羸劣醜陋而得那羅延身一
切衆生之所樂見示入老病而永斷病根超
越无畏示有資生而恒觀无常實无所貪示
有妻妾婇女而常遠離五欲淤泥示現訥鈍
而成就辯才總持无失示入邪濟而以正濟
度諸衆生現遍入諸道而斷其因緣現於涅
槃而不斷生死文殊師利菩薩能如是行於非道
是為通達佛道於是維摩詰問文殊師利何
等為如來種文殊師利言有身為種无明有
愛為種貪恚癡為種四顛倒為種五蓋為種

BD01315號　維摩詰所說經卷中　（18–9）

槃而不斷生死文殊師利菩薩能如是行於非道
是為通達佛道於是維摩詰問文殊師利何
等為如來種文殊師利言有身為種无明有
愛為種貪恚癡為種四顛倒為種五蓋為種
六入為種七識處為種八邪法為種九惱處
為種十不善道為種以要言之六十二見及
一切煩惱皆是佛種曰何謂也答曰若見无
為入正位者不能復發阿耨多羅三藐三菩
提心譬如高原陸地不生蓮華卑濕淤泥乃
生此華如是見无為法入正位者終不復能
生於佛法煩惱泥中乃有衆生起佛法耳又
如殖種於空終不得生糞壤之地乃能滋茂
如是入无為正位者不生佛法起我見心如
須弥山猶能發于阿耨多羅三藐三菩提
心生佛法矣是故當知一切煩惱為如來
種譬如不下巨海不能得无價寶珠如是不
入煩惱大海則不能生一切智寶爾時大迦葉
歎言善哉善哉文殊師利快說是語誠如所
言塵勞之疇為如來種我等今者不復堪任
發阿耨多羅三藐三菩提心乃至五无間罪
猶能發意生於佛法而今我等永不能發
譬如根敗之士其於五欲不能復利如是聲
聞諸結斷者於佛法中无所復益永不志願
是故文殊師利凡夫於佛法有反復而聲聞无
也所以者何凡夫聞佛法能起无上道心不斷
三寶正使聲聞終身聞佛法力无畏等永不

BD01315號　維摩詰所說經卷中　（18–10）

聞諸結斷者於佛法中无所復益永不志願
是故文殊師利凡夫於佛法有反復而聲聞无
也所以者何凡夫聞佛法能起无上道心不斷
三寶正使聲聞終身聞佛法力无畏等永不
能發无上道意尒時會中有菩薩名普見
色身問維摩詰言居士父母妻子親戚眷
屬吏民知識悉為是誰奴婢僮僕象馬車
乘皆何所在於是維摩詰以偈答曰

智度菩薩母　方便以為父　一切衆導師　无不由是生
法喜以為妻　慈悲心為女　善心誠實男　畢竟空寂舍
弟子衆塵勞　隨意之所轉　道品善知識　由是成正覺
諸度法等侶　四攝為伎女　歌詠誦法言　以此為音樂
摠持之園苑　无漏法林樹　覺意淨妙華　解脫智慧果
八解之浴池　定水湛然滿　布以七淨華　浴此无垢人
象馬五通馳　大乘以為車　調御以一心　遊於八正路
相具以嚴容　衆好飾其姿　慚愧之上服　深心為華鬘
富有七財寶　教授以滋息　如所說脩行　迴向為大利
四禪為牀坐　從於淨命生　多聞增智慧　以為自覺音
甘露法之食　解脫為味漿　淨心以澡浴　戒品為塗香
摧滅煩惱賊　勇健无能踰　降伏四種魔　勝幡建道場
雖知无起滅　示彼故有生　悉現諸國土　如日无不見
供養於十方　无量億如來　諸佛及己身　无有分別想
雖知諸佛國　及與衆生空　而常脩淨土　教化於羣生
諸有衆生類　形聲及威儀　无畏力菩薩　一時能盡現
覺知衆魔事　而示隨其行　以善方便智　隨意皆能現

BD01315號　維摩詰所說經卷中　（18–11）

雖知无起滅　示彼故有生　悉現諸國土　如日无不見
供養於十方　无量億如來　諸佛及己身　无有分別想
雖知諸佛國　及與衆生空　而常脩淨土　教化於羣生
諸有衆生類　形聲及威儀　无畏力菩薩　一時能盡現
覺知衆魔事　而示隨其行　以善方便智　隨意皆能現
或示老病死　成就諸羣生　了知如幻化　通達无有礙
或現劫盡燒　天地皆洞然　衆人有常想　照令知无常
无數億衆生　俱來請菩薩　一時到其舍　化令向佛道
經書禁呪術　工巧諸伎藝　盡現行此事　饒益諸羣生
世間衆道法　悉於中出家　因以解人惑　而不墮邪見
或作日月天　梵王世界主　或時作地水　或復作風火
劫中有疾疫　現作諸藥草　若有服之者　除病消衆毒
劫中有飢饉　現身作飲食　先救彼飢渴　却以法語人
劫中有刀兵　為之起慈悲　化彼諸衆生　令住无諍地
若有大戰陣　立之以等力　菩薩現威勢　降伏使和安
一切國土中　諸有地獄處　輒往到于彼　勉濟其苦惱
一切國土中　畜生相食噉　皆現生于彼　為之作利益
示受於五欲　亦復現行禪　令魔心憒亂　不能得其便
火中生蓮華　是可謂希有　在欲而行禪　希有亦如是
或現作婬女　引諸好色者　先以欲鉤牽　後令入佛道
或為邑中主　或作商人導　國師及大臣　以祐利衆生
諸有貧窮者　現作无盡藏　因以勸導之　令發菩提心
我心憍慢者　為現大力士　消伏諸貢高　令住无上道
其有恐懼衆　居前而慰安　先施以无畏　後令發道心
或現離婬欲　為五通仙人　開導諸羣生　令住戒忍慈
見須供事者　現為作僮僕　既悅可其意　乃發以道心

BD01315號　維摩詰所說經卷中　（18–12）

我心憍慢者　為現大力士　消伏諸貢高　令發无上道
其有恐懼衆　居前而慰安　先施以无畏　後令發道心
或現離婬欲　為五通仙人　開導諸群生　令住戒忍慈
見須供事者　現為作僮僕　既悅可其意　乃發以道心
隨彼之所須　得入於佛道　以善方便力　皆能給足之
如是道无量　所行无有崖　智慧无邊際　度脫无數衆
假令一切佛　於无數億劫　讚歎其功德　猶尚不能盡
誰聞如是法　不發菩提心　除彼不肖人　癡冥无智者
入不二法門品第九
尒時維摩詰謂衆菩薩言諸仁者云何菩
薩入不二法門各隨所樂說之會有中菩薩
名法自在說言諸仁者生滅為二法本不生今
則无滅得此无生法忍是為入不二法
德守菩薩曰我我所為二因有我故便有我
所若无有我則无我所是為入不二法門
不眴菩薩曰受不受為二若法不受則不可
得以不可得故无取无捨无作无行是為入不
二法門
德頂菩薩曰垢淨為二見垢實性則无淨
相順於滅相是為入不二法門
善宿菩薩曰是動是念為二不動則无念无
念則无分別通達此者是為入不二法門
善眼菩薩曰一相无相為二若知一相即是无
相亦不取无相入於平等是為入不二法門
妙臂菩薩曰菩薩心聲聞心為二觀心相空

善眼菩薩曰一相无相為二若知一相即是无
相亦不取无相入於平等是為入不二法門
妙臂菩薩曰菩薩心聲聞心為二觀心相空
如幻化者无菩薩心无聲聞心是為入不二法門
弗沙菩薩曰善不善為二若不起善不善
入无相際而通達者是為入不二法門
師子吼菩薩曰罪福為二若達罪性則与福
无異以金剛慧決了此相无縛无解者是為入
不二法門
師子意菩薩曰有漏无漏為二若得諸法等則
不起漏不漏想不著於相亦不住无相入於平等是
為入不二法門
淨解菩薩曰有為无為為二若離一切數則心如
虛空以清淨慧无所礙者是為入不二法門
那羅延菩薩曰世間出世間為二世間性空即
是出世間於其中不入不出不溢不散是為入
不二法門
善意菩薩曰生死涅槃為二若見生死性則
无生死无縛无解不然不滅如是解者是為
入不二法門
現見菩薩曰盡不盡為二法若究竟盡若
不盡皆是无盡相无盡相即是空空則无有盡
不盡相如是入者是為入不二法門
普守菩薩曰我无我為二我尚不可得非我
何可得見我實性者不復起二是為入不二
法門

不盡皆是无盡相无盡相即是空即无有盡
不盡相如是入者是為入不二法門
普守菩薩曰我无我為二我尚不可得非我
何可得見我實性者不復起二是為入不二
法門
電天菩薩曰明无明為二无明實性即是明
明亦不可取離一切數於其中平等无二者是
為入不二法門
喜見菩薩曰色色空為二色即是空非色滅空
色性自空如是受想行識識空為二識即是
空非識滅空識性自空於其中而通達者是
為入不二法門
明相菩薩曰四種異空種異為二四種性即是
空種性如前際後際空故中際亦空若能如
是知諸種性者是為入不二法門
妙意菩薩曰眼色為二若知眼性於色不貪
不恚不癡是名寂滅如是耳聲鼻香舌味身觸意
法為二若知意性於法不貪不恚不癡是名
寂滅安住其中是為入不二法門
无盡意菩薩曰布施迴向一切智為二布施
性即是迴向一切智性如是持戒忍辱精進
禪定智慧迴向一切智為二智慧性即是迴
向一切智性於其中入一相者是為入不二法門
深慧菩薩曰是空是无相是无作為二空即
无相无相即无作若空无相无作則无心意識

BD01315號　維摩詰所說經卷中　（18-15）

性即是迴向一切智性如是持戒忍辱精進
禪定智慧迴向一切智為二智慧性即是迴
向一切智性於其中入一相者是為入不二法門
深慧菩薩曰是空是无相是无作為二空即
无相无相即无作若空无相无作則无心意識
於一解脫門即是三解脫門者是為入不二法門
寂根菩薩曰佛法衆為二佛即是法法即是
衆是三寶皆无為相与虛空等一切法亦尒能
隨此行者是為入不二法門
心无礙菩薩曰身身滅為二身即是身滅所以者
何見身實相者不起見身及見滅身身与滅
身身与滅身无二无分別於其中不驚不懼
者是為入不二法門
上善菩薩曰身口意善為二是三業皆无作
相身无作相即口无作相口无作相即意无作
相是三業无作相即一切法无作相能如是隨无
作慧者是為入不二法門
福田菩薩曰福行罪行不動行為二三行實
性即是空空則无福行无罪行无不動行於此
三行而不起者是為入不二法門
華嚴菩薩曰從我起二為二見我實相者不起
二法若不住二法則无有識无所識者是為入
不二法門
德藏菩薩曰有所得相為二若无所得則无
取捨无取捨者是為入不二法門
月上菩薩曰闇与明為二无闇无明

BD01315號　維摩詰所說經卷中　（18-16）

二法若不住二法則无有識无所識者是為入
不二法門
德藏菩薩曰有所得相為二若无所得則无
取捨无取捨者是為入不二法門
月上菩薩曰闇与明為二无闇无明則无有二
所以者何如入滅受想定无闇无明一切法相亦
復如是於其中平等入者是為入不二法門
寶印手菩薩曰樂涅槃不樂世間為二若不樂
涅槃不猒世間則无有二所以者何若有縛則有
解若本无縛其誰求解无縛无解無樂猒是為入
不二法門
珠頂王菩薩曰正道邪道為二住正道者則不
分別是邪是正離此二者是為入不二法門
樂實菩薩曰實不實為二實見者尚不見實
何況非實所以者何非肉眼所見慧眼乃能見而
此慧眼无見无不見是為入不二法門
如是諸菩薩各各說已問文殊師利何等是菩
薩入不二法門文殊師利曰如我意者於一切
法无言无說无示无識離諸問答是為入不
二法門於是文殊師利問維摩詰我等各自
說已仁者當說何等是菩薩入不二法門時
維摩詰默然无言文殊師利歎曰善哉善哉
乃至无有文字語言是真入不二法門
說是入不二法門時於此衆中五千菩薩皆
入不二法門得无生法忍

BD01315號　維摩詰所說經卷中　（18–17）

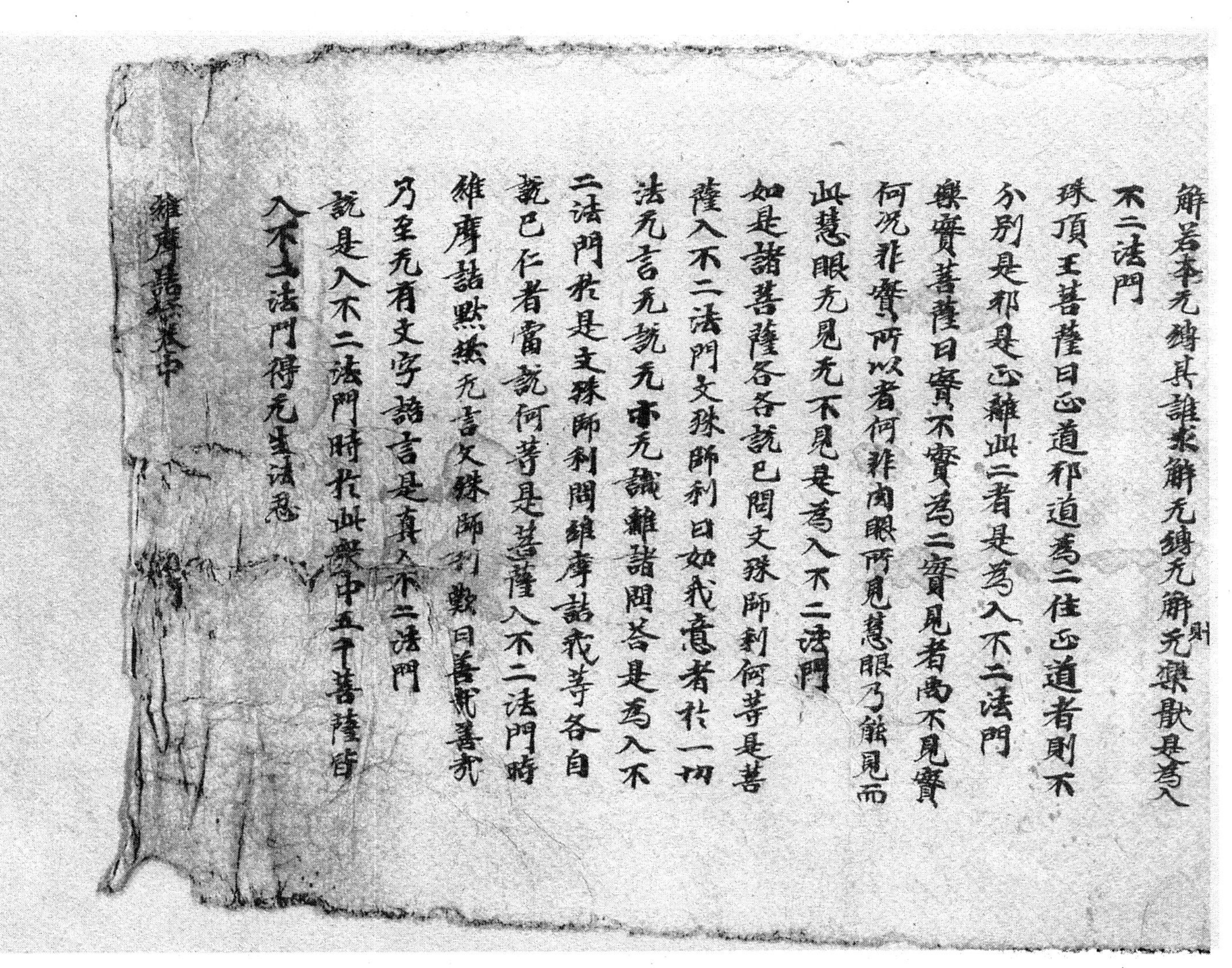
解若本无縛其誰求解无縛无解無樂猒是為入
不二法門
珠頂王菩薩曰正道邪道為二住正道者則不
分別是邪是正離此二者是為入不二法門
樂實菩薩曰實不實為二實見者尚不見實
何況非實所以者何非肉眼所見慧眼乃能見而
此慧眼无見无不見是為入不二法門
如是諸菩薩各各說已問文殊師利何等是菩
薩入不二法門文殊師利曰如我意者於一切
法无言无說无示无識離諸問答是為入不
二法門於是文殊師利問維摩詰我等各自
說已仁者當說何等是菩薩入不二法門時
維摩詰默然无言文殊師利歎曰善哉善哉
乃至无有文字語言是真入不二法門
說是入不二法門時於此衆中五千菩薩皆
入不二法門得无生法忍
維摩詰經卷中

BD01315號　維摩詰所說經卷中　（18–18）

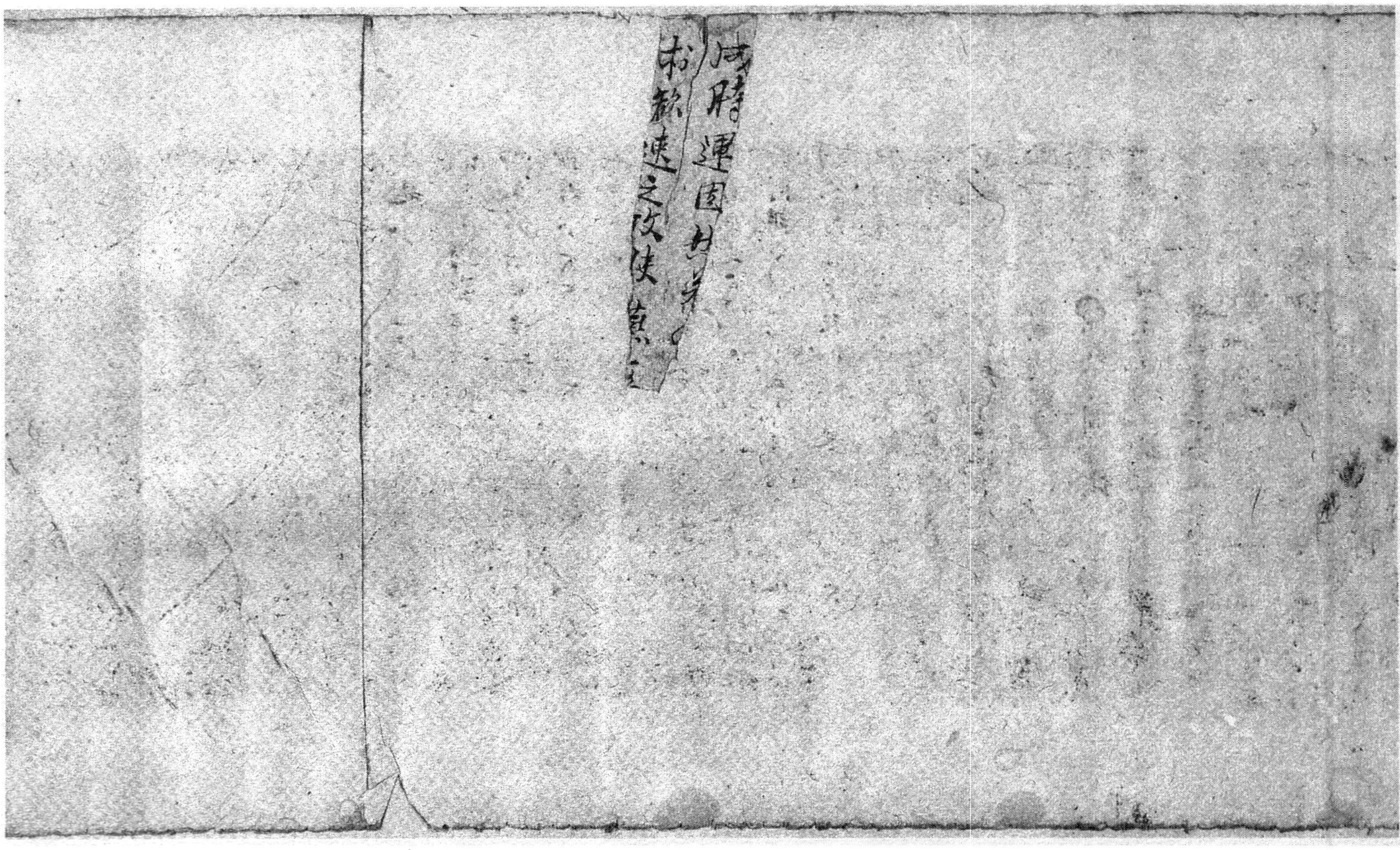

BD01315 號背　樂毅論　（1–1）

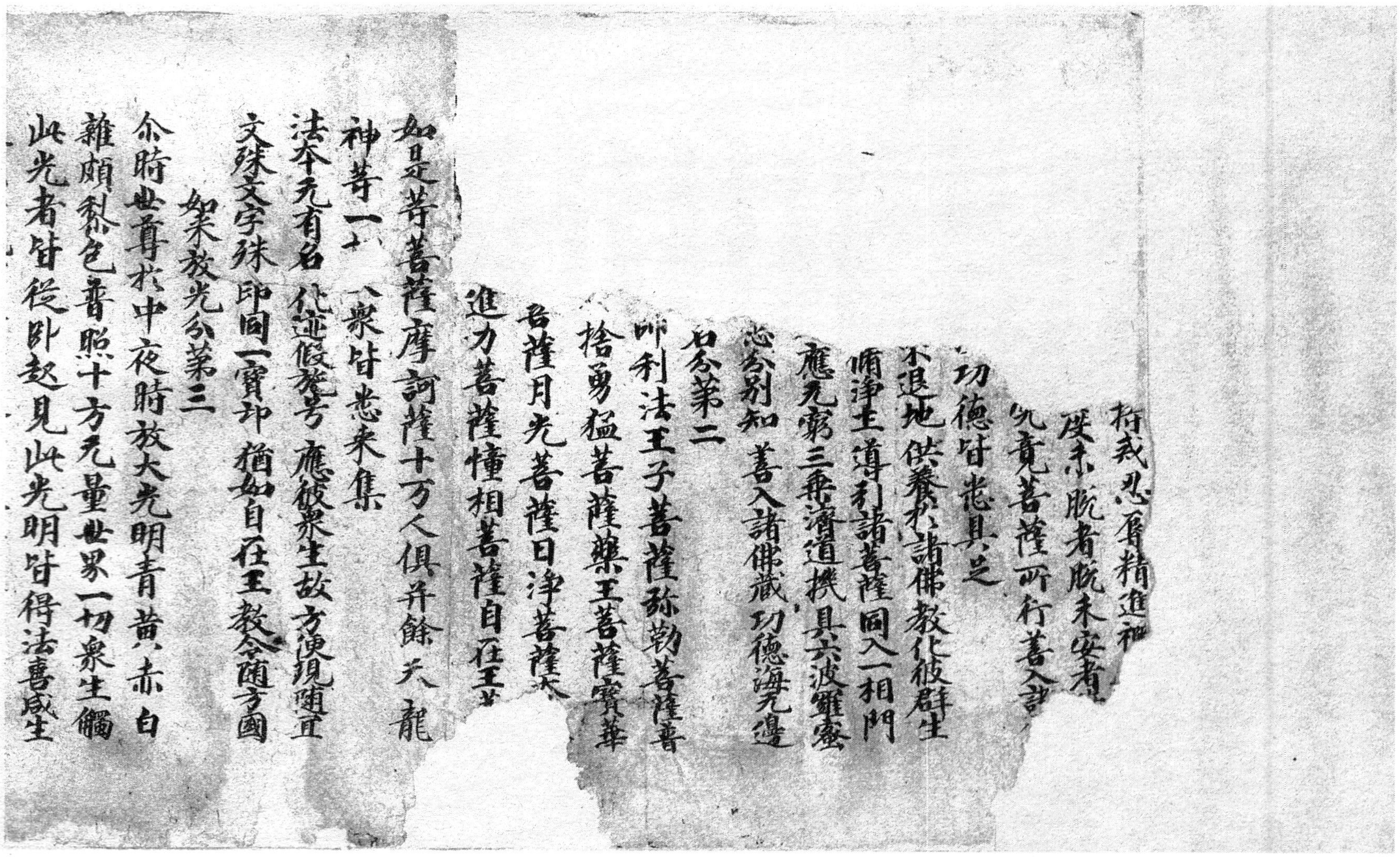

持戒忍辱精進禪
度未脫者脫未安者
究竟菩薩所行善入諸
功德皆悉具足
不退地供養於諸佛教化彼群生
循淨土導利諸菩薩同入一相門
應无窮三乘濟道攝具六波羅蜜
悉分別知　善入諸佛藏功德海无邊
名分第二
師利法王子菩薩彌勒菩薩普
捨勇猛菩薩藥王菩薩寶華
名菩薩月光菩薩日淨菩薩大
進力菩薩幢相菩薩自在王菩
如是等菩薩摩訶薩十万人俱并餘天龍
神等一十八衆皆悉來集
法本无有名　化迹假發號　應彼衆生故　方便現隨宜
文殊文字殊　印同一寶印　猶如自在王　教令隨方國
如來放光分第三
尒時世尊於中夜時放大光明青黃赤白
雜頗梨色普照十方无量世界一切衆生觸
此光者皆從卧起見此光明皆得法喜咸生

BD01316 號　文殊師利所說般若波羅蜜經（異本）　（22–1）

法本无有名[illegible]
文殊文字殊印同一寶印 猶如自在王教令隨方國
如来放光分第三
尒時世尊於中夜時放大光明青黄赤白
雜頗梨色普照十方无量世界一切衆生觸
此光者皆從卧起見此光明皆得法喜咸生
疑惑此光何来普遍世界令諸衆生得安
隱樂作是念已於一一光復出大光明耀殊
特勝於前光如是展轉乃至十重一切菩薩及
諸比丘比丘尼優婆塞優婆夷天龍夜叉乾
闥婆阿脩羅迦樓羅緊那羅摩睺羅伽人非
人等咸皆踊躍得未曾有各各思念必是如
来放此光明我等應當疾至佛所礼拜親
敬恭敬如来
佛於中夜時 放大召慈光 五色加十重 明耀甚奇特
普遍无量衆 被觸諸群生 八部及四衆 咸遇光歡喜
大衆雲集分第四
是時文殊師利及諸菩薩摩訶薩衆遇此
光者歡喜踊躍充遍身心各從住處到祇洹
門尒時舍利弗大目揵連富樓那弥多羅尼
子摩訶迦葉摩訶迦旃延摩訶拘絺羅皆從
住處到祇洹門帝釋四天王上至阿迦膩吒
天亦覩光明嘆未曾有與其眷屬賫妙天
華天香天樂天寶衣一切皆悉到祇洹門其
餘比丘比丘尼優婆塞優婆夷天龍八部遇
光歡喜皆来到門

BD01316號　文殊師利所說般若波羅蜜經（異本）　（22–2）

天亦覩光明嘆未曾有與其眷屬賫妙天
華天香天樂天寶衣一切皆悉到祇洹門其
餘比丘比丘尼優婆塞優婆夷天龍八部遇
光歡喜皆来到門
彼時一切衆 菩薩及聲聞 帝釋四天王 有頂諸眷屬
各賫其供養 来至祇洹門 四衆及天龍 一切皆雲集
佛問来意分第五
尒時世尊一切種智知諸大衆悉已在門從
住處起出至門外自鋪法座結跏趺坐告舍
利弗汝今晨朝来門外乎舍利弗白佛言世
尊文殊師利等菩薩摩訶薩皆悉先至尒時
世尊告文殊師利汝於晨朝先至門乎文殊
師利白佛言如是世尊我於中夜見大光明
十重照曜得未曾有心懷歡喜踊躍得未曾
有心懷歡喜踊躍无量故来礼拜親近如来
并欲頓聞甘露妙法
佛以真淨智 圓照境分明 知諸大衆来 即從禪定出
因告舍利弗 次復命文殊 皆云中夜光 蒙照故来此
文殊實見分第六
尒時世尊告文殊師利汝今真實見如来乎
文殊師利白佛言世尊如来法身本不可見
我為衆生故来見佛佛法身者不可思議无
相无形无来无去非有非无非見非不見如
如實際不来不去非有非无非處非非處非
一非二非淨非垢不生不滅我見如来亦復如
是佛告文殊師利汝今如是見如来乎文

BD01316號　文殊師利所說般若波羅蜜經（異本）　（22–3）

我為衆生故來見佛佛法身者不可思議无
相无形无來无去非有非无非見非不見如
如實際不來不去非有非无非處非非處非
一非二非淨非垢不生不滅我見如來亦復如
如是佛告文殊師利汝今如是見如來乎文
殊師利白佛言世尊我實无見亦无見相
諸佛漢境界非彼識能知如來問文殊 汝今何所見
文殊法王子久已了真由 能對如來前 決定師子吼
說法身微妙 實不可思議 非彼有无形 亦非生滅見
能觀及所觀 心境非一異 為化衆生故 假說如是言
乃至真實見 中亦无所依 寂滅體如如 故言无見相

身子決疑分第七

尒時舍利弗白文殊師利言我今不解汝之所
說云何如是見於如來文殊師利荅舍利弗
大德舍利弗不如是見於如來舍利弗白文
殊師利如汝所說轉不可解文殊師利荅舍
利弗不可解者即般若波羅蜜般若波
羅蜜非是可解非不可解舍利弗白文殊師利
汝於衆生起慈悲心不汝為衆生行六波羅
蜜不復為衆生入涅槃不文殊師利荅舍利弗
如汝所說我為衆生起慈悲心行六波羅蜜
入於涅槃而衆生實不可得无相无形不增
不減舍利弗汝常作是念一一世界有恒河
沙等諸佛住世恒河沙劫說一一法教化度
脫恒河沙衆生一一衆生皆得滅度汝有
如是念不舍利弗言文殊師利我常作是念

BD01316號　文殊師利所說般若波羅蜜經（異本）　（22-4）

不減舍利弗汝常作是念一一世界有恒河
沙等諸佛住世恒河沙劫說一一法教化度
脫恒河沙衆生一一衆生皆得滅度汝有
如是念不舍利弗言文殊師利我常作是念
文殊師利荅舍利弗如虛空无數衆生亦无
數虛空不可度衆生亦不可度何以故一切衆
生與虛空等故云何諸佛教化衆生舍利弗
白文殊師利若一切衆生與虛空等汝何故
為衆生說法令得菩提文殊師利荅舍利弗
菩提者實不可得我當說法何使衆生得
乎何以故舍利弗菩提與衆生不一不二无異
无為无名无相實无所有
文殊說法身真實非无有 身子復生疑於義未能了
云何无所見 名曰見如來 文殊泯亦談 般若无能解
非但佛體空 衆生不可得 法界无增減 猶如彼太虛
離數及无數 非彼劫恒沙 生滅至涅槃 妄有非真實
菩提與衆生 究竟非一異 名相不可得 理實无所存

光明灌頂分第八

尒時世尊出大人相肉髻光明殊特希有不可
稱說入文殊師利菩薩摩訶薩頂還從頂
出普照大衆照大衆已乃遍十方一切世界
是時大衆觸此光明身心快樂得未曾有皆
從坐起瞻仰世尊及文殊師利咸作是念今
日如來放此奇特微妙光明入文殊師利法王
子頂還從頂出普照大衆照大衆已乃遍十
方非无因緣必說妙法我等但當勤脩精進

BD01316號　文殊師利所說般若波羅蜜經（異本）　（22-5）

從坐起瞻仰世尊及文殊師利咸作是念今
日如來放此奇特微妙光明入文殊師利法王
子頂還從頂出普照大衆照大衆已乃遍十
方非无因緣必說妙法我等但當勤脩精進
樂如說行作是念已各白佛言世尊如來今
日放此光明非无因緣必說妙法我等渴仰
願樂欲聞如是白已默然而住
當說彼法已決斷身子疑　如來放妙光　入灌文殊頂
還從其頂出　普照諸大衆　以次遍十方　一切皆安樂
付囑法王子　非无大因緣　時衆渴仰思　必當說妙法
斯皆共議審　發意東尊精　一心願樂聞　虛沖默然住

神力加說分第九

尒時文殊師利白佛言世尊如來光放加我神
力此光希有非色非相不去不來不動不轉
非見非聞非覺非知一切衆生无所覩見无喜
无畏无所分別我當承佛聖旨說此光明令諸
衆生入无相慧
如來大慈悲　灌頂加神力　文殊以巧智　善說寂滅光
非色相去來　无能見分別　普欲令衆生　同入无相慧

光智不二分第十

尒時佛告文殊師利善哉善哉汝快說吾助
汝喜文殊師利菩薩白佛言世尊此光明者
是般若波羅蜜般若波羅蜜者是如來如
來者是一切衆世尊我如是脩般若波羅蜜
般若即光明　光明即般若　光智佛衆生　本來同一義
如是甚深法　非妄識能知　文殊對佛前　敢作如實說

是般若波羅蜜般若波羅蜜者是如來如
來者是一切衆世尊我如是脩般若波羅蜜
般若即光明　光明即般若　光智佛衆生　本來同一義
如是甚深法　非妄識能知　文殊對佛前　敢作如實說

法界平等分第十一

尒時佛告文殊師利言善男子汝今說深般
若波羅蜜我今問汝若有人問汝有幾衆生
界汝云何荅文殊師利白佛言世尊若人作
如是問我當荅言衆生界數如如來界佛告
文殊師利若人問汝衆生界廣狹云何汝云何
荅世尊若如是問我當荅言如佛界廣狹
文殊師利若復問汝一切衆生繫在何界當云
何荅世尊我當荅言如如來繫衆生亦尒文殊
師利若復問汝衆生界住在何處當云何荅世
尊我當荅言涅槃界
平等真法性　凡佛體无殊　數量及廣狹　邊際不可得
无根无所繫　一一等虛空　如來與衆生　同住涅槃界

无脩无學分第十二

佛告文殊師利汝如是脩般若波羅蜜般若波
羅蜜有住處不文殊師利白佛言世尊般若
波羅蜜无有住處佛告文殊師利若般若
波羅蜜无住處者汝云何脩汝云何學文殊師
利白佛言世尊若般若波羅蜜有住處者
我无所脩我无所學
般若真實智　離妄非識心　有住即非脩　真脩即无住

利白佛言世尊若般若波羅蜜有住處者
我无所脩我无所學
般若真實智離妄非識心 有住即非脩真脩即无住
不增不減分第十三
佛告文殊師利汝脩學般若時有善根增減
不文殊師利白佛言世尊无有善根可增減
若有增減則非脩般若波羅蜜世尊不為法
增不為法減是脩般若波羅蜜不斷凡夫法
不取如來法是脩般若波羅蜜何以故世尊般
若波羅蜜不為得法故脩不為脩法故脩不為
不脩法故脩世尊无得无捨是脩般若波羅
蜜何以故不為生死過患不為涅槃功德故若
如是脩般若波羅蜜不取不受不捨不放不增
不減不起不滅故世尊若善男子善女人作是
思惟此法上此法中此法下非脩般若波羅
蜜何以故世尊无上中下法故世尊我如是
是脩般若波羅蜜
於彼實相中善根无增減 不斷凡所有 非取證殊別
无得无所脩 本來常寂滅 生死與涅槃 於中无取捨
乃至微細法 離覺不思維 三乘及佛乘 无有上中下
一切法空分第十四
佛告文殊師利一切佛法非增上耶文殊師利
白佛言世尊佛法菩薩法聲聞法緣覺法乃
至凡夫法皆不可得何以故畢竟空故畢竟空
中无佛法凡夫法佛法凡夫法中无畢竟空何以
故空不可得故佛告文殊師利佛法无上文殊

白佛言世尊佛法菩薩法聲聞法緣覺法乃
至凡夫法皆不可得何以故畢竟空故畢竟空
中无佛法凡夫法佛法凡夫法中无畢竟空何以
故空不可得故佛告文殊師利佛法无上文殊
師利佛法无上文殊師利白佛言世尊无有
一法如微塵許名為无上何以故檀波羅蜜檀
波羅蜜乃至般若波羅蜜般若波羅蜜空十
力十力空四无所畏十八不共法乃至薩婆若
薩婆若空空中无无上中无空空不空畢
竟不可得故世尊不可思議法是般若波羅
蜜佛告文殊師利汝不思惟佛法耶文殊師
利白佛言世尊我若思惟佛法我則見佛
法无上何以故无生死故世尊五陰十二入十
八界畢竟不可得一切佛法亦畢竟不可得
不可得中无可得故世尊般若波羅蜜中
凡夫乃至佛无法无非法我當思惟何等法
乎佛言善男子若无思惟汝不應說此凡夫
法此緣覺法乃至不應說此是佛法何以故
不可得故世尊我實不說凡夫法乃至佛法
何以故不脩般若波羅蜜故佛言善男子汝
亦不應作如是意此欲界此色界此无色界
何以故不可得故世尊欲界欲界性空乃至无
色界无色界性空空中无說我亦无說世
尊脩般若波羅蜜不見上不見不上何以
故世尊脩般若波羅蜜不取佛法不捨凡夫
法何以故畢竟空中无取捨故

色界无色界性空空中无説我亦无説世
尊脩般若波羅蜜不見上不見不上何以
故世尊脩般若波羅蜜不取佛法不捨凡夫
法何以故畢竟空中无取捨故
佛法非增上 彼空无對處 三乘不可得 平等義无差
六度性皆空 佛德亦如是 乃至一切智 究竟无有崖
不可思議法 是名真般若 離彼内思惟 法本无生滅
五陰十二入 三六界常空 妙覺無佛乘 斯皆不可得
若心行處滅 真實无所脩 三界内外空 於中无取捨

佛讃如説分第十五

尒時佛告文殊師利善哉善哉文殊師利汝
能如是説般若波羅蜜此是菩薩摩訶薩即
文殊師利若善男子善女人非於千佛所深種
善根乃得聞此深般若波羅蜜不怖畏
佛讃法王子 善説如實印 有聞无憲者 宿善乃能知

了无所得分第十六

文殊師利白佛言世尊我當承佛威神更説
甚深般若波羅蜜佛告文殊師利善哉善哉
恣聽汝説文殊師利白佛言世尊若不得法若
是脩般若波羅蜜何以故諸法无有性故若不
得法住是脩般若波羅蜜何以故諸法如實
故若不得法滅是脩般若波羅蜜何以故諸
法寂滅故世尊若不得色是脩般若波羅
蜜乃至不得識是脩般若波羅蜜何以故一
切諸法如幻如炎故世尊若不得眼是脩般若
波羅蜜乃至不得意是脩般若波羅蜜若

BD01316號　文殊師利所説般若波羅蜜經（異本）　（22–10）

切諸法如幻如炎故世尊若不得眼是脩般若
波羅蜜乃至不得意是脩般若波羅蜜若
若不得色乃至不得法若不得眼界色界眼
識界乃至不得意界法界意識界是脩般若
波羅蜜若不得欲界是脩般若波羅蜜乃至
无色界亦如是世尊若不得檀波羅蜜是脩
般若波羅蜜乃至不得般若波羅蜜是脩
般若波羅蜜若不得佛十力四无所畏是脩
般若波羅蜜乃至不得十八不共法是脩般若
波羅蜜何以故内空故乃至无法有法空故
世尊若得生住滅非脩般若波羅蜜若得五
陰十二入十八界非脩般若波羅蜜若得欲界
色无色界非脩般若波羅蜜若得檀波羅蜜
乃至般若波羅蜜若得佛十力乃至十八不共
法非脩般若波羅蜜何以故有得故世尊
若善男子善女人聞此深般若波羅蜜不驚
不疑不怖不退當知是人久於先佛深種善根
甚深微妙法 實非生住滅 色心如幻炎 十八界虛空
六度至佛能 真實不可得 无法及有法 内外亦皆然
若得即非真 遠離如實即 若知无所得 與般若相應
有人聞此法 决定不驚疑 必於无量佛 宿種諸善根

體離諸見分第十七

文殊師利復白佛言世尊若不見垢法不見
淨法不見生死果不見涅槃果不見佛不見
菩薩不見緣覺不見聲聞不見凡夫是脩般
若波羅蜜何以故一切諸法无垢无淨乃至

BD01316號　文殊師利所説般若波羅蜜經（異本）　（22–11）

淨法不見生死果不見涅槃果不見佛不見
菩薩不見緣覺不見聲聞不見凡夫是脩般
若波羅蜜何以故一切諸法无垢无淨乃至
无凡夫故若見垢淨乃至見凡夫非脩般若
波羅蜜世尊若見垢法差别若見淨法差
别乃至若見佛差别凡夫差别非脩般若波
羅蜜何以故般若波羅蜜无差别故
般若體真空 空中无所見 垢淨不可得 生死涅槃如
三乘及凡夫 究竟无差别 明了真淨智 一切見不生
如幻化人分第十八
佛告文殊師利善哉善哉是真脩行般若
波羅蜜文殊師利汝云何供養佛文殊師利白
佛言世尊若幻人心數滅我則供養佛佛告文
殊師利汝不住佛法耶文殊師利白佛言世
利白佛言世尊无有有佛法者
幻人體无實 心數亦如是 文殊與世尊 師弟无有異
以佛无所住 文殊亦无住 以无所住故 无有有法人
法无名字分第十九
佛告文殊師利汝今已到无所著乎文殊利
師白佛言世尊无著則无到云何世尊問我
汝今已到无著乎佛告文殊師汝住菩提
不文殊師利白佛言世尊佛尚不住菩提何
況我當住菩提乎佛告文殊師利汝何所依
作如是說文殊師利白佛言世尊我无依作
如是說佛告文殊師利汝若无依為何所說
文殊師利白佛言如是世尊我无所說何以
故諸法无名字故
文殊種種說 屬在无所著 至到及菩提 斯皆不可住

如是說佛告文殊師利汝若无依為何所說
文殊師利白佛言如是世尊我无所說何以
故諸法无名字故
文殊種種說 屬在无所著 至到及菩提 斯皆不可住
若人隨語轉 即失理真實 心空无所依 知法離名字
衆聞信成分第二十
尒時長老舍利弗白佛言世尊若菩薩摩訶
薩聞此深般若波羅蜜不驚疑怖畏必當得
近阿耨多羅三藐三菩提不尒時弥勒菩薩
摩訶薩白佛言世尊若諸菩薩摩訶薩聞此
深般若波羅蜜不驚疑怖畏得近阿耨多羅
三藐三菩提不尒時有天女名无緣白佛言世
尊若有善男子善女人聞此深般若波羅
蜜不驚疑怖畏當得聲聞緣覺法菩
薩法佛法不
真實般若義 无我亦无行 大衆咸請疑 聞思何所益
佛答得道分第二十一
尒時佛告舍利弗如是如是舍利弗若菩薩摩
訶薩聞此深般若波羅蜜不驚疑怖畏必
定當得阿耨多羅三藐三菩提是善男子善
女人當為大施主第一施主勝施主无等施主
當具足戒忍精進禪定智慧當具諸功德成
就相好自不怖畏令人不怖畏究竟般若波
羅蜜以不可得无相无為第一真實不可思
議法故
其有大菩薩 會聞如是經 決定不生疑 必成无上道
彼善男女等 當為大施主 第一勝无比 具足六波羅
[illegible]

誠[illegible]故
其有大菩薩會聞如是經 決定不生疑 必成无上道
彼善男女等 當爲大施主 第一勝无比 具足六波羅
功德力莊嚴 相好皆成就 自他无怖畏 究竟度衆生
以无所得心 通達第一義 能超於彼岸 了解不思議
真實不求分第二十二
佛告文殊師利汝何所見何所樂求阿耨多
羅三藐三菩提 文殊師利白佛言世尊我无
見无樂故求阿耨多羅三藐三菩提 佛言文
殊師利若无見无樂亦應无求 文殊師利白
佛言世尊我實无求何以故若有求者是凡
夫相 佛告文殊師利汝今真實求阿耨多羅
三藐三菩提耶 文殊師利白佛言世尊我真
實不求阿耨多羅三藐三菩提何以故求菩
提者是凡夫相 佛告文殊師利汝爲定求爲
定求不 文殊師利白佛言世尊若言定求定
不求定求不定求非求非不求是凡夫相何
以故菩提无住處故
第一義空中 无見无所樂 以見樂故 寂滅歸正真
菩提无住處 非彼四心求 若生求不求 即是凡夫相
无見无證分第二十三
佛告文殊師利善哉善哉文殊師利汝能如
是說般若波羅蜜汝先已於无量佛所深種
善根久脩梵行諸菩薩摩訶薩樂深法者
應當如汝所說學如汝所說行文殊師利白佛
言世尊我不於无量佛所深種善根不久脩
梵行何以故我若種善根則一切衆生亦種

BD01316號　文殊師利所說般若波羅蜜經（異本）　（22–14）

應當如汝所說學如汝所說行文殊師利白佛
言世尊我不於无量佛所深種善根不久脩
梵行何以故我若種善根則一切衆生亦種
善根我若脩梵行則一切衆生亦脩梵行何
以故一切衆生即梵行相 佛告文殊師利汝
何見何證說如是語 文殊師利白佛言世尊
我不見凡夫不見學不見无學不見非學非
无學不見故不證
佛歎法王子 善說甚深義 已於无量佛 淨脩真梵行
勸請菩薩等 當依此法學 文殊以實觀 泯亦通玄說
以彼一相門 混同於衆生 若我種善根 一切亦如是
所以作斯說 平等畢竟同 无別見證知 本際常无二
非語相應分第二十四
尒時舍利弗白文殊師利汝見佛不 文殊師
利荅舍利弗我尚不見聲聞人何況當見佛
舍利弗以不見諸法謂爲菩薩 舍利弗白
文殊師利汝今決定不見諸法耶 文殊師利
荅舍利弗大德比丘汝心不須復說 舍利弗
白文殊師利言謂爲佛者是誰語言 文殊師
利荅舍利弗佛非佛不可得无有言者无有
說者舍利弗菩提者不可以言說何況有佛
可言可說復次大德舍利弗汝說佛者誰有
此語言此語言不合不散不生不滅不來不
去无有一法可與相應无字无句大德舍利
弗欲見佛者當如是學
一切法假名 畢竟无所有 佛凡不可得 亦无有語言
言亦不生滅 无語法相應 非字非句聲 理當如是學

BD01316號　文殊師利所說般若波羅蜜經（異本）　（22–15）

此語言此語言不合不散不生不滅不來不
去无有一法可與相應无字无句大德舍利
弗欲見佛者當如是學
一切法假名　畢竟无所有佛凡不可得　亦无有語言
言亦不生滅无語法相應　非字非句聲　理當如是學

離覺所學分第二十五

尒時舍利弗白佛言世尊此文殊師利所說
新發意菩薩所不能解文殊師白舍利弗
如是如是大德舍利弗菩提非可解新發
意者云何當解舍利弗白文殊師利諸佛
如來不覺法界耶文殊師利荅舍利弗諸佛不
可得云何有佛而覺法界舍利弗法界不可得
云何當有法界為諸佛所覺舍利弗法界者
即是菩提菩提者即是法界何以故諸法无
界故諸法无界大德舍利弗法界佛境界无
有差別者即是无作无作者即是无為无為
者即是无說无說者即无所有舍利弗白文
殊師利言一切法界及佛境界悉无所有耶
文殊師利荅舍利弗无有无不有何以故有
及不有一相无相无一无二故
般若離戍心无能解所解　諸佛不可得　亦非境覺知
法界即菩提佛境无差別　非作非所作　寂滅性无為

般若體空分第二十六

舍利弗白文殊師利言如是學者當得菩提
耶文殊師利荅舍利弗如是學无所學不生
善道不墮惡趣不得菩提不入泥洹何以故大
德舍利弗般若波羅蜜畢竟空故畢竟空

舍利弗白文殊師利言如是學者當得菩提
耶文殊師利荅舍利弗如是學无所學不生
善道不墮惡趣不得菩提不入泥洹何以故大
德舍利弗般若波羅蜜畢竟空故畢竟空
中无一无二无三无四无有去來不可思議大
德舍利弗若言我得菩提是增上慢說何
以故无得謂得故如是增上慢人不堪受人
信施有信人不應供養舍利弗白文殊師利
汝何所依作如是說文殊師利荅舍利弗我
无所依作如是說何以故般若波羅蜜與諸
法等故諸法无所依以平等故舍利弗言文
殊師利汝不以智慧除斷煩惱耶文殊師利
荅舍利弗汝是漏盡阿羅漢不舍利弗言不
也文殊師利言我亦不以智慧除斷煩惱舍
利弗言汝何所依作如是說不怖不畏文殊
師利言我尚不可得當有何我而生怖畏
舍利弗言善哉文殊師利快入甚深般若波
羅蜜
如是學无學　一切不希望　於中能了知　趣至不生隨
菩提无入得　般若體常空　一異及去來　空中本无際
若人有所得　即是增上慢　彼諸信施人　不應隨供養
若能无依作　通達性平等　煩惱與菩提　智斷法无二
真空本自空　彼我无无我　境智不生心　於中何所畏

无住无得分第二十七

尒時世尊告文殊師利言善男子有菩薩
摩訶薩住菩提心求无上菩提不文殊師利白

无住无得分第二十七
尒時世尊告文殊師利言善男子有菩薩
摩訶薩住菩提心求无上菩提不文殊師利白
佛言世尊无菩薩住菩提心求无上菩提何
以故菩提心不可得无上菩提亦不可得五
无間罪是菩提性无有菩薩起无間罪心
求无間罪果云何有菩薩住菩提心求无上
菩提者是一切諸法何以故色非色不可得故
乃至識非識亦不可得眼非眼不可得乃至
意非意亦不可得色非色不可得乃至法非
法亦不可得眼界非眼界不可得乃至法界
非法界亦不可得生非生不可得乃至老死
非老死亦不可得檀波羅蜜非檀波羅蜜
不可得乃至般若波羅蜜非般若波羅蜜亦
不可得佛十力非十力不可得乃至十八不共
法非十八不共法亦不可得菩提心非菩提
心无上菩提非无上菩提皆不可得不可得
中无可得无不可得是故世尊无菩薩住
菩提心求无上菩提者
真實菩提因　无求无住得　但諸大菩薩　終无五逆心
以此表證知　至理无行相　五蔭十八界　本際不可得
法界非法界　乃至生老死　六度及佛能　斯皆无所有
一切諸道心　无上非无上　可得不可得　本来无所住
難信難解分第二十八
佛告文殊師利汝意謂如来是汝師不文殊
師利白佛言我无有意謂佛是我師何以
故世尊我尚不可得何况當有意謂佛是我

BD01316號　文殊師利所說般若波羅蜜經（異本）　（22–18）

一切諸道心　无上非无上　可得不可得　本来无所住
難信難解分第二十八
佛告文殊師利汝意謂如来是汝師不文殊
師利白佛言我无有意謂佛是我師何以
故世尊我尚不可得何况當有意謂佛是我
師佛告文殊師利汝於我有疑不文殊師利
白佛言世尊我尚无決定云何當有疑何以故
先定後疑故佛告文殊師利汝不定言如来
生耶文殊師利白佛言世尊如来若生法界
亦應生何以故法界如来一相无二相二相不
可得故文殊師利汝言恒沙諸佛入涅槃
不文殊師利白佛言世尊一切諸佛即涅槃
相涅槃相者无入无不入佛告文殊師利汝
言諸佛如来有流轉不文殊師利白佛言世
尊不流轉尚不可得何况流轉當可得佛告文
殊師利唯如来前可說此語或漏盡向羅漢
及不退菩薩前可說此語若餘人聞此語
必不生信當起驚疑何以故此甚深般若波羅
蜜難信難解故
於實相觀中　心境俱无際　文殊何有意　謂佛是我師
以知如理故　決定无疑慮　諸佛不生入　與彼法界同
流轉不流轉　一相俱无相　不流尚不得　何况當有流
此說義甚深　餘人難信解　唯有佛菩薩　及漏盡能知
一相无相分第二十九
文殊師利白佛言世尊復何等人能信此甚
深般若波羅蜜佛告文殊師利一切凡夫能

BD01316號　文殊師利所說般若波羅蜜經（異本）　（22–19）

[illegible]
此說義甚深 餘人難信解 唯有佛菩薩 及徧盡能知
一相无相分第二十九
文殊師利白佛言世尊復何等人能信此甚
深般若波羅蜜佛告文殊師利一切凡夫能
信此甚深般若波羅蜜何以故如来无心一
切凡夫亦无心故文殊師利白佛言世尊何
故作如是說法新發意菩薩人向羅漢咸皆
有疑願聞解說佛告文殊師利如實相法性
法住位中有佛有凡夫差別不文殊師利白
佛言不也世尊佛告文殊若无差別何故生
疑文殊師利白佛言世尊〻〻无別中有佛有凡
夫不佛言有何以故佛與凡夫无二无差別
一相无相故
文殊問世尊 誰能信是法 佛荅彼凡夫 於中能起信
以如来无心 凡夫亦復然 彼此无異故 乃說如是言
大衆同有疑 願佛為解說 世尊如理荅 實相本无著
法性去亦[illegible] 凡佛同无異 [illegible]同於一相 究竟无有別
最勝福田分第三十
佛告文殊師利汝信如来於一切衆生中最勝
不文殊師利白佛言世尊我信如来於一切
衆生中最勝世尊若我信如来於一切衆
生中最勝則如来成不最勝佛告文殊師利
汝信如来成就一切不可思議法不文殊師利
白佛言世尊我信如来成就一切不可思議法
世尊我若信如来成就一切不可思議法如来
則成可思議佛告文殊師利汝信一切聲
聞是如来所教化不世尊我信一切聲聞

汝信如来成就一切不可思議法不文殊師利
白佛言世尊我信如来成就一切不可思議法
世尊我若信如来成就一切不可思議法如来
則成可思議佛告文殊師利汝信一切聲
聞是如来所教化不世尊我信一切聲聞
是如来所教化世尊我若信一切聲聞是如
来所教化則法界成可教化佛告文殊師利
汝信如来是无上福田不世尊我信如来是无
上福田世尊我若信如来是无上福田如来
則非福田佛告文殊師利汝依何法作如是
荅我文殊師利白佛言世尊我无所依作如是
是荅世尊无所依中无勝无不勝无可思議
无不可思議无教化无不教化无福田无非福田
如来問意深 文殊荅微妙 知佛无二心 故明成最勝
如来真福田 實相亦无異 於彼法性中 究竟非差別
乃至不思議 義如前可釋 佛无所教化 以彼法界空
文殊无所依 具荅世尊意 勝田及化田 寂滅離言說
人天獲益分第三十一
尒時以佛神力大地六種震動一万六千比
丘衆以无可取心得解脫七百比丘尼衆三
千優婆塞衆四万優婆夷衆遠塵離垢得法
淨六億那由他諸天遠塵離垢得法眼淨
聞荅義甚深 微妙不可測 以佛威神力 六種震天地
四衆聞見已 皆遠離塵垢 无量諸天人 咸得法眼淨
歡喜問緣分第三十二
是時長老阿難即從座起偏袒右肩右膝著
地合掌白佛言世尊何因何緣此地大動尒

四衆聞見已 皆遠離塵垢 无量諸人 咸得法眼淨
歎喜問緣分第三十二
是時長老阿難即從座起偏袒右肩右膝著
地合掌白佛言世尊何因何緣此地大動尒
時佛告阿難此處今說甚深般若波羅蜜故
往古諸佛皆於此處說此甚深般若波羅蜜
以是因緣故此大地六種震動
歎喜問曰 緣地動有何應 如來正遍知 前後皆明照
爲今說般若 往昔亦同然 地動及益人 緣聽故如此
不思議定分第三十三
尒時長老舍利弗白佛言世尊此文殊師利
所說不可思議尒時世尊告文殊師利如是
文殊師利如舍利弗所說此文殊師利所說
不可思議尒時文殊師利白佛言世尊若不
可思議則不可說若可說則可思議不可思
議者无所有彼一切聲亦不可思議不可思
議者无聲佛告文殊師利汝入不可思議定
不文殊師利白佛言不也世尊若我入不可
思議定者我則成可思議世心无心我云何
當入不可思議定復次世尊我初發菩薩意
言我當入不可思議定世尊我於今日无此意
當入不可思議定世尊如初學射先作是
意我當射葉射葉成已復作是念我當射皮
射皮成已復作是念我當射不村木成已復

BD01316號 文殊師利所說般若波羅蜜經（異本） （22–22）

……聽受持
……无不皆除滅
護世四王…… ……大臣眷屬 无量諸藥叉 一心皆擁衛
大辯才天女 尼連河水神 訶利底母神 堅牢地神衆
梵王帝釋主 龍王緊那羅 及金翅鳥王 阿蘇羅天衆
如是天神等 并將其眷屬 皆來護是人 晝夜常不離
我當說是經 甚深佛行處 諸佛秘密教 千万劫難逢
若有聞是經 能爲他演說 若心生隨喜 或設於供養
如是諸人等 當於无量劫 常爲諸天人 龍神所恭敬
此福聚无量 數過於恒沙 讀誦是經者 當獲斯功德
亦爲十方尊 深行諸菩薩 擁護持經者 令離諸苦難
供養是經者 如前澡浴身 飲食及香花 恒起慈悲意
若欲聽是經 念心淨無垢 常生歡喜念 能長諸功德
若以尊重心 聽聞是經者 善生於人趣 遠離諸苦難
彼人善根熟 諸佛之所讚 方得聞是經 及以懺悔法
金光明最勝王經如來壽量品第二
尒時王舍大城有一菩薩摩訶薩名曰妙幢已
於過去無量俱胝那庾多百千佛所承事供
養殖諸善根是時妙幢菩薩獨於靜處
作是思惟以何因緣釋迦牟尼如來壽命短促
唯八十年復作是念如佛所說有二因緣得壽
命長云何爲二一者不害生命二者施他飲食

BD01317號 金光明最勝王經卷一 （6–1）

尒時王舍大城有一菩薩摩訶薩名曰妙幢已
於過去無量俱胝那庾多百千佛所承事供
養殖諸善根是時妙幢菩薩獨於靜處
作是思惟以何因緣釋迦牟尼如來壽命短促
唯八十年復作是念如佛所說有二因緣得壽
命長云何為二一者不害生命二者施他飲食
然釋迦牟尼如來曾於無量百千万億无數
大劫不害生命行十善道常以飲食惠施
一切飢餓衆生乃至已身血肉骨髓亦持施與
令得飽滿況餘飲食時彼菩薩於世尊所作
是念時以佛威力其室忽然廣博嚴淨帝
青琉璃種種衆寶雜彩間飾如佛淨土有妙
香氣過諸天香芬馥充滿於其四面各有上
妙師子之座四寶所成以天寶衣而敷其上
復於此座有妙蓮華種種珎寶以為嚴飾
量等如來自然顯現於蓮花上有四如來東方
不動南方寶相西方无量壽北天鼓音是四如
來各於其座跏趺而坐放大光明周遍照耀
王舍大城及此三千大千世界乃至十方恒
河沙等諸佛國土雨諸天花奏諸天樂尒時
於此贍部洲中及三千大千世界所有衆生
以佛威力受勝妙樂无有乏少若身不具
皆蒙具足盲者能視聾者得聞瘂者能言
愚者得智若心亂者得本心若衣无者得衣
服被惡賤者人所敬有垢穢者身清淨於此
世間所有利益未曾有事悉皆顯現

BD01317號　金光明最勝王經卷一　（6–2）

以佛威力受勝妙樂无有乏少若身不具
皆蒙具足盲者能視聾者得聞瘂者能言
愚者得智若心亂者得本心若衣无者得衣
服被惡賤者人所敬有垢穢者身清淨於此
世間所有利益未曾有事悉皆顯現
尒時妙幢菩薩見四如來及希有事歡喜
踊躍合掌一心瞻仰諸佛殊勝之相亦復思惟
釋迦牟尼如來無量功德唯於壽命生疑惑
心云何如來功德無量壽命短促唯八十年尒
時四佛告妙幢菩薩言善男子汝今不應
思忖如來壽命長短何以故善男子我等不
見諸天世間梵魔沙門婆羅門等人及非人
有能筭知佛之壽量知其齊限唯除无上正
遍知者時四如來欲說釋迦牟尼佛所有壽
量以佛威力欲色界天諸龍鬼神揵闥婆阿
蘇羅揭路荼緊那羅莫呼洛伽及无量百千億
那庾多菩薩摩訶薩悉來集會入妙幢菩薩
淨妙室中尒時四佛於大衆中欲顯釋迦牟尼
如來所有壽量而說頌曰

一切諸海水　可知其渧數　无有能數知　釋迦之壽量
指諸妙高山　如芥可知數　無有能數知　釋迦之壽量
一切大地土　可知其塵數　无有能筭知　釋迦之壽量
假使量虛空　可得盡邊際　无有能度知　釋迦之壽量
若人住億劫　盡力常筭數　亦復不能知　世尊之壽量
不害衆生命　及施於飲食　由斯二種因　得壽命長遠
是故大覺尊　壽命難知數　如劫无邊際　壽量亦如是

BD01317號　金光明最勝王經卷一　（6–3）

假使量虛空　可得盡邊際　无有能度知　釋迦之壽量
若人住億劫　盡力常筭數　亦復不能知　世尊之壽量
不害衆生命　及施於飲食　由斯二種因　得壽命長遠
是故大覺尊　壽命難知數　如劫无邊際　壽量亦如是
妙幢汝當知　不應起疑惑　最勝壽无量　莫能知數者
尒時妙幢菩薩聞四如來說釋迦牟尼佛壽
量無限白言世尊云何如來示現如是短促壽
量時四世尊告妙幢菩薩言善男子彼釋迦
牟尼佛於五濁世出現之時人壽百年稟
性下劣善根微薄復无信解此諸衆生多有
我見人見衆生壽者養育邪見我我所見斷
常見等為欲利益此諸異生及衆外道如是
等類令生正解速得成就无上菩提是故釋迦
牟尼如來示現如是短促壽命善男子然彼
如來欲令衆生見涅槃已生難遭想憂苦等
想於佛世尊所說經教速當受持讀誦通利
為人解說不生謗毀是故如來現斯短壽何
以故彼諸衆生若見如來不般涅槃不生恭
敬難遭之想如來所說甚深經典亦不受持
讀誦通利為人宣說所以者何以常見佛
不尊重故善男子譬如有人見其父母多有
財產珍寶豐盈便於財物不生希有難遭之
想所以者何於父財物生常想故善男子彼
諸衆生亦復如是若見如來不入涅槃不生
希有難遭之想所以者何由常見故善男子
譬如有人父母貧窮資財乏少然彼貧人或

BD01317號　金光明最勝王經卷一　（6–4）

想所以者何於父財物生常想故善男子彼
諸衆生亦復如是若見如來不入涅槃不生
希有難遭之想所以者何由常見故善男子
譬如有人父母貧窮資財乏少然彼貧人或
詣王家或大臣舍見其倉庫種種珍財悉皆
盈滿生希有心難遭之想時彼貧人為欲求
財廣設方便策勤无怠所以者何為捨貧窮
受安樂故善男子彼諸衆生亦復如是若見
如來入於涅槃生難遭想乃至憂苦等想復
作是念於无量劫諸佛如來出現於世如烏
曇跋花時乃一現彼諸衆生發希有心起難
遭想若遇如來心生敬信聞說正法生實語
想所有經典悉皆受持不生毀謗善男子以
是因緣彼佛世尊不久住世速入涅槃善男
子是諸如來以如是等善巧方便成就衆生
尒時四佛說是語已忽然不現
尒時妙幢菩薩摩訶薩與無量百千菩薩及
无量億那庾多百千衆生俱共往詣鷲峯山
中釋迦牟尼如來正遍知所頂礼佛足在一面
立時妙幢菩薩以如上事具白世尊時四如來
亦詣鷲峯至釋迦牟尼佛所各隨本方就
座而坐告侍者菩薩言善男子汝今可詣
釋迦牟尼佛所為我致問少病少惱起居輕
利安樂行不復作是言善哉善哉釋迦牟尼
如來今可演說金光明經甚深法要為欲饒
益一切衆生除去飢饉令得安樂我當隨喜
時彼侍者各詣釋迦牟尼佛所頂礼雙足卻

BD01317號　金光明最勝王經卷一　（6–5）

尒時妙幢菩薩摩訶薩與無量百千菩薩及无量億那庾多百千衆生俱共往詣鷲峯山中釋迦牟尼如來正遍知所頂礼佛足在一面立時妙幢菩薩以如上事具白世尊時四如來亦詣鷲峯至釋迦牟尼佛所各隨本方處座而坐告侍者菩薩言善男子汝今可詣釋迦牟尼佛所爲我致問少病少惱起居輕利安樂行不復作是言善哉善哉釋迦牟尼如來今可演說金光明經甚深法要爲欲饒益一切衆生除去飢饉令得安樂我當隨喜時彼侍者各詣釋迦牟尼佛所頂礼雙足却住一面俱白佛言彼天人師致問無量少病少惱起居輕利安樂行不復作是言善哉善哉釋迦牟尼如來今可演說金光明經甚深法要爲欲利益一切衆生除去飢饉令得安樂尒時釋迦牟尼如來應正等覺告彼侍者諸菩薩言善哉善哉彼四如來乃能爲諸衆生饒益安樂勸請於我宣揚正法尒時世尊而說頌曰

我常在鷲山 宣說此經寶 成就衆生故 示現般涅槃

凡夫起邪見 不信我所說 爲成就彼故 示現般涅槃

時大會中有婆羅門姓憍陳如名曰法師受記

號无量[illegible]

BD01317號　金光明最勝王經卷一　（6–6）

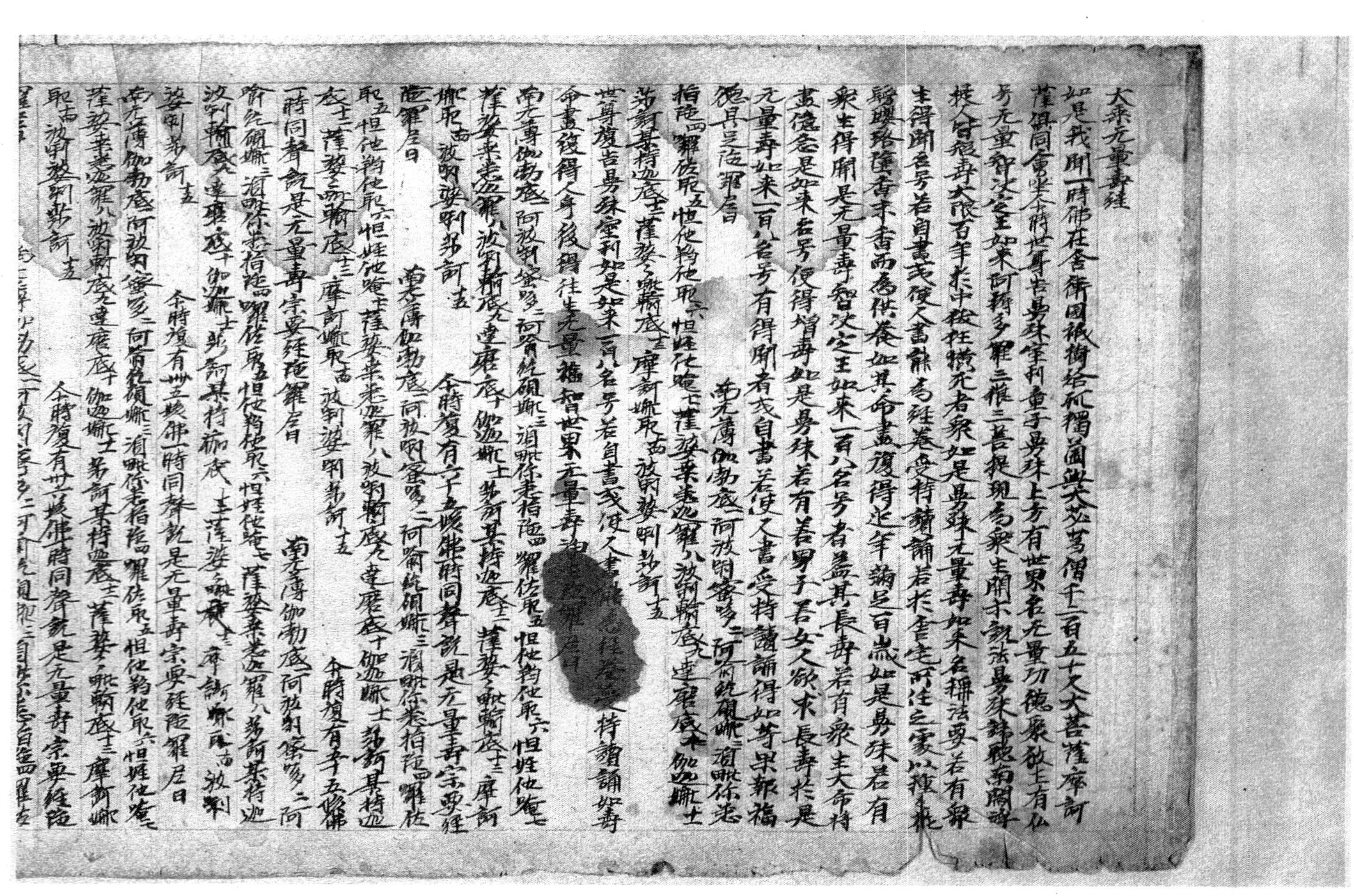

大乘无量壽經

如是我聞一時佛在舍衛國祇樹給孤獨園與大比丘僧千二百五十人大菩薩摩訶薩俱同會坐尒時世尊告曼殊室利童子曼殊上方有世界名无量功德聚彼土有佛号无量智決定王如來阿耨多羅三藐三菩提現爲衆生開示說法曼殊室利聽南閻浮提人皆短壽大限百年於中殀枉橫死者衆如是曼殊无量壽如來名稱法要若有衆生得聞名号若自書或使人書能爲經卷受持讀誦若於舍宅所住之處以種種花鬘瓔珞塗香末香而爲供養如其命盡復得延年滿足百歲如是曼殊若有衆生得聞是无量壽智決定王如來一百八名号者益其長壽若有衆生大命將盡憶念是如來名号便得增壽如是曼殊若有善男子善女人欲求長壽於是无量壽如來一百八名号有得聞者或自書若使人書受持讀誦得如等果報福德具足陁羅尼曰

南无薄伽勃底一阿波唎蜜哆二阿喻紇硯娜三須毗你悉指陁四囉佐耶五怛他羯他耶六怛姪他唵七薩婆桑塞迦羅八波唎輸底九達磨底十伽迦娜十一莎訶娑沒持迦底十二薩婆毗輸底十三摩訶娜耶十四波唎婆唎莎訶十五

世尊復告曼殊室利如是如來一百八名号若自書或使人書寫爲經卷受持讀誦[illegible]壽命盡後得人身後得往生无量福智世界无量壽[illegible]陁羅尼曰

南无薄伽勃底一阿波唎蜜哆二阿喻紇硯娜三須毗你悉指陁四囉佐耶五怛他羯他耶六怛姪他唵七薩婆桑塞迦羅八波唎輸底九達磨底十伽迦娜十一莎訶娑沒持迦底十二薩婆毗輸底十三摩訶娜耶十四波唎婆唎莎訶十五

尒時復有六十五俱胝佛時同聲說是无量壽宗要經陁羅尼曰

南无薄伽勃底一阿波唎蜜哆二阿喻紇硯娜三須毗你悉指陁四囉佐耶五怛他羯他耶六怛姪他唵七薩婆桑塞迦羅八波唎輸底九達磨底十伽迦娜十一莎訶娑沒持迦底十二薩婆毗輸底十三摩訶娜耶十四波唎婆唎莎訶十五

尒時復有五十五俱胝佛一時同聲說是无量壽宗要經陁羅尼曰

南无薄伽勃底一阿波唎蜜哆二阿喻紇硯娜三須毗你悉指陁四囉佐耶五怛他羯他耶六怛姪他唵七薩婆桑塞迦羅八波唎輸底九達磨底十伽迦娜十一莎訶娑沒持迦底十二薩婆毗輸底十三摩訶娜耶十四波唎婆唎莎訶十五

尒時復有卌五俱胝佛一時同聲說是无量壽宗要經陁羅尼曰

南无薄伽勃底一阿波唎蜜哆二阿喻紇硯娜三須毗你悉指陁四囉佐耶五怛他羯他耶六怛姪他唵七薩婆桑塞迦羅八波唎輸底九達磨底十伽迦娜十一莎訶娑沒持迦底十二薩婆毗輸底十三摩訶娜耶十四波唎婆唎莎訶十五

尒時復有卅六俱胝佛時同聲說是无量壽宗要經陁

BD01318號　無量壽宗要經　（5–1）

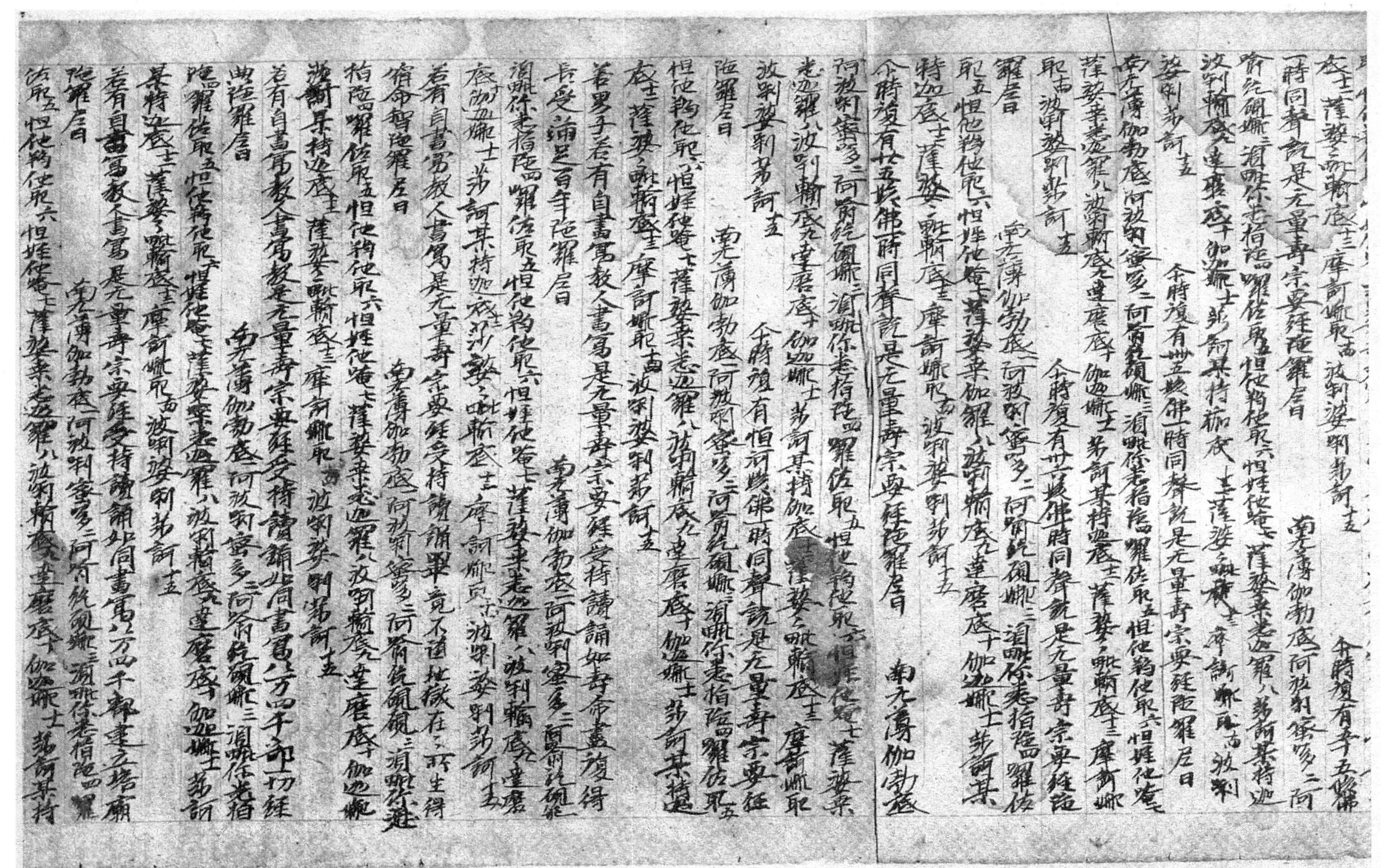

BD01318號　無量壽宗要經　　（5–2）

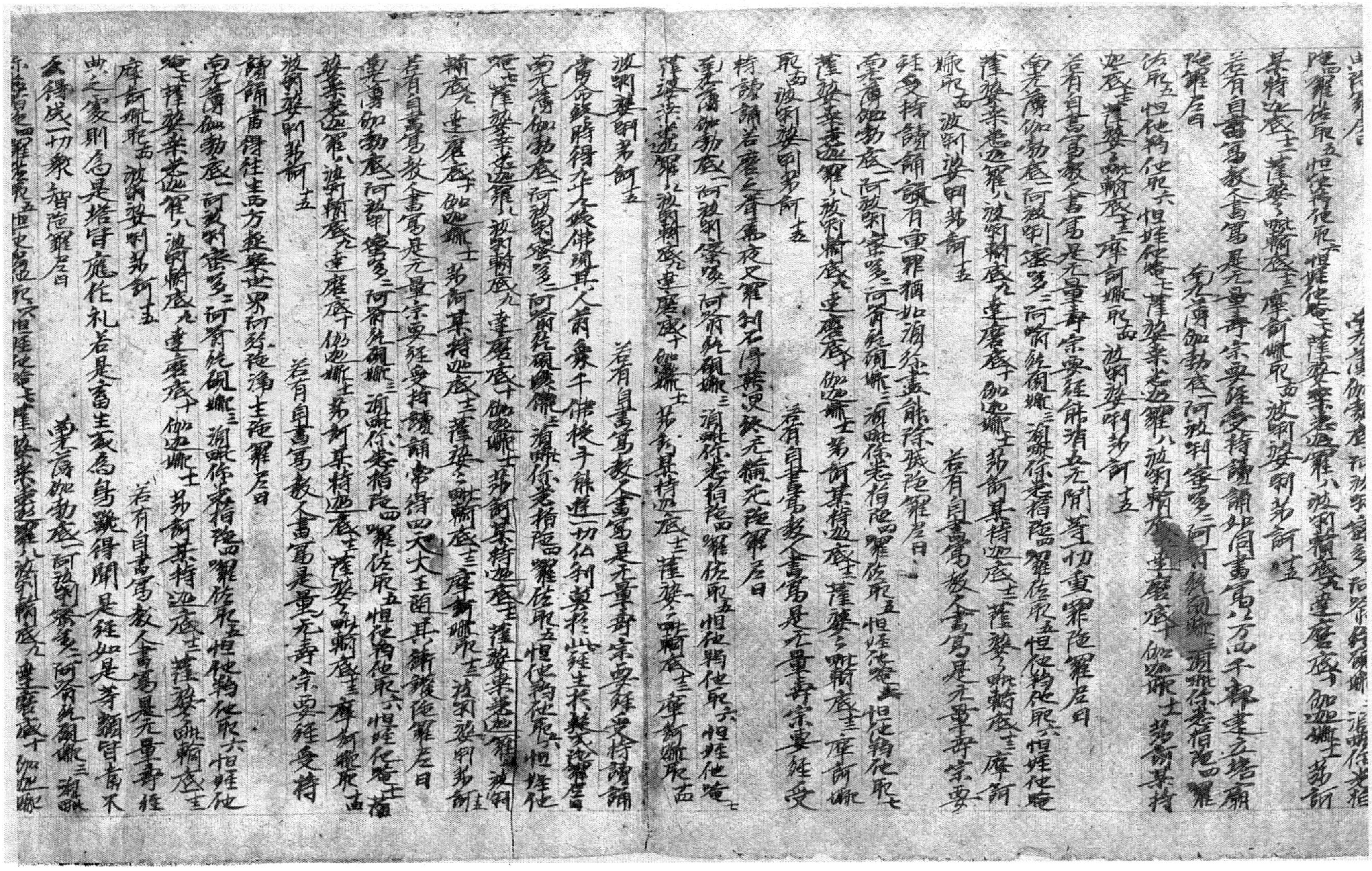

BD01318號　無量壽宗要經　　（5–3）

南謨薄伽勃底一阿波唎蜜多二阿喻紇硯娜三須毗你失指陀四囉佐耶五怛他羯他耶六怛姪他
唵七薩婆桑塞迦羅八波唎輸底九達磨底十伽迦娜十一莎訶某特迦底十二薩婆婆毗輸底十三
摩訶娜耶十四波唎婆唎莎訶十五　若有自書寫教人書寫是无量壽經
典之處則為是塔皆應作礼若是畜生衣為烏獸得聞是經如是等類皆當不
久得成一切衆智陀羅尼曰　南謨薄伽勃底一阿波唎蜜多二阿喻紇硯娜三須毗
你失指陀四囉佐耶五怛他羯他耶六怛姪他唵七薩婆桑塞迦羅八波唎輸底九達磨底十伽迦娜
十一莎訶某特迦底十二薩婆婆毗輸底十三摩訶娜耶十四波唎婆唎莎訶十五
若有自書寫教人書寫畢竟不受女人之身陀羅尼曰　南謨薄伽勃底一阿波唎蜜多二
阿喻紇硯娜三須毗你失指陀四囉佐耶五怛他羯他耶六怛姪他唵七薩婆桑塞迦羅八波唎輸底九達
磨底十伽迦娜十一莎訶某特迦底十二薩婆婆毗輸底十三摩訶娜耶十四波唎婆唎莎訶十五
若有自書寫能於是經少分能惠施者等於三千大千世界七寶布施陀羅尼曰
南謨薄伽勃底一阿波唎蜜多二阿喻紇硯娜三須毗你失指陀四囉佐耶五怛他羯他耶六怛姪他唵
薩婆桑塞迦羅八波唎輸底九達磨底十伽迦娜十一莎訶某特迦底十二薩婆婆毗輸底十三摩訶娜耶十四
波唎婆唎莎訶十五　如是毗婆尸仏　尸弃仏　毗舍浮仏　俱留孫仏　俱那
含牟尼仏　迦葉仏　釋迦牟尼仏　若有人以七寶等於須弥山用供養如是七仏其
福有限書寫受持是无量壽經典所生果報不可限量陀羅尼曰
南謨薄伽勃底一阿波唎蜜多二阿喻紇硯娜三須毗你失指陀四囉佐耶五怛他羯他耶六怛姪他唵七
薩婆桑塞迦羅八波唎輸底九達磨底十伽迦娜十一莎訶某特迦底十二薩婆婆毗輸底十三摩訶娜耶十四
波唎婆唎莎訶十五　若有七寶等於須弥山用布施其福上能知其限量
是无量壽經典其福不可知數陀羅尼曰　南謨薄伽勃底一阿波唎蜜多二
阿喻紇硯娜三須毗你失指陀四囉佐耶五怛他羯他耶六怛姪他唵七薩婆桑塞迦羅八波唎輸底九
達磨底十伽迦娜十一莎訶某特迦底十二薩婆婆毗輸底十三摩訶娜耶十四波唎婆唎莎訶十五
如是四大海水可知滴數是无量壽經典所生果報不可知數陀羅尼曰
南謨薄伽勃底一阿波唎蜜多二阿喻紇硯娜三須毗你失指陀四囉佐耶五怛他羯他耶六怛姪他
唵七薩婆桑塞迦羅八波唎輸底九達磨底十伽迦娜十一莎訶某特迦底十二薩婆婆毗輸底十三摩訶
娜耶十四波唎婆唎莎訶十五
若有自書寫教人書寫是无量壽宗要經典有能讀持供養一切十方仏土如来无
有異別陀羅尼曰
南謨薄伽勃底一阿波唎蜜多二阿喻紇硯娜三須毗你失指陀四囉佐耶五怛他羯他耶六
怛姪他唵七薩婆桑塞迦羅八波唎輸底九達磨底十伽迦娜十一莎訶某特迦底十二
薩婆婆毗輸底十三摩訶娜耶十四波唎婆唎莎訶十五
布施力能成正覺　悟布施人方師子　布施力能聲普聞　慈悲階漸衆能入
持戒力能成正覺　悟持戒力人師子　持戒力能聲普聞　慈悲階漸衆能入

BD01318號　無量壽宗要經　（5–4）

如是四大海水可知滴數是无量壽經典所生果報不可知數陀羅尼曰
南謨薄伽勃底一阿波唎蜜多二阿喻紇硯娜三須毗你失指陀四囉佐耶五怛他羯他耶六怛姪他
唵七薩婆桑塞迦羅八波唎輸底九達磨底十伽迦娜十一莎訶某特迦底十二薩婆婆毗輸底十三摩訶
娜耶十四波唎婆唎莎訶十五
若有自書寫教人書寫是无量壽宗要經典有能讀持供養一切十方仏土如来无
有異別陀羅尼曰
南謨薄伽勃底一阿波唎蜜多二阿喻紇硯娜三須毗你失指陀四囉佐耶五怛他羯他耶六
怛姪他唵七薩婆桑塞迦羅八波唎輸底九達磨底十伽迦娜十一莎訶某特迦底十二
薩婆婆毗輸底十三摩訶娜耶十四波唎婆唎莎訶十五
布施力能成正覺　悟布施人方師子　布施力能聲普聞　慈悲階漸衆能入
持戒力能成正覺　悟持戒力人師子　持戒力能聲普聞　慈悲階漸衆能入
忍辱力能成正覺　悟忍辱力人師子　忍辱力能聲普聞　慈悲階漸衆能入
精進力能成正覺　悟精進力人師子　精進力能聲普聞　慈悲階漸衆能入
禪定力能成正覺　悟禪定力人師子　禪定力能聲普聞　慈悲階漸衆能入
智慧力能成正覺　悟智慧力人師子　智慧力能聲普聞　慈悲階漸衆能入
尒時如来說是經已一切世間天人阿脩羅揵闥婆等聞佛所
說皆大歡喜信受奉行

佛說无量壽宗要經一卷

BD01318號　無量壽宗要經　（5–5）

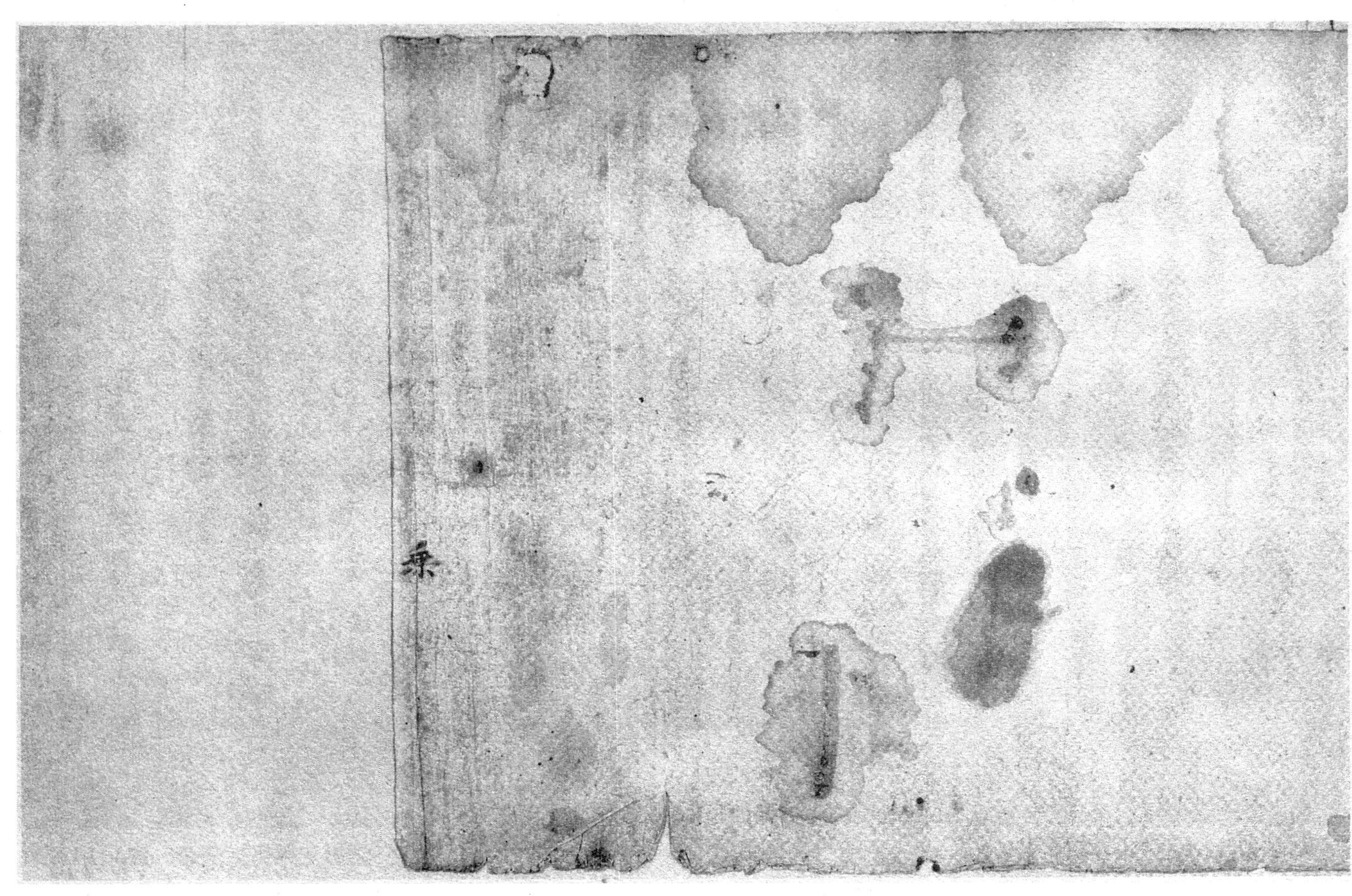

BD01318 號背　寺院題名　（1–1）

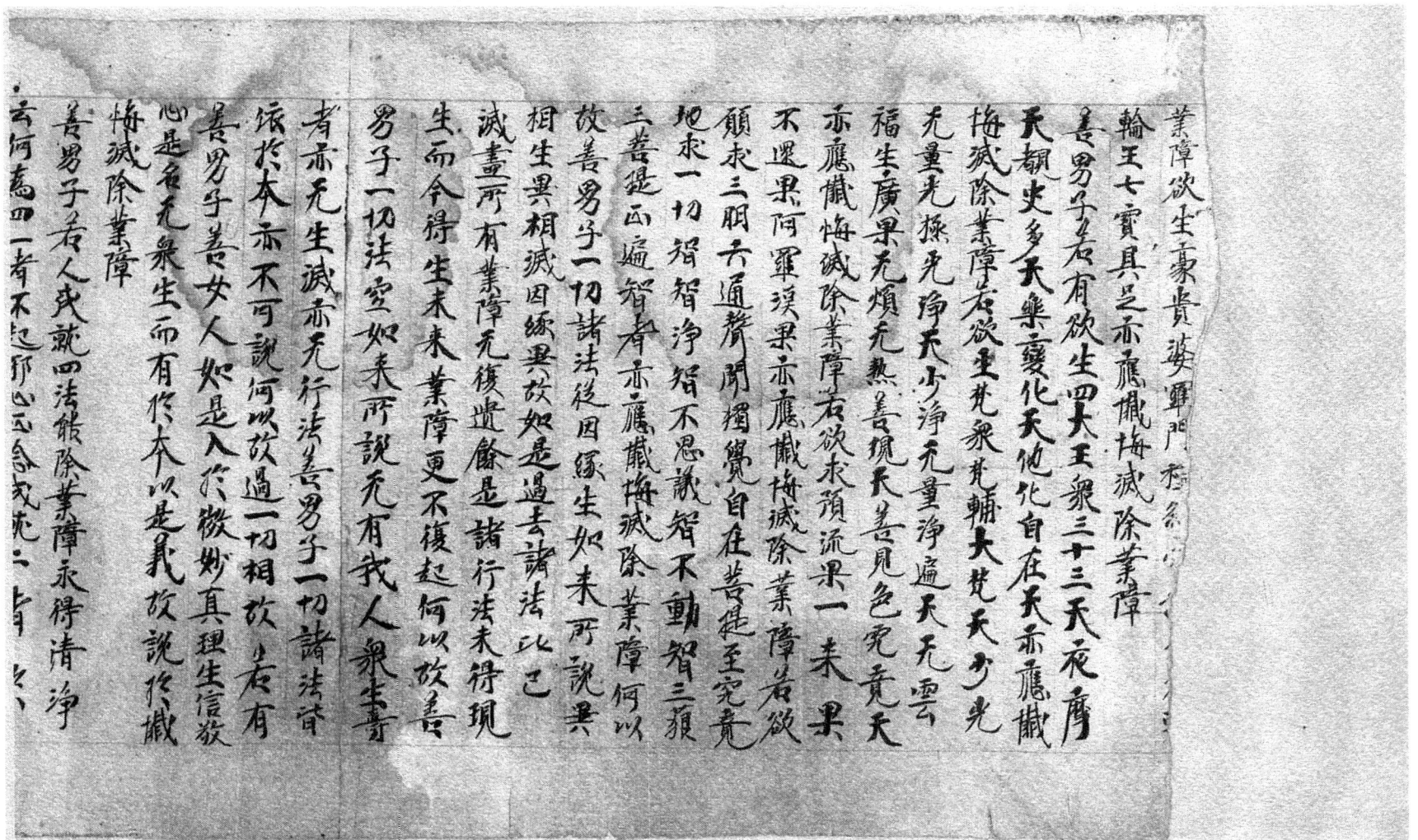

業障欲生豪貴婆羅門刹[illegible]
輪王七寶具足亦應懺悔滅除業障
善男子若有欲生四天王衆三十三天夜摩
天覩史多天樂變化天他化自在天亦應懺
悔滅除業障若欲生梵衆梵輔大梵天少光
无量光極光淨天少淨无量淨遍淨天无雲
福生廣果无煩无熱善現天善見色究竟天
亦應懺悔滅除業障若欲求預流果一來果
不還果阿羅漢果亦應懺悔滅除業障若欲
願求三明六通聲聞獨覺自在菩提至究竟
地求一切智智淨智不思議智不動智三藐
三菩提正遍智者亦應懺悔滅除業障何以
故善男子一切諸法從因緣生如來所說異
相生異相滅因緣異故如是過去諸法皆已
滅盡所有業障无復遺餘是諸行法未得現
生而令得生未來業障更不復起何以故善
男子一切法空如來所說无有我人衆生壽
者亦无生滅亦无行法善男子一切諸法皆
依於本亦不可說何以故過一切相故若有
善男子善女人如是入於微妙真理生信敬
心是名无衆生而有於本以是義故說於懺
悔滅除業障
善男子若人成就四法能除業障永得清淨
云何爲四一者不起邪心正念成就二者於[illegible]

BD01319 號　金光明最勝王經卷三　（12–1）

者亦无生滅亦无行法善男子一切諸法皆
依於本亦不可說何以故過一切相故若有
善男子善女人如是入於微妙真理生信敬
心是名无衆生而有於本以是義故說於懺
悔滅除業障
善男子若人成就四法能除業障永得清淨
云何為四一者不起邪心正念成就二者於
甚深理不生誹謗三者於初行菩薩起一切
智心四者於諸衆生起慈无量是謂為四尒
時世尊而說頌言
專心護三業　不誹謗深法　作一切智想　慈心淨業障
善男子有四業障難可滅除云何為四一者
於菩薩律儀犯極重惡二者於大乘經心生
誹謗三者於自善根不能增長四者貪著三
有无出離心復有四種對治業障云何為四
一者於十方世界一切如來至心親近說一
切罪二者為一切衆生勸請諸佛說深妙法
三者隨喜一切衆生所有功德四者所有一
切功德善根悉皆迴向阿耨多羅三藐三菩
提尒時天帝釋白佛言世尊世間所有男子
女人於大乘行有能行者有不行者云何能
得隨喜一切衆生功德善根佛言善男子若
有衆生雖於大乘未能脩習然於晝夜六時
偏袒右肩右膝著地合掌恭敬一心專念作
隨喜時得福无量應作是言十方世界一切
衆生現在脩行施戒心慧我今皆悉深生隨
喜由作如是隨喜福故必當獲得尊重殊勝
无上无等最妙之果如是過去未來一切衆

BD01319 號　金光明最勝王經卷三　（12–2）

隨喜時得福无量應作是言十方世界一切
衆生現在脩行施戒心慧我今皆悉深生隨
喜由作如是隨喜福故必當獲得尊重殊勝
无上无等最妙之果如是過去未來一切衆
生所有善根皆悉隨喜又於現在初行菩薩
發菩提心所有功德過百大劫行菩薩行有
大功德獲无生忍至不退轉一生補處如是
一切功德之蘊皆悉至心隨喜讚歎過去未
來一切菩薩所有功德隨喜讚歎亦復如是
復於現在十方世界一切諸佛應正遍知證
妙菩提為度无邊諸衆生故轉无上法輪行
无礙法施擊法鼓吹法蠡建法幢雨法雨哀
愍勸化一切衆生咸令信受皆蒙法施悉得
充足无盡安樂又復所有菩薩摩聞獨覺
功德積集善根若有衆生未具如是諸功德者
悉令具足我皆隨喜如是過去未來諸佛菩
薩聲聞獨覺所有功德亦皆至心隨喜讚歎
善男子如是隨喜當得无量功德之聚恒
沙河三千大千世界所有衆生皆斷煩惱成
阿羅漢若有善男子善女人盡其形壽常
以上妙衣服飲食卧具醫藥而為供養如是
功德不及如前隨喜功德千分之一何以故供
養功德有數有量不攝一切諸功德故隨喜
功德无量无數能攝三世一切功德是故若人
欲求增長勝善根者應脩如是隨喜功德
若有女人願轉女身為男子者應脩習隨喜
功德必得隨心現成男子尒時天帝釋白佛

BD01319 號　金光明最勝王經卷三　（12–3）

功德无量无數能攝三世一切功德是故若人
欲求增長勝善根者應脩如是隨喜功德
若有女人願轉女身為男子者應脩習隨喜
功德必得隨心現成男子尒時天帝釋白佛
言世尊已知隨喜功德勸請功德唯願為說
欲令未來一切菩薩當轉法輪現在菩薩正
脩行故佛告帝釋若有善男子善女人願求
阿耨多羅三藐三菩提者應當脩行聲聞
獨覺大乘之道是人當於晝夜六時如前威
儀一心專念作如是言我今歸依十方一切諸
佛世尊已得阿耨多羅三藐三菩提未轉无
上法輪欲捨報身入涅槃者我皆至誠頂礼
勸請轉大法輪雨大法雨然大法燈照明理
趣施无礙法莫般涅槃久住於世度脫安樂
一切衆生如前說乃至无盡安樂我今以
此勸請功德迴向阿耨多羅三藐三菩提如
過去未來現在諸大菩薩勸請功德迴向菩
提我亦如是勸請功德迴向无上正等菩提
善男子假使有人三千大千世界滿中七
寶供養如來若復有人勸請如來轉大法輪
所得功德其福勝彼何以故彼是財施此是法
施善男子且置三千大千世界七寶布施
若人以滿恒河沙數大千世界七寶供養一
切諸佛勸請功德亦勝於彼由其法施有五
勝利云何為五一者法施兼利自他財施不
尒二者法施能令衆生出於三界財施之福
不出欲界三者法施能淨法身財施但唯增

BD01319號　金光明最勝王經卷三　（12–4）

若人以滿恒河沙數大千世界七寶供養一
切諸佛勸請功德亦勝於彼由其法施有五
勝利云何為五一者法施兼利自他財施不
尒二者法施能令衆生出於三界財施之福
不出欲界三者法施能淨法身財施但唯增
長於色四者法施无窮財施有盡五者法施
能斷无明財施唯伏貪愛是故善男子勸請
功德无量无邊難可辟喻如我昔行菩薩道
時勸請諸佛轉大法輪由彼善根是故今日
一切帝釋諸梵王等勸請於我轉大法輪善
男子請轉法輪為欲度脫安樂諸衆生故我
於往昔為菩提行勸請如來久住於世莫般
涅槃依此善根我得十力四无所畏四无礙
辯大慈大悲證得无數不共之法我當入於
无餘涅槃我之正法久住於世我法身者清
淨无比種種妙相无量智慧无量自在无量
功德難可思議一切衆生皆蒙利益百千万
劫說不能盡法身攝藏一切諸法一切諸法
不攝法身法身常住不墮常見雖復斷滅亦
非斷見能破衆生種種異見能生衆生種種
真見能解一切衆生之縛无縛可解能植衆
生諸善根本未成熟者令成熟已成熟者令
解脫无作无動遠離閙亂寂靜无為自在安
樂過於三世能現三世出於聲聞獨覺之境
諸大菩薩之所脩行一切如來體无有異此
等皆由勸請功德善根力故如是法身我今
已得是故若欲得阿耨多羅三藐三菩提

BD01319號　金光明最勝王經卷三　（12–5）

樂過於三世能現三世出於聲聞獨覺之境
諸大菩薩之所脩行一切如來體无有異此
等皆由勸請功德善根力故如是法身我今
已得是故若欲得阿耨多羅三藐三菩提
者於諸經中一句一頌為人解說功德善根
尚无限量何況勸請如來轉大法輪久住於
世莫般涅槃
時天帝釋復白佛言世尊若善男子善女人
為求阿耨多羅三藐三菩提故脩三乘道所
有善根云何迴向一切智智佛告天帝善男
子若有衆生欲求菩提脩三乘道所有善根
願迴向者當於晝夜六時慇重至心作如是
說我從无始生死以來於三寶所脩行成就
所有善根乃至施與傍生一摶之食或以善
言和解諍訟或受三歸及諸學處或復懺悔
勸請隨喜所有善根我今作意悉皆攝取迴
施一切衆生无悔悋心是解脫分善根所攝
如佛世尊之所知見不可稱量无礙清淨如
是所有功德善根悉以迴施一切衆生不住
相心不捨相心我亦如是功德善根悉以迴
施一切衆生願皆得如意之手擬空出寶
滿衆生意冨樂无盡智慧无窮妙法辯才悉
皆无滯共諸衆生同證阿耨多羅三藐三菩
提得一切智因此善根更復出生无量善法
亦皆迴向无上菩提又如過去諸大菩薩脩
行之時功德善根悉皆迴向一切種智現在
未來亦復如是然我所有功德善根亦皆迴

BD01319 號　金光明最勝王經卷三　（12–6）

提得一切智因此善根更復出生无量善法
亦皆迴向无上菩提又如過去諸大菩薩脩
行之時功德善根悉皆迴向一切種智現在
未來亦復如是然我所有功德善根亦皆迴
向阿耨多羅三藐三菩提是諸善根願共一
切衆生俱成正覺如餘諸佛坐於道場菩提
樹下不可思議无礙清淨住於无盡法藏陀
羅尼首楞嚴定破魔波旬无量兵衆應覺
覺知應可通達如是一切一刹那中悉皆照了
於後夜中獲甘露法證甘露義我及衆生願
皆同證如是妙覺猶如
无量壽佛　勝光佛　妙光佛　阿閦佛
功德善光佛　師子光明佛　百光明佛　網光明佛
寶相佛　寶焰佛　焰明佛　焰盛光明佛
吉祥上王佛　微妙聲佛　妙莊嚴佛　法幢佛
上勝身佛　可愛色身佛　光明遍照佛　梵淨王佛
上性佛
如是等如來應正遍知過去未來及以現在亦
現應化得阿耨多羅三藐三菩提轉无上
法輪為度衆生我亦如是廣說如上
善男子若有淨信男子女人於此金光明最
勝經王滅業障品受持讀誦憶念不忘為他
廣說得无量无邊大功德聚譬如三千大千
世界所有衆生一時皆得成就人身得人身
已成獨覺道若有男子女人盡其形壽恭敬
尊重四事供養一一獨覺各施七寶如須彌
山此諸獨覺入涅槃後皆以珍寶起塔供養
其塔高廣十二踰繕那以諸花香寶幢幡蓋

BD01319 號　金光明最勝王經卷三　（12–7）

已成獨覺道若有男子女人盡其形壽恭敬
尊重四事供養一一獨覺各施七寶如須弥
山諸獨覺入涅槃後皆以珎寶起塔供養
其塔高廣十二踰繕那以諸花香寶幢幡蓋
常為供養善男子於意云何是人所獲功德
寧為多不天帝釋言甚多世尊善男子若復
有人於此金光明微妙經典衆經之王滅業
障品受持讀誦憶念不忘為他廣說所獲功
德於前所說供養功德百分不及一百千万
億分乃至校量譬喻所不能及何以故是善
男子善女人住正行中勸請十方一切諸佛
轉无上法輪皆得諸佛歡喜讚歎善男子如
我所說一切施中法施為勝是故善男子於
三寶所設諸供養不可為比勸受三歸持一
切戒無有毀犯三業不空不可為比一切世
界一切衆生隨力隨能隨所願樂於三乘中
勸發菩提心不可為比於三世中一切世界
所有衆生皆得无礙速令成就无量功德不
可為比三世剎土一切衆生令无障礙得三
菩提不可為比三世剎土一切衆生勸令速
出四惡道苦不可為比三世剎土一切衆生
勸令除滅極重惡業不可為比一切苦惱勸
令解脫不可為比一切怖畏苦惱逼切皆令
得解不可為比三世佛前一切衆生所有功
德勸令隨喜發菩提願不可為比勸除惡行
罵辱之業一切功德皆願成就所在生中勸請
供養尊重讚歎一切三寶勸請衆生淨修

BD01319號　金光明最勝王經卷三　（12–8）

令解脫不可為比一切怖畏苦惱逼切皆令
得解不可為比三世佛前一切衆生所有功
德勸令隨喜發菩提願不可為比勸除惡行
罵辱之業一切功德皆願成就所在生中勸請
供養尊重讚歎一切三寶勸請衆生淨修
行成滿菩提不可為比是故當知勸請一
切世界三世三寶勸請滿足六波羅蜜勸請
轉於无上法輪勸請住世經无量劫演說
无量甚深妙法功德甚深无能比者
尒時天帝釋及恒河女神无量梵王四大天
衆從座而起偏袒右肩右膝著地合掌頂礼
白佛言世尊我等皆得聞是金光明最勝王
經今悉受持讀誦通利為他廣說依此法住
何以故世尊我等欲求阿耨多羅三藐三菩
提隨順此義種種勝相如法行故尒時梵王
及天帝釋等於說法處皆以種種曼陀羅花
而散佛上三千大千世界地皆大動一切天鼓
及諸音樂不鼓自鳴放金色光遍滿世界出
妙音聲時天帝釋白佛言世尊此等皆是
金光明經威神之力慈悲普救種種利益種種
增長菩薩善根滅諸業障佛言如是如是如
汝所說何以故善男子我念往昔過无量百
千阿僧祇劫有佛名寶王大光照如來應
正遍知出現於世住世六百八十億劫尒時
寶王大光照如來為欲度脫人天釋梵沙門
婆羅門一切衆生令安樂故當出現時初會
說法度百千億万衆皆得阿羅漢果諸漏

BD01319號　金光明最勝王經卷三　（12–9）

正遍知出現於世住世六百八十億劫爾時
寶王大光照如來為欲度脫人天釋梵沙門
婆羅門一切眾生令安樂故當出現時初會
說法度百千億萬眾皆得阿羅漢果諸漏
已盡三明六通自在無礙於第二會復度九
十千億億萬眾皆得阿羅漢果諸漏已盡三
明六通自在無礙於第三會復度九十八千
億億萬眾皆得阿羅漢果圓滿如上
善男子我於爾時作女人身名福寶光明於
第三會親近世尊受持讀誦是金光明經為
他廣說求阿耨多羅三藐三菩提故時彼世
尊為我授記此福寶光明女於未來世當得
作佛號釋迦牟尼如來應正遍知明行足善
逝世間解無上士調御丈夫天人師佛世尊
捨女身後從是以來超四惡道生人天中受
上妙樂八十四百千生作轉輪王至于今日
得成正覺名稱普聞遍滿世界時會大眾忽
然皆見寶王大光照如來轉無上法輪說微
妙法善男子去此娑訶世界東方過百千恒
河沙數佛土有世界名寶莊嚴其寶王大光
照如來今現在彼未般涅槃說微妙法廣化
群生汝等見者即是彼佛
善男子若善男子善女人聞是寶王大光
照如來名号者於菩薩地得不退轉至大涅
槃若有女人聞是佛名者臨命終時得見彼
佛來至其所既見佛已究竟不復更受女身
善男子是金光明微妙經典種種利益種種
增長菩薩善根滅諸業障善男子若有苾

BD01319號　金光明最勝王經卷三　（12–10）

照如來名号者於菩薩地得不退轉至大涅
槃若有女人聞是佛名者臨命終時得見彼
佛來至其所既見佛已究竟不復更受女身
善男子是金光明微妙經典種種利益種種
增長菩薩善根滅諸業障善男子若有苾
芻苾芻尼鄔索鄔波斯迦隨在何處為人
講說是金光明微妙經典於其國土皆獲四
種福利善根云何為四一者國王無病離諸
災厄二者命長遠無有障礙三者無諸怨
敵兵眾勇健四者安隱豐樂正法流通何以
故如是人王常為釋梵四王藥叉之眾共守
護故
爾時世尊告大眾曰善男子是事實不是時
無量釋梵四王及藥叉眾俱時同聲答世尊
言如是如是若有國土講宣讀誦此妙經王
是諸國主我等四王常來擁護行住共俱其
王若有一切災障及諸怨敵我等四王皆使
消殄憂愁疾疫亦令除差增益壽命感應禎
祥所願遂心恒生歡喜我等亦能令其國中
所有軍兵悉皆勇健佛言善哉善哉善男子
如汝所說汝當修行何以故是諸國王如法行
時一切人民隨王修習如法行者汝等皆
蒙益力勝利宮殿光明眷屬強盛時釋梵等
白佛言如是世尊佛言若有講讀此妙經典流
通之處於其國中大臣輔相有四種益云何
為四一者更相親穆尊重愛念二者常為人
王心所愛重亦為沙門婆羅門大國小國之

BD01319號　金光明最勝王經卷三　（12–11）

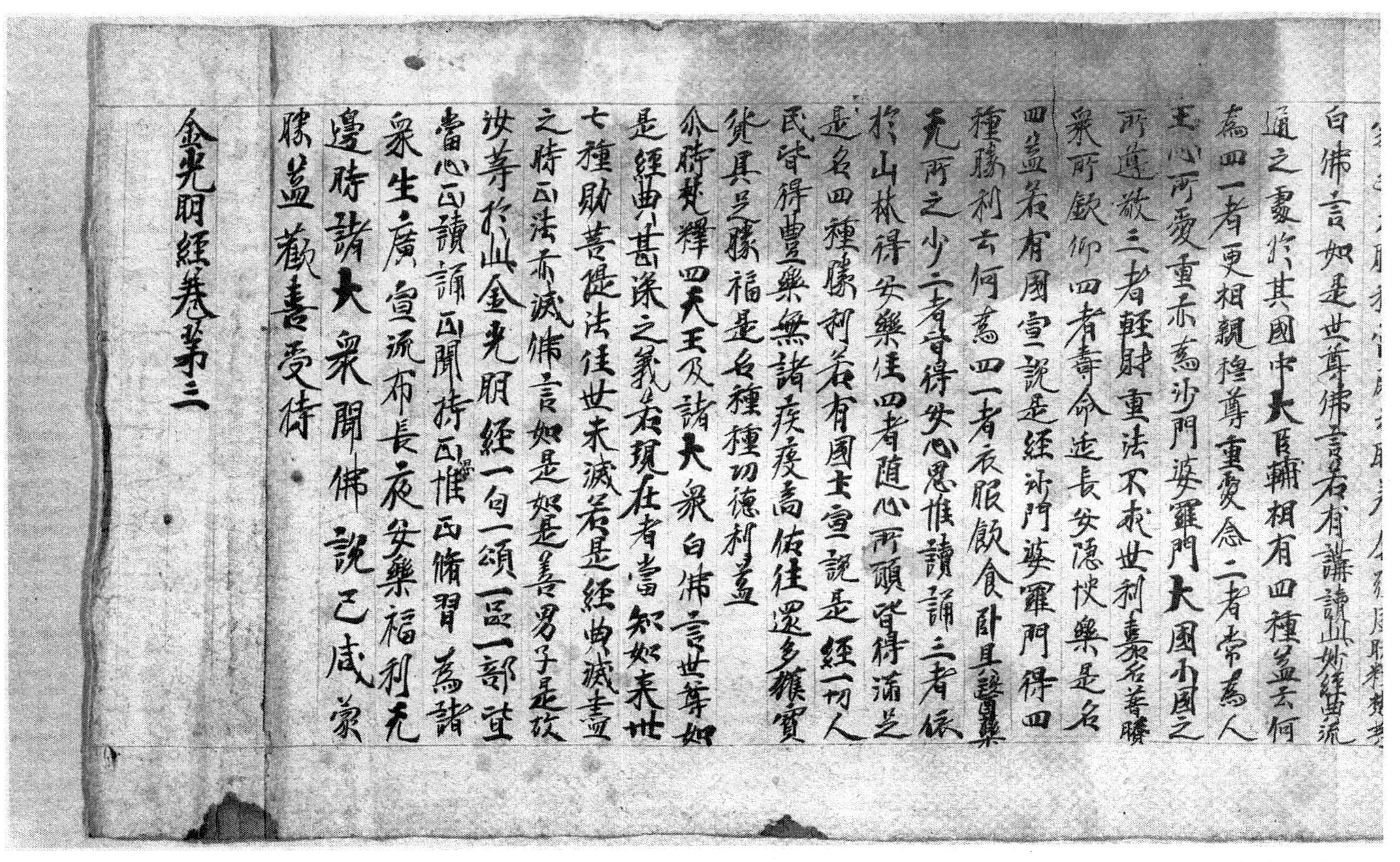
白佛言如是世尊佛言若有講讀此妙經典流
通之處於其國中大臣輔相有四種益云何
為四一者更相親穆尊重愛念二者常為人
王心所愛重亦為沙門婆羅門大國小國之
所遵敬三者輕財重法不求世利嘉名普勝
衆所欽仰四者壽命延長安隱快樂是名
四益若有國土宣說是經沙門婆羅門得四
種勝利云何為四一者衣服飲食臥具醫藥
无所乏少二者皆得安心思惟讀誦三者依
於山林得安樂住四者隨心所願皆得滿足
是名四種勝利若有國土宣說是經一切人
民皆得豐樂無諸疾疫商估往還多獲寶
貨具足勝福是名種種功德利益
尒時梵釋四天王及諸大衆白佛言世尊如
是經典甚深之義若現在者當知如來世
七種助菩提法住世未滅若是經典滅盡
之時正法亦滅佛言如是如是善男子是故
汝等於此金光明經一句一頌一品一部皆
當一心讀誦正聞持正思惟正脩習為諸
衆生廣宣流布長夜安樂福利无
邊時諸大衆聞佛說已咸蒙
勝益歡喜受持
金光明經卷第三

BD01319 號　金光明最勝王經卷三　（12–12）

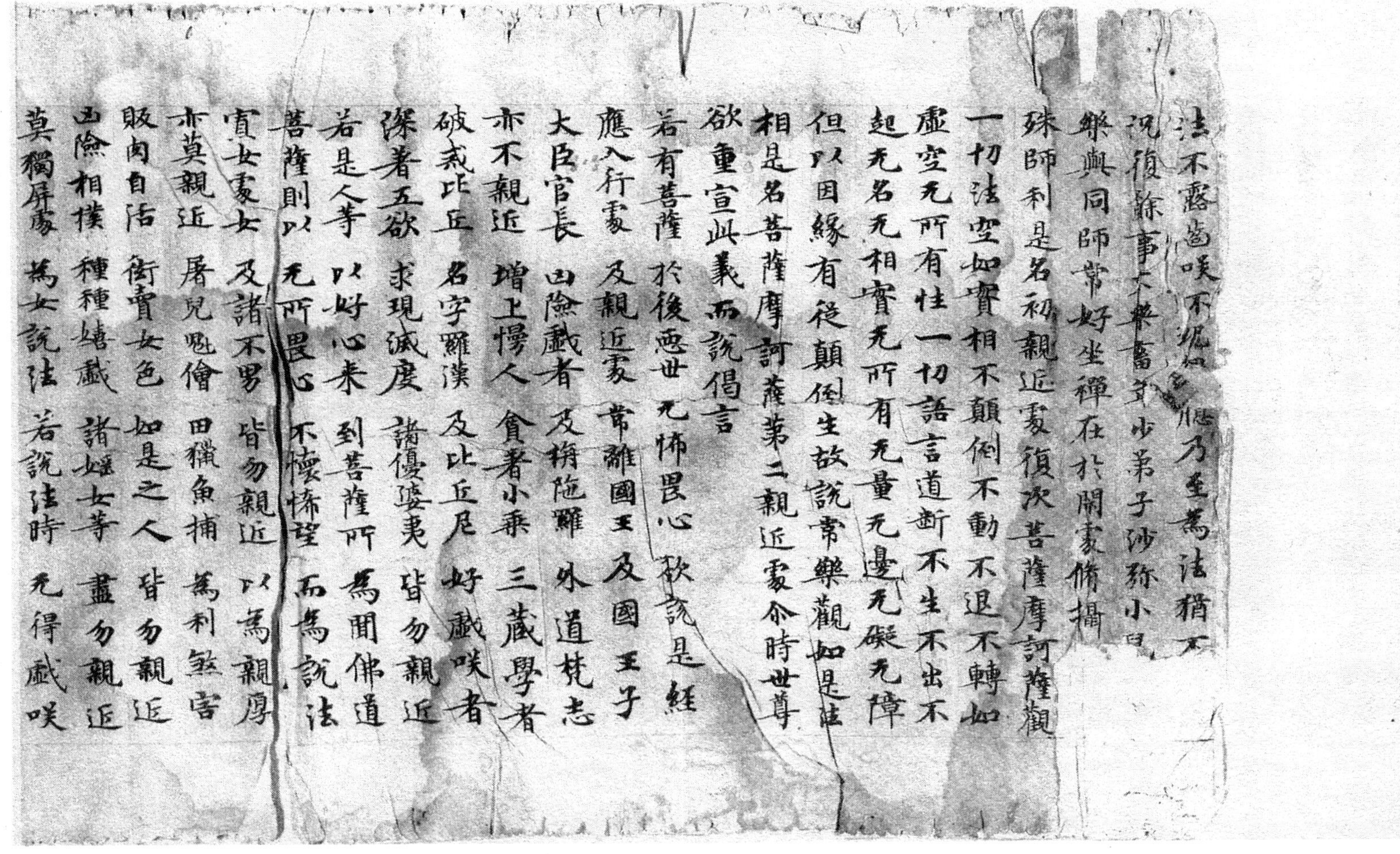
法不露齒咲不現胸臆乃至為法猶不
況復餘事不樂畜年少弟子沙彌小兒
樂與同師常好坐禪在於閑處脩攝
殊師利是名初親近處復次菩薩摩訶薩觀
一切法空如實相不顛倒不動不退不轉如
虛空无所有性一切語言道斷不生不出不
起无名无相實无所有无量无邊无礙无障
但以因緣有從顛倒生故說常樂觀如是法
相是名菩薩摩訶薩第二親近處尒時世尊
欲重宣此義而說偈言
若有菩薩　於後惡世　无怖畏心　欲說是經
應入行處　及親近處　常離國王　及國王子
大臣官長　凶險戲者　及旃陀羅　外道梵志
亦不親近　增上慢人　貪著小乘　三藏學者
破戒比丘　名字羅漢　及比丘尼　好戲咲者
深著五欲　求現滅度　諸優婆夷　皆勿親近
若是人等　以好心來　到菩薩所　為聞佛道
菩薩則以　无所畏心　不懷悕望　而為說法
寡女處女　及諸不男　皆勿親近　以為親厚
亦莫親近　屠兒魁膾　田獵魚捕　為利殺害
販肉自活　衒賣女色　如是之人　皆勿親近
凶險相撲　種種嬉戲　諸婬女等　盡勿親近
莫獨屏處　為女說法　若說法時　无得戲咲

BD01320 號　妙法蓮華經卷五　（26–1）

菩薩則以 无所畏心 不懷悕望 而為說法
寡女處女 及諸不男 皆勿親近 以為親厚
亦莫親近 屠兒魁膾 田獵魚捕 為利煞害
販肉自活 衒賣女色 如是之人 皆勿親近
凶險相撲 種種嬉戲 諸婬女等 盡勿親近
莫獨屏處 為女說法 若說法時 无得戲咲
入里乞食 將一比丘 若无比丘 一心念佛
是則名為 行處近處 以此二處 能安樂說
又復不行 上中下法 有為无為 實不實法
亦不分別 是男是女 不得諸法 不知不見
是則名為 菩薩行處 一切諸法 空无所有
无有常住 亦无起滅 是名智者 所親近處
顛倒分別 諸法有无 是實非實 是生非生
在於閑處 脩攝其心 安住不動 如須弥山
觀一切法 皆无所有 猶如虛空 无有堅固
不生不出 不動不退 常住一相 是名近處
若有比丘 於我滅後 入是行處 及親近處
說斯經時 无有怯弱 菩薩有時 入於靜室
以正憶念 隨義觀法 從禪定起 為諸國王
王子臣民 婆羅門等 開化演暢 說斯經典
其心安隱 无有怯弱 文殊師利 是名菩薩
安住初法 能於後世 說法華經
又文殊師利 如來滅後 於末法中 欲說是經
應住安樂行 若口宣說 若讀經時 不樂說人
及經典過 亦不輕慢 諸餘法師 不說他人好
惡長短 於聲聞人 亦不稱名 說其過惡 亦不
稱名讚歎其美 又亦不生 怨嫌之心 善脩如
是安樂心故 諸有德者不逆其意有所難問

BD01320號　妙法蓮華經卷五　（26–2）

又文殊師利 如來滅後 於末法中 欲說是經
應住安樂行 若口宣說 若讀經時 不樂說人
及經典過 亦不輕慢 諸餘法師 不說他人好
惡長短 於聲聞人 亦不稱名 說其過惡 亦不
稱名讚歎其美 又亦不生 怨嫌之心 善脩如
是安樂心故 諸有聽者 不逆其意 有所難問
不以小乘法荅 但以大乘 而為解說 令得一
切種智 尒時世尊 欲重宣此義 而說偈言
菩薩常樂 安隱說法 於清淨地 而施床座
以油塗身 澡浴塵穢 著新淨衣 內外俱淨
安處法座 隨問為說 若有比丘 及比丘尼
諸優婆塞 及優婆夷 國王王子 群臣士民
以微妙義 和顏為說 若有難問 隨義而荅
因緣譬喻 敷演分別 以是方便 皆使發心
漸漸增益 入於佛道 除嬾墯意 及懈怠想
離諸憂惱 慈心說法 晝夜常說 无上道教
以諸因緣 无量譬喻 開示眾生 咸令歡喜
衣服臥具 飲食醫藥 而於其中 无所悕望
但一心念 說法因緣 願成佛道 令眾亦尒
是則大利 安樂供養 我滅度後 若有比丘
能演說斯 妙法華經 心无嫉恚 諸惱障礙
亦无憂愁 及罵詈者 又无怖畏 加刀杖等
亦无擯出 安住忍故 智者如是 善脩其心
能住安樂 如我上說 其人功德 千万億劫
筭數譬喻 說不能盡
又文殊師利 菩薩摩訶薩 於後末世 法欲
滅時 受持讀誦斯經典者 无懷嫉妬諂誑之心
亦勿輕罵 學佛道者 求其長短 若比丘 比丘

BD01320號　妙法蓮華經卷五　（26–3）

筭數譬喻　説不能盡
又文殊師利菩薩摩訶薩於後末世法欲
滅時受持讀誦斯經典者无懷嫉妬諂誑之心
亦勿輕罵學佛道者求其長短若比丘比丘
尼優婆塞優婆夷求聲聞者求辟支佛者求
菩薩道者无得惱之令其疑悔語其人言汝
等去道甚遠終不能得一切種智所以者何
汝是放逸之人於道懈怠故又亦不應戲論
諸法有所諍競當於一切衆生起大悲想於
諸如來起慈父想於諸菩薩起大師想於十
方諸大菩薩常應深心恭敬礼拜於一切衆
生平等説法以順法故不多不少乃至深愛
法者亦不爲多説文殊師利是菩薩摩訶薩
於後末世法欲滅時有成就是第三安樂行
者説是法時无能惱亂得好同學共讀誦是
經亦得大衆而來聽受聽已能持持已能誦
誦已能説説已能書若使人書供養經卷恭
敬尊重讚歎尒時世尊欲重宣此義而説偈
言
若欲説是經　當捨嫉恚慢　諂誑邪僞心　常脩質直行
不輕蔑於人　亦不戲論法　不令他疑悔　云汝不得佛
是佛子説法　常柔和能忍　慈悲於一切　不生懈怠心
十方大菩薩　愍衆故行道　應生恭敬心　是則我大師
於諸佛世尊　生无上父想　破於憍慢心　説法无障礙
第三法如是　智者應守護　一心安樂行　无量衆所敬
又文殊師利菩薩摩訶薩於後末世法欲滅
時有持法華經者於在家出家人中生大慈
心於非菩薩人中生大悲心應作是念如是之

BD01320號　妙法蓮華經卷五　（26–4）

第三法如是　智者應守護　一心安樂行　无量衆所敬
又文殊師利菩薩摩訶薩於後末世法欲滅
時有持法華經者於在家出家人中生大慈
心於非菩薩人中生大悲心應作是念如是之
人則爲大失如來方便隨宜説法不聞不知不
覺不問不信不解其人雖不問不信不解
是經我得阿耨多羅三藐三菩提時隨在何
地以神通力智慧力引之令得住是法中文
殊師利是菩薩摩訶薩於如來滅後有成
就此第四法者説是法時无有過失常爲比
丘比丘尼優婆塞優婆夷國王王子大臣人
民婆羅門居士等供養恭敬尊重讚歎虚空
諸天爲聽法故亦常隨侍若在聚落城邑空
閑林中有人來欲難問者諸天晝夜常爲法
故而衛護之能令聽者皆得歡喜所以者何
此經是一切過去未來現在諸佛神力所護
故文殊師利是法華經於无量國中乃至名
字不可得聞何況得見受持讀誦文殊師利
譬如強力轉輪聖王欲以威勢降伏諸國而諸
小王不順其命時轉輪王起種種兵而往討
伐王見兵衆戰有功者即大歡喜隨功賞賜
或與田宅聚落城邑或與衣服嚴身之具或
與種種珍寶金銀瑠璃車𤦲馬瑙珊瑚虎珀
象馬車乘奴婢人民唯髻中明珠不以與之
所以者何獨王頂上有此一珠若以與之王
諸眷屬必大驚怪文殊師利如來亦復如是
以禪定智慧力得法國土王於三界而諸魔
王不肯順伏如來賢聖諸將與之共戰其有

BD01320號　妙法蓮華經卷五　（26–5）

象馬車乘奴婢人民唯髻中明珠不以與之
所以者何獨王頂上有此一珠若以與之王
諸眷屬必大驚恠文殊師利如来亦復如是
以禪定智慧力得法國土王於三界而諸魔
王不肯順伏如来賢聖諸將與之共戰其有
功者心亦歡喜於四衆中為說諸經令其心
悅賜以禪定解脫无漏根力諸法之財又復賜
與涅槃之城言得滅度引導其心令皆歡
喜而不為說是法華經文殊師利如轉輪
王見諸兵衆有大功者心甚歡喜以此難信
之珠久在髻中不妄與人而今與之如来亦復
如是於三界中為大法王以法教化一切衆
生見賢聖軍與五陰魔煩惱魔死魔共戰
有大功勳滅三毒出三界破魔網尒時如来
亦大歡喜此法華經能令衆生至一切智一
切世間多怨難信先所未說而今說之文殊
師利此法華經是諸如来第一之說於諸說
中最為甚深末後賜與如彼強力之王久護
明珠今乃與之文殊師利此法華經諸佛如
来秘密之藏於諸經中最在其上長夜守護
不妄宣說始於今日乃與汝等而敷演之尒時
世尊欲重宣此義而說偈言
常行忍辱　哀愍一切　乃能演說　佛所讚經
後末世時　持此經者　於家出家　及非菩薩
應生慈悲　斯等不聞　不信是經　則為大失
我得佛道　以諸方便　為說此法　令住其中
譬如強力　轉輪之王　兵戰有功　賞賜諸物
為馬車乘　嚴身之具　及諸田宅　聚落城邑

BD01320號　妙法蓮華經卷五　（26–6）

應生慈悲　斯等不聞　不信是經　則為大失
我得佛道　以諸方便　為說此法　令住其中
譬如強力　轉輪之王　兵戰有功　賞賜諸物
為馬車乘　嚴身之具　及諸田宅　聚落城邑
或與衣服　種種珍寶　奴婢財物　歡喜賜與
如有勇健　能為難事　王解髻中　明珠賜之
如来亦尒　為諸法王　忍辱大力　智慧寶藏
以大慈悲　如法化世　見一切人　受諸苦惱
欲求解脫　與諸魔戰　為是衆生　說種種法
以大方便　說此諸經　既知衆生　得其力已
末後乃為　說是法華　如王解髻　明珠與之
此經為尊　衆經中上　我常守護　不妄開示
今正是時　為汝等說　我滅度後　求佛道者
欲得安隱　演說斯經　應當親近　如是四法
讀是經者　常无憂惱　又无病痛　顏色鮮白
不生貧窮　卑賤醜陋　衆生樂見　如慕賢聖
天諸童子　以為給使　刀杖不加　毒不能害
若人惡罵　口則閉塞　遊行无畏　如師子王
智慧光明　如日之照　若於夢中　但見妙事
見諸如来　坐師子座　諸比丘衆　圍繞說法
又見龍神　阿脩羅等　數如恒沙　恭敬合掌
自見其身　而為說法　又見諸佛　身相金色
放无量光　照於一切　以梵音聲　演說諸法
佛為四衆　說无上法　見身處中　合掌讚佛
聞法歡喜　而為供養　得陁羅尼　證不退智
佛知其心　深入佛道　即為授記　成最正覺
汝善男子　當於来世　得无量智　佛之大道
國土嚴淨　廣大无比　亦有四衆　合掌聽法

BD01320號　妙法蓮華經卷五　（26–7）

聞法歡喜　而為供養　得陁羅尼　證不退智
佛知其心　深入佛道　即為授記　成最正覺
汝善男子　當於來世　得无量智　佛之大道
國土嚴淨　廣大无比　亦有四衆　合掌聽法
又見自身　在山林中　脩習善法　證諸實相
深入禪定　見十方佛
諸佛身金色　百福相莊嚴　聞法為人說　常有是好夢
又夢作國王　捨宮殿眷屬　及上妙五欲　行詣於道場
在菩提樹下　而處師子座　求道過七日　得諸佛之智
成无上道已　起而轉法輪　為四衆說法　經千万億劫
說无漏妙法　度无量衆生　後當入涅槃　如烟盡燈滅
若後惡世中　說是第一法　是人得大利　如上諸功德

妙法蓮華經從地踊出品第十五

尒時他方國土諸來菩薩摩訶薩過八恒河
沙數於大衆中起合掌作礼而白佛言世尊
若聽我等於佛滅後在此娑婆世界勤加精
進護持讀誦書寫供養是經典者當於此土
而廣說之尒時佛告諸菩薩摩訶薩衆止善
男子不須汝等護持此經所以者何我娑婆世
界自有六万恒河沙等菩薩摩訶薩一一
菩薩各有六万恒河沙眷屬是諸人等能於
我滅後護持讀誦廣說此經佛說是時娑婆
世界三千大千國土地皆震裂而於其中有无
量千万億菩薩摩訶薩同時踊出是諸菩薩
身皆金色三十二相无量光明先盡在此娑
婆世界之下此界虛空中住是諸菩薩聞釋
迦牟尼佛所說音聲從下發來一一菩薩皆

BD01320 號　妙法蓮華經卷五　（26–8）

量千万億菩薩摩訶薩同時踊出是諸菩薩
身皆金色三十二相无量光明先盡在此娑
婆世界之下此界虛空中住是諸菩薩聞釋
迦牟尼佛所說音聲從下發來一一菩薩皆
是大衆唱導之首各將六万恒河沙眷屬況
將五万四万三万二万一万恒河沙等眷屬
者況復乃至一恒河沙半恒河沙四分之一
乃至千万億那由他分之一況復千万億
那由他眷屬況復億万眷屬況復千万百万
乃至一万況復一千一百乃至一十況復將
五四三二一弟子者況復單己樂遠離行如
是等比无量无邊筭數譬喻所不能知是諸
菩薩從地出已各詣虛空七寶妙塔多寶如來
釋迦牟尼佛所到已向二世尊頭面礼足及
至諸寶樹下師子座上佛所亦皆作礼右繞
三帀合掌恭敬以諸菩薩種種讚法而以讚
歎住在一面欣樂瞻仰於二世尊是諸菩薩
摩訶薩從初踊出以諸菩薩種種讚法而讚
於佛如是時間經五十小劫是時釋迦牟尼
佛嘿然而坐及諸四衆亦皆嘿然五十小
劫佛神力故令諸大衆謂如半日尒時四衆
亦以佛神力故見諸菩薩遍滿无量百千万
億國土虛空是菩薩衆中有四導師一名上
行二名无邊行三名淨行四名安立行是四
菩薩於其衆中最為上首唱導之師在大衆
前各共合掌觀釋迦牟尼佛而問訊言世尊
少病少惱安樂行不所應度者受教易不不
令世尊生疲勞耶尒時四大菩薩而說偈言

BD01320 號　妙法蓮華經卷五　（26–9）

菩薩於其衆中最為上首唱導之師在大衆
前各共合掌觀釋迦牟尼佛而問訊言世尊
少病少惱安樂行不所應度者受教易不不
令世尊生疲勞耶尒時四大菩薩而說偈言
世尊安樂 少病少惱 教化衆生 得无疲惓
又諸衆生 受化易不 不令世尊 生疲勞耶
尒時世尊於菩薩大衆中而作是言如是如
是諸善男子如來安樂少病少惱諸衆生等
易可化度无有疲勞所以者何是諸衆生
世世已來常受我化亦於過去諸佛供養尊重
種諸善根此諸衆生始見我身聞我所說即
皆信受入如來慧除先脩習學小乘者如是
之人我今亦令得聞是經入於佛慧尒時諸
大菩薩而說偈言
善哉善哉 大雄世尊 諸衆生等 易可化度
能問諸佛 甚深智慧 聞已信行 我等隨喜
於時世尊讚歎上首諸大菩薩善哉善哉
男子汝等能於如來發隨喜心尒時弥勒菩
薩及八千恒河沙諸菩薩衆皆作是念我等
從昔已來不見不聞如是大菩薩摩訶薩衆
從地踊出住世尊前合掌供養問訊如來時
弥勒菩薩摩訶薩知八千恒河沙諸菩薩等
心之所念并欲自決所疑合掌向佛以偈問曰
无量千万億 大衆諸菩薩 昔所未曾見 願兩足尊說
是從何所來 以何因緣集 巨身大神通 智慧叵思議
其志念堅固 有大忍辱力 衆生所樂見 為從何所來
一一諸菩薩 所將諸眷屬 其數无有量 如恒河沙等

BD01320 號　妙法蓮華經卷五　（26–10）

是從何所來 以何因緣集 巨身大神通 智慧叵思議
其志念堅固 有大忍辱力 衆生所樂見 為從何所來
一一諸菩薩 所將諸眷屬 其數无有量 如恒河沙等
或有大菩薩 將六万恒沙 如是諸大衆 一心求佛道
是諸大師等 六万恒河沙 俱來供養佛 及護持此經
將五万恒沙 其數過於是 四万及三万 二万至一万
一千一百等 乃至一恒沙 半及三四分 億万分之一
千万那由他 万億諸弟子 乃至於半億 其數復過上
百万至一万 一千及一百 五十與一十 乃至三二一
單已无眷屬 樂於獨處者 俱來至佛所 其數轉過上
如是諸大衆 若人行籌數 過於恒沙劫 猶不能盡知
是諸大威德 精進菩薩衆 誰為其說法 教化而成就
從誰初發心 稱揚何佛法 受持行誰經 脩習何佛道
如是諸菩薩 神通大智力 四方地震裂 皆從中踊出
世尊我昔來 未曾見是事 願說其所從 國土之名号
我常遊諸國 未曾見是衆 我於此衆中 乃不識一人
忽然從地出 願說其因緣 今此之大會 无量百千億
是諸菩薩等 皆欲知此事 是諸菩薩衆 本末之因緣
无量德世尊 唯願決衆疑
尒時釋迦牟尼佛分身諸佛從无量千万億
他方國土來者在於八方諸寶樹下師子座
上結跏趺坐其佛侍者各各見是菩薩大衆
於三千大千世界四方從地踊出住於虛空
各白其佛言世尊此諸无量无邊阿僧祇菩
薩大衆從何所來尒時諸佛各告侍者諸善
男子且待須臾有菩薩摩訶薩名弥勒釋迦
牟尼佛之所授記次後作佛已問斯事佛今

BD01320 號　妙法蓮華經卷五　（26–11）

薩大衆從何所来尒時諸佛各告侍者諸善
男子且待須臾有菩薩摩訶薩名弥勒釋迦
牟尼佛之所授記次後作佛已問斯事佛今
荅之汝等自當因是得聞尒時釋迦牟尼佛告
告弥勒菩薩善哉善哉阿逸多乃能問佛如是
大事汝等當共一心被精進鎧發堅固意如
来今欲顯發宣示諸佛智慧諸佛自在神
通之力諸佛師子奮迅之力諸佛威猛大勢
之力尒時世尊欲重宣此義而說偈言
當精進一心　我欲說此事　勿得有疑悔　佛智叵思議
汝今出信力　住於忍善中　昔所未聞法　今皆當得聞
我今安慰汝　勿得懷疑懼　佛无不實語　智慧不可量
所得第一法　甚深叵分別　如是今當說　汝等一心聽
尒時世尊說此偈已告弥勒菩薩我今於此
大衆宣告汝等阿逸多是諸大菩薩摩訶薩
无量无數阿僧祇從地踊出汝等昔所未見
者我於是娑婆世界得阿耨多羅三藐三菩
提已教化示導是諸菩薩調伏其心令發道
意此諸菩薩皆於是娑婆世界之下此界虛
空中住於諸經典讀誦通利思惟分別正憶
念阿逸多是諸善男子等不樂在衆多有所
說常樂靜處勤行精進未曾休息亦不依止
人天而住常樂深智无有障礙亦常樂於諸
佛之法一心精進求无上慧尒時世尊欲重
宣此義而說偈言
阿逸汝當知　是諸大菩薩　從无數劫来　脩習佛智慧
悉是我所化　令發大道心　此等是我子　依止是世界

BD01320號　妙法蓮華經卷五　（26–12）

佛之法一心精進求无上慧尒時世尊欲重
宣此義而說偈言
阿逸汝當知　是諸大菩薩　從无數劫来　脩習佛智慧
悉是我所化　令發大道心　此等是我子　依止是世界
常行頭陁事　志樂於靜處　捨大衆憒閙　不樂多所說
如是諸子等　學習我道法　晝夜常精進　為求佛道故
在娑婆世界　下方空中住　志念力堅固　常勤求智慧
說種種妙法　其心无所畏　我於伽耶城　菩提樹下坐
得成最正覺　轉无上法輪　尒乃教化之　令初發道心
今皆住不退　悉當得成佛　我今說實語　汝等一心信
我從久遠来　教化是等衆
尒時弥勒菩薩摩訶薩及无數諸菩薩等心
生疑惑怪未曾有而作是念云何世尊於少
時間教化如是无量无邊阿僧祇諸大菩薩
令住阿耨多羅三藐三菩提即白佛言世尊
如来為太子時出於釋宮去伽耶城不遠坐
於道場得成阿耨多羅三藐三菩提從是已
来始過四十餘年世尊云何於此少時大作
佛事以佛勢力以佛功德教化如是无量大
菩薩衆當成阿耨多羅三藐三菩提世尊此
大菩薩衆假使有人於千万億劫數不能盡
不得其邊斯等久遠已来於无量无邊諸佛
所殖諸善根成就菩薩道常脩梵行世尊如
此之事世所難信譬如有人色美髮黑年二
十五指百歲人言是我子其百歲人亦指年
少言是我父生育我等是事難信佛亦如是
得道已来其實未久而此大衆諸菩薩等已

BD01320號　妙法蓮華經卷五　（26–13）

十五指百歲人言是我子其百歲人亦指年
少言是我父生育我等是事難信佛亦如是
得道已來其實未久而此大衆諸菩薩等已
於无量千万億劫爲佛道故勤行精進善入
出住无量百千万億三昧得大神通久脩梵
行善能次第習諸善法巧於問荅人中之寶
一切世間甚爲希有今日世尊方云得佛道
時初令發心教化示導令向阿耨多羅三藐
三菩提世尊得佛未久乃能作此大功德事
我等雖復信佛隨宜所說佛所出言未曾虛
妄佛所知者皆悉通達然諸新發意菩薩於
佛滅後若聞是語或不信受而起破法罪業
因緣唯然世尊願爲解說除我等疑及未來
世諸善男子聞此事已亦不生疑尒時弥勒
菩薩欲重宣此義而說偈言
佛昔從釋種　出家近伽耶　坐於菩提樹　尒來尚未久
此諸佛子等　其數不可量　久已行佛道　住神通智力
善學菩薩道　不染世間法　如蓮華在水　從地而踊出
皆起恭敬心　住於世尊前　是事難思議　云何而可信
佛得道甚近　所成就甚多　願爲除衆疑　如實分別說
譬如少壯人　年始二十五　示人百歲子　髮白而面皺
是等我所生　子亦說是父　父少而子老　舉世所不信
世尊亦如是　得道來甚近　是諸菩薩等　志固无怯弱
從无量劫來　而行菩薩道　巧於難問荅　其心无所畏
忍辱心決定　端正有威德　十方佛所讚　善能分別說
不樂在人衆　常好在禪定　爲求佛道故　於下空中住
我等從佛聞　於此事无疑　願佛爲未來　演說令開解

BD01320號　妙法蓮華經卷五　（26–14）

從无量劫來　而行菩薩道　巧於難問荅　其心无所畏
忍辱心決定　端正有威德　十方佛所讚　善能分別說
不樂在人衆　常好在禪定　爲求佛道故　於下空中住
我等從佛聞　於此事无疑　願佛爲未來　演說令開解
若有於此經　生疑不信者　即當墮惡道　願今爲解說
是无量菩薩　云何於少時　教化令發心　而住不退地

妙法蓮華經如來壽量品第十六

尒時佛告諸菩薩及一切大衆諸善男子汝
等當信解如來誠諦之語復告大衆汝等當
信解如來誠諦之語又復告諸大衆汝等當
信解如來誠諦之語是時菩薩大衆弥勒爲
首合掌白佛言世尊唯願說之我等當信受
佛語如是三白已復言唯願說之我等當信
受佛語尒時世尊知諸菩薩三請不止而告
之言汝等諦聽如來祕密神通之力一切世間
天人及阿脩羅皆謂今釋迦牟尼佛出釋
氏宮去伽耶城不遠坐於道場得阿耨多羅
三藐三菩提然善男子我實成佛已來无量
无邊百千万億那由他劫譬如五百千万億
那由他阿僧祇三千大千世界假使有人末
爲微塵過於東方五百千万億那由他阿僧
祇國乃下一塵如是東行盡是微塵諸善男
子於意云何是諸世界可得思惟校計知其
數不弥勒菩薩等俱白佛言世尊是諸世界
无量无邊非筭數所知亦非心力所及一切
聲聞辟支佛以无漏智不能思惟知其限數
我等住阿惟越致地於是事中亦所不達世

BD01320號　妙法蓮華經卷五　（26–15）

數不弥勒菩薩等俱白佛言世尊是諸世界
无量无邊非筭數所知亦非心力所及一切
聲聞辟支佛以无漏智不能思惟知其限數
我等住阿惟越致地於是事中亦所不達世
尊如是諸世界无量无邊尒時佛告大菩薩
衆諸善男子今當分明宣語汝等是諸世界
若著微塵及不著者盡以為塵一塵一劫我
成佛已來復過於此百千万億那由他阿僧
祇劫自從是來我常在此娑婆世界說法教
化亦於餘處百千万億那由他阿僧祇國導
利衆生諸善男子於是中間我說然燈佛等
又復言其入於涅槃如是皆以方便分別諸
善男子若有衆生來至我所我以佛眼觀其
信等諸根利鈍隨所應度處處自說名字不
同年紀大小亦復現言當入涅槃又以種種
方便說微妙法能令衆生發歡喜心諸善男
子如來見諸衆生樂於小法德薄垢重者為
是人說我少出家得阿耨多羅三藐三菩提
然我實成佛已來久遠若斯但以方便教化
衆生令入佛道作如是說諸善男子如來所
演經典皆為度脫衆生或說己身或說他身
或示己身或示他身或示己事或示他事諸
所言說皆實不虛所以者何如來如實知見
三界之相无有生死若退若出亦无在世及
滅度者非實非虛非如非異不如三界見於
三界如斯之事如來明見无有錯謬以諸衆
生有種種性種種欲種種行種種憶想分別

BD01320 號　妙法蓮華經卷五　（26–16）

三界之相无有生死若退若出亦无在世及
滅度者非實非虛非如非異不如三界見於
三界如斯之事如來明見无有錯謬以諸衆
生有種種性種種欲種種行種種憶想分別
故欲令生諸善根以若干因緣譬喻言辭種
種說法所作佛事未曾暫廢如是我成佛已
來甚大久遠壽命无量阿僧祇劫常住不滅
諸善男子我本行菩薩道所成壽命今猶未
盡復倍上數然今非實滅度而便唱言當取
滅度如來以是方便教化衆生所以者何若
佛久住於世薄德之人不種善根貧窮下賤
貪著五欲入於憶想妄見網中若見如來常
在不滅便起憍恣而懷猒怠不能生難遭之
想恭敬之心是故如來以方便說比丘當知諸
佛出世難可值遇所以者何諸薄德人過
无量百千万億劫或有見佛或不見者以此
事故我作是言諸比丘如來難可得見斯衆
生等聞如是語必當生於難遭之想心懷戀
慕渇仰於佛便種善根是故如來雖不實滅
而言滅度又善男子諸佛如來法皆如是為
度衆生皆實不虛譬如良醫智慧聰達明練
方藥善治衆病其人多諸子息若十二十乃
至百數以有事緣遠至餘國諸子於後飲他
毒藥藥發悶亂宛轉于地是時其父還來歸
家諸子飲毒或失本心或不失者遙見其父
皆大歡喜拜跪問訊善安隱歸我等愚癡誤
服毒藥願見救療更賜壽命父見子等苦惱
如是依諸經方求好藥草色香美味皆悉具

BD01320 號　妙法蓮華經卷五　（26–17）

家諸子飲毒或失本心或不失者遙見其父
皆大歡喜拜跪問訊善安隱歸我等愚癡誤
服毒藥願見救療更賜壽命父見子等苦惱
如是依諸經方求好藥草色香美味皆悉具
足擣篩和合與子令服而作是言此大良藥
色香美味皆悉具足汝等可服速除苦惱无
復衆患其諸子中不失心者見此良藥色香
俱好即便服之病盡除愈餘失心者見其父
來雖亦歡喜問訊求索治病然與其藥而不
肯服所以者何毒氣深入失本心故於此好
色香藥而謂不美父作是念此子可愍爲毒
所中心皆顛倒雖見我喜求索救療如是好
藥而不肯服我今當設方便令服此藥即作是
言汝等當知我今衰老死時已至是好良藥
今留在此汝可取服勿憂不差作是教已復
至他國遣使還告汝父已死是時諸子聞父
背喪心大憂惱而作是念若父在者慈愍我
等能見救護今者捨我遠喪他國自惟孤露
无復恃怙常懷悲感心遂醒悟乃知此藥色
味香美即取服之毒病皆愈其父聞子悉
已得差尋便來歸咸使見之諸善男子於意
云何頗有人能說此良醫虛妄罪不不也世
尊佛言我亦如是成佛已來无量无邊百千
万億那由他阿僧祇劫爲衆生故以方便力言
當滅度亦无有能如法說我虛妄過者尒時世
尊欲重宣此義而說偈言
自我得佛來　所經諸劫數　无量百千万　億載阿僧祇
常說法教化　无數億衆生　令入於佛道　尒來无量劫

BD01320號　妙法蓮華經卷五　（26–18）

當滅度亦无有能如法說我虛妄過者尒時世
尊欲重宣此義而說偈言
自我得佛來　所經諸劫數　无量百千万　億載阿僧祇
常說法教化　无數億衆生　令入於佛道　尒來无量劫
爲度衆生故　方便現涅槃　而實不滅度　常住此說法
我常住於此　以諸神通力　令顛倒衆生　雖近而不見
衆見我滅度　廣供養舍利　咸皆懷戀慕　而生渴仰心
衆生既信伏　質直意柔軟　一心欲見佛　不自惜身命
時我及衆僧　俱出靈鷲山　我時語衆生　常在此不滅
以方便力故　現有滅不滅　餘國有衆生　恭敬信樂者
我復於彼中　爲說无上法　汝等不聞此　但謂我滅度
我見諸衆生　沒在於苦惱　故不爲現身　令其生渴仰
因其心戀慕　乃出爲說法　神通力如是　於阿僧祇劫
常在靈鷲山　及餘諸住處　衆生見劫盡　大火所燒時
我此土安隱　天人常充滿　園林諸堂閣　種種寶莊嚴
寶樹多華菓　衆生所遊樂　諸天擊天鼓　常作衆伎樂
雨曼陀羅華　散佛及大衆　我淨土不毀　而衆見燒盡
憂怖諸苦惱　如是悉充滿　是諸罪衆生　以惡業因緣
過阿僧祇劫　不聞三寶名　諸有脩功德　柔和質直者
則皆見我身　在此而說法　或時爲此衆　說佛壽无量
久乃見佛者　爲說佛難值　我智力如是　慧光照无量
壽命无數劫　久脩業所得　汝等有智者　勿於此生疑
當斷令永盡　佛語實不虛　如醫善方便　爲治狂子故
實在而言死　无能說虛妄　我亦爲世父　救諸苦患者
爲凡夫顛倒　實在而言滅　以常見我故　而生憍恣心
放逸著五欲　墮於惡道中　我常知衆生　行道不行道
隨應所可度　爲說種種法　每自作是意　以何令衆生

BD01320號　妙法蓮華經卷五　（26–19）

為凡夫顛倒　實在而言滅　以常見我故　而生憍恣心
放逸著五欲　墮於惡道中　我常知眾生　行道不行道
隨應所可度　為說種種法　每自作是意　以何令眾生
得入无上道　速成就佛身

妙法蓮華經分別功德品第十七

尒時大會聞佛說壽命劫數長遠如是无量
无邊阿僧祇眾生得大饒益於時世尊告弥
勒菩薩摩訶薩阿逸多我說是如來壽命長
遠時六百八十万億那由他恒河沙眾生得
无生法忍復千倍菩薩摩訶薩得聞持陁羅
尼門復有一世界微塵數菩薩摩訶薩得樂
說无礙辯才復有一世界微塵數菩薩摩訶
薩得百万億无量旋陁羅尼復有三千大千
世界微塵數菩薩摩訶薩能轉不退法輪復
有二千中國土微塵數菩薩摩訶薩能轉清
淨法輪復有小千國土微塵數菩薩摩訶薩
八生當得阿耨多羅三藐三菩提復有四四
天下微塵數菩薩摩訶薩四生當得阿耨多
羅三藐三菩提復有三四天下微塵數菩薩
摩訶薩三生當得阿耨多羅三藐三菩提復
有二四天下微塵數菩薩摩訶薩二生當得
阿耨多羅三藐三菩提復有一四天下微塵
數菩薩摩訶薩一生當得阿耨多羅三藐三
菩提復有八世界微塵數眾生皆發阿耨多
羅三藐三菩提心佛說是諸菩薩摩訶薩得
大法利時於虛空中雨曼陁羅華摩訶曼陁
羅華以散无量百千万億寶樹下師子座上

BD01320號　妙法蓮華經卷五　（26–20）

菩提復有八世界微塵數眾生皆發阿耨多
羅三藐三菩提心佛說是諸菩薩摩訶薩得
大法利時於虛空中雨曼陁羅華摩訶曼陁
羅華以散无量百千万億寶樹下師子座上
諸佛并散七寶塔中師子座上釋迦牟尼佛
及久滅度多寶如來亦散一切諸大菩薩及
四部眾又雨細末栴檀沉水香等於虛空中
天鼓自鳴妙聲深遠又雨千種天衣垂諸瓔
珞真珠瓔珞摩尼珠瓔珞如意珠瓔珞遍於九
方眾寶香爐燒无價香自然周至供養大
會一一佛上有諸菩薩執持幡蓋次第而上
至于梵天是諸菩薩以妙音聲歌无量頌讚
歎諸佛尒時弥勒菩薩從座而起偏袒右肩
合掌向佛而說偈言

佛說希有法　昔所未曾聞　世尊有大力　壽命不可量
无數諸佛子　聞世尊分別　說得法利者　歡喜充遍身
或住不退地　或得陁羅尼　或无礙樂說　万億旋捴持
或有大千界　微塵數菩薩　各各皆能轉　不退之法輪
或有中千界　微塵數菩薩　各各皆能轉　清淨之法輪
復有小千界　微塵數菩薩　餘各八生在　當得成佛道
復有四三二　如是四天下　微塵諸菩薩　隨數生成佛
或一四天下　微塵數菩薩　餘有一生在　當成一切智
如是等眾生　聞佛壽長遠　得无量无漏　清淨之果報
復有八世界　微塵數眾生　聞佛說壽命　皆發无上心
世尊說无量　不可思議法　多有所饒益　如虛空无邊
雨天曼陁羅　摩訶曼陁羅　釋梵如恒沙　无數佛土来
雨栴檀沉水　繽紛而亂墜　如鳥飛空下　供散於諸佛

BD01320號　妙法蓮華經卷五　（26–21）

如是等衆生　聞佛壽長遠　得无量无漏　清淨之果報
復有八世界　微塵數衆生　聞佛說壽命　皆發无上心
世尊說无量　不可思議法　多有所饒益　如虛空无邊
雨天曼陁羅　摩訶曼陁羅　釋梵如恒沙　无數佛土來
雨栴檀沉水　繽紛而亂墜　如鳥飛空下　供散於諸佛
天鼓虛空中　自然出妙聲　天衣千万種　旋轉而來下
衆寶妙香爐　燒无價之香　自然悉周遍　供養諸世尊
其大菩薩衆　執七寶幡蓋　高妙万億種　次第至梵天
一一諸佛前　寶幢懸勝幡　亦以千万偈　歌詠諸如來
如是種種事　昔所未曾有　聞佛壽无量　一切皆歡喜
佛名聞十方　廣饒益衆生　一切具善根　以助无上心
尒時佛告弥勒菩薩摩訶薩阿逸多其有衆
生聞佛壽命長遠如是乃至能生一念信解
所得功德无有限量若有善男子善女人爲
阿耨多羅三藐三菩提於八十万億那由他
劫行五波羅蜜檀波羅蜜尸羅波羅蜜羼提
波羅蜜毗梨耶波羅蜜禪波羅蜜除般若波
羅蜜以是功德比前功德百分千分百千万
億分不及其一乃至筭數譬喻所不能知若
善男子有如是功德於阿耨多羅三藐三菩
提退者无有是處尒時世尊欲重宣此義而
說偈言
若人求佛慧　於八十万億　那由他劫數　行五波羅蜜
於是諸劫中　布施供養佛　及緣覺弟子　幷諸菩薩衆
珎異之飲食　上服與卧具　栴檀立精舍　以園林莊嚴
如是等布施　種種皆微妙　盡此諸劫數　以迴向佛道
若復持禁戒　清淨无缺漏　求於无上道　諸佛之所歎
若復行忍辱　住於調柔地　設衆惡來加　其心不傾動

珎異之飲食　上服與卧具　栴檀立精舍　以園林莊嚴
如是等布施　種種皆微妙　盡此諸劫數　以迴向佛道
若復持禁戒　清淨无缺漏　求於无上道　諸佛之所歎
若復行忍辱　住於調柔地　設衆惡來加　其心不傾動
諸有得法者　懷於增上慢　爲此所輕惱　如是亦能忍
若復勤精進　志念常堅固　於无量億劫　一心不懈息
又於无數劫　住於空閑處　若坐若經行　除睡常攝心
以是因緣故　能生諸禪定　八十億万劫　安住心不亂
持此一心福　願求无上道　我得一切智　盡諸禪定際
是人於百千　万億劫數中　行此諸功德　如上之所說
有善男女等　聞我說壽命　乃至一念信　其福過於彼
若人悉无有　一切諸疑悔　深心須臾信　其福爲如此
其有諸菩薩　无量劫行道　聞我說壽命　是則能信受
如是諸人等　頂受此經典　願我於未來　長壽度衆生
如今日世尊　諸釋中之王　道場師子吼　說法无所畏
我等未來世　一切所尊敬　坐於道場時　說壽亦如是
若有深心者　清淨而質直　多聞能捴持　隨義解佛語
如是諸人等　於此无有疑
又阿逸多若有聞佛壽命長遠解其言趣是
人所得功德无有限量能起如來无上之慧何
況廣聞是經若教人聞若自持若教人持若自
書若教人書若以華香瓔珞幢幡繒蓋香
油蘇燈供養經卷是人功德无量无邊能生
一切種智阿逸多若善男子善女人聞我
說壽命長遠深心信解則爲見佛常在耆闍
崛山共大菩薩諸聲聞衆圍繞說法又見此
娑婆世界其地瑠璃坦然平正閻浮檀金以
界八道寶樹行列諸臺樓觀皆悉寶成其菩

一切種智阿逸多若善男子善女人聞我
說壽命長遠深心信解則為見佛常在耆闍
崛山共大菩薩諸聲聞衆圍繞說法又見此
娑婆世界其地瑠璃坦然平正閻浮檀金以
界八道寶樹行列諸臺樓觀皆悉寶成其菩
薩衆咸處其中若有能如是觀者當知是為
深信解相又復如來滅後若聞是經而不毀呰
起隨喜心當知已為深信解相何況讀誦受
持之者斯人則為頂戴如來阿逸多是善男
子善女人不須為我復起塔寺及作僧坊以
四事供養衆僧所以者何是善男子善女人
受持讀誦是經典者為已起塔造立僧坊供
養衆僧則為以佛舍利起七寶塔高廣漸小
至于梵天懸諸幡蓋及衆寶鈴華香瓔珞
末香塗香燒香衆鼓伎樂簫笛箜篌種種舞
戲以妙音聲歌唄讚頌則為於无量千万億
劫作是供養已阿逸多若我滅後聞是經典有
能受持若自書若教人書則為起立僧坊以
赤栴檀作諸殿堂三十有二高八多羅樹高
廣嚴好百千比丘於其中心園林流池經行
禪窟衣服飲食床褥湯藥一切樂具充滿
其中如是僧坊堂閣若干百千万億其數无
量以此現前供養於我及比丘僧是故我說
如來滅後若有受持讀誦為他人說若自書
若教人書供養經卷不須復起塔寺及造僧
坊供養衆僧況復有人能持是經兼行布施
持戒忍辱精進一心智慧其德最勝无量无
邊譬如虛空東西南北四維上下无量无邊

BD01320號　妙法蓮華經卷五　（26–24）

量以此現前供養於我及比丘僧是故我說
如來滅後若有受持讀誦為他人說若自書
若教人書供養經卷不須復起塔寺及造僧
坊供養衆僧況復有人能持是經兼行布施
持戒忍辱精進一心智慧其德最勝无量无
邊譬如虛空東西南北四維上下无量无邊
是人功德亦復如是无量无邊疾至一切種
智若人讀誦受持是經為他人說若自書若
教人書復能起塔及造僧坊供養讚歎聲聞
衆僧亦以百千万億讚歎之法讚歎菩薩功
德又為他人種種因緣隨義解說此法華經
復能清淨持戒與柔和者而共同心忍辱无
瞋志念堅固常貴坐禪得諸深定精進勇猛
攝諸善法利根智慧善答問難阿逸多若我
滅後諸善男子善女人受持讀誦是經典者
復有如是諸善功德當知是人已趣道場近
阿耨多羅三藐三菩提坐道樹下阿逸多是
善男子若坐若立若行處此中便應起塔一
切天人皆應供養如佛之塔尒時世尊欲重宣
此義而說偈言
若我滅度後　能奉持此經　斯人福无量　如上之所說
是則為具足　一切諸供養　以舍利起塔　七寶而莊嚴
表刹甚高廣　漸小至梵天　寶鈴千万億　風動出妙音
又於无量劫　而供養此塔　華香諸瓔珞　天衣衆伎樂
然香油酥燈　周帀常照明　惡世法末時　能持是經者
則為已如上　具足諸供養　若能持此經　則如佛現在
以牛頭栴檀　起僧坊供養　堂有三十二　高八多羅樹
上饌妙衣服　床卧皆具足　百千衆住處　園林諸流池

BD01320號　妙法蓮華經卷五　（26–25）

善男子若坐若立若行處此中便應起塔一
切天人皆應供養如佛之塔尒時世尊欲重宣
此義而說偈言

若我滅度後　能奉持此經　斯人福无量　如上之所說
是則為具足　一切諸供養　以舍利起塔　七寶而莊嚴
表剎甚高廣　漸小至梵天　寶鈴千万億　風動出妙音
又於无量劫　而供養此塔　華香諸瓔珞　天衣眾伎樂
然香油蘇燈　周帀常照明　惡世法末時　能持是經者
則為已如上　具足諸供養　若能持此經　則如佛現在
以牛頭栴檀　起僧坊供養　堂有三十二　高八多羅樹
上饌妙衣服　床卧皆具足　百千眾住處　園林諸流池
經行及禪窟　種種皆嚴好　若有信解心　受持讀誦書
若復教人書　及供養經卷　散華香末香　以須曼瞻蔔
阿提目多伽　薰油常然之　如是供養者　得无量功德
如虛空无邊　其福亦如是　況復持此經　兼布施持戒
忍辱樂禪定　不瞋不惡口　恭敬於塔廟　謙下諸比丘
遠離自高心　常思惟智慧　有問難不瞋　隨順為解說
若能行是行　功德不可量　若見此法師　成就如是德
應以天華散　天衣覆其身　頭面接足禮　生心如佛想
又應作是念　不久詣道樹　得无漏无為　廣利諸人天
其所住止處　經行若坐卧　乃至說一偈　是中應起塔
莊嚴令妙好　種種以供養　佛子住此地　則是佛受用
常在於其中　經行及坐卧

妙法蓮華經卷第五

BD01320 號　妙法蓮華經卷五　（26–26）

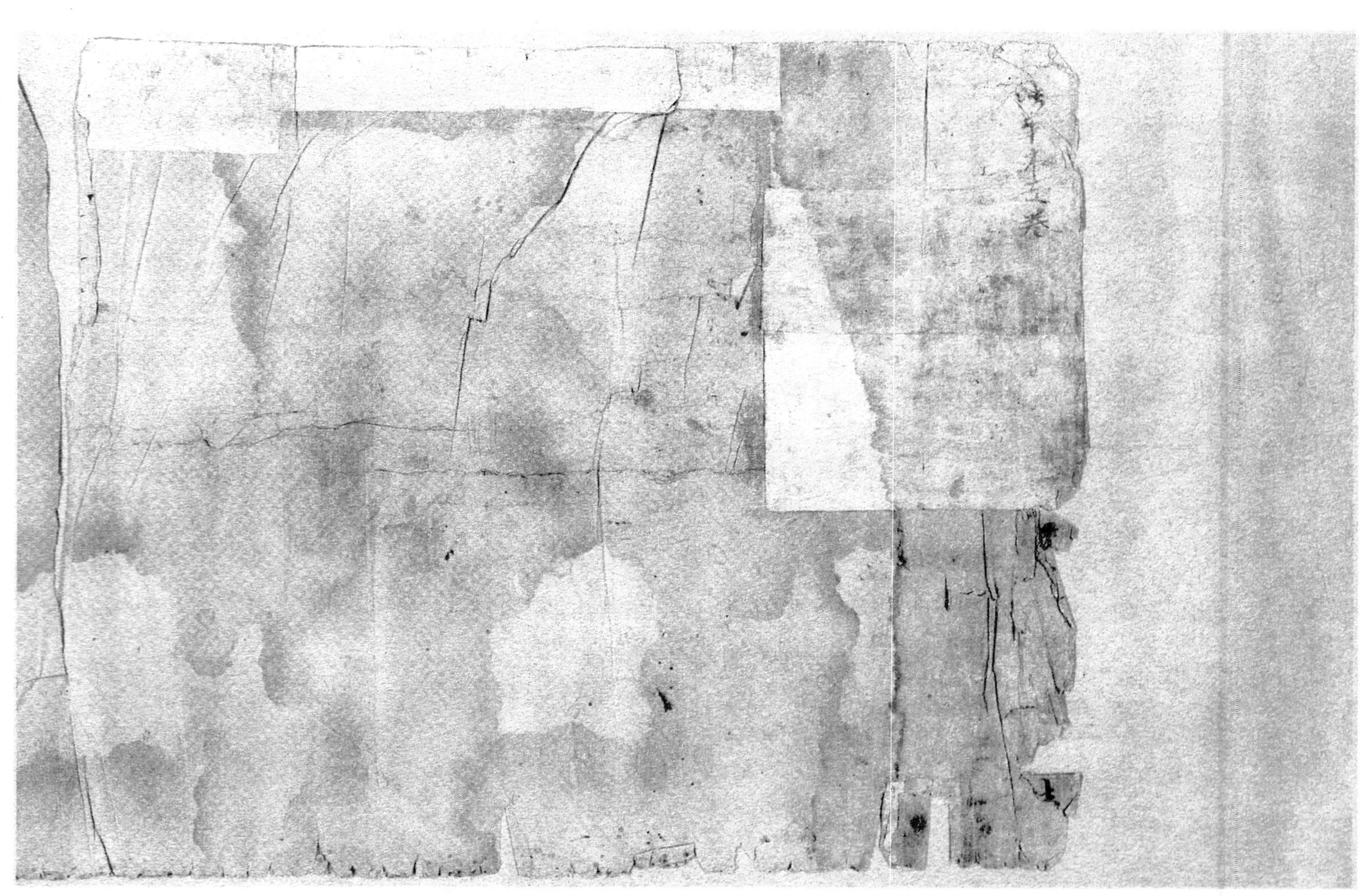

BD01320 號背　勘記　（1–1）

也世尊須菩提
如是不可思量須
須菩提於意云何可　[illegible]見如来不不也
世尊不可以身相得見　何以故如来所
說身相即非身相佛告須菩提凡所有相
皆是虛妄若見諸相　相則見如来
須菩提白佛言世尊頗有衆生得聞如是言
說章句生實信不佛告須菩提莫作是說如
来滅後後五百歲有持戒脩福者於此章句
能生信心以此為實當知是人不於一佛二佛
三四五佛而種善根已於无量千万佛所種
諸善根聞是章句乃至一念生淨信者須
菩提如来悉知悉見是諸衆生得如是无量
福德何以故是諸衆生无復我相人相衆生
相壽者相无法相亦无非法相何以故是諸
衆生若心取相則為著我人衆生壽者若取
法相即著我人衆生壽者何以故若取非法
相即著我人衆生壽者是故不應取法不應
取非法以是義故如来常說汝等比丘知我說
法如筏喻者法尚應捨何況非法
須菩提於意云何如来得阿耨多羅三藐三

BD01321 號　金剛般若波羅蜜經　（15–1）

衆生若心取相則為著我人衆生壽者若取
法相即著我人衆生壽者何以故若取非法
相即著我人衆生壽者是故不應取法不應
取非法以是義故如来常說汝等比丘知我說
法如筏喻者法尚應捨何況非法
須菩提於意云何如来得阿耨多羅三藐三
菩提耶如来有所說法耶須菩提言如我解
佛所說義无有定法名阿耨多羅三藐三菩
提亦无有定法如来可說何以故如来所說
法皆不可取不可說非法非非法所以者何
一切賢聖皆以无為法而有差別
須菩提於意云何若人滿三千大千世界七
寶以用布施是人所得福德寧為多不須菩
提言甚多世尊何以故是福德即非福德性是
故如来說福德多若復有人於此經中受持乃
至四句偈等為他人說其福勝彼何以故須
菩提一切諸佛及諸佛阿耨多羅三藐三菩
提法皆從此經出須菩提所謂佛法者即
非佛法
須菩提於意云何須陁洹能作是念我得須
陁洹果不須菩提言不也世尊何以故須陁洹
名為入流而无所入不入色聲香味觸法是名
須陁洹須菩提於意云何斯陁含能作是
念我得斯陁含果不須菩提言不也世尊
何以故斯陁含名一往来而實无往来是名斯

BD01321 號　金剛般若波羅蜜經　（15–2）

陀洹果不須菩提言不也世尊何以故須陀洹
名為入流而无所入不入色聲香味觸法是名
須陀洹須菩提於意云何斯陀含能作是
念我得斯陀含果不須菩提言不也世尊
何以故斯陀含名一往來而實无往來是名斯
陀含須菩提於意云何阿那含能作是念我
得阿那含果不須菩提言不也世尊何以故
阿那含名為不來而實无來是故名阿那含
須菩提於意云何阿羅漢能作是念我得
阿羅漢道不須菩提言不也世尊何以故實
无有法名阿羅漢世尊若阿羅漢作是念
我得阿羅漢道即為著我人衆生壽者世尊
佛說我得无諍三昧人中最為第一是第一離
欲阿羅漢我不作是念我是離欲阿羅漢世
尊我若作是念我得阿羅漢道世尊則不說
須菩提是樂阿蘭那行者以須菩提實无
所行而名須菩提是樂阿蘭那行
佛告須菩提於意云何如來昔在然燈佛所
於法有所得不世尊如來在然燈佛所於法
實无所得須菩提於意云何菩薩莊嚴佛
土不不也世尊何以故莊嚴佛土者則非莊嚴
是名莊嚴是故須菩提諸菩薩摩訶薩應
如是生清淨心不應住色生心不應住聲香
味觸法生心應无所住而生其心須菩提譬

BD01321 號　金剛般若波羅蜜經　（15–3）

是名莊嚴是故須菩提諸菩薩摩訶薩應
如是生清淨心不應住色生心不應住聲香
味觸法生心應无所住而生其心須菩提譬
如有人身如須彌山王於意云何是身為大不
須菩提言甚大世尊何以故佛說非身是名
大身須菩提如恒河中所有沙數如是沙等
恒河於意云何是諸恒河沙寧為多不須菩
提言甚多世尊但諸恒河尚多无數何況其
沙須菩提我今實言告汝若有善男子善女
人以七寶滿尒所恒河沙數三千大千世界以
用布施得福多不須菩提言甚多世尊佛告
須菩提若善男子善女人於此經中乃至受
持四句偈等為他人說而此福德勝前福德
復次須菩提隨說是經乃至四句偈等當
知此處一切世間天人阿脩羅皆應供養如
佛塔廟何況有人盡能受持讀誦須菩提
當知是人成就最上第一希有之法若是經典
所在之處則為有佛若尊重弟子
尒時須菩提白佛言世尊當何名此經我等
云何奉持佛告須菩提是經名為金剛般若
波羅蜜以是名字汝當奉持所以者何須菩
提佛說般若波羅蜜則非般若波羅蜜須菩
提於意云何如來有所說法不須菩提白佛
言世尊如來无所說須菩提於意云何三千

BD01321 號　金剛般若波羅蜜經　（15–4）

須[illegible]
提佛說般若波羅蜜則非般若波羅蜜須菩
提於意云何如来有所說法不須菩提白佛
言世尊如来无所說須菩提於意云何三千
大千世界所有微塵是為多不須菩提言甚
多世尊須菩提諸微塵如来說非微塵是
名微塵如来說世界非世界是名世界須菩
提於意云何可以三十二相見如来不不也世
尊不可以三十二相得見如来何以故如来
說三十二相即是非相是名三十二相須菩
提若有善男子善女人以恒河沙等身命
布施若復有人於此經中乃至受持四句偈
等為他人說其福甚多
尒時須菩提聞說是經深解義趣涕淚悲
泣而白佛言希有世尊佛說如是甚深經典
我從昔来所得慧眼未曾得聞如是之經世
尊若復有人得聞是經信心清淨則生實
相當知是人成就第一希有功德世尊是實相
者則是非相是故如来說名實相世尊我今
得聞如是經典信解受持不足為難若當来
世後五百歲其有衆生得聞是經信解受持是
人則為第一希有何以故此人无我相人相衆生
相壽者相所以者何我相即是非相人相衆
生相壽者相即是非相何以故離一切諸相

BD01321號　金剛般若波羅蜜經　（15–5）

[illegible]
世後五百歲其有衆生得聞是經信解受持是
人則為第一希有何以故此人无我相人相衆生
相壽者相所以者何我相即是非相人相衆
生相壽者相即是非相何以故離一切諸相
則名諸佛
佛告須菩提如是如是若復有人得聞是經
不驚不怖不畏當知是人甚為希有何以故
須菩提如来說第一波羅蜜非第一波羅蜜
是名第一波羅蜜
須菩提忍辱波羅蜜如来說非忍辱波羅蜜
何以故須菩提如我昔為歌利王割截身體
我於尒時无我相无人相无衆生相无壽者
相何以故我於往昔節節支解時若有我相
人相衆生相壽者相應生瞋恨須菩提又念
過去於五百世作忍辱仙人於尒所世无我相
无人相无衆生相无壽者相是故須菩提
菩薩應離一切相發阿耨多羅三藐三菩提
心不應住色生心不應住聲香味觸法生心
應生无所住心若心有住則為非住是故佛
說菩薩心不應住色布施須菩提菩薩為
利益一切衆生應如是布施如来說一切諸相
即是非相又說一切衆生則非衆生須菩提
如来是真語者實語者如語者不誑語者不
異語者須菩提如来所得法此法无實无虛

BD01321號　金剛般若波羅蜜經　（15–6）

利益一切衆生應如是布施如来説一切諸相
即是非相又説一切衆生則非衆生須菩提
如来是真語者實語者如語者不誑語者不
異語者須菩提如来所得法此法无實无虚
須菩提若菩薩心住於法而行布施如人入
闇則无所見若菩薩心不住於法而行布施如
人有目日光明照見種種色須菩提當来之
世若有善男子善女人能於此經受持讀誦
則為如来以佛智慧悉知是人悉見是人皆
得成就无量无邊功德
須菩提若有善男子善女人初日分以恒河
沙等身布施中日分復以恒河沙等身布施
後日分亦以恒河沙等身布施如是无量百千
萬億劫以身布施若復有人聞此經典信心
不逆其福勝彼何况書寫受持讀誦為人
解説須菩提以要言之是經有不可思議不
可稱量无邊功德如来為發大乘者説為發
最上乘者説若有人能受持讀誦廣為人説
如来悉知是人悉見是人皆得成就不可量不
可稱无有邊不可思議功德如是人等則為荷
擔如来阿耨多羅三藐三菩提何以故須菩
提若樂小法者著我見人見衆生見壽者
見則於此經不能聽受讀誦為人解説須菩
提在在處處若有此經一切世間天人阿修羅
所應供養當知此處則為是塔皆應恭敬

提若樂小法者著我見人見衆生見壽者
見則於此經不能聽受讀誦為人解説須菩
提在在處處若有此經一切世間天人阿修羅
所應供養當知此處則為是塔皆應恭敬
作禮圍繞以諸華香而散其處
復次須菩提善男子善女人受持讀誦此經
若為人輕賤是人先世罪業應墮惡道以今
世人輕賤故先世罪業則為消滅當得阿耨
多羅三藐三菩提須菩提我念過去无量无
僧祇劫於然燈佛前得值八百四千萬億那
由他諸佛悉皆供養承事无空過者若復有
人於後末世能受持讀誦此經所得功德於
我所供養諸佛功德百分不及一千萬億分
乃至筭數譬喻所不能及須菩提若善男子
善女人於後末世有受持讀誦此經所得功德
我若具説者或有人聞心則狂亂狐疑不信
須菩提當知是經義不可思議果報亦不可
思議
尒時須菩提白佛言世尊善男子善女人發阿
耨多羅三藐三菩提心云何應住云何降伏
其心佛告須菩提善男子善女人發阿耨多
羅三藐三菩提者當生如是心我應滅度一
切衆生滅度一切衆生已而无有一衆生實滅
度者何以故若菩薩有我相人相衆生相
壽者相則非菩薩所以者何須菩提實无

羅三藐三菩提者當生如是心我應滅度一
切衆生滅度一切衆生已而无有一衆生實滅
度者何以故若菩薩有我相人相衆生相
壽者相即非菩薩所以者何須菩提實无
有法發阿耨多羅三藐三菩提者須菩提於
意云何如來於然燈佛所有法得阿耨多羅
三藐三菩提不不也世尊如我解佛所說義
佛於然燈佛所无有法得阿耨多羅三藐三
菩提佛言如是如是須菩提實无有法如來
得阿耨多羅三藐三菩提須菩提若有法如
來得阿耨多羅三藐三菩提然燈佛則不
與我受記汝於來世當得作佛號釋迦牟尼
以實无有法得阿耨多羅三藐三菩提是故
然燈佛與我受記作是言汝於來世當得作
佛號釋迦牟尼何以故如來者即諸法如義
若有人言如來得阿耨多羅三藐三菩提須
菩提實无有法佛得阿耨多羅三藐三菩
提須菩提如來所得阿耨多羅三藐三菩提於
是中无實无虛是故如來說一切法皆是佛
法須菩提所言一切法者即非一切法是故名
一切法須菩提譬如人身長大須菩提言世
尊如來說人身長大則為非大是名大身
須菩提菩薩亦如是若作是言我當滅度
无量衆生則不名菩薩何以故須菩提實无
有法名為菩薩是故佛說一切法无我无人
无衆生无壽者須菩提若菩薩作是言我當

BD01321號　金剛般若波羅蜜經　（15-9）

須菩提菩薩亦如是若作是言我當滅度
无量衆生則不名菩薩何以故須菩提實无
有法名為菩薩是故佛說一切法无我无人
无衆生无壽者須菩提若菩薩作是言我當
莊嚴佛土是不名菩薩何以故如來說莊嚴
佛土者即非莊嚴是名莊嚴須菩提若菩
薩通達无我法者如來說名真是菩薩
須菩提於意云何如來有肉眼不如是世尊
如來有肉眼須菩提於意云何如來有天眼
不如是世尊如來有天眼須菩提於意云何
如來有慧眼不如是世尊如來有慧眼須菩
提於意云何如來有法眼不如是世尊如來
有法眼須菩提於意云何如來有佛眼不如
是世尊如來有佛眼須菩提於意云何恒河
中所有沙佛說是沙不如是世尊如來說是
沙須菩提於意云何如一恒河中所有沙有
如是等恒河是諸恒河所有沙數佛世界如
是寧為多不甚多世尊佛告須菩提尒所
國土中所有衆生若干種心如來悉知何以故
如來說諸心皆為非心是名為心所以者何
須菩提過去心不可得現在心不可得未來
心不可得須菩提於意云何若有人滿三千
大千世界七寶以用布施是人以是因緣得
福多不如是世尊此人以是因緣得福甚多
須菩提若福德有實如來不說得福德多

BD01321號　金剛般若波羅蜜經　（15-10）

心不可得須菩提於意云何若有人滿三千
大千世界七寶以用布施是人以是因緣得
福多不如是世尊此人以是因緣得福甚多
須菩提若福德有實如來不說得福德多
以福德无故如來說得福德多
須菩提於意云何佛可以具足色身見不不
也世尊如來不應以具足色身見何以故如
來說具足色身即非具足色身是名具足
色身須菩提於意云何如來可以具足諸相見
不不也世尊如來不應以具足諸相見何以故如
來說諸相具足即非具足是名諸相具足須菩
提汝勿謂如來作是念我當有所說法莫作
是念何以故若有人言如來有所說法即為
謗佛不能解我所說故須菩提說法者无法
可說是名說法須菩提白佛言世尊佛得阿
耨多羅三藐三菩提為无所得耶如是如是須
菩提我於阿耨多羅三藐三菩提乃至无
有少法可得是名阿耨多羅三藐三菩提復
次須菩提是法平等无有高下是名阿耨多
羅三藐三菩提以无我无人无眾生无壽者
脩一切善法則得阿耨多羅三藐三菩提須
菩提所言善法者如來說非善法是名善法
須菩提若三千大千世界中所有諸須弥山
王如是等七寶聚有人持用布施若人以此
般若波羅蜜經乃至四句偈等受持讀誦為

BD01321號　金剛般若波羅蜜經

（15–11）

菩提所言善法者如來說非善法是名善法
須菩提若三千大千世界中所有諸須弥山
王如是等七寶聚有人持用布施若人以此
般若波羅蜜經乃至四句偈等受持讀誦為
他人說於前福德百分不及一百千万億分乃
至筭數譬喻所不能及
須菩提於意云何汝等勿謂如來作是念我
當度眾生須菩提莫作是念何以故實无有
眾生如來度者若有眾生如來度者如來則
有我人眾生壽者須菩提如來說有我者則
非有我而凡夫之人以為有我須菩提凡夫者
如來說則非凡夫須菩提於意云何可以三
十二相觀如來不須菩提言如是如是以三
十二相觀如來佛言須菩提若以三十二相
觀如來者轉輪聖王則是如來須菩提白佛
言世尊如我解佛所說義不應以三十二
相觀如來尒時世尊而說偈言
若以色見我　以音聲求我　是人行邪道　不能見如來
須菩提汝若作是念如來不以具足相故得阿
耨多羅三藐三菩提須菩提莫作是念如來
不以具足相故得阿耨多羅三藐三菩提說者
諸法斷滅相莫作是念何以故發阿耨多羅
三藐三菩提者於法不說斷滅相須菩提
若菩薩以滿恒河沙等世界七寶布施若
復有人知一切法无我得成於忍此菩薩勝

BD01321號　金剛般若波羅蜜經

（15–12）

說法斷滅莫作是念何以故發阿耨多羅
三藐三菩提者於法不說斷滅相須菩提
若菩薩以滿恒河沙等世界七寶布施若
復有人知一切法无我得成於忍此菩薩勝
前菩薩所得功德須菩提以諸菩薩不
受福德故須菩提白佛言世尊云何菩薩不
受福德須菩提菩薩所作福德不應貪著是
故說不受福德須菩提若有人言如來若來若
去若坐若卧是人不解我所說義何以故如來
者无所從來亦无所去故名如來
須菩提若善男子善女人以三千大千世界碎
為微塵於意云何是微塵衆寧為多不甚
多世尊何以故若是微塵衆實有者佛則不
說是微塵衆所以者何佛說微塵衆則非微
塵衆是名微塵衆世尊如來所說三千大千世
界則非世界是名世界何以故若世界實有者
則是一合相如來說一合相則非一合相是名
一合相須菩提一合相者則是不可說但凡
夫之人貪著其事須菩提若人言佛說我
見人見衆生見壽者見須菩提於意云何
是人解我所說義不世尊是人不解如來所
說義何以故世尊說我見人見衆生見壽
者見即非我見人見衆生見壽者見是名我
見人見衆生見壽者見須菩提發阿耨多羅
三藐三菩提心者於一切法應如是知如是見
如是信解不生法相須菩提所言法相者

BD01321號　金剛般若波羅蜜經　（15–13）

者見即非我見人見衆生見壽者見是名我
見人見衆生見壽者見須菩提發阿耨多羅
三藐三菩提心者於一切法應如是知如是見
如是信解不生法相須菩提所言法相者
如來說即非法相是名法相須菩提若有人
以滿无量阿僧祇世界七寶持用布施若有善
男子善女人發菩薩心者持於此經乃至四句
偈等受持讀誦為人演說其福勝彼云何為
人演說不取於相如如不動何以故
一切有為法　如夢幻泡影　如露亦如電　應作如是觀
佛說是經已長老須菩提及諸比丘比丘尼
優婆塞優婆夷一切世間天人阿脩羅聞佛
所說皆大歡喜信受奉行

金剛波若波羅蜜經

BD01321號　金剛般若波羅蜜經　（15–14）

BD01321號　金剛般若波羅蜜經　（15–15）

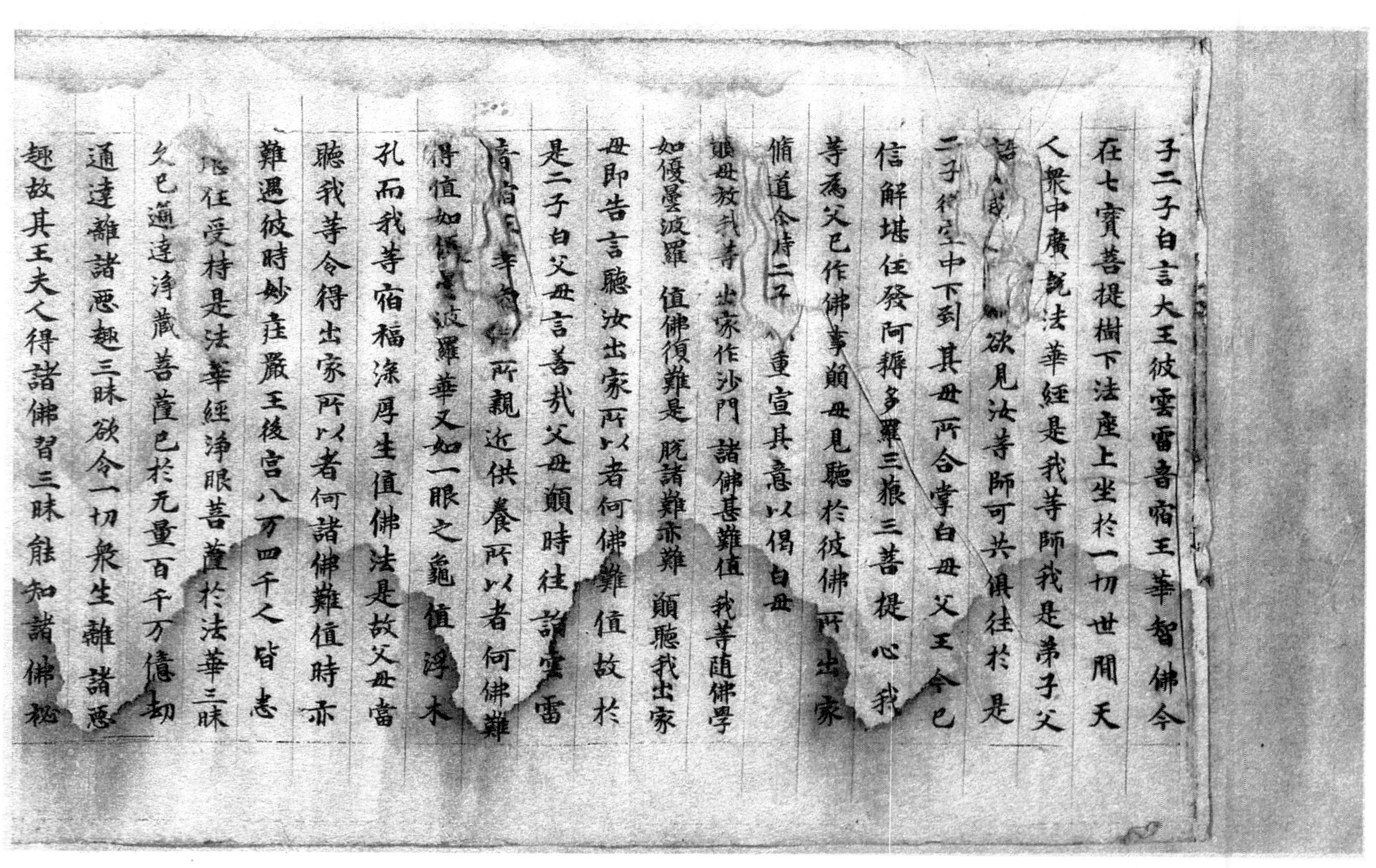

BD01322號　妙法蓮華經卷七　（10–1）

難遇佛時妙莊嚴王後宮八万四千人皆悉
悉任受持是法華經淨眼菩薩於法華三昧
久已通達淨藏菩薩已於无量百千万億劫
通達離諸惡趣三昧欲令一切衆生離諸惡
趣故其王夫人得諸佛習三昧能知諸佛祕
密之藏二子如是以方便力善化其父令心
信解好樂佛法於是妙莊嚴王與羣臣眷屬
俱淨德夫人與後宮婇女眷屬俱其王二子
與四万二千人俱一時共詣佛所到已頭面
礼足遶佛三帀却住一面尒時彼佛為王說
法示教利喜王大歡悅尒時妙莊嚴王及其
夫人解頸真珠瓔珞價直百千以散佛上於
虛空中化成四柱寶臺臺中有大寶床敷百
千万天衣其上有佛結跏趺坐放大光明尒
時妙莊嚴王作是念佛身希有端嚴殊特成
就第一微妙之色時雲雷音宿王華智佛告
四衆言汝等見是妙莊嚴王於我前合掌立
不此王於我法中作比丘精勤脩習助佛道
法當得作佛号娑羅樹王國名大光劫名大
高王其娑羅樹王佛有无量菩薩衆及无量
聲聞其國平正功德如是其王即時以國付
弟與夫人二子并諸眷屬於佛法中出家脩
道王出家已於八万四千歲常勤精進脩行
妙法華經過是已後得一切淨功德莊嚴三

BD01322號　妙法蓮華經卷七　（10–2）

高王其娑羅樹王佛有无量菩薩衆及无量
聲聞其國平正功德如是其王即時以國付
弟與夫人二子并諸眷屬於佛法中出家脩
道王出家已於八万四千歲常勤精進脩行
妙法華經過是已後得一切淨功德莊嚴三
昧即昇虛空高七多羅樹而白佛言世尊此
我二子已作佛事以神通變化轉我邪心令
得安住於佛法中得見世尊此二子者是我
善知識為欲發起宿世善根饒益我故來生
我家尒時雲雷音宿王華智佛告妙莊嚴王
言如是如是如汝所言善男子善女人種
善根故世世得善知識其善知識能作佛事
示教利喜令入阿耨多羅三藐三菩提大王
當知善知識者是大因緣所謂化導令得見
佛發阿耨多羅三藐三菩提心大王汝見此
二子不此二子已曾供養六十五百千万億
那由他恒河沙諸佛親近恭敬於諸佛所受
持法華經愍念邪見衆生令住正見妙莊嚴
王即從虛空中下而白佛言世尊如來甚希有
以功德知慧故頂上肉髻光明顯照其眼
長廣而紺青色眉間毫相白如珂月齒白齊
密常有光明脣色赤好如頻婆菓尒時妙莊
嚴王讃歎佛如是等无量百千万億功德已
於如來前一心合掌復白佛言世尊未曾有

BD01322號　妙法蓮華經卷七　（10–3）

王即從虛空中下而白佛言世尊如來甚希有
以功德知慧故頂上肉髻光明顯照其明
長廣而紺青色眉閒豪相白如珂月齒白齊
密常有光明脣色赤好如頻婆菓尒時妙莊
嚴王讃嘆佛如是等无量百千万億功德已
於如来前一心合掌復白佛言世尊未曾有
也如來之法具足成就不可思議微妙功德教
戒所行安隱快善我從今日不復自隨心
行不生邪見憍慢瞋恚諸惡之心說是語已
礼佛而出佛告大衆於意云何妙莊嚴王豈
異人乎今華德菩薩是其淨德夫人今佛前
光照莊嚴相菩薩是哀愍妙莊嚴王及諸眷
屬故於彼中生其二子者今藥王菩薩藥上
菩薩是是藥王藥上菩薩成就如此諸大功
德已於无量百千万億諸佛所殖衆德本成
就不可思議諸善功德若有人識是二菩薩
名字者一切世間諸天人民亦應礼拜佛說是
妙莊嚴王本事品時八万四千人遠塵離垢
於諸法中得法眼淨

妙法蓮華經普賢菩薩勸發品第二十八

尒時普賢菩薩以自在神通威德名聞與大
菩薩无量无邊不可稱數從東方來所經諸
國普皆震動雨寶蓮華作无量百千万億種
種伎樂又與无數諸天龍夜叉乾闥婆阿脩

BD01322 號　妙法蓮華經卷七　(10–4)

妙法蓮華經普賢菩薩勸發品第二十八

尒時普賢菩薩以自在神通威德名聞與大
菩薩无量无邊不可稱數從東方來所經諸
國普皆震動雨寶蓮華作无量百千万億種
種伎樂又與无數諸天龍夜叉乾闥婆阿脩
羅迦樓羅緊那羅摩睺羅伽人非人等大衆
圍繞各現威德神通之力到娑婆世界耆闍
崛山中頭面礼釋迦牟尼佛右繞七帀白佛言
世尊我於寶威德上王佛國遥聞此娑婆世
界說法華經與无量无邊百千万億諸菩薩
衆共來聽受唯願世尊當為說之若善男子
善女人於如來滅後云何能得是法華經佛
告普賢菩薩若善男子善女人成就四法於
如來滅後當得是法華經一者為諸佛護
念二者殖衆德本三者入正定聚四者發救
一切衆生之心善男子善女人如是成就四法
於如來滅後必得是經尒時普賢菩薩白
佛言世尊於後五百歲濁惡世中其有受持
是經典者我當守護除其衰患令得安隱使
无伺求得其便者若魔若魔子若魔女若魔
民若為魔所著者若夜叉若羅刹若鳩槃茶
若毗舍闍若吉蔗若富單那若韋陁羅等諸
惱人者皆不得便是人若行若立讀誦此經
我尒時乘六牙白象王與大菩薩衆俱詣

BD01322 號　妙法蓮華經卷七　(10–5)

无伺求得其便者若魔若魔子若魔女若魔
民若為魔所著者若夜叉若羅刹若鳩槃荼
若毗舍闍若吉蔗若冨單那若韋陁羅等諸
惱人者皆不得便是人若行若立讀誦此經
我尒時乘六牙白象王與大菩薩衆俱詣
其所而自現身供養守護安慰其心亦為供養
法華經故是人若坐思惟此經尒時我復乘
白象王現其人前其人若於法華經有所忘
失一句一偈我當教之與共讀誦還令通利
尒時受持讀誦法華經者得見我身甚大
歡喜轉復精進以見我故即得三昧及陁羅
尼名為旋陁羅尼百千万億旋陁羅尼法音方
便陁羅尼得如是等陁羅尼世尊若後世後
五百歲濁惡世中比丘比丘尼優婆塞優婆
夷求索者受持者讀誦者書寫者欲脩習
是法華經於三七日中應一心精進滿三七日
已我當乘六牙白象與无量菩薩而自圍繞
以一切衆生所憙見身現其人前而為說法
亦教利喜亦復與其陁羅尼呪得是陁羅尼
故无有非人能破壞者亦不為女人之所惑亂
我身亦自常護是人唯願世尊聽我說此
陁羅尼即於佛前而說呪曰
阿檀地途賣反一 檀陁婆地二 檀陁婆帝三 檀陁
鳩舍棣四 檀陁脩陁棣五 脩陁棣六 脩陁羅
婆底七 佛䭾波羶祢八 薩婆陁羅尼阿婆多

BD01322號　妙法蓮華經卷七　（10–6）

我身亦自常護是人唯願世尊聽我說此
陁羅尼即於佛前而說呪曰
阿檀地途賣反一 檀陁婆地二 檀陁婆帝三 檀陁
鳩舍棣四 檀陁脩陁棣五 脩陁棣六 脩陁羅
婆底七 佛䭾波羶祢八 薩婆陁羅尼阿婆多
尼九 薩婆沙阿婆多尼十 脩阿婆多尼十一
僧伽婆履叉尼十二 僧伽涅伽陁尼十三 阿僧祇
十四 僧伽波伽地十五 帝棣阿惰僧伽兜略盧遮反
婆羅帝十六 薩婆僧伽三摩地伽蘭地十七 薩婆
達磨脩波利刹帝十八 薩婆薩埵樓䭾憍舍略
阿㝹伽地十九 辛阿毗吉利地帝二十
世尊若有菩薩得聞是陁羅尼者當知普賢
神通之力若法華經行閻浮提有受持者應
作此念皆是普賢威神之力若有受持讀誦
正憶念解其義趣如說脩行當知是人行普
賢行於无量无邊諸佛所深種善根為諸如
来手摩其頭若但書寫是人命終當生忉利
天上是時八万四千天女作衆伎樂而来迎之
其人即著七寶冠於婇女中娛樂快樂何况
受持讀誦正憶念解其義趣如說脩行若
有人受持讀誦解其義趣是人命終為千佛
授手令不恐怖不墮惡趣即往兜率天上彌
勒菩薩所彌勒菩薩有三十二相大菩薩衆
所共圍繞有百千万億天女眷屬而於中生
有如是等功德利益是故智者應當一心自
書若使人書受持讀誦正憶念如說脩行世

BD01322號　妙法蓮華經卷七　（10–7）

授手令不恐怖不墮惡趣即往兜率天上弥
勒菩薩所弥勒菩薩有三十二相大菩薩衆
所共圍繞有百千万億天女眷屬而於中生
有如是等功德利益是故智者應當一心自
書若使人書受持讀誦正憶念如說脩行世
尊我今以神通力守護是經於如來滅後閻
浮提內廣令流布使不斷絶尒時釋迦牟尼
佛讚言善哉善哉普賢汝能護助是經令多
所衆生安樂利益汝已成就不可思議功德深
大慈悲從久遠來發阿耨多羅三藐三菩提
意而能作是神通之願守護是經我當以
神通力守護能受持普賢菩薩名者普賢若
有受持讀誦正憶念脩習書寫是法華經者
當知是人則見釋迦牟尼佛如從佛口聞此
經典當知是人供養釋迦牟尼佛當知是人
佛讚善哉當知是人為釋迦牟尼佛手摩
其頭當知是人為釋迦牟尼佛衣之所覆如是
之人不復貪著世樂不好外道經書手筆亦
復不憙親近其人及諸惡者若屠兒若畜猪
羊雞狗若獵師若衒賣女色是人心意質
直有正憶念有福德力是人不為三毒所惱
亦不為嫉妬我慢邪慢增上慢所惱是人少
欲知足能脩普賢之行普賢若如來滅後後五
百歲若有人見受持讀誦法華經者應作
是念此人不久當詣道場破諸魔衆得阿耨

BD01322 號　妙法蓮華經卷七　　（10–8）

直有正憶念有福德力是人不為三毒所惱
亦不為嫉妬我慢邪慢增上慢所惱是人少
欲知足能脩普賢之行普賢若如來滅後後五
百歲若有人見受持讀誦法華經者應作
是念此人不久當詣道場破諸魔衆得阿耨
多羅三藐三菩提轉法輪擊法鼓吹法螺雨法
雨當坐天人大衆中師子法座上普賢若於
後世受持讀誦是經典者是人不復貪著衣
服卧具飲食資生之物所願不虛亦於現世得
其福報若有人輕毀之言汝狂人耳空作是
行終无所獲如是罪報當世世无眼若有供
養讚歎之者當於今世得現果報若復見
受持是經者出其過惡若實若不實此人現
世得白癩病若輕咲之者當世世牙齒踈缺
醜脣平鼻手腳繚戾眼目角睞身體臭穢
惡瘡膿血水腹短氣諸惡重病是故普賢若
見受持是經典者當起遠迎當如敬佛說是普
賢勸發品時恒河沙等无量无邊菩薩得百
千万億旋陁羅尼三千大千世界微塵等諸菩
薩具普賢道佛說是經時普賢等諸菩薩
舍利弗等諸聲聞及諸天龍人非人等一切大

BD01322 號　妙法蓮華經卷七　　（10–9）

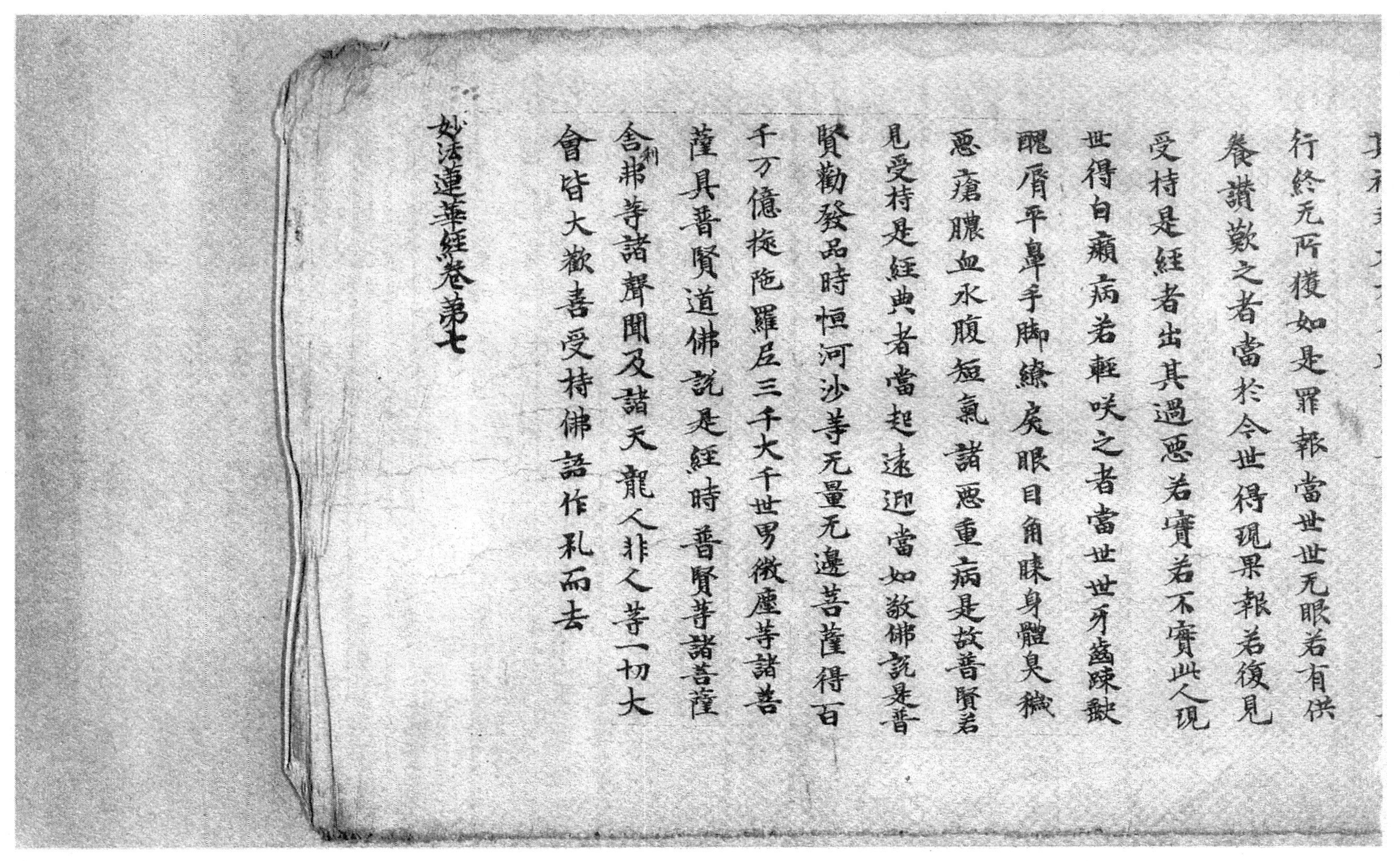

行終无所獲如是罪報當世世无眼若有供
養讚歎之者當於今世得現果報若復見
受持是經者出其過惡若實若不實此人現
世得白癩病若輕咲之者當世世牙齒踈缺
醜脣平鼻手脚繚戾眼目角睞身體臭穢
惡瘡膿血水腹短氣諸惡重病是故普賢若
見受持是經典者當起遠迎當如敬佛說是普
賢勸發品時恒河沙等无量无邊菩薩得百
千万億旋陁羅尼三千大千世界微塵等諸菩
薩具普賢道佛說是經時普賢等諸菩薩
舍利弗等諸聲聞及諸天龍人非人等一切大
會皆大歡喜受持佛語作礼而去

妙法蓮華經卷第七

BD01322號　妙法蓮華經卷七　　（10–10）

大乘无量壽經
如是我聞一時薄伽梵在舍衛國祇樹給孤獨園與大苾蒭僧千二百五十人大菩薩摩訶薩
俱爾時世尊告曼殊室利童子曼殊上方有世界名无量功德聚彼土有佛号无量
智決定王如來阿羅訶三藐三菩提現為衆生開示說法曼殊諦聽南閻浮提人皆短壽大限
百年於中夭枉横死者衆殊如是无量壽如來功德名稱法要若有衆生得聞名号若自
書或使人書能為經卷受持讀誦若於宅舍所住之處以種種花鬘瓔珞塗香末香而為
供養如其命盡復得延年滿足百歲如是曼殊若有衆生得聞是无量壽智決定王如來
一百八名号者益其長壽若有衆生大命將盡憶念是如來名号更得增壽如是曼殊若
有善男子善女人欲求長命於是无量壽如來一百八名号有得聞者或自書若使
人書受持讀誦得如是等果報福德具足陀羅尼曰
南謨薄伽勃底一阿波唎蜜多二阿喻紇硯娜三須毗你悉指陁四羅佐耶五怛他羯他耶六怛姪他唵七薩婆
桑悉迦羅八波唎輸底九達磨底十伽伽娜十一莎訶其持伽底十二薩婆娑毗輸底十三摩訶娜耶十四波唎
婆嚇莎訶十五
世尊復告曼殊室利如是如來一百八名号若有自書或使人書爲經
卷受持讀誦如壽命盡復滿百年壽終此身後得往生无量福智世界无量壽淨土陁羅
尼曰　南謨薄伽勃底一阿波唎蜜多二阿喻紇硯娜三須毗你悉指陁四羅佐耶五怛他羯他耶六怛
姪他唵七薩婆桑悉迦羅八波唎輸底九達磨底十伽伽娜十一莎訶其持伽底十二薩婆娑毗輸底十三
摩訶娜耶十四波唎婆嚇莎訶十五
爾時有九十九俱胝佛等一時同聲說是无量壽宗要經陁羅尼曰　南謨薄伽勃底一阿
波唎蜜多二阿喻紇硯娜三須毗你悉指陁四羅佐耶五怛他羯他耶六怛姪他唵七薩婆桑悉迦羅八波
唎輸底九達磨底十伽伽娜十一莎訶其持伽底十二薩婆娑毗輸底十三摩訶娜耶十四波唎婆嚇莎訶十五
爾時復有八十四俱胝佛一時同聲說是无量壽宗要經陁羅尼曰　南謨薄伽勃底一阿波唎蜜
多二阿喻紇硯娜三須毗你悉指陁四羅佐耶五怛他羯他耶六怛姪他唵七薩婆桑悉迦羅八波唎輸底九達
磨底十伽伽娜十一莎訶其持伽底十二薩婆娑毗輸底十三摩訶娜耶十四波唎婆嚇莎訶十五
爾時復有七俱胝佛一時同聲說是无量壽宗要經陁羅尼曰　南謨薄伽勃底一阿波唎蜜多二
阿喻紇硯娜三須毗你悉指陁四羅佐耶五怛他羯他耶六怛姪他唵七薩婆桑悉迦羅八波唎輸底九達磨底十
伽伽娜十一莎訶其持伽底十二薩婆娑毗輸底十三摩訶娜耶十四波唎婆嚇莎訶十五
爾時復有六十五俱胝佛一時同聲說是无量壽宗要經陁羅尼曰　南謨薄伽勃底一阿波
唎蜜多二阿喻紇硯娜三須毗你悉指陁四羅佐耶五怛他羯他耶六怛姪他唵七薩婆桑悉迦羅八波

BD01323號　無量壽宗要經　　（5–1）

磨底十伽迦娜十一莎訶其特迦底十二薩婆娑𠺁輸底十三摩訶娜耶十四波唎婆羅莎訶十五
尒時復有七姟佛一時同聲說是无量壽宗要經陀羅尼曰　南謨薄伽勃底一阿波唎蜜哆二
阿喻紇硯娜三須𠺁你悉指陀四囉佐耶五怛他羯他耶六怛姪他唵七薩婆桒悉迦囉八波唎輸底九達磨底十
伽迦娜十一莎訶其特迦底十二薩婆娑𠺁輸底十三摩訶娜耶十四波唎婆羅莎訶十五
尒時復有六十五姟佛一時同聲說是无量壽宗要經陀羅尼曰　南謨薄伽勃底一阿波
唎蜜哆二阿喻紇硯娜三須𠺁你悉指陀四囉佐耶五怛他羯他耶六怛姪他唵七薩婆桒悉迦囉八波
唎輸底九達磨底十伽迦娜十一莎訶其特迦底十二薩婆娑𠺁輸底十三摩訶娜耶十四波唎婆羅
莎訶十五　尒時復有五十五姟佛一時同聲說是无量壽宗要經陀羅尼曰
南謨薄伽勃底一阿波唎蜜哆二阿喻紇硯娜三須𠺁你悉指陀四囉佐耶五怛他羯他耶六怛姪他
唵七薩婆桒悉迦囉八波唎輸底九達磨底十伽迦娜十一莎訶其特迦底十二薩婆娑𠺁輸底十三
摩訶娜耶十四波唎婆羅莎訶十五
尒時復有四十五姟佛一時同聲說是无量壽宗要經陀羅尼曰　南謨薄伽勃底一阿
波唎蜜哆二阿喻紇硯娜三須𠺁你悉指陀四囉佐耶五怛他羯他耶六怛姪他唵七薩婆桒悉迦囉八
波唎輸底九達磨底十伽迦娜十一莎訶其特迦底十二薩婆娑𠺁輸底十三摩訶娜耶十四波唎婆羅莎訶十五
尒時復有三十六姟佛一時同聲說是无量壽宗要經陀羅尼曰　南謨薄伽勃底一阿波唎
蜜哆二阿喻紇硯娜三須𠺁你悉指陀四囉佐耶五怛他羯他耶六怛姪他唵七薩婆桒悉迦囉八波唎輸底九
達磨底十伽迦娜十一莎訶其特迦底十二薩婆娑𠺁輸底十三摩訶娜耶十四波唎婆羅莎訶十五
尒時復有二十五姟佛一時同聲說是无量壽宗要經陀羅尼曰　南謨薄伽勃底一阿波
唎蜜哆二阿喻紇硯娜三須𠺁你悉指陀四囉佐耶五怛他羯他耶六怛姪他唵七薩婆桒悉迦囉八波唎輸
底九達磨底十伽迦娜十一莎訶其特迦底十二薩婆娑𠺁輸底十三摩訶娜耶十四波唎婆羅莎訶十五
尒時復有恒河沙姟佛一時同聲說是无量壽宗要經陀羅尼曰　南謨薄伽勃底一阿波唎
蜜哆二阿喻紇硯娜三須𠺁你悉指陀四囉佐耶五怛他羯他耶六怛姪他唵七薩婆桒悉迦囉八波唎輸底九達磨
底十伽迦娜十一莎訶其特迦底十二薩婆娑𠺁輸底十三摩訶娜耶十四波唎婆羅莎訶十五
善男子若有自書寫教人書寫是无量壽宗要經知其命盡復得長壽而滿百
年陀羅尼曰　南謨薄伽勃底一阿波唎蜜哆二阿喻紇硯娜三須𠺁你悉指
陀四囉佐耶五怛他羯他耶六怛姪他唵七薩婆桒悉迦囉八波唎輸底九達磨底十伽迦娜十一莎
訶其特迦底十二薩婆娑𠺁輸底十三摩訶娜耶十四波唎婆羅莎訶十五
若有自書寫教人書寫是无量壽宗要經讀誦受持畢竟不墮地獄在在所
生得宿命智陀羅尼曰　南謨薄伽勃底一阿波唎蜜哆二阿喻紇
硯娜三須𠺁你悉指陀四囉佐耶五怛他羯他耶六怛姪他唵七薩婆桒悉迦囉八波唎輸底九達磨底十伽迦
娜十一莎訶其特迦底十二薩婆娑𠺁輸底十三摩訶娜耶十四波唎婆羅莎訶十五
若有自書教人書寫是无量壽宗要經受持讀誦如同書寫八万四千一切經典陀羅尼曰
南謨薄伽勃底一阿波唎蜜哆二阿喻紇硯娜三須𠺁你悉指陀四囉佐耶五怛他羯他耶六怛姪他唵七
薩婆桒悉迦囉八波唎輸底九達磨底十伽迦娜十一莎訶其特迦底十二薩婆娑𠺁輸底十三摩訶娜耶十四

BD01323 號　無量壽宗要經　（5–2）

生得宿命智陀羅尼曰　南謨薄伽勃底一阿波唎蜜哆二阿喻紇
硯娜三須𠺁你悉指陀四囉佐耶五怛他羯他耶六怛姪他唵七薩婆桒悉迦囉八波唎輸底九達磨底十伽迦
娜十一莎訶其特迦底十二薩婆娑𠺁輸底十三摩訶娜耶十四波唎婆羅莎訶十五
若有自書教人書寫是无量壽宗要經受持讀誦如同書寫八万四千一切經典陀羅尼曰
南謨薄伽勃底一阿波唎蜜哆二阿喻紇硯娜三須𠺁你悉指陀四囉佐耶五怛他羯他耶六怛姪他唵七
薩婆桒悉迦囉八波唎輸底九達磨底十伽迦娜十一莎訶其特迦底十二薩婆娑𠺁輸底十三摩訶娜耶十四
波唎婆羅莎訶十五
若有自書寫教人書寫是无量壽宗要經即是書寫八万四千部建立塔廟陀羅尼曰
南謨薄伽勃底一阿波唎蜜哆二阿喻紇硯娜三須𠺁你悉指陀四囉佐耶五怛他羯他耶六怛姪他唵七
薩婆桒悉迦囉八波唎輸底九達磨底十伽迦娜十一莎訶其特迦底十二薩婆娑𠺁輸底十三摩訶
娜耶十四波唎婆唎莎訶十五
若有自書寫教人書寫是无量壽宗要經能消五无間等一切重罪陀羅尼曰
南謨薄伽勃底一阿波唎蜜哆二阿喻紇硯娜三須𠺁你悉指陀四囉佐耶五怛他羯他耶六怛姪他唵七薩
婆桒悉迦囉八波唎輸底九達磨底十伽迦娜十一莎訶其特迦底十二薩婆娑𠺁輸底十三摩訶
娜耶十四波唎婆羅莎訶十五　若有自書寫教人書寫是无量壽
宗要經受持讀誦設有重罪猶如須弥盡能除滅陀羅尼曰
南謨薄伽勃底一阿波唎蜜哆二阿喻紇硯娜三須𠺁你悉指陀四囉佐耶五怛他羯他耶六怛姪他唵七薩
婆桒悉迦囉八波唎輸底九達磨底十伽迦娜十一莎訶其特迦底十二薩婆娑𠺁輸底十三摩訶娜耶十四
波唎婆羅莎訶十五
若有自書寫教人書寫是无量壽宗要經受
持讀誦若魔魔之眷屬夜叉羅剎不得其便終无枉死陀羅尼曰
南謨薄伽勃底一阿波唎蜜哆二阿喻紇硯娜三須𠺁你悉指陀四囉佐耶五怛他羯他耶六
怛姪他唵七薩婆桒悉迦囉八波唎輸底九達磨底十伽迦娜十一莎訶其特迦底十二薩婆娑𠺁
輸底十三摩訶娜耶十四波唎婆羅莎訶十五　若有自書教人書寫是无量壽宗要
經受持讀誦當命終時有九十九姟佛現其人前無數千佛授手能遊一切佛剎莫
於此經生於疑惑陀羅尼曰　南謨薄伽勃底一阿波唎蜜哆二阿喻紇
硯娜三須𠺁你悉指陀四囉佐耶五怛他羯他耶六怛姪他唵七薩婆桒悉迦囉八波唎輸底九達磨底十
伽迦娜十一莎訶其特迦底十二薩婆娑𠺁輸底十三摩訶娜耶十四波唎婆羅莎訶十五
若有自書寫教人書寫是无量壽宗要經受持讀誦常得四天大王隨其衛護陀羅尼
曰　南謨薄伽勃底一阿波唎蜜哆二阿喻紇硯娜三須𠺁你悉指陀四囉佐耶五怛他羯他耶六
怛姪他唵七薩婆桒悉迦囉八波唎輸底九達磨底十伽迦娜十一莎訶其特迦底十二薩婆娑𠺁輸底十三
摩訶娜耶十四波唎婆羅莎訶十五
若有自書教人書寫是无量壽宗要經受持讀誦當得往生西方極樂世界阿弥陀淨
土陀羅尼曰　南謨薄伽勃底一阿波唎蜜哆二阿喻紇硯娜三須𠺁你悉指陀四
囉佐耶五怛他羯他耶六怛姪他唵七薩婆桒悉迦囉八波唎輸底九達磨底十伽迦娜十一莎訶其特

BD01323 號　無量壽宗要經　（5–3）

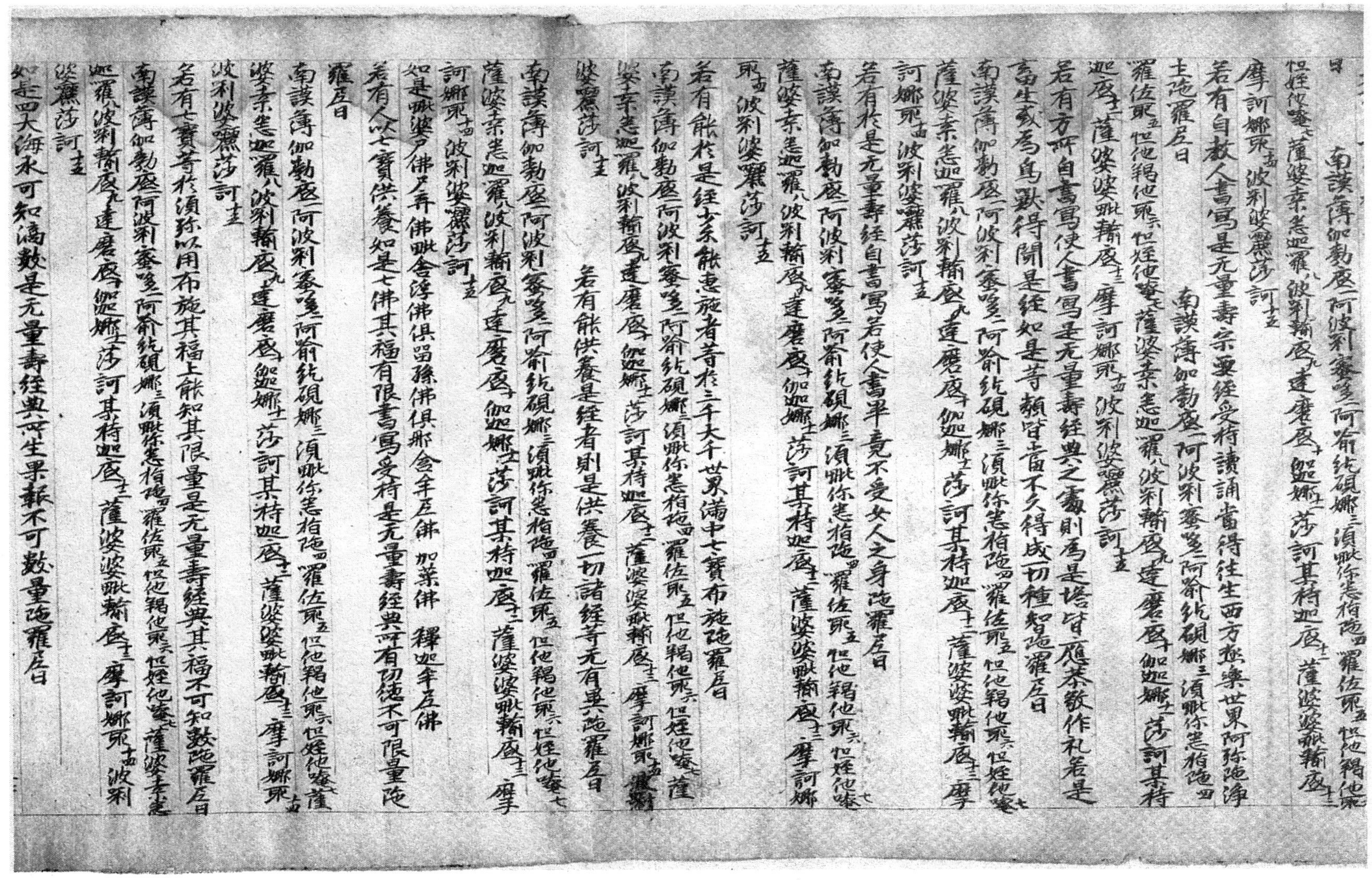
曰
南謨薄伽勃底一阿波唎蜜多二阿喻紇硯娜三須毗你悉指陀四囉佐耶五怛他羯他耶六
怛姪他唵七薩婆桑悉迦羅八波唎輸底九達磨底十伽伽娜十一莎訶其梓迦底十二薩婆婆毗輸底十三
摩訶娜耶十四波唎婆羅莎訶十五
若有自教人書寫是无量壽宗要經受持讀誦當得往生西方極樂世界阿弥陀淨
土陁羅尼曰　南謨薄伽勃底一阿波唎蜜多二阿喻紇硯娜三須毗你悉指陀四
囉佐耶五怛他羯他耶六怛姪他唵七薩婆桑悉迦羅八波唎輸底九達磨底十伽伽娜十一莎訶其梓
迦底十二薩婆婆毗輸底十三摩訶娜耶十四波唎婆羅莎訶十五
若有方所自書寫使人書寫是无量壽經典之處則為是塔皆應恭敬作礼若是
畜生或為鳥獸得聞是經如是等類皆當不久得成一切種智陁羅尼曰
南謨薄伽勃底一阿波唎蜜多二阿喻紇硯娜三須毗你悉指陀四囉佐耶五怛他羯他耶六怛姪他唵七
薩婆桑悉迦羅八波唎輸底九達磨底十伽伽娜十一莎訶其梓迦底十二薩婆婆毗輸底十三摩
訶娜耶十四波唎婆羅莎訶十五
若有於是无量壽經自書寫若使人書畢竟不受女人之身陁羅尼曰
南謨薄伽勃底一阿波唎蜜多二阿喻紇硯娜三須毗你悉指陀四囉佐耶五怛他羯他耶六怛姪他唵七
薩婆桑悉迦羅八波唎輸底九達磨底十伽伽娜十一莎訶其梓迦底十二薩婆婆毗輸底十三摩訶娜
耶十四波唎婆羅莎訶十五
若有能於是經少分能惠施者若於三千大千世界滿中七寶布施陁羅尼曰
南謨薄伽勃底一阿波唎蜜多二阿喻紇硯娜三須毗你悉指陀四囉佐耶五怛他羯他耶六怛姪他唵七薩
婆桑悉迦羅八波唎輸底九達磨底十伽伽娜十一莎訶其梓迦底十二薩婆婆毗輸底十三摩訶娜耶十四波唎
婆羅莎訶十五　若有能供養是經者則是供養一切諸經等无有異陁羅尼曰
南謨薄伽勃底一阿波唎蜜多二阿喻紇硯娜三須毗你悉指陀四囉佐耶五怛他羯他耶六怛姪他唵七
薩婆桑悉迦羅八波唎輸底九達磨底十伽伽娜十一莎訶其梓迦底十二薩婆婆毗輸底十三摩
訶娜耶十四波唎婆羅莎訶十五
如是毗婆尸佛尸棄佛毗舍浮佛俱留孫佛俱那含牟尼佛　加葉佛　釋迦牟尼佛
若有人以七寶供養如是七佛其福有限書寫受持是无量壽經典所有功德不可限量陁
羅尼曰
南謨薄伽勃底一阿波唎蜜多二阿喻紇硯娜三須毗你悉指陀四囉佐耶五怛他羯他耶六怛姪他唵七薩
婆桑悉迦羅八波唎輸底九達磨底十伽伽娜十一莎訶其梓迦底十二薩婆婆毗輸底十三摩訶娜耶十四
波唎婆羅莎訶十五
若有七寶等於須弥以用布施其福上能知其限量是无量壽經典其福不可知數陁羅尼曰
南謨薄伽勃底一阿波唎蜜多二阿喻紇硯娜三須毗你悉指陀四囉佐耶五怛他羯他耶六怛姪他唵七薩婆桑悉
迦羅八波唎輸底九達磨底十伽伽娜十一莎訶其梓迦底十二薩婆婆毗輸底十三摩訶娜耶十四波唎
婆羅莎訶十五
如是四大海水可知滴數是无量壽經典所生果報不可數量陁羅尼曰

BD01323 號　無量壽宗要經　（5–4）

訶娜耶十四波唎婆羅莎訶
如是毗婆尸佛尸棄佛毗舍浮佛俱留孫佛俱那含牟尼佛　加葉佛　釋迦牟尼佛
若有人以七寶供養如是七佛其福有限書寫受持是无量壽經典所有功德不可限量陁
羅尼曰
南謨薄伽勃底一阿波唎蜜多二阿喻紇硯娜三須毗你悉指陀四囉佐耶五怛他羯他耶六怛姪他唵七薩
婆桑悉迦羅八波唎輸底九達磨底十伽伽娜十一莎訶其梓迦底十二薩婆婆毗輸底十三摩訶娜耶十四
波唎婆羅莎訶十五
若有七寶等於須弥以用布施其福上能知其限量是无量壽經典其福不可知數陁羅尼曰
南謨薄伽勃底一阿波唎蜜多二阿喻紇硯娜三須毗你悉指陀四囉佐耶五怛他羯他耶六怛姪他唵七薩婆桑悉
迦羅八波唎輸底九達磨底十伽伽娜十一莎訶其梓迦底十二薩婆婆毗輸底十三摩訶娜耶十四波唎
婆羅莎訶十五
如是四大海水可知滴數是无量壽經典所生果報不可數量陁羅尼曰
南謨薄伽勃底一阿波唎蜜多二阿喻紇硯娜三須毗你悉指陀四囉佐耶五怛他羯他耶六怛姪他唵七薩
婆桑悉迦羅八波唎輸底九達磨底十伽伽娜十一莎訶其梓迦底十二薩婆婆毗輸底十三摩訶娜耶十四波
唎婆羅莎訶十五　若有自書使人書寫是无量壽經
典又能護持供養即恭敬供養一切十方佛土如來无有異別陁羅尼曰
南謨薄伽勃底一阿波唎蜜多二阿喻紇硯娜三須毗你悉指陀四囉佐耶五怛他羯他耶六怛姪他
唵七薩婆桑悉迦羅八波唎輸底九達磨底十伽伽娜十一莎訶其梓迦底十二薩婆婆毗輸底十三
摩訶娜耶十四波唎婆羅莎訶十五
布施力能成正覺　悟布施力人師子　布施力能聲普聞　慈悲階漸最能入
持戒力能成正覺　悟持戒力人師子　持戒力能聲普聞　慈悲階漸最能入
忍辱力能成正覺　悟忍辱力人師子　忍辱力能聲普聞　慈悲階漸最能入
精進力能成正覺　悟精進力人師子　精進力能聲普聞　慈悲階漸最能入
禪定力能成正覺　悟禪定力人師子　禪定力能聲普聞　慈悲階漸最能入
智慧力能成正覺　悟智慧力人師子　智慧力能聲普聞　慈悲階漸最能入
尒時如來說是經已一切世間天人阿脩羅揵闥婆等聞說佛所說皆大歡喜信受奉行
佛說无量壽宗要經

BD01323 號　無量壽宗要經　（5–5）

得般涅
住方可叐没
趣入安立
安住種如
自大師及
善說……遇世間現有
恐說法……那雖久聽
聞以无量……有勝功德
而不信解愛……求出家設
蹔出家纔得……棄捨退還為住
於彼不樂安住如愛生……之嚴飾或如愛
樂受妙欲者置泥濘中彼由宿世妙善因力
所任持故若蹔聽聞讚美善說法毗柰耶
少分功德或全未聞雖蹔少聞或全未聞而
能速疾信解趣入愛樂脩行或求出家既出
家已畢竟趣入終无退轉為性於此愛樂安
住如愛生置之上處或如愛樂愛妙欲者置
勝欲中彼由宿世妙善因力所任持故是名
第一已得趣入補特伽羅已趣入相復次
有所餘已得趣入補特伽羅已趣入相謂雖
未得能往一切惡趣无暇煩惱離繫而能不
生惡趣无暇世尊依此已得趣入補特伽羅

BD01324號　瑜伽師地論卷二一　（4–1）

少分功德或全未聞雖蹔少聞或全未聞而
能速疾信解趣入愛樂脩行或求出家既出
家已畢竟趣入終无退轉為性於此愛樂安
住如愛生置之上處或如愛樂愛妙欲者置
勝欲中彼由宿世妙善因力所任持故是名
第一已得趣入補特伽羅已趣入相復次
有所餘已得趣入補特伽羅已趣入相謂雖
未得能往一切惡趣无暇煩惱離繫而能不
生惡趣无暇世尊依此已得趣入補特伽羅
密意說言若有世間上品正見雖歷千生不
墮惡趣彼若已入上品善根漸向成熟爾時便
能不生无暇及餘惡趣是名第二已得趣入補
特伽羅已趣入相復有所餘已得趣入補特
伽羅已趣入相謂蹔聞佛或法或僧勝功
德已便得隨念清淨信心引發廣大出離善
法數數緣念融練淨心身毛竪悲泣雨淚
是名第三已得趣入補特伽羅已趣入相復
有所餘已得趣入補特伽羅已趣入相謂性
成就猛利慚愧於所現行諸有罪處深生
羞恥是第四已得趣入補特伽羅已趣入相
復有所餘已得趣入補特伽羅已趣入相謂
於受持讀誦請問思惟觀行求善法中有深
欲樂猛利欲樂是名第五已得趣入補特伽
羅已趣入相復有所餘已得趣入補特伽羅
已趣入相謂於一切无罪事業脩集一切善品
加行正方便中能善脩集堅固發起長時發
起決定發起是名第六已得趣入補特伽羅
已趣入相復有所餘已得趣入補特伽羅已
趣入相謂[illegible]

BD01324號　瑜伽師地論卷二一　（4–2）

羅已趣入相復有所餘已得趣入補特伽羅
已趣入相謂於一切無罪事業修集一切善品
加行正方便中能善修集堅固發起長時發
起決定發起是名第六已得趣入補特伽羅
已趣入相復有所餘已得趣入補特伽羅已
趣入相謂彼為性塵垢微薄煩惱亂心雖趣
諸纏而不長時相續久住無諂無誑能制憍
慢我我所執好取功德憎背過失是名第七
已得趣入補特伽羅已趣入相復有所餘已
得趣入補特伽羅已趣入相謂能善巧護
其心於諸廣大所應證處不自輕蔑不自安
處無力能中其所信解增多猛盛是名第八
善清淨若有安住中品善根而趣入者當知
中品若有安住上品善根而趣入者當知上
品無有間隙已能無間已善清淨如是名為
已得趣入補特伽羅已趣入相成就如是趣
入相者當知墮在已趣入數應知如是安住
種姓已得趣入補特伽羅所有眾多吉祥上相
唯佛世尊及到第一究竟弟子以善清淨最
妙智見現見現證隨其種姓隨所趣入如應
救濟
云何名為已得趣入補特伽羅謂或有已得
趣入補特伽羅唯已趣入未將成熟未已成
熟未得出離或有亦已趣入亦將成熟未已
成熟未得出離或有亦已趣入亦已成熟未
得出離隨欲而行如是差別應知如前已辯
其相復所餘如種姓地說更根等補特伽羅
所有差別今於此中如其所應亦當了知如

BD01324號　瑜伽師地論卷二一　（4–3）

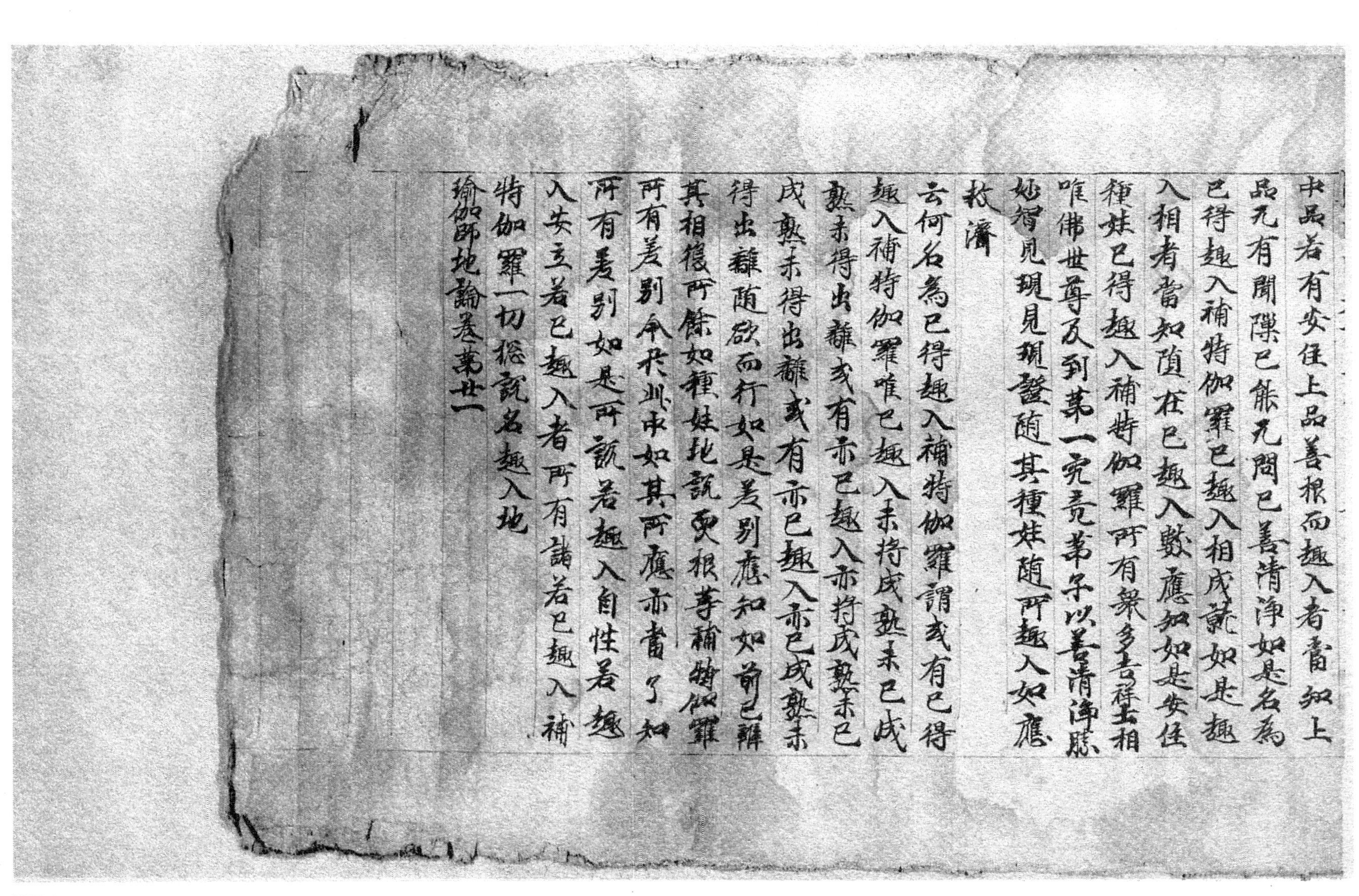
中品若有安住上品善根而趣入者當知上
品無有間隙已能無間已善清淨如是名為
已得趣入補特伽羅已趣入相成就如是趣
入相者當知墮在已趣入數應知如是安住
種姓已得趣入補特伽羅所有眾多吉祥上相
唯佛世尊及到第一究竟弟子以善清淨最
妙智見現見現證隨其種姓隨所趣入如應
救濟
云何名為已得趣入補特伽羅謂或有已得
趣入補特伽羅唯已趣入未將成熟未已成
熟未得出離或有亦已趣入亦將成熟未已
成熟未得出離或有亦已趣入亦已成熟未
得出離隨欲而行如是差別應知如前已辯
其相復所餘如種姓地說更根等補特伽羅
所有差別今於此中如其所應亦當了知如
所有差別如是所說若趣入自性若趣
入安立若已趣入者所有諸若已趣入補
特伽羅一切總說名趣入地
瑜伽師地論卷第廿一

BD01324號　瑜伽師地論卷二一　（4–4）

形而為說
佛形而為說法應以
形而為說法應以佛形得度者即現佛
為說法如是種種隨所應度而為現形乃至
應以滅度而得度者示現滅度華德妙音菩
薩摩訶薩成就大神通智慧之力其事如是
尒時華德菩薩白佛言世尊是妙音菩薩深
種善根世尊是菩薩住何三昧而能如是在
所變現度脫衆生佛告華德菩薩善男子其
三昧名現一切色身妙音菩薩住是三昧中能
如是饒益无量衆生說是妙音菩薩品時與
妙音菩薩俱來者八万四千人皆得現一切色
身三昧此娑婆世界无量菩薩亦得是三昧
及陁羅尼尒時妙音菩薩摩訶薩供養釋迦
牟尼佛及多寶佛塔已還歸本土所經諸國
六種震動雨寶蓮華作百千万億種種伎樂
既到本國與八万四千菩薩圍繞至淨華宿
王智佛所白佛言世尊我到娑婆世界饒益
衆生見釋迦牟尼佛及見多寶佛塔礼拜供
養又見文殊師利法王子菩薩及見藥王菩
菩薩得勤精進力菩薩勇施菩薩等亦令是

BD01325號　妙法蓮華經卷七　（21–1）

既到本國與八万四千菩薩圍繞至淨華宿
王智佛所白佛言世尊我到娑婆世界饒益
衆生見釋迦牟尼佛及見多寶佛塔礼拜供
養又見文殊師利法王子菩薩及見藥王菩
菩薩得勤精進力菩薩勇施菩薩等亦令是
八万四千菩薩得現一切色身三昧說是妙音
菩薩來往品時四万二千天子得无生法忍華
德菩薩得法華三昧
妙法蓮華經觀世音菩薩普門品第廿五
尒時无盡意菩薩即從座起偏袒右肩合掌
向佛而作是言世尊觀世音菩薩以何因緣
名觀世音佛告无盡意菩薩善男子若有无
量百千万億衆生受諸苦惱聞是觀世音菩
薩一心稱名觀世音菩薩即時觀其音聲皆
得解脫若有持是觀世音菩薩名者設入大
火火不能燒由是菩薩威神力故若為大水
所漂稱其名号即得淺處若有百千万億衆
生為求金銀瑠璃硨磲碼碯珊瑚虎珀真珠
等寶入於大海假使黑風吹其船舫漂墮羅剎
鬼國其中若有乃至一人稱觀世音菩薩名
者是諸人等皆得解脫羅剎之難以是因緣
名觀世音若復有人臨當被害稱觀世音菩
薩名者彼所執刀杖尋段段壞而得解脫若三
千大千國土滿中夜叉羅剎欲來惱人聞其稱
觀世音菩薩名者是諸惡鬼尚不能以惡眼
視之況復加害設復有人若有罪若无罪杻

BD01325號　妙法蓮華經卷七　（21–2）

名觀世音若復有人臨當被害稱觀世音菩
薩名者彼所執刀杖尋段段壞而得解脫若三
千大千國土滿中夜叉羅刹欲來惱人聞其稱
觀世音菩薩名者是諸惡鬼尚不能以惡眼
視之況復加害設復有人若有罪若无罪杻
械枷鎖檢繫其身稱觀世音菩薩名者皆悉
斷壞即得解脫若三千大千國土滿中怨賊有
一商主將諸商人賫持重寶經過險路其中
一人作是唱言諸善男子勿得恐怖汝等應
當一心稱觀世音菩薩名号是菩薩能以无
畏施於衆生汝等若稱名者於此怨賊當得
解脫衆商人聞俱發聲言南无觀世音菩薩
稱其名故即得解脫无盡意觀世音菩薩摩
訶薩威神之力巍巍如是若有衆生多於婬欲
常念恭敬觀世音菩薩便得離欲若多瞋恚
常念恭敬觀世音菩薩便得離瞋若多愚癡
常念恭敬觀世音菩薩便得離癡无盡意觀
世音菩薩有如是等大威神力多所饒益是故
衆生常應心念若有女人設欲求男礼拜供養
觀世音菩薩便生福德智慧之男設欲求女
便生端正有相之女宿殖德本衆人愛敬无
盡意觀世音菩薩有如是力若有衆生恭
敬礼拜觀世音菩薩福不唐捐是故衆生皆
應受持觀世音菩薩名号
无盡意若有人受持六十二億恒河沙菩薩
名字復盡形供養飲食衣服臥具醫藥於汝

BD01325號　妙法蓮華經卷七　（21–3）

盡意觀世音菩薩有如是力若有衆生恭
敬礼拜觀世音菩薩福不唐捐是故衆生皆
應受持觀世音菩薩名号
无盡意若有人受持六十二億恒河沙菩薩
名字復盡形供養飲食衣服臥具醫藥於汝
意云何是善男子善女人功德多不无盡意
言甚多世尊佛言若復有人受持觀世音菩
薩名号乃至一時礼拜供養是二人福正等
无異於百千万億劫不可窮盡无盡意受持
觀世音菩薩名号得如是无量无邊福德之
利无盡意菩薩白佛言世尊觀世音菩薩云
何遊此娑婆世界云何而爲衆生說法方便之
力其事云何佛告无盡意菩薩善男子若
有國土衆生應以佛身得度者觀世音菩薩
即現佛身而爲說法應以辟支佛身得度者
即現辟支佛身而爲說法應以聲聞身得度
者即現聲聞身而爲說法應以梵王身得度
者即現梵王身而爲說法應以帝釋身得度
者即現帝釋身而爲說法應以自在天身得
度者即現自在天身而爲說法應以大自在天
身得度者即現大自在天身而爲說法應以
天大將軍身得度者即現天大將軍身而爲
說法應以毗沙門身得度者即現毗沙門身
而爲說法應以小王身得度者即現小王身
而爲說法應以長者身得度者即現長者身
而爲說法應以居士身得度者即現居士身

BD01325號　妙法蓮華經卷七　（21–4）

說法應以毗沙門身得度者即現毗沙門身
而為說法應以小王身得度者即現小王身
而為說法應以長者身得度者即現長者身
而為說法應以居士身得度者即現居士身
而為說法應以宰官身得度者即現宰官身
而為說法應以婆羅門身得度者即現婆羅
門身而為說法應以比丘比丘尼優婆塞優
婆夷身得度者即現比丘比丘尼優婆塞優
婆夷身而為說法應以長者居士宰官婆羅
門婦女身得度者即現婦女身而為說法應
以童男童女身得度者即現童男童女身而
為說法應以天龍夜叉乾闥婆阿脩羅迦樓
羅緊那羅摩睺羅伽人非人等身得度者即
皆現之而為說法應以執金剛神得度者即
現執金剛神而為說法无盡意是觀世音菩
薩成就如是功德以種種形遊諸國土度脫衆
生是故汝等應當一心供養觀世音菩薩
是觀世音菩薩摩訶薩於怖畏急難之中能
施无畏是故此娑婆世界皆号之為施无畏
者无盡意菩薩白佛言世尊我今當供養觀
世音菩薩即解頸衆寶珠瓔珞價直百千兩
金而以與之作是言仁者受此法施珎寶瓔珞
時觀世音菩薩不肯受之无盡意復白觀世
音菩薩言仁者愍我等故受此瓔珞尒時佛
告觀世音菩薩當愍此无盡意菩薩及四衆

BD01325號　妙法蓮華經卷七　（21–5）

時觀世音菩薩不肯受之无盡意復白觀世
音菩薩言仁者愍我等故受此瓔珞尒時佛
告觀世音菩薩當愍此无盡意菩薩及四衆
天龍夜叉乾闥婆阿脩羅迦樓羅緊那羅摩
睺羅伽人非人等故受是瓔珞即時觀世音菩
薩愍諸四衆及於天龍人非人等受其瓔珞
分作二分一分奉釋迦牟尼佛一分奉多
寶佛塔无盡意觀世音菩薩有如是自在神力
遊於娑婆世界尒時无盡意菩薩以偈問曰

世尊妙相具　我今重問彼　佛子何因緣　名為觀世音
具足妙相尊　偈荅无盡意　汝聽觀音行　善應諸方所
弘誓深如海　歷劫不思議　侍多千億佛　發大清淨願
我為汝略說　聞名及見身　心念不空過　能滅諸有苦
假使興害意　推落大火坑　念彼觀音力　火坑變成池
或漂流巨海　龍魚諸鬼難　念彼觀音力　波浪不能沒
或在須弥峯　為人所推墮　念彼觀音力　如日虛空住
或被惡人逐　墮落金剛山　念彼觀音力　不能損一毛
或值怨賊繞　各執刀加害　念彼觀音力　咸即起慈心
或遭王難苦　臨刑欲壽終　念彼觀音力　刀尋段段壞
或囚禁枷鎖　手足被杻械　念彼觀音力　釋然得解脫
呪詛諸毒藥　所欲害身者　念彼觀音力　還著於本人
或遇惡羅刹　毒龍諸鬼等　念彼觀音力　時悉不敢害
若惡獸圍繞　利牙爪可怖　念彼觀音力　疾走无邊方
蚖虵及蝮蠍　氣毒烟火然　念彼觀音力　尋聲自迴去
雲雷鼓掣電　降雹澍大雨　念彼觀音力　應時得消散

BD01325號　妙法蓮華經卷七　（21–6）

或遇惡羅刹 毒龍諸鬼等 念彼觀音力 時悉不敢害
若惡獸圍繞 利牙爪可怖 念彼觀音力 疾走无邊方
蚖蛇及蝮蠍 氣毒煙火然 念彼觀音力 尋聲自迴去
雲雷鼓掣電 降雹澍大雨 念彼觀音力 應時得消散
衆生被困厄 无量苦逼身 觀音妙智力 能救世間苦
具足神通力 廣脩智方便 十方諸國土 无刹不現身
種種諸惡趣 地獄鬼畜生 生老病死苦 以漸悉令滅
真觀清淨觀 廣大智慧觀 悲觀及慈觀 常願常瞻仰
无垢清淨光 慧日破諸闇 能伏灾風火 普明照世間
悲體戒雷震 慈意妙大雲 澍甘露法雨 滅除煩惱焰
諍訟經官處 怖畏軍陣中 念彼觀音力 衆怨悉退散
妙音觀世音 梵音海潮音 勝彼世間音 是故須常念
念念勿生疑 觀世音淨聖 於苦惱死厄 能為作依怙
具一切功德 慈眼視衆生 福聚海无量 是故應頂礼
尒時持地菩薩即從座起前白佛言世尊若
有衆生聞是觀世音菩薩品自在之業普門示
現神通力者當知是人功德不少佛說是普
門品時衆中八万四千衆生皆發无等等阿
耨多羅三藐三菩提心
妙法蓮華經陁羅尼品第廿六
尒時藥王菩薩即從座起偏袒右肩合掌向
佛而白佛言世尊若善男子善女人有能受
持法華經者若讀誦通利若書寫經卷得幾
所福佛告藥王若有善男子善女人供養八
百万億那由他恒河沙等諸佛於汝意云何
其所得福寧為多不甚多世尊佛言若善男

BD01325號　妙法蓮華經卷七　（21–7）

佛而白佛言世尊若善男子善女人有能受
持法華經者若讀誦通利若書寫經卷得幾
所福佛告藥王若有善男子善女人供養八
百万億那由他恒河沙等諸佛於汝意云何
其所得福寧為多不甚多世尊佛言若善男
子善女人能於是經乃至受持一四句偈讀誦
解義如說脩行功德甚多
尒時藥王菩薩白佛言世尊我今當與說法
者陁羅尼呪以守護之即說呪曰
安尒一 曼尒二 摩祢三 摩摩祢四 旨隷五 遮梨苐六
賒咩羊鳴音七 賒履冈雉反 多瑋八 羶輸千反 帝九 目
帝十 目多履十一 娑履十二 阿瑋娑履十三 桑履十四 娑
履十五 叉裔十六 阿叉裔十七 阿耆膩十八 羶帝十九 賒履廿
陁羅尼廿一 阿盧伽婆娑蘇奈反 簸蔗毗叉膩廿二 祢
毗剃廿三 阿便哆都餓反 邏祢履剃廿四 阿亶哆波隷
輸地廿五 途賣反 漚究隷廿六 牟究隷廿七 阿羅隷廿八 波羅
隷廿九 首迦差初几反 三十 阿三磨三履卅一 佛䭾毗吉利袠
帝卅二 達磨波利差精離反 帝卅三 僧伽涅瞿沙祢卅四
婆舍婆舍輸地卅五 曼哆邏卅六 曼哆邏叉夜多卅七
郵樓哆卅八 郵樓哆憍舍略來加反 卅九 惡叉邏卌 惡叉
冶多冶卌一 阿婆盧卌二 阿摩若荏蔗反 那多夜卌三
世尊是陁羅尼神呪六十二億恒河沙等諸
佛所說若有侵毀此法師者則為侵毀是諸
佛已時釋迦牟尼佛讃藥王菩薩言善哉善
哉藥王汝愍念擁護此法師故說是陁羅尼
於諸衆生多所饒益尒時勇施菩薩白佛言

BD01325號　妙法蓮華經卷七　（21–8）

世尊是陁羅尼神呪六十二億恒河沙等諸
佛所說若有侵毀此法師者則為侵毀是諸
佛已時釋迦牟尼佛讚藥王菩薩言善哉善
哉藥王汝愍念擁護此法師故說是陁羅尼
於諸衆生多所饒益尒時勇施菩薩白佛言
世尊我亦為擁護讀誦受持法華經者說陁
羅尼若此法師得是陁羅尼若夜叉若羅剎
若冨單那若吉蔗若鳩槃荼若餓鬼等伺求
其短无能得便即於佛前而說呪曰
痤（誓螺反）隸一 摩訶痤隸二 郁枳三 目枳四 阿隸五 阿
羅婆苐六 涅隸苐七 涅隸多婆苐八 伊緻（猪履反）抳九
韋緻抳十 旨緻抳十一 涅隸墀抳十二 涅犁墀婆底十三
世尊是陁羅尼神呪恒河沙等諸佛所說亦
皆隨喜若有侵毀此法師者則為侵毀是諸
佛已尒時毗沙門天王護世者白佛言世尊我
亦為愍念衆生擁護此法師故說是陁羅
尼即說呪曰
阿梨一 那梨二 㝹那梨三 阿那盧四 那履五 拘
那履六
世尊以是神呪擁護法師我亦自當擁護
持是經者令百由旬內无諸衰患
尒時持國天王在此會中與千万億那由他
乾闥婆衆恭敬圍繞前詣佛所合掌白佛言
世尊我亦以陁羅尼神呪擁護持法華經者
即說呪曰
阿伽祢一 伽祢二 瞿利三 乾陁利四 旃陁利五 摩

BD01325號　妙法蓮華經卷七　（21–9）

乾闥婆衆恭敬圍繞前詣佛所合掌白佛言
世尊我亦以陁羅尼神呪擁護持法華經者
即說呪曰
阿伽祢一 伽祢二 瞿利三 乾陁利四 旃陁利五 摩
蹬耆六 常求利七 浮樓莎抳八 頞底九
世尊是陁羅尼神呪四十二億諸佛所說若
有侵毀此法師者則為侵毀是諸佛已
尒時有羅剎女等一名藍婆二名毗藍婆三
名曲齒四名華齒五名黑齒六名多髮七名
无猒足八名持瓔珞九名睪帝十名奪一切
衆生精氣是十羅剎女與鬼子母并其子及
眷屬俱詣佛所同聲白佛言世尊我等亦欲
擁護讀誦受持法華經者除其衰患若有伺
求法師短者令不得便即於佛前而說呪曰
伊提履一 伊提泯二 伊提履三 阿提履四 伊提
履五 泥履六 泥履七 泥履八 泥履九 泥履十 樓醯
十一 樓醯十二 樓醯十三 樓醯十四 多醯十五 多醯十六 多醯十七
兜醯十八 㝹醯十九
寧上我頭上莫惱於法師若夜叉若羅剎若
餓鬼若冨單那若吉蔗若毗陁羅若揵䭾若
烏摩勒伽若阿䟦摩羅若夜叉吉蔗若人吉
蔗若熱病若一日若二日若三日若四日若至
七日若常熱病若男形若女形若童男形若
童女形乃至夢中亦復莫惱即於佛前而說偈言
若不順我呪　惱亂說法者　頭破作七分　如阿梨樹枝
如煞父母罪　亦如壓油殃　斗秤欺誑人　調達破僧罪

BD01325號　妙法蓮華經卷七　（21–10）

童女形乃至夢中亦復莫惱即於佛前而說偈言
若不順我呪　惱亂說法者　頭破作七分　如阿梨樹枝
如煞父母罪　亦如壓油殃　斗秤欺誑人　調達破僧罪
犯此法師者　當獲如是殃
諸羅刹女說此偈已白佛言世尊我等亦當
身自擁護受持讀誦脩行是經者令得安隱
離諸衰患消衆毒藥佛告諸羅刹女善哉善
哉汝等但能擁護受持法華名者福不可量
何況擁護具足受持供養經卷華香瓔珞末
香塗香燒香幡蓋伎樂然種種燈蘇燈油燈
諸香油燈蘇摩那華油燈瞻蔔華油燈婆師
迦華油燈優鉢羅華油燈如是等百千種供
養者睪帝汝等及眷屬應當擁護如是法師
說是陁羅尼品時六万八千人得无生法忍
妙法蓮華經妙莊嚴王本事品第廿七
尒時佛告諸大衆乃往古世過无量无邊不
可思議阿僧祇劫有佛名雲雷音宿王華智
多陁阿伽度阿羅訶三藐三佛陁國名光明
莊嚴劫名喜見彼佛法中有王名妙莊嚴其
王夫人名曰淨德有二子一名淨藏二名淨
眼是二子有大神力福德智慧久脩菩薩所
行之道所謂檀波羅蜜尸波羅蜜羼提波羅
蜜毗梨耶波羅蜜禪波羅蜜般若波羅蜜
方便波羅蜜慈悲喜捨乃至三十七品助道
法皆悉明了通達又得菩薩淨三昧日星
宿三昧淨光三昧淨色三昧淨照明三昧長

BD01325號　妙法蓮華經卷七　（21–11）

行之道所謂檀波羅蜜尸波羅蜜羼提波羅
蜜毗梨耶波羅蜜禪波羅蜜般若波羅蜜
方便波羅蜜慈悲喜捨乃至三十七品助道
法皆悉明了通達又得菩薩淨三昧日星
宿三昧淨光三昧淨色三昧淨照明三昧長
莊嚴三昧大威德藏三昧於此三昧亦悉通達
尒時彼佛欲引導妙莊嚴王及愍念衆生故
說是法華經時淨藏淨眼二子到其母所合
十指爪掌白言願母往詣雲雷音宿王華智
佛所我等亦當侍從親近供養礼拜所以者
何此佛於一切天人衆中說法華經宜應聽
受母告子言汝父信受外道深著婆羅門法
汝等應往白父與共俱去淨藏淨眼合十指
爪掌白母我等是法王子而生此耶見家母
告子言汝等當憂念汝父為現神變若得見
者心必清淨或聽我等往至佛所於是二子
念其父故踊在虛空高七多羅樹現種種神
變於虛空中行住坐臥身上出水身下出火
身下出水身上出火或現大身滿虛空中而
復現小小復現大於空中滅忽然在地入地
如水履水如地現如是等種種神變令其父
王心淨信解時父見子神力如是心大歡喜
得未曾有合掌向子言汝等師為是誰誰之
弟子二子白言大王彼雲雷音宿王華智佛
今在七寶菩提樹下法座上坐於一切世間

BD01325號　妙法蓮華經卷七　（21–12）

王心淨信解時父見子神力如是心大歡喜
得未曾有合掌向子言汝等師為是誰誰之
弟子二子白言大王彼雲雷音宿王華智佛
今在七寶菩提樹下法座上坐扵一切世間
天人眾中廣說法華經是我等師我是弟子
父語子言我今亦欲見汝等師可共倶往扵
是二子從空中下到其母所合掌白母父王
今已信解堪任發阿耨多羅三藐三菩提心
我等為父已作佛事願母見聽扵彼佛所出
家修道尒時二子欲重宣其意以偈白母
願母放我等　出家作沙門　諸佛甚難值　我等隨佛學
如優曇鉢華　值佛復難是　脫諸難亦難　願聽我出家
母即告言聽汝出家所以者何佛難值故扵
是二子白父母言善哉父母願時往詣雲雷
音宿王華智佛所親近供養所以者何佛難
得值如優曇鉢羅華又如一眼之龜值浮木
孔而我等宿福深厚生值佛法是故父母當
聽我等令得出家所以者何諸佛難值時亦
難遇彼時妙荘嚴王後宮八万四千人皆悉
堪任受持是法華經淨眼菩薩扵法華三昧
久已通達淨藏菩薩已扵无量百千万億劫
通達離諸惡趣三昧欲令一切眾生離諸惡
趣故其王夫人得諸佛集三昧能知諸佛秘
密之藏二子如是以方便力善化其父令心
信解好樂佛法扵是妙荘嚴王與群臣眷屬
倶淨德夫人與後宮采女眷屬倶其王二子

BD01325號　妙法蓮華經卷七　（21-13）

通達離諸惡趣三昧欲令一切眾生離諸惡
趣故其王夫人得諸佛集三昧能知諸佛秘
密之藏二子如是以方便力善化其父令心
信解好樂佛法扵是妙荘嚴王與群臣眷屬
倶淨德夫人與後宮采女眷屬倶其王二子
與四万二千人倶一時共詣佛所到已頭面
礼足遶佛三帀却住一面尒時彼佛為王說
法示教利喜王大歡悅尒時妙荘嚴王及其
夫人解頸真珠瓔珞價直百千以散佛上扵
虛空中化成四柱寶臺臺中有大寶牀敷百
千万天衣其上有佛結加趺坐放大光明尒
時妙荘嚴王作是念佛身希有端嚴殊特成
就第一微妙之色時雲雷音宿王華智佛告
四眾言汝等見是妙荘嚴王扵我前合掌立
不此王扵我法中作比丘精勤修習助佛道
法當得作佛号娑羅樹王國名大光劫名大
高王其娑羅樹王佛有无量菩薩眾及无量
聲聞其國平正功德如是其王即時以國付弟
與夫人二子并諸眷屬扵佛法中出家修道
王出家已扵八万四千歲常勤精進修行妙
法華經過是已後得一切淨功德荘嚴三昧
即昇虛空高七多羅樹而白佛言世尊此我
二子已作佛事以神通變化轉我邪心令得
安住扵佛法中得見世尊此二子者是我善
知識為欲發起宿世善根饒益我故來生我
家尒時雲雷音宿王華智佛告妙荘嚴王言

BD01325號　妙法蓮華經卷七　（21-14）

二子已作佛事以神通變化轉我邪心令得
安住於佛法中得見世尊此二子者是我善
知識爲欲發起宿世善根饒益我故来生我
家尒時雲雷音宿王華智佛告妙莊嚴王言
如是如是如汝所言若善男子善女人種善
根故世世得善知識其善知識能作佛事示
教利喜令入阿耨多羅三藐三菩提大王當
知善知識者是大因緣所謂化導令得見佛
發阿耨多羅三藐三菩提心大王汝見此二子
不此二子已曾供養六十五百千万億那由
他恒河沙諸佛親近恭敬於諸佛所受持法
華經愍念邪見衆生令住正見妙莊嚴王即
從虚空中下而白佛言世尊如来甚希有以
功德智慧故頂上肉髻光明顯照其眼長
廣而紺青色眉間毫相白如珂月齒白齊
密常有光明脣色赤好如頻婆果尒時妙莊
嚴王讚歎佛如是等无量百千万億功德已
於如来前一心合掌復白佛言世尊未曾有
也如来之法具足成就不可思議微妙功德
教戒所行安隱快善我從今日不復自随心
行不生邪見憍慢瞋恚諸惡之心說是語已
礼佛而出佛告大衆於意云何妙莊嚴王豈
異人乎今華德菩薩是其淨德夫人今佛前
光照莊嚴相菩薩是哀愍妙莊嚴王及諸眷
屬故於彼中生其二子者今藥王菩薩藥上
菩薩是是藥王藥上菩薩成就如此諸大功

BD01325號　妙法蓮華經卷七　（21–15）

…於意云何妙莊嚴王豈
異人乎今華德菩薩是其淨德夫人今佛前
光照莊嚴相菩薩是哀愍妙莊嚴王及諸眷
屬故於彼中生其二子者今藥王菩薩藥上
菩薩是是藥王藥上菩薩成就如此諸大功
德已於无量百千万億諸佛所殖衆德本成
就不可思議諸善功德若有人識是二菩薩
名字者一切世間諸天人民亦應礼拜佛說
是妙莊嚴王本事品時八万四千人遠塵離垢
於諸法中得法眼淨
妙法蓮華經普賢菩薩勸發品第廿八
尒時普賢菩薩以自在神通力威德名聞與
大菩薩无量无邊不可稱數從東方来所經
諸國普皆震動雨寶蓮華作无量百千万
億種種伎樂又與无數諸天龍夜叉乾闥婆
阿脩羅迦樓羅緊那羅摩睺羅伽人非人等大
衆圍繞各現威德神通之力到娑婆世界耆
闍崛山中頭面礼釋迦牟尼佛右繞七帀白
佛言世尊我於寶威德上王佛國遥聞此娑
婆世界說法華經與无量无邊百千万億諸
菩薩衆共来聽受唯願世尊當爲說之若善
男子善女人於如来滅後云何能得是法華
經佛告普賢菩薩若善男子善女人成就四
法於如来滅後當得是法華經一者爲諸佛
護念二者殖衆德本三者入正定聚四者發
救一切衆生之心善男子善女人如是成就

BD01325號　妙法蓮華經卷七　（21–16）

經佛告普賢菩薩若善男子善女人成就四
法於如來滅後當得是法華經一者為諸佛
護念二者殖衆德本三者入正定聚四者發
救一切衆生之心善男子善女人如是成就
四法於如來滅後必得是經尒時普賢菩薩
白佛言世尊於後五百歲濁惡世中其有受
持是經典者我當守護除其衰患令得安隱
使无伺求得其便者若魔若魔子若魔女若
魔民若為魔所著者若夜叉若羅刹若鳩槃
荼若毗舍闍若吉蔗若富單那若韋陀羅等
諸惱人者皆不得便是人若行若立讀誦此
經我尒時乘六牙白象王與大菩薩衆俱詣
其所而自現身供養守護安慰其心亦為供
養法華經故是人若坐思惟此經尒時我復
乘白象王現其人前其人若於法華經有所
忘失一句一偈我當教之與共讀誦還令通
利尒時受持讀誦法華經者得見我身甚大
歡喜轉復精進以見我故即得三昧及陀羅
尼名為旋陀羅尼百千万億旋陀羅尼法音
方便陀羅尼得如是等陀羅尼世尊若後世
後五百歲濁惡世中比丘比丘尼優婆塞優
婆夷求索者受持者讀誦者書寫者欲脩
習是法華經於三七日中應一心精進滿三七
日已我當乘六牙白象與无量菩薩而自圍
繞以一切衆生所喜見身現其人前而為說
法亦教利喜亦復與其陀羅尼呪得是陀羅

BD01325號　妙法蓮華經卷七　　(21–17)

婆夷求索者受持者讀誦者書寫者欲脩
習是法華經於三七日中應一心精進滿三七
日已我當乘六牙白象與无量菩薩而自圍
繞以一切衆生所喜見身現其人前而為說
法亦教利喜亦復與其陀羅尼呪得是陀羅
尼故无有非人能破壞者亦不為女人之所
惑亂我身亦自常護是人唯願世尊聽我說
此陀羅尼呪即於佛前而說呪曰
阿檀地 途賣反 一 檀陀婆地 二 檀陀婆帝 三 檀陀鳩
舍隸 四 檀陀脩陀隸 五 脩陀隸 六 脩陀羅婆底 七
佛䭾波羶祢 八 薩婆陀羅尼阿婆多尼 九 薩婆婆
沙阿婆多尼 十 脩阿婆多尼 十一 僧伽婆履叉尼 十二
僧伽涅伽陀尼 十三 阿僧祇 十四 僧伽波伽地 十五 帝隸阿
惰僧伽兜略 盧遮反 阿羅帝波羅帝 十六 薩婆僧
伽三摩地伽蘭地 十七 薩婆達磨脩波利刹帝 十八
薩婆薩埵樓䭾憍舍略阿㝹伽地 十九 辛阿毗
吉利地帝 二十
世尊若有菩薩得聞是陀羅尼者當知普賢
神通之力若法華經行閻浮提有受持者應
作此念皆是普賢威神之力若有受持讀誦
正憶念解其義趣如說脩行當知是人行普
賢行於无量无邊諸佛所深種善根為諸如
來手摩其頭若但書寫是人命終當生忉利
天上是時八万四千天女作衆伎樂而來迎
之其人即著七寶冠於婇女中娛樂快樂何
況受持讀誦正憶念解其義趣如說脩行若

BD01325號　妙法蓮華經卷七　　(21–18)

来手摩其頭若但書寫是人命終當生忉利
天上是時八万四千天女作衆伎樂而来迎
之其人即著七寶冠於婇女中娛樂快樂何
况受持讀誦正憶念解其義趣如說脩行若
有人受持讀誦解其義趣是人命終為千佛
授手令不恐怖不墮惡趣即往兜率天上弥
勒菩薩所弥勒菩薩有三十二相大菩薩衆
所共圍繞有百千万億天女眷屬而於中生
有如是等功德利益是故智者應當一心自
書若使人書受持讀誦正憶念如說脩行世
尊我今以神通力故守護是經於如来滅後
閻浮提内廣令流布使不斷絶尒時釋迦牟
尼佛讃言善哉善哉普賢汝能護助是經令
多所衆生安樂利益汝已成就不可思議功
德深大慈悲從久遠来發阿耨多羅三藐三
菩提意而能作是神通之願守護是經我當
以神通力守護能受持普賢菩薩名者普賢
若有受持讀誦正憶念脩習書寫是法華經
者當知是人則見釋迦牟尼佛如從佛口聞
此經典當知是人供養釋迦牟尼佛當知是
人佛讃善哉當知是人為釋迦牟尼佛手摩
其頭當知是人為釋迦牟尼佛衣之所覆如
是之人不復貪著世樂不好外道經書手筆
亦復不喜親近其人及諸惡者若屠兒若畜
猪羊雞狗若獵師若衒賣女色是人心意質
直有正憶念有福德力是人不為三毒所惱

BD01325號　妙法蓮華經卷七　（21–19）

是之人不復貪著世樂不好外道經書手筆
亦復不喜親近其人及諸惡者若屠兒若畜
猪羊雞狗若獵師若衒賣女色是人心意質
直有正憶念有福德力是人不為三毒所惱
亦不為嫉妬我慢邪慢增上慢所惱是人少
欲知足能脩普賢之行普賢若如来滅後後
五百歲若有人見受持讀誦法華經者應作
是念此人不久當詣道場破諸魔衆得阿耨
多羅三藐三菩提轉法輪擊法鼓吹法螺雨
法雨當坐天人大衆中師子法座上普賢若
於後世受持讀誦是經典者是人不復貪著
衣服卧具飲食資生之物所願不虚亦於現
世得其福報若有人輕毀之言汝狂人耳空
作是行終无所獲如是罪報當世世无眼若
有供養讚歎之者當於今世得現果報若復
見受持是經者出其過惡若實若不實此
人現世得白癩病若輕笑之者當世世牙齒踈
缺醜脣平鼻手脚繚戾眼目角睞身體臭穢
惡瘡膿血水腹短氣諸惡重病是故普賢若
見受持是經典者當起遠迎當如敬佛說是
普賢勸發品時恒河沙等无量无邊菩薩得
百千万億旋陁羅尼三千大千世界微塵等
諸菩薩具普賢道佛說是經時普賢等諸
菩薩舍利弗等諸聲聞及諸天龍人非人等
一切大會皆大歡喜受持佛語作礼而去

BD01325號　妙法蓮華經卷七　（21–20）

百千万億旋陁羅尼三千大千世界微塵等
諸菩薩具普賢道佛說是經時普賢等諸
菩薩舍利弗等諸聲聞及諸天龍人非人等
一切大會皆大歡喜受持佛語作礼而去

妙法蓮華經卷第七

弟子房鵲子爲己身一心
供養

BD01325 號　妙法蓮華經卷七　　（21–21）

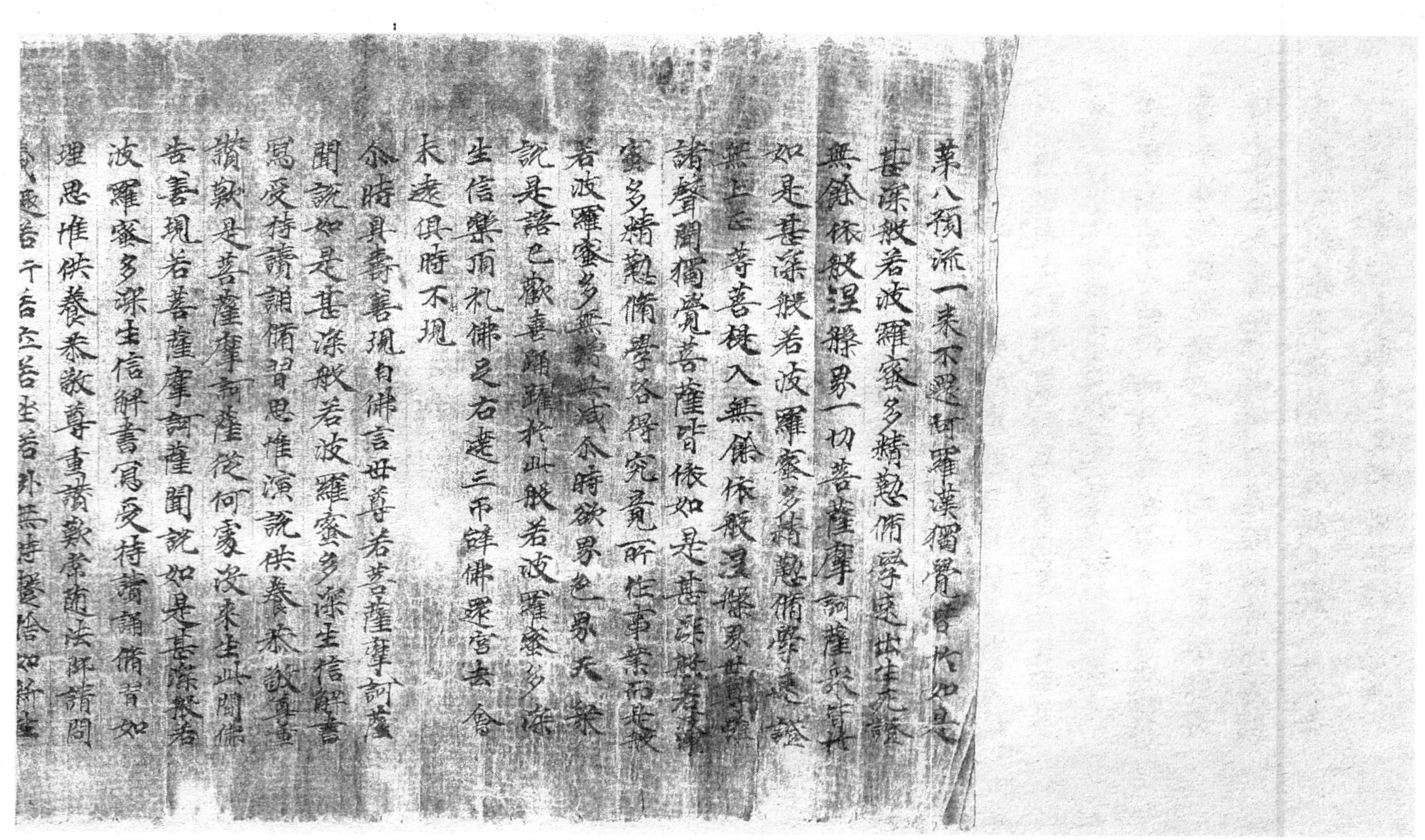

BD01326 號　大般若波羅蜜多經卷四四四　　（7–1）

寫受持讀誦脩習思惟演說供養恭敬尊重
讚歎是菩薩摩訶薩從何處沒來生此間佛
告善現若菩薩摩訶薩聞說如是甚深般若
波羅蜜多深生信解書寫受持讀誦脩習如
理思惟供養恭敬尊重讚歎常隨法師請問
義趣若行若立若坐若卧無時暫捨如新生
犢不離其母乃至未得甚深般若波羅蜜多
所有義趣究竟通利能為他說終不捨離如
是般若波羅蜜多甚深經典及說法師善現
當知是菩薩摩訶薩從人中沒來生此間何
以故善現是菩薩摩訶薩先世已聞甚深般
若波羅蜜多聞已受持讀誦脩習如理思惟
復能書寫衆寶嚴飾又以種種上妙華鬘塗散
等香衣服瓔珞寶幢幡蓋伎樂燈明供養
恭敬尊重讚歎由此善根離八無暇從人趣
沒還生人中聞說如是甚深般若波羅蜜多
深生信解書寫受持讀誦脩習思惟演說供
養恭敬尊重讚歎時具壽善現復白佛言世
尊頗有菩薩摩訶薩成就如是殊勝功德供
養承事他方如來應正等覺從彼處沒來生
此間聞說如是甚深般若波羅蜜多深生信
解書寫受持讀誦脩習思惟演說供養恭敬
尊重讚歎無懈倦不佛告善現如是如是有
菩薩摩訶薩成就如是殊勝功德供養承事
他方如來應正等覺從彼處沒來生此間聞
說如是甚深般若波羅蜜多深生信解書寫

BD01326 號　大般若波羅蜜多經卷四四四　（7–2）

尊重讚歎無懈倦不佛告善現如是如是有
菩薩摩訶薩成就如是殊勝功德供養承事
他方如來應正等覺從彼處沒來生此間聞
說如是甚深般若波羅蜜多深生信解書寫
受持讀誦脩習思惟演說供養恭敬尊重讚
歎無懈倦心所以者何是菩薩摩訶薩先從
他方無量佛所聞說如是甚深般若波羅蜜
多深生信解書寫受持讀誦脩習思惟演說
供養恭敬尊重讚歎無懈倦心彼由如是善
根力故從彼處沒來生此間復次善現有菩
薩摩訶薩從覩史多天衆同分沒來生人中
彼亦成就如是功德所以者何是菩薩摩訶
薩先世已於覩史多天慈氏菩薩摩訶薩所
請問般若波羅蜜多甚深義趣彼由如是善
根力故從彼處沒來生人中聞說如是甚深
般若波羅蜜多深生信解書寫受持讀誦脩
習思惟演說供養恭敬尊重讚歎無懈倦心
復次善現有菩薩乘諸善男子善女人等雖
於先世得聞般若波羅蜜多乃至布施波羅蜜
多而不請問甚深義趣今生人中聞說如是
甚深般若波羅蜜多其心迷悶猶豫怯弱
或生異解難可開悟復次善現有菩薩乘諸
善男子善女人等雖於先世得聞内空乃至
無性自性空而不請問甚深義趣雖於先世
得聞真如乃至不思議界而不請問甚深義
趣雖於先世得聞苦集滅道聖諦而不請問

BD01326 號　大般若波羅蜜多經卷四四四　（7–3）

甚深般若波羅蜜多其心迷悶猶豫怯弱
或生異解難可開悟復次善現有菩薩乘諸
善男子善女人等雖於先世得聞內空乃至
無性自性空而不請問甚深義趣雖於先世
得聞真如乃至不思議界而不請問甚深義
趣雖於先世得聞苦集滅道聖諦而不請問
甚深義趣今生人中聞說如是甚深般若波
羅蜜多其心迷悶猶豫怯弱或生異解難可開
悟復次善現有菩薩乘諸善男子善女人等
雖於先世得聞四靜慮四無量四無色定而
不請問甚深義趣雖於先世得聞八解脫八
勝處九次第定十遍處而不請問甚深義
趣雖於先世得聞四念住乃至八聖道支而
不請問甚深義趣雖於先世得聞空無相無
願解脫門而不請問甚深義趣雖於先世得聞
三乘菩薩十地而不請問甚深義趣今生人
中聞說如是甚深般若波羅蜜多其心迷悶
猶豫怯弱或生異解難可開悟復次善現有
菩薩乘諸善男子善女人等雖於先世得聞
五眼六神通而不請問甚深義趣雖於先
世得聞佛十力乃至十八佛不共法而不請
問甚深義趣雖於先世得聞三十二大士相八
十隨好而不請問甚深義趣雖於先世得聞
無忘失法恒住捨性而不請問甚深義趣
雖於先世得聞陀羅尼門三摩地門而不請
問甚深義趣雖於先世得聞菩薩摩訶薩行

BD01326 號　大般若波羅蜜多經卷四四四

（7–4）

問甚深義趣雖於先世得聞三十二大士相八
十隨好而不請問甚深義趣雖於先世得聞
無忘失法恒住捨性而不請問甚深義趣
雖於先世得聞陀羅尼門三摩地門而不請
問甚深義趣雖於先世得聞菩薩摩訶薩行
諸佛無上正等菩提而不請問甚深義趣雖
於先世得聞一切智道相智一切相智而不
請問甚深義趣今生人中聞說如是甚深般若
波羅蜜多其心迷悶猶豫怯弱或生異解難
可開悟
復次善現有菩薩乘諸善男子善女人等雖
於先世得聞般若波羅蜜多亦曾請問甚深
義趣或經一日二日三日四日五日而不如
說精進脩行今生人中聞說如是甚深般若
波羅蜜多設經一日二日三日四日五日其
心堅固無能壞者若離所聞甚深般若波羅
蜜多尋便退失心生猶豫何以故善現是菩
薩乘諸善男子善女人等由於先世得聞般
若波羅蜜多雖亦請問甚深義趣而不如說
精進脩行故於今生若遇善友慇懃勸勵便
樂聽受甚深般若波羅蜜多若無善友慇懃
勸勵便於此經不樂聽受彼於般若波羅蜜
多或時樂聞或時不樂或時堅固或時退失
其心輕動進退非恒猶如輕毛隨風飄轉當
知如是住菩薩乘諸善男子善女人等發趣
大乘經時未久未多親近真善知識未多供

BD01326 號　大般若波羅蜜多經卷四四四

（7–5）

樂聽受甚深般若波羅蜜多若無善友慇懃
勸勵便於此經不樂聽受彼於般若波羅蜜
多或時樂聞或時不樂或時堅固或時退失
其心輕動進退非恒猶如輕毛隨風飄轉當
知如是住菩薩乘諸善男子善女人等發趣
大乘經時未久未多親近真善知識未多供
養諸佛世尊未曾受持讀誦書寫思惟演
說甚深般若波羅蜜多善現當知是菩薩乘
諸善男子善女人等未學般若波羅蜜多
乃至布施波羅蜜多未學內空乃至無性自
性空未學真如乃至不思議界未學苦集滅
道聖諦未學四靜慮四無量四無色定未學
八解脫八勝處九次第定十遍處未學四念
住乃至八聖道支未學空無相無願解脫門未
學三乘菩薩十地未學五眼六神通未學如
來十力乃至十八佛不共法未學三十二大
士相八十隨好未學無忘失法恒住捨性未
學一切陀羅尼門三摩地門未學一切菩薩
摩訶薩行諸佛無上正等菩提未學一切智
道相智一切相智善現當知是菩[illegible]諸善
男子善女人等新趣大乘於大[illegible]
分信敬愛樂未能[illegible]
為他演說甚[illegible]
菩薩乘諸善男[illegible]
讀誦修習思惟[illegible]演說甚深般若波羅[illegible]
多若不以般若波[illegible]蜜多乃至布施波羅蜜
多攝受有情乃至若不以一切智道相智一切

道相智一切相智善現當[illegible]
男子善女人等新趣大乘於大[illegible]
分信敬愛樂未能[illegible]
為他演說甚[illegible]
菩薩乘諸善男[illegible]
讀誦修習思惟[illegible]演說甚深般若波[illegible]
多若不以般若波[illegible]蜜多乃至布施波羅蜜
多攝受有情乃至若不以一切智道相智一切
相智攝受有情是菩薩乘諸善男子善女
人等不為般若波羅蜜多乃至布施波羅蜜
多之所守護乃至不為一切智道相智一切相
智之所守護是菩薩乘諸善男子善女人等
不能隨順修行般若波羅蜜多乃至布施波
羅蜜多乃至不能隨順修行一切智道相智
一切相智由此因緣墮聲聞地或獨覺地何
以故是菩薩乘諸善男子善女人等於深般
若波羅蜜多不能書寫受持讀誦修習思
惟為他演說亦不能以甚深般若波羅蜜多
廣說乃至一切相智攝受有情不能隨順修
行般若波羅蜜多廣說乃至一切相智不為
般若波羅蜜多之所守護乃至不為一切相
智之所守護由此因緣墮聲聞地或獨覺地
第二分船等喻品第卌九
佛告善現譬如汎海所乘船破其中諸人若
不取木器物浮囊板片死屍為依附者定知

樹下敷毗盧遮那摩尼王藏師子之座或有
樹下敷十方毗盧遮那摩尼王藏師子之座
其一一座各有十萬寶師子座周帀圍繞一
一皆具无量莊嚴此大園中衆寶遍滿猶如大
海寶洲之上迦隣陀衣以布其地柔耎妙好
能生樂觸蹈則沒足舉則還復无量諸鳥出
和雅音寶旃檀林上妙莊嚴種種妙花常雨
无盡猶如帝釋雜花之園无比香王普熏一
切猶如帝釋善法之堂諸音樂樹寶多羅樹
衆寶鈴網出妙音聲如自在天善口天女所
出歌音諸如意樹種種妙衣垂布莊嚴猶如
大海有無量色百千樓閣衆寶莊嚴如忉
利天宮善見大城寶蓋遐張如須彌峯光明
普照如梵王宮尒時善財童子見此大園无
量功德種種莊嚴皆是菩薩業報成就出世
善根之所生起供養諸佛功德所流一切世
間无與等者如是皆從師子頻申比丘尼了
法如幻集廣大清淨福德善業之所成就三
千大千世界天龍八部无量衆生皆入此園而
不迫窄何以故此比丘尼不可思議威神力故
尒時善財見師子頻申比丘尼遍坐一切
諸寶樹下大師子座身相端嚴威儀寂靜
諸根調順如大象王心無垢濁如清淨池普濟

BD01327號　大方廣佛華嚴經（唐譯八十卷本　兌廢稿）卷六七　（2–1）

利天宮善見大城寶蓋遐張如須彌峯光明
普照如梵王宮尒時善財童子見此大園无
量功德種種莊嚴皆是菩薩業報成就出世
善根之所生起供養諸佛功德所流一切世
間无與等者如是皆從師子頻申比丘尼了
法如幻集廣大清淨福德善業之所成就三
千大千世界天龍八部无量衆生皆入此園而
不迫窄何以故此比丘尼不可思議威神力故
尒時善財見師子頻申比丘尼遍坐一切
諸寶樹下大師子座身相端嚴威儀寂靜
諸根調順如大象王心無垢濁如清淨池普濟
所求如如意寶不染世法猶如蓮花心無所
畏如師子王護持淨戒不可傾動如須彌山
能令見者心得清涼如妙香王能除衆生諸
煩惱熱如雪山中妙栴檀香衆生見者諸
苦消滅如善見藥王見者不空如婆樓那天

BD01327號　大方廣佛華嚴經（唐譯八十卷本　兌廢稿）卷六七　（2–2）

BD01327 號背　殘印章　（1–1）

以問世尊　為失為不失
以是於日夜　籌量如此事
无漏難思議　令衆至道場
世尊知我心　拔邪說涅槃
時心自謂　得至於滅度
若得作佛時　具三十二相
是時乃可謂　永盡滅无餘　佛於大衆中　說我當作佛
聞如是法音　疑悔悉已除　初聞佛所說　心中大驚疑
將非魔作佛　惱亂我心耶　佛以種種緣　譬喻巧言說
其心安如海　我聞疑網斷　佛說過去世　无量滅度佛
安住方便中　亦皆說是法　現在未來佛　其數无有量
亦以諸方便　演說如是法　如今者世尊　從生及出家
得道轉法輪　亦以方便說　世尊說實道　波旬无此事
以是我定知　非是魔作佛　我墮疑網故　謂是魔所為
聞佛柔軟音　深遠甚微妙　演暢清淨法　我心大歡喜
疑悔永已盡　安住實智中　我定當作佛　為天人所敬
轉无上法輪　教化諸菩薩
尒時佛告舍利弗　吾今於天人沙門婆羅門等
大衆中說　我昔曾於二万億佛所　為无上道
故常教化汝　汝亦長夜隨我受學　我以方

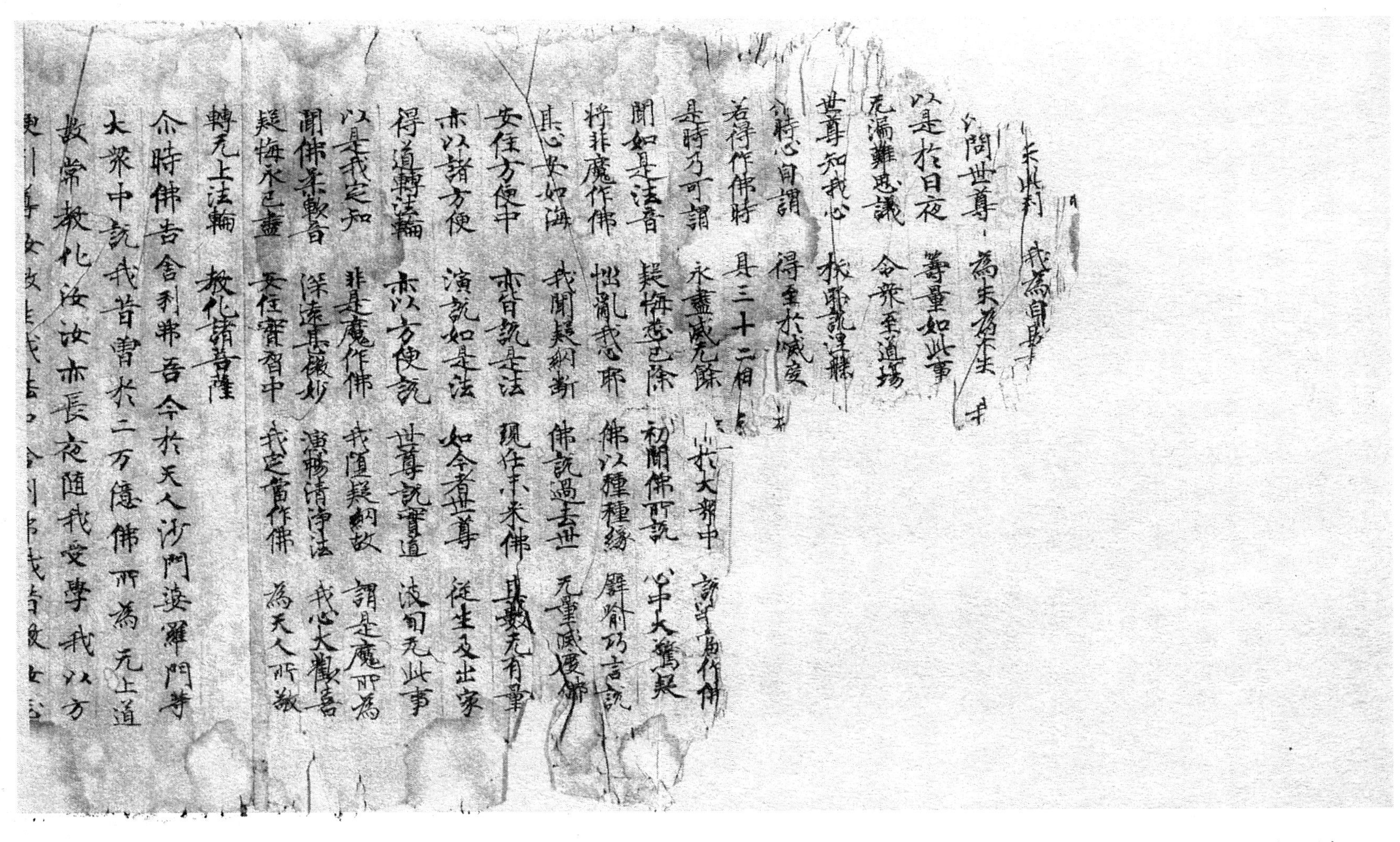

BD01328 號　妙法蓮華經卷二　（9–1）

聞佛柔軟音 深遠甚微妙 演暢清淨法 我心大歡喜
疑悔永已盡 安住實智中 我定當作佛 為天人所敬
轉无上法輪 教化諸菩薩
尒時佛告舍利弗吾今於天人沙門婆羅門等
大衆中說我昔曾於二万億佛所為无上道
故常教化汝汝亦長夜隨我受學我以方
便引導汝故生我法中舍利弗我昔教汝志
願佛道汝今悉忘而便自謂已得滅度我今
還欲令汝憶念本願所行道故為諸聲聞說
是大乘經名妙法蓮華教菩薩法佛所護念
舍利弗汝於未來世過无量无邊不可思議
劫供養若干千万億佛奉持正法具足菩薩
所行之道當得作佛号曰華光如來應供正
遍知明行足善逝世間解无上士調御丈夫
天人師佛世尊國名離垢其土平正清淨嚴
飾安隱豊樂天人熾盛瑠璃為地有八交道
黃金為繩以界其側其傍各有七寶行樹常
有華菓華光如來亦以三乘教化衆生舍利
弗彼佛出時雖非惡世以本願故說三乘法
其劫名大寶莊嚴何故名曰大寶莊嚴其國
中以菩薩為大寶故彼諸菩薩无量无邊不
可思議筭數譬喻所不能及非佛智力无能
知者若欲行時寶華承足此諸菩薩非初
發意皆久殖德本於无量百千万億佛所淨脩
梵行恒為諸佛之所稱歎常脩佛慧具大神
通善知一切諸法之門質直无偽志念堅固如
是菩薩充滿其國舍利弗華光佛壽十二
小劫除為王子未作佛時其國人民壽八小

BD01328號 妙法蓮華經卷二 (9–2)

梵行恒為諸佛之所稱歎常脩佛慧具大神
通善知一切諸法之門質直无偽志念堅固如
是菩薩充滿其國舍利弗華光佛壽十二
小劫除為王子未作佛時其國人民壽八小
劫華光如來過十二小劫授堅滿菩薩阿耨
多羅三藐三菩提記告諸比丘是堅滿菩薩
次當作佛号曰華足安行多陁阿伽度阿羅
訶三藐三佛陁其佛國土亦復如是舍利弗
是華光佛滅度之後正法住世三十二小劫
像法住世亦三十二小劫尒時世尊欲重宣
此義而說偈言
舍利弗來世 成佛普智尊 号名曰華光 當度无量衆
供養无數佛 具足菩薩行 十力等功德 證於无上道
過无量劫已 劫名大寶嚴 世界名離垢 清淨无瑕穢
以瑠璃為地 金繩界其道 七寶雜色樹 常有華菓實
彼國諸菩薩 志念常堅固 神通波羅蜜 皆已悉具足
於无數佛所 善學菩薩道 如是等大士 華光佛所化
佛為王子時 棄國捨世榮 於最末後身 出家成佛道
華光佛住世 壽十二小劫 其國人民衆 壽命八小劫
佛滅度之後 正法住於世 三十二小劫 廣度諸衆生
正法滅盡已 像法三十二 舍利廣流布 天人普供養
華光佛所為 其事皆如是 其兩足聖尊 最勝无倫匹
彼即是汝身 宜應自欣慶
尒時四部衆比丘比丘尼優婆塞優婆夷天
龍夜叉乹闥婆阿脩羅迦樓羅緊那羅摩睺
羅伽等大衆見舍利弗於佛前受阿耨多羅
三藐三菩提記心大歡喜踊躍无量各各脫
身所著上衣以供養佛釋提桓因梵天王等

BD01328號 妙法蓮華經卷二 (9–3)

龍夜叉乾闥婆阿修羅迦樓羅緊那羅摩睺
羅伽等大衆見舍利弗於佛前受阿耨多羅
三藐三菩提記心大歡喜踊躍无量各各脫
身所著上衣以供養佛釋提桓因梵天王等
與无數天子亦以天妙衣天曼陀羅華摩訶曼
陀羅華等供養於佛所散天衣住虛空中
而自迴轉諸天伎樂百千万種於虛空中一時
俱作雨衆天華而作是言佛昔於波羅柰
初轉法輪今乃復轉无上冣大法輪尒時諸
天子欲重宣此義而說偈言
昔於波羅柰　轉四諦法輪　分別說諸法　五衆之生滅
今復轉冣妙　无上大法輪　是法甚深奧　少有能信者
我等從昔來　數聞世尊說　未曾聞如是　深妙之上法
世尊說是法　我等皆隨喜　大智舍利弗　今得受尊記
我等亦如是　必當得作佛　於一切世間　冣尊无有上
佛道叵思議　方便隨宜說　我所有福業　今世若過去
及見佛功德　盡迴向佛道
尒時舍利弗白佛言世尊我今无復疑悔親
於佛前得受阿耨多羅三藐三菩提記是諸
千二百心自在者昔住學地佛常教化言我
法能離生老病死究竟涅槃是學无學人亦
各自以離我見及有无見等謂得涅槃而今
於世尊前聞所未聞皆墮疑惑善哉世尊願
為四衆說其因緣令離疑悔尒時佛告舍利
弗我先不言諸佛世尊以種種因緣譬喻言
辭方便說法皆為阿耨多羅三藐三菩提耶
是諸所說皆為化菩薩故然舍利弗今當復
以譬喻更明此義諸有智者以譬喻得解

BD01328號　妙法蓮華經卷二　（9–4）

弗我先不言諸佛世尊以種種因緣譬喻言
辭方便說法皆為阿耨多羅三藐三菩提耶
是諸所說皆為化菩薩故然舍利弗今當復
以譬喻更明此義諸有智者以譬喻得解
舍利弗若國邑聚落有大長者其年衰邁財富
无量多有田宅及諸僮僕其家廣大唯有一
門多諸人衆一百二百乃至五百人止住其
中堂閣朽故牆壁頹落柱根腐敗梁棟傾危
周帀俱時欻然火起焚燒舍宅長者諸子若
十二十或至三十在此宅中長者見是大火
從四面起即大驚怖而作是念我雖能於此
所燒之門安隱得出而諸子等於火宅內樂
著嬉戲不覺不知不驚不怖火來逼身苦痛
切己心不猒患无求出意舍利弗是長者作
是思惟我身手有力當以衣裓若以几案從
舍出之復更思惟是舍唯有一門而復狹小
諸子幼稚未有所識戀著戲處或當墮落
為火所燒我當為說怖畏之事此舍已燒宜時
疾出无令為火之所燒害作是念已如所思惟
具告諸子汝等速出父雖憐愍善言誘喻
而諸子等樂著嬉戲不肯信受不驚不畏了
无出心亦復不知何者是火何者為舍云何為
失但東西走戲視父而已尒時長者即作
是念此舍已為大火所燒我及諸子若不時
出必為所焚我今當設方便令諸子等得免
斯害父知諸子先心各有所好種種珍玩奇
異之物情必樂著而告之言汝等所可玩好
希有難得汝若不取後必憂悔如此種種羊

BD01328號　妙法蓮華經卷二　（9–5）

出也為所燒我今當設方便令諸子等得免
斯害父知諸子先心各有所好種種珎玩奇
異之物情必樂著而告之言汝等所可玩好
希有難得汝若不取後必憂悔如此種種羊
車鹿車牛車今在門外可以遊戲汝等於此
火宅宜速出來隨汝所欲皆當與汝尒時諸
子聞父所說珎玩之物適其願故心各勇銳互
相推排競共馳走爭出火宅是時長者見
諸子等安隱得出皆於四衢道中露地而坐
无復障礙其心泰然歡喜踊躍時諸子等各
白父言父先所許玩好之具羊車鹿車牛車
願時賜與舍利弗尒時長者各賜諸子等一
大車其車高廣衆寶莊校周帀欄楯四面懸
鈴又於其上張設幰蓋亦以珎奇雜寶而嚴
飾之寶繩絞絡垂諸華瓔重敷綩綖安置丹
枕駕以白牛膚色充潔形體姝好有大筋力
行步平正其疾如風又多僕從而侍衛之所
以者何是大長者財富无量種種諸藏悉皆
充溢而作是念我財物无極不應以下劣小
車與諸子等今此幼童皆是吾子愛无偏黨
我有如是七寶大車其數无量應當等心各
各與之不宜差別所以者何以我此物周給
一國猶尚不匱何況諸子是時諸子各乘大
車得未曾有非本所望舍利弗於汝意云何
是長者等與諸子珎寶大車寧有虛妄不舍
利弗言不也世尊是長者但令諸子得免火
難全其軀命非為虛妄何以故若全身命便
為已得玩好之具況復方便於彼火宅而拔
濟之世尊若是長者乃至不與最小一車猶
不虛妄何以故是長者先作是意我以方便

BD01328號　妙法蓮華經卷二　（9–6）

一國猶尚不匱何況諸子是時諸子各乘大
車得未曾有非本所望舍利弗於汝意云何
是長者等與諸子珎寶大車寧有虛妄不舍
利弗言不也世尊是長者但令諸子得免火
難全其軀命非為虛妄何以故若全身命便
為已得玩好之具況復方便於彼火宅而拔
濟之世尊若是長者乃至不與最小一車猶
不虛妄何以故是長者先作是意我以方便
令子得出以是因緣无虛妄也何況長者自
知財富无量欲饒益諸子等與大車佛告舍
利弗善哉善哉如汝所言舍利弗如來亦復
如是則為一切世間之父於諸怖畏衰惱憂
患无明闇蔽永盡无餘而悉成就无量知見
力无所畏有大神力及智慧力具足方便智
慧波羅蜜大慈大悲常无懈惓恒求善事利
益一切而生三界朽故火宅為度衆生生老
病死憂悲苦惱愚癡闇蔽三毒之火教化令
得阿耨多羅三藐三菩提見諸衆生為生老
病死憂悲苦惱之所燒煑亦以五欲財利故
受種種苦又以貪著追求故現受衆苦後受
地獄畜生餓鬼之苦若生天上及在人間貧
窮困苦愛別離苦怨憎會苦如是等種種諸
苦衆生沒在其中歡喜遊戲不覺不知不
驚不怖亦不生猒不求解脫於此三界火宅東
西馳走雖遭大苦不以為患舍利弗佛見此
已便作是念我為衆生之父應拔其苦難與
无量无邊佛智慧樂令其遊戲舍利弗如來
復作是念若我但以神力及智慧力捨於方
便為諸衆生讚如來知見力无所畏者衆生

BD01328號　妙法蓮華經卷二　（9–7）

煞不怖亦不生厭不求解脫於此三界火宅東
西馳走雖遭大苦不以為患舍利弗佛見此
已便作是念我為眾生之父應拔其苦難與
无量无邊佛智慧樂令其遊戲舍利弗如來
復作是念若我但以神力及智慧力捨於方
便為諸眾生讚如來知見力无所畏者眾生
不能以是得度所以者何是諸眾生未免生老
病死憂悲苦惱而為三界火宅所燒何由
能解佛之智慧舍利弗如彼長者雖復身手
有力而不用之但以慇懃方便勉濟諸子火
宅之難然後各與珍寶大車如來亦復如是
雖有力无所畏而不用之但以智慧方便於
三界火宅拔濟眾生為說三乘聲聞辟支佛
佛乘而作是言汝等莫得樂住三界火宅勿
貪麤弊色聲香味觸也若貪著生愛則為所
燒汝速出三界當得三乘聲聞辟支佛佛乘
我今為汝保任此事終不虛也汝等但當勤
脩精進如來以是方便誘進眾生復作是言
汝等當知此三乘法皆是聖所稱歎自在无
繫无所依求乘是三乘以无漏根力覺道禪
定解脫三昧等而自娛樂便得无量安隱快
樂舍利弗若有眾生內有智性從佛世尊聞
法信受慇懃精進欲速出三界自求涅槃是
名聲聞乘如彼諸子為求羊車出於火宅若
有眾生從佛世尊聞法信受慇懃精進求自
然慧樂獨善寂深知諸法因緣是名辟支佛
乘如彼諸子為求鹿車出於火宅若有眾生
從佛世尊聞法信受勤脩精進求一切智佛
智自然智无師智如來知見力无所畏愍念

BD01328號　妙法蓮華經卷二　（9–8）

宅之難然後各與珍寶大車如來亦復如是
雖有力无所畏而不用之但以智慧方便於
三界火宅拔濟眾生為說三乘聲聞辟支佛
佛乘而作是言汝等莫得樂住三界火宅勿
貪麤弊色聲香味觸也若貪著生愛則為所
燒汝速出三界當得三乘聲聞辟支佛佛乘
我今為汝保任此事終不虛也汝等但當勤
脩精進如來以是方便誘進眾生復作是言
汝等當知此三乘法皆是聖所稱歎自在无
繫无所依求乘是三乘以无漏根力覺道禪
定解脫三昧等而自娛樂便得无量安隱快
樂舍利弗若有眾生內有智性從佛世尊聞
法信受慇懃精進欲速出三界自求涅槃是
名聲聞乘如彼諸子為求羊車出於火宅若
有眾生從佛世尊聞法信受慇懃精進求自
然慧樂獨善寂深知諸法因緣是名辟支佛
乘如彼諸子為求鹿車出於火宅若有眾生
從佛世尊聞法信受勤脩精進求一切智佛
智自然智无師智如來知見力无所畏愍念

BD01328號　妙法蓮華經卷二　（9–9）

地獄餓
移諸天人置於他土所
為地寶樹莊嚴樹高五百
次第莊嚴樹下皆有寶師子
寶而校飾之亦无大海
摩訶目真隣陀山鐵圍
彌山等諸山王通為一佛國土
幔遍覆其上懸諸幡蓋燒
遍布其地尒時東方釋迦
万億那由他恒河沙等
法來集於此如是次第
坐於八方尒時一一方
土諸佛如來遍滿其中
寶樹下坐師子座皆遣侍者
釋迦佛各賷寶華滿掬而告之言
善男子汝往詣耆闍崛山釋迦牟尼佛所如
我辭曰少病少惱氣力安樂及菩薩聲聞眾
悉安隱不以此寶華散佛供養而作是言彼
某甲佛與欲開此寶塔諸佛　使亦復如是
尒時釋迦牟尼佛見所分身　已來集各
各坐於師子之座皆聞諸佛欲　開寶塔
即從座起住虛空中一切四眾起　掌一
心觀佛於是釋迦牟尼佛以右指開七寶塔

BD01329號　妙法蓮華經（八卷本）卷四　（5–1）

悉安隱不以此寶華散佛供養而作是言彼
某甲佛與欲開此寶塔諸佛　使亦復如是
尒時釋迦牟尼佛見所分身　已來集各
各坐於師子之座皆聞諸佛欲　開寶塔
即從座起住虛空中一切四眾起　掌一
心觀佛於是釋迦牟尼佛以右指開七寶塔
戶出大音聲如却關鑰開大城門即時一切
眾會皆見多寶如來於寶塔中坐師子座全
身不散如入禪定又聞其言善哉善哉釋迦
牟尼佛快說是法華經我為聽是經故而來
至此尒時四眾等見過去无量千万億劫滅
度佛說如是言歎未曾有以天寶華聚散多
寶佛及釋迦牟尼佛上尒時多寶佛於寶塔
中分半座與釋迦牟尼佛而作是言釋迦牟
尼佛可就此座即時釋迦牟尼佛入其塔中
坐其半座結跏趺坐尒時大眾見二如來在
七寶塔中師子座上結跏趺坐各作是念佛
坐高遠唯願如來以神通力令我等輩俱處
虛空即時釋迦牟尼佛以神通力接諸大眾
皆在虛空以大音聲普告四眾誰能於此娑
婆國土廣說妙法華經今正是時如來不久
當入涅槃佛欲以此妙法華經付囑有在尒
時世尊欲重宣此義而說偈言
聖主世尊　雖久滅度　在寶塔中　尚為法來
諸人云何　不勤為法　此佛滅度　无央數劫
處處聽法　以難遇故　彼佛本願　我滅度後

BD01329號　妙法蓮華經（八卷本）卷四　（5–2）

時世尊欲重宣此義而說偈言
聖主世尊　雖久滅度　在寶塔中　尚為法來
諸人云何　不勤為法　此佛滅度　无央數劫
處處聽法　以難遇故　彼佛本願　我滅度後
在在所往　常為聽法　又我分身　无量諸佛
如恒沙等　來欲聽法　及見滅度　多寶如來
各捨妙土　及弟子眾　天人龍神　諸供養事
令法久住　故來至此　為坐諸佛　以神通力
移无量眾　令國清淨　諸佛各各　詣寶樹下
如清淨池　蓮華莊嚴　其寶樹下　諸師子座
佛坐其上　光明嚴飾　如夜闇中　然大炬火
身出妙香　遍十方國　眾生蒙薰　喜不自勝
譬如大風　吹小樹枝　以是方便　令法久住
告諸大眾　我滅度後　誰能護持　讀說斯經
今於佛前　自說誓言
其多寶佛　雖久滅度　以大誓願　而師子吼
多寶如來　及與我身　所集化佛　當知此意
諸佛子等　誰能護法　當發大願　令得久住
其有能護　此經法者　則為供養　我及多寶
此多寶佛　處於寶塔　常遊十方　為是經故
亦復供養　諸來化佛　莊嚴光飾　諸世界者
若說此經　則為見我　多寶如來　及諸化佛
諸善男子　各諦思惟　此為難事　宜發大願
諸餘經典　數如恒沙　雖說此等　未足為難
若接須弥　擲置他方　无數佛土　亦未為難
若以足指　動大千界　遠擲他國　亦未為難

BD01329號　妙法蓮華經（八卷本）卷四　（5-3）

諸餘經典　數如恒沙　雖說此等　未足為難
若接須弥　擲置他方　无數佛土　亦未為難
若以足指　動大千界　遠擲他國　亦未為難
若立有頂　為眾演說　无量餘經　亦未為難
若佛滅後　於惡世中　能說此經　是則為難
假使有人　手把虛空　而以遊行　亦未為難
於我滅後　若自書持　若使人書　是則為難
若以大地　置足甲上　昇於梵天　亦未為難
佛滅度後　於惡世中　暫讀此經　是則為難
假使劫燒　擔負乾草　入中不燒　亦未為難
我滅度後　若持此經　為一人說　是則為難
若持八万　四千法藏　十二部經　為人演說
令諸聽者　得六神通　雖能如是　亦未為難
於我滅後　聽受此經　問其義趣　是則為難
若人說法　令千万億　无量无數　恒沙眾生
得阿羅漢　具六神通　雖有是益　亦未為難
於我滅後　若能奉持　如斯經典　是則為難
我為佛道　於无量土　從始至今　廣說諸經
而於其中　此經第一　若有能持　則持佛身
諸善男子　於我滅後　誰能護持　讀誦此經
今於佛前　自說誓言
此經難持　若暫持者　我則歡喜　諸佛亦然
如是之人　諸佛所歎　是則勇猛　是則精進
是名持戒　行頭陀者　則為疾得　无上佛道
能於來世　讀持此經　是真佛子　住純善地
佛滅度後　能解其義　是諸天人　世間之眼

BD01329號　妙法蓮華經（八卷本）卷四　（5-4）

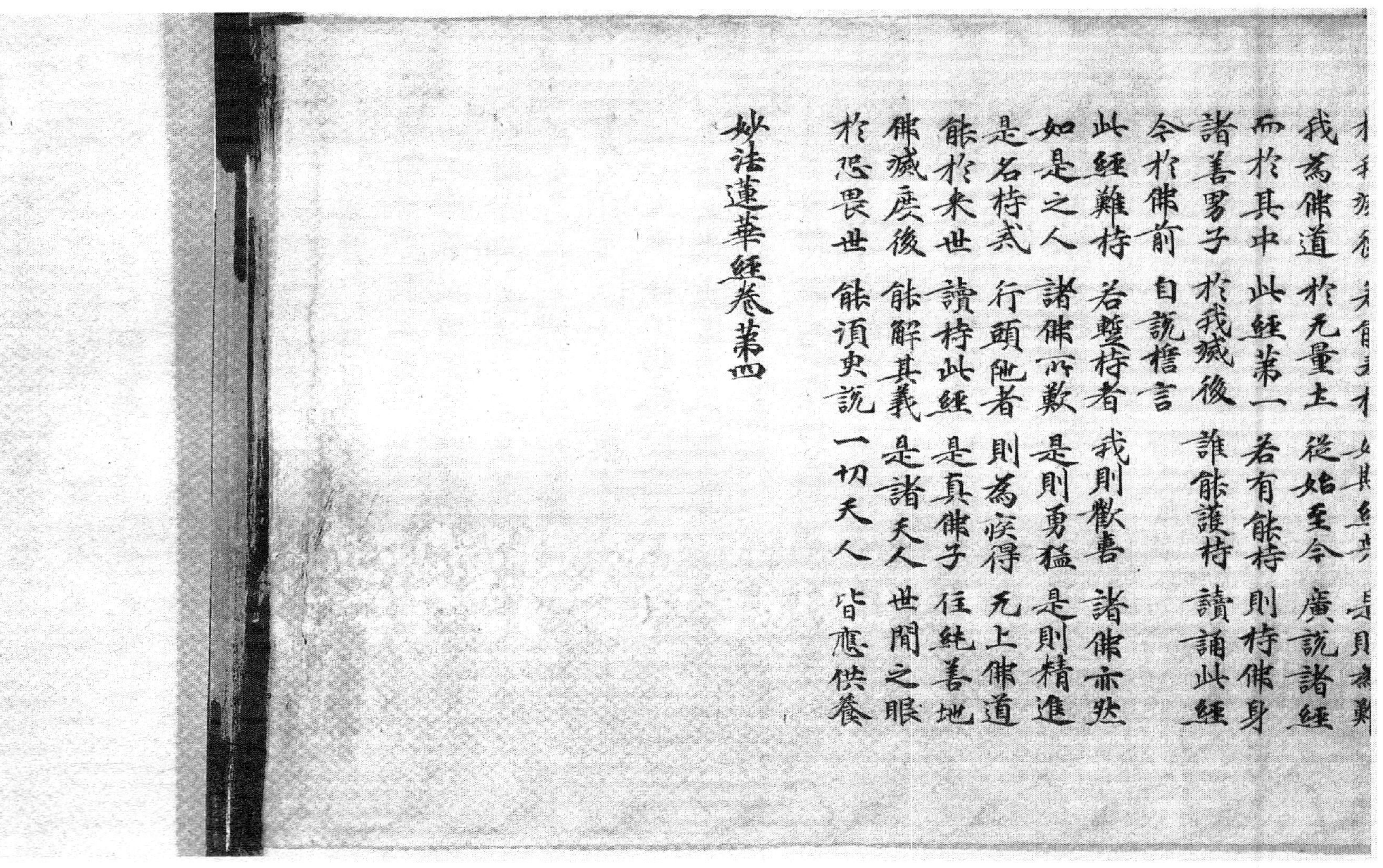

我為佛道　於无量土　從始至今　廣說諸經
而於其中　此經第一　若有能持　則持佛身
諸善男子　於我滅後　誰能護持　讀誦此經
今於佛前　自說誓言
此經難持　若蹔持者　我則歡喜　諸佛亦然
如是之人　諸佛所歎　是則勇猛　是則精進
是名持戒　行頭陀者　則為疾得　无上佛道
能於來世　讀持此經　是真佛子　住純善地
佛滅度後　能解其義　是諸天人　世間之眼
於恐畏世　能須臾說　一切天人　皆應供養

妙法蓮華經卷第四

BD01329號　妙法蓮華經（八卷本）卷四　　（5–5）

南无等須彌面佛　南无觀成就佛
南无清淨藏佛　南无勇自在佛
南无現魔業淨業佛　南无智自在佛
南无智精進奮迅佛　南无无尋精進佛
南无世間自在佛　南无法行廣意佛
南无福德成就佛　南无不怯弱成就佛
南无勝成就佛　南无龍觀佛
南无須彌檀佛　南无作戒王佛
南无聚集寶佛　南无龍王聲佛
南无大智精進佛　南无無孤獨精進佛
南无不滅莊嚴佛　南无不動足他佛
南无百功德莊嚴佛　南无自在諸相好稱佛
南无自在因陀羅月佛　南无法華山佛
南无法界莊嚴佛　南无滿足頭佛
南无大師莊嚴佛　南无師子平等精進佛
南无脩行自在堅固佛　南无樂法脩行佛
南无勝慧佛　南无海步佛

BD01330號　佛名經（十六卷本）卷一三　　（4–1）

南无百功德荘嚴佛 南无自在諸相好稱佛
南无自在因陁羅月佛 南无法華山佛
南无法界荘嚴佛 南无滿足頠佛
南无大師荘嚴佛 南无師子平等精進佛
南无脩行自在堅固佛 南无樂法脩行佛
南无勝慧佛 南无海步佛
南无大如脩行佛 南无高光明佛
南无諍智佛 南无師子聲佛
南无善報佛 南无善住佛 八千六百
南无日光佛 南无甘露增上佛
南无道上首佛 南无勝自在親佛
南无善見佛 南无無濁義佛
南无勝意佛 南无人月佛
南无威德光佛 南无普明佛
南无大荘嚴佛 南无師子奮迅佛
南无摩樓多愛佛 南无寂心佛
南无大步佛 南无可聞聲佛
南无積功德佛 南无摩尼向佛
南无愛照佛 南无名稱佛
南无信功德佛 南无清淨智佛
南无寶功德佛 南无妙信香佛
南无熱國佛 南无勝仙佛
南无寶智佛 南无甘露威德佛
南无蔵信佛 南无月上勝佛

BD01330號 佛名經（十六卷本）卷一三 （4–2）

南无寶功德佛 南无妙信香佛
南无熱國佛 南无勝仙佛
南无寶智佛 南无甘露威德佛
南无蔵信佛 南无月上勝佛
南无龍步佛 南无信黠慧佛
南无愛寶語佛 南无憂波羅香佛
南无旃檀自在佛 南无敵勝佛
南无普行佛 南无功德勝佛
南无大威德佛 南无種種色日佛
南无過諸過佛 南无無量眼佛
南无慚愧智佛 南无功德供養佛
南无種種聲佛 南无功德可樂佛
南无清淨佛 南无妙香佛
南无月光佛 南无貳分佛
南无華智佛 南无憂多摩意佛
南无不闇意佛 南无山自在積佛
南无寂王佛 南无解脫王佛
南无阿踰弥留王佛 南无如意力釋佛
南无姓阿提遮佛 南无不讚歎世間勝佛
南无法深佛 南无寶星宿解脫王佛
南无白寶勝佛 南无法行自在佛
南无陁羅尼自在佛 南无阿難陁聲佛
南无智步王佛 南无弥留平等奮迅佛
南无智奮迅佛 南无法華通樹提佛

BD01330號 佛名經（十六卷本）卷一三 （4–3）

南无清淨佛　南无妙香佛
南无月光佛　南无貳分佛
南无華智佛　南无憂多摩意佛
南无不闇意佛　南无山自在積佛
南无寂王佛　南无解脫王佛
南无阿蹉彌留王佛　南无如意力擇佛
南无姓阿提遮佛　南无不讚歎世間勝佛
南无法深佛　南无寶星宿解脫王佛
南无白寶勝佛　南无法行自在佛
南无陁羅尼自在佛　南无阿難陁聲佛
南无智步王佛　南无彌留垂等奮迅佛
南无智奮迅佛　南无法華通樹提佛
南无多波尼體佛　南无阿尼伽陁路摩勝佛
南无憂多羅勝法佛　南无大智念縛佛
南无闍伽提自在一切世間擔佛　南无見天畏佛
南无自畏作佛　南无自在量佛
舍利弗我見南方如是等无量佛種種名
種種姓種種佛土汝等應當至心一心歸命
舍利弗應當歸命西方无量佛
南无阿婆羅夷婆師華佛　南无摩菟沙口聲去佛

BD01330號　佛名經（十六卷本）卷一三　（4–4）

中示現成壞差別不令衆生心有恐怖無礙
用於一切世界現水火風災種種變壞而不
惱衆生無礙用一切世界三災壞時悉能護持
一切衆生資生之具不令損缺無礙用以一
手持不思議世界擲不可說世界之外不令
衆生有驚怖想無礙用說一切刹同於虛空
令諸衆生悉得悟解無礙用是為十佛子
菩薩摩訶薩有十種力無礙用何等為十所
謂衆生力無礙用教化調伏不捨離故刹力
無礙用示現不可說莊嚴而莊嚴故法力无
礙用令一切身入無身故劫力無礙用脩行
不斷故佛力無礙用覺悟睡眠故行力無礙用
攝取一切菩薩行故如來力無礙用度脫一衆
生故無師力無礙用自覺一切諸法故一
切智力無礙用以一切智成正覺故大悲力
無礙用不捨一切衆生故是為十佛子如是
名為菩薩摩訶薩十種無礙用若有得此
十無礙用者於阿耨多羅三藐三菩提欲成
不成隨意無違雖成正覺而亦不斷行菩薩
行何以故菩薩摩訶薩發大誓願入無邊无
礙用門善巧示現故佛子菩薩摩訶薩有十

BD01331號　大方廣佛華嚴經（唐譯八十卷本　兌廢稿）卷五六　（2–1）

衆生有猶豫想無礙用於一切刹已成當
令諸衆生悉得悟解無礙用是為十佛子
菩薩摩訶薩有十種力無礙用何等為十所
謂衆生力無礙用教化調伏不捨離故刹力
無礙用示現不可說莊嚴而莊嚴故法力无
礙用令一切身入無身故劫力無礙用脩行
不斷故佛力無礙用覺悟睡眠故行力無礙用
攝取一切菩薩行故如來力無礙用度脫一衆
生故無師力無礙用自覺一切諸法故一
切智力無礙用以一切智成正覺故大悲力
無礙用不捨一切衆生故是為十佛子如是
名為菩薩摩訶薩十種無礙用若有得此
十無礙用者於阿耨多羅三藐三菩提欲成
不成隨意無違雖成正覺而亦不斷行菩薩
行何以故菩薩摩訶薩發大誓願入無邊无
礙用門善巧示現故佛子菩薩摩訶薩有十
種遊戲何等為十所謂以衆生身作刹身
而亦不壞衆生身是菩薩遊戲以刹身作衆
生身不壞衆生身是菩薩遊戲以刹身作衆生
身而亦不壞於刹身是菩薩遊戲於佛身示現
聲聞獨覺身而不損減如來身是菩薩遊戲
於聲聞獨覺身示現如來身而不增長聲聞
獨覺身是菩薩遊戲於菩薩行身示現成正

BD01331號　大方廣佛華嚴經（唐譯八十卷本　兑廢稿）卷五六　（2–2）

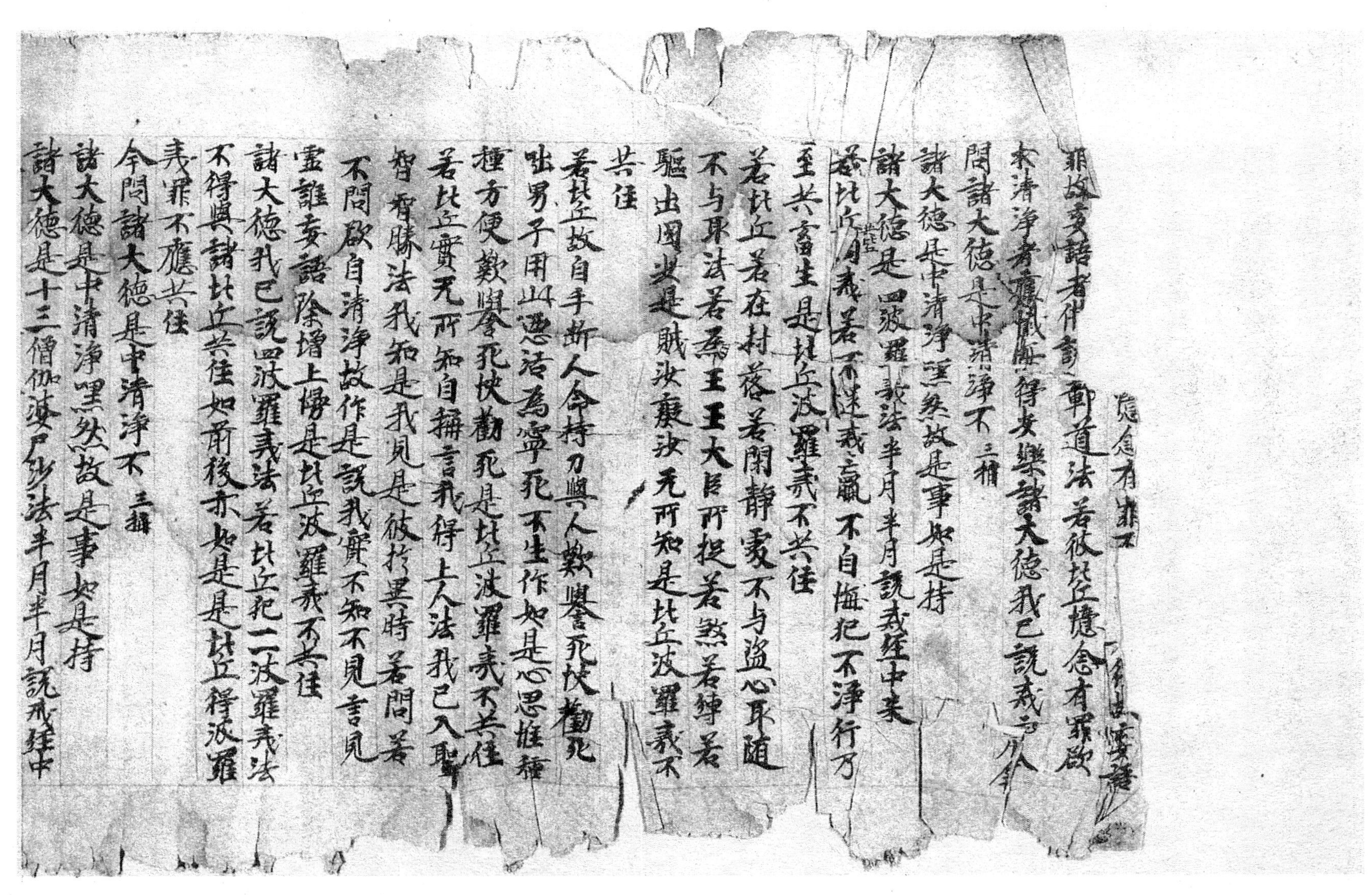

憶念有罪不
罪故妄語者佛說障道法若彼比丘憶念有罪欲
求清淨者應懺悔懺悔得安樂諸大德我已說戒序今
問諸大德是中清淨不　三説
諸大德是中清淨默然故是事如是持
諸大德是四波羅夷法半月半月說戒經中來
若比丘共比丘同戒若不還戒戒羸不自悔犯不淨行乃
至共畜生是比丘波羅夷不共住
若比丘若在村落若閑靜處不與盜心取隨
不與取法若為王王大臣所捉若殺若縛若
驅出國汝是賊汝癡汝无所知是比丘波羅夷不
共住
若比丘故自手斷人命持刀與人歎譽死快勸死
咄男子用此惡活為寧死不生作如是心思惟種
種方便歎譽死快勸死是比丘波羅夷不共住
若比丘實无所知自稱言我得上人法我已入聖
智勝法我知是我見是彼於異時若問若
不問欲自清淨故作是說我實不知不見言見
虛誑妄語除增上慢是比丘波羅夷不共住
諸大德我已說四波羅夷法若比丘犯一一波羅夷法
不得與諸比丘共住如前後亦如是是比丘得波羅
夷罪不應共住
今問諸大德是中清淨不　三説
諸大德是中清淨默然故是事如是持
諸大德是十三僧伽婆尸沙法半月半月說戒經中

BD01332號　四分律比丘戒本　（10–1）

不得與諸比丘共住。如前後亦如是。是比丘得波羅
夷罪，不應共住。
今問諸大德，是中清淨不？三說
諸大德，是中清淨，默然故，是事如是持。
諸大德，是十三僧伽婆尸沙法，半月半月說，戒經中
來。
若比丘故弄陰失精，除夢中，僧伽婆尸沙。
若比丘婬欲意，與女人身相觸，若捉手，若捉髮，
若觸一一身分者，僧伽婆尸沙。
若比丘婬欲意，與女人麁惡婬欲語，隨麁惡婬欲語者，僧伽婆尸沙。
若比丘往來彼此媒嫁，持男意語女，持女意語
男，若為成婦事，若為私通事，乃至須臾頃，僧伽
婆尸沙。
若比丘自求作屋，無主自為己，當應
量作。是中量者，長十二佛搩手，內廣七搩手，當將比丘
指授處所。彼比丘當指示處所，無難處，無妨處。若
比丘有難處妨處自求作屋，無主自為己，不將比丘
指示處所，若過量作者，僧伽婆尸沙。
若比丘欲作大房，有主為己作，當將餘比丘指授處
所。彼比丘應指授處所，無難處，無妨處。若比丘有難
處妨處作大房，有主為己作，不將餘比丘指授處所，
僧伽婆尸沙。
若比丘瞋恚所覆故，非波羅夷比丘，以無根波羅夷法
謗，欲壞彼清淨行。若於異時，若問，不若問，知此事
無根說，我瞋恚故作是語。若比丘作是語者，僧伽婆尸沙。
若比丘以瞋恚故，於異分事中取片，是比丘言我瞋
非波羅夷比丘，以無根波羅夷法謗，欲壞彼清淨行。彼
於異時，若問，若不問，知是異分取片，是比丘言我瞋
恚故作是語者，僧伽婆尸沙。
若比丘欲壞和合僧，方便受壞和合僧法，堅持不
捨。彼比丘應諫是比丘言：大德莫壞和合僧，莫方便
壞和合僧，莫受壞僧法堅持不捨……

BD01332號　四分律比丘戒本　（10–2）

非波羅夷比丘，以無根波羅夷法謗，欲壞彼清淨行。彼
於異時，若問，若不問，知是異分取片，是比丘言我瞋
恚故作是語者，僧伽婆尸沙。
若比丘欲壞和合僧，方便受壞和合僧法，堅持不
捨。彼比丘應諫是比丘言：大德莫壞和合僧，莫方便
壞和合僧，莫受壞僧法堅持不捨。大德應與僧
和合，與僧和合，歡喜不諍，同一師學，如水乳合，
於佛法中有增益安樂住。是比丘如是諫時，堅持不
捨，彼比丘應三諫，捨此事故。乃至三諫，捨者善；不捨
者，僧伽婆尸沙。
若比丘伴黨，若一若二若三乃至無數，彼比丘語是
比丘言：大德莫諫此比丘，此比丘是法語比丘，律語
比丘，此比丘所說，我等喜樂，此比丘所說，我等忍可。
彼比丘言：大德莫作是說，言此比丘是法語比丘，律
語比丘，此比丘所說我等喜樂，此比丘所說我等忍
可。然此比丘非法語比丘，非律語比丘。大德莫欲破
壞和合僧，汝等當樂欲和合僧。大德與僧和合，
歡喜不諍，同一師學，如水乳合，於佛法中有增益
安樂住。是比丘如是諫時，堅持不捨，彼比丘應三諫，
捨是事故。乃至三諫，捨者善；不捨者，僧伽婆尸沙。
若比丘依聚落若城邑住，汙他家，行惡行，汙他家
亦見亦聞，行惡行亦見亦聞。諸比丘當語是比丘
言：大德汙他家，行惡行，汙他家亦見亦聞，行惡行
亦見亦聞。大德汝汙他家，行惡行，今可遠此聚落
去，不須住此。是比丘語彼比丘作如是語：大德，諸比丘
有愛有恚有怖有癡，有如是同罪比丘，有驅者有
諸比丘報言：大德莫作是語，有愛有恚有怖有
癡，有如是同罪比丘，有驅者，有不驅者。而諸比丘不
愛不恚不怖不癡。大德汙他家，行惡行，汙他家亦
見亦聞，行惡行亦見亦聞。是比丘如是諫時，堅持

BD01332號　四分律比丘戒本　（10–3）

去不須住此是比丘諫彼比丘作如是諫大德諸比丘不
有愛有恚有怖有癡有如是同罪比丘有驅者有
諸比丘報言大德莫作是語有愛有恚有癡有
癡有如是同罪比丘有驅者有不驅者而諸比丘不
愛不恚不怖不癡大德汙他家行惡行汙他家亦
見亦聞行惡行亦見亦聞是比丘如是諫時堅持
不捨彼比丘應再三諫捨此事故乃至三諫捨者
善不捨者僧伽婆尸沙
若比丘惡性不受人語於戒法中諸比丘如法諫已
自身不受語言諸大德莫向我說若好若惡我
亦不向諸大德說若好若惡諸大德且止莫諫我彼比
丘諫是比丘言大德莫自身不受諫大德自身
當受諫語大德如法諫諸比丘諸比丘亦如法
諫大德如是佛弟子衆得增益展轉相諫展
轉相教展轉懺悔是比丘如是諫時堅持不捨
彼比丘應三諫捨是事故乃至三諫者捨者善
不捨者僧伽婆尸沙
若比丘惡性不受人語於戒法中諸比丘如法諫
已自身不受諫語言諸大德莫向我說若好若
惡我亦不向諸大德說若好若惡諸大德且止莫諫
我彼比丘諫是比丘言大德莫自身不受諫大德
自身當受諫語大德如法諫諸比丘諸比丘亦如法
諫大德如是佛弟子
諸大德我已說十三僧伽婆尸沙法九初犯四乃至
三諫若比丘犯一一法知而覆藏應強與波利
婆沙行波利婆沙竟增上與六夜摩那埵
行摩那埵已餘有出罪應二十僧中出是比丘罪
若少一人不滿二十衆出是比丘罪是比丘罪不得

BD01332號　四分律比丘戒本　（10–4）

三諫若比丘犯一一法知而覆藏應強與波利
婆沙行波利婆沙竟增上與六夜摩那埵
行摩那埵已餘有出罪應二十僧中出是比丘罪
若少一人不滿二十衆出是比丘罪是比丘罪不得
除諸比丘亦可呵此是時今問諸大德是中清淨
不　三說
諸大德是中清淨默然故是事如是持
諸大德是二不定法半月半月說戒經中來
若比丘共女人獨在屏處覆處可作婬處坐說
非法語有住信優婆夷於三法中一一法說若波
羅夷若僧伽婆尸沙若波逸提如住信優婆夷
所說應如法治是比丘名不定法
若比丘共女人在露現處不可作婬處坐作麁惡
語有住信優婆夷於二法中一一法說若僧伽婆尸
沙若波逸提是坐比丘自言我犯是事於二法中
應一一法治若僧伽婆尸沙若波逸提如住信優
婆夷所說應如法治是名不定法
諸大德我已說二不定法今問諸大德是中清淨
不　三說
諸大德是中清淨默然故是事如是持
諸大德是卅尼薩耆波逸提法半月半月說戒
經中來
若比丘衣已竟迦絺那衣已出畜長衣經十日不淨
施得畜若過十日尼薩耆波逸提
若比丘衣已竟迦絺那衣已出畜長衣經十日不淨
三衣中離一一衣異處宿除僧羯磨尼薩耆波
逸提
若比丘衣已竟迦絺那衣已出若比丘得非時衣
欲須便受受已疾成衣若足者善若不足

BD01332號　四分律比丘戒本　（10–5）

施得畜若過十日尼薩耆波逸提
若比丘衣已竟迦絺那衣已出畜長衣經十日不淨
三衣中離一衣異處宿除僧羯磨尼薩耆波
逸提
若比丘衣已竟迦絺那衣已出若比丘得非時衣
欲須便受受已疾疾成衣若足者善若不足
者得畜一月為滿足故若過畜者尼薩耆波逸
提
若比丘從非親里比丘尼取衣除貿易尼薩耆
波逸提
若比丘令非親里比丘尼浣故衣若染若打尼
薩耆波逸提
若比丘從非親里居士若居士婦乞衣除餘時
尼薩耆波逸提餘時者若比丘奪衣失衣燒
衣漂衣是謂餘時
若比丘失衣奪衣燒衣漂衣若非親里居士居
士婦自恣請多與衣是比丘當知足受衣若過
者尼薩耆波逸提
若比丘居士居士婦為比丘辦衣價買如是衣
與某甲比丘是比丘先不受自恣請到居士家
說善如是說善哉居士為我買如是如是衣
與我為好故若得衣者尼薩耆波逸提
若比丘二居士居士婦與比丘辦衣價持如是衣價
買如是衣與某甲比丘是比丘先不受居士自
恣請到二居士家作如是言善哉居士辦如是
如是衣價與我共作一衣為好故若得衣者尼
薩耆波逸提
若比丘若王若大臣若婆羅門若居士居士婦
遣使為比丘送衣價持如是衣價與某甲比丘

如是衣價與我共作一衣為好故若得衣者尼
薩耆波逸提
若比丘若王若大臣若婆羅門若居士居士婦
遣使為比丘送衣價持如是衣價與某甲比丘
彼使人至比丘所語比丘言大德今為汝故送是
衣價受取是比丘應語彼使如是言我不應受
此衣價我若須衣合時清淨當受彼使語比丘言
大德有執事人不須衣比丘應語言有若僧伽藍
民若優婆塞此是比丘執事人常為諸比丘執事
時彼使往至執事人所與衣價已還至比丘所如
是言大德所示某甲執事人我已與衣價大德知時
往彼當得衣須衣比丘當往執事人所若二反三
反為作憶念應語言我須衣若二反三反為作憶
念若得衣者善若不得衣四反五反六反在前嘿然
立若四反五反六反在前嘿然住得衣者善若不
得衣過是求得衣者尼薩耆婆逸提若不得
衣從所得衣價處若自往若遣使往語言汝先
遣使持衣價與某甲比丘是比丘竟不得汝還取
莫使失此是時　士
若比丘雜野蠶綿作新臥具者尼薩耆波逸提
若比丘以新純黑羺羊毛作新臥具者尼薩耆
波逸提
若比丘作新臥具應用二分純黑三分白四分尨作
新臥具者尼薩耆婆逸提
若比丘作新臥具持至六年若減六年不捨故
更作新者除僧羯磨婆薩耆婆逸提
若比丘作新坐具當取故者縱廣一磔手褋著新
者上壞色故若作新坐具不取故者縱廣一磔手
新者上用壞色故尼薩耆婆逸提

更作新者除僧羯磨薩耆波逸提
若比丘作新坐具當取故者縱廣一搩手帖著新
者上壞色故若作新坐具不取故者縱廣一搩手
新者上用壞色故尼薩耆波逸提
若比丘道路行得羊毛若無人持得自持乃至三
由旬若無人持自持過三由旬者尼薩耆波逸提
若比丘使非親里比丘尼浣染擘羊毛者尼薩耆
波逸提
若比丘自手捉錢若金銀若教人捉若置地受
者尼薩耆波逸提
若比丘種種賣買者尼薩耆波逸提
若比丘種種販賣者尼薩耆波逸提
若比丘畜長鉢不淨施得齊十日過者尼薩耆
波逸提
若比丘畜鉢減五綴不漏更求新鉢為好故尼薩
耆波逸提比丘應往僧中捨展轉取最下鉢
與之令持乃至破應持此是時
若比丘自乞縷綖使非親里織師織作衣者尼薩
耆波逸提
若比丘居士居士婦使織師為比丘織作衣彼
比丘先不受自恣請便往織師所語言此衣為
我作與我極好織令廣大堅緻我當少多與
汝價是比丘與價乃至一食直若得衣尼薩
耆波逸提
若比丘先與比丘衣後瞋恚若自奪若教人奪
取還我衣來不與汝若比丘還衣彼取衣尼薩
耆波逸提
若比丘有病殘藥蘇油生蘇蜜石蜜齊服若過七
日服者尼薩耆波逸提

BD01332 號　四分律比丘戒本　　（10–8）

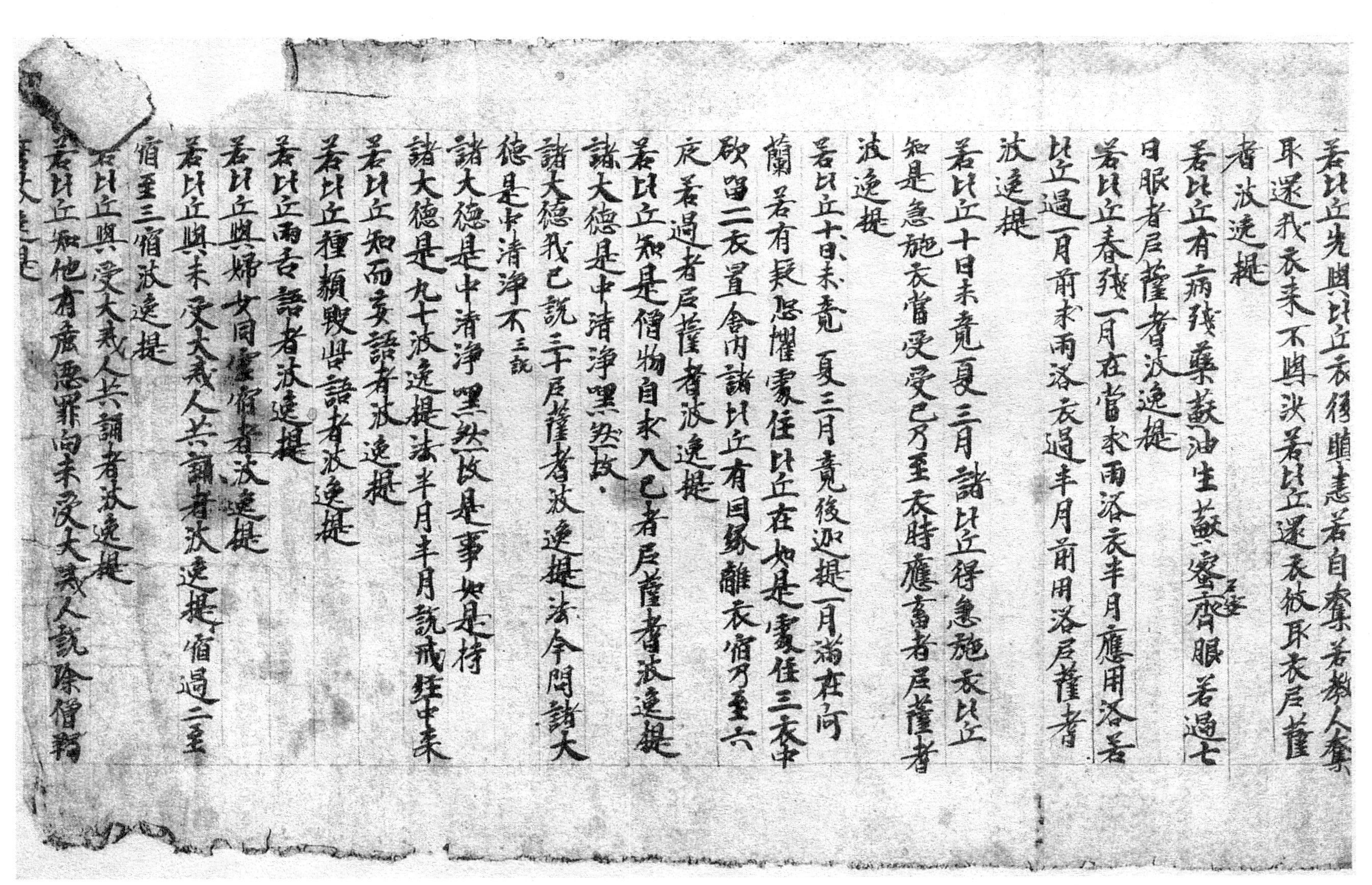
若比丘先與比丘衣後瞋恚若自奪若教人奪
取還我衣來不與汝若比丘還衣彼取衣尼薩
耆波逸提
若比丘有病殘藥蘇油生蘇蜜石蜜齊服若過七
日服者尼薩耆波逸提
若比丘春殘一月在當求雨浴衣半月應用浴若
比丘過一月前求雨浴衣過半月前用浴尼薩耆
波逸提
若比丘十日未竟夏三月諸比丘得急施衣比丘
知是急施衣當受受已乃至衣時應畜者尼薩耆
波逸提
若比丘十日未竟　夏三月竟後迦提一月滿在阿
蘭若有疑恐懼處住比丘在如是處住三衣中
欲留一衣置舍內諸比丘有因緣離衣宿乃至六
夜若過者尼薩耆波逸提
若比丘知是僧物自求入己者尼薩耆波逸提
諸大德是中清淨嘿然故
諸大德我已說三十尼薩耆波逸提法今問諸大
德是中清淨不　三說
諸大德是中清淨嘿然故是事如是持
諸大德是九十波逸提法半月半月說戒經中來
若比丘知而妄語者波逸提
若比丘種類毀呰語者波逸提
若比丘兩舌語者波逸提
若比丘與婦女同室宿者波逸提
若比丘與未受大戒人共誦者波逸提宿過二至
宿至三宿波逸提
若比丘與受大戒人共誦者波逸提
若比丘知他有麁惡罪向未受大戒人說除僧羯

BD01332 號　四分律比丘戒本　　（10–9）

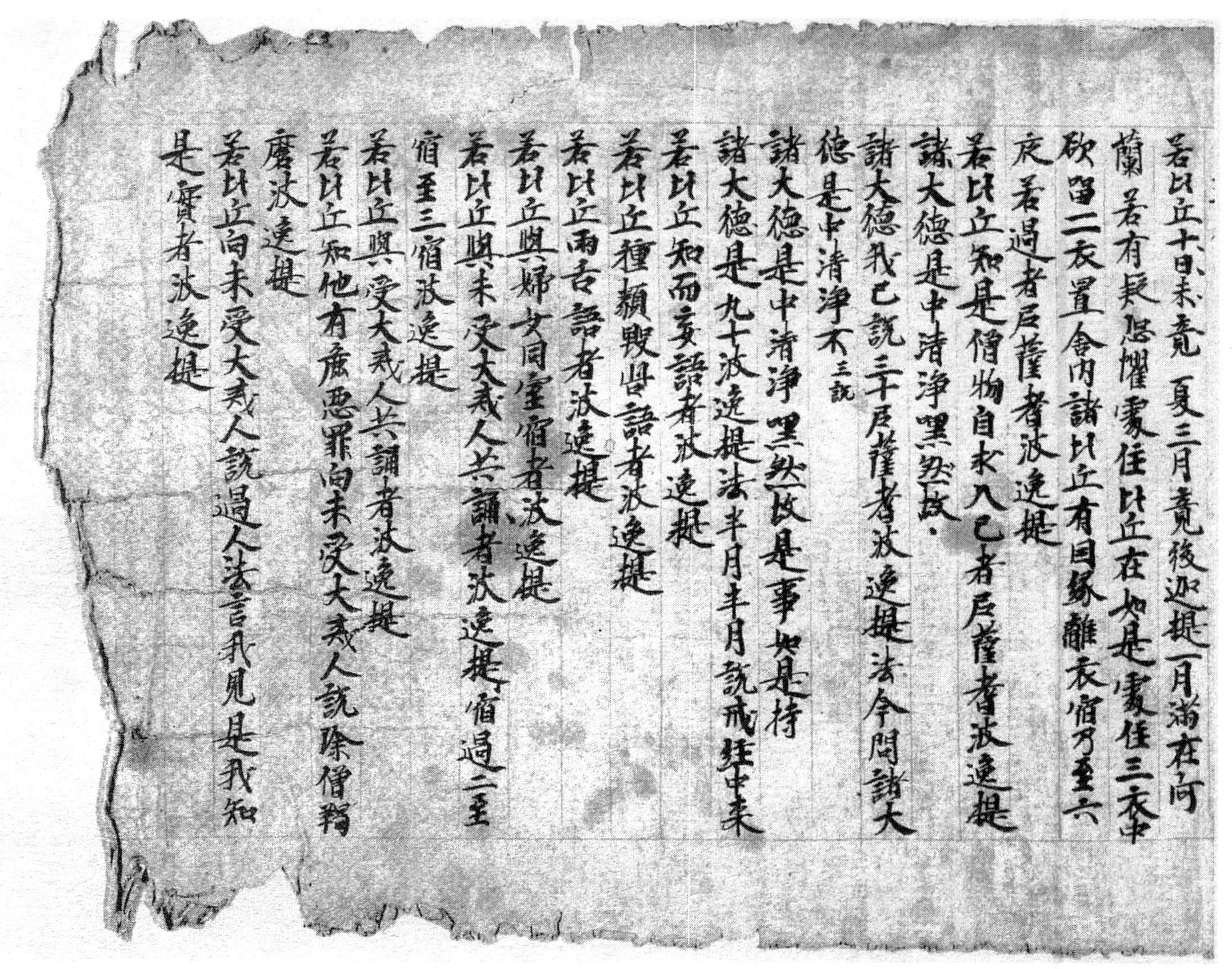

BD01332 號　四分律比丘戒本　　（10–10）

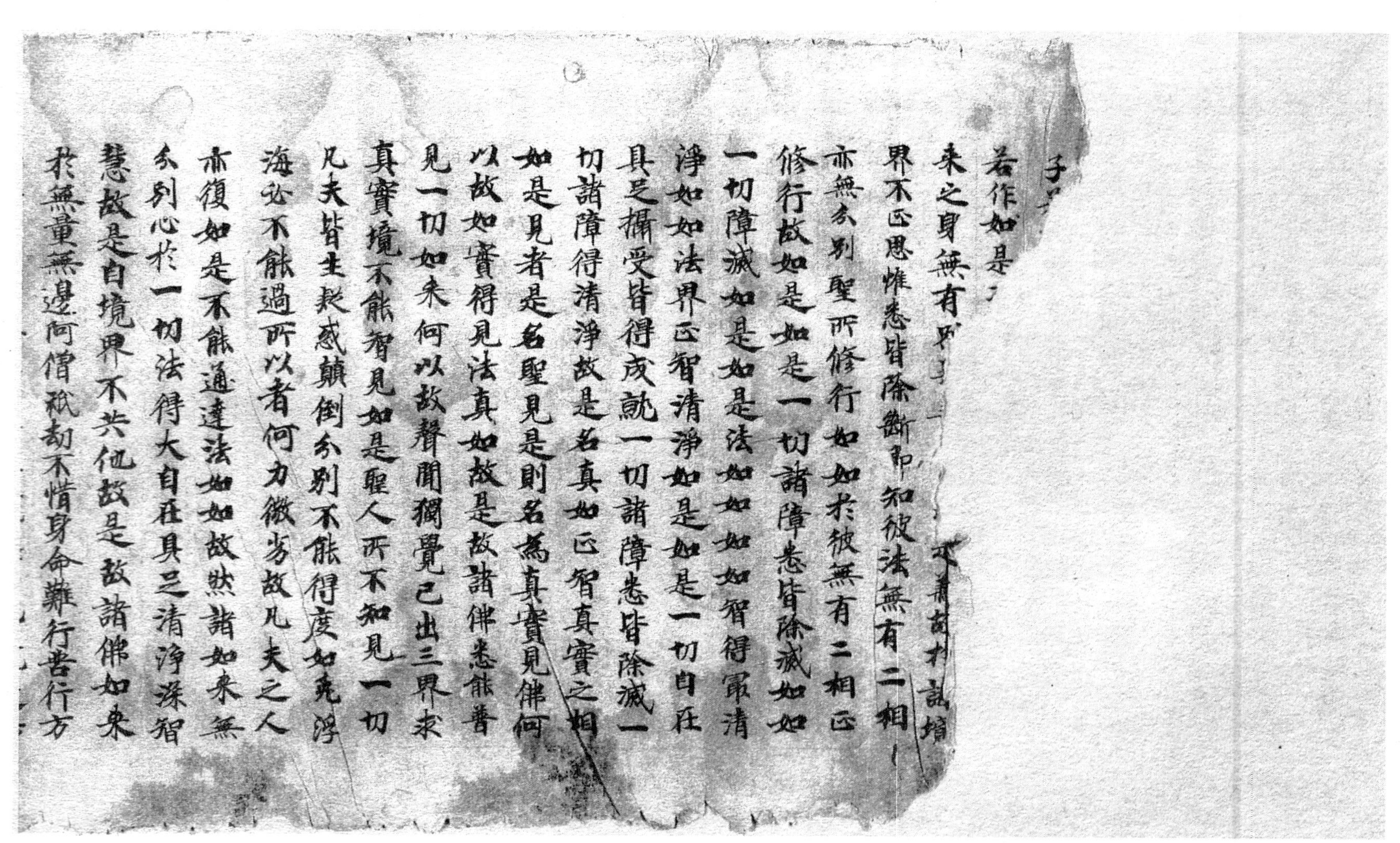

BD01333 號　金光明最勝王經卷二　　（12–1）

海弘不能過所以者何力微劣故凡夫之人
亦復如是不能通達法如如故然諸如來無
分別心於一切法得大自在具足清淨深智
慧故是自境界不共他故是故諸佛如來
於無量無邊阿僧祇劫不惜身命難行苦行方
得此身最上無比不可思議過言說境是妙
寂靜離諸怖畏
善男子如是知見法真如者無生老死壽命
無限無有睡眠亦無飢渴心常在定無有散
動若於如來起諍論心是則不能見於如來諸
佛所說皆能利益有聽聞者無不解脫諸
惡禽獸惡人惡鬼不相逢值由聞法故果報
無盡然諸如來無無記事一切境界無欲知
心生死涅槃無有異想如來所說無不決定
諸佛如來四威儀中無非智攝一切諸法無
有不為慈悲所攝無有不為利益安樂諸眾
生者善男子若有善男子善女人於此金光
明經聽聞信解不墮地獄餓鬼傍生阿蘇羅
道常處人天不生下賤恒得親近諸佛如來
聽受正法常生諸佛清淨國土所以者何由
得聞此甚深法故是善男子善女人則為如
來已知已記當得不退阿耨多羅三藐三菩
提若善男子善女人於此甚深微妙之法一
經耳者當知是人不謗如來不毀正法不輕
聖眾一切眾生未種善根令得種故已種善根
令增長成熟故一切世界所有眾生皆勸修

BD01333號　金光明最勝王經卷二　　（12–2）

來已知已記當得不退阿耨多羅三藐三菩
提若善男子善女人於此甚深微妙之法一
經耳者當知是人不謗如來不毀正法不輕
聖眾一切眾生未種善根令得種故已種善根
令增長成熟故一切世界所有眾生皆勸修
行六波羅蜜多
爾時虛空藏菩薩梵釋四王諸天眾等即從
座起偏袒右肩合掌恭敬頂禮佛足白佛言
世尊若所在處講說如是金光明王微妙經
典於其國土有四種利益何者為四一者國
王軍眾強盛無諸怨敵離於疾病壽命延長
吉祥安樂正法興顯二者中宮妃后王子諸
臣和悅無諍離於諂佞王所愛重三者沙門
婆羅門及諸國人修行正法無病安樂無枉
死者於諸福田悉皆修立四者於三時中四
大調適常為諸天增加守護慈悲平等無傷
害心令諸眾生歸敬三寶皆願修習菩提之
行是為四種利益之事世尊我等亦常為弘經
故隨逐如是持經之人所在住處為作利益
佛言善哉善哉善男子如是如是汝等應當
勤心流布此妙經王則令正法久住於世
金光明最勝王經夢見懺悔品第四
爾時妙幢菩薩親於佛前聞妙法已歡喜踊
躍一心思惟還至本處於夜夢中見大金鼓
光明晃耀猶如日輪於此光中得見十方無
量諸佛於寶樹下坐瑠璃座無量百千大眾

BD01333號　金光明最勝王經卷二　　（12–3）

踊一心思惟還至本處於夜夢中見大金鼓
光明晃耀猶如日輪於此光中得見十方無
量諸佛於寶樹下坐瑠璃座無量百千大衆
圍繞而為說法見一婆羅門桴擊金鼓出大
音聲聲中演說微妙伽他明懺悔法妙幢聞
已皆悉憶持繫念而住至天曉已與無量百
千大衆圍繞持諸供具出王舍城詣鷲峯山
至世尊所禮佛足已布設香花右繞三帀退
坐一面合掌恭敬瞻仰尊顏白佛言世尊我
於夢中見婆羅門以手執桴擊妙金鼓出大
音聲聲中演說微妙伽他明懺悔法我皆憶
持唯願世尊降大慈悲聽我所說即於佛前
而說頌曰

我於昨夜中　夢見大金鼓　其形極姝妙　周遍有金光
猶如盛日輪　光明皆普耀　充滿十方界　咸見於諸佛
在於寶樹下　各處瑠璃座　無量百千衆　恭敬而圍繞
有一婆羅門　以杖擊金鼓　於其鼓聲內　說此妙伽他
金光明鼓出妙聲　遍至三千大千界
能滅三塗極重罪　及以人中諸苦厄
由此金鼓聲威力　永滅一切煩惱障
斷除怖畏令安隱　辟如自在牟尼尊
佛於生死大海中　積行修成一切智
能令衆生覺品具　究竟咸歸功德海
由此金鼓出妙聲　普令聞者獲梵響
證得無上菩提果　常轉清淨妙法輪
任壽不可思議劫　隨機說法利群生

BD01333號　金光明最勝王經卷二　（12–4）

佛於生死大海中　積行修成一切智
能令衆生覺品具　究竟咸歸功德海
由此金鼓出妙聲　普令聞者獲梵響
證得無上菩提果　常轉清淨妙法輪
任壽不可思議劫　隨機說法利群生
能斷煩惱衆苦流　貪瞋癡等皆除滅
若有衆生處惡趣　大火猛焰周遍身
若得聞是妙鼓音　即能離苦歸依佛
皆得成就宿命智　能憶過去百千生
悉皆正念牟尼尊　得聞如來甚深教
由聞金鼓勝妙音　常得親近於諸佛
悉能捨離諸惡業　純修清淨諸善品
一切天人有情類　慇重至誠祈願者
得聞金鼓妙音聲　能令所求皆滿足
衆生墮在無間獄　猛火炎熾苦焚身
無有救護處輪迴　聞者能令苦除滅
人天餓鬼傍生中　所有現受諸苦難
得聞金鼓發妙響　皆蒙離苦得解脫
現在十方界　常住兩足尊　願以大悲心　哀愍憶念我
衆生無歸依　亦無有救護　為如是等類　能作大歸依
我先所作罪　極重諸惡業　今對十力前　至心皆懺悔
我不信諸佛　亦不敬尊親　不務修衆善　常造諸惡業
或自恃尊高　種姓及財位　盛年行放逸　常造諸惡業
心恒起邪念　口陳於惡言　不見於過罪　常造諸惡業
恒作愚夫行　無明闇覆心　隨順不善友　常造諸惡業
或因諸戲樂　或復懷憂惱　為貪瞋所纏　故我造諸惡

BD01333號　金光明最勝王經卷二　（12–5）

我不信諸佛　亦不敬尊親　不務修衆善　常造諸惡業
或自恃尊高　種姓及財位　盛年行放逸　常造諸惡業
心恒起邪念　口陳於惡言　不見於過罪　常造諸惡業
恒作愚夫行　無明闇覆心　隨順不善友　常造諸惡業
或因諸戲樂　或復懷憂惱　爲貪瞋所纏　故我造諸惡
親近不善人　及由慳嫉意　貧窮行諂誑　故我造諸惡
雖不樂衆過　由有怖畏故　及不得自在　故我造諸惡
或爲躁動心　或因瞋恚恨　及以飢渴惱　故我造諸惡
由飲食衣服　及貪愛女人　煩惱火所燒　故我造諸惡
於佛法僧衆　不生恭敬心　作如是衆罪　我今悉懺悔
於獨覺菩薩　亦無恭敬心　作如是衆罪　我今悉懺悔
無知謗正法　不孝於父母　作如是衆罪　我今悉懺悔
由愚癡憍慢　及以貪瞋力　作如是衆罪　我今悉懺悔
我於十方界　供養無數佛　當願拔衆生　令離諸苦難
願一切有情　皆令住十地　福智圓滿已　成佛導群迷
我爲諸衆生　苦行百千劫　以大智慧力　皆令出苦海
我爲諸含識　演說甚深經　最勝金光明　能除諸惡業
若人百千劫　造諸極重罪　暫時能發露　衆惡盡消除
依此金光明　作如是懺悔　由斯能速盡　一切諸苦業
勝定百千種　不思議總持　根力覺道支　修習常無倦
我當至十地　具足珍寶處　圓滿佛功德　濟度生死流
我於諸佛海　甚深功德藏　妙智難思議　皆令得具足
唯願十方佛　觀察護念我　皆以大悲心　哀受我懺悔
我於多劫中　所造諸惡業　由斯生苦惱　哀愍願消除
我造諸惡業　常生憂怖心　於四威儀中　曾無歡樂想
諸佛具大悲　能除衆生怖　願受我懺悔　令得離憂苦

BD01333號　金光明最勝王經卷二　（12–6）

唯願十方佛　觀察護念我　皆以大悲心　哀受我懺悔
我於多劫中　所造諸惡業　由斯生苦惱　哀愍願消除
我造諸惡業　常生憂怖心　於四威儀中　曾無歡樂想
諸佛具大悲　能除衆生怖　願受我懺悔　令得離憂苦
我有煩惱障　及以諸報業　願以大悲水　洗濯令清淨
我先作諸罪　及現造惡業　至心皆發露　咸願得蠲除
未來諸惡業　防護令不起　設令有違者　終不敢覆藏
身三語四種　意業復有三　繫縛諸有情　無始恒相續
由斯三種行　造作十惡業　如是衆多罪　我今皆懺悔
我造諸惡業　苦報當自受　今於諸佛前　至誠皆懺悔
於此贍部洲　及他方世界　所有諸善業　今我皆隨喜
願離十惡業　修行十善道　安住十地中　常見十方佛
我以身語意　所修福智業　願以此善根　速成無上慧
我今親對十力前　發露衆多苦難事
凡愚迷惑三有難　恒造極重惡業難
我所積集欲邪難　常起貪愛流轉難
於此世間耽著難　一切愚夫煩惱難
狂心散動顛倒難　及以親近惡友難
於生死中貪染難　瞋癡闇鈍造罪難
生八無暇惡處難　未曾積集功德難
我今皆於最勝前　懺悔無邊罪惡業
我今歸依諸善逝　我禮德海無上尊
如大金山照十方　唯願慈悲哀攝受
身色金光淨無垢　目如清淨紺琉璃
吉祥威德名稱尊　大悲慧日除衆闇
佛日光明常普遍　善淨無垢離諸塵

BD01333號　金光明最勝王經卷二　（12–7）

如大金山照十方　唯願慈悲哀攝受
身色金光淨無垢　目如清淨紺瑠璃
吉祥威德名稱尊　大悲慧日除衆闇
佛日光明常普遍　善淨無垢離諸塵
牟尼月照極清涼　能除衆生煩惱熱
三十二相遍莊嚴　八十隨好皆圓滿
福德難思無與等　如日流光照世間
色如琉璃淨無垢　猶如滿月處虛空
妙頗黎網映金軀　種種光明以嚴飾
於生死苦暴流內　老病憂愁水所漂
如是苦海難堪忍　佛日舒光令永竭
我今稽首一切智　三千世界希有尊
光明晃耀紫金身　種種妙好皆嚴飾
如大海水量難知　大地微塵不可數
如妙高山叵稱量　亦如虛空無有際
諸佛功德亦如是　一切有情不能知
於無量劫諦思惟　無有能知德海岸
盡此大地諸山岳　析如微塵能算知
毛端渧海尚可量　佛之功德無能數
一切有情皆共讚　世尊名稱諸功德
清淨相好妙莊嚴　不可稱量知分齊
我之所有衆善業　願得速成無上尊
廣說正法利群生　悉令解脫於衆苦
降伏大力魔軍衆　當轉無上正法輪
久住劫數難思議　充足衆生甘露味

BD01333號　金光明最勝王經卷二　(12–8)

我之所有衆善業　願得速成無上尊
廣說正法利群生　悉令解脫於衆苦
降伏大力魔軍衆　當轉無上正法輪
久住劫數難思議　充足衆生甘露味
猶如過去諸最勝　六波羅蜜皆圓滿
滅諸貪欲及瞋癡　降伏煩惱除衆苦
願我常得宿命智　能憶過去百千生
亦常憶念牟尼尊　得聞諸佛甚深法
願我以斯諸善業　奉事無邊最勝尊
遠離一切不善因　恒得修行真妙法
一切世界諸衆生　悉皆離苦得安樂
所有諸根不具足　令彼身相皆圓滿
若有衆生遭病苦　身形羸瘦無所依
咸令病苦得消除　諸根色力皆充滿
若犯王法當刑戮　衆苦逼迫生憂惱
彼受如斯極苦時　無有歸依能救護
若受鞭杖枷鎖繫　種種苦具切其身
無量百千憂惱時　逼迫身心無蹔樂
皆令得免於繫縛　及以鞭杖苦楚事
將臨刑者得命全　衆苦皆令永除盡
若有衆生飢渴逼　令得種種殊勝味
盲者得視聾者聞　跛者能行瘂能語
貧窮衆生獲寶藏　倉庫盈溢無所乏
皆令得受上妙樂　無一衆生受苦惱
一切人天皆樂見　容儀溫雅甚端嚴

BD01333號　金光明最勝王經卷二　(12–9)

貧窮衆生獲寶藏　倉庫盈溢無所乏
皆令得受上妙樂　無一衆生受苦惱
一切人天皆樂見　容儀溫雅甚端嚴
悉皆現受無量樂　受用豐饒福德具
隨彼衆生念伎樂　衆妙音聲皆現前
念水即現清涼池　金色蓮花泛其上
隨彼衆生心所念　飲食衣服及牀敷
金銀珎寶妙瑠璃　瓔珞莊嚴皆具足
勿令衆生聞惡響　亦復不見有相違
所受容貌悉端嚴　各各慈心相愛樂
世間資生諸樂具　隨心念時皆滿足
所得珎財無悋惜　分布施與諸衆生
燒香末香及塗香　衆妙雜花非一色
每日三時從樹墮　隨心受用生歡喜
普願衆生咸供養　十方一切最勝尊
三乘清淨妙法門　菩薩獨覺聲聞衆
常願勿處於卑賤　不墮無暇八難中
生在有暇人中尊　恒得親承十方佛
願得常生富貴家　財寶倉庫皆盈滿
顏貌名稱無與等　壽命延長經劫數
悉願女人變為男　勇健聰明多智慧
一切常行菩薩道　勤修六度到彼岸
常見十方無量佛　寶王樹下而安處
處妙瑠璃師子座　恒得親承轉法輪
若於過去及現在　輪迴三有造諸業

BD01333 號　金光明最勝王經卷二　（12–10）

悉願女人變為男　勇健聰明多智慧
一切常行菩薩道　勤修六度到彼岸
常見十方無量佛　寶王樹下而安處
處妙瑠璃師子座　恒得親承轉法輪
若於過去及現在　輪迴三有造諸業
能招可猒不善趣　願得消滅永無餘
一切衆生於有海　生死羂網堅牢縛
願以智劒為斷除　離苦速證菩提處
衆生於此贍部內　或於他方世界中
所作種種勝福因　我今皆悉生隨喜
以此隨喜福德事　及身語意造衆善
願此勝業常增長　速證無上大菩提
所有礼讚佛功德　深心清淨無瑕穢
迴向發願福無邊　當超惡趣六十劫
若有男子及女人　婆羅門等諸勝族
合掌一心讚歎佛　生生常憶宿世事
諸根清淨身圓滿　殊勝功德皆成就
願於未來所生處　常得人天共瞻仰
非於一佛十佛所　修諸善根今得聞
百千佛所種善根　方得聞斯懺悔法
尒時世尊聞此說已讚妙幢菩薩言善哉善
哉善男子如汝所夢金鼓出聲讚歎如來真
實功德并懺悔法若有聞者獲福甚多廣利
有情滅除罪障汝今應知此之勝業皆是過
去讚歎發願宿習因緣及由諸佛威力加護
此之因緣當為汝說時諸大衆聞是法已咸

BD01333 號　金光明最勝王經卷二　（12–11）

BD01333 號　金光明最勝王經卷二　（12–12）

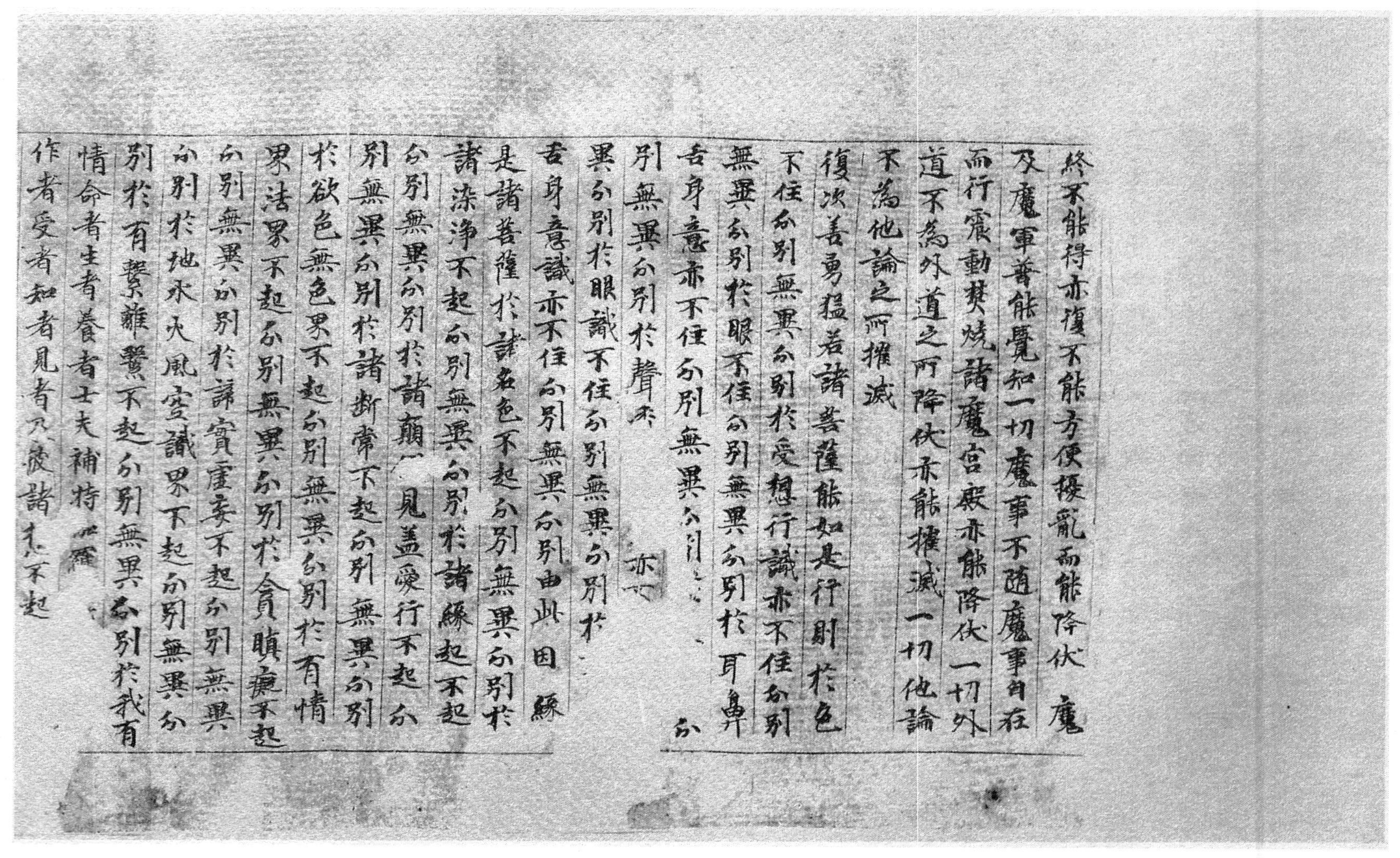

BD01334 號　大般若波羅蜜多經卷五九九　（18–1）

界法界不起分別無異分別於貪瞋癡不起
分別無異分別於諦實虛妄不起分別無異
分別於地水火風空識界不起分別無異分
別於有繫離繫不起分別無異分別於我有
情命者生者養者士夫補特伽羅
作者受者知者見者及彼諸相不起
異分別於布施慳貪持戒犯戒安忍忿恚
進懈怠靜慮散亂般若惡慧不起分別無異
分別於念住正斷神足根力覺支道支不起
分別無異分別於顛倒等斷不起分別無異分
分別於靜慮解脫等持等至不起分別無異
分別於苦集滅道不起分別無異分別於慈
悲喜捨不起分別無異分別於盡智無智
無造作智不起分別無異分別於諸異生聲
聞獨覺菩薩佛地不起分別無異分別於諸
異生聲聞獨覺菩薩佛法不起分別無異分
別於神通智見不起分別無異分別於過去
未來現在智見不起分別無異分別於無著
智見不起分別無異分別於明解脫不起
別無異分別於解脫及解脫智見不起分別
無異分別於諸佛智力無畏等不起分別無
異分別於相好清淨不起分別無異分別於
佛土清淨不起分無異分別於聲聞圓滿
不起分別無異分別於獨覺圓滿不起分別
無異分別於菩薩圓滿不起分別無異分別
何以故善勇猛若有分別則異分別若於是
處無有分別則於是處無異分別愚夫異生
一切皆是分別所起彼想皆從異分別起是

BD01334號　大般若波羅蜜多經卷五九九　（18–2）

無異分別於菩薩圓滿不起分別無異分別
何以故善勇猛若有分別則異分別若於是
處無有分別則於是處無異分別愚夫異生
一切皆是分別所起彼想皆從異分別起是
故菩薩不起分別無異分別善勇猛言分別
者是第一邊異分別者是第二邊若於是處
不起分別無異分別則於是處遠離二邊亦
無有中善勇猛若謂有中亦是分別分別中
者亦謂有邊若於是處有分別者則於是
處有異分別由此因緣無斷分別異分別義若
於是處無分別者則於是處無異分別由此
因緣有斷分別異分別義善勇獨斷分別者
謂於此中都無所斷何以故善勇猛由無所
有虛妄分別異分別力發起顛倒彼寂靜故
顛倒亦無顛倒無故都無所斷善勇猛無所
斷者當知顯示苦斷增語謂於此中無少苦
斷故名苦斷若苦自性少有真實可有所斷
然苦自性無少真實故無所斷但見苦無說
名苦斷謂遍知苦都無自性少分可得故名
苦斷諸有於苦都無分別無異分別名苦寂
靜即是令苦不生起義善勇猛若諸菩薩能
如是見則於諸法不起分別無異分別善勇
猛是名菩薩遍知分別異分別性脩行般若
波羅蜜多善勇猛若諸菩薩能如是行能如
是住脩行般若波羅蜜多速得圓滿一切惡
魔不能障礙諸魔軍眾所起事業皆能覺知
諸有所為不隨魔事自在而轉令諸惡魔自
然退散摧彼軍眾令其漸少身意泰然離諸

BD01334號　大般若波羅蜜多經卷五九九　（18–3）

波羅蜜多善勇猛若諸菩薩能如是行能如
是住修行般若波羅蜜多速得圓滿一切惡
魔不能障礙諸魔軍衆所起事業皆能覺知
諸有所為不隨魔事自在而轉令諸惡魔自
然退散摧伏軍衆令其漸少身意泰然離諸
怖畏惡魔軍衆不能擾惱止息一切往惡趣
因斷塞世間衆邪逕路離諸黑闇超渡暴流
於一切法得清淨眼與有情類作大光明紹
隆佛種令不斷絕證得真道直平等性哀愍
有情起淨法眼具足精進離諸懈怠獲得安
忍遠忿恚心入勝靜慮無所依止得真般若
咸通達慧遣除惡作遠離蓋纏出惡魔羂斷
諸愛網安住正念無所忘失得淨尸羅至淨
戒岸安住功德離諸過患得定慧力不可動
搖一切他論不能摧伏得諸法淨永無退失
宣說諸法得無所畏入諸大衆心無怯弱施
諸妙法無所秘悋以平等道淨諸道路擯離
邪道修所應修以清淨法重所應重以清淨
慧淨所應淨器度深廣猶如大海湛然不動
難可測量法海無邊過諸數量善勇猛若諸
菩薩能如是行成此及餘無邊功德如是功德
難測其岸除佛世尊無能知者
復次善勇猛菩薩如是修行般若波羅蜜多
妙色無減財位無減眷屬無減種類無減家
族無減國土無減不生邊地不遇無暇不與
穢惡有情共居亦不隣近不淨事業自心無
退智慧無減從他聽受種種法門皆能會入
平等法性紹隆佛種一切智智令常興盛無
有斷絕於諸佛法已得光明已得隣近一切

BD01334 號　大般若波羅蜜多經卷五九九　（18–4）

族無減國土無減不生邊地不遇無暇不與
穢惡有情共居亦不隣近不淨事業自心無
退智慧無減從他聽受種種法門皆能會入
平等法性紹隆佛種一切智智令常興盛無
有斷絕於諸佛法已得光明已得隣近一切
智智若有惡魔來至其所欲為惱亂則令彼
魔及諸眷屬皆成灰燼辯才損喪羂網俱絕
假使俱胝魔及軍衆俱來嬈惱心不動搖於
是惡魔及諸軍衆驚怖退散作是念言今此
菩薩已超我境彼於我境不復當行不復當
住不復恥著令餘有情於我境界皆得出離
蕭然解脫時諸惡魔作是念已愁憂悲歎
共相謂言今此菩薩損我等輩眷屬明堂
令無勢力言已各生憂苦悔恨復次善勇猛若時
菩薩行深般若波羅蜜多修深般若波羅蜜
多會深般若波羅蜜多時魔宮殿皆失威光
處處漸生煙焰之相惡魔驚怖愁憂苦惱如
刀傷心如中毒箭咸共傷歎作如是言今此菩
薩當令有情不受我等之所徵發令此菩
薩當令有情出我等境令此菩薩當令有
情脫我等界令此菩薩當令有情不住我境令
此菩薩當令有情斷滅我界令此菩薩當令
有情毀我羂網令此菩薩當令有情令其永
出諸欲淤泥令此菩薩當令有情脫諸見網
令此菩薩當令有情出蓋耶路令此菩薩安立
有情令住正道令此菩薩引諸有情令其
永出諸見稠林善勇猛彼諸惡魔見此菩薩
有如是等諸勝義利愁憂苦惱如箭入心辟
如有人失大寶藏[illegible]

BD01334 號　大般若波羅蜜多經卷五九九　（18–5）

有情令住正道令此菩薩引諸有情令其
永出諸見稠林善勇猛彼諸惡魔見此菩薩
有如是等諸勝義利愁憂苦惱如箭入心辟
如有人失大寶藏成就廣大愁憂苦惱如是
惡魔深心悔恨如中毒箭愁憂苦惱晝夜驚
惶不樂本座復次善勇猛若時菩薩行深般
若波羅蜜多脩深般若波羅蜜多習深般若
波羅蜜多時諸惡魔共集一處思惟方便欲
壞菩薩互相謂言我等今者當設何計作何
事業壞此菩薩所脩正行時惡魔衆心懷疑
惑愁憂不樂如中毒箭共相勸勵往菩薩所
伺求其短現怖畏事由此菩薩脩行般若波
羅蜜多威神力故諸惡魔衆盡其神力尚不
能動菩薩毛端況令菩薩身心變異時諸惡
魔覺知菩薩遠離驚恐毛竪等事更設方便
種種魅惑心神俱生悚怖畏故諸魅惑事皆
不能成時惡魔王便作是念我尚不能壞此
菩薩況我眷屬或餘能壞念已驚怖力盡計
窮還歸自宮愁憂而住如是菩薩脩行般若
波羅蜜多具大威力惡魔眷屬尚不能令如
彈指頃心有迷惑何況能為餘障礙事善勇
猛如是菩薩脩行般若波羅蜜多成就如是
功德智慧大威神力假使三千大千世界諸有
情類皆變為魔一一皆將尒所魔衆為擾亂
故往菩薩所盡其神力亦不能障所脩般若
若波羅蜜多何以故善勇猛尒時菩薩成就
如是甚深般若刀劍力故亦復成就不可思議
不可測量及無等等般若力故不為一切衆惡

BD01334號　大般若波羅蜜多經卷五九九　（18–6）

情類皆變為魔一一皆將尒所魔衆為擾亂
故往菩薩所盡其神力亦不能障所脩般若
若波羅蜜多何以故善勇猛尒時菩薩成就
如是甚深般若刀劍力故亦復成就不可思議
不可測量及無等等般若力故不為一切衆惡
魔軍之所降伏善勇猛夫大力者謂般若
刀夫大劍者謂般若劍夫大力者謂般若力
是故般若波羅蜜多非諸惡魔所行境地復
次善勇猛諸有外仙得四靜慮四無色定超
欲魔境生諸梵天四無色地彼於菩薩常所
成就世間妙慧尚非行境況實般若波羅蜜
多何況惡魔能行此境彼於獲得色無色定
外仙妙慧尚非行境況於般若波羅蜜多善
勇猛若時菩薩成就般若波羅蜜多尒時菩
薩名為成就大威力者若有成就般若威力
即名成就利慧刀者若有成就般若利刀即
名成就利慧劍者諸惡魔軍不能降伏而
能降伏一切魔軍
復次善勇猛若諸菩薩成就般若波羅蜜多
利慧刀劍具大勢力是諸菩薩於一切處無
所依止諸有所作亦無所依何以故善勇猛
若有所依則有移轉若有移轉則有動搖若
有動搖則有戲論善勇猛若諸有情有依有
轉動搖戲論是諸有情隨魔力行未脫魔境
善勇猛若諸有情雖復乃至上生有頂有所
依止繫屬所依依所依處彼必還墮魔境界
中未脫惡魔所有羅網惡魔索縷牽所隨逐
如猛毒子及阿邏荼迦邏摩子并餘一切依止
無色繫屬所依依所依處諸仙外道善勇

BD01334號　大般若波羅蜜多經卷五九九　（18–7）

依止繫屬所依依所依處彼必還墮魔境界
中未脫惡魔所有羂網惡魔索縷牽所隨逐
如猛喜子及阿邏荼迦邏摩子并餘一切依止
無色繫屬所依依所依處諸仙外道善勇
猛若諸菩薩行深般若波羅蜜多修深般若
波羅蜜多會深般若波羅蜜多是諸菩薩
於一切處無所依止諸有所作亦無所依善勇
猛若諸菩薩勇猛精進修行般若波羅蜜多
隨順安住尒時菩薩不依止色亦不依止受
想行識不依止眼亦不依止耳鼻舌身意不
依止色亦不依止聲香味觸法不依止眼識
亦不依止耳鼻舌身意識不依止名色不依
止顛倒見趣諸善及諸愛行不依止緣起不依
止欲色無色界不依止我有情命者生者
養者士夫補特伽羅意生儒童作者受者知
者見者及彼諸想不依止地水火風空識界
不依止有情界法界不依止初靜慮乃至非
想非非想處不依止有愛不依止無有愛不
依止斷常不依止有性不依止無性不依止
布施慳貪持戒犯戒安忍忿恚精進懈怠靜
慮散亂般若惡慧不依止念住正斷神足根
力覺支道支不依止斷顛倒等不依止靜慮
解脫等持等至不依止苦集滅道不依止盡
智無生智無造作智不依止無著智見不依
止明及解脫不依止解脫智見不依止異生
聲聞獨覺菩薩佛地不依止異生聲聞獨覺
菩薩佛法不依止涅槃不依止過去未來現
在智見不依止三世平等性不依止佛智力

止明及解脫不依止解脫智見不依止異生
聲聞獨覺菩薩佛地不依止異生聲聞獨覺
菩薩佛法不依止涅槃不依止過去未來現
在智見不依止三世平等性不依止佛智力
無畏等不依止一切智智不依止相好圓滿
不依止佛土圓滿不依止聲聞衆圓滿不依
止菩薩衆圓滿不依止一切法不依止移轉
不依止動搖不依止戲論由無依止除遣一切
亦不執著無依止道於無依止亦不恃執亦
復不得此是依止亦復不得在此依止亦復
不得屬此依止亦復不得依此依止於所依
依止亦無恃執如是菩薩於諸依止無恃無
得無執無取無說無欣無著而住不為一切
依止所染於諸依止亦無滯礙證得一切依
止淨法善勇猛此諸菩薩依一切法依止清
淨微妙智見脩行般若波羅蜜多由此惡魔
不能得便惡魔軍衆不能降伏而能降伏一
切魔軍
復次善勇猛若諸菩薩未發無上正等覺心
先應積集無量無數善根資糧多供養佛
事多善友於多佛所諸問法要發弘誓願意
樂具足於諸有情樂行布施於清淨戒尊重
護持忍辱柔和悲皆具足勇猛精進離諸懈
怠尊重脩行解白靜慮於清淨慧恭敬脩學
是諸菩薩既發無上正等覺心復應精勤脩
覺般若波羅蜜多以智慧力伏諸魔衆恒作
是念勿謂惡魔伺求我短作擾亂事由斯九
故令諸惡魔不能得便障所脩學亦令魔

是諸菩薩既發無上正等覺心復應精勤脩
覺般若波羅蜜多以智慧力伏諸魔衆恒作
是念勿謂惡魔伺求我短作擾亂事由斯力
故令諸惡魔不能得便障所脩學亦令魔
衆不起是心我當伺求此菩薩便為擾亂事障
礙所脩設起是心即令自覺我作斯事必遭
大苦由斯發起大恐怖心勿我今時喪失身命
故應息此擾亂之心於是魔軍惡心隱沒善
勇猛由此因緣惡魔軍衆不能障礙菩薩所
學甚深般若波羅蜜多復次善勇猛若諸菩
薩聞說般若波羅蜜多起純淨欲增上意樂
深心尊重稱讚功德起大師想聞說六種波
羅蜜多相應法教亦不發起猶豫疑惑聞甚
深法心不迷謬亦復不起猶豫疑惑終不造無
作感遺法業亦不發起感遺法心勸導無量
無邊有情信受脩學甚深般若波羅蜜多
讚勵無量無邊有情亦令信受脩學六種波
羅蜜多是諸菩薩先意樂淨一切意樂皆無
雜染諸惡魔軍不能障礙伺求其便亦不能得
衆魔事業皆能覺知一切惡魔不能引棄不
隨魔力自在而行善勇猛由此因緣是諸
菩薩惡魔眷屬不能擾亂
復次善勇猛若諸菩薩脩行般若波羅蜜多
不行色合相不行色離相不行受想行識合
相不行受想行識離相不行眼合相不行眼
離相不行耳鼻舌身意合相不行耳鼻舌身
意離相不行色合相不行色離相不行聲香
味觸法合相不行聲香味觸法離相不行眼
識合相不行眼識離相不行耳鼻舌身意識

BD01334號　大般若波羅蜜多經卷五九九　（18–10）

離相不行耳鼻舌身意合相不行耳鼻舌身
意離相不行色合相不行色離相不行聲香
味觸法合相不行聲香味觸法離相不行眼
識合相不行眼識離相不行耳鼻舌身意識
合相不行耳鼻舌身意識離相不行色相合
離相不行受想行識相合離相不行眼相合
離相不行耳鼻舌身意相合離相不行色相
合離相不行聲香味觸法相合離相不行眼
識相合離相不行耳鼻舌身意識相合離相
不行色清淨不清淨相不行受想行識清淨
不清淨相不行眼清淨不清淨相不行耳鼻
舌身意清淨不清淨相不行色清淨不清
淨相不行聲香味觸法清淨不清淨相不行眼
識清淨不清淨相不行耳鼻舌身意識清淨
不清淨相不行緣色清淨不清淨相不行緣
受想行識清淨不清淨相不行緣眼清淨不
清淨相不行緣耳鼻舌身意清淨不清淨相
不行緣色清淨不清淨相不行緣聲香味觸
法清淨不清淨相不行緣眼識清淨不清淨
相不行緣耳鼻舌身意識清淨不清淨相
不行起色清淨不清淨合離相不行起受想行
識清淨不清淨合離相不行起眼清淨不清
淨合離相不行起耳鼻舌身意清淨不清淨
合離相不行起色清淨不清淨合離相不行
起聲香味觸法清淨不清淨合離相不行起
眼識清淨不清淨合離相不行起耳鼻舌身
意識清淨不清淨合離相不行緣色自性清
淨不清淨合離相不行緣受想行識自性清

BD01334號　大般若波羅蜜多經卷五九九　（18–11）

起聲香味觸法清淨不清淨合離相不行緣
眼識清淨不清淨合離相不行起耳鼻舌身
意識清淨不清淨合離相不行緣色自性清
淨不清淨合離相不行緣受想行識自性清
淨不清淨合離相不行緣眼自性清淨不清
淨合離相不行緣耳鼻舌身意自性清淨不
清淨合離相不行緣色自性清淨不清淨合
離相不行緣聲香味觸法自性清淨不清淨
合離相不行緣眼識自性清淨不清淨合離
相不行緣耳鼻舌身意識自性清淨不清淨
合離相不行色本性清淨不清淨合離相不
行受想行識本性清淨不清淨合離相不行
眼本性清淨不清淨合離相不行耳鼻舌身
意本性清淨不清淨合離相不行色本性清
淨不清淨合離相不行聲香味觸法本性清
淨不清淨合離相不行眼識本性清淨不清
淨合離相不行耳鼻舌身意識本性清淨不清
淨合離相不行緣色本性清淨不清淨合
離相不行緣受想行識本性清淨不清淨合
離相不行緣眼本性清淨不清淨合離相不
行緣耳鼻舌身意本性清淨不清淨合離相
不行緣色本性清淨不清淨合離相不行緣
聲香味觸法本性清淨不清淨合離相不行
緣眼識本性清淨不清淨合離相不行緣耳
鼻舌身意識本性清淨不清淨合離相不行
色過去未來現在清淨不清淨合離相不行
受想行識過去未來現在清淨不清淨合離
相不行眼過去未來現在清淨不清淨合離
相不行耳鼻舌身意過去未來現在清淨不

BD01334號　大般若波羅蜜多經卷五九九　（18–12）

色過去未來現在清淨不清淨合離相不行
受想行識過去未來現在清淨不清淨合離
相不行眼過去未來現在清淨不清淨合離
相不行耳鼻舌身意過去未來現在清淨不
清淨合離相不行色過去未來現在清淨不
清淨合離相不行聲香味觸法過去未來現
在清淨不清淨合離相不行眼識過去未來
現在清淨不清淨合離相不行耳鼻舌身意
識過去未來現在清淨不清淨合離相不行
緣色過去未來現在清淨不清淨合離相不
行緣受想行識過去未來現在清淨不清淨
合離相不行緣眼過去未來現在清淨不清
淨合離相不行緣耳鼻舌身意過去未來現
在清淨不清淨合離相不行緣色過去未來
現在清淨不清淨合離相不行緣聲香味觸
法過去未來現在清淨不清淨合離相不行
緣眼識過去未來現在清淨不清淨合離相
不行緣耳鼻舌身意識過去未來現在清淨
不清淨合離相善勇猛若諸菩薩能如是行
則不與色若合若離亦不與受想行識若合
若離不與眼若合若離亦不與耳鼻舌身意
若合若離不與色若合若離亦不與聲香味
觸法若合若離不與眼識若合若離亦不與
耳鼻舌身意識若合若離不與名色若合若
離不與顛倒見趣諸蓋及諸愛行若合若離
不與欲色無色界若合若離不與貪瞋癡若
合若離不與我有情命者生者養者士夫補
特伽羅意生儒童作者受者知者見者有無

BD01334號　大般若波羅蜜多經卷五九九　（18–13）

離不與顛倒見趣諸蓋及諸愛行若合若離
不與欲色無色界若合若離不與貪瞋癡若
合若離不與我有情命者生者養者士夫補
特伽羅意生儒童作者受者知者見者有無
有想若合若離不與斷若常若合若離不與界
處若合若離不與有情界法界若合若離不
與地水火風空識界若合若離不與緣起若
合若離不與五妙欲若合若離不與雜染清
淨若合若離不與布施慳貪持戒犯戒安忍
忿恚精進懈怠靜慮散亂妙慧惡慧若合若
離不與念住正斷神足根力覺支道支若合
若離不與斷顛倒等若合若離不與靜慮解
脫等持等至若合若離不與苦集滅道若合
若離不與止觀若合若離不與明及解脫若
合若離不與解脫智見若合若離不與無量
神通若合若離不與異生聲聞獨覺菩薩佛
地若合若離不與異生聲聞獨覺菩薩佛法
若合若離不與盡智無生智無造作智無着
智若合若離不與生死涅槃若合若離不與
佛智力無畏等若合若離不與相好圓滿若
合若離不與莊嚴佛土若合若離不與聲聞
圓滿若合若離不與獨覺圓滿若合若離不
與菩薩圓滿若合若離何以善勇猛以一切
法無合離故善勇猛非一切法為合離故
而現在前善勇猛合者謂常離者謂斷善勇
猛一切法性不由覺察有合有離善勇猛一
切法性不為合故離故現前善勇猛若諸法
性為合為離現在前者則應諸法可得作者
使作者起者等起者受者使受者知者使知

BD01334號　大般若波羅蜜多經卷五九九

法無合離故善勇猛非一切法為合離故
而現在前善勇猛合者謂常離者謂斷善勇
猛一切法性不由覺察有合有離善勇猛一
切法性不為合故離故現前善勇猛若諸法
性為合為離現在前者則應諸法可得作者
使作者起者等起者受者使受者知者使知
者見者使見者合者使合者離者使離者如
來亦應施設諸法此是作者使作者乃至離
者使離者善勇猛以諸法性不為合離現在
前故諸法無有作者使作者乃至離者使離
者少分可得不可得故佛不施設善勇猛諸
法皆由顛倒所起非諸顛倒有合有離何以
故善勇猛諸顛倒事無少可得亦不可得
實生起性何以故善勇猛顛倒非實虛妄誑詐
空無所有非於此中有少實法可名顛倒善
勇猛夫顛倒者惑亂有情誑有情諸有情
類虛忘分別之所顯現令諸有情妄生恃執
動轉戲論善勇猛如以空拳誑惑童竪彼
無知故謂有實物愚夫異生亦復如是虛妄
顛倒之所誑惑於一切法非合離性妄見合離
謂為實有愚癡顛倒於無實中起有實想
難可解脫是故一切愚夫異生妄見合離顛倒
繫縛馳流生死謂合得合住合見合執有合
故便執有離謂除遣合而得離故善勇猛
若處有合是處有離若於合中無得無恃不起
執著亦不見離善勇猛若於離中有得有恃
起執著者彼便有合與生死苦未可別離善
勇猛是諸菩薩觀此義故與諸法性非合非
離亦不為法若合若離而有所作或有修學

BD01334號　大般若波羅蜜多經卷五九九

執着亦不見離善勇猛若於離中有得有恃
起執着者彼便有合與生死苦未可別離善
勇猛是諸菩薩觀此義故與諸法性非合非
離亦不為法若合若離而有所作感有修學
善勇猛是諸菩薩遍知合離修行般若波
羅蜜多善勇猛如是菩薩安住般若波羅蜜
多速能圓滿一切智法
復次善勇猛若諸菩薩修行般若波羅蜜多
不行色着無着不行受相行識着無着不行
眼着無着不行耳鼻舌身意着無着不行色
着無着不行聲香味觸法着無着不行眼識
着無着不行耳鼻舌身意識着無着不行色
着無着清淨不行受想行識着無着清淨不
行眼着無着清淨不行耳鼻舌身意着無着
清淨不行色着無着清淨不行聲香味觸法
着無着清淨不行眼識着無着清淨不行耳
鼻舌身意識着無着清淨不行色着無着所
緣不行受想行識着無着所緣不行眼着 無
着所緣不行耳鼻舌身意着無着所緣不行
色着無着所緣不行聲香味觸法着無着所
緣不行眼識着無着所緣不行耳鼻舌身意
識着無着所緣不行色着無着合離不行受
想行識着無着合離不行眼着無着合離不
行耳鼻舌身意着無着合離不行色着 無
着合離不行聲香味觸法着無着合離不行
眼識着無着合離不行耳鼻舌身意識着無
着合離不行色着無着清淨合離不行受想
行識着無着清淨合離不行眼着無着清淨

BD01334號 大般若波羅蜜多經卷五九九 （18–16）

想行識着無着合離不行眼着無着合離不
行耳鼻舌身意着無着合離不行色着 無
着合離不行聲香味觸法着無着合離不行
眼識着無着合離不行耳鼻舌身意識着無
着合離不行色着無着清淨合離不行受想
行識着無着清淨合離不行眼着無着清淨
合離不行耳鼻舌身意着無着清淨合離不
行色着無着清淨合離不行聲香味觸法着
無着清淨合離不行眼識着無着清淨合離
不行耳鼻舌身意識着無着清淨合離不行
色所緣清淨合離不行受想行識所緣清淨
合離不行眼所緣清淨合離不行耳鼻 舌身
意所緣清淨合離不行色所緣清淨合離不
行聲香味觸法所緣清淨合離不行眼識所
緣清淨合離不行耳鼻舌身意識所緣清淨
合離何以故善勇猛如是一切皆有移轉恃
執動搖若行若觀菩薩遍知如是一切不復
於中若行若觀復次善勇猛若諸菩薩修行
般若波羅蜜多不行色過去未來現在着無
着不行受想行識過去未來現在着無着不
行眼過去未來現在着無着不行耳鼻舌身
意過去未來現在着無着不行色過去未來
現在着無着不行聲香味觸法過去未來現
在着無着不行眼識過去未來現在着無着
不行耳鼻舌身意識過去未來現在着無着
不行色過去未來現在清淨不清淨不行受
想行識過去未來現在清淨不清淨不行眼
過去未來現在清淨不清淨不行耳鼻舌身
意過去未來現在清淨不清淨不行色過去

BD01334號 大般若波羅蜜多經卷五九九 （18–17）

意所緣清淨合離不行色所緣清淨合離不
行聲香味觸法所緣清淨合離不行眼識所
緣清淨合離不行耳鼻舌身意識所緣清淨
合離何以故善勇猛如是一切皆有移轉恃
執動搖若行若觀菩薩遍知如是一切不復
於中若行若觀復次善勇猛若諸菩薩修行
般若波羅蜜多不行色過去未來現在著無
著不行受想行識過去未來現在著無著不
行眼過去未來現在著無著不行耳鼻舌身
意過去未來現在著無著不行色過去未來
現在著無著不行聲香味觸法過去未來現
在著無著不行眼識過去未來現在著無著
不行耳鼻舌身意識過去未來現在著無著
不行色過去未來現在清淨不清淨不行受
想行識過去未來現在清淨不清淨不行眼
過去未來現在清淨不清淨不行耳鼻舌身
意過去未來現在清淨不清淨不行色過去
未來現在清淨不清淨不行聲香味觸法過
去未來現在青淨不青淨不行

BD01334 號　大般若波羅蜜多經卷五九九　（18–18）

言其數无量不可稱計非口所宣非心所測
且待須臾自當有證所言未竟无數菩薩坐
寶蓮華從海踊出詣靈鷲山住在虛空此諸
菩薩皆是文殊師利之所化度具菩薩行皆共
論說六波羅蜜本聲聞人在虛空中說聲
聞行今皆修行大乘空義文殊師利謂智積
曰於海教化其事如此尒時智積菩薩以偈
讚曰
大智德勇健　化度无量衆　今此諸大會　及我皆已見
演暢實相義　開闡一乘法　廣導諸群生　令速成菩提
文殊師利言我於海中唯常宣說妙法華經
智積問文殊師利言此經甚深微妙諸經中
寶世所希有頗有衆生勤加精進修行此經
速得佛不文殊師利言有娑竭羅龍王女年
始八歲智慧利根善知衆生諸根利鈍得陀
羅尼諸佛所說甚深祕藏悉能受持深入禪
定了達諸法於剎那頃發菩提心得不退轉
辯才无礙慈念衆生猶如赤子功德具足心
念口演微妙廣大慈悲仁讓志意和雅能至
菩提智積菩薩言我見釋迦如來於无量劫

BD01335 號　妙法蓮華經卷四　（6–1）

羅尼諸佛所説甚深秘藏悉能受持深入禪
定了達諸法於剎那頃發菩提心得不退轉
辯才无礙慈念衆生猶如赤子功德具足心
念口演微妙廣大慈悲仁讓志意和雅能至
菩提智積菩薩言我見釋迦如來於无量劫
難行苦行積功累德求菩薩道未曾止息觀
三千大千世界乃至无有如芥子許非是菩薩
捨身命處為衆生故然後乃得成菩提道
不信此女於須臾頃便成正覺言論未訖時
龍王女忽現於前頭面礼敬却住一面以偈
讚曰
深達罪福相　遍照於十方　微妙淨法身　具相三十二
以八十種好　用莊嚴法身　天人所戴仰　龍神咸恭敬
一切衆生類　无不宗奉者　又聞成菩提　唯佛當證知
我闡大乘教　度脫苦衆生
時舍利弗語龍女言汝謂不久得无上道是
事難信所以者何女身垢穢非是法器云何
能得无上菩提佛道懸曠經无量劫勤苦積
行具脩諸度然後乃成又女人身猶有五鄣一
者不得作梵天王二者帝釋三者魔王四者
轉輪聖王五者佛身云何女身速得成佛尒
時龍女有一寶珠價直三千大千世界持以上
佛佛即受之龍女謂智積菩薩尊者舍利
弗言我獻寶珠世尊納受是事疾不荅言甚
疾女言以汝神力觀我成佛復速於此當時
衆會皆見龍女忽然之間變成男子

BD01335號　妙法蓮華經卷四　（6–2）

時龍女有一寶珠價直三千大千世界持以上
佛佛即受之龍女謂智積菩薩尊者舍利
弗言我獻寶珠世尊納受是事疾不荅言甚
疾女言以汝神力觀我成佛復速於此當時
衆會皆見龍女忽然之間變成男子具菩薩
行即往南方无垢世界坐寶蓮華成等正覺
三十二相八十種好普為十方一切衆生演説
妙法尒時娑婆世界菩薩聲聞天龍八部人
與非人皆遥見彼龍女成佛普為時會人天
説法心大歡喜悉遥礼敬无量衆生聞法解
悟得不退轉无量衆生得受道記无垢世界
六反震動娑婆世界三千衆生住不退地
三千衆生發菩提心而得受記智積菩薩及
舍利弗一切衆會嘿然信受
妙法蓮華經勸持品第十三
尒時藥王菩薩摩訶薩及大樂説菩薩摩訶
薩與二万菩薩眷屬俱皆於佛前作是誓言
唯願世尊不以為慮我等於佛滅後當奉持
讀誦説此經典後惡世衆生善根轉少多增
上慢貪利供養增不善根遠離解脫雖難可
教化我等當起大忍力讀誦此經持説書寫
種種供養不惜身命尒時衆中五百阿羅漢
得受記者白佛言世尊我等亦自誓願於異
國土廣説此經復有學无學八千人得受記
者從座而起合掌向佛作是誓言世尊我等

BD01335號　妙法蓮華經卷四　（6–3）

教化我等當起大忍力讀誦此經持說書寫
種種供養不惜身命尒時衆中五百阿羅漢
得受記者白佛言世尊我等亦自誓願於異
國土廣說此經復有學无學八千人得受記
者從座而起合掌向佛作是誓言世尊我等
亦當於他國土廣說此經所以者何是娑婆
國中人多弊惡懷增上慢功德淺薄瞋濁諂
曲心不實故
尒時佛姨母摩訶波闍波提比丘尼與學无
學比丘尼六千人俱從座而起一心合掌瞻仰
尊顏目不暫捨於時世尊告憍曇弥何故
憂色而視如來汝心將无謂我不說汝名授
阿耨多羅三藐三菩提記耶憍曇弥我先惣
說一切聲聞皆已授記今汝欲知記者將來
之世當於六万八千億諸佛法中為大法師
及六千學无學比丘尼俱為法師汝如是漸漸
具菩薩道當得作佛号一切衆生喜見如來
應供正遍知明行足善逝世間解无上士調
御丈夫天人師佛世尊憍曇弥是一切衆生喜
見佛及六千菩薩轉次授記得阿耨多羅
三藐三菩提尒時羅睺羅母耶輸陁羅比丘
尼作是念世尊於授記中獨不說我名佛告
耶輸陁羅汝於來世百千万億諸佛法中脩
菩薩行為大法師漸具佛道於善國中當得
作佛号具足千万光相如來應供正遍知明

BD01335號　妙法蓮華經卷四　（6–4）

耶輸陁羅汝於來世百千万億諸佛法中脩
菩薩行為大法師漸具佛道於善國中當得
作佛号具足千万光相如來應供正遍知明
行足善逝世間解无上士調御丈夫天人師
佛世尊佛壽无量阿僧祇劫尒時摩訶波
闍波提比丘尼及耶輸陁羅比丘尼并其眷
屬皆大歡喜得未曾有即於佛前而說偈言
世尊導師　安隱天人　我等聞記　心安具足
諸比丘尼說是偈已白佛言世尊我等亦能
於他方國土廣宣此經
尒時世尊視八十万億那由他諸菩薩摩訶
薩是諸菩薩皆是阿惟越致轉不退法輪得
諸陁羅尼即從座起至於佛前一心合掌而
作是念若世尊告勑我等持說此經者當如
佛教廣宣斯法復作是念佛今嘿然不見告
勑我當云何時諸菩薩敬順佛意并欲自滿
本願便於佛前作師子吼而發誓言世尊我
等於如來滅後周旋往反十方世界能令衆
生書寫此經受持讀誦解說其義如法脩行
正憶念皆是佛之威力唯願世尊在於他方
遙見守護即時諸菩薩俱同發聲而說偈言
唯願不為慮　於佛滅度後　恐怖惡世中　我等當廣說
有諸无智人　惡口罵詈等　及加刀杖者　我等皆當忍
惡世中比丘　邪智心諂曲　未得謂為得　我慢心充滿
或有阿練若　納衣在空閑　自謂行真道　輕賤人間者

BD01335號　妙法蓮華經卷四　（6–5）

唯願不爲慮 於佛滅度後 恐怖惡世中 我等當廣說
有諸无智人 惡口罵詈等 及加刀杖者 我等皆當忍
惡世中比丘 邪智心諂曲 未得謂爲得 我慢心充滿
或有阿練若 納衣在空閑 自謂行真道 輕賤人間者
貪著利養故 與白衣說法 爲世所恭敬 如六通羅漢
是人懷惡心 常念世俗事 假名阿練若 好出我等過
而作如是言 此諸比丘等 爲貪利養故 說外道論議
自作此經典 誑惑世間人 爲求名聞故 分別於是經
常在大衆中 欲毀我等故 向國王大臣 婆羅門居士
及餘比丘衆 誹謗說我惡 謂是邪見人 說外道論議
我等敬佛故 悉忍是諸惡 爲斯所輕言 汝等皆是佛
如此輕慢言 皆當忍受之
濁劫惡世中 多有諸恐怖 惡鬼入其身 罵詈毀辱我
我等敬信佛 當著忍辱鎧 爲說是經故 忍此諸難事
我不愛身命 但惜无上道 我等於來世 護持佛所囑
世尊自當知 濁世惡比丘 不知佛方便 隨宜所說法
惡口而顰蹙 數數見擯出 遠離於塔寺 如是等衆惡
念佛告勅故 皆當忍是事
諸聚落城邑 其有求法者 我皆到其所 說佛所囑法
我是世尊使 處衆无所畏 我當善說法 願佛安隱住
我於世尊前 諸來十方佛 發如是誓言 佛自知我心

BD01335 號　妙法蓮華經卷四　（6–6）

亦以諸 如今
得道轉法輪 亦以方便說 世尊說實道 波旬无此事
以是我定知 非是魔作佛 我墮疑網故 謂是魔所爲
聞佛柔軟音 深遠甚微妙 演暢清淨法 我心大歡喜
疑悔永已盡 安住實智中 我定當作佛 爲天人所敬
轉无上法輪 教化諸菩薩
尒時佛告舍利弗吾今於天人沙門婆羅門
等大衆中說我昔曾於二萬億佛所爲无上
道故常教化汝汝亦長夜隨我受學我以方
便引導汝故生我法中舍利弗我昔教汝志
願佛道汝今悉忘而便自謂已得滅度我今
還欲令汝憶念本願所行道故爲諸聲聞說
是大乘經名妙法蓮華教菩薩法佛所護念
舍利弗汝於未來世過无量无邊不可思議
劫供養若干千万億佛奉持正法具足菩薩
所行之道當得作佛号曰華光如來應供正
遍知明行足善逝世間解无上士調御丈夫
天人師佛世尊國名離垢其土平正清淨嚴
飾安隱豐樂天人熾盛瑠璃爲地有八交道
黃金爲繩以界其側其傍各有七寶行樹常
有華菓華光如來亦以三乘教化衆生舍利

BD01336 號　妙法蓮華經卷二　（27–1）

天人師佛世尊國名離垢其土平正清淨嚴
飾安隱豊樂天人熾盛琉璃爲地有八交道
黄金爲繩以界其側其傍各有七寶行樹常
有華菓華光如來亦以三乘教化衆生舍利
弗彼佛出時雖非惡世以本願故說三乘法其
劫名大寶莊嚴何故名曰大寶莊嚴其國中
以菩薩爲大寶故彼諸菩薩无量无邊不可
思議筭數譬喻所不能及非佛智力无能知
者若欲行時寶華承足此諸菩薩非初發意
皆久殖德本於无量百千万億佛所淨脩梵
行恒爲諸佛之所稱歎常脩佛慧具大神通
善知一切諸法之門質直无僞志念堅固如
是菩薩充滿其國舍利弗華光佛壽十二
小劫除爲王子未作佛時其國人民壽八小
劫華光如來過十二小劫授堅滿菩薩阿耨
多羅三藐三菩提記告諸比丘是堅滿菩薩
次當作佛号曰華足安行多陁阿伽度阿羅
訶三藐三佛陁其佛國土亦復如是舍利弗
是華光佛滅度之後正法住世三十二小劫
像法住世亦三十二小劫尒時世尊欲重宣
此義而說偈言
舍利弗來世　成佛普智尊　号名曰華光　當度无量衆
供養无數佛　具足菩薩行　十力等功德　證於无上道
過无量劫已　劫名大寶嚴　世界名離垢　清淨无瑕穢
以琉璃爲地　金繩界其道　七寶雜色樹　常有華菓實

舍利弗來世　成佛普智尊　号名曰華光　當度无量衆
供養无數佛　具足菩薩行　十力等功德　證於无上道
過无量劫已　劫名大寶嚴　世界名離垢　清淨无瑕穢
以琉璃爲地　金繩界其道　七寶雜色樹　常有華菓實
彼國諸菩薩　志念常堅固　神通波羅蜜　皆已悉具足
於无數佛所　善學菩薩道　如是等大士　華光佛所化
佛爲王子時　棄國捨世榮　於最後末身　出家成佛道
華光佛住世　壽十二小劫　其國人民衆　壽命八小劫
佛滅度之後　正法住於世　三十二小劫　廣度諸衆生
正法滅盡已　像法三十二　舍利廣流布　天人所供養
華光佛所爲　其事皆如是　其兩足聖尊　最勝无倫疋
彼即是汝身　宜應自欣慶
尒時四部衆比丘比丘尼優婆塞優婆夷天龍
夜叉乾闥婆阿脩羅迦樓羅緊那羅摩睺羅
伽等大衆見舍利弗於佛前受阿耨多羅三
藐三菩提記心大歡喜踊躍无量各各脫身
所著上衣以供養佛釋提桓因梵天王等與
无數天子亦以天妙衣天曼陁羅華摩訶曼
陁羅華等供養於佛所散天衣住虛空中而
自迴轉諸天伎樂百千万種於虛空中一時
俱作雨衆天華而作是言佛昔於波羅奈初
轉法輪今乃復轉无上最大法輪尒時諸天
子欲重宣此義而說偈言
昔於波羅奈　轉四諦法輪　分別說諸法　五衆之生滅
今復轉最妙　无上大法輪　是法甚深奧　少有能信者

俱作雨衆天華而作是言佛昔於波羅奈初
轉法輪今乃復轉无上最大法輪尒時諸天
子欲重宣此義而說偈言
昔於波羅奈　轉四諦法輪　分別說諸法　五衆之生滅
今復轉最妙　无上大法輪　是法甚深奧　少有能信者
我等從昔來　數聞世尊說　未曾聞如是　深妙之上法
世尊說是法　我等皆隨喜　大智舍利弗　今得受尊記
我等亦如是　必當得作佛　於一切世間　最尊无有上
佛道叵思議　方便隨宜說　我所有福業　今世若過世
及見佛功德　盡迴向佛道
尒時舍利弗白佛言世尊我今无復疑悔親
於佛前得受阿耨多羅三藐三菩提記是諸
千二百心自在者昔住學地佛常教化言我
法能離生老病死究竟涅槃是學无學人亦
各自以離我見及有无見等謂得涅槃而今
於世尊前聞所未聞皆墮疑惑善哉世尊願
為四衆說其因緣令離疑悔尒時佛告舍利
弗我先不言諸佛世尊以種種因緣譬喻言
辭方便說法皆為阿耨多羅三藐三菩提耶
是諸所說皆為化菩薩故然舍利弗今當復
以譬喻更明此義諸有智者以譬喻得解舍
利弗若國邑聚落有大長者其年衰邁財富
无量多有田宅及諸僮僕其家廣大唯有一
門多諸人衆一百二百乃至五百人止住其
中堂閣朽故牆壁隤落柱根腐敗梁棟傾危
周帀俱時欻然火起焚燒舍宅長者諸子若

BD01336號　妙法蓮華經卷二　（27–4）

利弗若國邑聚落有大長者其年衰邁財富
无量多有田宅及諸僮僕其家廣大唯有一
門多諸人衆一百二百乃至五百人止住其
中堂閣朽故牆壁隤落柱根腐敗梁棟傾危
周帀俱時欻然火起焚燒舍宅長者諸子若
十二十或至三十在此宅中長者見是大火
從四面起即大驚怖而作是念我雖能於此
所燒之門安隱得出而諸子等於火宅內樂
著嬉戲不覺不知不驚不怖火來逼身苦痛
切己心不猒患无求出意舍利弗是長者作
是思惟我身手有力當以衣裓若以几案從舍
出之復更思惟是舍唯有一門而復狹小諸
子幼稚未有所識戀著戲處或當墮落為火
所燒我當為說怖畏之事此舍已燒宜時疾
出无令為火之所燒害作是念已如所思惟
具告諸子汝等速出父雖憐愍善言誘喻
而諸子等樂著嬉戲不肯信受不驚不畏了
无出心亦復不知何者是火何者為舍云何為
失但東西走戲視父而已尒時長者即作
是念此舍已為大火所燒我及諸子若不時
出必為所焚我今當設方便令諸子等得免
斯害父知諸子先心各有所好種種珍玩奇異
之物情必樂著而告之言汝等所可玩好希
有難得汝若不取後必憂悔如此種種羊車
鹿車牛車今在門外可以遊戲汝等於此火
宅宜速出來隨汝所欲皆當與汝尒時諸子

BD01336號　妙法蓮華經卷二　（27–5）

斯㝵父知諸子先心各有所好種種珎玩竒異
之物情必樂著而告之言汝等所可玩好希
有難得汝若不取後必憂悔如此種種羊車
鹿車牛車今在門外可以遊戲汝等於此火
宅宜速出來隨汝所欲皆當與汝尒時諸子
聞父所說珎玩之物適其願故心各勇鋭互
相推排競共馳走争出火宅是時長者見諸
子等安隱得出皆於四衢道中露地而坐无
復障礙其心泰然歡喜踊躍時諸子等各白
父言父先所許玩好之具羊車鹿車牛車願
時賜與舍利弗尒時長者各賜諸子等一大
車其車高廣衆寶莊校周帀欄楯四面懸
鈴又於其上張設幰蓋亦以珎奇雜寶而嚴
飾之寶繩交絡垂諸華瓔重敷綩綖安置丹
枕駕以白牛膚色充潔形體姝好有大筋力
行步平正其疾如風又多僕從而侍衛之所
以者何是大長者財富无量種種諸藏悉皆
充溢而作是念我財物无極不應以下劣小
車與諸子等今此幼童皆是吾子愛无偏黨
我有如是七寶大車其數无量應當等心各
各與之不宜差別所以者何以我此物周給
一國猶尚不匱何況諸子是時諸子各乘大
車得未曾有非本所望舍利弗於汝意云何
是長者等與諸子珎寶大車寧有虛妄不
舍利弗言不也世尊是長者但令諸子得免
全其軀命非爲虛妄何以故若全身命

BD01336號　妙法蓮華經卷二　（27–6）

車得未曾有非本所望舍利弗於汝意云何
是長者等與諸子珎寶大車寧有虛妄不
舍利弗言不也世尊是長者但令諸子得免
火難全其軀命非爲虛妄何以故若全身命
便爲已得玩好之具況復方便於彼火宅而
拔濟之世尊若是長者乃至不與最一小車
猶不虛妄何以故是長者先作是意我以方
便令子得出以是因緣无虛妄也何況長者
自知財富无量欲饒益諸子等與大車佛告
舍利弗善哉善哉如汝所言舍利弗如來亦
復如是則爲一切世間父於諸怖畏衰惱憂
患无明闇蔽永盡无餘而悉成就无量知見
力无所畏有大神力及智慧力具足方便智慧
波羅蜜大慈大悲常无懈惓恒求善事利
益一切而生三界朽故火宅爲度衆生生老
病死憂悲苦惱愚癡闇蔽三毒之火教化
令得阿耨多羅三藐三菩提見諸衆生爲生
老病死憂悲苦惱之所燒煮亦以五欲財利故
受種種苦又以貪著追求故現受衆苦後受
地獄畜生餓鬼之苦若生天上及在人間貧
窮困苦愛別離苦怨憎會苦如是等種種諸
苦衆生沒在其中歡喜遊戲不覺不知不驚
不怖亦不生猒不求解脫於此三界火宅東
西馳走雖遭大苦不以爲患舍利弗佛見此
已便作是念我爲衆生之父應拔其苦難與
无量无邊佛智慧樂令其遊戲舍利弗如來

BD01336號　妙法蓮華經卷二　（27–7）

苦衆生沒在其中歡喜遊戲不覺不知不驚
不怖亦不生猒不求解脫於此三界火宅東
西馳走雖遭大苦不以為患舍利弗佛見此
已便作是念我為衆生之父應拔其苦難與
无量无邊佛智慧樂令其遊戲舍利弗如來
復作是念若我但以神力及智慧力捨於方便
為諸衆生讚如來知見力无所畏者衆生不
能以是得度所以者何是諸衆生未免生老
病死憂悲苦惱而為三界火宅所燒何由能
解佛之智慧舍利弗如彼長者雖復身手有
力而不用之但以慇懃方便免濟諸子火宅
之難然後各與珍寶大車如來亦復如是雖
有力无所畏而不用之但以智慧方便於三
界火宅拔濟衆生為說三乘聲聞辟支佛
佛乘而作是言汝等莫得樂住三界火宅勿
貪麁弊色聲香味觸也若貪著生愛則為所
燒汝等速出三界當得三乘聲聞辟支佛佛
乘我今為汝保任此事終不虛也汝等但當
勤修精進如來以是方便誘進衆生復作是
言汝等當知此三乘法皆是聖所稱歎自在
无繫无所依求乘是三乘以无漏根力覺道
禪定解脫三昧等而自娛樂便得无量安隱
快樂舍利弗若有衆生內有智性從佛世尊
聞法信受慇懃精進欲速出三界自求涅槃
是名聲聞乘如彼諸子為求羊車出於火宅
若有衆生從佛世尊聞法信受慇懃精進求

BD01336號　妙法蓮華經卷二　（27–8）

禪定解脫三昧等而自娛樂便得无量安隱
快樂舍利弗若有衆生內有智性從佛世尊
聞法信受慇懃精進欲速出三界自求涅槃
是名聲聞乘如彼諸子為求羊車出於火宅
若有衆生從佛世尊聞法信受慇懃精進求
自然慧樂獨善寂深知諸法因緣是名辟支
佛乘如彼諸子為求鹿車出於火宅若有衆
生從佛世尊聞法信受勤修精進求一切智
佛智自然智无師智如來知見力无所畏愍念
安樂无量衆生利益天人度脫一切是名大乘
菩薩求此乘故名為摩訶薩如彼諸子為求
牛車出於火宅舍利弗如彼長者見諸子等
安隱得出火宅到无畏處自惟財富无量等
以大車而賜諸子如來亦復如是為一切衆
生之父若見无量億千衆生以佛教門出三
界苦怖畏險道得涅槃樂如來爾時便作是
念我有无量无邊智慧力无畏等諸佛法藏
是諸衆生皆是我子等與大車不令有人獨
得滅度皆以如來滅度而滅度之是諸衆生
脫三界者悉與諸佛禪定解脫等娛樂之
具皆是一相一種聖所稱歎能生淨妙第一之
樂舍利弗如彼長者初以三車誘引諸子然後
但與大車寶物莊嚴安隱第一然彼長者无
虛妄之咎如來亦復如是无有虛妄初說三
乘引導衆生然後但以大乘而度脫之何以
故如來有无量智慧力无所畏諸法之藏能

BD01336號　妙法蓮華經卷二　（27–9）

弗舍利弗如彼長者初以三車誘引諸子然後
但與大車寶物莊嚴安隱第一然彼長者无
虛妄之咎如來亦復如是无有虛妄初說三
乘引導衆生然後但以大乘而度脫之何以
故如來有无量智慧力无所畏諸法之藏能
與一切衆生大乘之法但不盡能受舍利弗
以是因緣當知諸佛方便力故於一佛乘分
別說三佛欲重宣此義而說偈言
譬如長者　有一大宅　其宅久故　而復頓弊
堂舍高危　柱根摧朽　梁棟傾斜　基陛頹毀
牆壁圮坼　泥塗褫落　覆苫亂墜　椽梠差脫
周障屈曲　雜穢充遍　有五百人　止住其中
鵄梟鵰鷲　烏鵲鳩鴿　蚖蛇蝮蠍　蜈蚣蚰蜒
守宮百足　狖狸鼷鼠　諸惡蟲輩　交橫馳走
屎尿臭處　不淨流溢　蜣蜋諸蟲　而集其上
狐狼野干　咀嚼踐蹋　嚌齧死屍　骨肉狼藉
由是群狗　競來搏撮　飢羸慞惶　處處求食
鬪諍摣掣　啀喍嘷吠　其舍恐怖　變狀如是
處處皆有　魑魅魍魎　夜叉惡鬼　食噉人肉
毒蟲之屬　諸惡禽獸　孚乳產生　各自藏護
夜叉競來　爭取食之　食之既飽　惡心轉熾
鬪諍之聲　甚可怖畏　鳩槃荼鬼　蹲踞土埵
或時離地　一尺二尺　往返遊行　縱逸嬉戲
捉狗兩足　撲令失聲　以腳加頸　怖狗自樂
復有諸鬼　其身長大　裸形黑瘦　常住其中
發大惡聲　叫呼求食　復有諸鬼　其咽如針

BD01336號　妙法蓮華經卷二　（27–10）

或時離地　一尺二尺　往返遊行　縱逸嬉戲
捉狗兩足　撲令失聲　以腳加頸　怖狗自樂
復有諸鬼　其身長大　裸形黑瘦　常住其中
發大惡聲　叫呼求食　復有諸鬼　其咽如針
復有諸鬼　首如牛頭　或食人肉　或復噉狗
頭髮蓬亂　殘害兇險　飢渴所逼　叫喚馳走
夜叉餓鬼　諸惡鳥獸　飢急四向　窺看窗牖
如是諸難　恐畏无量　是朽故宅　屬于一人
其人近出　未久之間　於後宅舍　欻然火起
四面一時　其焰俱熾　棟梁椽柱　爆聲震裂
摧折墮落　牆壁崩倒　諸鬼神等　揚聲大叫
鵰鷲諸鳥　鳩槃荼等　周慞惶怖　不能自出
惡獸毒蟲　藏竄孔穴　毗舍闍鬼　亦住其中
薄福德故　為火所逼　共相殘害　飲血噉肉
野干之屬　並已前死　諸大惡獸　競來食噉
臭烟熢㶿　四面充塞　蜈蚣蚰蜒　毒蛇之類
為火所燒　爭走出穴　鳩槃荼鬼　隨取而食
又諸餓鬼　頭上火然　飢渴熱惱　周慞悶走
其宅如是　甚可怖畏　毒害火災　衆難非一
是時宅主　在門外立　聞有人言　汝諸子等
先因遊戲　來入此宅　稚小无知　歡娛樂著
長者聞已　驚入火宅　方宜救濟　令无燒害
告喻諸子　說衆患難　惡鬼毒蟲　災火蔓莚
衆苦次第　相續不絕　毒蛇蚖蝮　及諸夜叉
鳩槃荼鬼　野干狐狗　鵰鷲鵄梟　百足之屬
飢渴惱急　甚可怖畏　此苦難處　況復大火

BD01336號　妙法蓮華經卷二　（27–11）

眾皆次第　相續不絕　毒蛇蚖蝮　及諸夜叉
鳩槃荼鬼　野干狐狗　鵰鷲鵄梟　百足之屬
飢渴惱急　甚可怖畏　此苦難處　況復大火
諸子无知　雖聞父誨　猶故樂著　嬉戲不已
是時長者　而作是念　諸子如此　益我愁惱
今此舍宅　无一可樂　而諸子等　耽湎嬉戲
不受我教　將為火害　即便思惟　設諸方便
告諸子等　我有種種　珎玩之具　妙寶好車
羊車鹿車　大牛之車　今在門外　汝等出來
吾為汝等　造作此車　隨意所樂　可以遊戲
諸子聞說　如此諸車　即時奔競　馳走而出
到於空地　離諸苦難　長者見子　得出火宅
住於四衢　坐師子座　而自慶言　我今快樂
此諸子等　生育甚難　愚小无知　而入險宅
多諸毒虫　魑魅可畏　大火猛焰　四面俱起
而諸子等　貪樂嬉戲　我已救之　令得脫難
是故諸人　我今快樂　尒時諸子　知父安坐
皆詣父所　而白父言　願賜我等　三種寶車
如前所許　諸子出來　當以三車　隨汝所欲
今正是時　唯垂給與　長者大富　庫藏眾多
金銀琉璃　硨磲碼碯　以眾寶物　造諸大車
裝挍嚴飾　周帀欄楯　四面懸鈴　金繩交絡
真珠羅網　張施其上　金華諸瓔　處處垂下
眾綵雜飾　周帀圍繞　柔軟繒纊　以為裀褥
上妙細氎　價直千億　鮮白淨潔　以覆其上

BD01336號　妙法蓮華經卷二　(27–12)

真珠羅網　張施其上　金華諸瓔　處處垂下
眾綵雜飾　周帀圍繞　柔軟繒纊　以為裀褥
上妙細氎　價直千億　鮮白淨潔　以覆其上
有大白牛　肥壯多力　形體姝好　以駕寶車
多諸儐從　而侍衛之　以是妙車　等賜諸子
諸子是時　歡喜踊躍　乘是寶車　遊於四方
嬉戲快樂　自在无礙　告舍利弗　我亦如是
眾聖中尊　世間之父　一切眾生　皆是吾子
深著世樂　无有慧心　三界无安　猶如火宅
眾苦充滿　甚可怖畏　常有生老　病死憂患
如是等火　熾然不息　如來已離　三界火宅
寂然閑居　安處林野　今此三界　皆是我有
其中眾生　悉是吾子　而今此處　多諸患難
唯我一人　能為救護　雖復教詔　而不信受
於諸欲染　貪著深故　以是方便　為說三乘
令諸眾生　知三界苦　開示演說　出世間道
是諸子等　若心決定　具足三明　及六神通
有得緣覺　不退菩薩　汝舍利弗　我為眾生
以此譬喻　說一佛乘　汝等若能　信受是語
一切皆當　得成佛道　是乘微妙　清淨第一
於諸世間　為无有上　佛所悅可　一切眾生
所應稱讚　供養禮拜　无量億千　諸力解脫
禪定智慧　及佛餘法　得如是乘　令諸子等
日夜劫數　常得遊戲　與諸菩薩　及聲聞眾
乘此寶乘　直至道場　以是因緣　十方諦求

BD01336號　妙法蓮華經卷二　(27–13)

於諸世間　為无有上　佛所悅可　一切衆生
所應稱讚　供養礼拜　无量億千　諸力解脫
禪定智慧　及佛餘法　得如是乘　令諸子等
日夜劫數　常得遊戲　與諸菩薩　及聲聞衆
乘此寶乘　直至道場　以是因緣　十方諦求
更无餘乘　除佛方便　告舍利弗　汝諸人等
皆是吾子　我則是父　汝等累劫　衆苦所燒
我皆濟拔　令出三界　我雖先說　汝等滅度
但盡生死　而實不滅　今所應作　唯佛智慧
若有菩薩　於是衆中　能一心聽　諸佛實法
諸佛世尊　雖以方便　所化衆生　皆是菩薩
若人小智　深著愛欲　為此等故　說於苦諦
衆生心喜　得未曾有　佛說苦諦　真實无異
若有衆生　不知苦本　深著苦因　不能暫捨
為是等故　方便說道　諸苦所因　貪欲為本
若滅貪欲　无所依止　滅盡諸苦　名第三諦
為滅諦故　脩行於道　離諸苦縛　名得解脫
是人於何　而得解脫　但離虛妄　名為解脫
其實未得　一切解脫　佛說是人　未實滅度
斯人未得　无上道故　我意不欲　令至滅度
我為法王　於法自在　安隱衆生　故現於世
汝舍利弗　我此法印　為欲利益　世間故說
在所遊方　勿妄宣傳　若有聞者　隨喜頂受
當知是人　阿惟越致　若有信受　此經法者
是人已曾　見過去佛　恭敬供養　亦聞是法
若人有能　信汝所說　則為見我　亦見於汝

在所遊方　勿妄宣傳　若有聞者　隨喜頂受
當知是人　阿惟越致　若有信受　此經法者
是人已曾　見過去佛　恭敬供養　亦聞是法
若人有能　信汝所說　則為見我　亦見於汝
及比丘僧　并諸菩薩　斯法華經　為深智說
淺識聞之　迷惑不解　一切聲聞　及辟支佛
於此經中　力所不及　汝舍利弗　尚於此經
以信得入　況餘聲聞　其餘聲聞　信佛語故
隨順此經　非已智分　又舍利弗　憍慢懈怠
計我見者　莫說此經　凡夫淺識　深著五欲
聞不能解　亦勿為說　若人不信　毀謗此經
則斷一切　世間佛種　或復頻蹙　而懷疑惑
汝當聽說　此人罪報　若佛在世　若滅度後
其有誹謗　如斯經典　見有讀誦　書持經者
輕賤憎嫉　而懷結恨　此人罪報　汝今復聽
其人命終　入阿鼻獄　具足一劫　劫盡更生
如是展轉　至无數劫　從地獄出　當墮畜生
若狗野干　其形頞瘦　黧黮疥癩　人所觸嬈
又復為人　之所惡賤　常困飢渴　骨肉枯竭
生受楚毒　死被瓦石　斷佛種故　受斯罪報
若作駝驢　或生驢中　身常負重　加諸杖捶
但念水草　餘无所知　謗斯經故　獲罪如是
有作野干　來入聚落　身體疥癩　又无一目
為諸童子　之所打擲　受諸苦痛　或時致死
於此死已　更受蟒身　其形長大　五百由旬

若作駝驢　或生驢中　身常負重　加諸杖捶
但念水草　餘无所知　謗斯經故　獲罪如是
有作野干　來入聚落　身體疥癩　又无一目
為諸童子　之所打擲　受諸苦痛　或時致死
於此死已　更受蟒身　其形長大　五百由旬
聾騃无足　宛轉腹行　為諸小虫　之所唼食
晝夜受苦　无有休息　謗斯經故　獲罪如是
若得為人　諸根闇鈍　矬陋攣躄　盲聾背傴
有所言說　人不信受　口氣常臭　鬼魅所著
貧窮下賤　為人所使　多病痟瘦　无所依怙
雖親附人　人不在意　若有所得　尋復忘失
若修醫道　順方治病　更增他疾　或復致死
若自有病　无人救療　設服良藥　而復增劇
若他反逆　抄劫竊盜　如是等罪　橫羅其殃
如斯罪人　永不見佛　衆聖之王　說法教化
斯如罪人　常生難處　狂聾心亂　永不聞法
於无數劫　如恒河沙　生輒聾瘂　諸根不具
常處地獄　如遊園觀　在餘惡道　如己舍宅
駝驢豬狗　是其行處　謗斯經故　獲罪如是
若得為人　聾盲瘖瘂　貧窮諸衰　以自莊嚴
水腫乾痟　疥癩癰疽　如是等病　以為衣服
身常臭處　垢穢不淨　深著我見　增益瞋恚
婬欲熾盛　不擇禽獸　謗斯經故　獲罪如是
告舍利弗　謗斯經者　若說其罪　窮劫不盡
以是因緣　我故語汝　无智人中　莫說此經

BD01336號　妙法蓮華經卷二　（27–16）

婬欲熾盛　不擇禽獸　謗斯經故　獲罪如是
告舍利弗　謗斯經者　若說其罪　窮劫不盡
以是因緣　我故語汝　无智人中　莫說此經
若有利根　智慧明了　多聞強識　求佛道者
如是之人　乃可為說　若人曾見　億百千佛
殖諸善本　深心堅固　如是之人　乃可為說
若人精進　常修慈心　不惜身命　乃可為說
若人恭敬　无有異心　離諸凡愚　獨處山澤
如是之人　乃可為說　又舍利弗　若見有人
捨惡知識　親近善友　如是之人　乃可為說
若見佛子　持戒清淨　如淨明珠　求大乘經
如是之人　乃可為說　若人无瞋　質直柔軟
常愍一切　恭敬諸佛　如是之人　乃可為說
復有佛子　於大衆中　以清淨心　種種因緣
譬喻言辭　說法无礙　如是之人　乃可為說
若有比丘　為一切智　四方求法　合掌頂受
但樂受持　大乘經典　乃至不受　餘經一偈
如是之人　乃可為說　如人至心　求佛舍利
如是求經　得已頂受　其人不復　志求餘經
亦未曾念　外道典籍　如是之人　乃可為說
告舍利弗　我說是相　求佛道者　窮劫不盡
如是等人　則能信解　汝當為說　妙法華經

妙法蓮華經信解品第四

尒時慧命須菩提　摩訶迦旃延　摩訶迦葉
摩訶目揵連　從佛所聞　未曾有法　世尊授舍

BD01336號　妙法蓮華經卷二　（27–17）

如是人等 則能信解 汝當為說 妙法華經
妙法蓮華經信解品第四
尒時慧命須菩提摩訶迦旃延摩訶迦葉
摩訶目揵連從佛所聞未曾有法世尊授舍
利弗阿耨多羅三藐三菩提記發希有心歡
喜踊躍即從座起整衣服偏袒右肩右膝著
地一心合掌曲躬恭敬瞻仰尊顏而白佛言我
等居僧之首年並朽邁自謂已得涅槃无所
堪任不復進求阿耨多羅三藐三菩提世尊
往昔說法既久我時在座身體疲懈但念
空无相无作於菩薩法遊戲神通淨佛國
土成就眾生心不喜樂所以者何世尊令我
等出於三界得涅槃證又今我等年已朽邁
於佛教化菩薩阿耨多羅三藐三菩提不生
一念好樂之心我等今於佛前聞授聲聞阿
耨多羅三藐三菩提記心甚歡喜得未曾有
不謂於今忽然得聞希有之法深自慶幸獲
大善利无量珎寶不求自得世尊我等今者
樂說譬喻以明斯義譬若有人年既幼稚捨
父逃逝久住他國或十二十至五十歲年既
長大加復窮困馳騁四方以求衣食漸漸遊
行遇向本國其父先來求子不得中止一城
其家大富財寶无量金銀琉璃珊瑚虎珀頗
珠等其諸倉庫悉皆盈溢多有僮僕臣佐
吏民象馬牛羊无數出入息利乃遍他國商

BD01336號　妙法蓮華經卷二　（27–18）

長大加復窮困馳騁四方以求衣食漸漸遊
行遇向本國其父先來求子不得中止一城
其家大富財寶无量金銀琉璃珊瑚虎珀頗
珠等其諸倉庫悉皆盈溢多有僮僕臣佐
吏民象馬牛羊无數出入息利乃遍他國商
估賈客亦甚眾多時貧窮子遊諸聚落經
歷國邑遂到其父所止之城父每念子與子離
別五十餘年而未曾向人說如此事但自思惟
心懷悔恨自念老朽多有財物金銀珎寶倉
庫盈溢无有子息一旦終沒財物散失无所
委付是以慇懃每憶其子復作是念我若得
子委付財物坦然快樂无復憂慮世尊尒時
窮子傭賃展轉遇到父舍住立門側遙見其
父踞師子床寶几承足諸婆羅門剎利居士
皆恭敬圍繞以真珠瓔珞價直千万莊嚴其
身吏民僮僕手執白拂侍立左右覆以寶帳
垂諸華幡香水灑地散眾名華羅列寶物出
內取與有如是等種種嚴飾威德特尊窮
子見父有大力勢即懷恐怖悔來至此竊作
是念此或是王或是王等非我傭力得物之
處不如往至貧里肆力有地衣食易得若久
住此或見逼迫強使我作作是念已疾走而
去時富長者於師子座見子便識心大歡喜
即作是念我財物庫藏今有所付我常思念
此子无由見之而忽自來甚適我願我雖年
朽猶故貪惜

BD01336號　妙法蓮華經卷二　（27–19）

去時留長者於師子座見子便識心大歡喜
即作是念我財物庫藏今有所付我常思念
此子无由見之而忽自來甚適我願我雖年
朽猶故貪惜即遣傍人急追將還尒時使者
疾走往捉窮子驚愕稱怨大喚我不相犯何
爲見捉使者執之逾急強牽將還于時窮子
自念无罪而被囚執此必定死轉更惶怖悶
絕躃地父遥見之而語使言不須此人勿強
將來以冷水灑面令得醒悟莫復與語所以
者何父知其子志意下劣自知豪貴爲子所
難審知是子而以方便不語他人云是我子使
者語之我今放汝隨意所趣窮子歡喜得未
曾有從地而起往至貧里以求衣食尒時長
者將欲誘引其子而設方便密遣二人形色
顦顇无威德者汝可詣彼徐語窮子此有
作處倍與汝直窮子若許將來使作若言
欲何所作便可語之雇汝除糞我等二人亦共
汝作時二使人即求窮子既已得之具陳上
事尒時窮子先取其價尋與除糞其父見子
愍而怪之又以他日於窓牖中遥見子身羸
瘦顦顇糞土塵坌污穢不淨即脫瓔珞細
耎上服嚴飾之具更著麁弊垢膩之衣塵土
坌身右手執持除糞之器狀有所畏語諸作人
汝等勤作勿得懈息以方便故得近其子後
復告言咄男子汝常此作勿復餘去當加汝

BD01336號　妙法蓮華經卷二　（27–20）

坌身右手執持除糞之器狀有所畏語諸作人
汝等勤作勿得懈息以方便故得近其子後
復告言咄男子汝常此作勿復餘去當加汝
價諸有所須瓮器米麪鹽酢之屬莫自疑難
亦有老弊使人須者相給好自安意我如汝
父勿復憂慮所以者何我年老大而汝少壯
汝常作時无有欺怠瞋恨怨言都不見汝有
此諸惡如餘作人自今已後如所生子即時長
者更與作字名之爲兒尒時窮子雖欣此遇猶
故自謂客作賤人由是之故於二十年中常
令除糞過是已後心相體信入出无難然其
所止猶在本處世尊尒時長者有疾自知
將死不久語窮子言我今多有金銀珎寶
倉庫盈溢其中多少所應取與汝悉知之我
心如是當體此意所以者何今我與汝便爲
不異宜加用心无令漏失尒時窮子即受教
勑領知衆物金銀珎寶及諸庫藏而无希取
一食之意然其所止故在本處下劣之心亦
未能捨復經少時父知子意漸以通泰成就
大志自鄙先心臨欲終時而命其子并會親
族國王大臣刹利居士皆悉已集即自宣言
諸君當知此是我子我之所生於某城中捨
吾逃走跉跰辛苦五十餘年其本字某我名
某甲昔在本城懷憂推覓忽於此間遇會
得之此實我子我實其父今我所有一切財物
皆是子有先所出内是子所知世尊是時

BD01336號　妙法蓮華經卷二　（27–21）

吾逃走跉跰辛苦五十餘年其本字某我名
某甲昔在本城懷憂推覓忽於此間遇會
得之此實我子我實其父今我所有一切財物
皆是子有先所出內是子所知世尊是時窮子
聞父此言即大歡喜得未曾有而作是念我
本无心有所希求今此寶藏自然而至世尊
大富長者則是如來我等皆似佛子如來
常說我等為子世尊我等以三苦故於生死
中受諸熱惱迷惑无知樂著小法今日世尊
令我等思惟蠲除諸法戲論之糞我等於中
勤加精進得至涅槃一日之價既得此已心大
歡喜自以為足便自謂言於佛法中勤精進
故所得弘多然世尊先知我等心著弊欲
樂於小法便見縱捨不為分別汝等當有如
來知見寶藏之分世尊以方便力說如來智
慧我等從佛得涅槃一日之價以為大得於
此大乘无有志求我等又因如來智慧為諸
菩薩開示演說而自於此无有志願所以者何
佛知我等心樂小法以方便力隨我等說而
我等不知真是佛子今我等方知世尊於佛
智慧无所悋惜所以者何我等昔來真是佛
子而但樂小法若我等有樂大之心佛則為
我說大乘法於此經中唯說一乘而昔於菩
薩前毀呰聲聞樂小法者然佛實以大乘
教化是故我等說本无心有所求希今法王

BD01336號　妙法蓮華經卷二　（27–22）

智慧无所悋惜所以者何我等昔來真是佛
子而但樂小法若我等有樂大之心佛則為
我說大乘法於此經中唯說一乘而昔於菩
薩前毀呰聲聞樂小法者然佛實以大乘
教化是故我等說本无心有所求希今法王
大寶自然而至如佛子所應得者皆已得之
尒時摩訶迦葉欲重宣此義而說偈言
我等今日　聞佛音教　歡喜踴躍　得未曾有
佛說聲聞　當得作佛　无上寶聚　不求自得
譬如童子　幼稚无識　捨父逃逝　遠到他土
周流諸國　五十餘年　其父憂念　四方推求
求之既疲　頓止一城　造立舍宅　五欲自娛
其家巨富　多諸金銀　硨磲碼碯　真珠瑠璃
象馬牛羊　輦轝車乘　田業僮僕　人民衆多
出入息利　乃遍他國　商估賈人　无處不有
千万億衆　圍繞恭敬　常為王者　之所愛念
群臣豪族　皆共宗重　以諸緣故　往來者衆
豪富如是　有大力勢　而年朽邁　益憂念子
夙夜惟念　死時將至　癡子捨我　五十餘年
庫藏諸物　當如之何　尒時窮子　求索衣食
從邑至邑　從國至國　或有所得　或无所得
飢餓羸瘦　體生瘡癬　漸次經歷　到父住城
傭賃展轉　遂至父舍　尒時長者　於其門內
施大寶帳　處師子座　眷屬圍繞　諸人侍衛
或有計算　金銀寶物　出內財產　注記券疏
窮子見父　豪貴尊嚴　謂是國王　若國王等

BD01336號　妙法蓮華經卷二　（27–23）

傭賃展轉　遂至父舍　尒時長者　於其門內
施大寶帳　處師子座　眷屬圍繞　諸人侍衛
或有計筭　金銀寶物　出內財產　注記券疏
窮子見父　豪貴尊嚴　謂是國王　若國王等
驚怖自怪　何故至此　覆自念言　我若久住
或見逼迫　強驅使作　思惟是已　馳走而去
借問貧里　欲往傭作　長者是時　在師子座
遙見其子　默而識之　即勑使者　追捉將來
窮子驚喚　迷悶躄地　是人執我　必當見殺
何用衣食　使我至此　長者知子　愚癡狹劣
不信我言　不信是父　即以方便　更遣餘人
眇目矬陋　无威德者　汝可語之　云當相雇
除諸糞穢　倍與汝價　窮子聞之　歡喜隨來
為除糞穢　淨諸房舍　長者於牖　常見其子
念子愚劣　樂為鄙事　於是長者　著弊垢衣
執除糞器　往到子所　方便附近　語令勤作
既益汝價　并塗足油　飲食充足　薦席厚暖
如是苦言　汝當勤作　又以耎語　若如我子
長者有智　漸令入出　經二十年　執作家事
示其金銀　真珠頗梨　諸物出入　皆使令知
猶處門外　止宿草庵　自念貧事　我无此物
父知子心　漸已曠大　欲與財物　即聚親族
國王大臣　剎利居士　於此大衆　說是我子
捨我他行　經五十歲　自見子來　已二十年
昔於某城　而失是子　周行求索　遂來至此

BD01336號　妙法蓮華經卷二　（27–24）

父知子心　漸已曠大　欲與財物　即聚親族
國王大臣　剎利居士　於此大衆　說是我子
捨我他行　經五十歲　自見子來　已二十年
昔於某城　而失是子　周行求索　遂來至此
凡我所有　舍宅人民　悉以付之　恣其所用
子念昔貧　志意下劣　今於父所　大獲珎寶
并及舍宅　一切財物　甚大歡喜　得未曾有
佛亦如是　知我樂小　未曾說言　汝等作佛
而說我等　得諸无漏　成就小乘　聲聞弟子
佛勑我等　說最上道　修習此者　當得成佛
我承佛教　為大菩薩　以諸因緣　種種譬喻
若干言辭　說无上道　諸佛子等　從我聞法
日夜思惟　精勤修習　是時諸佛　即授其記
汝於來世　當得作佛　一切諸佛　祕藏之法
但為菩薩　演其實事　而不為我　說斯真要
如彼窮子　得近其父　雖知諸物　心不希取
我等雖說　佛法寶藏　自无志願　亦復如是
我等內滅　自謂為足　唯了此事　更无餘事
我等若聞　淨佛國土　教化衆生　都无欣樂
所以者何　一切諸法　皆悉空寂　无生无滅
无大无小　无漏无為　如是思惟　不生喜樂
我等長夜　於佛智慧　无貪无著　无復志願
而自於法　謂是究竟　我等長夜　脩習空法
得脫三界　苦惱之患　住最後身　有餘涅槃
佛所教化　得道不虛　則為已得　報佛之恩

BD01336號　妙法蓮華經卷二　（27–25）

我等長夜 於佛智慧 无貪无著 无復志願
而自於法 謂是究竟 我等長夜 脩習空法
得脫三界 苦惱之患 住冣後身 有餘涅槃
佛所教化 得道不虛 則為已得 報佛之恩
我等雖為 諸佛子等 說菩薩法 以求佛道
而於是法 永无願樂 導師見捨 觀我心故
初不勸進 說有實利 如富長者 知子志劣
以方便力 柔伏其心 然後乃付 一切財物
佛亦如是 現希有事 知樂小者 以方便力
調伏其心 乃教大智 我等今日 得未曾有
非先所望 而今自得 如彼窮子 得无量寶
世尊我今 得道得果 於无漏法 得清淨眼
我等長夜 持佛淨戒 始於今日 得其果報
法王法中 久脩梵行 今得无漏 无上大果
我等今者 真是聲聞 以佛道聲 令一切聞
我等今者 真阿羅漢 於諸世間 天人魔梵
普於其中 應受供養 世尊大恩 以希有事
憐愍教化 利益我等 无量億劫 誰能報者
手足供給 頭頂礼敬 一切供養 皆不能報
若以頂戴 兩肩荷負 於恒沙劫 盡心恭敬
又以美饍 无量寶衣 及諸卧具 種種湯藥
牛頭栴檀 及諸珎寶 以起塔廟 寶衣布施
如斯等事 以用供養 於恒沙劫 亦不能報
諸佛希有 无量无邊 不可思議 大神通力
无漏无為 諸法之王 能為 [illegible] 忍于斯事
取相凡夫 隨宜而說 [illegible] 最自在

BD01336 號　妙法蓮華經卷二　（27–26）

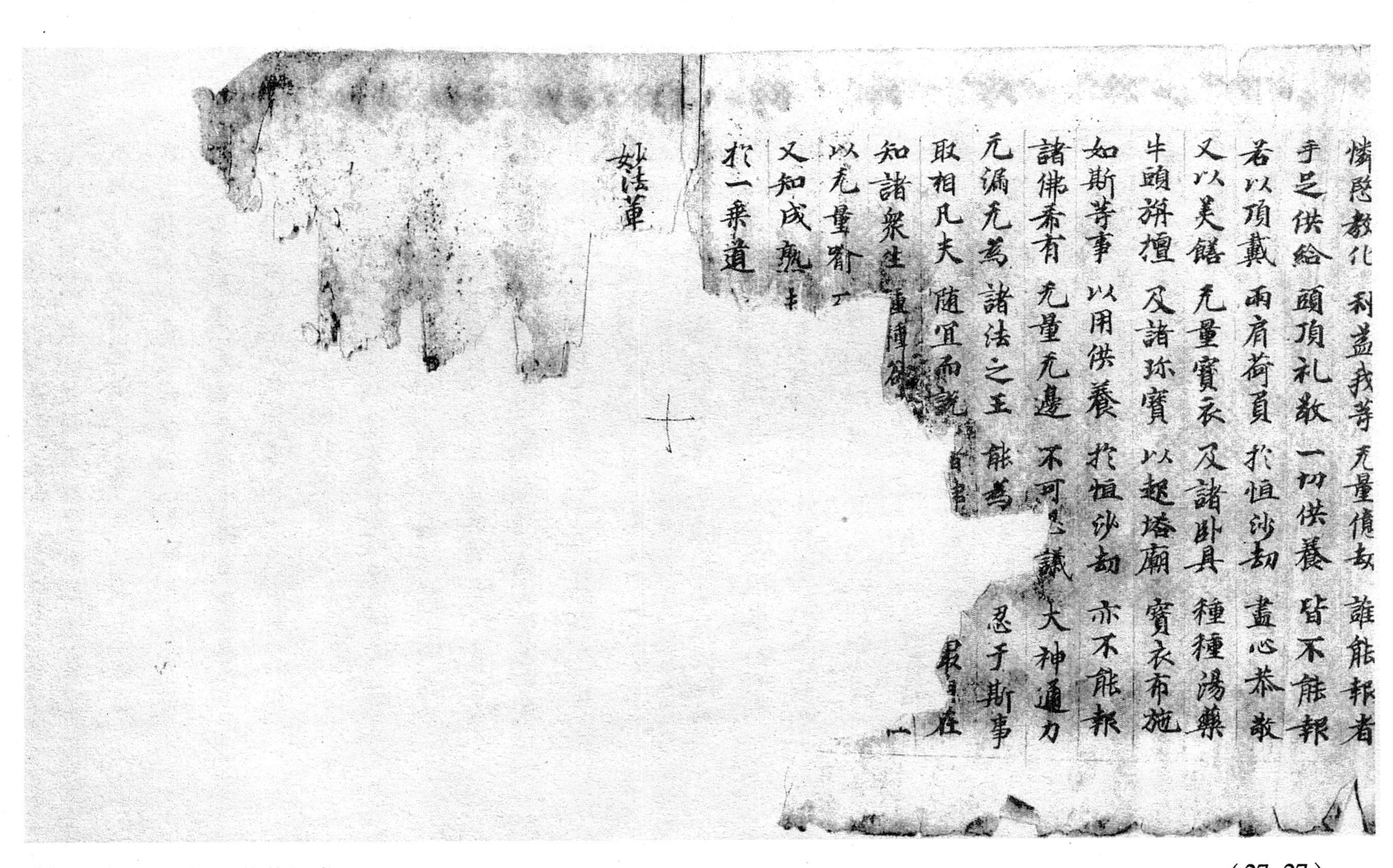
憐愍教化 利益我等 无量億劫 誰能報者
手足供給 頭頂礼敬 一切供養 皆不能報
若以頂戴 兩肩荷負 於恒沙劫 盡心恭敬
又以美饍 无量寶衣 及諸卧具 種種湯藥
牛頭栴檀 及諸珎寶 以起塔廟 寶衣布施
如斯等事 以用供養 於恒沙劫 亦不能報
諸佛希有 无量无邊 不可思議 大神通力
无漏无為 諸法之王 能為 [illegible] 忍于斯事
取相凡夫 隨宜而說 [illegible] 最自在
知諸衆生 種種[illegible]
以无量喻 [illegible]
又知成熟 未[illegible]
於一乘道

妙法蓮

BD01336 號　妙法蓮華經卷二　（27–27）

金剛般若波羅蜜經
如是我聞一時佛在舍衛國祇樹給孤獨園
與大比丘衆千二百五十人俱尒時世尊食
時著衣持鉢入舍衛大城乞食於其城中次
第乞已還至本處飯食訖收衣鉢洗足已
敷座而坐時長老須菩提在大衆中即從坐
起偏袒右肩右膝著地合掌恭敬而白佛言
希有世尊如來善護念諸菩薩善付囑諸菩
薩世尊善男子善女人發阿耨多羅三藐三
菩提心應云何住云何降伏其心佛言善哉
善哉須菩提如汝所說如來善護念諸菩薩
善付囑諸菩薩汝今諦聽當為汝說善男
子善女人發阿耨多羅三藐三菩提心應如
是住如是降伏其心唯然世尊願樂欲聞
佛告須菩提諸菩薩摩訶薩應如是降伏
其心所有一切衆生之類若卵生若胎生若濕
生若化生若有色若无色若有想若无想若
非有想若非无想我皆令入无餘涅槃而滅
度之如是滅度无量无數无邊衆生實无
衆生得滅度者何以故須菩提若菩薩有我想

BD01337號　金剛般若波羅蜜經　（14-1）

佛告須菩提諸菩薩摩訶薩應如是降伏
其心所有一切衆生之類若卵生若胎生若濕
生若化生若有色若无色若有想若无想若
非有想若非无想我皆令入无餘涅槃而滅
度之如是滅度无量无數无邊衆生實无
衆生得滅度者何以故須菩提若菩薩有我想
人想衆生想壽者想即非菩薩
復次須菩提菩薩於法應无所住行於布
施所謂不住色布施不住聲香味觸法布
施須菩提菩薩應如是布施不住於相何以
故若菩薩不住相布施其福德不可思量須
菩提於意云何東方虛空可思量不不也世
尊須菩提南西北方四維上下虛空可思量不
不也世尊須菩提菩薩无住相布施福德亦
復如是不可思量須菩提菩薩但應如所教
住須菩提於意云何可以身相見如來不不也
世尊不可以身相得見如來何以故如來所
說身相即非身相佛告須菩提凡所有相
皆是虛妄若見諸相非相則見如來
須菩提白佛言世尊頗有衆生得聞如是
言說章句生實信不佛告須菩提莫作是說
如來滅後後五百歲有持戒脩福者於此
章句能生信心以此為實當知是人不於一佛二
佛三四五佛而種善根已於无量千万佛所種
諸善根聞是章句乃至一念生淨信者須菩
提如來悉知悉見是諸衆生得如是无量福德何

BD01337號　金剛般若波羅蜜經　（14-2）

章句能生信心以此為實當知是人不於一佛二
佛三四五佛而種善根已於无量千万佛所種
諸善根聞是章句乃至一念生淨信者須菩
提如來悉知悉見是諸衆生得如是无量福德何
以故是諸衆生无復我相人相衆生相壽者相
无法相亦无非法相何以故是諸衆生若心
取相則為着我人衆生壽者何以故若取法
相即着我人衆生壽者何以故若取非法相
即着我人衆生壽者是故不應取法不應取
非法以是義故如來常說汝等比丘知我說法
如筏喻者法尚應捨何况非法
須菩提於意云何如來得阿耨多羅三藐三
菩提耶如來有所說法耶須菩提言如我解
佛所說義无有定法名阿耨多羅三藐三菩
提亦无有定法如來可說何以故如來所說
法皆不可取不可說非法非非法所以者何
一切賢聖皆以无為法而有差別
須菩提於意云何若人滿三千大千世界七寶
以用布施是人所得福德寧為多不須菩
言提甚多世尊何以故是福德即非福德性
是故如來說福德多若復有人於此經中乃
至受持四句偈等為他人說其福勝彼何以
故須菩提一切諸佛及諸佛阿耨多羅三藐
三菩提法皆從此經出須菩提所謂佛法者
即非佛法
須菩提於意云何須陀洹能作是念我得

BD01337號　金剛般若波羅蜜經　（14–3）

故須菩提一切諸佛及諸佛阿耨多羅三藐
三菩提法皆從此經出須菩提所謂佛法者
即非佛法
須菩提於意云何須陀洹能作是念我得
須陀洹果不須菩提言不也世尊何以故須
陀洹名為入流而无所入不入色聲香味觸
法是名須陀洹須菩提於意云何斯陀含能作
是念我得斯陀含果不須菩提言不也世尊何以
故斯陀含名一往來而實无往來是名斯陀含
須菩提於意云何阿那含能作是念我得阿那
含果不須菩提言不也世尊何以故阿那含名為
為不來而實无來是故名阿那含須菩提於
意云何羅漢能作是念我得阿羅漢道不
須菩提言不也世尊何以故實无有法名
阿羅漢世尊若阿羅漢作是念我得阿羅
漢道即為着我人衆生壽者世尊佛說我得
无諍三昧人中最為第一是第一離欲阿羅漢我
不作是念我是離欲阿羅漢世尊我若作是念
我得阿羅漢道世尊則不說須菩提是樂阿蘭
那行者以須菩提實无所行而名須菩提是樂
阿蘭那行
佛告須菩提於意云何如來昔在然燈佛所於
法有所得不世尊如來在然燈佛所於法實无
所得須菩提於意云何菩薩莊嚴佛土不
不也世尊何以故莊嚴佛土者則非莊嚴
是名莊嚴是故須菩提諸菩薩摩訶薩應

BD01337號　金剛般若波羅蜜經　（14–4）

法有所得不世尊如來在燃燈佛所於法實无
所得須菩提於意云何菩薩莊嚴佛土不
不也世尊何以故莊嚴佛土者則非莊嚴
是名莊嚴是故須菩提諸菩薩摩訶薩應
如是生清淨心不應住色生心不應住聲香
味觸法生心應无所住而生其心須菩提譬如有
人身如須弥山王於意云何是身為大不須菩
提言甚大世尊何以故佛說非身是名大身
須菩提如恒河中所有沙數如是沙等恒河
於意云何是諸恒河沙寧為多不須菩提言甚
多世尊但諸恒河尚多无數何況其沙須菩
提我今實言告汝若有善男子善女人以七
寶滿尒所恒河沙數三千大千世界以用布
施得福多不須菩提言甚多世尊佛告須菩
提若善男子善女人於此經中乃至受持
四句偈等為他人說而此福德勝前福德
復次須菩提隨說是經乃至四句偈等當知
此處一切世間天人阿脩羅皆應供養如佛
塔廟何況有人盡能受持讀誦須菩提當
是人成就最上第一希有之法若是經典所
在之處則為有佛若尊重弟子
尒時須菩提白佛言世尊當何名此經我等
云何奉持佛告須菩提是經名為金剛般若
波羅蜜以是名字汝當奉持所以者何須菩
提佛說般若波羅蜜則非般若波羅蜜須菩
提於意云何如來有所說法不須菩提白佛

BD01337號　金剛般若波羅蜜經　（14–5）

云何奉持佛告須菩提是經名為金剛般若
波羅蜜以是名字汝當奉持所以者何須菩
提佛說般若波羅蜜則非般若波羅蜜須菩
提於意云何如來有所說法不須菩提白佛
言世尊如來无所說須菩提於意云何三千
大千世界所有微塵是為多不須菩提言甚
多世尊須菩提諸微塵如來說非微塵是名
微塵如來說世界非世界是名世界須菩提
於意云何可以三十二相見如來不不也世尊
不可以三十二相得見如來何以故如來說三十
二相即是非相是名三十二相須菩提若有善
男子善女人以恒河沙等身命布施若復
有人於此經中乃至受持四句偈等為他人
說其福甚多
尒時須菩提聞說是經深解義趣涕淚悲泣
而白佛言希有世尊佛說如是甚深經典我
從昔來所得慧眼未曾得聞如是之經世
若復有人得聞是經信心清淨則生實相當
知是人成就第一希有功德世尊是實相者
則是非相是故如來說名實相世尊我今得
聞如是經典信解受持不足為難若當來世
後五百歲其有眾生得聞是經信解受持
人則為第一希有何以故此人无我相人相眾
生相壽者相所以者何我相即是非相人相
眾生相壽者相即是非相何以故離一切諸
相則名諸佛佛告須菩提如是如是若復有

BD01337號　金剛般若波羅蜜經　（14–6）

人則為第一希有何以故此人无我相人相衆
生相壽者相所以者何我相即是非相人相
衆生相壽者相即是非相何以故離一切諸
相則名諸佛佛告須菩提如是如是若復有
人得聞是經不驚不怖不畏當知是人甚為
希有何以故須菩提如來說第一波羅蜜
非第一波羅蜜是名第一波羅蜜
須菩提忍辱波羅蜜如來說非忍辱波羅
蜜何以故須菩提如我昔為歌利王割截身體
我於尒時无我相无人相无衆生相无壽者相
何以故我於往昔節節支解時若有我相
人相衆生相壽者相應生瞋恨須菩提又念
過去於五百世作忍辱仙人於尒所世无我
相无人相无衆生相无壽者相是故須菩提
菩薩應離一切相發阿耨多羅三藐三菩提
心不應住色生心不應住聲香味觸法生心應
生无所住心若心有住則為非住是故佛
說菩薩心不應住色布施須菩提菩薩為利
益一切衆生應如是布施如來說一切諸相
即是非相又說一切衆生則非衆生須菩提
如來是真語者實語者如語者不誑語者不
異語者須菩提如來所得法此法无實无虛
須菩提若菩薩心住於法而行布施如人入
闇則无所見若菩薩心不住法而行布施如
人有目日光明照見種種色
須菩提當來之世若有善男子善女人能於

須菩提若菩薩心住於法而行布施如人入
闇則无所見若菩薩心不住法而行布施如
人有目日光明照見種種色
須菩提當來之世若有善男子善女人能於
此經受持讀誦則為如來以佛智慧悉知是人
悉見是人皆得成就无量无邊功德
須菩提若有善男子善女人初日分以恒河
沙等身布施中日分復以恒河沙等身布施
後日分亦以恒河沙等身布施如是无量百
千万億劫以身布施若復有人聞此經典信
心不逆其福勝彼何況書寫受持讀誦為人
解說須菩提以要言之是經有不可思議不
可稱量无邊功德如來為發大乘者說為發
最上乘者說若有人能受持讀誦廣為人說
如來悉知是人悉見是人皆得成就不可量不可
稱无有邊不可思議功德如是人等則為荷
擔如來阿耨多羅三藐三菩提何以故須菩
提若樂小法者著我見人見衆生見壽
者見則於此經不能聽受讀誦為人解說須
菩提在在處處若有此經一切世間天人阿
脩羅所應供養當知此處則為是塔皆應
恭敬作礼圍遶以諸華香而散其處
復次須菩提善男子善女人受持讀誦此經
若為人輕賤是人先世罪業應墮惡道以今
世人輕賤故先世罪業則為消滅當得阿耨
多羅三藐三菩提須菩提我念過去无量阿
僧祇劫於然燈佛前得值八百四千万億那

恭敬作禮圍遶以諸華香而散其處
復次須菩提善男子善女人受持讀誦此經
若為人輕賤是人先世罪業應墮惡道以今
世人輕賤故先世罪業則為消滅當得阿耨
多羅三藐三菩提須菩提我念過去无量阿
僧祇劫於然燈佛前得值八百四千万億那
由他諸佛悉皆供養承事无空過者若復有
人於後末世能受持讀誦此經所得功德於
我所供養諸佛功德百分不及一千万億分
乃至筭數譬喻所不能及須菩提若善男子
善女人於後末世有受持讀誦此經所得功德
我若具說者或有人聞心則狂亂狐疑不信
須菩提當知是經義不可思議果報亦不可
思議
尒時須菩提白佛言世尊善男子善女人發阿
耨多羅三藐三菩提心云何應住云何降伏
其心佛告須菩提善男子善女人發阿耨多
羅三藐三菩提者當生如是心我應滅度一
切衆生滅度一切衆生已而无有一衆生實滅
度者何以故若菩薩有我相人相衆生相
壽者相則非菩薩所以者何須菩提實
无有法發阿耨多羅三藐三菩提者須菩提
於意云何如來於然燈佛所有法得阿耨多
羅三藐三菩提不不也世尊如我解佛所說義
佛於然燈佛所无有法得阿耨多羅三藐三
菩提佛言如是如是須菩提實无有法如來
得阿耨多羅三藐三菩提須菩提若有法如來
得阿耨多羅三藐三菩提者然燈佛則不與

BD01337號　金剛般若波羅蜜經　（14–9）

佛於然燈佛所无有法得阿耨多羅三藐三
菩提佛言如是如是須菩提實无有法如來
得阿耨多羅三藐三菩提須菩提若有法如來
得阿耨多羅三藐三菩提者然燈佛則不與
我受記汝於來世當得作佛号釋迦牟尼以
實无有法得阿耨多羅三藐三菩提是故然
燈佛與我受記作是言汝於來世當得作佛号
釋迦牟尼何以故如來者即諸法如義若有
人言如來得阿耨多羅三藐三菩提須菩
提實无有法佛得阿耨多羅三藐三菩提須菩
提如來所得阿耨多羅三藐三菩提於是中
无實无虛是故如來說一切法皆是佛法須
菩提所言一切法者即非一切法是故名一
切法須菩提譬如人身長大須菩提言世
尊如來說人身長大則為非大身是名大身
須菩提菩薩亦如是若作是言我當滅度无
量衆生則不名菩薩何以故須菩提无有法
名為菩薩是故佛說一切法无我无人无衆生
无壽者須菩提若菩薩作是言我當莊嚴
佛土是不名菩薩何以故如來說莊嚴佛土
者即非莊嚴是名莊嚴須菩提若菩薩通
達无我法者如來說名真是菩薩
須菩提於意云何如來有肉眼不如是世尊
如來有肉眼須菩提於意云何如來有天眼
不如是世尊如來有天眼須菩提於意云何
如來有慧眼不如是世尊如來有慧眼須菩

BD01337號　金剛般若波羅蜜經　（14–10）

須菩提於意云何如来有肉眼不如是世尊
如来有肉眼須菩提於意云何如来有天眼
不如是世尊如来有天眼須菩提於意云何
如来有慧眼不如是世尊如来有慧眼須菩
提於意云何如来有法眼不如是世尊如来
有法眼須菩提於意云何如来有佛眼不如
是世尊如来有佛眼
須菩提於意云何恒河中所有沙佛說是沙
不如是世尊如来說是沙須菩提於意云何
如一恒河中所有沙有如是等恒河是諸恒
河所有沙數佛世界如是寧為多不甚多世
尊佛告須菩提尒所國土中所有衆生若干
種心如来悉知何以故如来說諸心皆為非
心是名為心所以者何須菩提過去心不可得
現在心不可得未来心不可得
須菩提於意云何若有人滿三千大千世界
七寶以用布施是人以是因緣得福多不如
是世尊此人以是因緣得福甚多須菩提若
福德有實如来不說得福德多以福德无故
如来說得福德多
須菩提於意云何佛可以具足色身見不不也
世尊如来不應以具足色身見何以故如来
說具足色身即非具足色身是名具足色身
須菩提於意云何如来可以具足諸相見不
不也世尊如来不應以具足諸相見何以故如

BD01337號　金剛般若波羅蜜經　（14–11）

須菩提於意云何佛可以具足色身見不不也
世尊如来不應以具足色身見何以故如来
說具足色身即非具足色身是名具足色身
須菩提於意云何如来可以具足諸相見不
不也世尊如来不應以具足諸相見何以故如
来說諸相具足即非具足是名諸相具足
須菩提汝勿謂如来作是念我當有所說
法莫作是念何以故若人言如来有所說法
即為謗佛不能解我所說故須菩提說法者
无法可說是名說法
須菩提白佛言世尊佛得阿耨多羅三藐三
菩提為无所得耶如是如是須菩提我於阿
耨多羅三藐三菩提乃至无有少法可得是
名阿耨多羅三藐三菩提
復次須菩提是法平等无有高下是名阿耨
多羅三藐三菩提以无我无人无衆生无壽
者脩一切善法則得阿耨多羅三藐三菩提
須菩提所言善法者如来說非善法是名
善法須菩提若三千大千世界中所有諸須彌山
王如是等七寶聚有人持用布施若人以此
般若波羅蜜經乃至四句偈等受持為他
人說於前福德百分不及一百千万億分乃
至筭數譬喻所不能及
須菩提於意云何汝等勿謂如来作是念我
當度衆生須菩提莫作是念何以故實无有
衆生如来度者若有衆生如来度者如来則

BD01337號　金剛般若波羅蜜經　（14–12）

般若波羅蜜経乃至四句偈等受持爲他
人說於前福德百分不及一百千万億分乃
至筭數譬喻所不能及
須菩提於意云何汝等勿謂如來作是念我
當度衆生須菩提莫作是念何以故實无有
衆生如來度者若有衆生如來度者如來則
有我人衆生壽者須菩提如來說有我者則
非有我而凡夫之人以爲有我須菩提凡夫
者如來說則非凡夫
須菩提於意云何可以卅二相觀如來不須
菩提言如是如是以卅二相觀如來佛言須
菩提若以卅二相觀如來者轉輪聖王則是
如來須菩提白佛言世尊如我解佛所說義
不應以卅二相觀如來尒時世尊而說偈言
若以色見我以音聲求我是人行邪道不能見如來
須菩提汝若作是念如來不以具足相故得
阿耨多羅三藐三菩提須菩提莫作是念如
來不以具足相故得阿耨多羅三藐三菩提
須菩提汝若作是念發阿耨多羅三藐三菩
提者說諸法斷滅相莫作是念何以故發
阿耨多羅三藐三菩提者於法不說斷滅相
須菩提若菩薩以滿恒河沙等世界七寶布
施若復有人知一切法无我得成於忍此菩薩
勝前菩薩所得功德須菩提以諸菩薩不
受福德故須菩提白佛言世尊云何菩薩
不受福德須菩提菩薩所作福德不應

BD01337號　金剛般若波羅蜜經　　（14–13）

若以色見我以音聲求我是人行邪道不能見如來
須菩提汝若作是念如來不以具足相故得
阿耨多羅三藐三菩提須菩提莫作是念如
來不以具足相故得阿耨多羅三藐三菩提
須菩提汝若作是念發阿耨多羅三藐三菩
提者說諸法斷滅相莫作是念何以故發
阿耨多羅三藐三菩提者於法不說斷滅相
須菩提若菩薩以滿恒河沙等世界七寶布
施若復有人知一切法无我得成於忍此菩薩
勝前菩薩所得功德須菩提以諸菩薩不
受福德故須菩提白佛言世尊云何菩薩
不受福德須菩提菩薩所作福德不應
貪著是故不受福德
須菩提若有人言如來若來若去若坐若
卧是人不解我所說義何以故如來者无所
従來亦无所去故名如來
須菩提若善男子善女人以三千大千世界
碎爲微塵於意云何是微塵
甚多世尊何以故若是微塵衆
不說是微塵衆所

BD01337號　金剛般若波羅蜜經　　（14–14）

之心如來之心而悲顯現無量無邊如來妙法
皆悉顯現依此法身不可思議摩訶三昧
而得顯現依此法身得現一切大智是故二身
依於三昧依於智慧而得顯現如此法身依
於自體說常說我依大三昧故說於樂依於
大智故說清淨是故如來常住自在安樂清
淨依大三昧一切禪定首楞嚴等一切念處大
法念等大慈大悲一切陁羅尼一切神通一切
自在一切法平等攝受如是佛法悉皆出
現依此大智十力四無所畏四無礙辯一百
八十不共之法一切希有不可思議法悉皆
顯現譬如依如意寶珠無量無邊種種珎
寶悉皆得現如是依大三昧寶依大智慧
寶能出種種無量無邊諸佛妙法善男子
如是法身三昧智慧過一切相不著於相不
可分別非常非斷是名中道雖有分別體無
分別雖有三數而無三體不增不減猶如夢幻
亦無所執亦無能執法體如如是解脫處過
死王境越生死闇一切衆生不能修行所不
能至一切諸佛菩薩之所住處善男子譬如
有人願欲得金處處求覓遂得金礦既得
礦已即便碎之擇取精者鑪中銷鍊得清淨

BD01338號　金光明最勝王經卷二　（15–1）

分別雖有三數而無三體不增不減猶如夢幻
亦無所執亦無能執法體如如是解脫處過
死王境越生死闇一切衆生不能修行所不
能至一切諸佛菩薩之所住處善男子譬如
有人願欲得金處處求覓遂得金礦既得
礦已即便碎之擇取精者鑪中銷鍊得清淨
金隨意迴轉作諸鐶釧種種嚴具雖有諸
用金性不改
復次善男子若善男子善女人求勝解脫修
行世善得見如來及弟子衆得親近已白佛
言世尊何者為善何者不善何者正修得清
淨行諸佛如來及弟子衆見彼問時如是思
惟是善男子善女人欲求清淨欲聽正法即
便為說令其開悟彼既聞已正念憶持發
心修行得精進力除嬾墮障滅一切罪於諸
學處離不尊重息掉悔心入於初地依初地心
除利有情障得入二地於此地中除不逼惱障
入於三地於此地中除心軟淨障入於四地
於此地中除善方便障入於五地於此地
中除見真俗障入於六地於此地中除見行
相障入於七地於此地中除不見滅相障入
於八地於此地中除不見生相障入於九地
於此地中除六通障入於十地於此地中除所知
障除根本心入如來地如來地者由三淨故
名極清淨云何為三一者煩惱淨二者智
淨三者相淨譬如真金鎔銷冶鍊既燒打
已無復塵垢為顯金性本清淨故金體清淨

BD01338號　金光明最勝王經卷二　（15–2）

於此地中除六通障入於十地中除所知
障除根本心入如來地如來地者由三淨故
名極清淨云何爲三一者煩惱淨二者苦
淨三者相淨譬如真金鎔銷冶鍊既燒打
已無復塵垢爲顯金性本清淨故金體清淨
非謂無金譬如濁水澄渟清淨無復滓穢爲
顯水性本清淨故非謂無水如是法身與
煩惱雜苦集除已無復餘習爲顯佛性本清
淨故非謂無體譬如虛空烟雲塵霧之所障
蔽若除屏已是空界淨非謂無空如是法身
一切衆苦悉皆盡故說爲清淨非謂無體譬
如有人於睡夢中見大河水漂泛其身運手
動足截流而渡得至彼岸由彼身心不懈退
故從夢覺已不見有水彼此岸別非謂無心
生死妄想既滅盡已是覺清淨非謂無覺如
是法界一切妄想不復生故說爲清淨非是
諸佛無其實體
復次善男子是法身者惑障清淨能現應
身業障清淨能現化身智障清淨能現法
身譬如依空出電依電出光如是依法身故
能現應身依應身故能現化身由性淨故能
現法身智慧清淨能現應身三昧清淨能現
化身此三清淨是法如如不異如如一味如如解
脫如如究竟如如是故諸佛體無有異善男
子若有善男子善女人說於如來是我大師
若作如是決定信者此人即應深心解了
如來之身無有別異善男子以是義故於諸

如如一味如如解
脫如如究竟如如是故諸佛體無有異善男
子若有善男子善女人說於如來是我大師
若作如是決定信者此人即應深心解了
如來之身無有別異善男子以是義故於諸
境界不正思惟悉皆除斷即知彼法無有二
相亦無分別聖所脩行如如於彼無有二相正
脩行故如是如是一切諸障悉皆得衆清淨
如如法界正智清淨如是如是一切自在具
足攝受皆得成就一切諸障悉皆除滅一切
諸障得清淨故是名真如正智真實之相如
是見者是名聖見是則名爲真實見佛何以
故如實得見法真如故是故諸佛悉能普
見一切如來何以故聲聞獨覺已出三界求
真實境不能知見如是聖人所不知見一切凡
夫皆生疑惑顛倒分別不能得度如兔浮海
必不能過所以者何力微劣故凡夫之人亦
復如是不能通達法如如故然諸如來無分
別心於一切法得大自在具足清淨深智慧
故是自境界不共他故是故諸佛如來於無
量無邊阿僧祇劫不惜身命難行苦行方
得此身最上無比不可思議過言說境是妙
寂靜離諸怖畏
善男子如是知見法真如者無生老死壽命
無限無有睡眠亦無飢渴心常在定無有散
動若於如來起諍論心是則不能見於如來諸
佛所說皆能利益有聽聞者無不解脫諸

善男子如是知見法真如者無生老死壽命
無限無有睡眠亦無飢渴心常在定無有散
動若於如來起諍論心是則不能見於如來諸
佛所說皆能利益有聽聞者無不解脫諸
惡禽獸惡人惡鬼不相逢值由聞法故果報
無盡然諸如來無無記事一切境界無欲知
心生死涅槃無有異想如來所說無不決定
諸佛如來四威儀中無非智攝一切諸法無
有不為慈悲所攝無有不為利益安樂諸
眾生者善男子若有善男子善女人於此金
光明經聽聞信解不墮地獄餓鬼傍生阿蘇
羅道常處人天不生下賤恒得親近諸佛如
來聽受正法常生諸佛清淨國土所以者何
由得聞此甚深法故是善男子善女人則為
如來已知已記當得不退阿耨多羅三藐三菩
提若善男子善女人於此此甚深微妙之法
一經耳者當知是人不謗如來不毀正法不輕
聖眾一切眾生未種善根令得種故已種善
根令增長成熟故一切世界所有眾生皆勸
修行六波羅蜜多
爾時虛空藏菩薩梵釋四王諸天眾等即
從座起偏袒右肩合掌恭敬頂禮佛足白佛言
世尊若所在處講說如是金光明王微妙經
典於其國土有四種利益何者為四一者國王
軍眾強盛無諸怨敵離於疾病壽命延長吉
祥安樂正法興顯二者中宮妃后王子諸臣

BD01338號　金光明最勝王經卷二　(15-5)

從座起偏袒右肩合掌恭敬頂禮佛足白佛言
世尊若所在處講說如是金光明王微妙經
典於其國土有四種利益何者為四一者國王
軍眾強盛無諸怨敵離於疾病壽命延長吉
祥安樂正法興顯二者中宮妃后王子諸臣
和悅無諍離於諂佞王所愛重三者沙門婆
羅門及諸國人修行正法無病安樂無枉
死者於諸福田悉皆修立四者於三時中四
大調適常為諸天增加守護慈悲平等無
傷害心令諸眾生歸敬三寶皆願修習菩提
之行是為四種利益之事世尊我等亦常為知
經故隨逐如是持經之人所在住處為作利
益佛言善哉善哉善男子如是如是汝等應
當勤心流布此妙經王則令正法久住於世
金光明最勝王經夢見懺悔品第四
爾時妙幢菩薩親於佛前聞妙法已歡喜踊
躍一心思惟還至本處於夜夢中見大金鼓
光明晃耀猶如日輪於此光中得見十方無
量諸佛於寶樹下坐琉璃座無量百千大眾
圍繞而為說法見一婆羅門桴擊金鼓出大
音聲聲中演說微妙伽他明懺悔法妙幢聞
已皆悉憶持繫念而住至天曉已無量百
千大眾圍繞持諸供具出王舍城詣鷲峯山
至世尊所禮佛足已布設香華右繞三匝退
坐一面合掌恭敬瞻仰尊顏白佛言世尊我
於夢中見婆羅門以手執桴擊妙金鼓出大
音聲聲中演說微妙伽他明懺悔法我皆

BD01338號　金光明最勝王經卷二　(15-6)

至世尊所礼佛足已布設青華右繞三帀退
坐一面合掌恭敬瞻仰尊顔白佛言世尊我
於夢中見婆羅門以手執桴擊妙金鼓出大
音聲聲中演說微妙伽他明懺悔法我皆
憶持唯願世尊降大慈悲聽我所說即於佛
前而說頌曰
我於昨夜中　夢見大金鼓　其形極姝妙　周遍有金光
猶如盛日輪　光明皆普耀　充滿十方界　咸見於諸佛
在於寶樹下　各處瑠璃座　無量百千衆　恭敬而圍繞
有一婆羅門　以枝擊金鼓　於其鼓聲內　說此妙伽他
金光明鼓出妙聲　遍至三千大千界
能滅三途極重罪　及以人中諸苦厄
由此金鼓聲威力　永滅一切煩惱障
斷除怖畏令安隱　譬如自在牟尼尊
佛於生死大海中　積行修成一切智
能令衆生覺品具　究竟咸歸功德海
由此金鼓出妙聲　普令聞者獲梵響
證得無上菩提果　常轉清淨妙法輪
住壽不可思議劫　隨機說法利群生
能斷煩惱衆苦流　貪瞋癡等皆除滅
若有衆生處惡趣　大火猛焰周遍身
若得聞是妙鼓音　即能離苦歸依佛
皆得成就宿命智　能憶過去百千生
悉皆正念牟尼尊　得聞如來甚深教
由聞金鼓勝妙音　常得親近於諸佛
悉能捨離諸惡業　純修清淨諸善品

BD01338號　金光明最勝王經卷二　（15-7）

若得聞是妙鼓音　即能離苦歸依佛
皆得成就宿命智　能憶過去百千生
悉皆正念牟尼尊　得聞如來甚深教
由聞金鼓勝妙音　常得親近於諸佛
悉能捨離諸惡業　純修清淨諸善品
一切天人有情類　慇重至誠祈願者
得聞金鼓妙音聲　能令所求皆滿足
衆生隨在無間獄　猛火炎熾苦焚身
無有救護處輪迴　聞者能令苦除滅
人天餓鬼傍生中　所有現受諸苦難
得聞金鼓發妙響　皆蒙離苦得解脫
現在十方界　常住兩足尊　願以大悲心　哀愍憶念我
衆生無歸依　亦無有救護　為如是等類　能作大歸依
我先所作罪　極重諸惡業　今對十方前　至心皆懺悔
我不信諸佛　亦不敬尊親　不務修衆善　常造諸惡業
或自恃尊高　種姓及財位　盛年行放逸　常造諸惡業
心恒起邪念　口陳於惡言　不見於過罪　常造諸惡業
恒作愚夫行　無明闇覆心　隨順不善友　常造諸惡業
或因諸戲樂　或復懷憂惱　為貪瞋所纏　故我造諸惡
親近不善人　及由慳嫉意　貧窮行諂誑　故我造諸惡
雖不樂衆過　由有怖畏故　及不得自在　故我造諸惡
或為躁動心　或因瞋恚恨　及以飢渴惱　故我造諸惡
由飲食衣服　及貪愛女人　煩惱火所燒　故我造諸惡
於佛法僧衆　不生恭敬心　作如是衆罪　我今悉懺悔
於獨覺菩薩　亦無恭敬心　作如是衆罪　我今悉懺悔
無知謗正法　不孝於父母　作如是衆罪　我今悉懺悔

BD01338號　金光明最勝王經卷二　（15-8）

由飲食衣服　及貪愛女人　煩惱火所燒　故我造諸惡
於佛法僧衆　不生恭敬心　作如是衆罪　我今悉懺悔
於獨覺菩薩　亦無恭敬心　作如是衆罪　我今悉懺悔
無知謗正法　不孝於父母　作如是衆罪　我今悉懺悔
由愚癡憍慢　及以貪瞋力　作如是衆罪　我今悉懺悔
我於十方界　供養無數佛　當願拔衆生　令離諸苦難
願一切有情　皆令住十地　福智圓滿已　成佛道群迷
我為諸衆生　苦行百千劫　以大智慧力　皆令出苦海
我為諸含識　演說甚深經　最勝金光明　能除諸惡業
若人百千劫　造諸極重罪　暫時能發露　衆惡盡消除
依此金光明　作如是懺悔　由斯能速盡　一切諸苦業
勝定百千種　不思議總持　根力覺道支　修習常無倦
我當至十地　具足珍寶處　圓滿佛功德　濟度生死流
我於諸佛海　甚深功德藏　妙智難思議　皆令得具足
唯願十方佛　觀察護念我　皆以大悲心　哀受我懺悔
我於多劫中　所造諸惡業　由斯生苦惱　哀愍願消除
我造諸惡業　常生憂惱心　於四威儀中　曾無歡樂想
諸佛具大悲　能除衆生怖　願受我懺悔　令得離憂苦
我有煩惱障　及以諸報業　願以大悲水　洗濯令清淨
我先作諸罪　及現造惡業　至心皆發露　咸願得蠲除
未來諸惡業　防護令不起　設令有違者　終不敢覆藏
身三語四種　意業復有三　繫縛諸有情　無始恒相續
由斯三種行　造作十惡業　如是衆多罪　我今皆懺悔
我造諸惡業　苦報當自受　今於諸佛前　至誠皆懺悔
於此贍部洲　及他方世界　所有諸善業　今我皆隨喜
願離十惡業　修行十善道　安住十地中　常見十方佛
我以身語意　所修福智業　願以此善根　速成無上慧

BD01338號　金光明最勝王經卷二　（15–9）

身三語四種　意業復有三　繫縛諸有情　無始恒相續
由斯三種行　造作十惡業　如是衆多罪　我今皆懺悔
我造諸惡業　苦報當自受　今於諸佛前　至誠皆懺悔
於此贍部洲　及他方世界　所有諸善業　今我皆隨喜
願離十惡業　修行十善道　安住十地中　常見十方佛
我以身語意　所修福智業　願以此善根　速成無上慧
我今親對十力前　發露衆多苦難事
凡愚迷惑三有難　恒造極重惡業難
我所積集欲邪難　常起貪愛流轉難
於此世間耽著難　一切愚夫煩惱難
狂心散動顛倒難　及以親近惡友難
於生死中貪染難　瞋癡闇鈍造罪難
生八無暇惡處難　未曾積集功德難
我今皆於最勝前　懺悔無邊罪惡業
我今歸依諸善逝　我禮德海無上尊
如大金山照十方　唯願慈悲哀攝受
身色金光淨無垢　目如清淨紺琉璃
吉祥威德名稱尊　大悲慧日除衆闇
佛日光明常普遍　善淨無垢離諸塵
牟尼月照極清涼　能除衆生煩惱熱
三十二相遍莊嚴　八十隨好皆圓滿
福德難思無與等　如日流光照世間
色如琉璃淨無垢　猶如滿月處虛空
妙頗梨網映金軀　種種光明以嚴飾
於生死苦暴流內　老病憂愁水所漂
如是苦海難堪忍　佛日舒光令永竭
我今稽首一切智　三千世界希有尊

BD01338號　金光明最勝王經卷二　（15–10）

色如琉璃淨無垢　猶如滿月處虛空
妙頗梨網映金軀　種種光明以嚴飾
於生死苦暴流內　老病憂愁水所漂
如是苦海難堪忍　佛日舒光令永竭
我今稽首一切智　三千世界希有尊
光明晃耀紫金身　種種妙好皆嚴飾
如大海水量難知　大地微塵不可數
如妙高山叵稱量　亦如虛空無有際
諸佛功德亦如是　一切有情不能知
於無量劫諦思惟　無有能知德海岸
盡此大地諸山岳　析如微塵能算知
毛端滴海尚可量　佛之功德無能數
一切有情皆共讚　世尊名稱諸功德
清淨相好妙莊嚴　不可稱量知分齊
我之所有眾善業　願得速成無上尊
廣說正法利群生　悉令解脫於眾苦
降伏大力魔軍眾　當轉無上正法輪
久住劫數難思議　充足眾生甘露味
猶如過去諸最勝　六波羅蜜皆圓滿
滅諸貪欲及瞋癡　降伏煩惱除眾苦
願我常得宿命智　能憶過去百千生
亦常憶念牟尼尊　得聞諸佛甚深法
願我以斯諸善業　奉事無邊最勝尊
遠離一切不善因　恒得修行真妙法
一切世界諸眾生　悉皆離苦得安樂
所有諸根不具足　令彼身相皆圓滿
若有眾生遭病苦　身形羸瘦無所依

亦常憶念牟尼尊　得聞諸佛甚深法
願我以斯諸善業　奉事無邊最勝尊
遠離一切不善因　恒得修行真妙法
一切世界諸眾生　悉皆離苦得安樂
所有諸根不具足　令彼身相皆圓滿
若有眾生遭病苦　身形羸瘦無所依
咸令病苦得消除　諸根色力皆充滿
若犯王法當刑戮　眾苦逼迫生憂惱
彼受如斯極苦時　無有歸依能救護
若受鞭杖枷鎖繫　種種苦具切其身
無量百千憂惱時　逼迫身心無暫樂
皆令得免於繫縛　及以鞭杖苦楚事
將臨刑者得令全　眾苦皆令永除盡
若有眾生飢渴逼　令得種種殊勝味
盲者得視聾者聞　跛者能行瘂能語
貧窮眾生獲寶藏　倉庫盈溢無所乏
皆令得受上妙樂　無一眾生受苦惱
一切人天皆樂見　容儀溫雅甚端嚴
悉皆現受無量樂　受用豐饒福德具
隨彼眾生念伎樂　眾妙音聲皆現前
念水即現清涼池　金色蓮華泛其上
隨彼眾生心所念　飲食衣服及牀敷
金銀珍寶妙琉璃　瓔珞莊嚴皆具足
勿令眾生聞惡響　亦復不見有相違
所受容貌悉端嚴　各各慈心相愛樂
世間資生諸樂具　隨心念時皆滿足
所得珍財無悋惜　分布施與諸眾生

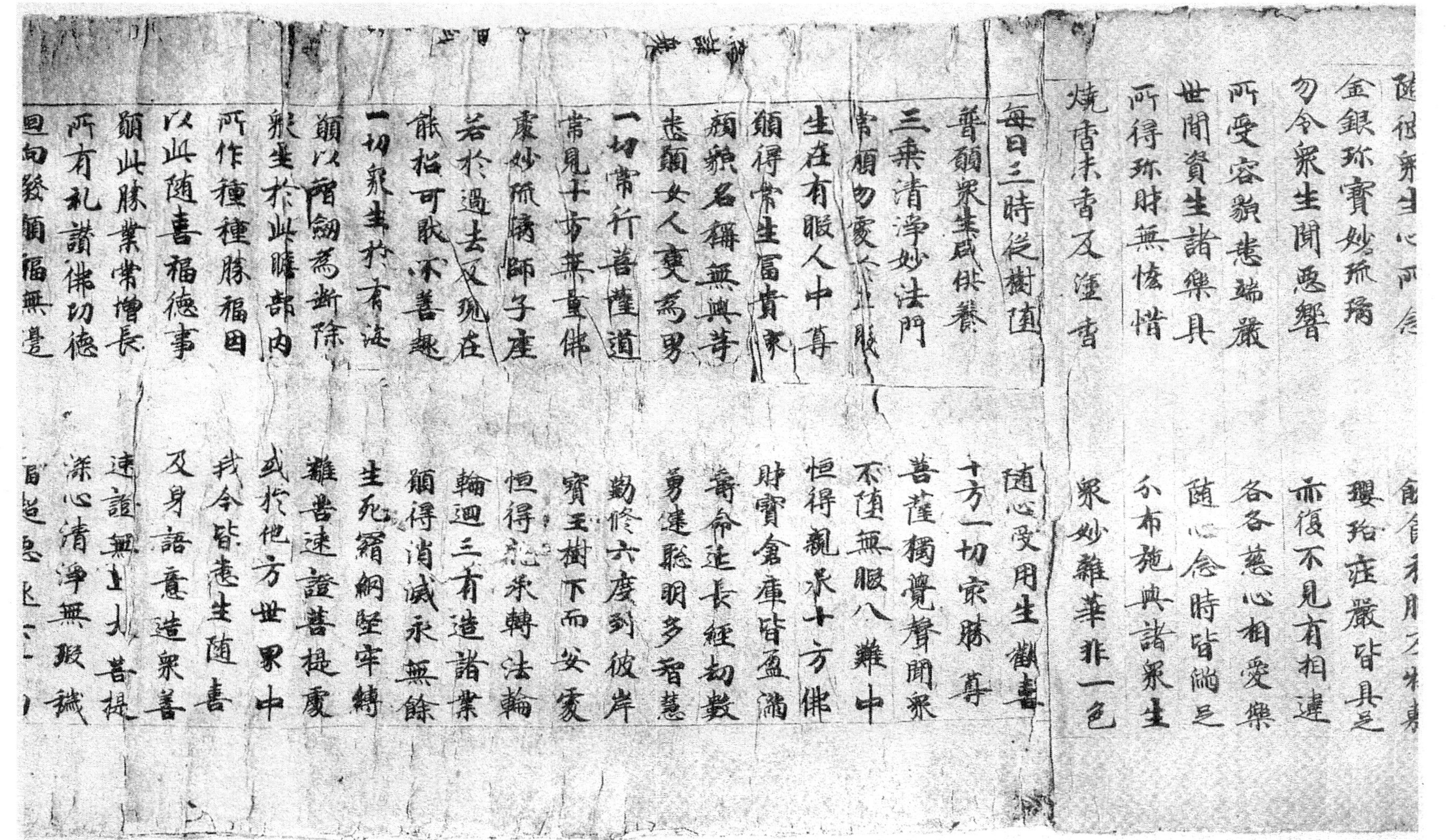

隨彼衆生心所念　飲食衣服及床敷
金銀珎寶妙琉璃　瓔珞莊嚴皆具足
勿令衆生聞惡響　亦復不見有相違
所受容貌悉端嚴　各各慈心相愛樂
世間資生諸樂具　隨心念時皆滿足
所得珎財無悋惜　分布施與諸衆生
燒香末香及塗香　衆妙雜華非一色
每日三時從樹墮　隨心受用生歡喜
普願衆生咸供養　十方一切最勝尊
三乘清淨妙法門　菩薩獨覺聲聞衆
常願勿處於卑賤　不墮無暇八難中
生在有暇人中尊　恒得親承十方佛
願得常生富貴家　財寶倉庫皆盈滿
顏貌名稱無與等　壽命延長經劫數
悉願女人變為男　勇健聰明多智慧
一切常行菩薩道　勤修六度到彼岸
常見十方無量佛　寶王樹下而安處
處妙琉璃師子座　恒得親承轉法輪
若於過去及現在　輪迴三有造諸業
能招可厭不善趣　願得消滅永無餘
一切衆生於有海　生死羂網堅牢縛
願以智劍為斷除　離苦速證菩提處
衆生於此贍部內　或於他方世界中
所作種種勝福田　我今皆悉生隨喜
以此隨喜福德事　及身語意造衆善
願此勝業常增長　速證無上大菩提
所有禮讚佛功德　深心清淨無瑕穢
迴向發願福無邊　當超惡趣六十劫

BD01338號　金光明最勝王經卷二　（15–13）

願以智劍為斷除　離苦速證菩提處
衆生於此贍部內　或於他方世界中
所作種種勝福田　我今皆悉生隨喜
以此隨喜福德事　及身語意造衆善
願此勝業常增長　速證無上大菩提
所有禮讚佛功德　深心清淨無瑕穢
迴向發願福無邊　當超惡趣六十劫
若有男子及女人　婆羅門等諸勝族
合掌一心讚歎佛　生生常憶宿世事
諸根清淨身圓滿　殊勝功德皆成就
願於未來所生處　常得人天共瞻仰
非於一佛十佛所　修諸善根今得聞
百千佛所種善根　方得聞斯懺悔法
爾時世尊聞此說已讚妙幢菩薩言善哉
善哉善男子如汝所夢金鼓出聲讚歎如
來真實功德并懺悔法若有聞者獲福甚
多廣利有情滅除罪障汝今應知此之勝業
皆是過去讚歎發願宿習因緣及由諸佛威
力加護此之因緣當為汝說時諸大衆聞
是法已咸皆歡喜信受奉行

金光明最勝王經卷第二

BD01338號　金光明最勝王經卷二　（15–14）

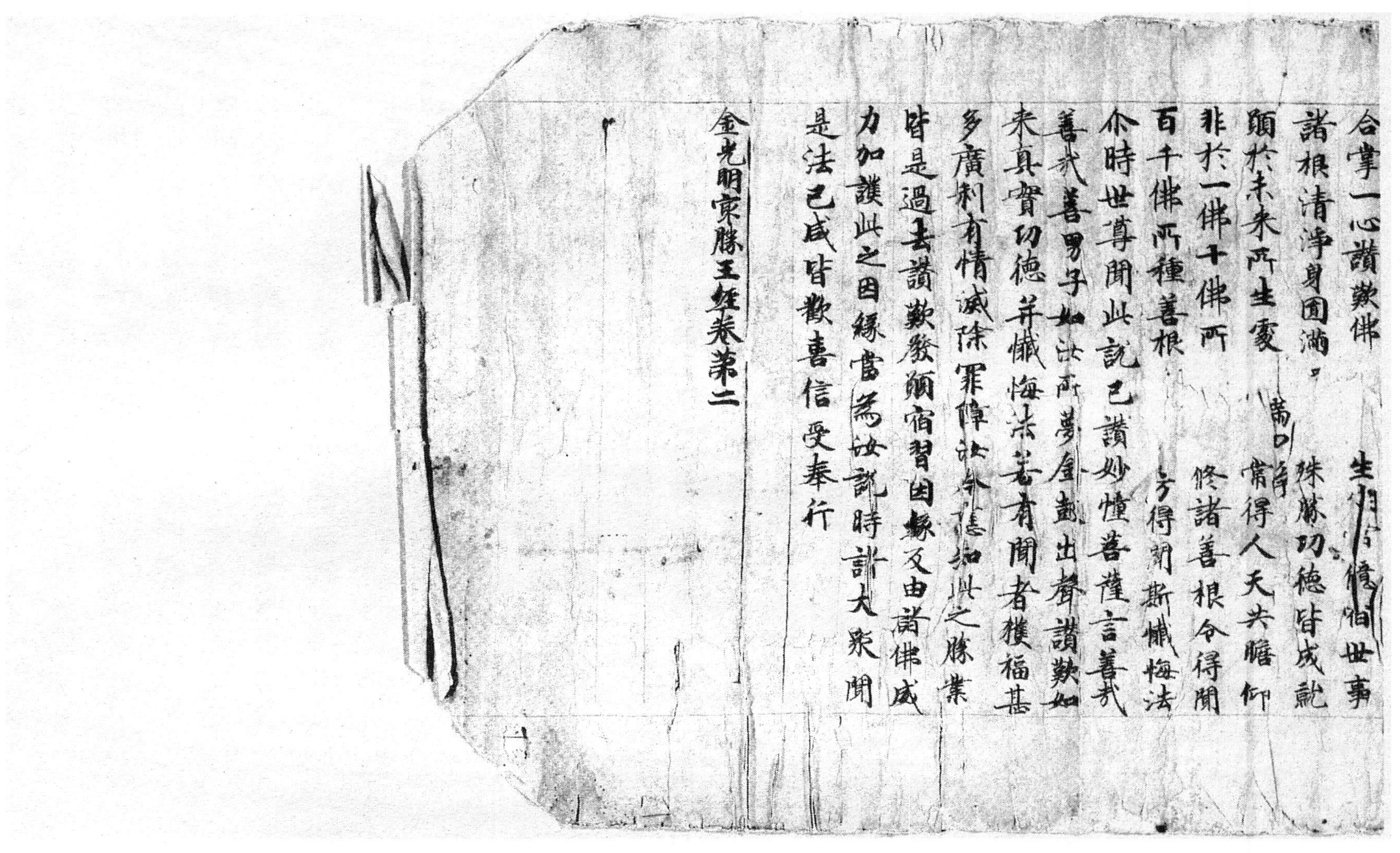

合掌一心讚歎佛　生々憶宿世事
諸根清淨身圓滿　殊勝功德皆成就
願於未來所生處　常得人天共瞻仰
非於一佛十佛所　修諸善根今得聞
百千佛所種善根　方得聞斯懺悔法
介時世尊聞此說已讚妙幢菩薩言善哉
善哉善男子如汝所夢金鼓出聲讚歎如
來真實功德并懺悔法若有聞者獲福甚
多廣利有情滅除罪障汝今應知此之勝業
皆是過去讚歎發願宿習因緣及由諸佛威
力加護此之因緣當為汝說時諸大衆聞
是法已咸皆歡喜信受奉行

金光明最勝王經卷第二

BD01338號　金光明最勝王經卷二　（15–15）

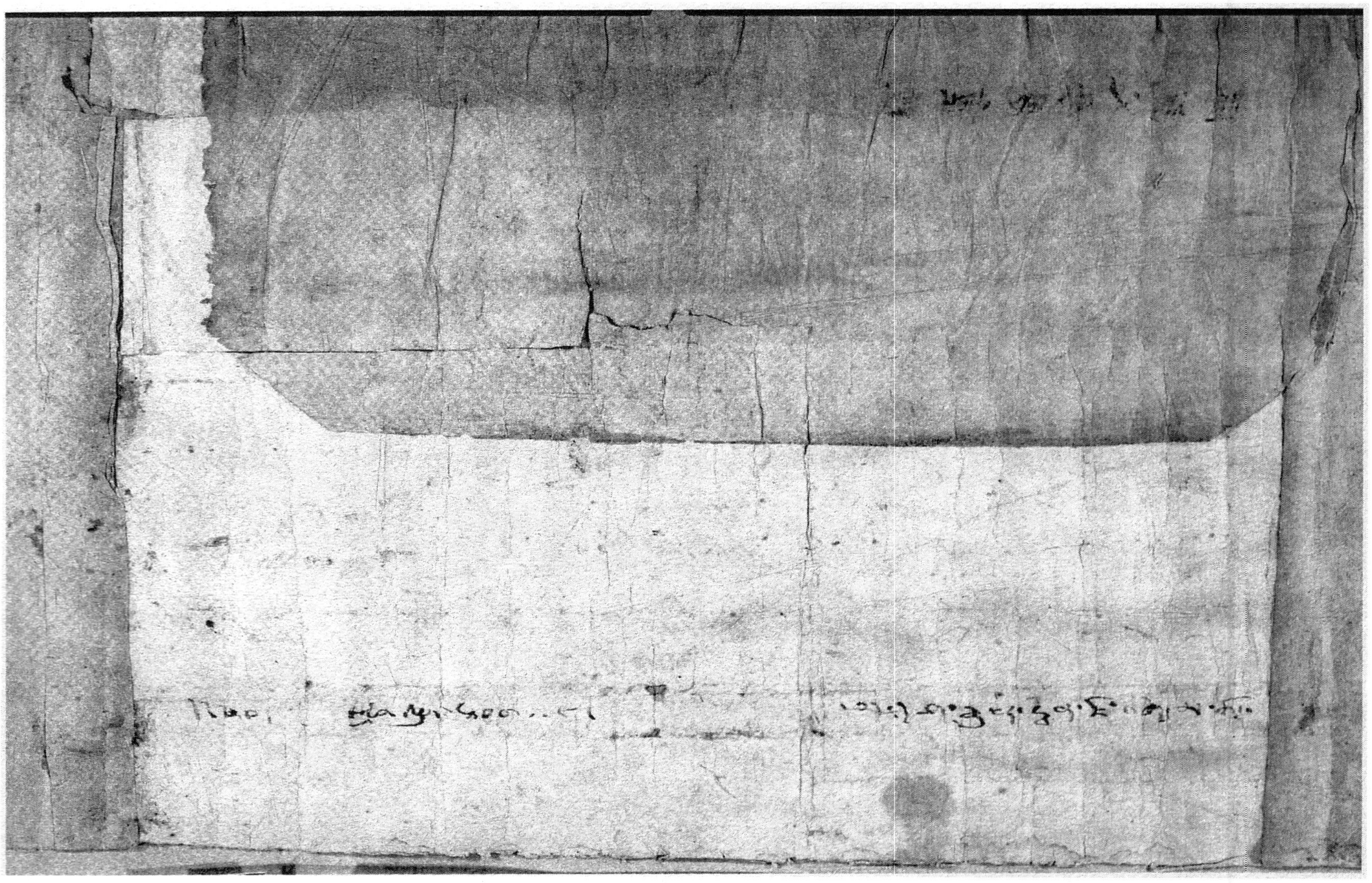

BD01338號背　藏文　（1–1）

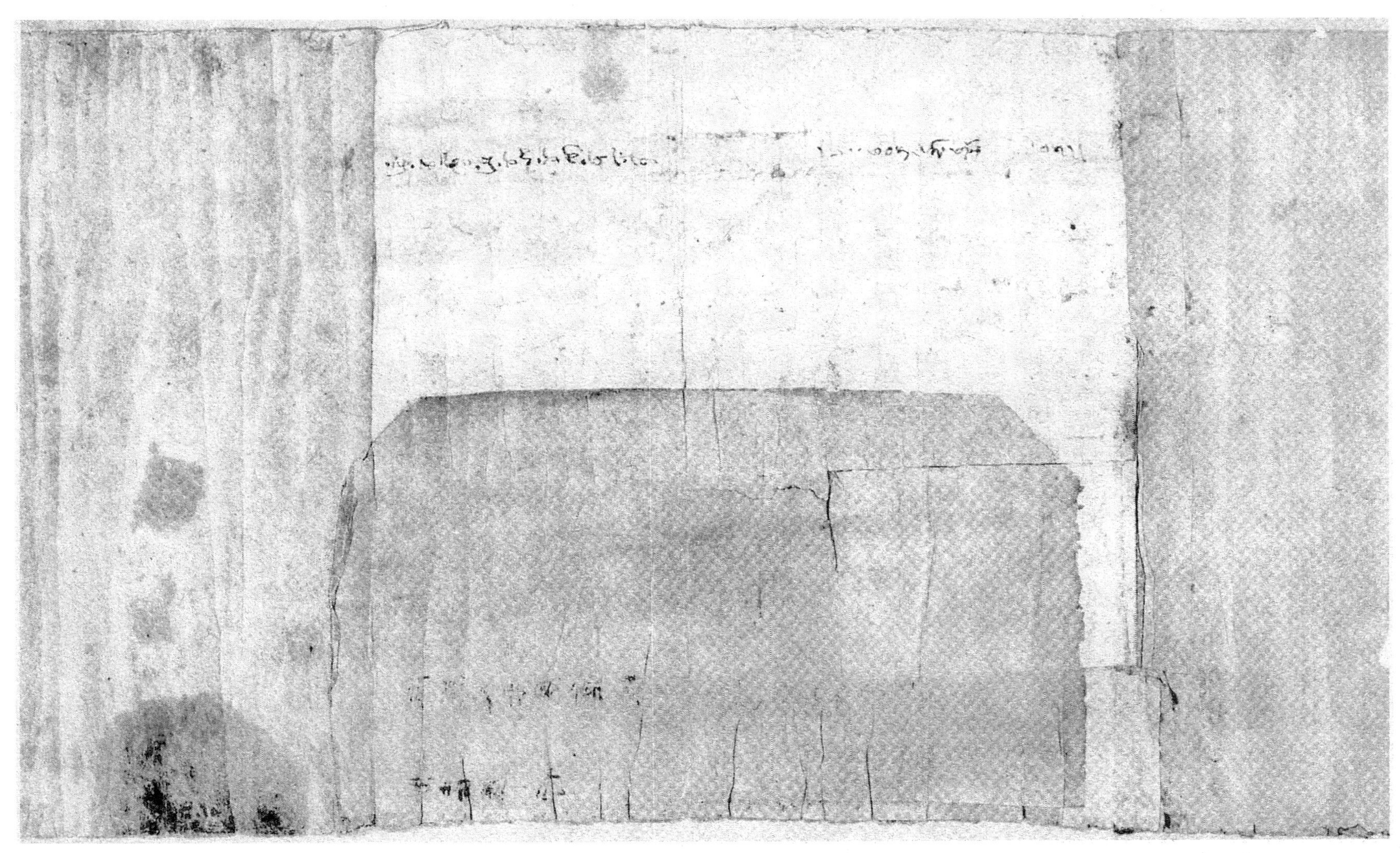

BD01338 號背　經文及藏文雜寫　（1–1）

得知佛

尊云何諸法[illegible]三

子菩提祕密事業造作不可得知離[illegible]

提心亦不可得菩提者不可言說心

生亦不可得知何以故如意[illegible]

菩提亦如是如心如菩提[illegible]生亦如是如衆

生一切三世法亦如是佛言善男子如是菩

薩摩訶薩得名是心通一切法是說菩提

菩提心菩提非過去非未來非現在心亦如

是衆生亦如是於如此中二不可得何以故一

切法无生故菩提不可得菩提[illegible]可得衆

生衆生名不可得聲聞聲聞名不可得緣

覺緣覺名不可得菩薩菩薩名不可得佛佛

名不可得行非行不可得行非行名不可得

於一切寂靜法中而得安住依一切功德善

根而得發出是名初發菩提心譬如寶須弥

山王是名檀波羅蜜因第二發心譬如大地

持一切法事故是名尸波羅蜜因譬如師子臆

長豪獸王有大神力獨步无畏无有戰怖

如是第三心說羼提波羅蜜因譬如風輪那

羅延力勇壯速疾如是第四心不退轉故是毗

梨耶波羅蜜因譬如七寶樓觀有四階道

清涼之風來吹四門如是第五心上種種功

BD01339 號　合部金光明經卷三　（16–1）

長豪獸王有大神力獨歩无畏无有戰怖
如是第三心說羼提波羅蜜曰譬如風輪那
羅延力勇壯速疾如是第四心不退轉故是毗
梨耶波羅蜜曰譬如七寶樓觀有四階道
清涼之風来吹四門如是第五心上種種功
德法藏猶未滿足是名禪那波羅蜜曰譬如日
輪光耀焰盛如是第六心能破滅生死大闇
故是名般若波羅蜜曰譬如大富商主能令
一切心願滿足如是第七心能令得度生死險
惡道故能令得多功德寶故是名方便勝波
波羅蜜曰譬如月淨圓滿如是第八心一切境界
清淨具足故是願波羅蜜曰譬如轉輪聖王
主兵寶臣如意處分如是第九心善能莊嚴
清淨佛土功德普洽廣利一切故是名力波羅
蜜曰譬如虛空及轉輪聖王如是第十心於一
切境界皆悉通達故於一切法自在至灌頂
位故是名智波羅蜜曰佛言善男子如是
十種菩薩摩訶薩菩提心因佛言善男子
依五種法成就菩薩摩訶薩檀波羅蜜何者
為五一者信根二者慈悲三者无求欲心四者攝
受一切衆生五者願求一切智智是善男子
依是五法檀波羅蜜能得成就佛言善男子
依是五法菩薩摩訶薩成就尸波羅蜜何者
為五一者三業清淨二者不為一切衆生作煩
惱因緣三者斷除諸惡道開善道門四者過
於聲聞緣覺之地五者一切功德願滿足故

為五一者三業清淨二者不為一切衆生作煩
惱因緣三者斷除諸惡道開善道門四者過
於聲聞緣覺之地五者一切功德願滿足故
善男子依是五法尸波羅蜜能得成就佛言
善男子又依五法菩薩摩訶薩成就羼提波
羅蜜何者為五一者伏貪瞋煩惱二者不惜
身命不生安樂心息之觀三者思惟往業四
者為欲成熟一切衆生功德善根發慈悲五
者為得甚深无生法忍善男子是名菩薩
摩訶薩成就羼提波羅蜜佛言善男子又依
五法菩薩摩訶薩成就毗梨耶波羅蜜何者
為五一者與諸煩惱不得共住二者福德未具
不得安樂三者一切難行不生猒心四者為欲
利益一切衆生成就大慈悲攝受五者願求不
退轉地善男子是名菩薩摩訶薩成就毗梨
耶波羅蜜佛言善男子又依五法成就菩薩
摩訶薩禪那波羅蜜何等為五一者一切善法
攝受不散二者解脫生死二處不著三者願
得神通為成就衆生善根故四者發心洗浣
法界為清淨心故五者為斷衆生一切煩惱
根故善男子是名菩薩摩訶薩成就禪那波
羅蜜佛言善男子又有五法菩薩摩訶薩成
就般若波羅蜜云何為五一者一切諸佛菩薩聰
慧大智供養親近心无猒足二者諸佛如来說
甚深法心常樂聞无有猒足三者真俗勝智
四者見思煩惱如是勝智能分別斷五者於

就般若波羅蜜云何為五一者一切諸佛菩薩聰
慧大智供養親近心无猒足二者諸佛如来說
甚深法心常樂聞无有猒足三者真俗勝智
四者見思煩惱如是勝智能分別斷五者於
世間五明之法皆悉通達善男子是名菩
薩摩訶薩成就般若波羅蜜佛言善男子又
依五法菩薩摩訶薩成就方便勝智波羅蜜
何者為五一者於一切衆生意欲煩惱行心悉
通達二者无量對治諸法之門心皆曉了三
者大慈大悲入出自在四者於摩訶波羅蜜
多能脩行成熟滿足悉皆願求五者一切佛法
了達攝受皆願求之善男子是名菩薩摩訶
薩成就方便勝智波羅蜜佛言善男子又有
五法菩薩摩訶薩成就願波羅蜜何者為五
一者於一切法本来不生不滅不有不无心安
樂住二者觀一切諸法最妙一切垢清淨心得
安住三者過一切相心如如无作无行不異
不動安心於如四者為利益衆生事於俗諦
中而得安心住五者於奢摩他毗鉢舍那同
時能住善男子是名菩薩摩訶薩成就願波羅
蜜佛言善男子依此五法菩薩摩訶薩成就
力波羅蜜何者為五一者一切衆生心行險
惡智力能解二者能令一切衆生入於甚深
之法三者一切衆生往還生死隨其因緣如
是見知四者於一切衆生三乘智力能分別
知五者如理為種為熟為脫如是說法皆是

惡智力能解二者能令一切衆生入於甚深
之法三者一切衆生往還生死隨其因緣如
是見知四者於一切衆生三乘智力能分別
知五者如理為種為熟為脫如是說法皆是
智力故善男子是名菩薩摩訶薩成就力波
羅蜜佛言善男子復有五法菩薩摩訶薩脩
行成就智波羅蜜何等為五一者於一切法分別
善惡具足智能二者於黑白法遠離攝受具
足智能三者生死涅槃不猒不喜具足智能
四者大福德行大智慧行得度究竟具足智
能五者一切諸佛不共法等及一切智智具足
灌頂智能善男子是名菩薩摩訶薩成就智
波羅蜜曰佛言善男子何者波羅蜜義行道
勝利是波羅蜜義大甚深智滿足是波羅蜜
義行非行法心不執著是波羅蜜義生死過
失涅槃功德正覺正觀是波羅蜜義愚人智
人皆悉攝受是波羅蜜義能現種種珎妙法
寶是波羅蜜義无礙解脫智滿足是波羅蜜
義法界衆生界正分別知是波羅蜜義檀等
及智能令至不退轉地是波羅蜜義能令滿足
无生法忍是波羅蜜義一切衆生功德善根
能令成熟是波羅蜜義於菩提道場佛慧十
力四无畏不共法等成就是波羅蜜義生死
涅槃皆是妄見能度无餘是波羅蜜義濟
度一切是波羅蜜義一切外人来相詰難善
能解釋令其降伏是波羅蜜義能轉十二行

力四无畏不共法等成就是波羅蜜義生死
涅槃皆是妄見能度无餘是波羅蜜義濟
度一切是波羅蜜義一切外人來相詰難善
能解釋令其降伏是波羅蜜義能轉十二行
法輪是波羅蜜義无所著无所見无患累
无異思惟是波羅蜜義是善男子初菩薩
地是相前現三千大千世界无量无邊種種
寶藏皆悉盈滿菩薩悉見善男子菩薩二
地是相前現三千大千世界地平如掌无量无
邊種種妙色清淨之寶莊嚴之具菩薩悉見
善男子菩薩三地是相前現自身勇健鎧仗
莊嚴一切怨賊皆悉摧伏菩薩悉見善男子
菩薩四地是相前現四方風輪種種妙華悉皆
散灑圓滿地上菩薩悉見善男子菩薩五地
是相前現如寶女人一切莊嚴其身頂上散
多那華妙寶瓔珞貫飾身首菩薩悉見善
男子菩薩六地是相前現七寶華池有四階
道金沙遍滿清淨无穢八功德水皆悉盈滿
欝波羅華拘物頭華分陁利華莊嚴其池於
華池所自身遊戲快樂清淨清涼无比菩薩悉
見善男子菩薩七地是相前現左邊右邊
應墮地獄以菩薩力故還得不墮无有損傷
无有痛惱菩薩悉見善男子菩薩八地是
相前現左邊右邊師子臆長豪獸王一切衆
獸悉皆怖畏菩薩悉見善男子菩薩九地是
相前現轉輪聖王无量億衆圍遶供養頂上

BD01339號　合部金光明經卷三　（16–6）

相前現左邊右邊師子臆長豪獸王一切衆
獸悉皆怖畏菩薩悉見善男子菩薩九地是
相前現轉輪聖王无量億衆圍遶供養頂上
白蓋无量衆寶之所莊嚴以覆於上菩薩悉
見善男子菩薩十地是相前現如來之身金
色晃耀无量淨光悉皆圓滿无量億梵王圍
遶恭敬供養轉於无上微妙法輪菩薩悉見
善男子云何初地而名歡喜得出世心昔所未
得而今始得大事大用如意所願悉皆成
就大歡喜慶樂故是故初地名為歡喜地一切
微細之罪破戒過失皆清淨故是故二地說名
无垢地无量智慧光明三昧不可傾動无能
摧伏聞持陁羅尼為作本故是故三地說名
明地能燒煩惱以智慧火增長光明是脩行
道品依處所故是故四地說名焰地是脩行
方便勝智自在難得故見思煩惱不可伏故
是故五地說名難勝地行法相續了了顯現
无相多思惟現前故是故六地說名現前地
无漏无間无相思惟解脫三昧遠脩行故是
地清淨无鄣无礙是故七地說名遠行地无
相正思惟脩得自在諸煩惱行不能令動是
故八地說名不動地說一切種種法而得自在
无患累故增長智慧自在无礙是故九地
說名善慧地法身如虛空智慧如大雲能令
遍滿覆一切故是故第十地說名法雲地地欲
行有相道是无明生死怖畏是无明依二種

BD01339號　合部金光明經卷三　（16–7）

无恚累故增長智慧自在无礙是故九地
說名善慧地法身如虛空智慧如大雲能令
遍滿覆一切故是故第十地說名法雲地地欲
行有相道是无明生死怖畏是无明依二種
麁心是初地鄣微細罪過因无明種種業行
相因无明依二種麁心是二地鄣昔所未得
勝利得故動踊因无明不具聞持陁羅尼因
无明依二種麁心是三地鄣味禪定樂生愛著
心因无明微妙淨法愛因无明依二種麁心是
四地鄣一意欲入涅槃思惟一意欲入生死思
惟是涅槃生死思惟无明為因生死涅槃不
平等思惟无明為因依二種麁心是五地鄣
行法相續了了顯現无明為因法相數數行
至於心无明為因依二種麁心是六地鄣微
細諸相或現不現无明為因一味執思惟
欲斷未得方便无明為因依二種麁心是
七地鄣於无相法多用功力无明為因執
相自在難可得度无明為因依二種麁心是
八地鄣說法无量名味句无量智慧分別无
量未能攝持无明為因四无礙辯未得自在
无明為因依二種麁心是九地鄣最大神通
未得如意无明為因微妙祕密之藏修行未
足无明為因依二種麁心是十地鄣一切境界
微細智礙无明為因未來是礙不更生未得不
更生智无明為因是如來地鄣是善男子於
初菩薩地行向檀波羅蜜於二地行向尸波
羅蜜於三地行向羼提波羅蜜四地行向毗

足无明為因依二種麁心是十地鄣一切境界
微細智礙无明為因未來是礙不更生未得不
更生智无明為因是如來地鄣是善男子於
初菩薩地行向檀波羅蜜於二地行向尸波
羅蜜於三地行向羼提波羅蜜四地行向毗
梨耶波羅蜜五地行向禪那波羅蜜六地行
向般若波羅蜜七地行向方便勝智波羅蜜
八地行向願波羅蜜九地行向力波羅蜜十地
行向智波羅蜜善男子菩薩摩訶薩初發
心名妙寶起三摩提攝受得生第二發心可
愛住三摩提攝受得生第三發心難動三摩
提攝受得生第四發心不退轉三昧攝受得
生第五發心寶華三昧攝受得生第六發心
日圓光焰三昧攝受得生第七發心一切願如
意成就三昧攝受得生第八發心現前證住
三昧攝受得生第九發心智藏三昧攝受得
生第十發心首楞嚴摩伽三昧攝受得生善
男子是諸菩薩摩訶薩十種發心善男子菩
薩摩訶薩於此初地依功德力名陁羅尼得
生尒時世尊而說呪曰
哆緻他　富樓柅（諾履反）　那羅提頭吼頭吼
頭吼　耶跌脩履瑜　烏婆娑底（當履反）　耶跌旃陁
魯提逾多底　多跌陁駱㦸　檀杝波履訶胤
荀留莎（音鎖）呵
善男子是陁羅尼名過一恒河沙數諸佛為
救護初地菩薩誦持此陁羅尼呪得度脫一
切怖畏一切惡獸一切惡鬼人非人等災横

魯提逾多底　多趺陁駱㭰　檀杝波履訶䖸
茍留莎(音鎖)呵
善男子是陁羅尼名過一恒河沙數諸佛為
救護初地菩薩誦持此陁羅尼呪得度脫一
切怖畏一切惡獸一切惡鬼人非人等災横
諸惱解脫五鄣不妄念初地善男子諸菩薩
摩訶薩於此二地善安樂住名陁羅尼得生
哆䪜他　欝社楬離　盲履盲履　欝社嚕社羅袮
禪汁禪汁　欝社楬離　乳栁乳栁　莎訶
善男子是陁羅尼名過二恒河沙數諸佛為救
護二地菩薩誦持此陁羅尼呪得度脫一切
怖畏一切惡獸一切惡鬼人非人等怨賊災
横諸惱解脫五鄣不妄念二地善男子菩薩
摩訶薩於此三地難勝大力名陁羅尼得生
哆䪜他(一其)檀陁枳(畐買反)般陁枳　柯羅智　高剎智
枳由嚕　檀智嚕　莎訶
善男子是陁羅尼名過三恒河沙諸佛為救
護三地菩薩誦持陁羅尼呪得度脫一切怖
畏一切惡獸虎狼師子一切惡鬼人非人等
怨賊災横諸有惱害解脫五鄣不妄念三
地善男子菩薩摩訶薩於此四地大利益
難壞名陁羅尼得生
哆䪜他　尸唎尸唎陁寐(嵗反)抳　陁寐抳
陁邏陁邏抳　尸唎尸唎抳陛　㭢邏婆徒
波豕耶槃陁袮(奴紫反)　莎訶
善男子是陁羅尼名過四恒河沙諸佛為救
護四地菩薩誦持陁羅尼得度一切怖畏一

陁邏陁邏抳　尸唎尸唎抳陛　㭢邏婆徒
波豕耶槃陁袮(奴紫反)　莎訶
善男子是陁羅尼名過四恒河沙諸佛為救
護四地菩薩誦持陁羅尼得度一切怖畏一
切惡獸虎狼師子一切惡鬼人非人等怨賊
災横及諸毒害解脫五鄣不妄念四地善男
子菩薩摩訶薩於此五地種種功德莊嚴名陁
羅尼得生
哆䪜他　呵里呵里抳　遮履遮履抳(鳩羅反)　邏摩
抳　僧伽邏摩抳　𥻘(薩感反)　婆呵沙抳　𥻘婆呵抳
恚馱婆呵抳謨呵抳　鎖壚部叱陛　莎呵
善男子是陁羅尼名過五恒河沙諸佛為救
護五地菩薩誦持陁羅尼得度一切怖畏一切
毒害虎狼師子一切惡鬼人非人等怨賊災
害諸有惱害解脫五鄣不妄念五地善男子
是菩薩摩訶薩於此六地圓智等名陁羅尼
得生
哆䪜他　毗頭嚕毗頭嚕　摩履抳　摩履抳
柯履柯履芟(猜悚反)　頭誘訶底　溜溜溜溜
周栁周栁　杜魯婆杜魯婆　㭢㭢㭢者　婆婆鎖
活私底　薩婆薩埵南恚𢖞顯(吟羣反)卄　曇多
羅波柂　莎呵
善男子是陁羅尼名過六恒河沙諸佛為救
護六地菩薩誦持陁羅尼得度一切怖畏一
切毒害虎狼師子一切惡鬼人非人等怨賊
災横諸有惱害解脫五鄣不妄念六地善男

護六地菩薩誦持陀羅尼得度一切怖畏一
切毒害虎狼師子一切惡鬼人非人等怨賊
災橫諸有惱害解脫五鄣不妄念六地善男
子菩薩摩訶薩於此七地法勝行名陀羅
尼得生
哆姪他　闍呵闍呵漏　闍呵闍呵闍呵漏　毗柳毗柳枳
阿蜜多羅伽呵多柅　波力灑柅　毗柳恥枳　波柳波底
毗提善枳　頻陀毗履柅　蜜栗怛底枳　蒱蔔蒱蔔莎呵
善男子是陀羅尼名過七恒河沙諸佛為救
護七地菩薩誦持此陀羅尼呪得度一切怖畏
一切惡獸虎狼師子一切惡鬼人非人等怨
賊毒害災橫解脫五鄣不妄念七地善男
子菩薩摩訶薩於此八地无盡藏名陀
羅尼得生
哆姪他　死履死履　始履始履　寐底寐底
柯履柯履　呵履呵履　醯柳醯柳　周柳周柳
伴陀可寐　莎訶
善男子是陀羅尼名過八恒河沙諸佛為救
護八地菩薩誦持陀羅尼得度一切怖畏一
切惡獸虎狼師子一切惡鬼人非人等怨賊
毒害災橫解脫五鄣不妄念八地善男子菩
薩摩訶薩於此九地无量門名陀羅尼得生
哆姪他　訶底　栴陀履枳　鳩嵐婆邏體他枳文
汁邏死　伏頭哆伏頭哆死　屎履屎履　柯柰履
柯補脩履　鎖活私底　薩婆薩埵南莎訶
善男子是陀羅尼名過九恒河沙諸佛為救

BD01339號　合部金光明經卷三　（16–12）

哆姪他　訶底　栴陀履枳　鳩嵐婆邏體他枳文
汁邏死　伏頭哆伏頭哆死　屎履屎履　柯柰履
柯補脩履　鎖活私底　薩婆薩埵南莎訶
善男子是陀羅尼名過九恒河沙諸佛為救
護九地菩薩誦持陀羅尼呪得度一切怖畏
一切惡獸虎狼師子一切惡鬼人非人等怨賊
毒害災橫解脫五鄣不妄念九地善男子
菩薩摩訶薩於此十地破壞堅固金剛山名
陀羅尼得生
哆姪他　悉提醯　脩悉提醯　姥者祢
姥者祢　毗目底　阿摩嘿　毗摩嘿
涅摩嘿　曹伽嘿　善頻若伽頻陛　頻那伽伽頻陛醯
婆雱多跋陀提嘿　薩頻跋頻他婆陀柅　摩那死摩訶
那死　遏部吼底　遏揩部吼底　婆羅上提
毗羅上提　遏周底　阿美里底　阿羅上是
毗羅上是婆嵐摩訶寐　婆嵐摩訶嵐寐　富婁祢
富婁那　摩怒邏體　莎呵
善男子是陀羅尼灌頂吉祥句名過十恒河
沙諸佛為救護十地菩薩誦持陀羅尼呪得
度一切怖畏一切惡獸虎狼師子一切惡鬼人
非人等怨賊毒害災橫解脫五鄣不妄念十
地尒時師子相无礙光焰菩薩即從座起偏
袒右肩右膝著地合掌恭敬頂礼佛足即以
偈頌而讚歎佛
敬礼无譬喻　說深无相義　衆生失於見　世尊能濟度
世尊佛眼故　无見一法相　无上尊法眼　見不思議義

BD01339號　合部金光明經卷三　（16–13）

袒右肩右膝著地合掌恭敬頂礼佛足即以
偈頌而讚歎佛
敬礼无辟喻　說深无相義　衆生失於見　世尊能濟度
世尊佛眼故　无見一法相　无上尊法眼　見不思議義
不能生一法　亦不滅一法　爲平等見故　尊至无上處
不損生死故　顛尊證涅槃　過二法見故　是故證寂静
世尊知一味　淨品不淨品　不分別界故　獲无上清淨
世尊无邊身　不說一言字　一切弟子衆　飽滿法雨故
衆生相思惟　一切種皆无　困苦諸衆生　世尊普救濟
苦樂常无常　有我无我等　如是衆多義　世尊慧无著
世間不一異　辟如空谷響　不度亦不滅　唯佛能了知
法界无分別　是故无異乘　爲度衆生故　分別說三乘
是時大自在梵王於大會中從座而起偏袒右
肩右膝著地合掌恭敬頂礼佛足而白佛言
世尊希有難量是金光明經微妙之義究
竟滿足皆能成就一切佛法一切佛恩佛言如
是如是善男子如汝所說善男子若得聽聞
是金光明經一切菩薩不退阿耨多羅三藐三
菩提何以故善男子是不退地菩薩成熟善
根是第一印是金光明微妙經典衆經之王故
得聽聞受持讀誦何以故善男子若一切衆
生未種善根未成熟善根未親近諸佛不得
聽聞是金光明經善男子是金光明經以
聽聞受持故是善男子善女人一切罪鄣
悉能除滅得極清淨常得見佛不離世尊常
聞妙法常聽正法生不退地師子勝人而得
親近不相遠離无盡无減海印出妙功德陁

聽聞受持故是善男子善女人一切罪鄣
悉能除滅得極清淨常得見佛不離世尊常
聞妙法常聽正法生不退地師子勝人而得
親近不相遠離无盡无減海印出妙功德陁
羅尼无盡无減衆生意行言語通達陁羅尼
无盡无減日圓无垢相光陁羅尼无盡无減
滿月相光陁羅尼无盡无減能伏一切惑事
功德流陁羅尼无盡无減破壞堅固金剛山
陁羅尼无盡无減說不可說義因緣藏陁羅
尼无盡无減真實語言法則音聲通達陁羅
尼无盡无減虛空无垢心行印陁羅尼无盡
无減无邊佛身能顯現陁羅尼善男子如是
諸陁羅尼等得成就故菩薩摩訶薩於十方一
切佛土諸化佛身說无上種種正法於法如
如不動不去不來善能成熟一切衆生善根
亦不見一切衆生可成熟者說種種諸法於
諸言辭不動不去不住不來能現生滅向无
生滅說諸行法无所去來一切法无異故說
是金光明經已三万億菩薩摩訶薩得无生
法忍无量諸菩薩不退菩提心无量无邊比
丘得法眼淨无量衆生發菩提心尒時世尊
而說偈言
逆生死流道　甚深微難見　貪欲覆衆生　愚冥暗不見
是時大會之衆從座而起偏袒右肩右膝著
地合掌恭敬頂礼佛足而白佛言若有處處
講宣此金光明經是會大衆皆悉往彼爲作
[illegible]

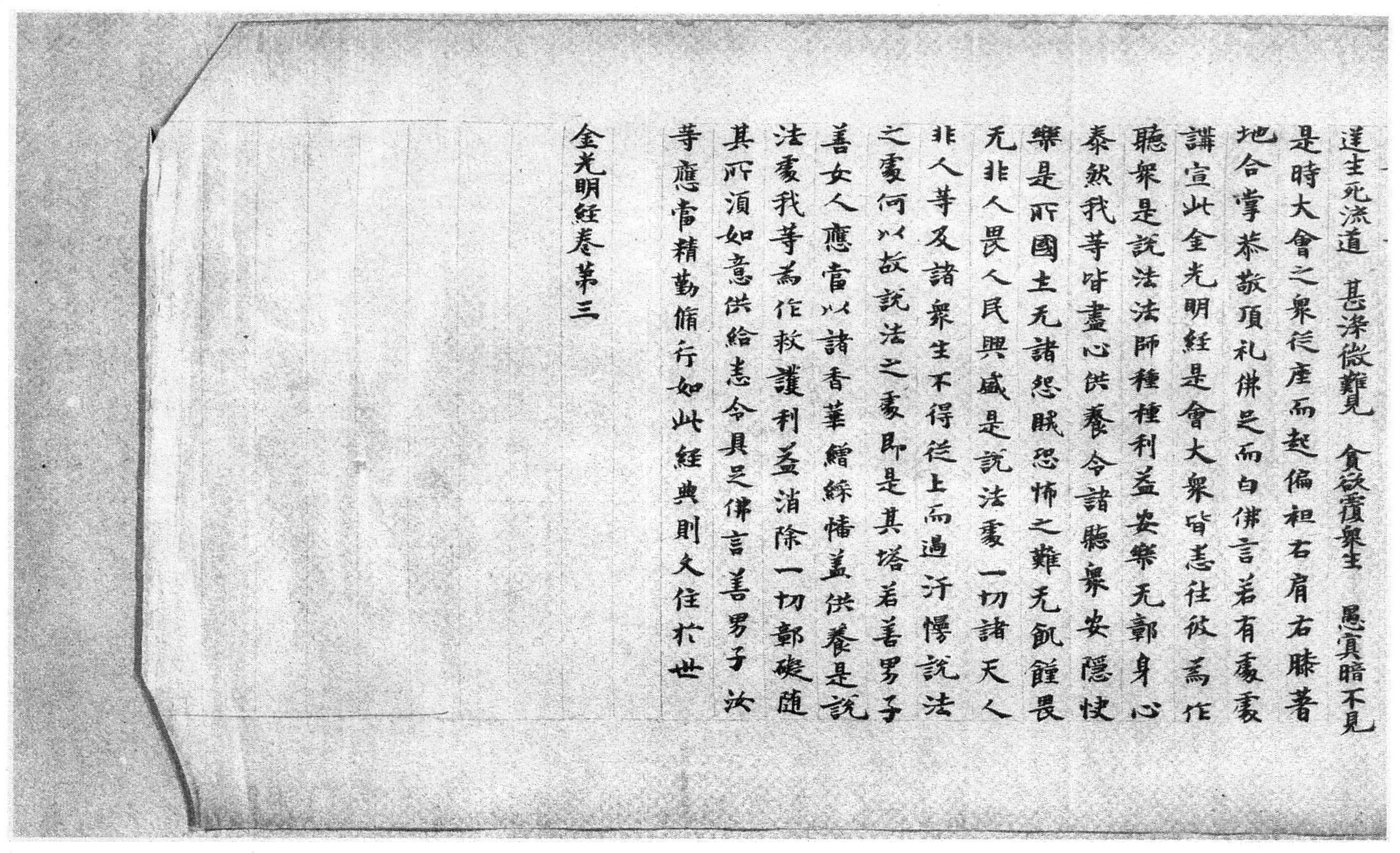

逹生死流道　甚深微難見　貪欲覆衆生　愚冥暗不見
是時大會之衆從座而起偏袒右肩右膝著
地合掌恭敬頂礼佛足而白佛言若有處處
講宣此金光明經是會大衆皆悉往彼爲作
聽衆是説法法師種種利益安樂无鄣身心
泰然我等皆盡心供養令諸聽衆安隱快
樂是所國土无諸怨賊恐怖之難无飢饉畏
无非人畏人民興盛是説法處一切諸天人
非人等及諸衆生不得從上而過汙慢説法
之處何以故説法之處即是其塔若善男子
善女人應當以諸香華繒綵幡蓋供養是説
法處我等爲作救護利益消除一切鄣礙隨
其所須如意供給悉令具足佛言善男子汝
等應當精勤脩行如此經典則久住於世
金光明經卷第三

BD01339號　合部金光明經卷三　（16–16）

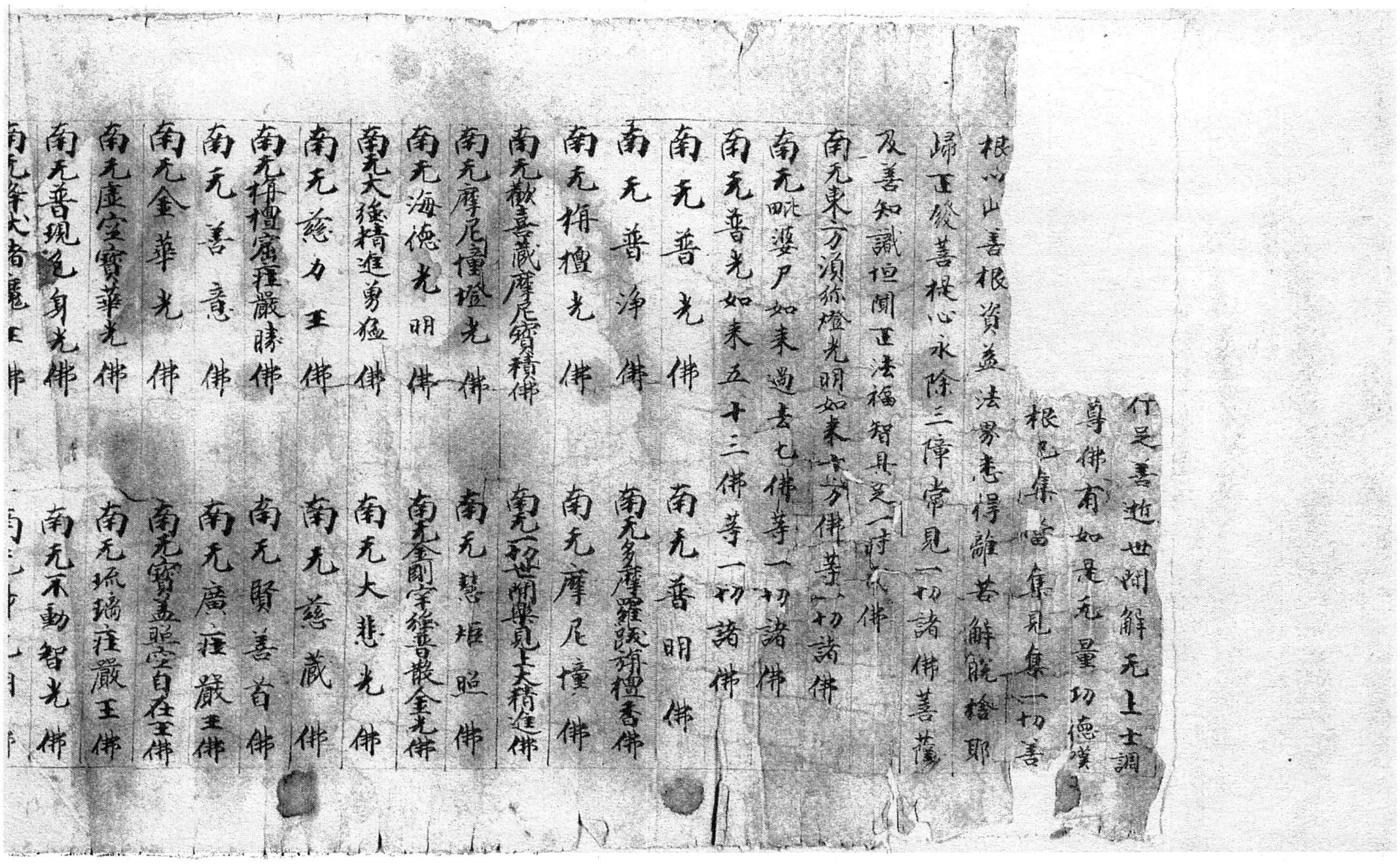

行足善逝世間解无上士調
尊佛有如是无量功德歎
根已集當集見集一切善
根以山善根資益法界悉得離苦解脫檜耶
歸正發菩提心永除三障常見一切諸佛菩薩
及善知識恒聞正法福智具足一時成佛
南无東方須弥燈光明如來十方佛等一切諸佛
南无毗婆尸如來過去七佛等一切諸佛
南无普光如來五十三佛等一切諸佛
南无普光佛　南无普明佛
南无普淨佛　南无多摩羅跋栴檀香佛
南无栴檀光佛　南无摩尼幢佛
南无歡喜藏摩尼寶積佛　南无一切世間樂見上大精進佛
南无摩尼幢燈光佛　南无慧炬照佛
南无海德光明佛　南无金剛牢強普散金光佛
南无大強精進勇猛佛　南无大悲光佛
南无慈力王佛　南无慈藏佛
南无栴檀窟莊嚴勝佛　南无賢善首佛
南无善意佛　南无廣莊嚴王佛
南无金華光佛　南无寶蓋照空自在王佛
南无虛空寶華光佛　南无琉璃莊嚴王佛
南无普現色身光佛　南无不動智光佛
南无[illegible]魔王佛　南[illegible]

BD01340號　七階佛名經　（10–1）

南无總力王佛　南无慈藏佛
南无栴檀窟莊嚴勝佛　南无賢善首佛
南无善意佛　南无廣莊嚴王佛
南无金華光佛　南无寶蓋照空自在王佛
南无虛空寶華光佛　南无琉璃莊嚴王佛
南无普現色身光佛　南无不動智光佛
南无降伏諸魔王佛　南无財光明佛
南无智慧勝佛　南无弥勒仙光佛
南无世靜光佛　南无[illegible]
南无龍種上尊王佛　南[illegible]
南无日月珠光佛　南[illegible]
南无師子吼自在力王佛　南[illegible]
南无常光幢佛　南无[illegible]
南无慧威燈王佛　南无[illegible]
南无須弥光佛　南无[illegible]華光佛
南无優曇鉢羅花殊勝王佛　南无大慧力王佛
南无阿閦毗歡喜光佛　南无無量音聲王佛
南无財光佛　南无金海光佛
南无海慧自在通王佛　南无大通光佛
南无一切法常滿王佛　乃往過去久遠舊住娑婆世界成熟衆生而般涅槃者
有善男子善女人及餘一切衆生得聞是五十三佛名者是人於千万億阿
僧祇不墮惡道若復有人能稱是五十三佛名者是人於千生之中常
得值遇十方諸佛若復有人能至心敬礼五十三佛者除滅四重五逆誹謗
方等經皆悉清淨以是諸佛本誓願故於念念中即得除滅如上諸罪
南无東方善德如來十方佛等一切諸佛
南无拘那提如來賢劫千佛等一切諸佛
南无釋迦牟尼如來三十五佛等一切諸佛
南无釋迦牟尼佛　南无金剛不壞佛
南无寶光佛　南无龍尊王佛

BD01340 號　七階佛名經　（10–2）

方等經皆悉清淨以是諸佛本誓願故於念念中即得除滅如上諸罪
南无東方善德如來十方佛等一切諸佛
南无拘那提如來賢劫千佛等一切諸佛
南无釋迦牟尼如來三十五佛等一切諸佛
南无釋迦牟尼佛　南无金剛不壞佛
南无寶光佛　南无龍尊王佛
南无精進軍佛　南无精進喜佛
南无寶火佛　南无寶月光佛
南无現无愚佛　南无寶月佛
南无无垢佛　南无離垢佛
南无勇施佛　南无清淨佛
南无清淨施佛　南无娑留那佛
南无水天佛　南无堅德佛
南无栴檀功德佛　南无无量掬光佛
南无光德佛　南无无優德佛
南无那羅延佛　南无功德華佛
南无蓮華光遊戲神通佛　南无財功德佛
南无德念佛　南无善名稱功德佛
南无紅炎幢王佛　南无善遊步功德佛
南无鬪戰勝佛　南无善遊步佛
南无周匝莊嚴功德佛　南无寶華遊步佛
南无寶蓮華善住娑羅樹王佛　藥王藥上經空有其目而无名号此卅五佛名出決定毗尼經
南无東方阿閦如來十方无量佛等一切諸佛
南无寶集如來二十五佛等一切諸佛
南无寶集佛　南无寶勝佛
南无成就盧舍那佛　南无盧舍那鏡像佛
南无盧舍那光明佛　南无不動佛
南无大光明佛　南无无量聲如來　三唱

BD01340 號　七階佛名經　（10–3）

南无寶蓮華善住娑羅樹王佛　藥王藥上經空有其目而无名号此卅五佛名出決定毗尼經
南无東方阿閦如來十方无量佛等一切諸佛
南无寶集如來二十五佛等一切諸佛
南无寶集佛　南无寶勝佛
南无成就盧舍那佛　南无盧舍那鏡像佛
南无盧舍那光明佛　南无不動佛
南无大光明佛　南无无量聲如來　三唱三礼
南无阿彌陀劬沙佛　南无大稱佛
南无寶月光明佛　南无得大无畏佛
南无然燈火佛　南无寶聲佛
南无无邊无垢佛　南无月聲佛
南无无邊稱佛　南无日月光明世尊　三唱三礼
南无无垢光明佛　南无清淨光明佛
南无日光明佛　南无无邊寶佛
南无華勝佛　南无妙身佛
南无法光明清淨開敷蓮華佛　此二十五佛名出佛名經第八卷
南无虛空功德清淨微塵等目端正功德相光明
華波頭摩琉璃光寶體香最上香供養訖種種莊
嚴頂髻无量无邊日月光明願力莊嚴變化莊嚴
法界出生无鄣㝵王如來　善男子善女人犯四重五逆誹謗三寶及犯四波羅夷是人罪重假使閻浮履地變爲微塵成於一劫是人有若干劫罪得是一佛名号礼一拜者悉得除滅如上諸罪況復晝夜受持讀誦憶念不忘是人功德不可思議
南无慕相日月光明焰寶蓮華堅如金剛身如毗盧
遮那无鄣㝵眼圓滿十方放光照一切佛剎相王
如來　此二佛名号出十二佛名神呪校量功德除鄣滅罪經
南无過現未來十方三世一切諸佛歸命懺悔如是
等一切世界諸佛世尊常住在世是諸世尊當慈

BD01340號　七階佛名經　（10–4）

南无慕相日月光明焰寶蓮華堅如金剛身如毗盧
遮那无鄣㝵眼圓滿十方放光照一切佛剎相王
如來　此二佛名号出十二佛名神呪校量功德除鄣滅罪經
南无過現未來十方三世一切諸佛歸命懺悔如是
等一切世界諸佛世尊常住在世是諸世尊當慈
念我當憶念我當證知我若我此生若我前生
從无始生死已來所作衆罪若自作教他作見作
随喜若塔若僧若四方僧物若自取若教人取見
取随喜或作五逆无間重罪若自作若教他作見
作随喜十不善道自作教他見作随喜所作罪鄣
或有覆藏或不覆藏應墮地獄餓鬼畜生及諸
惡趣邊地下賤及弥戾車如是等處所作罪鄣
今皆懺悔今諸佛世尊當證知我當憶念我
我復於諸佛世尊前作如是言若我此生若於
餘生曾行布施或守淨戒乃至施與畜生一揣之
食或脩淨行所有善根成就衆生所有善根
脩行菩提所有菩提善根及无上智所有善根
一切合集校計籌量皆悉迴向阿耨多羅三藐
三菩提如過去未來現在諸佛所作迴向我亦如
是迴向
降伏心過惡　及興身四種　已到難伏地　是故礼法王
知一切尒炎　智慧身自在　攝持一切法　是故今敬礼
敬礼過稱量　敬礼无譬類　敬礼无邊法　敬礼難思議
哀愍覆護我　令法種增長　此世及後生　願佛長攝受
南无摩訶般若波羅蜜　是大神呪　是大明呪　是无上呪
是无等等呪　嘆佛相好
天上天下无如佛　十方世界亦无比　世界所有

BD01340號　七階佛名經　（10–5）

敬礼過稱量　敬礼无辟類　敬礼无邊法　敬礼難思議
哀愍覆護我　令法種增長　此世及後生　願佛長攝受
南无摩訶般若波羅蜜　是大神呪　是大明呪　是无上呪
是无等等呪　　嘆佛相好
天上天下无如佛　十方世界亦无比　世界所有
我盡見　一切无有如佛者　讃嘆功德礼念善根
迴施有情成无上道
南无清淨法身毗盧遮那佛　南无圓滿寶身盧舍那佛
南无千百億化身釋迦牟尼佛　南无東方阿閦佛
南无東南方持地佛　南方普滿佛
南无西南方那羅延佛　南无西方无量壽佛
南无西北方月光面佛　南无北方難勝佛
南无東北方寂諸根佛　南无上方无量勝佛
南无下方寶行佛　南无當來下生弥勒尊佛
南无東方解脱虜世界彼世界有如来号虛空功德
清淨微塵等目端正功德相光明華波頭摩瑠
璃光寶體香最上香供養訖種種莊嚴頂髻无
量无邊日月光明願力莊嚴變化莊嚴法界出生
无鄣㝵王如来
南无豪相日月光明焰寶蓮華堅如金剛身毗
盧遮那无鄣㝵眼圓滿十方放光照一切佛剎相
王如来
南无善為上界天仙龍梵八部帝主人王師僧
父母及十方信施法界衆生並願斷除諸鄣歸
命懺悔
我等自從无量劫恒被六賊欺於一相之中而往生
分別眼根常憂色耳分別音聲鼻或嗅餘香

父母及十方信施法界衆生並願斷除諸鄣歸
命懺悔
我等自從无量劫恒被六賊欺於一相之中而往生
分別眼根常憂色耳分別音聲鼻或嗅餘香
舌鎮貪諸味身常樂受觸意相遍攀緣由思
顛倒心故沉輪生死海願我等從今日乃至證善
提六賊翻為成六通三毒變為三解脱同一真如
平等住不捨生死證涅槃恒與六趣濟羣生共
登如来无上道　懺悔已歸命礼三寶
衆罪皆懺悔　諸福盡隨喜　勸佛及功德　願成
无上智　去来現在佛　於衆生最勝　无量功德海　歸
依合掌礼　　至心發願
願衆等生生值諸佛　世世恒聞解脱音　弘誓平
等度衆生　畢竟速成无上道　發願已歸命礼三寶
處世界　如虛空　如蓮華　不著水　心清淨　超於彼
稽首礼　无上尊　　偈誦文
願以此功德　普及於一切　我等與衆生　皆共成佛道
一切恭敬
自歸依佛　當願衆生　體解大道　發无上意
自歸依法　當願衆生　深入經藏　智慧如海
自歸依僧　當願衆生　統理大衆　一切无㝵
願諸衆生　諸惡莫作　諸善奉行　自淨其意
是諸佛教　和南一切賢聖　　无常偈文
諸行无常　是生滅法　生滅滅已　寂滅為樂　如来證涅槃
永斷於生死　若能至心聽　常得无量樂
白衆等聽說黃昏无常偈
人間忩忩營衆務　不覺年命日夜去　如燈風中焰

諸行无常　是生滅法　生滅滅已　寂滅為樂　如來證涅槃
永斷於生死　若能至心聽　常得无量樂
白衆等聽說黄昏无常偈
人間忩忩營衆務　不覺年命日夜去　如燈風中滅
難期　忙忙六道无定處　未得解脫出苦海　云何安
然不驚懼　若能強健有力時　自策自勵求常住
西方日已暮　塵勞猶未除　老病死時至　相看不
久居　念念催年促　猶如少水魚　勸諸行道衆　勤
學至无餘
向禮來懺所脩功德　上報四恩　中及三有　下及法
界衆生　同出苦願　一時成佛
寅朝禮
敬禮毗盧遮那佛　敬禮盧舍那佛　敬禮釋迦牟尼佛
敬禮東方善德佛　敬禮東南方无憂德佛　敬禮南方栴檀
德佛　敬禮西南方寶施佛　敬禮西方无量明佛
敬禮西北方花德佛　敬禮北方相德佛　敬禮東北方三乘行
佛　敬禮上方廣衆德佛　敬禮下方明德佛
敬禮當來下生彌勒尊佛　敬禮過現未來十方三世一切諸佛
敬禮舍利形像无量寶塔　敬禮十二部尊經甚深法藏
敬禮諸大菩薩摩訶薩衆　敬禮聲聞緣覺一切賢聖
為天龍八部諸善神王敬禮常住三寶
為過往師僧恒為道首敬禮常住三寶
為讃普聖化无窮敬禮常住三寶
為太子諸王福延万葉敬禮常住三寶
為文武百官恒居祿位敬禮常住三寶
為師僧父母及善知識敬禮常住三寶
為十方施主六度圓滿敬禮常住三寶
為憂苦衆生願皆離苦敬禮常住三寶

BD01340號　七階佛名經　（10–8）

為讃普聖化无窮敬禮常住三寶
為太子諸王福延万葉敬禮常住三寶
為文武百官恒居祿位敬禮常住三寶
為師僧父母及善知識敬禮常住三寶
為十方施主六度圓滿敬禮常住三寶
為憂苦衆生願皆離苦敬禮常住三寶
為法界有情禮佛懺悔
至心懺悔
十方无量佛　所知无不盡　我今悉於前　發露悔
諸惡　三三合九種　從三煩惱起　今身若前身　是罪皆
懺悔　於三惡道中　若應受業報　願得今身償　不
入惡道受　懺悔已　歸命禮三寶
至心勸請
十方諸如來　現在成道者　我請轉法輪　安樂諸衆
生　十方一切佛　若欲捨壽命　我今頭面禮　勸請令久
住　勸請已　歸命禮三寶
至心隨喜
所有布施福　持戒脩禪慧　從身口意生　去來今
所有習學三乘人　具足一乘者　无量人天福　衆等
皆隨喜　隨喜已　歸命禮三寶
至心迴向
我所作福業　一切皆和合　為度群生故　迴向佛
道　罪應如是懺　勸請隨喜福　迴向於菩提　迴向
已　歸命禮三寶
至心發願
願諸衆生等　悉發菩提心　繫心常思念　十方一切
佛　復願諸衆生　永破諸煩惱　了了見佛性　猶如妙
得得　發願已　歸命禮三寶
白衆等聽說寅朝清淨偈
欲求寂滅樂　當學沙門法　衣食繫身命　精麁隨

BD01340號　七階佛名經　（10–9）

至十方一切佛若欲捨壽命我今頭面礼勸請令久
住勸請已歸命礼三寶　　至心随喜
所有布施福持戒脩禪慧從身口意生去来今
所有習學三乘人具足一乘者无量人天福衆等
皆随喜随喜已歸命礼三寶　　至心迴向
我所作福業一切皆和合為度群生故正迴向佛
道罪應如是懺勸請随喜福迴向於菩提迴向
已歸命礼三寶　　至心發願
願諸衆生等悉發菩提心繫心常思念十方一切
佛復願諸衆生永破諸煩惱了了見佛性猶如妙
得得發願已歸命礼三寶
白衆等聽說寅朝清淨偈
欲求寂滅樂當學沙門法衣食拒身命精麁随
衆等今日寅朝清淨上中下坐各記六念　念佛
念法　念僧　念施　念戒　念天
白衆等聽說初夜无常偈　　夫云何
煩惱深无底生死海无邊渡苦船未立云何樂
睡眠睡眠當覺悟勿令睡覆心勇猛勤精進攝
心恒在禪勤脩六度行菩提道自然
白衆等聽說午時无常偈
人生不精進喻若樹无根採花置日中能得幾
時新花亦不久鮮色亦非真好人命如刹那
須臾難可保是故衆等勤心行道

BD01340 號　七階佛名經　（10–10）

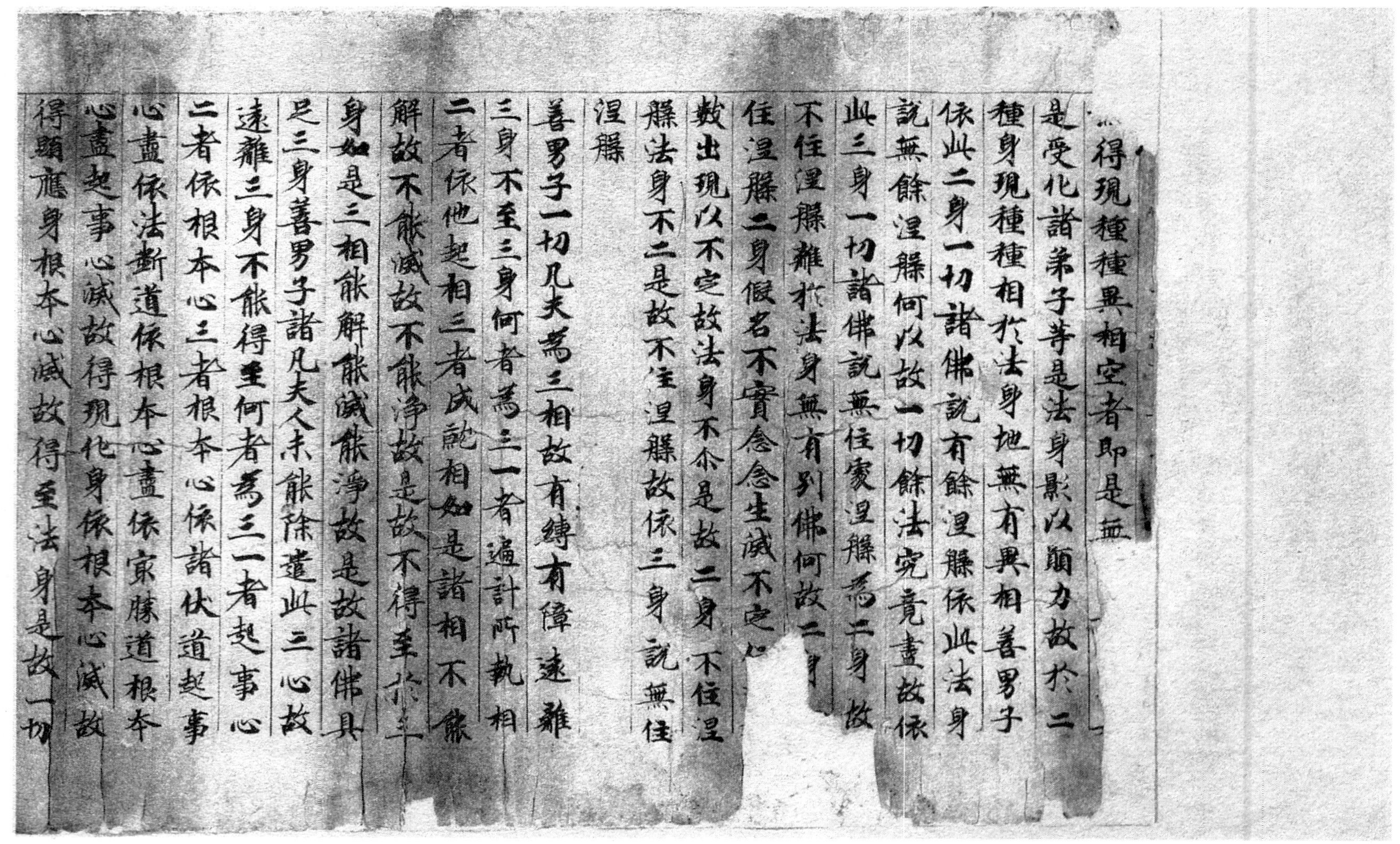
[illegible]得現種種異相空者即是無
是變化諸弟子等是法身影以願力故於二
種身現種種相於法身地無有異相善男子
依此二身一切諸佛說有餘涅槃依此法身
說無餘涅槃何以故一切餘法究竟盡故依
此三身一切諸佛說無住處涅槃為二身故
不住涅槃離於法身無有別佛何故二身
不住涅槃二身假名不實念念生滅不定故
數出現以不定故法身不爾是故二身不住涅
槃法身不二是故不住涅槃故依三身說無住
涅槃
善男子一切凡夫為三相故有縛有障遠離
三身不至三身何者為三一者遍計所執相
二者依他起相三者成就相如是諸相不能
解故不能滅故不能淨故是故不得至於三
身如是三相能解能滅能淨故是故諸佛具
足三身善男子諸凡夫人未能除遣此三心故
遠離三身不能得至何者為三一者起事心
二者依根本心三者根本心依諸伏道起事
心盡依法斷道依根本心盡依最勝道根本
心盡起事心滅故得現化身依根本心滅故
得顯應身根本心滅故得至法身是故一切

BD01341 號　金光明最勝王經卷二　（3–1）

足三身善男子諸凡夫人未能除遣此三心故
遠離三身不能得至何者為三一者起事心
二者依根本心三者根本心依諸伏道起事
心盡依法斷道依根本心盡依最勝道根本
心盡起事心滅故得現化身依根本心滅故
得顯應身根本心滅故得至法身是故一切
如来具足三身
善男子一切諸佛於第一身與諸佛同事於
第二身與諸佛同意於第三身與諸佛同
體善男子是初佛身隨衆生意有多種故
現種種相是故說多第二佛身弟子一意故
現一相是故說一第三佛身過一切種相非執
相境界是故說名不一不二善男子是第一身
依於應身得顯現故是第二身依於法身得
顯現故是法身者是真實有無依處故善男
子如是三身以有義故而說於常以有義故
善男子如是三身以有義故而說於常以有義
故說於無常化身者恒轉法輪處處隨緣方便
相續不斷絕故是故說常非是本故具足大
用不顯現故說為無常應身者從無始来相
續不斷一切諸佛不共之法能攝持故衆生
無盡用亦無盡是故說常非是本故以具足
用不顯現故說為無常法身者非是行法無
有異相是根本故猶如虛空是故說常善男
子離無分別智更無勝智離法如如無勝境
界是法如如是慧如如是二種如如如不一
不異是故法身慧清淨故滅清淨故是二清

BD01341號　金光明最勝王經卷二　（3–2）

……是故說常非是本故以具足
用不顯現故說為無常法身者非是行法無
有異相是根本故猶如虛空是故說常善男
子離無分別智更無勝智離法如如無勝境
界是法如如是慧如如是二種如如如不一
不異是故法身慧清淨故滅清淨故是二清
淨是故法身具足清淨
復次善男子分別三身有四種異有化身非
應身有應身非化身有化身亦應身有非化
身亦非應身何者化身非應身謂諸如来般
涅槃後以願自在故隨緣利益是名化身何
者應身非化身是地前身何者化身亦應身
謂住有餘涅槃之身何者非化身非應身謂
是法身善男子是法身者二無所有所顯現
故何者名為二無所有於此法身相及相處二
皆是無非有非無非一非異非數非非數非
明非闇如是如如智不見相及相處不見非有
非無不見非一非異不見非數非非數不見
非明非闇是故當知境界清淨智慧清淨
不可分別無有中間為滅道本故於此法
身能顯如来種種事業
善男子是身因緣境界處所果依於本難思
議故若了此義是身即是大乘是如来性是
如来藏依於此身得發初心修行地心而得
顯現不退地心亦皆得見一生補處心

BD01341號　金光明最勝王經卷二　（3–3）

飾安隱豐樂天人熾盛瑠璃爲地有八交道
黄金爲繩以界其側其傍各有七寶行樹常
有華菓華光如来亦以三乘教化衆生舍利
弗彼佛出時雖非惡世以本願故說三乘法
其劫名大寶莊嚴何故名曰大寶莊嚴其國
中以菩薩爲大寶故彼諸菩薩无量无邊不
可思議筭數譬喻所不能及非佛智力无能
知者若欲行時寶華承足此諸菩薩非初發
意皆久殖德本於无量百千万億佛所淨脩
梵行恒爲諸佛之所稱歎常脩佛慧具大神
通善知一切諸法之門質直无僞志念堅固
如是菩薩充滿其國舍利弗華光佛壽十二
小劫除爲王子未作佛時其國人民壽八小
劫華光如来過十二小劫授堅滿菩薩阿耨
多羅三藐三菩提記告諸比丘是堅滿菩薩
次當作佛号曰華足安行多陁阿伽度阿羅
訶三藐三佛陁其佛國土亦復如是舍利弗
是華光佛滅度之後正法住世三十二小劫
像法住世亦三十二小劫尒時世尊欲重宣
此義而說偈言
舍利弗来世　成佛普智尊　号名曰華光　當度无量衆

BD01342號　妙法蓮華經卷二　（5–1）

次當作佛号曰華足安行多陁阿伽度阿羅
訶三藐三佛陁其佛國土亦復如是舍利弗
是華光佛滅度之後正法住世三十二小劫
像法住世亦三十二小劫尒時世尊欲重宣
此義而說偈言
舍利弗来世　成佛普智尊　号名曰華光　當度无量衆
供養无數佛　具足菩薩行　十力等功德　證於无上道
過无量劫已　劫名大寶嚴　世界名離垢　清淨无瑕穢
以瑠璃爲地　金繩界其道　七寶雜色樹　常有華菓實
彼國諸菩薩　志念常堅固　神通波羅蜜　皆已悉具足
於无數佛所　善學菩薩道　如是等大士　華光佛所化
佛爲王子時　弃國捨世榮　於冣末後身　出家成佛道
華光佛住世　壽十二小劫　其國人民衆　壽命八小劫
佛滅度之後　正法住於世　三十二小劫　廣度諸衆生
正法滅盡已　像法三十二　舍利廣流布　天人普供養
華光佛所爲　其事皆如是　其兩足聖尊　冣勝无倫匹
彼即是汝身　宜應自欣慶
尒時四部衆比丘比丘尼優婆塞優婆夷天
龍夜叉乾闥婆阿脩羅迦樓羅緊那羅摩睺
羅伽等大衆見舍利弗於佛前受阿耨多羅
三藐三菩提記心大歡喜踊躍无量各各脫
身所著上衣以供養佛釋提桓因梵天王等
與无數天子亦以天妙衣天曼陁羅華摩訶
曼陁羅華等供養於佛所散天衣住虛空中
而自迴轉諸天伎樂百千万種於虛空中一
時俱作雨衆天華而作是言佛昔於波羅柰

BD01342號　妙法蓮華經卷二　（5–2）

身所著上衣以供養佛釋提桓因梵天王等
與无數天子亦以天妙衣天曼陁羅華摩訶
曼陁羅華等供養於佛所散天衣住虛空中
而自迴轉諸天伎樂百千万種於虛空中一
時俱作雨衆天華而作是言佛昔於波羅柰
初轉法輪今乃復轉无上㝡大法輪尒時諸
天子欲重宣此義而說偈言
昔於波羅柰　轉四諦法輪　分別說諸法　五衆之生滅
今復轉㝡妙　无上大法輪　是法甚深奧　少有能信者
我等從昔來　數聞世尊說　未曾聞如是　深妙之上法
世尊說是法　我等皆隨喜　大智舍利弗　今得受尊記
我等亦如是　必當得作佛　於一切世間　㝡尊无有上
佛道叵思議　方便隨宜說　我所有福業　今世若過世
及見佛功德　盡迴向佛道
尒時舍利弗白佛言世尊我今无復疑悔親
於佛前得受阿耨多羅三藐三菩提記是諸
千二百心自在者昔住學地佛常教化言我
法能離生老病死究竟涅槃是學无學人亦
各自以離我見及有无見等謂得涅槃而今
於世尊前聞所未聞皆墮疑惑善哉世尊願
為四衆說其因緣令離疑悔尒時佛告舍利弗
我先不言諸佛世尊以種種因緣譬喻言辞
方便說法皆為阿耨多羅三藐三菩提耶是
諸所說皆為化菩薩故然舍利弗今當復以
譬喻更明此義諸有智者以譬喻得解舍利

BD01342號　妙法蓮華經卷二　（5–3）

為四衆說其因緣令離疑悔尒時佛告舍利弗
我先不言諸佛世尊以種種因緣譬喻言辞
方便說法皆為阿耨多羅三藐三菩提耶是
諸所說皆為化菩薩故然舍利弗今當復以
譬喻更明此義諸有智者以譬喻得解舍利
弗若國邑聚落有大長者其年衰邁財富无
量多有田宅及諸僮僕其家廣大唯有一門
多諸人衆一百二百乃至五百人止住其中
堂閣朽故墻壁頹落柱根腐敗梁棟傾危周
帀俱時欻然火起焚燒舍宅長者諸子若十
二十或至三十在此宅中長者見是大火從
四面起即大驚怖而作是念我雖能於此所
燒之門安隱得出而諸子等於火宅內樂著
嬉戲不覺不知不驚不怖火來逼身苦痛切
己心不猒患无求出意舍利弗是長者作是
思惟我身手有力當以衣裓若以几案從舍
出之復更思惟是舍唯有一門而復狹小諸
子幼稚未有所識戀著戲處或當墮落為火
所燒我當為說怖畏之事此舍已燒宜時疾
出无令為火之所燒害作是念已如所思惟
具告諸子汝等速出父雖憐愍善言誘喻而
諸子等樂著嬉戲不肯信受不驚不畏了无
出心亦復不知何者是火何者為舍云何為
失但東西走戲視父而已尒時長者即作是
念此舍已為大火所燒我及諸子若不時出
必為所焚我今當設方便令諸子等得免斯

BD01342號　妙法蓮華經卷二　（5–4）

四面起即大驚怖而作是念我雖能於此所
燒之門安隱得出而諸子等於火宅內樂著
嬉戲不覺不知不驚不怖火來逼身苦痛切
己心不猒患无求出意舍利弗是長者作是
思惟我身手有力當以衣裓若以几案從舍
出之復更思惟是舍唯有一門而復狹小諸
子幼稚未有所識戀著戲處或當墮落為火
所燒我當為說怖畏之事此舍已燒宜時疾
出无令為火之所燒害作是念已如所思惟
具告諸子汝等速出父雖憐愍善言誘喻而
諸子等樂著嬉戲不肯信受不驚不畏了无
出心亦復不知何者是火何者為舍云何為
失但東西走戲視父而已尒時長者即作是
念此舍已為大火所燒我及諸子若不時出
必為所焚我今當設方便令諸子等得免斯
害父知諸子先心各有所好種種珎玩奇異
之物情必樂著而告之言汝等所可玩好希

BD01342號　妙法蓮華經卷二　（5–5）

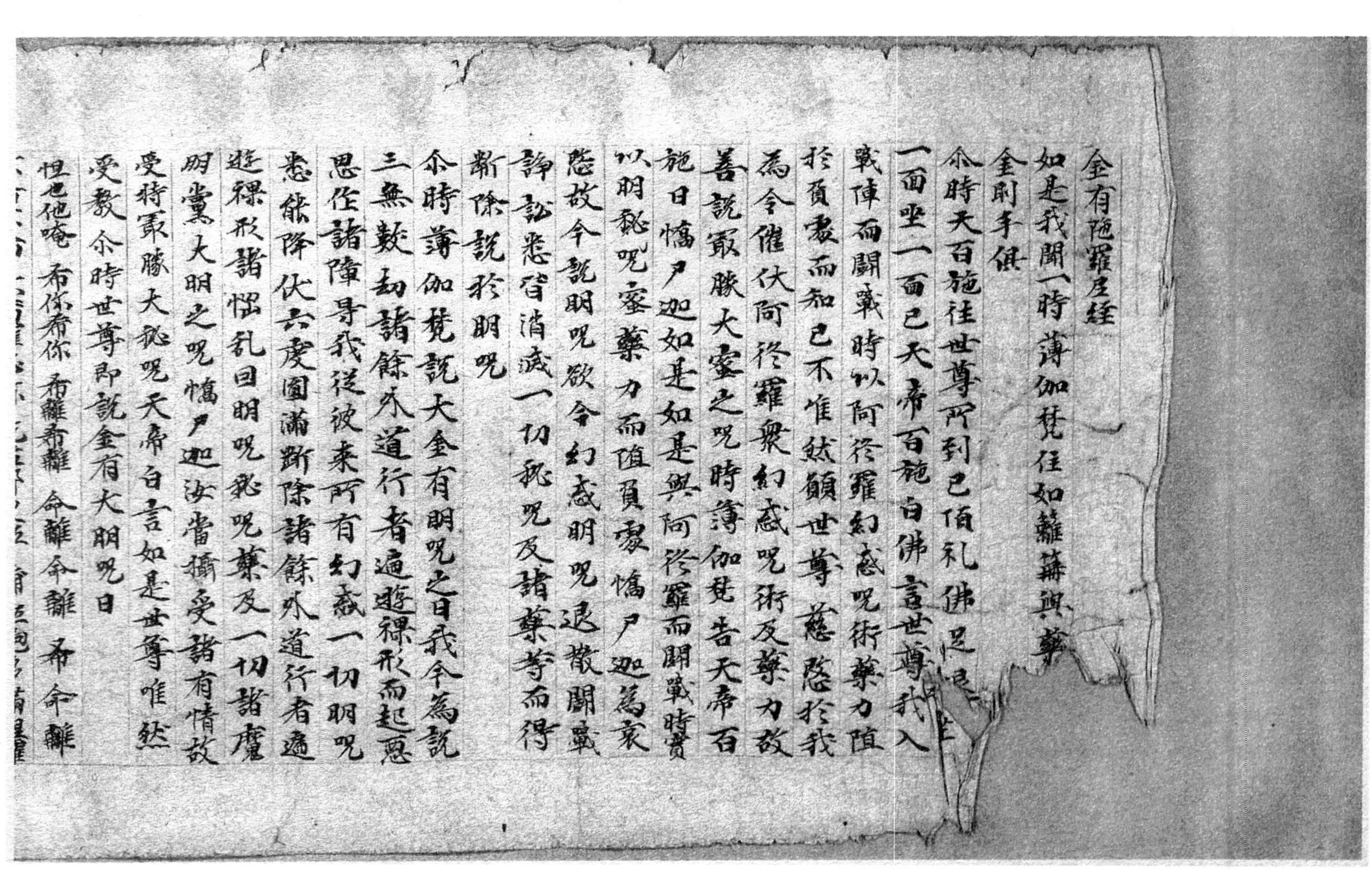
金有陁羅尼經
如是我聞一時薄伽梵住如蘺藷與藥
金剛手俱
尒時天百施往世尊所到已頂礼佛足退
一面坐一面已天帝百施白佛言世尊我入
戰陣而鬪戰時以阿修羅幻惑呪術藥力墮
於負處而知已不唯然願世尊慈愍於我
為令摧伏阿修羅衆幻惑呪術及藥力故
善說最勝大蜜之呪時薄伽梵告天帝百
施日憍尸迦如是如是與阿修羅而鬪戰時費
以明秘呪蜜藥力而墮負處憍尸迦為衆
慈故今說明呪欲令幻惑明呪退散鬪戰
諍訟悉皆消滅一切秘呪及諸藥等而得
斷除說於明呪
尒時薄伽梵說大金有明呪之曰我今為說
三無數劫諸餘外道行者遍遊裸形而起惡
思作諸障㝵我從彼來所有幻惑一切明呪
悉能降伏六處圓滿斷除諸餘外道行者遍
遊裸形諸惱乱回明呪秘呪藥及一切諸魔
朋黨大明之呪憍尸迦汝當攝受諸有情故
受持最勝大秘呪天帝白言如是世尊唯然
受教尒時世尊即說金有大明呪曰
怛也他唵　希你希你　希離希離　命離命離　希命離

BD01343號　金有陀羅尼經　（4–1）

進裸形諸惱亂回明呪秘呪藥及一切諸魔
朋黨大明之呪憍尸迦汝當攝受諸有情故
受持冣勝大秘呪天帝白言如是世尊唯然
受教尒時世尊即說金有大明呪曰
怛他他唵 希你希你 希離希離 命離命離 希命離
你希你希 你希囉秘你 軋佐那波羝 哺羝袍哆滿怛羅
阿地訖梨羝 閇羝閇羝 閇哆滿怛囉 阿地迦囉羝 訶那
訶那 訶婆訶婆 覩駄覩駄 頻那頻那 薄伽跋羝
佐曳秘佐曳 攅婆你 悉䟫婆你 畔駄你 牟訶你
阿牟伽爆羝 駄囉你 訖梨那訖梨那 迦多徐麿那娑
攅婆也攅婆也 畔佐也畔佐也 悉數婆也 悉數婆也
畔駄也畔駄也 牟訶也牟訶也 所有一切若天幻
惑若龍幻惑若藥叉幻惑若羅刹幻惑若緊
那羅幻惑若乾闥婆幻惑若阿修羅幻惑若
莫呼洛伽幻惑若大腹行幻惑若持明呪幻
惑成就王幻惑若仙幻惑若持一切明呪幻
惑 囉羅囉羅 囉佐也囉佐也 婀麿覩麿 婀婀麿
囉婆囉婆 囉婆那 佐訶蘭單 伽蘭他你 訶那訶那
薩婆鞞哆 奢呰嚩難 悉䟫婆也 婆多悉䟫婆也
秀迖悉䟫婆也 揄南悉䟫婆也 婆嚩難悉䟫婆也
惡你實悉䟫婆也 賛軋哆 梨哆梨䟫 囉羝惟 駄羅
寧波奢訶悉羝 鄰奢他也婆世那 若有於我
能為惡獸諸賊嗔恚具極惡心鬪諍極諍
欲作一切無利益者 訶那訶那 哆訶哆訶
波佐波佐 半佐也半佐也 攅婆也攅婆也 悉䟫婆也
悉䟫婆也 半駄也駄也 牟訶也牟訶也 摩訶牟
訶你 薄伽跋羝莎訶

BD01343號　金有陀羅尼經　（4–2）

能為惡獸諸賊嗔恚具極惡心鬪諍極諍
欲作一切無利益者 訶那訶那 哆訶哆訶
波佐波佐 半佐也半佐也 攅婆也攅婆也 悉䟫婆也
悉䟫婆也 半駄也駄也 牟訶也牟訶也 摩訶牟
訶你 薄伽跋羝莎訶
於一切怖畏嬈惱疾疫願守護我叭駄莎訶
憍尸迦若善男子若善女人若王若王大臣能
憶念此金有明呪者彼无他怖畏於彼部黨
他所敵軍不能侵惱亦非天亦非龍亦非藥
叉亦非乾闥婆亦非阿修羅亦非莫呼洛伽
亦非持明呪者亦非飛空母等亦不非時而
捨壽命明呪秘呪一切諸藥不能為害他所
敵軍不能侵嬈他所敵軍而不傷命刀不能
害水火毒藥明呪秘呪一切諸藥而不能侵
還著於彼自作數他隨喜造罪彼之處所憍
尸迦是故淨信苾芻苾芻尼烏波索迦烏波
斯迦善男子善女人等以此明呪呪水七遍自
洗其身能護於身若有欲令於一切怖
畏一切嬈惱一切疾疫一切明呪一切秘呪
一切諸藥一切獸蠱而起過者當念此金有
明呪若王若王大臣若欲摧他軍衆伏他
軍衆亦當念此金有明呪若呪線七遍佳
七結已繫於身上若呪水七遍能護自身
若有書寫於一切怖畏无障㝵陁羅尼或
能受持或繫脛下若置高幢入軍陣者若
安得脫以此明呪威神之力内族眷屬善
安趣過未成能成若欲摧伏諸明呪者於
白線上呪七遍已作七結者能摧伏若

BD01343號　金有陀羅尼經　（4–3）

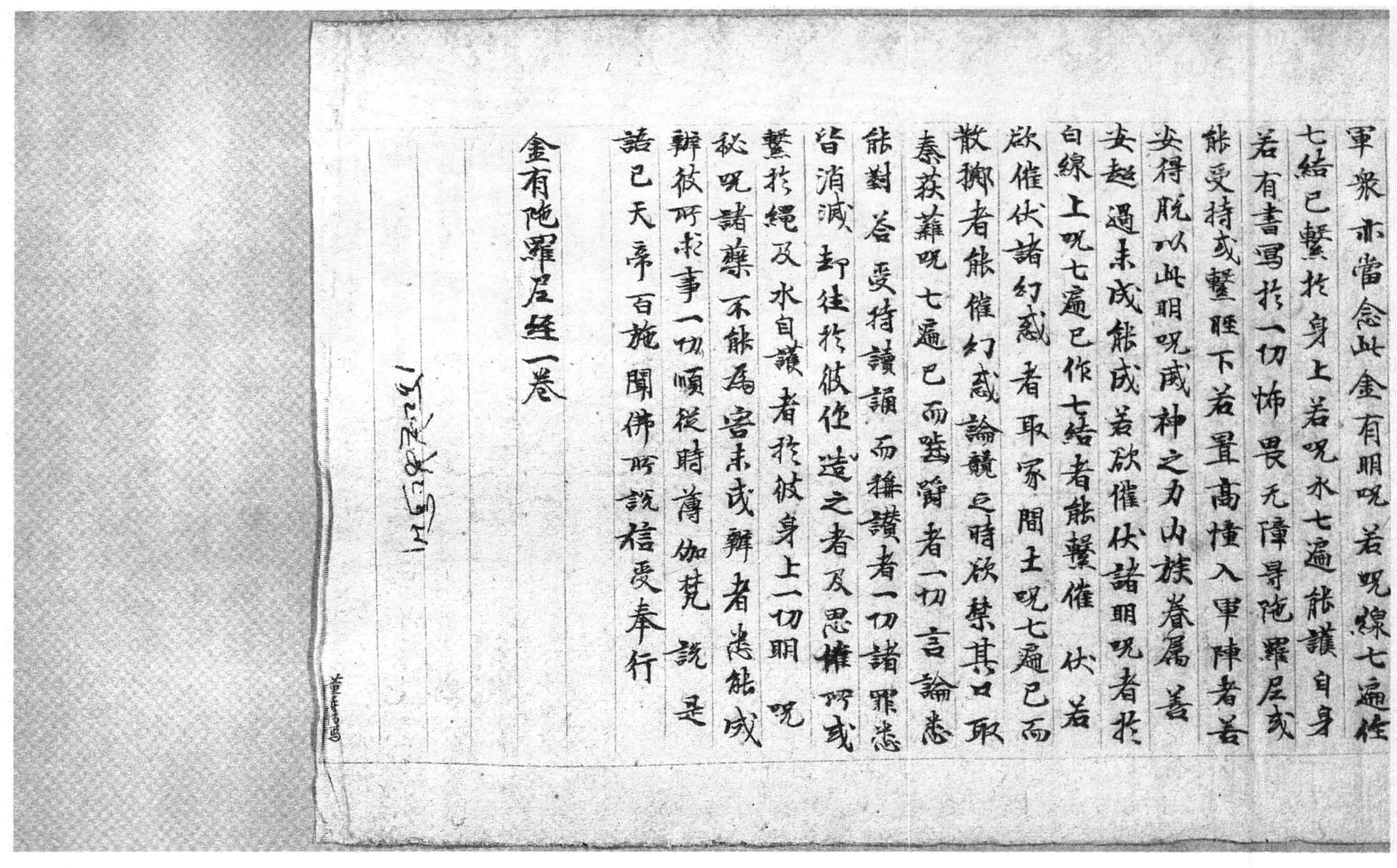

軍衆亦當念此金有明呪若呪線七遍作
七結已繫於身上若呪水七遍能護自身
若有書寫於一切怖畏无障㝵陁羅尼或
能受持或繫脛下若置高憧入軍陣者若
安得脱以此明呪威神之力山族眷屬善
安趣過未成能成若欲催伏諸明呪者於
白線上呪七遍已作七結者能繫催伏若
欲催伏諸幻惑者取冢間土呪七遍已而
散擲者能催幻惑論競之時欲禁其口取
秦菽蕪呪七遍已而嚙嚼者一切言論悉
能對答受持讀誦而稱讃者一切諸罪悉
皆消滅却往於彼作違之者及思惟所或
繫於繩及水自護者於彼身上一切明呪
秘呪諸藥不能為害未成辦者悉能成
辦彼所求事一切順從時薄伽梵說是
語已天帝百施聞佛所說信受奉行

金有陁羅尼經一卷

BD01343 號　金有陀羅尼經　（4–4）

如空中華十住菩薩諸佛五眼如幻諦而見
菩薩化衆生為若此時有無量天子及諸大
衆得伏忍者得空無生忍乃至一地十地不
可說德行

般若波羅蜜經二諦品第四

尒時波斯匿王言第一義諦中有世諦不若
言無者智不應二若言有者智不應一一二
之義其事云何佛告大王汝於過去七佛已
問一義二義汝今無聽我今無說無聽無說
即為一義二義故諦聽諦聽善思念之如法
脩行七佛偈如是

無相第一義　無自無他作　因緣本自有　無自無他作
法性本無性　第一義空如　諸有本有法　三假集假有
無無諦實無　寂滅第一空　諸法因緣有　有無義如是
有無本自二　譬如牛二角　照解見無二　二諦常不即
解心見不二　求二不可得　非謂二諦一　非一何可得
於解常自一　於諦常自二　通達此無二　真入第一義
世諦幻化起　譬如虛空華　如影三手無　因緣故誑有
幻化見幻化　衆生名幻諦　幻師見幻法　諦實則皆無

BD01344 號　仁王般若波羅蜜經卷上　（5–1）

有無本自二　譬如牛二角　照解見無二　二諦常不可
解心見不二　求二不可得　非謂二諦一　非一何可得
於解常自一　於諦常自二　通達此無二　真入第一義
世諦幻化起　譬如虛空華　如影三手無　因緣故誑有
幻化見幻化　衆生名幻諦　幻師見幻法　諦實則皆無
名爲諸佛觀　菩薩觀亦然
大王菩薩摩訶薩於第一義中常照二諦化
衆生佛及衆生一而無二何以故以衆生空
故得菩提空以菩提空故得衆生空以
一切法空故空空何以故般若無相二諦虛
空般若空於無明乃至薩婆若無自相無他相
故五眼成就時見無所見行亦不受不行亦
不受非行非不行亦不受乃至一切法亦
不受菩薩未成佛時以菩提爲煩惱菩薩成
佛時以煩惱爲菩提何以故於第一義而不
二故諸佛如來乃至一切法如故
白佛言云何十方諸如來一切菩薩不離文
字而行諸法相大王法輪者法本如重誦如
授記如不誦偈如無問而自說如戒經如譬
喻如法界如本事如方廣如未曾有如論義
如是名味句音聲果文字記句一切如若取
文字者不行空也
大王如如文字脩諸佛智母一切衆生性根
本智母即爲薩婆若體諸佛未成佛以當佛
爲智母未得爲性已得薩婆若三乘般若不
生不滅自性常住一切衆生以此爲覺性故

文字者不行空也
大王如如文字脩諸佛智母一切衆生性根
本智母即爲薩婆若體諸佛未成佛以當佛
爲智母未得爲性已得薩婆若三乘般若不
生不滅自性常住一切衆生以此爲覺性故
若菩薩無受無文字離文字非非文字脩無
脩爲脩文字者得般若真性般若波羅蜜大
王若菩薩護佛護化衆生護十地行爲若此
白佛言無量品衆生根亦無量行亦無量法
門爲一爲二爲無量耶大王一切法觀門非
一非二乃有無量一切法亦非有相非非無
相若菩薩見衆生見一見二即不見一不見
二一二者第一義諦也大王若有若無者即
世諦也以三諦攝一切法空諦色諦心諦故
我說一切法不出三諦我人知見五受陰空
乃至一切法空衆生品品根行不同故非一
非二法門
大王七佛說摩訶般若波羅蜜我今說般若
波羅蜜無二無別汝等大衆應當授持讀誦
解說是經功德有無量不可說不可說諸佛
一一佛教化無量不可說衆生一一衆生皆
得成佛是佛復教化無量不可說衆生皆得
成佛是上三佛說般若波羅蜜經八万億偈
於一偈中復分爲千分於一分中說一分句
義不可窮盡况復於此經中起一念信是諸
衆生超百劫千劫十地等功德何况受持讀

一一佛教化無量不可說衆生一一衆生皆
得成佛是佛復教化無量不可說衆生皆得
成佛是上三佛說般若波羅蜜經八万億偈
於一偈中復分為千分於一分中說一分句
義不可窮盡況復於此經中起一念信是諸
衆生超百劫千劫十地等功德何況受持讀
誦解說者功德即十方諸佛等無有異當知
是人即是如來得佛不久時諸大衆聞說是
經十億人得三空忍百万億人得大空忍十
地性
大王此經名為仁王問般若波羅蜜經汝等
受持般若波羅蜜經是經復有無量功德名
為護國土功德亦名一切國王法藥服行無
不大用護舍宅功德亦護一切衆生身即此
般若波羅蜜是護國土如城塹墻壁刀劍鉾
楯汝應受持般若波羅蜜亦復如是

般若波羅蜜仁王護國經卷上

BD01344號　仁王般若波羅蜜經卷上　（5–4）

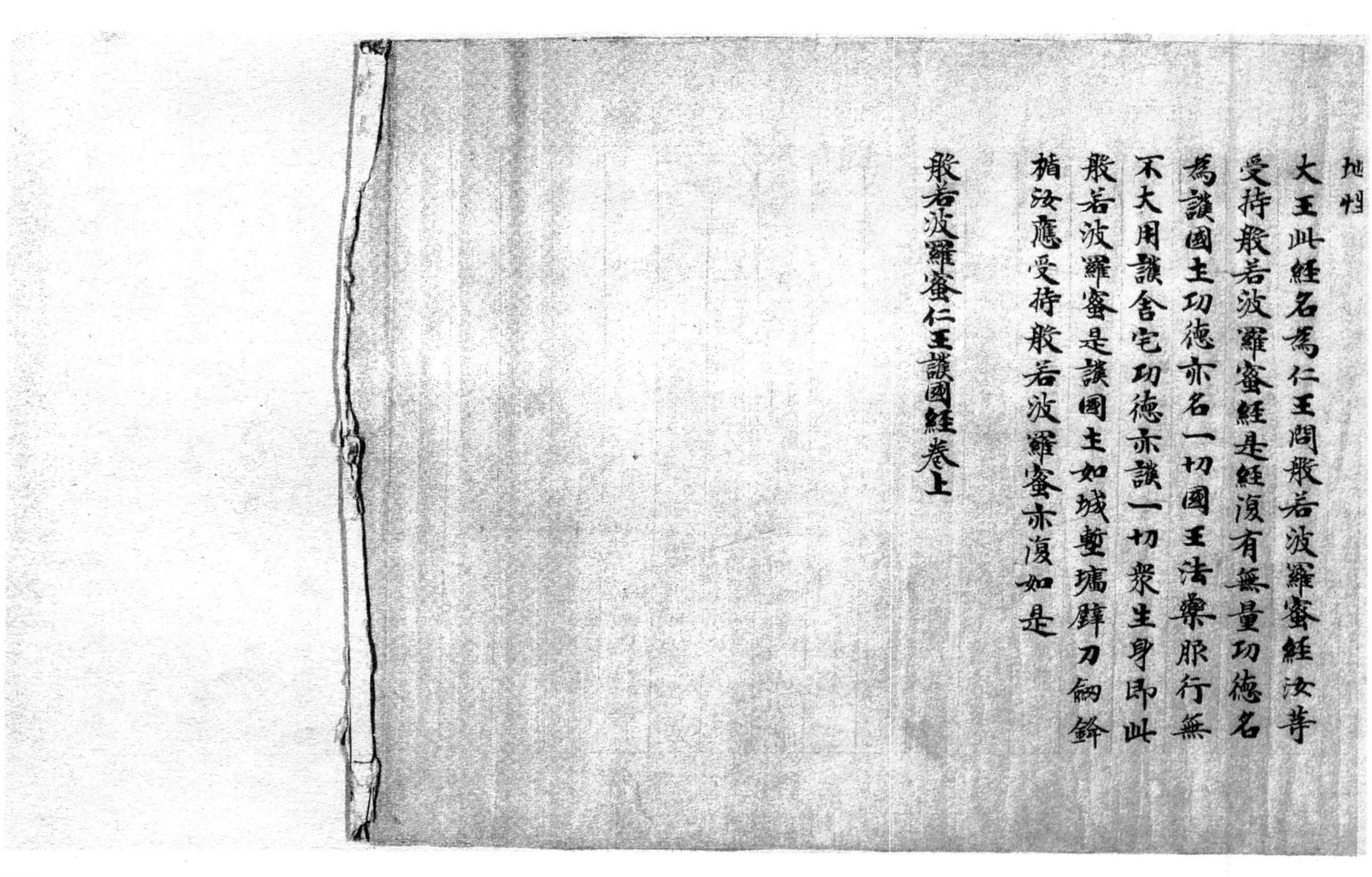
地性
大王此經名為仁王問般若波羅蜜經汝等
受持般若波羅蜜經是經復有無量功德名
為護國土功德亦名一切國王法藥服行無
不大用護舍宅功德亦護一切衆生身即此
般若波羅蜜是護國土如城塹墻壁刀劍鉾
楯汝應受持般若波羅蜜亦復如是

般若波羅蜜仁王護國經卷上

BD01344號　仁王般若波羅蜜經卷上　（5–5）

供養諸如来　護持法寶藏　其後當作佛　号名曰法明
其國名善淨　七寶所合成　劫名為寶明　菩薩衆甚多
其數无量億　皆度大神通　威德力具足　充滿其國土
聲聞亦无數　三明八解脫　得四无碍智　以是等為僧
其國諸衆生　婬欲皆已斷　純一變化生　具相莊嚴身
法喜禪悅食　更无餘食想　无有諸女人　亦无諸惡道
富樓那比丘　功德悉成滿　當得斯淨土　賢聖衆甚多
如是无量事　我今但略說
尒時千二百阿羅漢心自在者作是念我等
歡喜得未曾有若世尊各見授記如餘大弟
子者不亦快乎佛知此等心之所念告摩訶
迦葉是千二百阿羅漢我今當現前次第與
受阿耨多羅三藐三菩提記於此衆中我大
弟子憍陳如比丘當供養六万二千億佛然
後得成為佛号曰普明如来應供正遍知明
行足善逝世間解无上士調御丈夫天人師
佛世尊其五百阿羅漢優樓頻螺迦葉伽耶
迦葉那提迦葉迦留陁夷優陁夷阿㝹樓馱
離婆多劫賓那薄拘羅周陁莎伽陁等皆
當得阿耨多羅三藐三菩提盡同一号名曰普

BD01345號　妙法蓮華經卷四　（26–1）

後得成為佛号曰普明如来應供正遍知明
行足善逝世間解无上士調御丈夫天人師
佛世尊其五百阿羅漢優樓頻螺迦葉伽耶
迦葉那提迦葉迦留陁夷優陁夷阿㝹樓馱
離婆多劫賓那薄拘羅周陁莎伽陁等皆
當得阿耨多羅三藐三菩提盡同一号名曰普
明尒時世尊欲重宣此義而說偈言
憍陳如比丘　當見无量佛　過阿僧祇劫　乃成等正覺
常放大光明　具足諸神通　名聞遍十方　一切之所敬
常說无上道　故号為普明　其國土清淨　菩薩皆勇猛
咸昇妙樓閣　遊諸十方國　以无上供具　奉獻於諸佛
作是供養已　心懷大歡喜　須臾還本國　有如是神力
佛壽六万劫　正法住倍壽　像法復倍是　法滅天人憂
其五百比丘　次第當作佛　同号曰普明　轉次而授記
我滅度之後　某甲當作佛　其所化世間　亦如我今日
國土之嚴淨　及諸神通力　菩薩聲聞衆　正法及像法
壽命劫多少　皆如上所說　迦葉汝已知　五百自在者
餘諸聲聞衆　亦當復如是　其不在此會　汝當為宣說
尒時五百阿羅漢於佛前得受記已歡喜踊
躍即從座起到於佛前頭面礼足悔過自責
世尊我等常作是念自謂已得究竟滅度今
乃知之如无智者所以者何我等應得如来
智慧而便自以小智為足世尊譬如有人至
親友家醉酒而卧是時親友官事當行以无
價寶珠繫其衣裏與之而去其人醉卧都
不覺知已起遊行到於他國為衣食故勤力
求索甚大艱難若少有所得便以為足於後
親友會遇見之而作是言咄哉丈夫何為衣

BD01345號　妙法蓮華經卷四　（26–2）

智慧而便自以小智為足世尊譬如有人至
親友家醉酒而卧是時親友官事當行以无
價寶珠繫其衣裏與之而去其人醉卧都
不覺知已起遊行到於他國為衣食故勤力
求索甚大艱難若少有所得便以為足於後
親友會遇見之而作是言咄哉丈夫何為衣
食乃至如是我昔欲令汝得安樂五欲自恣
於某年日月以无價寶珠繫汝衣裏今故現在
而汝不知勤苦憂惱以求自活甚為癡也汝
今可以此寶貿易所須常可如意无所乏短
佛亦如是為菩薩時教化我等令發一切智
心而尋廢忘不知不覺既得阿羅漢道自謂
滅度資生艱難得少為足一切智願猶在不
失今者世尊覺悟我等作如是言諸比丘汝
等所得非究竟滅我久令汝等種佛善根以
方便故示涅槃相而汝謂為實得滅度世尊
我今乃知實是菩薩得受阿耨多羅三藐三
菩提記以是因緣甚大歡喜得未曾有尒時
阿若憍陳如等欲重宣此義而說偈言
我等聞无上　安隱授記聲　歡喜未曾有　礼无量智佛
今於世尊前　自悔諸過咎　於无量佛寶　得少涅槃分
如无智愚人　便自以為足　譬如貧窮人　往至親友家
其家甚大富　具設諸餚饍　以无價寶珠　繫著內衣裏
嘿與而捨去　時卧不覺知　是人既已起　遊行詣他國
求衣食自濟　資生甚艱難　得少便為足　更不願好者
不覺內衣裏　有无價寶珠　與珠之親友　後見此貧人
苦切責之已　示以所繫珠　貧人見此珠　其心大歡喜
富有諸財物　五欲而自恣　我等亦如是　世尊於長夜
常愍見教化　令種无上願　我等无智故　不覺亦不知

不覺內衣裏　有无價寶珠　與珠之親友　後見此貧人
苦切責之已　示以所繫珠　貧人見此珠　其心大歡喜
富有諸財物　五欲而自恣　我等亦如是　世尊於長夜
常愍見教化　令種无上願　我等无智故　不覺亦不知
得少涅槃分　自足不求餘　今佛覺悟我　言非實滅度
得佛无上慧　尒乃為真滅　我今從佛聞　授記莊嚴事
及轉次受決　身心遍歡喜

妙法蓮華經授學无學人記品第九

尒時阿難羅睺羅而作是念我等每自思惟
設得受記不亦快乎即從座起到於佛前頭
面礼足俱白佛言世尊我等於此亦應有分
唯有如來我等所歸又我等為一切世間天
人阿脩羅所見知識阿難常為侍者護持法
藏羅睺羅是佛之子若佛見授阿耨多羅三
藐三菩提記者我願既滿衆望亦足尒時學
无學聲聞弟子二千人皆從座起偏袒右肩
到於佛前一心合掌瞻仰世尊如阿難羅睺
羅所願住立一面尒時佛告阿難汝於來世
當得作佛号山海慧自在通王如來應供正
遍知明行足善逝世間解无上士調御丈夫
天人師佛世尊當供養六十二億諸佛護持
法藏然後得阿耨多羅三藐三菩提教化二
十千万億恒河沙諸菩薩等令成阿耨多羅
三藐三菩提國名常立勝幡其土清淨瑠璃
為地劫名妙音遍滿其佛壽命无量千万億
阿僧祇劫若人於千万億无量阿僧祇劫中
算數校計不能得知正法住世倍於壽命像
法住世復倍正法阿難是山海慧自在通王
佛為十方无量千万億恒河沙等諸佛如來

三藐三菩提國名常立勝幡其土清淨瑠璃
為地劫名妙音遍滿其佛壽命无量千万億
阿僧祇劫若人於千万億无量阿僧祇劫中
筭數挍計不能得知正法住世倍於壽命像
法住世復倍正法阿難是山海慧自在通王
佛為十方无量千万億恒河沙等諸佛如來
所共讚歎稱其功德尒時世尊欲重宣此義
而說偈言
我今僧中說　阿難持法者　當供養諸佛　然後成正覺
号曰山海慧　自在通王佛　其國土清淨　名常立勝幡
教化諸菩薩　其數如恒沙　佛有大威德　名聞滿十方
壽命无有量　以愍衆生故　正法倍壽命　像法復倍是
如恒河沙等　无數諸衆生　於此佛法中　種佛道因緣
尒時會中新發意菩薩八千人咸作是念我
等尚不聞諸大菩薩得如是記有何因緣而
諸聲聞得如是決尒時世尊知諸菩薩心之
所念而告之曰諸善男子我與阿難等於空
王佛所同時發阿耨多羅三藐三菩提心阿
難常樂多聞我常勤精進是故我已得成
阿耨多羅三藐三菩提而阿難護持我法亦
護將來諸佛法藏教化成就諸菩薩衆其本
願如是故獲斯記阿難面於佛前自聞授記
及國土莊嚴所願具足心大歡喜得未曾有
即時憶念過去无量千万億諸佛法藏通達
无礙如今所聞亦識本願尒時阿難而說偈言
世尊甚希有　令我念過去　无量諸佛法　如今日所聞
我今无復疑　安住於佛道　方便為侍者　護持諸佛法
尒時佛告羅睺羅汝於來世當得作佛号蹈
七寶華如來應供正遍知明行足善逝世間

BD01345號　妙法蓮華經卷四　（26-5）

即時憶念過去无量千万億諸佛法藏通達
无礙如今所聞亦識本願尒時阿難而說偈言
世尊甚希有　令我念過去　无量諸佛法　如今日所聞
我今无復疑　安住於佛道　方便為侍者　護持諸佛法
尒時佛告羅睺羅汝於來世當得作佛号蹈
七寶華如來應供正遍知明行足善逝世間
解无上士調御丈夫天人師佛世尊當供養
十世界微塵等數諸佛如來常為諸佛而作
長子猶如今也是蹈七寶華佛國土莊嚴壽
命劫數所化弟子正法像法亦如山海慧自
在通王如來无異亦為此佛而作長子過是
已後當得阿耨多羅三藐三菩提尒時世尊
欲重宣此義而說偈言
我為太子時　羅睺為長子　我今成佛道　受法為法子
於未來世中　見无量億佛　皆為其長子　一心求佛道
羅睺羅密行　唯我能知之　現為我長子　以示諸衆生
无量億千万　功德不可數　安住於佛法　以求无上道
尒時世尊見學无學二千人其意柔軟寂然
清淨一心觀佛佛告阿難汝見是學无學二
千人不唯然已見阿難是諸人等當供養五
十世界微塵數諸佛如來恭敬尊重護持法
藏末後同時於十方國各得成佛皆同一号
名曰寶相如來應供正遍知明行足善逝世
間解无上士調御丈夫天人師佛世尊壽命
一劫國土莊嚴聲聞菩薩正法像法皆悉同
等尒時世尊欲重宣此義而說偈言
是二千聲聞　今於我前住　悉皆與受記　未來當成佛
所供養諸佛　如上說塵數　護持其法藏　後當成正覺
各於十方國　悉同一名号　俱時坐道場　以證无上慧
皆名為寶相　國土及弟子　正法與像法　悉等无有異

BD01345號　妙法蓮華經卷四　（26-6）

一劫國土莊嚴聲聞菩薩正法像法皆悉同
等。尒時世尊欲重宣此義而說偈言
是二千聲聞 今於我前住 悉皆與受記 未來當成佛
所供養諸佛 如上說塵數 護持其法藏 後當成正覺
各於十方國 悉同一名号 俱時坐道場 以證无上慧
皆名為寶相 國土及弟子 正法與像法 悉等无有異
咸以諸神通 度十方衆生 名聞普周遍 漸入於涅槃
尒時學无學二千人聞佛授記歡喜踊躍而
說偈言
世尊慧燈明 我聞授記音 心歡喜充滿 如甘露見灌

妙法蓮華經法師品第十

尒時世尊因藥王菩薩告八万大士藥王汝
見是大衆中无量諸天龍王夜叉乾闥婆阿
脩羅迦樓羅緊那羅摩睺羅伽人與非人及
比丘比丘尼優婆塞優婆夷求聲聞者求辟
支佛者求佛道者如是等類咸於佛前聞妙
法華經一偈一句乃至一念隨喜者我皆與
受記當得阿耨多羅三藐三菩提佛告藥王
又如來滅度之後若有人聞妙法華經乃至
一偈一句一念隨喜者我亦與受阿耨多羅
三藐三菩提記若復有人受持讀誦解說書
寫妙法華經乃至一偈於此經卷敬視如佛
種種供養華香瓔珞末香塗香燒香繒蓋幢
幡衣服伎樂乃至合掌恭敬藥王當知是諸
人等已曾供養十万億佛於諸佛所成就大
願愍衆生故生此人間藥王若有人問何等
衆生於未來世當得作佛應示是諸人等於
未來世必得作佛何以故若善男子善女人
於法華經乃至一句受持讀誦解說書寫種

幡衣服伎樂乃至合掌恭敬藥王當知是諸
人等已曾供養十万億佛於諸佛所成就大
願愍衆生故生此人間藥王若有人問何等
衆生於未來世當得作佛應示是諸人等於
未來世必得作佛何以故若善男子善女人
於法華經乃至一句受持讀誦解說書寫種
種供養經卷華香瓔珞末香塗香燒香繒蓋
幢幡衣服伎樂合掌恭敬是人一切世間所
應瞻奉應以如來供養而供養之當知此人
是大菩薩成就阿耨多羅三藐三菩提哀愍
衆生願生此間廣演分別妙法華經何況盡
能受持種種供養者藥王當知是人自捨清
淨業報於我滅度後愍衆生故生於惡世廣
演此經若是善男子善女人我滅度後能竊
為一人說法華經乃至一句當知是人則如
來使如來所遣行如來事何況於大衆中廣
為人說藥王若有惡人以不善心於一劫中
現於佛前常毀罵佛其罪尚輕若人以一惡
言毀訾在家出家讀誦法華經者其罪甚重
藥王其有讀誦法華經者當知是人以佛莊
嚴而自莊嚴則為如來肩所荷擔其所至方
應隨向礼一心合掌恭敬供養尊重讚歎華
香瓔珞末香塗香燒香繒蓋幢幡衣服餚饌
作諸伎樂人中上供而供養之應持天寶而
以散之天上寶聚應以奉獻所以者何是人
歡喜說法須臾聞之即得究竟阿耨多羅三
藐三菩提故尒時世尊欲重宣此義而說偈
言
若欲住佛道 成就自然智 常當勤供養 受持法華者

香瓔珞末香塗香燒香繒蓋幢幡衣服餚饍
作諸伎樂人中上供而供養之應持天寶而
以散之天上寶聚應以奉獻所以者何是人
歡喜說法須臾聞之即得究竟阿耨多羅三
藐三菩提故尒時世尊欲重宣此義而說偈
言
若欲住佛道　成就自然智　常當勤供養　受持法華者
其有欲疾得　一切種智慧　當受持是經　并供養持者
若有能受持　妙法華經者　當知佛所使　愍念諸衆生
諸有能受持　妙法華經者　捨於清淨土　愍衆故生此
當知如是人　自在所欲生　能於此惡世　廣說无上法
應以天華香　及天寶衣服　天上妙寶聚　供養說法者
吾滅後惡世　能持是經者　當合掌礼敬　如供養世尊
上饌衆甘美　及種種衣服　供養是佛子　冀得須臾聞
若能於後世　受持是經者　我遣在人中　行於如來事
若於一劫中　常懷不善心　作色而罵佛　獲无量重罪
其有讀誦持　是法華經者　須臾加惡言　其罪復過彼
有人求佛道　而於一劫中　合掌在我前　以无數偈讚
由是讚佛故　得无量功德　歎美持經者　其福復過彼
於十八億劫　以㝡妙色聲　及與香味觸　供養持經者
如是供養已　若得須臾聞　則應自欣慶　我今獲大利
藥王今告汝　我所說諸經　而於此經中　法華㝡第一
尒時佛復告藥王菩薩摩訶薩我所說經典
无量千億已說今說當說而於其中此法華
經㝡為難信難解藥王此經是諸佛秘要之
藏不可分布妄授與人諸佛世尊之所守護
從昔已來未曾顯說而此經者如來現在猶
多怨嫉況滅度後藥王當知如來滅後其能
書持讀誦供養為他人說者如來則為以衣
覆之又為他方現在諸佛之所護念是人有

BD01345號　妙法蓮華經卷四　（26–9）

經㝡為難信難解藥王此經是諸佛秘要之
藏不可分布妄授與人諸佛世尊之所守護
從昔已來未曾顯說而此經者如來現在猶
多怨嫉況滅度後藥王當知如來滅後其能
書持讀誦供養為他人說者如來則為以衣
覆之又為他方現在諸佛之所護念是人有
大信力及志願力諸善根力當知是人與如
來共宿則為如來手摩其頭藥王在在處處
若說若讀若誦若書若經卷所住處皆應起
七寶塔極令高廣嚴飾不須復安舍利所以
者何此中已有如來全身此塔應以一切華
香瓔珞繒蓋幢幡伎樂歌頌供養恭敬尊
重讚歎若有人得見此塔礼拜供養當知是
等皆近阿耨多羅三藐三菩提藥王多有人在
家出家行菩薩道若不能得見聞讀誦書持
供養是法華經者當知是人未善行菩薩道
若有得聞是經典者乃能善行菩薩之道其
有衆生求佛道者若見若聞是法華經聞已
信解受持者當知是人得近阿耨多羅三藐
三菩提藥王譬如有人渴乏須水於彼高原
穿鑿求之猶見乾土知水尚遠施功不已轉
見濕土遂漸至泥其心決定知水必近菩薩
亦復如是若未聞未解未能修習是法華經
當知是人去阿耨多羅三藐三菩提尚遠若
得聞解思惟修習必知得近阿耨多羅三藐
三菩提所以者何一切菩薩阿耨多羅三藐
三菩提皆屬此經此經開方便門示真實相
是法華經藏深固幽遠无人能到今佛教化
成就菩薩而為開示藥王若有菩薩聞是法

BD01345號　妙法蓮華經卷四　（26–10）

得聞解思惟脩習必知得近阿耨多羅三藐
三菩提所以者何一切菩薩阿耨多羅三藐
三菩提皆屬此經此經開方便門示真實相
是法華經藏深固幽遠无人能到今佛教化
成就菩薩而為開示藥王若有菩薩聞是法
華經驚疑怖畏當知是為新發意菩薩若聲
聞人聞是經驚疑怖畏當知是為增上慢者
藥王若有善男子善女人如來滅後欲為四
衆說是法華經者云何應說是善男子善女
人入如來室著如來衣坐如來座尒乃應為
四衆廣說斯經如來室者一切衆生中大慈
悲心是如來衣者柔和忍辱心是如來座者
一切法空是安住是中然後以不懈怠心為
諸菩薩及四衆廣說是法華經藥王我於餘
國遣化人為其集聽法衆亦遣化比丘比丘
尼優婆塞優婆夷聽其說法是諸化人聞法
信受隨順不逆若說法者在空閑處我時廣
遣天龍鬼神乾闥婆阿脩羅等聽其說法我
雖在異國時時令說法者得見我身若於此
經忘失句逗我還為說令得具足尒時世尊
欲重宣此義而說偈言
欲捨諸懈怠　應當聽此經　是經難得聞　信受者亦難
如人渴須水　穿鑿於高原　猶見乾燥土　知去水尚遠
漸見濕土泥　決定知近水　藥王汝當知　如是諸人等
不聞法華經　去佛智甚遠　若聞是深經　決了聲聞法
是諸經之王　聞已諦思惟　當知此人等　近於佛智慧
若人說此經　應入如來室　著於如來衣　而坐如來座
處衆无所畏　廣為分別說　大慈悲為室　柔和忍辱衣
諸法空為座　處此為說法　若說此經時　有人惡口罵

BD01345號　妙法蓮華經卷四　(26–11)

漸見濕土泥　決定知近水　藥王汝當知　如是諸人等
不聞法華經　去佛智甚遠　若聞是深經　決了聲聞法
是諸經之王　聞已諦思惟　當知此人等　近於佛智慧
若人說此經　應入如來室　著於如來衣　而坐如來座
處衆无所畏　廣為分別說　大慈悲為室　柔和忍辱衣
諸法空為座　處此為說法　若說此經時　有人惡口罵
加刀杖瓦石　念佛故應忍　我千万億土　現淨堅固身
於无量億劫　為衆生說法　若我滅度後　能說此經者
我遣化四衆　比丘比丘尼　及清信士女　供養於法師
引導諸衆生　集之令聽法　若人欲加惡　刀杖及瓦石
則遣變化人　為之作衛護　若說法之人　獨在空閑處
寂漠无人聲　讀誦此經典　我尒時為現　清淨光明身
若忘失章句　為說令通利　若人具是德　或為四衆說
空處讀誦經　皆得見我身　若人在空閑　我遣天龍王
夜叉鬼神等　為作聽法衆　是人樂說法　分別无罣礙
諸佛護念故　能令大衆喜　若親近法師　速得菩薩道
隨順是師學　得見恒沙佛
妙法蓮華經見寶塔品第十一
尒時佛前有七寶塔高五百由旬縱廣二百
五十由旬從地踊出住在空中種種寶物而
莊校之五千欄楯龕室千万无數幢幡以為
嚴飾垂寶瓔珞寶鈴万億而懸其上四面皆
出多摩羅䟦栴檀之香充遍世界其諸幡蓋
以金銀瑠璃車璖馬瑙真珠玫瑰七寶合成高
至四天王宮三十三天雨天曼陁羅華供養
寶塔餘諸天龍夜叉乾闥婆阿脩羅迦樓
羅緊那羅摩睺羅伽人非人等千万億衆以
一切華香瓔珞幡蓋伎樂供養寶塔恭敬尊
重讚歎尒時寶塔中出大音聲歎言善哉善

BD01345號　妙法蓮華經卷四　(26–12)

以金銀瑠璃車𤦲馬瑙真珠玫瑰七寶合成高
至四天王宮三十三天雨天曼陁羅華供養
寶塔餘諸天龍夜叉乾闥婆阿脩羅迦樓
羅緊那羅摩睺羅伽人非人等千万億衆以
一切華香瓔珞幡蓋伎樂供養寶塔恭敬尊
重讚歎尒時寶塔中出大音聲歎言善哉善
哉釋迦牟尼世尊能以平等大慧教菩薩法
佛所護念妙法華經為大衆說如是如是釋
迦牟尼世尊如所說者皆是真實尒時四衆
見大寶塔住在空中又聞塔中所出音聲皆
得法喜恠未曾有從座而起恭敬合掌却住
一面尒時有菩薩摩訶薩名大樂說知一切
世間天人阿脩羅等心之所疑而白佛言世
尊以何因緣有此寶塔從地踊出又於其中
發是音聲尒時佛告大樂說菩薩此寶塔中
有如來全身乃往過去東方无量千万億阿
僧祇世界國名寶淨彼中有佛号曰多寶其
佛行菩薩道時作大誓願若我成佛滅度之
後於十方國土有說法華經處我之塔廟為
聽是經故踊現其前為作證明讚言善哉彼
佛成道已臨滅度時於天人大衆中告諸比
丘我滅度後欲供養我全身者應起一大塔
其佛神通願力十方世界在在處處若有說
法華經者彼之寶塔皆踊出其前全身在於
塔中讚言善哉善哉大樂說今多寶如來塔
聞說法華經故從地踊出讚言善哉善哉是
時大樂說菩薩以如來神力故白佛言世尊
我等願欲見此佛身佛告大樂說菩薩摩訶
薩是多寶佛有深重願若我寶塔為聽法華

BD01345號　妙法蓮華經卷四　（26–13）

其佛神通願力十方世界在在處處若有說
法華經者彼之寶塔皆踊出其前全身在於
塔中讚言善哉善哉大樂說今多寶如來塔
聞說法華經故從地踊出讚言善哉善哉是
時大樂說菩薩以如來神力故白佛言世尊
我等願欲見此佛身佛告大樂說菩薩摩訶
薩是多寶佛有深重願若我寶塔為聽法華
經故出於諸佛前時其有欲以我身示四衆
者彼佛分身諸佛在於十方世界說法盡還
集一處然後我身乃出現耳大樂說我分身
諸佛在於十方世界說法者今應當集大樂
說白佛言世尊我等亦願欲見世尊分身諸
佛禮拜供養尒時佛放白毫一光即見東方
五百万億那由他恒河沙等國土諸佛彼諸國
土皆以頗梨為地寶樹寶衣以為莊嚴无數
千万億菩薩充滿其中遍張寶幔寶網羅
上彼國諸佛以大妙音而說諸法及見无量
万億菩薩遍滿諸國為衆說法南西北方四
維上下白毫相光所照之處亦復如是尒時
十方諸佛各告衆菩薩言善男子我今應往
娑婆世界釋迦牟尼佛所并供養多寶如來
寶塔時娑婆世界即變清淨瑠璃為地寶樹
莊嚴黄金為繩以界八道无諸聚落村營城
邑大海江河山川林藪燒大寶香曼陁羅華
遍布其地以寶網幔羅覆其上懸諸寶鈴唯
留此會衆移諸天人置於他土是時諸佛各
將一大菩薩以為侍者至娑婆世界各到寶
樹下一一寶樹高五百由旬枝葉華菓次苐
莊嚴諸寶樹下皆有師子之座高五由旬亦

BD01345號　妙法蓮華經卷四　（26–14）

邑大海江河山川林藪燒大寶香曼陀羅華
遍布其地以寶網幔羅覆其上懸諸寶鈴唯
留此會衆移諸天人置於他土是時諸佛各
將一大菩薩以為侍者至娑婆世界各到寶
樹下一一寶樹高五百由旬枝葉華菓次第
莊嚴諸寶樹下皆有師子之座高五由旬亦
以大寶而校飾之尒時諸佛各於此座結加
趺坐如是展轉遍滿三千大千世界而於釋
迦牟尼佛一方所分之身猶故未盡時釋迦
牟尼佛欲容受所分身諸佛故八方各更變
二百万億那由他國皆令清淨无有地獄餓
鬼畜生及阿脩羅又移諸天人置於他土所
化之國亦以瑠璃為地寶樹莊嚴樹高五百
由旬枝葉華菓次第嚴飾樹下皆有寶師子
座高五由旬種種諸寶以為莊校亦无大海
江河及目真隣陁山摩訶目真隣陁山鐵圍
山大鐵圍山須弥山等諸山王通為一佛國
土寶地平正寶交露幔遍覆其上懸諸幡蓋
燒大寶香諸天寶華遍布其地釋迦牟尼佛
為諸佛當來坐故復於八方各變二百万億
那由他國皆令清淨无有地獄餓鬼畜生及
阿脩羅又移諸天人置於他土所化之國亦
以瑠璃為地寶樹莊嚴樹高五百由旬枝葉
華菓次第莊嚴樹下皆有寶師子座高五由
旬亦以大寶而校飾之亦无大海江河及目
真隣陁山摩訶目真隣陁山鐵圍山大鐵圍
山須弥山等諸山王通為一佛國土寶地平正
寶交露幔遍覆其上懸諸幡蓋燒大寶香
諸天寶華遍布其地尒時東方釋迦牟尼所

華菓次第莊嚴樹下皆有寶師子座高五由
旬亦以大寶而校飾之亦无大海江河及目
真隣陁山摩訶目真隣陁山鐵圍山大鐵圍
山須弥山等諸山王通為一佛國土寶地平正
寶交露幔遍覆其上懸諸幡蓋燒大寶香
諸天寶華遍布其地尒時東方釋迦牟尼所
分之身百千万億那由他恒河沙等國土中
諸佛各各說法來集於此如是次第十方諸
佛皆悉來集坐於八方尒時一一方四百万
億那由他國土諸佛如來遍滿其中是時諸
佛各在寶樹下坐師子座皆遣侍者問訊釋
迦牟尼佛各齎寶華滿掬而告之言善男子
汝往詣耆闍崛山釋迦牟尼佛所如我辭曰
少病少惱氣力安樂及菩薩聲聞衆悉安隱
不以此寶華散佛供養而作是言彼某甲佛
與欲開此寶塔諸佛遣使亦復如是尒時釋
迦牟尼佛見所分身諸佛悉已來集各各坐
於師子之座皆聞諸佛與欲同開寶塔即從
座起住虛空中一切四衆起立合掌一心觀佛
於是釋迦牟尼佛以右指開七寶塔戶出大
音聲如却關鑰開大城門即時一切衆會皆
見多寶如來於寶塔中坐師子座全身不散
如入禪定又聞其言善哉善哉釋迦牟尼佛
快說是法華經我為聽是經故而來至此尒
時四衆等見過去无量千万億劫滅度佛說
如是言歎未曾有以天寶華聚散多寶佛及
釋迦牟尼佛上尒時多寶佛於寶塔中分半
座與釋迦牟尼佛而作是言釋迦牟尼佛可
就此座即時釋迦牟尼佛入其塔中坐其半

快說是法華經我為聽是經故而來至此尒
時四眾等見過去无量千万億劫滅度佛說
如是言歎未曾有以天寶華聚散多寶佛及
釋迦牟尼佛上尒時多寶佛於寶塔中分半
座與釋迦牟尼佛而作是言釋迦牟尼佛可
就此座即時釋迦牟尼佛入其塔中坐其半
座結跏趺坐尒時大眾見二如來在七寶塔
中師子座上結跏趺坐各作是念佛座高遠
唯願如來坐神通力令我等輩俱處虛空即
時釋迦牟尼佛以神通力接諸大眾皆在虛
空以大音聲普告四眾誰能於此娑婆國土
廣說妙法華經今正是時如來不久當入涅
槃佛欲以此妙法華經付屬有在尒時世尊
欲重宣此義而說偈言
聖主世尊 雖久滅度 在寶塔中 尚為法來
諸人云何 不勤為法 此佛滅度 无鞅數劫
處處聽法 以難遇故 彼佛本願 我滅度後
在在所往 常為聽法 又我分身 无量諸佛
如恒沙等 來欲聽法 及見滅度 多寶如來
各捨妙土 及弟子眾 天人龍神 諸供養事
令法久住 故來至此 為坐諸佛 以神通力
移无量眾 令國清淨 諸佛各各 詣寶樹下
如清淨池 蓮華莊嚴 其寶樹下 諸師子座
佛坐其上 光明嚴飾 如夜暗中 燃大炬火
身出妙香 遍十方國 眾生蒙薰 喜不自勝
譬如大風 吹小樹枝 以是方便 令法久住
告諸大眾 我滅度後 誰能護持 讀說斯經
今於佛前 自說誓言 其多寶佛 雖久滅度
以大誓願 而師子吼 多寶如來 及與我身

佛坐其上 光明嚴飾 如夜暗中 燃大炬火
身出妙香 遍十方國 眾生蒙薰 喜不自勝
譬如大風 吹小樹枝 以是方便 令法久住
告諸大眾 我滅度後 誰能護持 讀說斯經
今於佛前 自說誓言 其多寶佛 雖久滅度
以大誓願 而師子吼 多寶如來 及與我身
所集化佛 當知此意 諸佛子等 誰能護法
當發大願 令得久住 其有能護 此經法者
則為供養 我及多寶 此多寶佛 處於寶塔
常遊十方 為是經故 亦復供養 諸來化佛
莊嚴光飾 諸世界者 若說此經 則為見我
多寶如來 及諸化佛 諸善男子 各諦思惟
此為難事 宜發大願 諸餘經典 數如恒沙
雖說此等 未足為難 若接須弥 擲置他方
无數佛土 亦未為難 若以足指 動大千界
遠擲他國 亦未為難 若立有頂 為眾演說
无量餘經 亦未為難 若佛滅後 於惡世中
能說此經 是則為難 假使有人 手把虛空
而以遊行 亦未為難 於我滅後 若自書持
若使人書 是則為難 若以大地 置足甲上
外於梵天 亦未為難 佛滅度後 於惡世中
暫讀此經 是則為難 假使劫燒 擔負乾草
入中不燒 亦未為難 我滅度後 若持此經
為一人說 是則為難 若持八万 四千法藏
十二部經 為人演說 令諸聽者 得六神通
雖能如是 亦未為難 於我滅後 聽受此經
問其義趣 是則為難 若人說法 令千万億
无量无數 恒沙眾生 得阿羅漢 具六神通
雖有是益 亦未為難 於我滅後 若能奉持

入中不燒　亦未為難　我滅度後　若持此經
為一人說　是則為難　若持八万　四千法藏
十二部經　為人演說　令諸聽者　得六神通
雖能如是　亦未為難　於我滅後　聽受此經
問其義趣　是則為難　若人說法　令千万億
无量无數　恒沙衆生　得阿羅漢　具六神通
雖有是益　亦未為難　於我滅後　若能奉持
如斯經典　是則為難　我為佛道　於无量土
從始至今　廣說諸經　而於其中　此經第一
若有能持　則持佛身　諸善男子　於我滅後
誰能護持　讀誦此經　今於佛前　自說誓言
此經難持　若暫持者　我則歡喜　諸佛亦然
如是之人　諸佛所歎　是則勇猛　是則精進
是名持戒　行頭陁者　則為疾得　无上佛道
能於來世　讀持此經　是真佛子　住淳善地
佛滅度後　能解其義　是諸天人　世間之眼
於恐畏世　能須臾說　一切天人　皆應供養

妙法蓮華經提婆達多品第十二

尒時佛告諸菩薩及天人四衆吾於過去无
量劫中求法華經无有懈惓於多劫中常作
國王發願求於无上菩提心不退轉為欲滿
足六波羅蜜勤行布施心无悋惜象馬七珎
國城妻子奴婢僕從頭目髓腦身肉手足不
惜軀命時世人民壽命无量為於法故捐捨
國位委政太子擊鼓宣令四方求法誰能為
我說大乘者吾當終身供給走使時有仙人
來白王言我有大乘名妙法華若不違我當
為宣說王聞仙言歡喜踊躍即隨仙人供給
所須採菓汲水拾薪設食乃至以身而為床

BD01345號　妙法蓮華經卷四　(26–19)

國位委政太子擊鼓宣令四方求法誰能為
我說大乘者吾當終身供給走使時有仙人
來白王言我有大乘名妙法華若不違我當
為宣說王聞仙言歡喜踊躍即隨仙人供給
所須採菓汲水拾薪設食乃至以身而為床
座身心无惓于時奉事經於千歲為於法故
精勤給侍令无所乏尒時世尊欲重宣此義
而說偈言
我念過去劫　為求大法故　雖作世國王　不貪五欲樂
搥鍾告四方　誰有大法者　若為我解說　身當為奴僕
時有阿私仙　來白於大王　我有微妙法　世間所希有
若有脩行者　吾當為汝說　時王聞仙言　心生大喜悅
即便隨仙人　供給於所須　採薪及菓蓏　隨時恭敬與
情存妙法故　身心无懈惓　普為諸衆生　勤求於大法
亦不為己身　及以五欲樂　故為大國王　勤求獲此法
遂致得成佛　今故為汝說
佛告諸比丘尒時王者則我身是時仙人者
今提婆達多是由提婆達多善知識故令我
具足六波羅蜜慈悲喜捨三十二相八十種
好紫磨金色十力四无所畏四攝法十八不
共神通道力成等正覺廣度衆生皆因提婆
達多善知識故告諸四衆提婆達多却後過
无量劫當得成佛号曰天王如來應供正遍
知明行足善逝世間解无上士調御丈夫天
人師佛世尊世界名天道時天王佛住世二
十中劫廣為衆生說於妙法恒河沙衆生得
阿羅漢果无量衆生發緣覺心恒河沙衆生
發无上道心得无生忍至不退轉時天王佛
般涅槃後正法住世二十中劫全身舍利起

BD01345號　妙法蓮華經卷四　(26–20)

人師佛世尊世界名天道時天王佛住世二
十中劫廣為衆生說於妙法恒河沙衆生得
阿羅漢果无量衆生發緣覺心恒河沙衆生
發无上道心得无生忍至不退轉時天王佛
般涅槃後正法住世二十中劫全身舍利起
七寶塔高六十由旬縱廣四十由旬諸天人
民悉以雜華末香燒香塗香衣服瓔珞幢幡
寶蓋伎樂歌頌礼拜供養七寶妙塔无量衆
生得阿羅漢无量衆生悟辟支佛不可思議
衆生發菩提心至不退轉佛告諸比丘未來
世中若有善男子善女人聞妙法華經提婆
達多品淨心信敬不生疑惑者不墮地獄餓
鬼畜生生十方佛前所生之處常聞此經若
生人天中受勝妙樂若在佛前蓮華化生於
時下方多寶世尊所從菩薩名曰智積白多
寶佛當還本土釋迦牟尼佛告智積曰善男
子且待須臾此有菩薩名文殊師利可與相
見論說妙法可還本土尒時文殊師利坐千
葉蓮華大如車輪俱來菩薩亦坐寶華從
於大海娑竭龍宮自然踊出住虛空中詣靈
鷲山從蓮華下至於佛所頭面敬礼二世尊
足脩敬已畢往智積所共相慰問却坐一面智
積菩薩問文殊師利仁往龍宮所化衆生其
數幾何文殊師利言其數无量不可稱計非
口所宣非心所測且待須臾自當有證所言
未竟无數菩薩坐寶蓮華從海踊出詣靈鷲
山住在虛空此諸菩薩皆是文殊師利之所
化度具菩薩行皆共論說六波羅蜜本聲聞
人在虛空中說聲聞行今皆脩行大乘空義

BD01345號　妙法蓮華經卷四　（26–21）

數幾何文殊師利言其數无量不可稱計非
口所宣非心所測且待須臾自當有證所言
未竟无數菩薩坐寶蓮華從海踊出詣靈鷲
山住在虛空此諸菩薩皆是文殊師利之所
化度具菩薩行皆共論說六波羅蜜本聲聞
人在虛空中說聲聞行今皆脩行大乘空義
文殊師利謂智積曰於海教化其事如是尒
時智積菩薩以偈讚曰
大智德勇健　化度无量衆　今此諸大會　及我皆已見
演暢實相義　開闡一乘法　廣度諸群生　令速成菩提
文殊師利言我於海中唯常宣說妙法華經
智積問文殊師利言此經甚深微妙諸經中
寶世所希有頗有衆生勤加精進脩行此經
速得佛不文殊師利言有娑竭羅龍王女年
始八歲智慧利根善知衆生諸根行業得陁
羅尼諸佛所說甚深秘藏悉能受持深入禪
定了達諸法於刹那頃發菩提心得不退轉
辯才无礙慈念衆生猶如赤子功德具足心
念口演微妙廣大慈悲仁讓志意和雅能至
菩提智積菩薩言我見釋迦如來於无量劫
難行苦行積功累德求菩薩道未曾止息觀
三千大千世界乃至无有如芥子許非是菩
薩捨身命處為衆生故然後乃得成菩提道
不信此女於須臾頃便成正覺言論未訖時
龍王女忽現於前頭面礼敬却住一面以偈
讚曰
深達罪福相　遍照於十方　微妙淨法身　具相三十二
以八十種好　用莊嚴法身　天人所戴仰　龍神咸恭敬
一切衆生類　无不宗奉者　又聞成菩提　唯佛當證知

BD01345號　妙法蓮華經卷四　（26–22）

不信此女於須臾頃便成正覺言論未訖時
龍王女忽現於前頭面礼敬却住一面以偈
讃曰
深達罪福相　遍照於十方　微妙淨法身　具相三十二
以八十種好　用莊嚴法身　天人所戴仰　龍神咸恭敬
一切衆生類　无不宗奉者　又聞成菩提　唯佛當證知
我闡大乘教　度脫苦衆生
時舍利弗語龍女言汝謂
事難信所以者何女身垢穢非是法器云何
能得无上菩提佛道懸曠經无量劫勤苦積
行具脩諸度然後乃成又女人身猶有五障
一者不得作梵天王二者帝釋三者魔王四
者轉輪聖王五者佛身云何女身速得成佛
尒時龍女有一寶珠價直三千大千世界持
以上佛佛即受之龍女謂智積菩薩尊者舍
利弗言我獻寶珠世尊納受是事疾不荅
言甚疾女言以汝神力觀我成佛復速於此
當時衆會皆見龍女忽然之間變成男子具
菩薩行即往南方无垢世界坐寶蓮華成等
正覺三十二相八十種好普為十方一切衆生
演說妙法尒時娑婆世界菩薩聲聞天龍八
部人與非人皆遙見彼龍女成佛普為時會
人天說法心大歡喜悉遙敬礼无量衆生聞
法解悟得不退轉无量衆生得受道記无垢
世界六反震動娑婆世界三千衆生住不退
地三千衆生發菩提心而得受記智積菩薩
及舍利弗一切衆會嘿然信受

妙法蓮華經持品第十三

尒時藥王菩薩摩訶薩及大樂說菩薩摩訶
薩與二万菩薩眷屬俱皆於佛前作是誓言

世界六反震動娑婆世界三千衆生住不退
地三千衆生發菩提心而得受記智積菩薩
及舍利弗一切衆會嘿然信受

妙法蓮華經持品第十三

尒時藥王菩薩摩訶薩及大樂說菩薩摩訶
薩與二万菩薩眷屬俱皆於佛前作是誓言
唯願世尊不以為慮我等於佛滅後當奉持
讀誦說此經典後惡世衆生善根轉少多增
上慢貪利供養增不善根遠離解脫雖難可
教化我等當起大忍力讀誦此經持說書寫
種種供養不惜身命尒時衆中五百阿羅漢
得受記者白佛言世尊我等亦自誓願於異
國土廣說此經復有學无學八千人得受記
者從座而起合掌向佛作是誓言世尊我等
亦當於他國土廣說此經所以者何是娑婆
國中人多弊惡懷增上慢功德淺薄瞋濁諂
曲心不實故尒時佛姨母摩訶波闍波提比
丘尼與學无學比丘尼六千人俱從座而起
一心合掌瞻仰尊顏目不暫捨於時世尊告
憍曇弥何故憂色而視如來汝心將无謂我
不說汝名授阿耨多羅三藐三菩提記耶憍
曇弥我先惣說一切聲聞皆已授記今汝欲
知記者將来之世當於六万八千億諸佛法
中為大法師及六千學无學比丘尼俱為法
師汝如是漸漸具菩薩道當得作佛号一切
衆生憙見如來應供正遍知明行足善逝世
間解无上士調御丈夫天人師佛世尊憍曇
弥是一切衆生憙見佛及六千菩薩轉次授
記得阿耨多羅三藐三菩提尒時羅睺羅母
耶輸陀羅比丘尼作是念世尊於授記中獨

[illegible]
衆生憙見如来應供正遍知明行足善逝世
間解无上士調御丈夫天人師佛世尊慉量
弥是一切衆生憙見佛及六千菩薩轉次授
記得阿耨多羅三藐三菩提尒時羅睺羅母
耶輸陁羅比丘尼作是念世尊於授記中獨
不說我名佛告耶輸陁羅汝於来世百万億
諸佛法中脩菩薩行為大法師漸具佛道於
善國中當得作佛号具足千万光相如来應
供正遍知明行足善逝世間解无上士調御
丈夫天人師佛世尊佛壽无量阿僧祇劫尒
時摩訶波闍波提比丘尼及耶輸陁羅比丘
尼并其眷屬皆大歡喜得未曾有即於佛前
而說偈言
世尊導師　安隱天人　我等聞記　心安具足
諸比丘尼說是偈已白佛言世尊我等亦能
於他方國土廣宣此經尒時世尊視八十万
億那由他諸菩薩摩訶薩是諸菩薩皆是阿
惟越致轉不退法輪得諸陁羅尼即從座起
至於佛前一心合掌而作是念若世尊告勅
我等持說此經者當如佛教廣宣斯法復作
是念佛今嘿然不見告勅我當云何時諸菩
薩敬順佛意并欲自滿本願便於佛前作師
子吼而發誓言世尊我等於如来滅後周旋
往反十方世界能令衆生書寫此經受持讀
誦解說其義如法脩行正憶念皆是佛之威
力唯願世尊在於他方遥見守護即時諸菩
薩俱同發聲而說偈言
唯願不為慮 [illegible]

BD01345 號　妙法蓮華經卷四　（26–25）

供正遍知明行足善逝世間解无上士調御
丈夫天人師佛世尊佛壽无量阿僧祇劫尒
時摩訶波闍波提比丘尼及耶輸陁羅比丘
尼并其眷屬皆大歡喜得未曾有即於佛前
而說偈言
世尊導師　安隱天人　我等聞記　心安具足
諸比丘尼說是偈已白佛言世尊我等亦能
於他方國土廣宣此經尒時世尊視八十万
億那由他諸菩薩摩訶薩是諸菩薩皆是阿
惟越致轉不退法輪得諸陁羅尼即從座起
至於佛前一心合掌而作是念若世尊告勅
我等持說此經者當如佛教廣宣斯法復作
是念佛今嘿然不見告勅我當云何時諸菩
薩敬順佛意并欲自滿本願便於佛前作師
子吼而發誓言世尊我等於如来滅後周旋
往反十方世界能令衆生書寫此經受持讀
誦解說其義如法脩行正憶念皆是佛之威
力唯願世尊在於他方遥見守護即時諸菩
薩俱同發聲而說偈言
唯願不為慮 [illegible]

BD01345 號　妙法蓮華經卷四　（26–26）

彌沙塞律五卷中　過去世時阿練若池水邊有二鴈與一
龜共結親厚後時池水涸竭二鴈作是議今此池水涸竭
親厚必受大苦議已語龜言此池水涸竭汝無濟理可
銜一木我等各銜一頭將汝著大水處銜木之時
不可語即便銜之經過聚落諸小兒見皆言鴈銜
龜去龜去龜即瞋言何豫汝事便失木墮地而死
爾時世尊因此說偈　夫士之生　斧在口中　所以斬身
其惡言　應毀反譽　應譽反毀　自受其殃　終無後[illegible]
若以斯利諍　此惡未為大　惡心向佛者　斯乃為大惡
尼浮有百千　尼羅三十六　惡意向賢人　當墮此地獄
佛告彼龜者調達是也昔以瞋語致有死苦今復瞋[illegible]
墮大地獄　阿毗曇毗婆沙論弟四揵度卷末說　問曰
退時為住意地退為住五識身退耶答曰住意地退非五
識身問曰若住意地非五識身者優陀延王何緣去何
通曾聞優陀延王將諸宮人綵女詣欝毒彼陀山林除
却男子純與女人五樂自娛其音清妙燒衆名香時諸
綵女或有倮形而起舞者尒時有五百仙人以神足力
飛騰虛空經過彼處時諸仙人眼見色耳聞聲鼻
臭香便失神足猶無翼鳥墮彼林中時王見之而問
言諸賢汝得非想非非想處定耶答言不得乃至問言汝
得初禪耶答言曾得而今已失時王瞋恚作如是言有
欲之人見我宮人綵女非其所以便拔利劍斷五百仙人手
足彼諸仙人或有住眼識退者或有耳識退者或有
住鼻識退優陀羅摩子因緣復云何通曾聞優陀
羅摩子有王常施其食若食時至以神足力猶如鴈

BD01345 號背 1　彌沙塞部和醯五分律卷二五　　（15–1）

BD01345 號背 2　阿毗曇毗婆沙論卷三二

飛騰虛空經過彼處[illegible]
臭香便失神足猶無翼鳥墮彼林中時王見之而問
言諸賢汝得非想非非想處定耶答言不得乃至問言汝
得初禪耶答言曾得而今已失時王瞋恚作如是言有
欲之人見我宮人綵女非其所以便拔利劍斷五百仙人手
足彼諸仙人或有住眼識退者或有耳識退者或有
住鼻識退優陀羅摩子因緣復云何通曾聞優陀
羅摩子有王常施其食若食時至以神足力猶如鴈
王飛騰虛空詣於王宮時王昔時躬自迎抱坐金牀
上以諸仙人所食之味而供養之時彼仙人飯食已竟
除器滌漱說偈呪願飛空而去是王後時彼仙人飯食
以國事故欲詣餘處作是念若我行後无人如我常
法給事仙人仙人性躁或起瞋恚而呪咀我或失王位
或斷我命便問其女作如是言仙人若來如我常清
汝能供養不女答言能時王重約勑女盡心奉養然後
乃行營理國事後日食仙人從空飛行而來時王女授
王法躬身迎抱坐金牀上王女身體細濡仙人觸欲而
復動薄身觸女時退失神足飯食訖除器滌漱說
偈呪願欲飛空去而不能飛時王宮中有後園林即
入其中欲脩神足耳聞鳥馬車衆之聲而不得脩時
彼城中人民恒作是念若令大仙在地行者我等當
得親近礼足尒時仙人聰明黠慧善知方便語王女
言汝今宣告城中人民今日大仙當從王宮步行而
出汝等人民所應作者皆悉作之時彼王女如其所勑
即便宣告城中人民是時人民即時除去城中街陌
瓦礫糞穢懸諸幡蓋燒衆名香散種種花嚴飾
鮮潔猶如天城是時仙人步行而出去城不遠入林樹
間欲脩神足聞衆鳥聲脩不能得便捨林樹復詣
河邊以其本法欲脩神足復聞水中魚鼈黿鼉迴轉之聲
聲而不得脩便上山上作是思惟我今所以退失善
[illegible]

BD01345 號背 2　阿毗曇毗婆沙論卷三二　　（15–2）

即便宣告城中人民是時人民即時除去城中街陌
瓦礫糞穢懸諸幡蓋燒衆名香散種種花嚴飾
鮮潔猶如天城是時仙人從行而出去城不遠入林樹
間欲脩神足聞衆馬音脩不能得便捨林樹復詣
河邊以其本法欲脩神足復聞水中魚鼈迴轉之
音而不得脩便上山上作是思惟我今所以退失善
法皆由衆生凡我所有善法淨行梵行使我當作如
是衆生能害世間所有地行飛行水性衆生無免我
者發是惡願已離八地欲生非想非非想有須處所
甘露門寂靜田中八万劫中處閑靜樂業報盡已還
生此間答波樹林雲摩呵蘭若處作着翅貍身廣五
十由旬其身量五十由旬其身量百五十由旬以此大
身繳害空行水陸衆生無得免者身壞命終生阿
毗地獄如是等住身識時退
受佛語諸比丘是闡陀比丘不但今日不受餘人語但信
我語過去世時亦是諸比丘白佛言已曾爾耶唯願
欲聞佛言如是過去世時有城名波羅柰國名伽尸
爾時有一長者有奴字阿摩由為性凶惡爾時長者與諸
婆羅門子遊戲園林諸從人在輩皆在園門外住時阿摩
由在園門外打諸從人時諸被打者各語其主時諸婆羅
門子盡出呵之時阿摩由不受其語答諸婆羅門子言
不隨汝語我大家來呵我者當受其語遂打不止而來
告阿摩由主阿摩由主生得瞋眼觀見閑處下有金
銀伏藏其家凶敵今其聞耳即往呵之時奴即止佛告諸
諸比丘爾時長者豈異人乎即我身是爾時阿摩由者
者今闡陀比丘是諸比丘是諸比丘白佛言世尊云何是
闡陀恃怙世尊陵於他人佛言比丘是闡陀比丘不但今
日恃我輕於他人過去世時已曾恃我輕於他人諸比丘
白佛言已曾爾耶佛言如是過去世時有城名波羅柰
國名伽尸時有弗盧醯大學婆羅門為國王師常

BD01345 號背 2　阿毗曇毗婆沙論卷三二　　（15–3）
BD01345 號背 3　摩訶僧祇律卷七

諸比丘爾時長者豈異人乎即我身是爾時阿摩由者
者今闡陀比丘是諸比丘是諸比丘白佛言世尊云何是
闡陀恃怙世尊陵於他人佛言比丘是闡陀比丘不但今
日恃我輕於他人過去世時已曾恃我輕於他人諸比丘
白佛言已曾爾耶佛言如是過去世時有城名波羅柰
國名伽尸時有弗盧醯大學婆羅門為國王師常
教學五百弟子時婆羅門[…]
生一奴名迦羅呵常使供給諸童子等婆羅門法餘
姓不得妄聞以奴親近供養故得在其邊聽為諸童
子說婆羅門法是奴利根聞說法言盡能憶持此奴
一時共諸童子小有嫌恨便之他國詐自稱言我是佛
盧醯婆羅門子字耶若達多語此國王師婆羅門
言我是波羅柰國王師弗盧醯子故來至此欲授大
師學婆羅門法師答言可爾是奴聰明本已曾聞今
復重聞聞悉能持其師大喜即令教授五百門徒
五百童子言汝代我教我當往來王家是師婆羅門無
有男兒唯有一女便作是念今可以女妻之耶若達多
常在我家便如我子即告之曰耶若達多當用我
語答言從教復告之言汝莫還波羅柰常住此國我
今以女妻汝答言從教即與其女在家如見共作生
活家漸豐樂是耶若達多為人難可婦為作食
恒懷瞋恚呰呰醎淡生熟不能適口婦常念言彼
有什人從波羅柰來者當從彼受作飯食法然後作
供養夫主彼弗盧醯婆羅門其聞是事便作是念
我奴迦羅呵逃在他國當往捉來或可得奴直便詣彼
國時耶若達多與諸門徒詣園遊戲在於中路遙見本
主即便驚怖密語門徒諸童子汝等還去各自誦
習門徒去已便到主前頭面禮足白其主言我來此國
稱道大家是我之父便從此國師大學婆羅門與女

BD01345 號背 3　摩訶僧祇律卷七　　（15–4）

供養夫主彼弗盧醯婆羅門具聞是事便作是念
我奴迦羅呵逃在他園當往捉來或可得奴直便詣彼
園時邪若達多與諸門徒詣園遊戲在於中路遙見本
主即便驚怖密語門徒諸童子汝等還去各自誦
習門徒去已便到主前頭面礼足白其主言我來當
稱尊大家是我之父便投此園師大學婆羅門與女
為師以大學經典故師婆羅門與女為婦願尊念恕
棄我是事當與奴直奉上大家主婆羅門善解世事
即便答言汝實我兒何所復言但作方便早見發
遣即將歸家告家中言我所新來其婦歡喜辦
種種飲食奉食已訖小空閒時禮婆羅門足而閒
之日我奉事夫邪若達多飲食供養常不可意
願今指授本在家時何所食噉當如先法為作飲
食客婆羅門便即瞋恚而作是念如是如是子因苦
他子女語此女言汝但速發遣我我臨去時當教汝一
偈誦是偈時當使汝夫無言是女即語夫言尊婆
婆羅門故從遠來宜早發遣夫即念言如婦所說
應早遣莫令久住言語漏失損我不少便大與財物
教婦作食自行為主求伴婦於後奉食訖已禮足辭
別請求先偈即教說偈言
無親遊他方　欺誑於下至　麤食是常食　但食復何嫌
今與汝此偈若彼瞋恚嫌食悉時便在其邊背面
微誦令其得聞作是教已便還本園是邪若達多
送主去已每至食時還復瞋恚婦於夫邊誦其偈
時夫聞是偈已心即不喜便作是念此是老物發我臭
穢從是已後常作惡語恐婦向至說其陰私佛告諸比
丘時彼羅奈園佛盧醯婆羅門者豈異至乎即我身
是時奴迦羅呵者今闡陀比丘是彼於爾時已曾恃我陵
易他至今復如是恃我勢力陵易他至

BD01345 號背 3　摩訶僧祇律卷七　（15–5）

送主去已每至食時還復瞋恚婦於夫邊誦其偈
時夫聞是偈已心即不喜便作是念此是老物發我臭
穢從是已後常作惡語恐婦向至說其陰私佛告諸比
丘時彼羅奈園佛盧醯婆羅門者豈異至乎即我身
是時奴迦羅呵者今闡陀比丘是彼於爾時已曾恃我陵
易他至今復如是恃我勢力陵易他至

般泥洹後灌臘經
聞如是一時佛在舍衛國祇樹給孤獨園與摩訶比丘僧諸
天至民共會坐說阿難前長跪叉手白佛言天中之天
欲有所問願佛說之若佛般泥洹後四輩弟子比丘比丘
尼優婆塞優婆夷四月（七月）十五日灌臘當何所用佛語阿
難灌臘佛者是福德至之度者各自減錢寶割取
珍愛用求度世之福當給寺然燈燒香用作經像若
供養師施與貧窮可設齋會不可貰許然後不出
此為現世負佛自是心口所作當得妄語之罪所以者
何為佛投盤作礼以五種香水手自浴佛師跪觀
呪願當此之時天龍鬼神皆明證知此至出五家財
物侵妻子分用求福利而反不出當有五罪令
惡道何等為五一者財物日減二者遺忘三者
者治生所向無利四者入太山地中被拷治苦
痛難言五者後世來或作奴婢牛馬騾驢駱駝
或作豬羊是為五便羅三惡一者為入薜荔中作
餓鬼二者入禽獸作畜生三者泥犁中當更十八苦
獄罪不可數七月十五日自向七世父母五種親屬有
隨惡道勤苦劇者因佛作礼福欲令解脫憂苦
名為灌臘佛者天上天下三界之王不食世間至民
也其物皆衆僧分之不應獨取是為大罪若無僧
可分施貧窮孤獨羸老是種善根諸弟子聞經
歡喜為佛作礼而去
般泥洹後灌臘經

BD01345 號背 4　般泥洹後灌臘經　（15–6）

名為灌臘佛者爪上爪下三界之王不食世間至民
也其物皆衆僧分之不應獨取是為大罪若無僧
可分施貧窮孤獨羸老是種善根諸弟子聞經
歡喜為佛作礼而去
般泥洹後灌臘經
沙弥羅經
昔有小兒名曰沙弥羅年始七歲意好道德随一沙門為作弟
子處在山中給師所使誦念經法心不懈息至年八歲得阿羅
漢道眼能洞視無所見無極耳能徹聽天上天下所為善惡
皆悉聞之身能飛行在能至到能分一身變作萬身自在現化無
所不作自知宿命所從来生及諸人物蚑行蠕動皆悉知之坐見宿
命為五母作子時便自啼時師顧問語沙弥羅汝啼何等此間山中
亦無歌舞汝啼我邪沙弥羅言不敢啼師我還自啼一神受身為
為五母作子五母為我晝夜啼哭感傷愁毒不能自止恒言
念子未曾忽忘自念一身而愁五家是以自啼不敢啼師我本
第一母作子時有並隣居亦生一子與我同日我死以後同日子
出入行步母見之便言悲念我子在處亦當出入行步如是
感傷悲哀淚下如雨我為第二母作子時我命早死我母
是見人乳兒便念乳我悲念感傷我為第三母作子時垂
始十歲我命復死我母啟時便悲淚出我子在者當與俱食，
捨我死去使我獨食哽咽呼命緣言念子我為第四母作
子時薄命先死我母見我等輩同時曰娶婦悲念我
言今子在者亦當娶婦我何所犯而煞我子我為第五母作
子時始七歲好道辭家捨母随師入山求道一心思禪得阿羅漢道
我母□□啼哭念我我生一子随師學道不知所在飢渴寒暑
今為死生於是五母共會一處各各悲哀言念我子相對啼
哭不能自止我一魂神展轉五母腹中作子依因二親受形
成人而使我母啼哭發狂各念我身乃欲自煞是故啼耳我
念世間癡網因緣生死罪福造行根源墮入地獄善行生天
我畏世苦辭家入山精進禪定得道昇仙觀見餓鬼地獄
畜生苦痛之處代為恐怖慄傷五母不能自脫又憂我
身我所求索願行如言永離生死斷絕身根如人不種當所

BD01345號背5　沙彌羅經

（15–7）

哭不能自止我一魂神展轉五母腹中作子依因二親受形
成人而使我母啼哭發狂各念我身乃欲自煞是故啼耳我
念世間癡網因緣生死罪福造行根源墮入地獄善行生天
我畏世苦辭家入山精進禪定得道昇仙觀見餓鬼地獄
畜生苦痛之處代為恐怖慄傷五母不能自脫又憂我
身我所求索願行如言永離生死斷絕身根如人不種當所
泥洹善會師說已飛騰虛空
沙弥羅經
大方廣佛花嚴經入法界品第卅九之十四 卷七十三 新譯
佛子乃往古世過世界海微塵數劫有劫名善光世界名
寶光於其劫中有一萬佛出興于世其最初佛号法輪音
虛空燈王如来應正等覺十号圓滿彼閻浮提有一王都
名寶莊嚴其東不遠有一大林名曰妙光中有道場名
為寶花彼道場中有普光明摩尼蓮花藏師子之座
時彼如来於此座上成阿耨多羅三藐三菩提滿一百年
坐於道場為諸菩薩諸天世人及閻浮提宿殖善根已
成熟者演說正法是時國王名曰勝光時世人民壽一萬
歲其中多有殺盜婬佚妄語綺語兩舌惡口貪瞋邪
見不孝父母不敬沙門婆羅門等時王為欲調伏彼等造
立囹圄枷鎖禁閉無量衆生於中受苦王有太子名
為善伏端正殊特人所憙見具二十八大人之相在宮殿
中遥聞獄囚楚毒音聲心懷傷愍從宮殿出入牢獄中
見諸罪人杻械枷鎖遞相連繫置幽闇處或以火炙
或以煙熏或被榜笞或遭臏割裸形亂髮飢渴羸
瘦筋斷骨現號叫苦劇太子見已心生悲愍以無
畏聲安慰之言汝莫憂惱汝勿愁怖我當令汝悉
得解脫便詣王所而白王言獄中罪人苦毒難處願
垂寬宥施以無畏時王即集五百大臣而問之言是
云何諸臣答言彼罪人者私竊官物謀奪王位盜入

BD01345號背5　沙彌羅經

BD01345號背6　大方廣佛華嚴經（唐譯八十卷本）卷七三

（15–8）

或以煙熏或被榜笞或遭臏割倮形亂髮飢渴羸
瘦筋斷骨現號叫苦劇太子見已心生悲愍以無
畏聲安慰之言汝莫憂惱汝勿愁怖我當令汝悉
得解脫便詣王所而白王言獄中罪人苦毒難處願
垂寬宥施以無畏時王即集五百大臣而問之言是
云何諸臣答言彼罪人者私竊官物謀奪王位盜入
宮闈罪應刑戮有哀救者罪亦至死時彼太子悲
心轉切語大臣言如汝所說但放此人隨其所應可以
治我我為彼故一切苦事悉皆能受粉身殞命無
所顧惜要令罪人皆得免苦何以故我若不救此眾
生者云何能救三界牢獄諸苦眾生一切眾生在三界
中貪愛所縛愚癡所蔽貧無功德墮諸惡趣身
形鄙陋諸根放逸其心迷惑不求出道失智慧光
樂著三有斷諸福德滅諸智慧種種煩惱濁亂其
心住苦牢獄入魔罥網生老病死憂悲惱害如是諸
苦常所逼迫我當云何令彼解脫應捨身命而拔
濟之時諸大臣共詣王所悉舉其手高聲唱言大
王當知如太子意毀壞王法禍及萬人若王愛念不責
治者王之寶祚亦不久立王聞此言赫然大怒令誅太
子及諸罪人王后聞之愁憂號哭毀形降服與千
采女馳詣王所舉身投地頂礼王足俱作是言唯願
大王赦太子命王即迴顧語太子言莫救罪人若救
罪人必當殺汝爾時太子為欲專求一切智故為
欲利益諸眾生故為以大悲普救攝故其心堅固
無有退怯復白王言願恕彼罪身當受戮王言
隨意爾時王后白言大王願聽太子半月行施恣意於福
然後治罪王即聽許時都城北有一大園名曰日光是昔

BD01345號背6　大方廣佛華嚴經（唐譯八十卷本）卷七三　（15–9）

罪人必當殺汝爾時太子為欲專求一切智故為
欲利益諸眾生故為以大悲普救攝故其心堅固
無有退怯復白王言願恕彼罪身當受戮王言
隨意爾時王后白言大王願聽太子半月行施恣意於福
然後治罪王即聽許時都城北有一大園名曰日光是昔
施場太子往彼設大施會飲食衣服花鬘瓔珞塗香
末香幢幡寶蓋諸莊嚴具隨有所求靡不周給經
月已於最後日國王大臣長者居士城邑人民及諸外道
悉來集會時法輪音虛空燈王如來知諸眾生調伏
時至與大眾俱天王圍繞龍王供養夜叉王守護乾
闥婆王讚歎向脩羅王曲躬頂礼迦樓羅王以清淨
心散諸寶花緊那羅王歡喜勸請摩睺羅伽王一
心瞻仰來入彼會爾時太子及諸大眾遙見佛來端
嚴殊特諸根寂定如調順象心無垢濁如清淨池現
大神通示大自在顯大威德種種相好莊嚴其身放大
光明普照世界一切毛孔出香焰雲振動十方無量
佛剎隨所至處普雨一切諸莊嚴具以佛威儀以佛功
德眾生見者心淨歡喜煩惱銷滅爾時太子及諸大眾五
體投地頂礼其足安施牀座合掌白言善來世尊
善來善逝唯願哀愍攝受於我處於此座以佛
神力淨居諸天即變此座為香摩尼花之座佛
坐其上諸菩薩眾亦皆就座周帀圍繞時彼會中
一切眾生因見如來苦滅障除堪受聖法爾時如來
知其可化以圓滿音說脩多羅名普照因輪令諸
眾生隨類各解時彼會中有八十那由他眾生遠塵
離垢得淨法眼無量那由他眾生得無學地十千眾
生住大乘道入普賢行成滿大願當爾之時十方各
百佛剎微塵數眾生於大乘中心得調伏十方世界

BD01345號背6　大方廣佛華嚴經（唐譯八十卷本）卷七三　（15–10）

知其可化以圓滿音說修多羅名普照因輪令諸
衆生隨類各解時彼會中有八十那由他衆生遠塵
離垢得淨法眼無量那由他衆生得無學地十千衆
生住大乘道入普賢行成滿大願當尒之時十方各
百佛剎微塵數衆生於大乘中心得調伏無量世界
一切衆生免離惡趣生於天上善伏太子即於此時得
菩薩教化衆生令生善根解脫門善男子尒時太
子豈異人乎我身是也我因往昔起大悲心捨身命
財救苦衆生開門大施供養於佛得此解脫佛子
當知我於尒時但為利益一切衆生不著三界不求果
報不貪名稱不欲自讚輕毀於他於諸境界無所
怖畏但莊嚴大乘出要之道常樂觀察一切智門
修行苦行得此解脫佛子於汝意云何彼時五百大
臣欲害我者豈異人乎今提婆達多等五百徒黨
是也諸人等蒙佛教化皆當得阿耨多羅三藐三菩
提於未來世過須彌山微塵數劫尒時有劫名善光世
界名寶光於中成佛其五百佛次第興世最初如來
名曰大悲第二名饒益世間第三名大悲師子第四名
救護衆生乃至最後名曰醫王雖彼諸佛大悲平
等然其國土種族父母受生誕生出家學道往詣
場轉正法輪說修多羅語言音聲光明衆會壽
命法住及其名号各各差別佛子彼諸罪人我所
救者即拘留孫等賢劫千佛及百萬阿僧祇諸
大菩薩於無量精進力名稱功德慧如來所發阿耨多
羅三藐三菩提心今於十方國土行菩薩道修習增長此
菩薩教化衆生令生善根解脫者是時勝光王今薩遮
尼乾子大論師是時王宮人及眷屬即彼尼乾六萬
弟子與師俱來建大論幢共佛論議悉降伏之授阿

大菩薩於無量精進力名稱功德慧如來所發阿耨多
羅三藐三菩提心今於十方國土行菩薩道修習增長此
菩薩教化衆生令生善根解脫者是時勝光王今薩遮
尼乾子大論師是時王宮人及眷屬即彼尼乾六萬
弟子與師俱來建大論幢共佛論議悉降伏之授阿
耨多羅三藐三菩提記者是此諸人等皆當作佛國
土莊嚴劫數名号各各有異佛子我於尒時救罪人
已父母聽我捨離國土妻子財寶於法輪音虛空
燈王佛所出家學道五百歲中淨修梵行即得成就
百萬陀羅尼百萬神通百萬法藏百萬求一切智勇
猛精進淨治百萬堪忍門增長百萬思惟心成就百
萬菩薩力入百萬菩薩智門得百萬般若波羅蜜
門見十方百萬諸佛生百萬菩薩大願念念中十方各
照百萬佛剎念念中憶念十方世界前後際劫百萬
諸佛念念中知十方世界百萬諸佛變化海念念中
見十方百萬世界所有衆生種種諸趣隨業所受生
時死時善趣惡趣好色惡色其諸衆生種種心行
種種欲樂種種根性種種業習種種成就皆悉明
了佛子我於尒時命終之後還復於彼王家受生作
轉輪王彼法輪音虛空燈王如來滅後次即於此值法
空王如來承事供養次為帝釋即此道場值天王藏
如來親近供養次為夜摩天王即於此世界值大
地威力山如來親近供養次為兜率天王即
於此世界值法輪光音聲王如來親近供養次為化樂
天王即於此世界值虛空智王如來親近供養次為他
化自在天王即於此世界值無能壞幢如來親近供
養次為阿修羅王即於此世界值一切法雲音王如來
親近供養次為梵王即於此世界值普現化演法音

於此世界值法輪光音聲王如來親近供養次為化樂
天王即於此世界值虛空智王如來親近供養次為他
化自在天王即於此世界值無能壞幢如來親近供
養次為阿脩羅王即於此世界值一切法雲音王如來
親近供養次為梵王即於此世界值普現化演法音
如來親近供養佛子此寶光世界善光劫中有一萬
佛出興于世我皆親近承事供養次復有劫名曰
日光有六十億佛出興于世最初如來名妙相山我時
為王名曰大慧於彼佛所承事供養次有佛出名圓
滿肩我為居士親近供養次有佛出名離垢童
子我為大臣親近供養次有佛出名勇猛持我為
阿脩羅王親近供養次有佛出名須弥相我為樹神
親近供養次有佛出名離垢辟我為商主親近
供養次有佛出名師子遊步我為城神親近供養
次有佛出名為寶髻我為毗沙門天王親近供養
次有佛出名最上法稱我為乾闥婆王親近供養
次有佛出名光明冠我為鳩槃茶王親近供養於
彼劫中如是次第有六十億如來出興於世我常
於此受種種身一一佛所親近供養教化成就無量
衆生於一一所種種三昧門種種陁羅尼門種種神
通門種種辯才門種種一切智門種種法明門種種
智慧門照種種十方海入種種佛刹海見種種諸
佛海清淨成就增長廣大如於此劫中親近供養亦
所諸佛於一切處一切世界海微塵數劫所有諸佛出
興于世親近供養聽聞說法信受護持亦復如是如是
一切諸如來所皆悉修習此解脫門復得無量解脫方
便介時救護一切衆生主夜神欲重宣此解脫義即為
善財而說頌言

所諸佛於一切處一切世界海微塵數劫所有諸佛出
興于世親近供養聽聞說法信受護持亦復如是如是
一切諸如來所皆悉修習此解脫門復得無量解脫方
便介時救護一切衆生主夜神欲重宣此解脫義即為
善財而說頌言
爲至善男子我唯知此教化衆生令生善根解脫門
如諸菩薩摩訶薩超諸世間現諸趣身不住攀緣
無有障礙了達一切諸法自性善能觀察一切諸法
得無我智證無我法教化調伏一切衆生恒無休息
心常安住無二法門普入一切諸言辭海我今云何能知
能說彼功德海彼勇猛智彼心行處三昧境彼解
脫力善男子此閻浮提有一園林名嵐毗尼彼園有
神名妙德圓滿汝詣彼問菩薩云何修菩薩行生
如來家為世光明盡未來劫而無厭倦時善財童
子頂礼其足繞無數帀合掌瞻仰辭退而去
大方廣佛華嚴經卷第七十三
金剛仙論第九卷
一切有為法如星翳燈幻等此一偈經是如來所說非論主所造
一切有為法者將欲引九種喻喻九種有為法故揔舉
一切有為法也如星翳燈此三喻偈論合云見相識幻露
泡中三喻偈論合云器身受用夢電雲下三喻偈論合，
云過現未來明上六種有為三世中轉也前淑塵喻
直就六塵境中以明有為法體空也此九種辟喻稜能
緣內心以明法體空問此九種若明內心體空何故亦有世
界身等外无記法荅意雖通明外色等法大意舉境
明心體空也如星者喻內能見心所以內能見心

如來家為世光明盡未來去而無所依明普賢

子頂礼其足繞無兩帀合掌瞻仰辭退而去

大方廣佛華嚴經卷第七十三

一切有為法如星翳燈幻等此一偈經是如來所說非論主所造（金剛仙論第九卷）

一切有為法者將欲引九種喻喻九種有為法故惣舉

一切有為法也如星翳燈此三喻偈論合去見相識幻露

泡中三喻偈論合去器身受用夢電雲下三喻偈論合

去過現未來明上六種有為三世中轉也前微塵喻

直說六塵境中以明有為法體空也此九種譬喻極能

緣內心以明法體空問此九種若明內心體空何故亦有世

界身等外无記法答意雖通明外色等法大意舉境

明心體空也如星者喻內能見心所以內能見心

BD01345 號背 7　金剛仙論卷一〇

蜜多世尊菩薩

是上波羅蜜多世

波羅蜜多是無上

薩所有般若波羅蜜

世尊菩薩摩訶薩所有般若

波羅蜜多世尊菩薩摩訶薩所有般若

蜜多是無等波羅蜜多世尊菩薩摩訶

有般若波羅蜜多是無等等波羅蜜

菩薩摩訶薩所有般若波羅蜜多是無

波羅蜜多世尊菩薩摩訶薩所有般若

蜜多是如虛空波羅蜜多世尊菩薩摩

所有般若波羅蜜多是自相空波羅蜜多

尊菩薩摩訶薩所有般若波羅蜜多是共

空波羅蜜多世尊菩薩摩訶薩所有般若

羅蜜多是一切法空波羅蜜多世尊菩薩

訶薩所有般若波羅蜜多是不可得空

蜜多世尊菩薩摩訶薩所有般若波羅蜜

是無性空波羅蜜多世尊菩薩摩訶薩所有

般若波羅蜜多是自性空波羅蜜多世尊菩

薩摩訶薩所有般若波羅蜜多是無性自性

空波羅蜜多世尊菩薩摩訶薩所有般若波

羅蜜多是無變異空波羅蜜多世尊菩薩摩

BD01346 號　大般若波羅蜜多經卷一〇

是無性空波羅蜜多世尊菩薩摩訶薩所有
般若波羅蜜多是自性空波羅蜜多世尊菩
薩摩訶薩所有般若波羅蜜多是無性自性
空波羅蜜多世尊菩薩摩訶薩所有般若波
羅蜜多是無變異空波羅蜜多世尊菩薩
摩訶薩所有般若波羅蜜多是無生波羅蜜多
世尊菩薩摩訶薩所有般若波羅蜜多是無
滅波羅蜜多世尊菩薩摩訶薩所有般若波
羅蜜多是無染波羅蜜多世尊菩薩摩訶薩
所有般若波羅蜜多是無淨波羅蜜多世尊
菩薩摩訶薩所有般若波羅蜜多是寂靜波
羅蜜多世尊菩薩摩訶薩所有般若波羅蜜
多是遠離波羅蜜多世尊菩薩摩訶薩所有
般若波羅蜜多是寂上波羅蜜多世尊菩薩
摩訶薩所有般若波羅蜜多是調伏波羅蜜
多世尊菩薩摩訶薩所有般若波羅蜜多是
明呪波羅蜜多世尊菩薩摩訶薩所有般若
波羅蜜多是誠諦波羅蜜多世尊菩薩摩訶
薩所有般若波羅蜜多是開發一切功德波
羅蜜多世尊菩薩摩訶薩所有般若波羅蜜
多是成就一切功德波羅蜜多世尊菩薩摩
訶薩所有般若波羅蜜多是能破一切波羅
蜜多世尊菩薩摩訶薩所有般若波羅蜜多
是不可屈伏波羅蜜多
世尊脩行般若波羅蜜多諸菩薩摩訶薩最
尊最勝最上最妙具大勢力能脩行無等等

BD01346 號　大般若波羅蜜多經卷一〇　（7–2）

蜜多世尊菩薩摩訶薩所有般若波羅蜜多
是不可屈伏波羅蜜多
世尊脩行般若波羅蜜多諸菩薩摩訶薩最
尊最勝最上最妙具大勢力能脩行無等等
布施能圓滿無等等布施能具足無等等布
施波羅蜜多能得無等等自體所謂無邊殊
勝相好妙莊嚴身能證無等等妙法所謂無
上正等菩提世尊脩行般若波羅蜜多諸
菩薩摩訶薩最尊最勝最上最妙具大勢力能
脩行無等等淨戒能圓滿無等等淨戒能具
足無等等淨戒波羅蜜多能得無等等自體
所謂無邊殊勝相好妙莊嚴身能證無等等
妙法所謂無上正等菩提世尊脩行般若波
羅蜜多諸菩薩摩訶薩最尊最勝最上最妙
具大勢力能脩行無等等安忍能圓滿無等
等安忍能具足無等等安忍波羅蜜多能得
無等等自體所謂無邊殊勝相好妙莊嚴身
能證無等等妙法所謂無上正等菩提世尊
脩行般若波羅蜜多諸菩薩摩訶薩最尊最
勝最上最妙具大勢力能脩行無等等精進
能圓滿無等等精進能具足無等等精進波
羅蜜多能得無等等自體所謂無邊殊勝相
好妙莊嚴身能證無等等妙法所謂無上正
等菩提世尊脩行般若波羅蜜多諸菩薩摩
訶薩最尊最勝最上最妙具大勢力能脩行
無等等靜慮能圓滿無等等靜慮能具足無

BD01346 號　大般若波羅蜜多經卷一〇　（7–3）

好妙莊嚴身能證無等等妙法所謂無上正
等菩提世尊脩行般若波羅蜜多諸菩薩摩
訶薩最尊最勝最上最妙具大勢力能脩行
無等等靜慮能圓滿無等等靜慮能具足無
等等靜慮波羅蜜多能得無等等自體所謂
無邊殊勝相好妙莊嚴身能證無等等妙法
所謂無上正等菩提世尊脩行般若波羅蜜
多諸菩薩摩訶薩最尊最勝最上最妙具
大勢力能脩行無等等般若能圓滿無等等般
若能具足無等等般若波羅蜜多能得無等
等自體所謂無邊殊勝相好妙莊嚴身能證
無等等妙法所謂無上正等菩提
世尊修行般若波羅蜜多諸菩薩摩訶薩最
尊最勝最上最妙具大勢力能安住無等等
內空外空內外空空空大空勝義空有為空
無為空畢竟空無際空散空無變異空本
性空自相空共相空一切法空不可得空無性
空自性空無性自性空能圓滿無等等內空
乃至無性自性空能具足無等等內空乃至
無性自性空能得無等等自體所謂無邊殊
勝相好妙莊嚴身能證無等等妙法所謂無
上正等菩提世尊修行般若波羅蜜多諸菩
薩摩訶薩最尊最勝最上最妙具大勢力能
安住無等等真如法界法性不虛妄性不變
異性平等性離生性法定法住實際虛空界
不思議界能圓滿無等等真如乃至不思議

BD01346號　大般若波羅蜜多經卷一〇　（7–4）

薩摩訶薩最尊最勝最上最妙具大勢力能
安住無等等真如法界法性不虛妄性不變
異性平等性離生性法定法住實際虛空界
不思議界能圓滿無等等真如乃至不思議
界能具足無等等真如乃至不思議界能得
無等等自體所謂無邊殊勝相好妙莊嚴身
能證無等等妙法所謂無上正等菩提世尊
修行般若波羅蜜多諸菩薩摩訶薩最尊最
勝最上最妙具大勢力能脩行無等等四念
住四正斷四神足五根五力七等覺支八聖道
支能圓滿無等等四念住乃至八聖道支
能具足無等等四念住乃至八聖道支能得
無等等自體所謂無邊殊勝相好妙莊嚴身
能證無等等妙法所謂無上正等菩提世尊
修行般若波羅蜜多諸菩薩摩訶薩最尊最
勝最上最妙具大勢力能安住無等等苦集
滅道聖諦能圓滿無等等苦集滅道聖諦能
具足無等等苦集滅道聖諦能得無等等自
體所謂無邊殊勝相好妙莊嚴身能證無等
等妙法所謂無上正等菩提世尊脩行般若
波羅蜜多諸菩薩摩訶薩最尊最勝最上最
妙具大勢力能脩行無等等四靜慮四無量
四無色定能圓滿無等等四靜慮四無量四
無色定能具足無等等四靜慮四無量四無
色定能得無等等自體所謂無邊殊勝相好
妙莊嚴身能證無等等妙法所謂無上正等

BD01346號　大般若波羅蜜多經卷一〇　（7–5）

四無色定能圓滿無等等四靜慮四無量四
無色定能具足無等等四靜慮四無量四無
色定能得無等等自體所謂無邊殊勝相好
妙莊嚴身能證無等等妙法所謂無上正等
菩提世尊修行般若波羅蜜多諸菩薩摩訶
薩最尊最勝最上最妙具大勢力能修行無
等等八解脫八勝處九次第定十遍處能圓
滿無等等八解脫八勝處九次第定十遍處
能具足無等等八解脫八勝處九次第定十
遍處能得無等等自體所謂無邊殊勝相好
妙莊嚴身能證無等等妙法所謂無上正等
菩提世尊修行般若波羅蜜多諸菩薩摩訶
薩最尊最勝最上最妙具大勢力能修行無
等等空無相無願解脫門能圓滿無等等空
無相無願解脫門能具足無等等空無相無
願解脫門能得無等等自體所謂無邊殊勝
相好妙莊嚴身能證無等等妙法所謂無上
正等菩提世尊修行般若波羅蜜多諸菩薩
摩訶薩最尊最勝最上最妙具大勢力能修
行無等等陀羅尼門三摩地門能圓滿無等
等陀羅尼門三摩地門能具足無等等陀羅
尼門三摩地門能得無等等自體所謂無邊
殊勝相好妙莊嚴身能證無等等妙法所謂
無上正等菩提世尊修行般若波羅蜜多諸
菩薩摩訶薩最尊最勝最上最妙具大勢力
能修行無等等菩薩摩訶薩地能圓滿無等

BD01346號　大般若波羅蜜多經卷一〇　（7–6）

尼門三摩地門能得無等等自體所謂無邊
殊勝相好妙莊嚴身能證無等等妙法所謂
無上正等菩提世尊修行般若波羅蜜多諸
菩薩摩訶薩最尊最勝最上最妙具大勢力
能修行無等等菩薩摩訶薩地能圓滿無等
等菩薩摩訶薩地能具足無等等菩薩摩訶
薩地能得無等等自體所謂無邊殊勝相好
妙莊嚴身能證無等等妙法所謂無上正等
菩提世尊修行般若波羅蜜多諸菩薩摩訶
薩最尊最勝最上最妙具大勢力能修行無
等等五眼六神通能圓滿無等等五眼六神
通能具足無等等五眼六神通能得無等等
自體所謂無邊殊勝相好妙莊嚴身能證無
等等妙法所謂無上正等菩提世尊修行般
若波羅蜜多諸菩薩摩訶薩最尊最勝最上
最妙具大勢力能修行無等等佛十力四無
所畏四無礙解大慈大悲大喜大捨十八佛
不共法能圓滿無等等佛十力乃至十八佛
不共法能具足無等等佛十力乃至十八佛
不共法能得無等等自體所謂無邊殊勝相
好妙莊嚴身能證無等等妙法所謂無上正
等菩提世尊修行般若波羅蜜多諸菩薩摩

BD01346號　大般若波羅蜜多經卷一〇　（7–7）

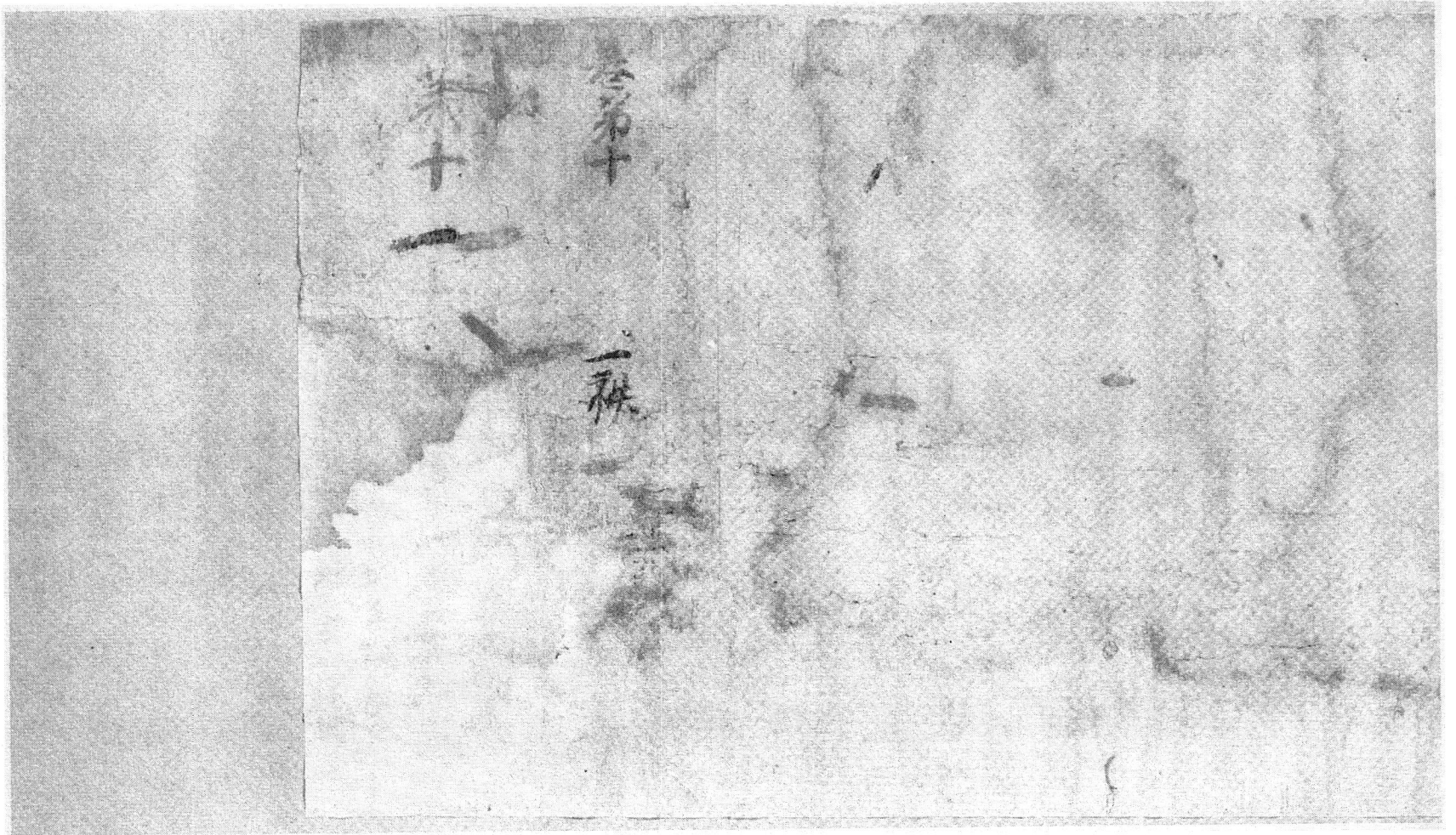

BD01346號背　勘記　　（1–1）

土者則非莊嚴
是名莊嚴是故須菩提諸菩薩摩訶薩應如
是生清淨心不應住色生心不應住聲香味
觸法生心應无所住而生其心須菩提譬如
有人身如須弥山王於意云何是身為大不
須菩提言甚大世尊何以故佛說非身是名
大身須菩提如恒河中所有沙數如是沙等
恒河於意云何是諸恒河沙寧為多不須菩
提言甚多世尊但諸恒河尚多无數何況其
沙須菩提我今實言告汝若有善男子善女
人以七寶滿尒所恒河沙數三千大千世界
以用布施得福多不須菩提言甚多世尊佛
告須菩提若善男子善女人於此經中乃至
受持四句偈等為他人說而此福德勝前福
德復次須菩提隨說是經乃至四句偈等當
知此處一切世間天人阿脩羅皆應供養如
佛塔廟何況有人盡能受持讀誦須菩提當
知是人成就最上第一希有之法若是經典
所在之處則為有佛若尊重弟子

BD01347號　金剛般若波羅蜜經　　（12–1）

知此處一切世間天人阿脩羅皆應供養如
佛塔廟何況有人盡能受持讀誦須菩提當
知是人成就最上第一希有之法若是經典
所在之處則為有佛若尊重弟子
尒時須菩提白佛言世尊當何名此經我等
云何奉持佛告須菩提是經名為金剛般若
波羅蜜以是名字汝當奉持所以者何須菩
提佛說般若波羅蜜則非般若波羅蜜須
菩提於意云何如來有所說法不須菩提白佛
言世尊如來无所說須菩提於意云何三千
大千世界所有微塵是為多不須菩提言甚
多世尊須菩提諸微塵如來說非微塵是名
微塵如來說世界非世界是名世界須菩提
於意云何可以三十二相見如來不不也世尊
不可以三十二相得見如來何以故如來說三十
二相即是非相是名三十二相須菩提若有
善男子善女人以恒河沙等身命布施若復
有人於此經中乃至受持四句偈等為他人說
其福甚多
尒時須菩提聞說是經深解義趣涕淚悲泣
而白佛言希有世尊佛說如是甚深經典我
從昔來所得慧眼未曾得聞如是之經世尊
若復有人得聞是經信心清淨則生實相當
知是人成就第一希有功德世尊是實相者
則是非相是故如來說名實相世尊我今得
聞如是經典信解受持不足為難若當來世

BD01347號　金剛般若波羅蜜經　（12–2）

若復有人得聞是經信心清淨則生實相當
知是人成就第一希有功德世尊是實相者
則是非相是故如來說名實相世尊我今得
聞如是經典信解受持不足為難若當來世
後五百歲其有眾生得聞是經信解受持是
人則為第一希有何以故此人无我相人相
眾生相壽者相所以者何我相即是非相人
相眾生相壽者相即是非相何以故離一切
諸相則名諸佛
佛告須菩提如是如是若復有人得聞是經
不驚不怖不畏當知是人甚為希有何以故
須菩提如來說第一波羅蜜非第一波羅蜜
是名第一波羅蜜
須菩提忍辱波羅蜜如來說非忍辱波羅蜜
何以故須菩提如我昔為歌利王割截身體
我於尒時无我相无人相无眾生相无壽者相
何以故我於往昔節節支解時若有我相人
相眾生相壽者相應生瞋恨須菩提又念
過去於五百世作忍辱仙人於尒所世无我
相无人相无眾生相无壽者相是故須菩提
菩薩應離一切相發阿耨多羅三藐三菩提
心不應住色生心不應住聲香味觸法生心
應生无所住心若心有住則為非住是故佛
說菩薩心不應住色布施須菩提菩薩為利
益一切眾生應如是布施如來說一切諸相

BD01347號　金剛般若波羅蜜經　（12–3）

心不應住色生心不應住聲香味觸法生心
應生无所住心若心有住則為非住是故佛
說菩薩心不應住色布施須菩提菩薩為利
益一切衆生應如是布施如來說一切諸相
即是非相又說一切衆生則非衆生須菩提
如來是真語者實語者如語者不誑語者不
異語者須菩提如來所得法此法无實无虛
須菩提若菩薩心住於法而行布施如人入
闇則无所見若菩薩心不住法而行布施如
人有目日光明照見種種色須菩提當來之
世若有善男子善女人能於此經受持讀誦
則為如來以佛智慧悉知是人悉見是人皆
得成就无量无邊功德
須菩提若有善男子善女人初日分以恒河
沙等身布施中日分復以恒河沙等身布施
後日分亦以恒河沙等身布施如是无量百
千萬億劫以身布施若復有人聞此經典信
心不逆其福勝彼何況書寫受持讀誦為人
解說須菩提以要言之是經有不可思議不
可稱量无邊功德如來為發大乘者說為發
最上乘者說若有人能受持讀誦廣為人說
如來悉知是人悉見是人皆得成就不可量
不可稱无有邊不可思議功德如是人等則
為荷擔如來阿耨多羅三藐三菩提何以故
須菩提若樂小法者著我見人見衆生見壽

BD01347 號　金剛般若波羅蜜經　（12–4）

如來悉知是人悉見是人皆得成就不可量
不可稱无有邊不可思議功德如是人等則
為荷擔如來阿耨多羅三藐三菩提何以故
須菩提若樂小法者著我見人見衆生見壽
者見則於此經不能聽受讀誦為人解說須
菩提在在處處若有此經一切世間天人阿
修羅所應供養當知此處則為是塔皆應恭
敬作禮圍繞以諸華香而散其處
復次須菩提善男子善女人受持讀誦此經
若為人輕賤是人先世罪業應墮惡道以今
世人輕賤故先世罪業則為消滅當得阿耨
多羅三藐三菩提須菩提我念過去无量阿
僧祇劫於然燈佛前得值八百四千萬億那
由他諸佛悉皆供養承事无空過者若復有
人於後末世能受持讀誦此經所得功德於
我所供養諸佛功德百分不及一千萬億分
乃至筭數譬喻所不能及須菩提若善男子
善女人於後末世有受持讀誦此經所得功
德我若具說者或有人聞心則狂亂狐疑不
信須菩提當知是經義不可思議果報亦不
可思議
尒時須菩提白佛言世尊善男子善女人發
阿耨多羅三藐三菩提心云何應住云何降
伏其心佛告須菩提善男子善女人發阿耨
多羅三藐三菩提者當生如是心我應滅度

BD01347 號　金剛般若波羅蜜經　（12–5）

尒時須菩提白佛言世尊善男子善女人發
阿耨多羅三藐三菩提心云何應住云何降
伏其心佛告須菩提善男子善女人發阿耨
多羅三藐三菩提者當生如是心我應滅度
一切衆生滅度一切衆生已而无有一衆生
實滅度者何以故若菩薩有我相人相衆生
相壽者相則非菩薩所以者何須菩提實无
有法發阿耨多羅三藐三菩提者須菩提於
意云何如來於然燈佛所有法得阿耨多羅
三藐三菩提不不也世尊如我解佛所說義
佛於然燈佛所无有法得阿耨多羅三藐三
菩提佛言如是如是須菩提實无有法如來
得阿耨多羅三藐三菩提須菩提若有法如
來得阿耨多羅三藐三菩提者然燈佛則不
與我受記汝於來世當得作佛号釋迦牟尼
以實无有法得阿耨多羅三藐三菩提是故
然燈佛與我受記作是言汝於來世當得作
佛号釋迦牟尼何以故如來者即諸法如義
若有人言如來得阿耨多羅三藐三菩提須
菩提實无有法佛得阿耨多羅三藐三菩提
須菩提如來所得阿耨多羅三藐三菩提於
是中无實无虛是故如來說一切法皆是佛
法須菩提所言一切法者即非一切法是故
名一切法須菩提譬如人身長大須菩提言
世尊如來說人身長大則為非大身是名大
身須菩提菩薩亦如是若作是言我當滅度

是中无實无虛是故如來說一切法皆是佛
法須菩提所言一切法者即非一切法是故
名一切法須菩提譬如人身長大須菩提言
世尊如來說人身長大則為非大身是名大
身須菩提菩薩亦如是若作是言我當滅度
无量衆生則不名菩薩何以故須菩提實无
有法名為菩薩是故佛說一切法无我无人
无衆生无壽者須菩提若菩薩作是言我當
莊嚴佛土是不名菩薩何以故如來說莊嚴
佛土者即非莊嚴是名莊嚴須菩提若菩薩
通達无我法者如來說名真是菩薩
須菩提於意云何如來有肉眼不如是世尊
如來有肉眼須菩提於意云何如來有天眼
不如是世尊如來有天眼須菩提於意云何
如來有慧眼不如是世尊如來有慧眼須菩
提於意云何如來有法眼不如是世尊如來
有法眼須菩提於意云何如來有佛眼不如
是世尊如來有佛眼須菩提於意云何恒河
中所有沙佛說是沙不如是世尊如來說是
沙須菩提於意云何如一恒河中所有沙有
如是等恒河是諸恒河所有沙數佛世界如
是寧為多不甚多世尊佛告須菩提尒所國
土中所有衆生若干種心如來悉知何以故
如來說諸心皆為非心是名為心所以者何
須菩提過去心不可得現在心不可得未來
心不可得須菩提於意云何若有人滿三千

土中所有衆生若干種心如来悉知何以故
如来説諸心皆為非心是名為心所以者何
須菩提過去心不可得現在心不可得未来
心不可得須菩提於意云何若有人滿三千
大千世界七寶以用布施是人以是因緣得
福多不如是世尊此人以是因緣得福甚多
須菩提若福德有實如来不説得福德多以
福德无故如来説得福德多
須菩提於意云何佛可以具足色身見不不
也世尊如来不應以具足色身見何以故如来
説具足色身即非具足色身是名具足色身須
菩提於意云何如来可以具足諸相見不不也
世尊如来不應以具足諸相見何以故如来説
諸相具足即非具足是名諸相具足須菩
提汝勿謂如来作是念我當有所説法莫作
是念何以故若人言如来有所説法即為謗
佛不能解我所説故須菩提説法者无法可
説是名説法須菩提白佛言世尊佛得阿
耨多羅三藐三菩提為无所得耶如是如是
須菩提我於阿耨多羅三藐三菩提乃至无
有少法可得是名阿耨多羅三藐三菩提復
次須菩提是法平等无有高下是名阿耨多
羅三藐三菩提以无我无人无衆生无壽者
脩一切善法則得阿耨多羅三藐三菩提須
菩提所言善法者如来説非善法是名善法

BD01347號　金剛般若波羅蜜經　（12–8）

次須菩提是法平等无有高下是名阿耨多
羅三藐三菩提以无我无人无衆生无壽者
脩一切善法則得阿耨多羅三藐三菩提須
菩提所言善法者如来説非善法是名善法
須菩提若三千大千世界中所有諸須弥山
王如是等七寶聚有人持用布施若人以此
般若波羅蜜經乃至四句偈等受持讀誦為
他人説於前福德百分不及一百千萬億分乃
至筭數譬喻所不能及
須菩提於意云何汝等勿謂如来作是念我
當度衆生須菩提莫作是念何以故實无有
衆生如来度者若有衆生如来度者如来則
有我人衆生壽者須菩提如来説有我者則
非有我而凡夫之人以為有我須菩提凡夫
者如来説則非凡夫須菩提於意云何可以
三十二相觀如来不須菩提言如是如是以
三十二相觀如来佛言須菩提若以三十二
相觀如来者轉輪聖王則是如来須菩提白
佛言世尊如我解佛所説義不應以三十二
相觀如来尒時世尊而説偈言
若以色見我　以音聲求我　是人行邪道　不能見如来
須菩提汝若作是念如来不以具足相故得
阿耨多羅三藐三菩提須菩提莫作是念如
来不以具足相故得阿耨多羅三藐三菩提
須菩提汝若作是念發阿耨多羅三藐三菩
提心者説諸法斷滅

BD01347號　金剛般若波羅蜜經　（12–9）

須菩提汝若作是念如來不以具足相故得
阿耨多羅三藐三菩提須菩提莫作是念如
來不以具足相故得阿耨多羅三藐三菩提
須菩提汝若作是念發阿耨多羅三藐三菩
提者說諸法斷滅莫作是念何以故發阿
耨多羅三藐三菩提者於法不說斷滅相須
菩提若菩薩以滿恒河沙等世界七寶布施
若復有人知一切法无我得成於忍此菩薩
勝前菩薩所得功德須菩提以諸菩薩不受
福德故須菩提白佛言世尊云何菩薩不受
福德須菩提菩薩所作福德不應貪著是故
說不受福德須菩提若有人言如來若來若
去若坐若卧是人不解我所說義何以故如來
者无所從來亦无所去故名如來
須菩提若善男子善女人以三千大千世界
碎為微塵於意云何是微塵衆寧為多不甚
多世尊何以故若是微塵衆實有者佛則不
說是微塵衆所以者何佛說微塵衆則非微
塵衆是名微塵衆世尊如來所說三千大千
世界則非世界是名世界何以故若世界實
有者則是一合相如來說一合相則非一合
相是名一合相須菩提一合相者則是不可
說但凡夫之人貪著其事須菩提若人言佛
說我見人見衆生見壽者見須菩提於意云
何是人解我所說義不不也世尊是人不解如來
所說義何以故世尊說我見人見衆生見壽

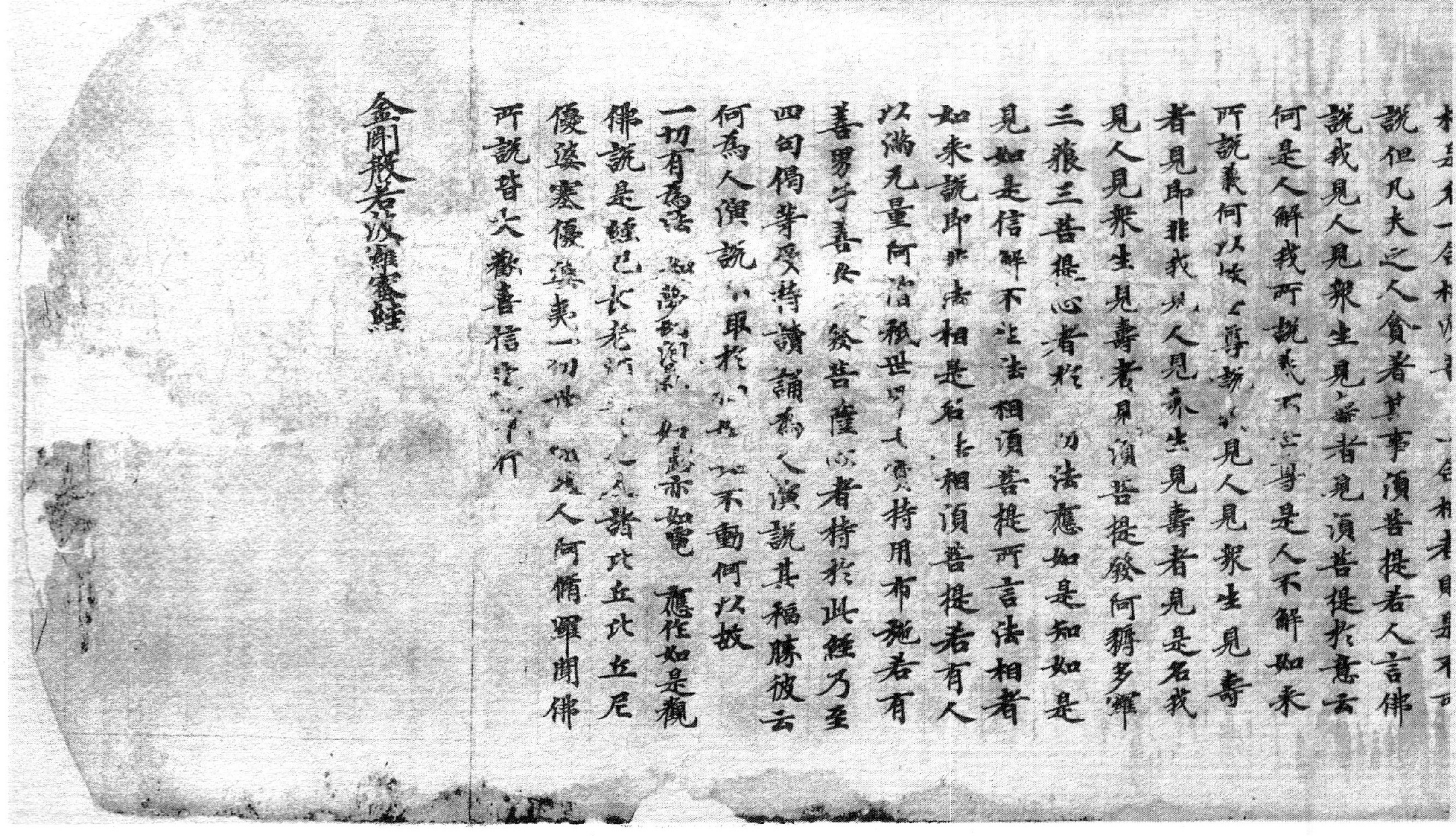
相是名一合相須菩提一合相者則是不可
說但凡夫之人貪著其事須菩提若人言佛
說我見人見衆生見壽者見須菩提於意云
何是人解我所說義不不也世尊是人不解如來
所說義何以故世尊說我見人見衆生見壽
者見即非我見人見衆生見壽者見是名我
見人見衆生見壽者見須菩提發阿耨多羅
三藐三菩提心者於一切法應如是知如是
見如是信解不生法相須菩提所言法相者
如來說即非法相是名法相須菩提若有人
以滿无量阿僧祇世界七寶持用布施若有
善男子善女人發菩薩心者持於此經乃至
四句偈等受持讀誦為人演說其福勝彼云
何為人演說不取於相如如不動何以故
一切有為法如夢幻泡影如露亦如電應作如是觀
佛說是經已長老須菩提及諸比丘比丘尼
優婆塞優婆夷一切世間天人阿脩羅聞佛
所說皆大歡喜信受奉行

金剛般若波羅蜜經

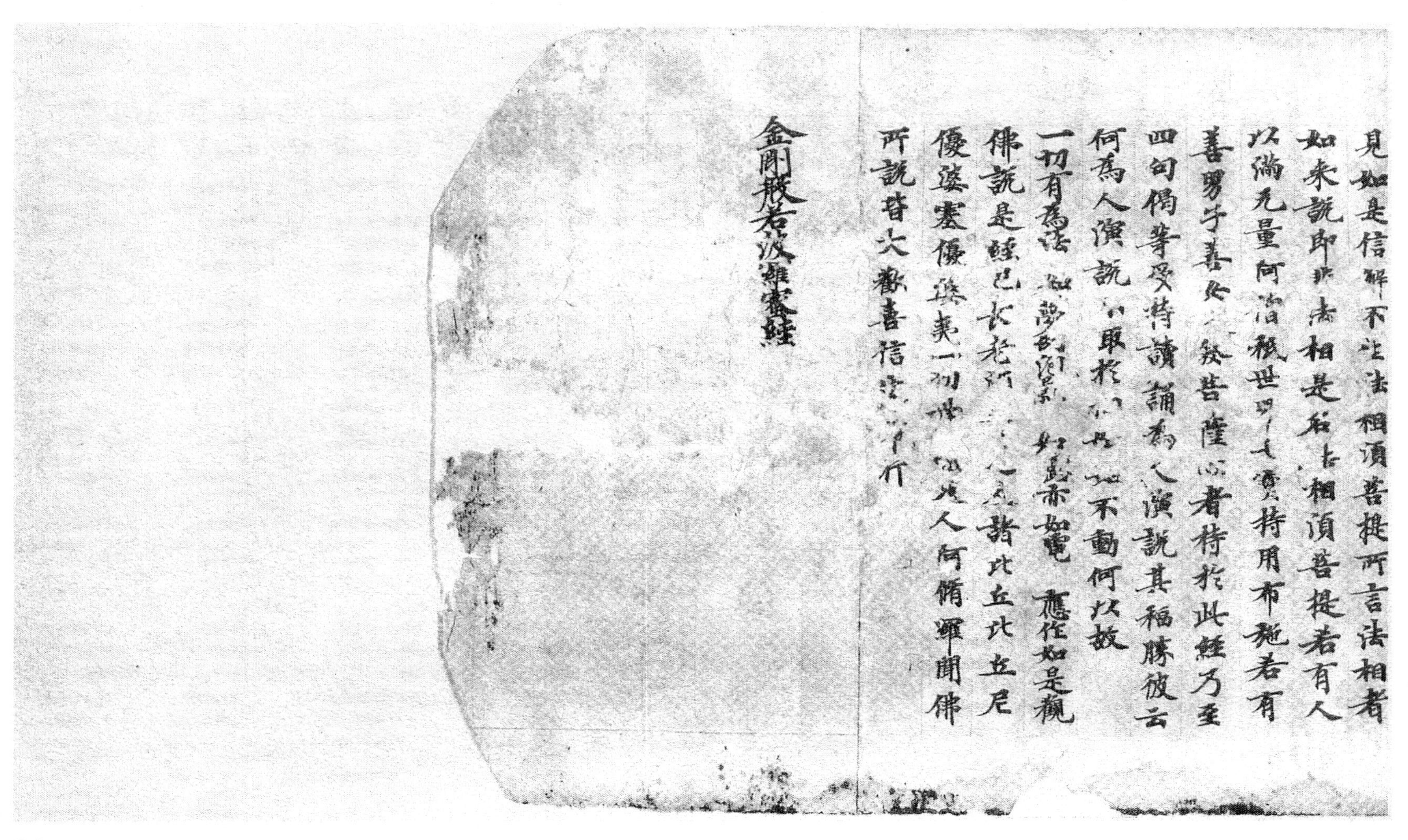

BD01347號　金剛般若波羅蜜經　（12–12）

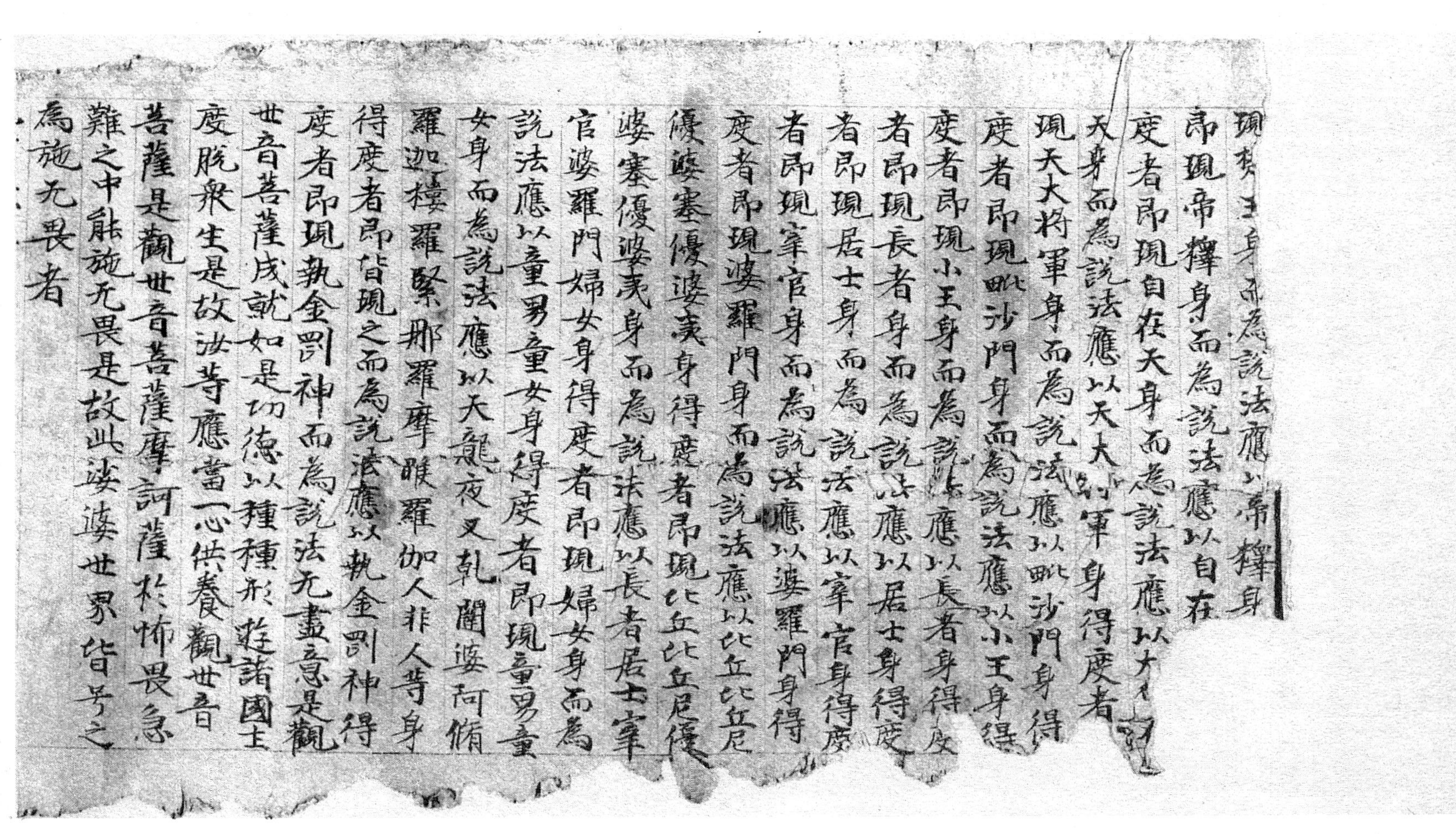

BD01348號 1　觀世音經　（5–1）

度者即現執金剛神而為說法无盡意是觀
世音菩薩成就如是功德以種種形遊諸國土
度脫衆生是故汝等應當一心供養觀世音
菩薩是觀世音菩薩摩訶薩於怖畏急
難之中能施无畏是故此娑婆世界皆号之
為施无畏者
无盡意菩薩白佛言世尊我今當供養觀
世音菩薩即解頸衆寶珠瓔珞價直百千
兩金而以與之作是言仁者受此法施珎寶
瓔珞時觀世音菩薩不肯受之无盡意復
白觀世音菩薩言仁者愍我等故受此瓔珞
尒時佛告觀世音菩薩當愍此无盡意菩
薩及四衆天龍夜叉乾闥婆阿脩羅迦樓
羅緊那羅摩睺羅伽人非人等故受瓔珞
即時觀世音菩薩愍諸四衆及於天龍人
人等受其瓔珞分作二分一分奉釋迦牟尼
一分奉多寶佛塔无盡意觀世音菩薩
有如是自在神力遊於娑婆世界尒時无
盡意菩薩以偈問曰
尊妙相具　我今重問彼　佛子何因緣　名為觀世音
足妙相尊　偈荅无盡意　汝聽觀音行　善應諸方所
誓深如海　歷劫不思議　侍多千億佛　發大清淨願
為汝略說　聞名及見身　心念不空過　能滅諸有苦
使興害意　推落大火坑　念彼觀音力　火坑變成池
漂流巨海　龍魚諸鬼難　念彼觀音力　波浪不能沒
或在須弥峯　為人所推墮　念彼觀音力　如日虛空住
被惡人逐　墮落金剛山　念彼觀音力　不能損一毛

誓深如海　歷劫不思議　侍多千億佛　發大清淨願
為汝略說　聞名及見身　心念不空過　能滅諸有苦
使興害意　推落大火坑　念彼觀音力　火坑變成池
漂流巨海　龍魚諸鬼難　念彼觀音力　波浪不能沒
或在須弥峯　為人所推墮　念彼觀音力　如日虛空住
被惡人逐　墮落金剛山　念彼觀音力　不能損一毛
值怨賊遶　各執刀加害　念彼觀音力　咸即起慈心
或遭王難苦　臨刑欲壽終　念彼觀音力　刀尋段段壞
囚禁枷鏁　手足被杻械　念彼觀音力　釋然得解脫
呪咀諸毒藥　所欲害身者　念彼觀音力　還著於本人
或遇惡羅刹　毒龍諸鬼等　念彼觀音力　時悉不敢害
若惡獸圍遶　利牙爪可怖　念彼觀音力　疾走无邊方
蚖虵及蝮蠍　氣毒烟火然　念彼觀音力　尋聲自迴去
雲雷鼓掣電　降雹澍大雨　念彼觀音力　應時得消散
衆生被困厄　无量苦逼身　觀音妙智力　能救世間苦
具足神通力　廣脩智方便　十方諸國土　无剎不現身
種種諸惡趣　地獄鬼畜生　生老病死苦　以漸悉令滅
真觀清淨觀　廣大智慧觀　悲觀及慈觀　常願常瞻
无垢清淨光　慧日破諸暗　能伏災風火　普明照世間
悲體戒雷震　慈意妙大雲　澍甘露法雨　滅除煩惱
諍訟經官處　怖畏軍陣中　念彼觀音力　衆怨悉退
妙音觀世音　梵音海潮音　勝彼世間音　是故須常
念念勿生疑　觀世音淨聖　於苦惱死厄　能為作依
具一切功德　慈眼視衆生　福聚海无量　是故應頂
尒時持地菩薩即從座起前白佛言世尊若
有衆生聞是觀世音菩薩品自在之業普
門示現神通力者當知是人功德不少佛

念念勿生疑觀世音淨聖於苦惱死厄能為作依怙
具一切功德慈眼視衆生福聚海无量是故應頂
尒時持地菩薩即從座起前白佛言世尊若
有衆生聞是觀世音菩薩品自在之業普
門示現神通力者當知是人功德不少佛
說是普門品時衆中八万四千衆生皆發无
等阿耨多羅三藐三菩提心
觀世音經一卷

般若波羅蜜多心經
觀自在菩薩行深般若波羅蜜多時
見五蘊皆空度一切苦厄舍利子色不異
空不異色色即是空空即是色受想行識
復如是舍利子是諸法空相不生不滅不
不淨不增不減是故空中無色無受想行
無眼耳鼻舌身意無色聲香味觸法無
界乃至無意識界無無明亦無無明盡
至無老死亦無老死盡無苦集滅道無智
無德以無所得故菩提薩埵依般若波羅
多故心無罣礙無罣礙故無有恐怖遠離
倒夢想究竟涅槃三世諸佛依般若波
蜜多故得阿耨多羅三藐三菩提故知般
若波羅蜜多是大神呪是大明呪是無上
是無等等呪能除一切苦真實不虛故
般若波羅蜜多呪即說呪曰

BD01348 號 1　觀世音經　（5–4）
BD01348 號 2　般若波羅蜜多心經

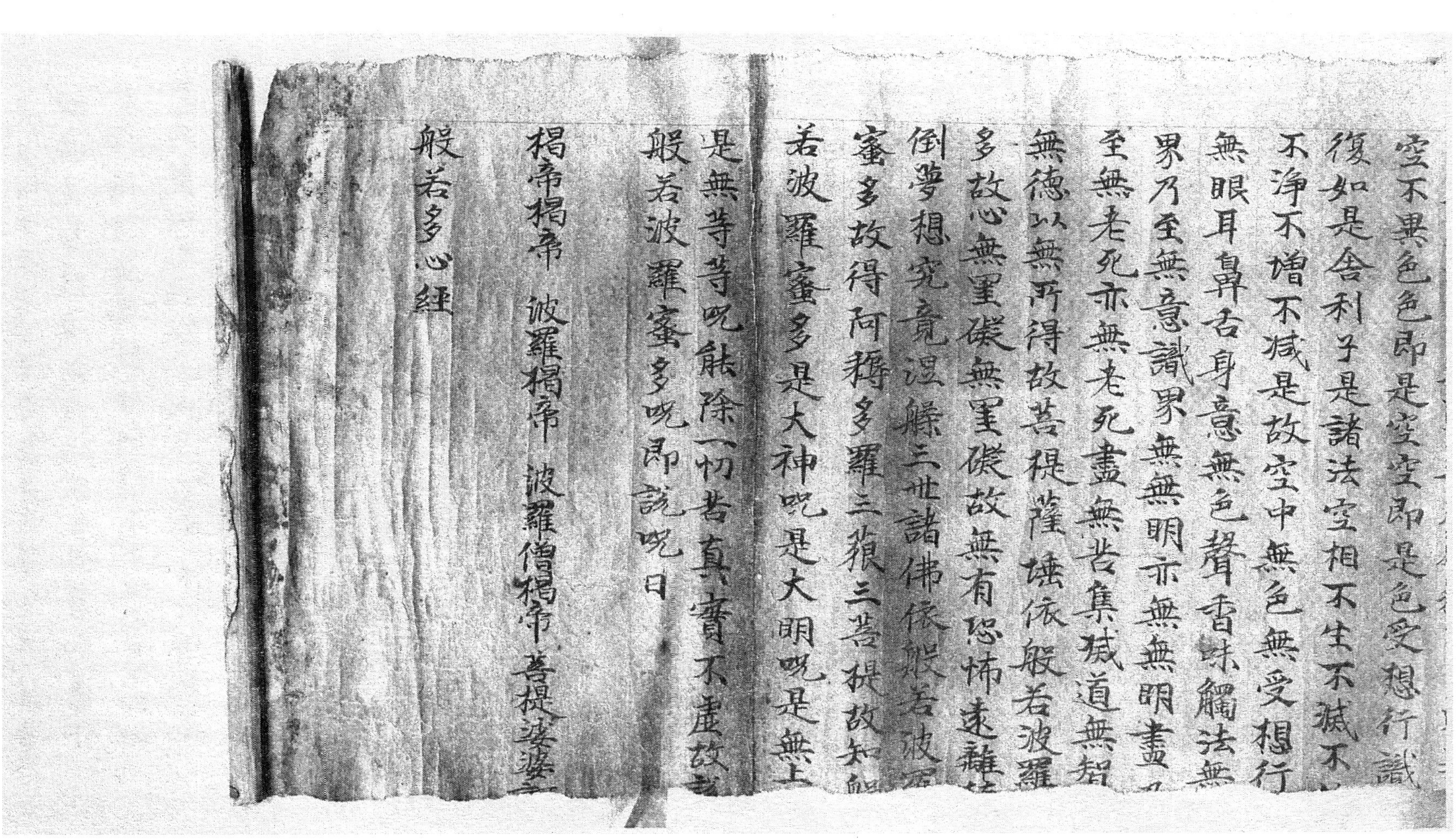
空不異色色即是空空即是色受想行識
復如是舍利子是諸法空相不生不滅不
不淨不增不減是故空中無色無受想行
無眼耳鼻舌身意無色聲香味觸法無
界乃至無意識界無無明亦無無明盡
至無老死亦無老死盡無苦集滅道無智
無德以無所得故菩提薩埵依般若波羅
多故心無罣礙無罣礙故無有恐怖遠離
倒夢想究竟涅槃三世諸佛依般若波
蜜多故得阿耨多羅三藐三菩提故知般
若波羅蜜多是大神呪是大明呪是無上
是無等等呪能除一切苦真實不虛故
般若波羅蜜多呪即說呪曰
揭帝揭帝　波羅揭帝　波羅僧揭帝　菩提娑婆
般若多心經

BD01348 號 2　般若波羅蜜多心經　（5–5）

大般若波羅蜜多經卷第廿二
初分教誡教授品第七之十二　三藏法師玄奘奉　詔譯
復次善現所言菩薩摩訶薩者於[illegible]
佛十力增語是菩薩摩訶薩不[illegible]
四无所畏四无礙解十八佛不共[illegible]
薩摩訶薩不不也世尊即佛[illegible]
是菩薩摩訶薩不不也世尊[illegible]
无礙解十八佛不共法常增語是菩薩摩訶
薩不不也世尊即佛十力无常增語是菩薩
摩訶薩不不也世尊即四无所畏四无礙解
十八佛不共法无常增語是菩薩摩訶薩不
不也世尊即佛十力樂增語是菩薩摩訶薩
不不也世尊即四无所畏四无礙解十八佛
不共法樂增語是菩薩摩訶薩不不也世尊
即佛十力苦增語是菩薩摩訶薩不不也世
尊即四无所畏四无礙解十八佛不共法苦
增語是菩薩摩訶薩不不也世尊即佛十
力我增語是菩薩摩訶薩不不也世尊即四
无所畏四无礙解十八佛不共法我增語是
菩薩摩訶薩不不也世尊即佛十力无我增語
是菩薩摩訶薩不不也世尊即四无所畏四

BD01349號　大般若波羅蜜多經卷二二　（4–1）

尊即四无所畏四无礙解十八佛不共法苦
增語是菩薩摩訶薩不不也世尊即佛十
力我增語是菩薩摩訶薩不不也世尊即四
无所畏四无礙解十八佛不共法我增語是
菩薩摩訶薩不不也世尊即佛十力无我增語
是菩薩摩訶薩不不也世尊即四无所畏四
无礙解十八佛不共法无我增語是菩薩摩
訶薩不不也世尊即佛十力淨增語是菩薩
摩訶薩不不也世尊即四无所畏四无礙解
八佛不共法淨增語是菩薩摩訶薩不不
也世尊即佛十力不淨增語是菩薩摩訶薩
不不也世尊即四无所畏四无礙解十八佛
不共法不淨增語是菩薩摩訶薩不不也世
尊即佛十力空增語是菩薩摩訶薩不不也
世尊即四无所畏四无礙解十八佛不共法
空增語是菩薩摩訶薩不不也世尊即佛十
力不空增語是菩薩摩訶薩不不也世尊即
四无所畏四无礙解十八佛不共法不空增語
是菩薩摩訶薩不不也世尊即佛十力有
相增語是菩薩摩訶薩不不也世尊即四无
所畏四无礙解十八佛不共法有相增語是
菩薩摩訶薩不不也世尊即佛十力无相增
語是菩薩摩訶薩不不也世尊即四无所畏
四无礙解十八佛不共法无相增語是菩薩
摩訶薩不不也世尊即佛十力有願增語
是菩薩摩訶薩不不也世尊即四无所畏四无

BD01349號　大般若波羅蜜多經卷二二　（4–2）

語是菩薩摩訶薩不不也世尊即四无所畏
四无礙解十八佛不共法无相增語是菩薩
摩訶薩不不也世尊即佛十力有願增語
是菩薩摩訶薩不不也世尊即四无所畏四无
礙解十八佛不共法有願增語是菩薩摩訶
薩不不也世尊即佛十力无願增語是菩薩
摩訶薩不不也世尊即四无所畏四无礙解
十八佛不共法无願增語是菩薩摩訶薩不
不也世尊即佛十力寂靜增語是菩薩摩訶
薩不不也世尊即四无所畏四无礙解十八
佛不共法寂靜增語是菩薩摩訶薩不不
也世尊即佛十力不寂靜增語是菩薩摩訶
薩不不也世尊即四无所畏四无礙解十八佛
不共法不寂靜增語是菩薩摩訶薩不不也
世尊即佛十力遠離增語是菩薩摩訶薩
不不也世尊即四无所畏四无礙解十八佛不
共法遠離增語是菩薩摩訶薩不不也世尊
即佛十力不遠離增語是菩薩摩訶薩不不
也世尊即四无所畏四无礙解十八佛不共
法不遠離增語是菩薩摩訶薩不不也世尊
即佛十力有為增語是菩薩摩訶薩不不也
世尊即四无所畏四无礙解十八佛不共法
有為增語是菩薩摩訶薩不不也世尊即佛
十力无為增語是菩薩摩訶薩不不也世尊
即四无所畏四无礙解十八佛不共法无為

BD01349號　大般若波羅蜜多經卷二二　（4–3）

即佛十力有為增語是菩薩摩訶薩不不也
世尊即四无所畏四无礙解十八佛不共法
有為增語是菩薩摩訶薩不不也世尊即佛
十力无為增語是菩薩摩訶薩不不也世尊
即四无所畏四无礙解十八佛不共法无為
增語是菩薩摩訶薩不不也世尊即佛十力
有漏增語是菩薩摩訶薩不不也世尊即
四无所畏四无礙解十八佛不共法有漏增語
是菩薩摩訶薩不不也世尊即佛十力无漏
增語是菩薩摩訶薩不不也世尊即四无所
畏四无礙解十八佛不共法无漏增語是菩
薩摩訶薩不不也世尊即佛十力生增語是
菩薩摩訶薩不不也世尊即四无所畏四无
礙解十八佛不共法生增語是菩薩摩訶薩
不不也世尊即佛十力滅增語是菩薩摩訶
薩不不也世尊即四无所畏四无礙解十八
佛不共法滅增語是菩薩摩訶薩不不也
尊即佛十力善增語是菩薩摩訶薩
世尊即四无所畏四无礙解十八佛不共
善增語是菩薩摩薩不不也世尊即佛
力非善增語是菩薩摩訶薩不不也世尊
四无所畏四无礙解十八佛不共法非善

BD01349號　大般若波羅蜜多經卷二二　（4–4）

花嚴經指歸一卷
夫以至教閫通盡虚空
法界於毫端無礙融
派普賢眼之玄鑒法
法海无罕辯於宗源今
花嚴經旨歸一卷

BD01349 號背　花嚴經指歸　　（1–1）

呪初注云冣後別翻者
是也其呪句稍異於杜令所翻者其新呪改
定不錯并注其音訖後有學者幸詳此焉至
永昌元年八月於大敬愛寺見西明寺上座
澄法師問其逗留亦如前說其翻經僧順貞
見在住西明寺此經救拔幽顯冣不可思議
恐學者不知故具錄委曲以傳示悟
佛頂尊勝陁羅尼經
罽賓沙門佛陁波利奉　詔譯
如是我聞一時薄伽梵在室羅筏住誓多林
給孤獨園與大苾芻衆千二百五十人俱又
與諸大菩薩僧万二千人俱尒時三十三天
於善法堂會有一天子名曰善住與諸大天
遊於園觀又與大天受勝尊貴與諸天女
前後圍繞歡喜遊戲種種音樂共相娛樂受
諸快樂尒時善住天子即於夜分聞有聲言
善住天子却後七日命將欲盡命終之後生
贍部洲受七返畜生身即受地獄苦從地獄
出希得人身生於貧賤處於母胎即无兩目
尒時善住天子聞此聲言即大驚怖身毛皆

BD01350 號 1　佛頂尊勝陀羅尼經序　　（8–1）
BD01350 號 2　佛頂尊勝陀羅尼經（佛陀波利本）

前後圍遶作天伎樂娛樂受
諸快樂尒時善住天子即於夜分聞有聲言
善住天子卻後七日命將欲盡命終之後生
贍部洲受七返畜生身即受地獄苦從地獄
出希得人身生於貧賤處於母胎即无兩目
尒時善住天子聞此聲言即大驚怖身毛皆
竪愁憂不樂速疾往詣天帝釋所悲啼號哭
惶怖无計頂礼帝釋二足尊已白帝釋言聽
我所說我與諸天女共相圍繞受諸快樂聞
有聲言善住天子卻後七日命將欲盡命終
之後生贍部洲七返受畜生身受七身已即
生諸地獄從地獄出希得人身生貧賤家无
其兩目天帝云何令我得免斯苦
尒時帝釋聞善住天子語已甚大驚愕即自
思惟此善住天子受何七返惡道之身尒時
帝釋須臾靜住入定諦觀即見善住當受七
返惡道之身所謂猪狗野干獼猴蟒蛇烏鷲
等身食諸穢惡不淨之物尒時帝釋觀見善
住天子當墮七返惡道之身極助苦惱痛割
於心帝思无計何所歸依唯有如來應正等
覺令其善住得免斯苦
尒時帝釋即於此日初夜分時以種種花鬘
塗香末香以妙天衣莊嚴執持往詣誓多林
園於世尊所到已頂礼佛足右遶七帀即於
佛前廣大供養佛前胡跪而白佛言世尊善
住天子云何當受七返畜生惡道之身具如

BD01350 號 2　佛頂尊勝陀羅尼經（佛陀波利本）　（8–2）

塗香末香以妙天衣莊嚴執持往詣誓多林
園於世尊所到已頂礼佛足右遶七帀即於
佛前廣大供養佛前胡跪而白佛言世尊善
住天子云何當受七返畜生惡道之身具如
上說尒時如來頂上放種種光遍滿十方一
切世界已其光還來遶佛三帀從佛口入佛
便微笑告帝釋言天帝有陁羅尼名為如來
佛頂尊勝能淨一切惡道能淨除一切生死
苦惱又能淨除諸地獄閻羅王界畜生之苦
又破一切地獄能迴向善道天帝此佛頂尊
勝陁羅尼若有人聞一經於耳先世所造一
切地獄惡業皆悉消滅當得清淨之身隨所
生處憶持不忘從一佛剎至一佛剎從一天
界至一天界遍歷三十三天所生之處憶持
不忘天帝若人命欲將終須臾憶念此陁羅
尼還得增壽得身口意淨身无苦痛隨其福
利隨處安隱一切如來之所觀視一切天神
恒常侍衛為人所敬惡障消滅一切菩薩同
心覆護天帝若人能須臾讀誦此陁羅尼者
此人所有一切地獄畜生閻羅王界餓鬼之
苦破壞消滅无有遺餘諸佛剎土及諸天宮
一切菩薩所住之門无有障礙隨意遊入
尒時帝釋白佛言世尊唯願如來為衆生說
增益壽命之法
尒時世尊知帝釋意心之所念樂聞佛說是

BD01350 號 2　佛頂尊勝陀羅尼經（佛陀波利本）　（8–3）

[illegible]
一切菩薩所住之門无有障礙隨意進入
尒時帝釋白佛言世尊唯願如来為衆生說
增益壽命之法
尒時世尊知帝釋意心之所念樂聞佛說是
陁羅尼法即說呪曰
那謨薄伽跋帝 一 啼 入 隷路迦 暫耶反 鉢囉底
毗 失瑟吒 引 耶 余何反下同 二 勃陁耶 三 薄伽跋帝
四 怛姪他 五 唵 引 六 毗 輸 上 馱耶 七 娑摩三漫
多嚩 文何反下同 婆娑婆撥囉拏揭底伽訶那娑婆
嚩秫 輸律反下同 地 九 阿鼻詵 去 者蘇揭多伐折那
阿嚧嘌多毗曬罰 平 十 阿訶 上 囉阿 引 訶囉 十一
阿瑜散陁 引 囉尼 十二 輸 上 馱耶輸 上 馱耶 十三
伽伽那毗秫提 十四 烏瑟尼沙毗逝耶秫提 十五
娑訶娑囉喝囉濕弭珊珠地帝 十六 薩婆怛他
揭多地瑟吒 引 那遏地瑟恥帝慕姪隷 十七 杕
折囉迦 引 耶僧訶多那秫提 十八 薩婆伐囉拏
毗秫提 十九 鉢囉底祢伐怛耶阿瑜秫提 廿 薩
末耶遏地瑟恥帝 廿一 末祢末祢 廿二 怛闥多部
多俱胝鉢唎秫提 廿三 毗薩普吒勃地秫提 廿四
社耶社耶 余何反 廿五 毗社耶毗社耶 廿六 薩末囉
末囉勃陁遏地瑟恥多秫提 廿七 跋折梨跋折
囉揭鞞 廿八 跋折藍婆伐都 廿九 摩摩 某甲受持者自稱名 薩
婆薩埵寫迦 引 耶毗秫提 卅 薩婆揭底鉢唎
秫提 卅一 薩婆怛他揭多三摩濕婆娑遏地瑟
恥帝 卅二 勃陁 地耶反 勃陁 卅三 [illegible]

BD01350 號 2　佛頂尊勝陀羅尼經（佛陀波利本）　（8–4）

囉揭鞞 廿八 跋折藍婆伐都 廿九 摩摩 某甲受持者自稱名 薩
婆薩埵寫迦 引 耶毗秫提 卅 薩婆揭底鉢唎
秫提 卅一 薩婆怛他揭多三摩濕婆娑遏地瑟
恥帝 卅二 勃陁 地耶反下同 勃陁 卅三 蒲馱耶蒲馱耶 三
滿多鉢唎秫提 卅四 薩婆怛他揭多地瑟吒
那遏地瑟恥帝 卅五 莎婆 引 訶
佛告帝釋言此呪名淨除一切惡道佛頂尊
勝陁羅尼能除一切罪業等障能破一切穢
道苦天帝此陁羅尼八十八殑伽沙俱胝
千諸佛同共宣說隨喜受持大如来智印
印之為破一切衆生穢惡道義故為一切地
獄畜生閻羅王界衆生得解脫故臨急苦難
墮生死海中衆生得解脫故短命薄福无救
護衆生樂造雜染惡業衆生故說又此陁羅
尼於贍部洲住持力故能令地獄惡道衆生
種種流轉生死薄福衆生不信善惡業失正
道衆生等得解脫義故佛告天帝我說此陁
羅尼付囑於汝汝當授與善住天子復當受
持讀誦思惟愛樂憶念供養於贍部洲一切
衆生廣為宣說此陁羅尼亦為一切諸天子
故說此陁羅尼印付囑於汝天帝汝當善持
守護勿令忘失
天帝若人須臾得聞此陁羅尼千劫已来積
造惡業重障應受種種流轉生死地獄餓鬼
畜生閻羅王界阿脩羅身夜叉羅剎鬼神

BD01350 號 2　佛頂尊勝陀羅尼經（佛陀波利本）　（8–5）

守護勿令忘失
天帝若人須臾得聞此陀羅尼千劫已來積
造惡業重障應受種種流轉生死地獄餓鬼
畜生閻羅王界阿脩羅身夜叉羅剎鬼神
布單那羯吒布單那阿娑娑摩囉畜盲龜狗
蟒虵一切諸鳥及諸猛獸一切蠢動含靈乃
至蟻子之身更不重受即得轉生諸佛如來
一生補處菩薩同會處生或得大姓婆羅門
家生或得大剎利種家生或得豪貴最勝家
生天帝此人得如上貴處生者皆由聞此陀
羅尼故轉所生處皆得清淨天帝乃至得到
菩提道場最勝之處皆由讚歎此陀羅尼功
德如是天帝此陀羅尼名吉祥能淨一切惡
道此佛頂尊勝陀羅尼猶如日藏摩尼之寶
淨无瑕穢淨等虛空光焰照徹无不周遍若
諸衆生持此陀羅尼亦復如是亦如閻浮檀
金明淨柔軟令人喜見不爲穢惡之所染著
天帝若有衆生持此陀羅尼亦復如是乘斯
善淨得生善道天帝此陀羅尼所在之處若
能書寫流通受持讀誦聽聞供養能如是者
一切惡道皆得清淨一切地獄苦惱皆消滅
佛告天帝若人能書寫此陀羅尼安高幢上
或安高山或安樓上乃至安置窣堵波中天
帝若有苾芻苾芻尼優婆塞優婆夷族姓男族
姓女於幢等上或見或與相近其影映身或

BD01350 號 2　佛頂尊勝陀羅尼經（佛陀波利本）　（8–6）

佛告天帝若人能書寫此陀羅尼安高幢上
或安高山或安樓上乃至安置窣堵波中天
帝若有苾芻苾芻尼優婆塞優婆夷族姓男族
姓女於幢等上或見或與相近其影映身或
風吹陀羅尼上幢等上塵落在身上天帝彼
諸衆生所有罪業應墮惡道地獄畜生閻羅
王界阿脩羅身惡道之苦皆悉不受亦不爲
罪垢染污天帝此等衆生爲一切諸佛之所
授記皆得不退轉於阿耨多羅三藐三菩提
天帝何況更以多諸供具華鬘塗香末香幢
幡蓋等衣服瓔珞作諸莊嚴於四衢道造窣
堵波安置陀羅尼合掌恭敬旋繞行道歸命
礼拜天帝彼人能如是供養者名摩訶薩埵
真是佛子持法棟梁又是如來全身舍利窣
堵波塔
尒時閻摩羅法王於時夜分來詣佛所到已
以種種天衣妙華塗香莊嚴供養佛已繞佛
七帀頂礼佛之而作是言我聞如來演說讚
持大力陀羅尼者我常隨逐守護不令持者
墮於地獄以彼隨順如來言教而護念之
尒時護世四天大王繞佛三帀白佛言世尊
唯願如來爲我廣說持陀羅尼法
尒時佛告四天王汝今諦聽我當爲汝宣說
受持此陀羅尼法亦爲短命諸衆生說當先
洗浴著新淨衣白月圓滿十五日時持齋誦

BD01350 號 2　佛頂尊勝陀羅尼經（佛陀波利本）　（8–7）

隨於地獄以彼隨順如来言教而議念之
尒時護世四天大王繞佛三帀白佛言世尊
唯願如来爲我廣説持陁羅尼法
尒時佛告四天王汝今諦聽我當爲汝宣説
受持此陁羅尼法亦爲短命諸衆生説當先
洗浴着新淨衣白月圓滿十五日時持齋誦
此陁羅尼滿其千遍令短命衆生還得增壽
永離病苦一切業障悉皆消滅一切地獄諸
苦亦得解脱諸飛鳥畜生含靈之類聞此陁
羅尼一經於耳盡此一身更不復受
佛言若遇大惡病聞此陁羅尼即得永離一
切諸病亦得消滅應墮惡道亦得除斷即得
往生寂靜世界從此身已後更不受胞胎之
身所生之處蓮華化生一切生處憶持不忘常
識宿命
佛言若人先造一切極重罪業遂即命終乘
斯惡業應墮地獄或墮畜生閻羅王界或墮
餓鬼乃至墮大阿鼻地獄或生水中或生禽
獸異類之身取其亡者隨身分骨以土一把
誦此陁羅尼廿一遍散亡者骨上即得生天

BD01350 號 2　佛頂尊勝陀羅尼經（佛陀波利本）　（8–8）

知財富无量欲饒益諸子等與大車佛告舍
利弗善哉善哉如汝所言舍利弗如来亦復
如是則爲一切世間之父於諸怖畏衰惱憂
患无明暗蔽永盡无餘而悉成就无量知見
力无所畏有大神力及智慧力具足方便智
慧波羅蜜大慈大悲常无懈倦恒求善事利
益一切而生三界朽故火宅爲度衆生生老
病死憂悲苦惱愚癡暗蔽三毒之火教化令
得阿耨多羅三藐三菩提見諸衆生爲生老
病死憂悲苦惱之所燒煮亦以五欲財利故
受種種苦又以貪著追求故現受衆苦後受
地獄畜生餓鬼之苦若生天上及在人間貧
窮困苦愛別離苦怨憎會苦如是等種種諸
苦衆生没在其中歡喜遊戲不覺不知不驚
不怖亦不生猒不求解脱於此三界火宅東
西馳走雖遭大苦不以爲患舍利弗佛見此
已便作是念我爲衆生之父應拔其苦難與
无量无邊佛智慧樂令其遊戲舍利弗如来

BD01351 號　妙法蓮華經卷二　（7–1）

不怖亦不生猒不求解脫於此三界火宅東
西馳走雖遭大苦不以爲患舍利弗佛見此
已便作是念我爲衆生之父應抜其苦難與
无量无邊佛智慧樂令其遊戲舍利弗如來
復作是念若我但以神力及智慧力捨於方
便爲諸衆生讃如來知見力无所畏者衆生
不能以是得度所以者何是諸衆生未免生
老病死憂悲苦惱而爲三界火宅所燒何由
能解佛之智慧舍利弗如彼長者雖復身手
有力而不用之但以慇勤方便勉濟諸子火
宅之難然後各與珎寶大車如來亦復如是
雖有力无所畏而不用之但以智慧方便於
三界火宅抜濟衆生爲說三乘聲聞辟支佛
佛乘而作是言汝等莫得樂住三界火宅勿
貪麁弊色聲香味觸也若貪著生愛則爲所
燒汝速出三界當得三乘聲聞辟支佛佛乘
我今爲汝保任此事終不虛也汝等但當勤
脩精進如來以是方便誘進衆生復作是言
汝等當知此三乘法皆是聖所稱歎自在无
繫无所依求乘是三乘以无漏根力覺道禪
定解脫三昧等而自娛樂便得无量安隱快
樂舍利弗若有衆生内有智性從佛世尊聞
法信受慇勤精進欲速出三界自求涅槃是
名聲聞乘如彼諸子爲求羊車出於火宅若
有衆生從佛世尊聞法信受慇勤精進求自
然慧樂獨善寂深知諸法因緣是名辟支佛

BD01351號　妙法蓮華經卷二　（7–2）

定解脫三昧等而自娛樂便得无量安隱快
樂舍利弗若有衆生内有智性從佛世尊聞
法信受慇勤精進欲速出三界自求涅槃是
名聲聞乘如彼諸子爲求羊車出於火宅若
有衆生從佛世尊聞法信受慇勤精進求自
然慧樂獨善寂深知諸法因緣是名辟支佛
乘如彼諸子爲求鹿車出於火宅若有衆生
從佛世尊聞法信受勤脩精進求一切智佛
智自然智无師智如來知見力无所畏慜念
安樂无量衆生利益天人度脫一切是名大
乘菩薩求此乘故名爲摩訶薩如彼諸子爲
求牛車出於火宅舍利弗如彼長者見諸子
等安隱得出火宅到无畏處自惟財富无量
等以大車而賜諸子如來亦復如是爲一切
衆生之父若見无量億千衆生以佛教門出
三界苦怖畏險道得涅槃樂如來尒時便作
是念我有无量无邊智慧力无畏等諸佛法
藏是諸衆生皆是我子等與大乘不令有人
獨得滅度皆以如來滅度而滅度之是諸衆
生脫三界者悉與諸佛禪定解脫等娛樂之
具皆是一相一種聖所稱歎能生淨妙第一
之樂舍利弗如彼長者初以三車誘引諸子
然後但與大車寶物莊嚴安隱第一然彼長
者无虛妄之咎如來亦復如是无有虛妄初
說三乘引導衆生然後但以大乘而度脫之

BD01351號　妙法蓮華經卷二　（7–3）

然後但與大車寶物莊嚴安隱第一然彼長
者无虛妄之咎如來亦復如是无有虛妄初
說三乘引導衆生然後但以大乘而度脫之
何以故如來有无量智慧力无所畏諸法之
藏能與一切衆生大乘之法但不盡能受舍
利弗以是因緣當知諸佛方便力故於一佛
乘分別說三佛欲重宣此義而說偈言
譬如長者 有一大宅 其宅久故 而復頓弊
堂舍高危 柱根摧朽 梁棟傾斜 基陛頹毀
牆壁圮坼 泥塗褫落 覆苫亂墜 椽梠差脫
周障屈曲 雜穢充遍 有五百人 止住其中
鵄梟鵰鷲 烏鵲鳩鴿 蚖蛇蝮蠍 蜈蚣蚰蜒
守宮百足 狖狸鼷鼠 諸惡蟲輩 交橫馳走
屎尿臭處 不淨流溢 蜣蜋諸蟲 而集其上
狐狼野干 咀嚼踐蹋 嚌齧死屍 骨肉狼藉
由是群狗 競來搏撮 飢羸慞惶 處處求食
鬪諍摣掣 啀喍嗥吠 其舍恐怖 變狀如是
處處皆有 魑魅魍魎 夜叉惡鬼 食噉人肉
毒蟲之屬 諸惡禽獸 孚乳產生 各自藏護
夜叉競來 爭取食之 食之既飽 惡心轉熾
鬪諍之聲 甚可怖畏 鳩槃荼鬼 蹲踞土埵
或時離地 一尺二尺 往返遊行 縱逸嬉戲
捉狗兩足 撲令失聲 以腳加頸 怖狗自樂
復有諸鬼 其身長大 裸形黑瘦 常住其中
發大惡聲 叫呼求食 復有諸鬼 其咽如針

BD01351號　妙法蓮華經卷二　（7–4）

捉狗兩足 撲令失聲 以腳加頸 怖狗自樂
復有諸鬼 其身長大 裸形黑瘦 常住其中
發大惡聲 叫呼求食 復有諸鬼 其咽如針
復有諸鬼 首如牛頭 或食人肉 或復噉狗
頭髮蓬亂 殘害兇險 飢渴所逼 叫喚馳走
夜叉餓鬼 諸惡鳥獸 飢急四向 窺看窗牖
如是諸難 恐畏无量 是朽故宅 屬于一人
其人近出 未久之間 於後舍宅 欻然火起
四面一時 其焰俱熾 棟梁椽柱 爆聲震裂
摧折墮落 牆壁崩倒 諸鬼神等 揚聲大叫
鵰鷲諸鳥 鳩槃荼等 周慞惶怖 不能自出
惡獸毒蟲 藏竄孔穴 毗舍闍鬼 亦住其中
薄福德故 為火所逼 共相殘害 飲血噉肉
野干之屬 並已前死 諸大惡獸 競來食噉
臭烟熢㶿 四面充塞 蜈蚣蚰蜒 毒蛇之類
為火所燒 爭走出穴 鳩槃荼鬼 隨取而食
又諸餓鬼 頭上火然 飢渴熱惱 周慞悶走
其宅如是 甚可怖畏 毒害火災 衆難非一
是時宅主 在門外立 聞有人言 汝諸子等
先因遊戲 來入此宅 稚小无知 歡娛樂著
長者聞已 驚入火宅 方宜救濟 令无燒害
告喻諸子 說衆患難 惡鬼毒蟲 災火蔓莚
衆苦次第 相續不絕 毒蛇蚖蝮 及諸夜叉
鳩槃荼鬼 野干狐狗 鵰鷲鵄梟 百足之屬
飢渴惱急 甚可怖畏 此苦難處 況復大火

BD01351號　妙法蓮華經卷二　（7–5）

……因遊…　…於此宅　…小无知　歡娛樂著
長者聞已　驚入火宅　方宜救濟　令无燒害
告喻諸子　說眾患難　惡鬼毒虫　災火蔓莚
眾苦次第　相續不絕　毒虵蚖蝮　及諸夜叉
鳩槃茶鬼　野干狐狗　鵰鷲鵄梟　百足之屬
飢渴惱急　甚可怖畏　此苦難處　況復大火
諸子无知　雖聞父誨　猶故樂著　嬉戲不已
是時長者　而作是念　諸子如此　益我愁惱
今此舍宅　无一可樂　而諸子等　耽湎嬉戲
不受我教　將為火害　即便思惟　設諸方便
告諸子等　我有種種　珍玩之具　妙寶好車
羊車鹿車　大牛之車　今在門外　汝等出來
吾為汝等　造作此車　隨意所樂　可以遊戲
諸子聞說　如此諸車　即時奔競　馳走而出
到於空地　離諸苦難　長者見子　得出火宅
住於四衢　坐師子座　而自慶言　我今快樂
此諸子等　生育甚難　愚小无知　而入險宅
多諸毒虫　魑魅可畏　大火猛焰　四面俱起
而此諸子　貪樂嬉戲　我已救之　令得脫難
是故諸人　我今快樂　尒時諸子　知父安坐
皆詣父所　而白父言　願賜我等　三種寶車
如前所許　諸子出來　當以三車　隨汝所欲
今正是時　唯垂給與　長者大富　庫藏眾多
金銀琉璃　車璖馬瑙　以眾寶物　造諸大車
莊校嚴飾　周帀欄楯　四面懸鈴　金繩交絡
真珠羅網　張施其上　金華諸纓　處處垂下

BD01351號　妙法蓮華經卷二　（7–6）

今正是時　唯垂給與　長者大富　庫藏眾多
金銀琉璃　車璖馬瑙　以眾寶物　造諸大車
莊校嚴飾　周帀欄楯　四面懸鈴　金繩交絡
真珠羅網　張施其上　金華諸纓　處處垂下
眾綵雜飾　周帀圍繞　柔軟繒纊　以為茵蓐
上妙細氎　價直千億　鮮白淨潔　以覆其上
有大白牛　肥壯多力　形體姝好　以駕寶車
多諸儐從　而侍衛之　以是妙車　等賜諸子
諸子是時　歡喜踊躍　乘是寶車　遊於四方
嬉戲快樂　自在无礙　告舍利弗　我亦如是
眾聖中尊　世間之父　一切眾生　皆是吾子
深著世樂　无有慧心　三界无安　猶如火宅
眾苦充滿　甚可怖畏　常有生老　病死憂患
如是等火　熾然不息　如來已離　三界火宅
寂然閑居　安處林野　今此三界　皆是我有
其中眾生　悉是吾子　而今此處　多諸患難
唯我一人　能為救護　雖復教詔　而不信受
於諸欲染　貪著深故　是以方便　為說三乘
令諸眾生　知三界苦　開示演說　出世間道
是諸子等　若心決定　具足三明　及六神通
有得緣覺　不退菩薩　汝舍利弗　我為眾生

BD01351號　妙法蓮華經卷二　（7–7）

二無二分無別無斷故自
無願解脫門清淨無相
一切智智清淨何以故若自
相無願解脫門清淨若一切智智清淨無二
無二分無別無斷故善現自相空清淨故菩
薩十地清淨菩薩十地清淨故一切智智清
淨何以故若自相空清淨若菩薩十地清淨
若一切智智清淨無二無二分無別無斷故
善現自相空清淨故五眼清淨五眼清淨故
一切智智清淨何以故若自相空清淨若五
眼清淨若一切智智清淨無二無二分無別
無斷故自相空清淨故六神通清淨六神通
清淨故一切智智清淨何以故若自相空清
淨若六神通清淨若一切智智清淨無二無
二分無別無斷故善現自相空清淨故佛十
力清淨佛十力清淨故一切智智清淨何以
故若自相空清淨若佛十力清淨若一切智
智清淨無二無二分無別無斷故自相空清
淨故四無所畏四無礙解大慈大悲大喜大
捨十八佛不共法清淨四無所畏乃至十八佛
不共法清淨故一切智智清淨何以故若自

BD01352號　大般若波羅蜜多經卷二一四　（6–1）

故若自相空清淨若佛十力清淨若一切智
智清淨無二無二分無別無斷故自相空清
淨故四無所畏四無礙解大慈大悲大喜大
捨十八佛不共法清淨四無所畏乃至十八佛
不共法清淨故一切智智清淨何以故若自
相空清淨若四無所畏乃至十八佛不共法
清淨若一切智智清淨無二無二分無別無
斷故善現自相空清淨故無忘失法清淨
無忘失法清淨故一切智智清淨何以故若
自相空清淨若無忘失法清淨若一切智智
清淨無二無二分無別無斷故自相空清淨
故恒住捨性清淨恒住捨性清淨故一切智
智清淨何以故若自相空清淨若恒住捨性
清淨若一切智智清淨無二無二分無別無
斷故善現自相空清淨故一切智清淨一切
智清淨故一切智智清淨何以故若自相空
清淨若一切智清淨若一切智智清淨無二
無二分無別無斷故自相空清淨故道相智
一切相智清淨道相智一切相智清淨故一
切智智清淨何以故若自相空清淨若道相
智一切相智清淨若一切智智清淨無二無
二分無別無斷故善現自相空清淨故一切
陀羅尼門清淨一切陀羅尼門清淨故一切
智智清淨何以故若自相空清淨若一切陀
羅尼門清淨若一切智智清淨無二無二分
無別無斷故自相空清淨故一切三摩地門

BD01352號　大般若波羅蜜多經卷二一四　（6–2）

二分無別無斷故善現自相空清淨故一切
陁羅尼門清淨一切陁羅尼門清淨故一切
智智清淨何以故若自相空清淨若一切陁
羅尼門清淨若一切智智清淨無二無二分
無別無斷故自相空清淨故一切三摩地門
清淨一切三摩地門清淨故一切智智清淨
何以故若自相空清淨若一切三摩地門清
淨若一切智智清淨無二無二分無別無
斷故
善現自相空清淨故預流果清淨預流果清
淨故一切智智清淨何以故若自相空清淨
若預流果清淨若一切智智清淨無二無二
分無別無斷故自相空清淨故一來不還阿
羅漢果清淨一來不還阿羅漢果清淨故一
切智智清淨何以故若自相空清淨若一來
不還阿羅漢果清淨若一切智智清淨無二
無二分無別無斷故善現自相空清淨故獨
覺菩提清淨獨覺菩提清淨故一切智智清
淨何以故若自相空清淨若獨覺菩提清淨
若一切智智清淨無二無二分無別無斷故
善現自相空清淨故一切菩薩摩訶薩行清
淨一切菩薩摩訶薩行清淨故一切智智清
淨何以故若自相空清淨若一切菩薩摩訶
薩行清淨若一切智智清淨無二無二分無
別無斷故善現自相空清淨故諸佛無上正

BD01352號　大般若波羅蜜多經卷二一四　（6–3）

淨一切菩薩摩訶薩行清淨故一切智智清
淨何以故若自相空清淨若一切菩薩摩訶
薩行清淨若一切智智清淨無二無二分無
別無斷故善現自相空清淨故諸佛無上正
等菩提清淨諸佛無上正等菩提清淨故一
切智智清淨何以故若自相空清淨若諸佛
無上正等菩提清淨若一切智智清淨無二
無二分無別無斷故
復次善現共相空清淨故色清淨色清淨故
一切智智清淨何以故若共相空清淨若色
清淨若一切智智清淨無二無二分無別無
斷故共相空清淨故受想行識清淨受想行
識清淨故一切智智清淨何以故若共相空
清淨若受想行識清淨若一切智智清淨無
二無二分無別無斷故善現共相空清淨故眼
處清淨眼處清淨故一切智智清淨何以
故若共相空清淨若眼處清淨若一切智智
清淨無二無二分無別無斷故共相空清淨
故耳鼻舌身意處清淨耳鼻舌身意處清淨
故一切智智清淨何以故若共相空清淨若
耳鼻舌身意處清淨若一切智智清淨無二
無二分無別無斷故善現共相空清淨故色
處清淨色處清淨故一切智智清淨何以故
若共相空清淨若色處清淨若一切智智清
淨無二無二分無別無斷故共相空清淨故
聲香味觸法處清淨聲香味觸法處清淨

BD01352號　大般若波羅蜜多經卷二一四　（6–4）

處清淨色處清淨故一切智智清淨何以故
若共相空清淨若色處清淨若一切智智清
淨無二無二分無別無斷故共相空清淨故
聲香味觸法處清淨聲香味觸法處清淨
故一切智智清淨何以故若共相空清淨若
聲香味觸法處清淨若一切智智清淨無
二無二分無別無斷故善現共相空清淨故眼
界清淨眼界清淨故一切智智清淨何以故若
共相空清淨若眼界清淨若一切智智清淨
無二無二分無別無斷故共相空清淨故色
界眼識界及眼觸眼觸為緣所生諸受清淨
色界乃至眼觸為緣所生諸受清淨故一切
智智清淨何以故若共相空清淨若色界乃
至眼觸為緣所生諸受清淨若一切智智清
淨無二無二分無別無斷故善現共相空清
淨故耳界清淨耳界清淨故一切智智清淨
何以故若共相空清淨若耳界清淨若一切
智智清淨無二無二分無別無斷故共相空
清淨故聲界耳識界及耳觸耳觸為緣所生
諸受清淨聲界乃至耳觸為緣所生諸受清
淨故一切智智清淨何以故若共相空清淨
若聲界乃至耳觸為緣所生諸受清淨若
一切智智清淨無二無二分無別無斷故善現
共相空清淨故鼻界清淨鼻界清淨故一切
智智清淨何以故若共相空清淨若鼻界清

BD01352號　大般若波羅蜜多經卷二一四　（6–5）

淨無二無二分無別無斷故善現共相空清
淨故耳界清淨耳界清淨故一切智智清淨
何以故若共相空清淨若耳界清淨若一切
智智清淨無二無二分無別無斷故共相空
清淨故聲界耳識界及耳觸耳觸為緣所生
諸受清淨聲界乃至耳觸為緣所生諸受清
淨故一切智智清淨何以故若共相空清淨
若聲界乃至耳觸為緣所生諸受清淨若
一切智智清淨無二無二分無別無斷故善現
共相空清淨故鼻界清淨鼻界清淨故一切
智智清淨何以故若共相空清淨若鼻界清
淨若一切智智清淨無二無二分無別無斷
故共相空清淨故香界鼻識界及鼻觸鼻
觸為緣所生諸受清淨香界乃至鼻觸為緣
所生諸受清淨故一切智智清淨何以故若
共相空清淨若香界乃至鼻觸為緣所生諸
受清淨若一切智智清淨無二無二分無別
無斷故善現共相空清[illegible]

BD01352號　大般若波羅蜜多經卷二一四　（6–6）

世尊之下致敬无量問訊起
安不願得世尊所食之餘
作佛事使此樂小法者得
名聲普聞彼諸大士見化
今此上人從何所來娑婆世
界為在何許云何名為樂小法者即以問佛
佛告之曰下方度如四十二恒河沙佛土有
世界名娑婆佛号釋迦牟尼今現在於五濁世
為樂小法衆生敷演道教彼有菩薩名維摩詰
住不可思議解脫為諸菩薩說法故遣化來
稱揚我名并讚此土令彼菩薩增益功德彼
菩薩言其人何如乃作是化德力无畏神足
若斯佛言甚大一切十方皆遣化往施作佛
事饒益衆生於是香積如來以衆香鉢盛滿
香飯與化菩薩時彼九百万菩薩俱發聲言我
欲詣娑婆世界供養釋迦牟尼佛并欲見維
摩詰等諸菩薩衆佛言可往攝汝身香无令
彼諸衆生起惑著心又當捨汝本形勿使彼
國求菩薩者而自鄙恥又汝於彼莫懷輕賤
而作礙想所以者何十方國土皆如虛空又
諸佛為欲化諸樂小法者不盡現其清淨土
耳時化菩薩既受鉢飯與彼九百万菩薩俱
[illegible]

BD01353 號　維摩詰所說經卷下　（11–1）

[illegible]
彼諸衆生起惑著心又當捨汝本形勿使彼
國求菩薩者而自鄙恥又汝於彼莫懷輕賤
而作礙想所以者何十方國土皆如虛空又
諸佛為欲化諸樂小法者不盡現其清淨土
耳時化菩薩既受鉢飯與彼九百万菩薩俱
承佛威神及維摩詰力於彼世界忽然不現
須臾之間至維摩詰舍維摩詰即化作九百
万師子之座嚴好如前諸菩薩皆坐其上化菩
薩以滿鉢香飯與維摩詰飯香普熏毗耶離
城及三千大千世界時毗耶離婆羅門居士等
聞是香氣身意快然歎未曾有於是長者
主月蓋從八万四千人來入維摩詰舍見其
室中菩薩甚多諸師子座高廣嚴好皆大歡
喜禮衆菩薩及大弟子却住一面諸地神虛空
神及欲色界諸天聞此香氣亦皆來入維摩
詰舍時維摩詰語舍利弗等諸大聲聞仁
者可食如來甘露味飯大悲所熏无以限意
食之使不消也有異聲聞念是飯少而此大
衆人人當食化菩薩曰勿以聲聞小德小智
稱量如來无量福慧四海有竭此飯无盡使
一切人食揣若須弥乃至一劫猶不能盡所
以者何无盡戒定智慧解脫解脫知見功德
具足者所食之餘終不可盡於是鉢飯悉飽
衆會猶故不賜其諸菩薩聲聞天人食此飯
者身安快樂譬如一切樂莊嚴國諸菩薩也
又諸毛孔皆出妙香亦如衆香國土諸樹之

BD01353 號　維摩詰所說經卷下　（11–2）

[illegible]慧解脫解脫知見功德
具足者所食之餘終不可盡於是鉢飯悉飽
衆會猶故不賜其諸菩薩聲聞天人食此飯
者身安快樂譬如一切樂莊嚴國諸菩薩也
又諸毛孔皆出妙香亦如衆香國土諸樹之
香尒時維摩詰問衆香菩薩香積如來以何
說法彼菩薩曰我土如來无文字說但以衆
香令諸天人得入律行菩薩各各坐香樹下
聞斯妙香即獲一切德藏三昧得是三昧者
菩薩所有功德皆悉具足彼諸菩薩問維摩
詰今世尊釋迦牟尼以何說法維摩詰言此
土衆生剛強難化故佛為說剛強之語以調
伏之言是地獄是畜生是餓鬼是諸難處是
愚人生處是身邪行是身邪報是口邪行
是口邪行報是意邪行是意邪行報是煞生
是煞生報是不與取是不與取報是邪婬是
邪婬報是妄語是妄語報是兩舌是兩舌報
是惡口是惡口報是无義語是无義語報是
貪嫉是貪嫉報是瞋惱是瞋惱報是邪見是
邪見報是慳悋是慳悋報是毀戒是毀戒報
是瞋恚是瞋恚報是懈怠是懈怠報是亂意
是亂意報是愚癡是愚癡報是結戒是持戒是
是犯戒是應作是不應作是鄣礙是不鄣礙
是得罪是離罪是淨是垢是有漏是无漏是
邪道是正道是有為是无為是世間是涅槃
以難化之人心如猨猴故以若干種法制御其
心乃可調伏譬如象馬㒵悷不調加諸楚毒

[illegible]是愚癡報是結戒是持戒是
是犯戒是應作是不應作是鄣礙是不鄣礙
是得罪是離罪是淨是垢是有漏是无漏是
邪道是正道是有為是无為是世間是涅槃
以難化之人心如猨猴故以若干種法制御其
心乃可調伏譬如象馬㒵悷不調加諸楚毒
乃至徹骨然後調伏如是剛強難化衆生故
以一切苦切之言乃可入律彼諸菩薩聞說
是已皆曰未曾有也如世尊釋迦牟尼佛
隱其无量自在之力乃以貧所樂法度脫衆
生斯諸菩薩亦能勞謙以无量大悲生是佛
土維摩詰言此土菩薩於諸衆生大悲堅固
誠如所言然其一世饒益衆生多於彼國百
千劫行所以者何此娑婆世界有十事善法
諸餘淨土之所无有何等為十以布施攝貪
窮以淨戒攝毀禁以忍辱攝瞋恚以精進攝
懈怠以禪定攝亂意以智慧攝愚癡說除
難法度八難者以大乘法度樂小乘者以諸
善根濟无德者常以四攝成就衆生是為十
彼菩薩曰菩薩成就幾法於此世界行无瘡
疣生于淨土維摩詰言菩薩成就八法於此
世界行无瘡疣生于淨土何等為八饒益衆
生而不望報代一切衆生受諸苦惱所作功
德盡以施之等心衆生謙下无礙於諸菩薩
視之如佛所未聞經聞之不疑不與聲聞而
相違背不嫉彼供不高己利而於其中調伏
其心常省己過不訟彼短恒以一心求諸功德

德盡以施之等心眾生謙下无礙於諸菩薩
視之如佛所未聞經聞之不疑不與聲聞而
相違背不嫉彼供不高己利而於其中調伏
其心常省己過不訟彼短恒以一心求諸功德
是為八維摩詰文殊師利於眾中說是法
時百千天人皆發阿耨多羅三藐三菩提心
十千菩薩得无生法忍

菩薩行品第十一

是時佛說法於菴羅樹園其地忽然廣博嚴
事一切眾會皆作金色阿難白佛言世尊以
何因緣有此瑞應是處忽然廣博嚴事一切
眾會皆作金色佛告阿難是維摩詰文殊師
利與諸大眾恭敬圍遶發意欲來故先為此
瑞應於是維摩詰語文殊師利可共見佛與
諸菩薩礼事供養文殊師利言善哉行矣今
正是時維摩詰即以神力持諸大眾并師子座
置於右掌往詣佛所到已著地稽首佛足右
繞七帀一心合掌在一面立其諸菩薩即皆避
座稽首佛足亦繞七帀於一面立諸大弟子
釋梵四天王等亦皆避座稽首佛足在一面
立於是世尊如法慰問諸菩薩已各令復
坐即皆受教眾坐已定佛語舍利弗汝見
菩薩大自在神力之所為乎唯然已見於汝意
云何世尊我覩其為不可思議非意所圖非度
所測介時阿難白佛言世尊今所聞香自昔
未有是為何香佛告阿難是彼菩薩毛孔之

菩薩大自在神力之所為乎唯然已見於汝意
云何世尊我覩其為不可思議非意所圖非度
所測介時阿難白佛言世尊今所聞香自昔
未有是為何香佛告阿難是彼菩薩毛孔之
香於是舍利弗語阿難言我等毛孔亦出是
香阿難言此所從來曰是長者維摩詰從
眾香國取佛餘飯於舍食者一切毛孔皆香
若此阿難問維摩詰是香氣住當久如維
摩詰言至此飯消曰此飯久如當消曰此飯
勢力至于七日然後乃消又阿難若聲聞
人未入正位食此飯者得入正位然後乃消已
入正位食此飯者得心解脫然後乃消若未
發大乘意食此飯者至發意乃消已發意
食此飯者得无生忍然後乃消已得无生忍
食此飯者至一生補處然後乃消譬如有藥
名曰上味其有服者身諸毒滅然後乃消此
飯如是滅除一切諸煩惱毒然後乃消阿難白
佛言未曾有也世尊如此香飯能作佛事佛
言如是如是阿難或有佛土以佛光明而作佛
事有以諸菩薩而作佛事有以佛所化人
而作佛事有以菩提樹而作佛事有以佛衣
服臥具而作佛事有以飯食而作佛事有以園
林臺觀而作佛事有以三十二相八十隨形
好而作佛事有以佛身而作佛事有以虛
空而作佛事眾生應以此緣得入律行有以
夢幻影響鏡中像水中月熱時焰如是等

而作佛事有以菩提樹而作佛事有以佛衣
服臥具而佛事有以飯食而作佛事有以園
林臺觀而作佛事有以三十二相八十隨形
好而作佛事有以佛身而作佛事有以靈
空而作佛事衆生應以此緣得入律行有以
夢幻影響鏡中像水中月熱時炎如是等
喻而佛事又以音聲語言文字而作佛事或
有清淨佛土寂漠无言无說无示无識无作无為
而作佛事如是阿難諸佛威儀進止諸所施為
无非佛事阿難有此四魔八万四千諸煩惱
門而諸衆生為之疲勞諸佛即以此法而
作佛事是名入一切諸佛法門菩薩入此
門者若見一切淨妙佛土不以為喜不貪不
高若見一切不淨佛土不以為憂不礙不沒
但於諸佛生清淨心歡喜恭敬未曾有也
諸佛如來功德平等為教化衆生故而現佛
土不同阿難汝見諸佛國土地有若干而虛
空无若干也如是見諸佛色身有若干耳其
无礙慧无若干也阿難諸佛色身威德種姓戒
定智慧解脫解脫知見力无所畏不共之法
大慈大悲威儀所行及其壽命說法教化成
就衆生淨佛國土具諸佛法悉皆同等是故
名為三藐三佛陀名為多陀阿伽度名為佛
陀阿難若我廣說此三句義汝以劫壽不能
盡受正使三千大千世界滿中衆生皆如阿
難多聞第一得念揔持此諸人等以劫之壽
亦不能受如是阿難諸佛阿耨多羅三藐三

BD01353號　維摩詰所說經卷下　（11–7）

陀阿難若我廣說此三句義汝以劫壽不能
盡受正使三千大千世界滿中衆生皆如阿
難多聞第一得念揔持此諸人等以劫之壽
亦不能受如是阿難諸佛阿耨多羅三藐三
菩提无有限量智慧辯才不可思議阿難白
佛言我從今已往不敢自謂以為多聞佛告
阿難勿起退意所以者何我說汝於聲聞中
為最多聞非謂菩薩且止阿難其有智者不
應限度諸菩薩也一切海渕尚可測量菩薩
禪定智慧揔持辯才一切功德不可量也阿
難汝等捨置菩薩所行是維摩詰一時所現
神通之力一切聲聞辟支佛於百千劫盡力
變化所不能作
尒時衆香世界菩薩來者合掌白佛言世尊
我等初見此土生下劣想今自悔責捨離是
心所以者何諸佛方便不可思議為度衆生
故隨其所應現佛國異唯然世尊願賜少
法還於彼土當念如來佛告諸菩薩有盡无
盡解脫法門汝等當學何謂為盡謂有為法
何謂无盡謂无為法如菩薩者不盡有為不住
无為何謂不盡有為謂不離大慈不捨大悲
深發一切智心而不忽忘教化衆生終不猒倦
於四攝法常念順行護持正法不惜軀命種
諸善根无有疲猒志常安住方便迴向求法
不懈說法无悋勤供諸佛故入生死而无所畏
於諸榮辱心无憂喜不輕未學敬學如佛

BD01353號　維摩詰所說經卷下　（11–8）

於四攝法常念順行護持正法不惜軀命種
諸善根无有疲猒志常安住方便迴向求法
不懈說法无悋勤供諸佛故入生死而无所畏
於諸榮辱心无憂喜不輕未學敬學如佛
墮煩惱者令發正念於遠離樂不以為貴
不著己樂慶於彼樂在諸禪定如地獄想於
生死中如園觀想見來求者為善師想捨諸
所有具一切智想見毀戒人起救護想諸波
羅蜜為父母想道品之法為眷屬想發行善
根无有齊限以諸淨國嚴飾之事成己佛土
行不限施具足相好除一切惡淨身口意故
生死无數劫意而有勇聞佛无量德志而不
倦以智慧劍破煩惱賊出陰界入荷負衆生永
使解脫以大精進摧伏魔軍常求无念實相
智慧於世間法少欲知足於出世間法求之无猒
不捨威儀而能隨俗起神通慧引導衆生得念
總持所聞不忘善別諸根斷衆生疑以樂
說辯演法无礙淨十善道受天人福脩四
无量開梵天道勸請說法隨喜讚善得佛音
聲身口意善得佛威儀深脩善法所行轉勝
以大乘教成菩薩僧心无放逸不失衆善行如
此法是名菩薩不盡有為何謂菩薩不住无
為謂脩學空不以空為證脩學无相无作不
以无相无作為證脩學无起不以无起為證
觀於无常而不猒善本觀世間苦而不惡生
死觀於无我而誨人不倦觀於寂滅而不永滅

BD01353號　維摩詰所說經卷下　（11–9）

為謂脩學空不以空為證脩學无相无作不
以无相无作為證脩學无起不以无起為證
觀於无常而不猒善本觀世間苦而不惡生
死觀於无我而誨人不倦觀於寂滅而不永滅
觀於遠離而身心脩善觀无所歸而歸趣善法
觀於无生而以生法荷負一切觀於无漏而不
斷諸漏觀无所行而以行法教化衆生觀於空
无而不捨大悲觀正法位而不隨小乘觀諸法
虛妄无牢无人无主无相本願未滿而不虛
福德禪定智慧脩如此法是名菩薩不住无
為不具福德故不住无為具智慧故不盡有
為大慈悲故不住无為滿本願故不盡有為
集法藥故不住无為隨授藥故不盡有為知
衆生病故不住无為滅衆生病故不盡有為
諸正士菩薩已脩此法不盡有為不住无為
是名盡无盡解脫法門汝等當學尒時彼諸
菩薩聞說是法皆大歡喜以衆妙華若干種
色若干種香遍散三千大千世界供養於佛
及此經法并諸菩薩已稽首佛足嘆未曾有
言釋迦牟尼佛乃能於此善行方便言已忽
然不現還到彼國
見阿閦佛品第十二
尒時世尊問維摩詰汝欲見如來為以何等觀
如來乎維摩詰言如自觀身實相觀佛亦
然我觀如來前際不來後際不去今則不住
不觀色不觀色如不觀色性不觀受想行識
不觀識如不觀識[illegible]

BD01353號　維摩詰所說經卷下　（11–10）

諸正士菩薩已脩此法不盡有為不住无為
是名盡无盡解脫法門汝等當學尒時彼諸
菩薩聞說是法皆大歡喜以衆妙華若干種
色若干種香遍散三千大千世界供養於佛
及此經法并諸菩薩已稽首佛足歎未曾有
言釋迦牟尼佛乃能於此善行方便言已忽
然不現還到彼國
見阿閦佛品第十二
尒時世尊問維摩詰汝欲見如來為以何等觀
如來乎維摩詰言如自觀身實相觀佛亦
然我觀如來前際不來後際不去今則不住
不觀色不觀色如不觀色性不觀受想行識
不觀識如不觀識性非四大起同於虛空六
入无積眼耳鼻舌身心已過不在三界三垢

BD01353號　維摩詰所說經卷下　（11-11）

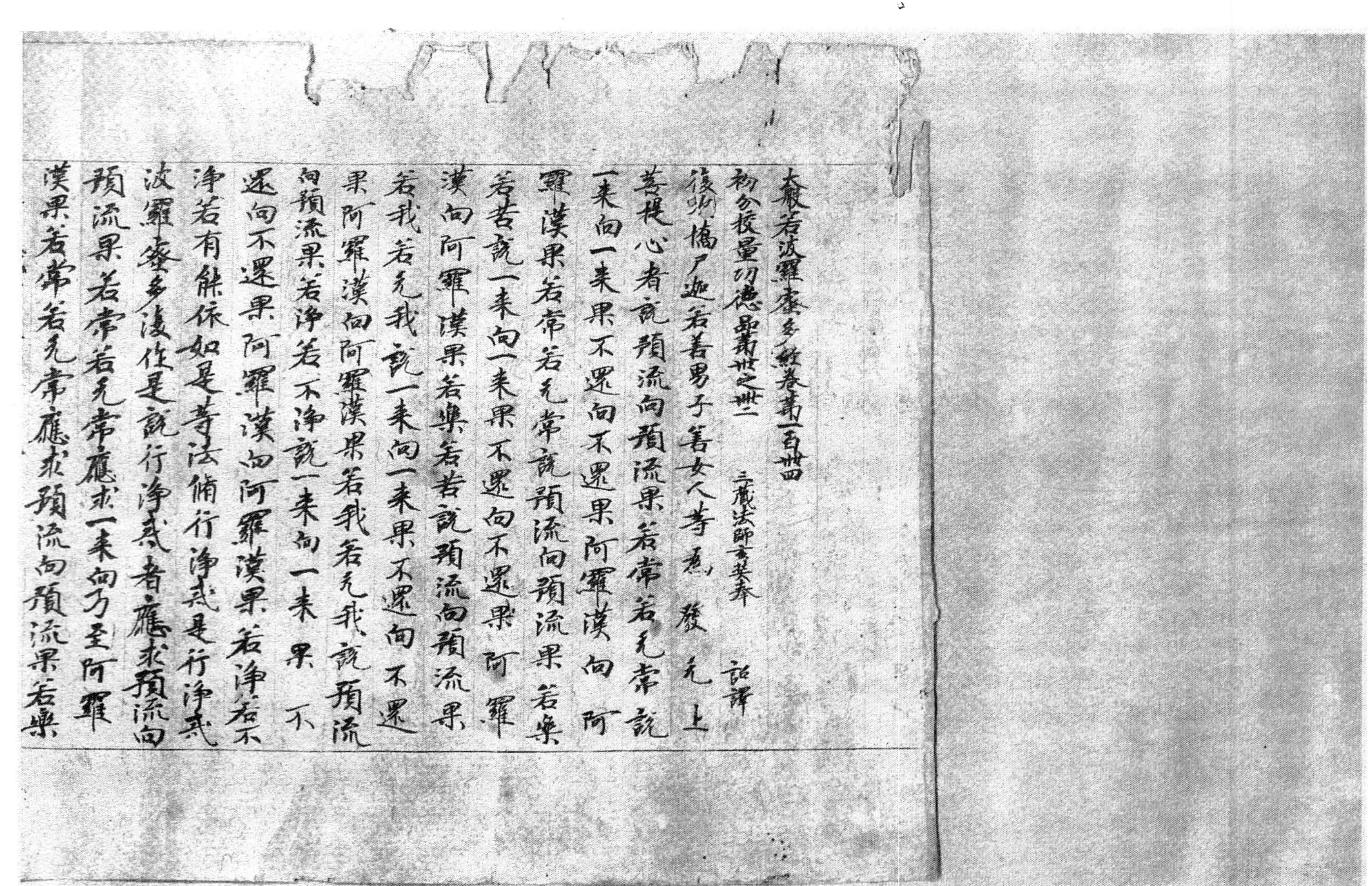
大般若波羅蜜多經卷第一百卌四
初分校量功德品第卅之卌二　三藏法師玄奘奉　詔譯
復次憍尸迦若善男子善女人等為發无上
菩提心者說預流向預流果若常若无常說
一來向一來果不還向不還果阿羅漢向　阿
羅漢果若常若无常說預流向預流果若樂
若苦說一來向一來果不還向不還果阿羅
漢向阿羅漢果若樂若苦說預流向預流果
若我若无我說一來向一來果不還向不還
果阿羅漢向阿羅漢果若我若无我說預流
向預流果若淨若不淨說一來向一來果　不
還向不還果阿羅漢向阿羅漢果若淨若不
淨若有能依如是等法脩行淨戒是行淨戒
波羅蜜多復作是說行淨戒者應求預流向
預流果若常若无常應求一來向乃至阿羅
漢果若常若无常應求預流向預流果若樂

BD01354號　大般若波羅蜜多經卷一四四　（3-1）

向預流果若淨若不淨說一來向一來果不
還向不還果阿羅漢向阿羅漢果若淨若不
淨若有能依如是等法脩行淨戒是行淨戒
波羅蜜多復作是說行淨戒者應求預流向
預流果若常若无常應求一來向乃至阿羅
漢果若常若无常應求預流向預流果若樂
若苦應求一來向乃至阿羅漢果若樂若苦
應求預流向預流果若我若无我應求一來
向乃至阿羅漢果若我若无我應求預流向預
流果若淨若不淨應求一來向乃至阿羅漢
果若淨若不淨若有能求如是等法脩行
淨戒是行淨戒波羅蜜多憍尸迦若善男子
善女人等如是求預流向預流果若常若无
常求一來向乃至阿羅漢果若常若无常求
預流向預流果若樂若苦求一來向乃至阿羅
漢果若樂若苦求預流向預流果若我若
无我求一來向乃至阿羅漢果若我若无我
求預流向預流果若淨若不淨求一來向乃
至阿羅漢果若淨若不淨依此等法行淨戒
者我說名為行有所得相似淨戒波羅蜜多
憍尸迦如前所說當知皆是說有所得相似
淨戒波羅蜜多
復次憍尸迦若善男子善女人等為發无上
菩提心者說一切獨覺菩提若常若无常說
一切獨覺菩提若樂若苦說一切獨覺菩提
若我若无我說一切獨覺菩提若淨若不淨
若有能依如是等法脩行淨戒是行淨戒

BD01354號　大般若波羅蜜多經卷一四四　（3–2）

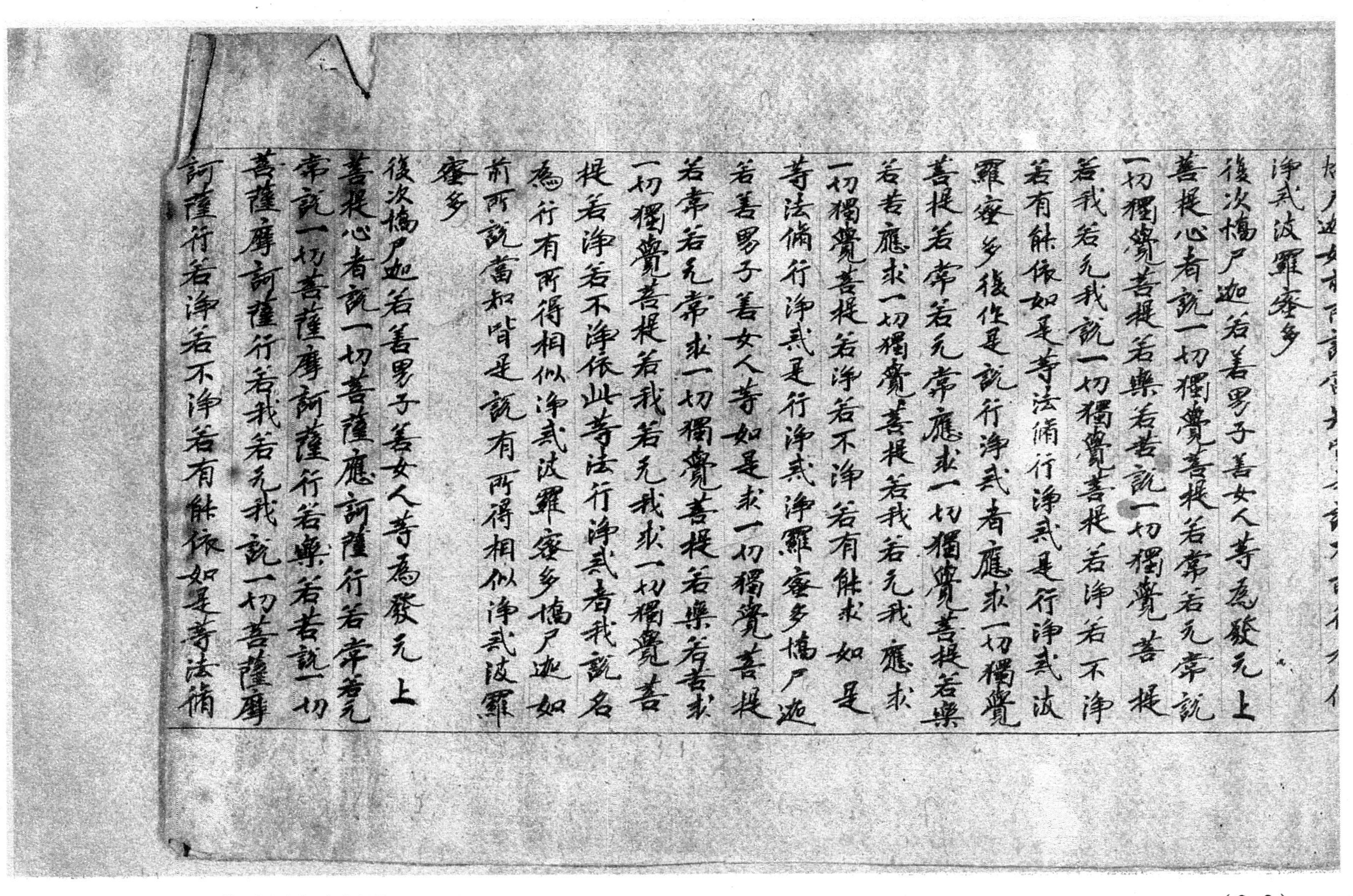
淨戒波羅蜜多
復次憍尸迦若善男子善女人等為發无上
菩提心者說一切獨覺菩提若常若无常說
一切獨覺菩提若樂若苦說一切獨覺菩提
若我若无我說一切獨覺菩提若淨若不淨
若有能依如是等法脩行淨戒是行淨戒波
羅蜜多復作是說行淨戒者應求一切獨覺
菩提若常若无常應求一切獨覺菩提若樂
若苦應求一切獨覺菩提若我若无我應求
一切獨覺菩提若淨若不淨若有能求如是
等法脩行淨戒是行淨戒淨羅蜜多憍尸迦
若善男子善女人等如是求一切獨覺菩提
若常若无常求一切獨覺菩提若樂若苦求
一切獨覺菩提若我若无我求一切獨覺菩
提若淨若不淨依此等法行淨戒者我說名
為行有所得相似淨戒波羅蜜多憍尸迦如
前所說當知皆是說有所得相似淨戒波羅
蜜多
復次憍尸迦若善男子善女人等為發无上
菩提心者說一切菩薩應訶薩行若常若无
常說一切菩薩摩訶薩行若樂若苦說一切
菩薩摩訶薩行若我若无我說一切菩薩摩
訶薩行若淨若不淨若有能依如是等法脩

BD01354號　大般若波羅蜜多經卷一四四　（3–3）

淨心不
心應无所住而生其心須菩提
如須弥山王於意云何是身
言甚大世尊何以故佛說非身
須菩提如恒河中所有沙數如是
於意云何是諸恒河沙寧為多
甚多世尊但諸恒河尚多无數
菩提我今實言告汝若有善
以七寶滿尒所恒河沙數三千大
布施得福多不須菩提言甚多
菩提若善男子善女人於此經中
四句偈等為他人說而此福德勝
復次須菩提隨說是經乃至四
此處一切世間天人阿脩羅皆
塔廟何況有人盡能受持讀誦
知是人成就最上第一希有之法
所在之處則為有佛若尊重弟子
尒時須菩提白佛言世尊當何名
云何奉持佛告須菩提是經名為
波羅蜜以是名字汝當奉持所以
提佛說般若波羅蜜則非般若波
提於意云何如來有所說法不須菩
世尊如來无所說須菩提於意云何
千世界所有微塵是為多不須菩提

BD01355號　金剛般若波羅蜜經　（10–1）

云何奉持佛告須菩提是經名為
波羅蜜以是名字汝當奉持所以
提佛說般若波羅蜜則非般若波
提於意云何如來有所說法不須菩
世尊如來无所說須菩提於意云何
千世界所有微塵是為多不須菩提
世尊須菩提諸微塵如來說非微塵
微塵如來說世界非世界是名世
於意云何可以三十二相見如來不
尊不可以三十二相得見如來何以
說三十二相即是非相是名三十二
須菩提若有善男子善女人以恒河
命布施若復有人於此經中乃至受持四句
偈等為他人說其福甚多
尒時須菩提聞說是經深解義趣涕淚悲
泣而白佛言希有世尊佛說如是甚深經典
我從昔來所得慧眼未曾得聞如是之經世
尊若復有人得聞是經信心清淨則生實相當
知是人成就第一希有功德世尊是實相者
則是非相是故如來說名實相世尊我今得
聞如是經典信解受持不足為難若當來世
後五百歲其有眾生得聞是經信解受持
是人則為第一希有何以故此人无我相人相
眾生相壽者相所以者何我相即是非相人
相眾生相壽者相即是非相何以故離一切
諸相則名諸佛
佛告須菩提如是如是若復有人得聞是經
不驚不怖不畏當知是人甚為希有何以故
須菩提如來說第一波羅蜜非第一波羅蜜

BD01355號　金剛般若波羅蜜經　（10–2）

是人則為苐一希有何以故此人无我相人相
衆生相壽者相所以者何我相即是非相人
相衆生相壽者相即是非相何以故離一切
諸相則名諸佛
佛告須菩提如是如是若復有人得聞是經
不驚不怖不畏當知是人甚為希有何以故
須菩提如來說苐一波羅蜜非苐一波羅蜜
是名苐一波羅蜜
須菩提忍辱波羅蜜如來說非忍辱波羅蜜
何以故須菩提如我昔為歌利王割截身體
我於尒時无我相无人相无衆生相无壽者
相何以故我於往昔節節支解時若有我相
人相衆生相壽者相應生瞋恨須菩提又念
過去於五百世作忍辱仙人於尒所世无我
相无人相无衆生相无壽者相是故須菩提
菩薩應離一切相發阿耨多羅三藐三菩提
心不應住色生心不應住聲香味觸法生心
應生无所住心若心有住則為非住是故佛
說菩薩心不應住色布施須菩提菩薩為
利益一切衆生應如是布施如來說一切諸
相即是非相又說一切衆生則非衆生
須菩提如來是真語者實語者如語者不
誑語者不異語者須菩提如來所得法此法
无實无虛
須菩提若菩薩心住於法而行布施如人入
闇則无所見若菩薩心不住法而行布施如
人有目日光明照見種種色
須菩提當來之世若善男子善女人能於此
經受持讀誦則為如來以佛智慧悉知是人

須菩提若菩薩心住於法而行布施如人入
闇則无所見若菩薩心不住法而行布施如
人有目日光明照見種種色
須菩提當來之世若善男子善女人能於此
經受持讀誦則為如來以佛智慧悉知是人
悉見是人皆得成就无量无邊功德
須菩提若有善男子善女人初日分以恒河
沙等身布施中日分復以恒河沙等身布施
後日分亦以恒河沙等身布施如是无量百
千万億劫以身布施若復有人聞此經典信
心不逆其福勝彼何况書寫受持讀誦為人
解說
須菩提以要言之是經有不可思議不可稱
量无邊功德如來為發大乘者說為發最上
乘者說若有人能受持讀誦廣為人說如來
悉知是人悉見是人皆得成就不可量不可
稱无有邊不可思議功德如是人等則為荷
擔如來阿耨多羅三藐三菩提何以故須菩
提若樂小法者著我見人見衆生見壽者見
則於此經不能聽受讀誦為人解說須菩提
在在處處若有此經一切世間天人阿脩羅
所應供養當知此處則為是塔皆應恭敬作
禮圍遶以諸華香而散其處
復次須菩提善男子善女人受持讀誦此經
若為人輕賤是人先世罪業應墮惡道以今
世人輕賤故先世罪業則為消滅當得阿耨
多羅三藐三菩提須菩提我念過去无量阿
僧祇劫於然燈佛前得值八百四千万億那
由他諸佛悉皆供養承事无空過者若復有

若爲人輕賤是人先世罪業應墮惡道以今
世人輕賤故先世罪業則爲消滅當得阿耨
多羅三藐三菩提須菩提我念過去无量阿
僧祇劫於然燈佛前得值八百四千万億那
由他諸佛悉皆供養承事无空過者若復有
人於後末世能受持讀誦此經所得功德於
我所供養諸佛功德百分不及一千万億分
乃至筭數譬喻所不能及須菩提若善男子
善女人於後末世有受持讀誦此經所得功
德我若具說者或有人聞心則狂亂狐疑不
信須菩提當知是經義不可思議果報亦不
可思議
尒時須菩提白佛言世尊善男子善女人發
阿耨多羅三藐三菩提心云何應住云何降
伏其心佛告須菩提善男子善女人發阿耨
多羅三藐三菩提者當生如是心我應滅度
一切衆生滅度一切衆生已而无有一衆生
實滅度者何以故若菩薩有我相人相衆生
相壽者相則非菩薩所以者何須菩提實无
有法發阿耨多羅三藐三菩提者
須菩提於意云何如來於然燈佛所有法得
阿耨多羅三藐三菩提不不也世尊如我解
佛所說義佛於然燈佛所无有法得阿耨多
羅三藐三菩提佛言如是如是須菩提實无
有法如來得阿耨多羅三藐三菩提須菩提
若有法如來得阿耨多羅三藐三菩提者然燈
佛則不與我受記汝於來世當得作佛号釋
迦牟尼以實无有法得阿耨多羅三藐三菩
是故然燈佛與我受記作是言汝於來世

BD01355號　金剛般若波羅蜜經　（10–5）

若有法如來得阿耨多羅三藐三菩提者然燈
佛則不與我受記汝於來世當得作佛号釋
迦牟尼以實无有法得阿耨多羅三藐三菩
提是故然燈佛與我受記作是言汝於來世
當得作佛号釋迦牟尼何以故如來者即諸
法如義若有人言如來得阿耨多羅三藐三
菩提須菩提實无有法佛得阿耨多羅三藐
三菩提須菩提如來所得阿耨多羅三藐三菩
提於是中无實无虛是故如來說一切法皆
是佛法須菩提所言一切法者即非一切法是
故名一切法
須菩提譬如人身長大須菩提言世尊如來
說人身長大則爲非大身是名大身
須菩提菩薩亦如是若作是言我當滅度无
量衆生則不名菩薩何以故須菩提實无有
法名爲菩薩是故佛說一切法无我无人无
衆生无壽者須菩提若菩薩作是言我當
莊嚴佛土是不名菩薩何以故如來說莊嚴佛
土者即非莊嚴是名莊嚴須菩提若菩薩通
達无我法者如來說名真是菩薩
須菩提於意云何如來有肉眼不如是世尊
如來有肉眼須菩提於意云何如來有天眼
不如是世尊如來有天眼須菩提於意云何
如來有慧眼不如是世尊如來有慧眼須菩
提於意云何如來有法眼不如是世尊如來
有法眼須菩提於意云何如來有佛眼不如
是世尊如來有佛眼須菩提於意云何恒河
中所有沙佛說是沙不如是世尊如來說是
沙須菩提於意云何如一恒河中所有沙有

BD01355號　金剛般若波羅蜜經　（10–6）

如來有慧眼不如是世尊如來有慧眼須菩
提於意云何如來有法眼不如是世尊如來
有法眼須菩提於意云何如來有佛眼不如
是世尊如來有佛眼須菩提於意云何恒河
中所有沙佛說是沙不如是世尊如來說是
沙須菩提於意云何如一恒河中所有沙有
如是等恒河是諸恒河所有沙數佛世界如
是寧為多不甚多世尊佛告須菩提尒所國
土中所有眾生若干種心如來悉知何以故如
來說諸心皆為非心是名為心所以者何須
菩提過去心不可得現在心不可得未來
心不可得須菩提於意云何若有人滿三千
大千世界七寶以用布施是人以是因緣得福
多不如是世尊此人以是因緣得福甚多須
菩提若福德有實如來不說得福德多以
福德无故如來說得福德多
須菩提於意云何佛可以具足色身見不不
也世尊如來不應以具足色身見何以故如來
說具足色身即非具足色身是名具足色身
須菩提於意云何如來可以具足諸相見不
不也世尊如來不應以具足諸相見何以故
如來說諸相具足即非具足是名諸相具足
須菩提汝勿謂如來作是念我當有所說法
莫作是念何以故若人言如來有所說法即
為謗佛不能解我所說故須菩提說法者无
法可說是名說法
須菩提白佛言世尊佛得阿耨多羅三藐三
菩提為无所得耶如是如是須菩提我於阿耨
多羅三藐三菩提乃至无有少法可得是名

BD01355號　金剛般若波羅蜜經　（10–7）

為謗佛不能解我所說故須菩提說法者无
法可說是名說法
須菩提白佛言世尊佛得阿耨多羅三藐三
菩提為无所得耶如是如是須菩提我於阿耨
多羅三藐三菩提乃至无有少法可得是名
阿耨多羅三藐三菩提復次須菩提是法平
等无有高下是名阿耨多羅三藐三菩提以
无我无人无眾生无壽者脩一切善法則得
阿耨多羅三藐三菩提須菩提所言善法者
如來說非善法是名善法
須菩提若三千大千世界中所有諸須弥山
王如是等七寶聚有人持用布施若人以此
般若波羅蜜經乃至四句偈等受持讀誦為
他人說於前福德百分不及一百千万億分
乃至筭數譬喻所不能及
須菩提於意云何汝等勿謂如來作是念我
當度眾生須菩提莫作是念何以故實无有
眾生如來度者若有眾生如來度者如來則
有我人眾生壽者須菩提如來說有我者則
非有我而凡夫之人以為有我須菩提凡夫者
如來說則非凡夫
須菩提於意云何可以卅二相觀如來不須
菩提言如是如是以卅二相觀如來佛言須
菩提若以卅二相觀如來者轉輪聖王則是
如來須菩提白佛言世尊如我解佛所說義
不應以卅二相觀如來尒時世尊而說偈言
若以色見我　以音聲求我　是人行邪道　不能見如來
須菩提汝若作是念如來不以具足相故得阿

BD01355號　金剛般若波羅蜜經　（10–8）

菩提若以卅二相觀如來者轉輪聖王則是
如來須菩提白佛言世尊如我解佛所說義
不應以卅二相觀如來尒時世尊而說偈言
若以色見我 以音聲求我 是人行邪道 不能見如來
須菩提汝若作是念如來不以具足相故得阿
耨多羅三藐三菩提須菩提莫作是念如來
不以具足相故得阿耨多羅三藐三菩提須
菩提汝若作是念發阿耨多羅三藐三菩提
者說諸法斷滅莫作是念何以故發阿耨多
羅三藐三菩提者於法不說斷滅相須菩提
若菩薩以滿恒河沙等世界七寶布施若復
有人知一切法无我得成於忍此菩薩勝前
菩薩所得功德須菩提以諸菩薩不受福德
故須菩提白佛言世尊云何菩薩不受福德
須菩提菩薩所作福德不應貪著是故說不
受福德
須菩提若有人言如來若來若去若坐若卧
是人不解我所說義何以故如來者无所從
來亦无所去故名如來
須菩提若善男子善女人以三千大千世界
碎為微塵於意云何是微塵衆寧為多不甚
多世尊何以故若是微塵衆實有者佛則不
說是微塵衆所以者何佛說微塵衆則非微
塵衆是名微塵衆世尊如來所說三千大千
世界則非世界是名世界何以故若世界實有
者則是一合相如來說一合相則非一合相是
名一合相須菩提一合相者則是不可說但
凡夫之人貪著其事須菩提若人言佛說
我見人見衆生見壽者見須菩提於意云何

BD01355號 金剛般若波羅蜜經 (10–9)

世界則非世界是名世界何以故若世界實有
者則是一合相如來說一合相則非一合相是
名一合相須菩提一合相者則是不可說但
凡夫之人貪著其事須菩提若人言佛說
我見人見衆生見壽者見須菩提於意云何
是人解我所說義不世尊是人不解如來所
說義何以故世尊說我見人見衆生見壽者
見即非我見人見衆生見壽者見是名我見
人見衆生見壽者見須菩提發阿耨多羅三
藐三菩提心者於一切法應如是知如是見
如是信解不生法相須菩提所言法相者如
來說即非法相是名法相須菩提若有人以
滿无量阿僧祇世界七寶持用布施若有善
男子善女人發菩薩心者持於此經乃至四句
偈等受持讀誦為人演說其福勝彼云何為
人演說不取於相如如不動何以故
一切有為法 如夢幻泡影 如露亦如電 應作如是觀
佛說是經已長老須菩提及諸比丘比丘尼
優婆塞優婆夷一切世間天人阿脩羅聞佛
所說皆大歡喜信受奉行

金剛般若波羅蜜經

BD01355號 金剛般若波羅蜜經 (10–10)

那由他諸梵天等以大悲力故亦過无量百
千万億那由他釋提桓因以昔行力故是故
如來為諸衆生廣說如是金光明經若閻浮
提內一切衆生及諸人王世間出世所作國
事所造世論皆因此經欲令衆生得安樂故
釋迦如來亦現是經廣宣流布世尊以是因
緣故是諸人王應當畢定聽受供養恭敬尊
重讚嘆是經
尒時佛復告四大天王汝等四王及餘眷属
无量百千那由他鬼神是諸人王若能至心
聽是經典供養恭敬尊重讚嘆汝等四王正
應擁護滅其衰患而与安樂若有人能廣宣
流布如是妙典於人天中大作佛事能大利
益无量衆生如是之人汝等四王必當擁護
莫令他緣而得擾亂令心澹淨受於快樂續
復當得廣宣是經尒時四天王即從坐起偏
袒右肩右膝著地長跪合掌於世尊前以偈
讚曰
佛月清淨　滿足莊嚴　佛日暉曜　放千光明
如來面目　最上明淨　齒白无垢　如蓮華根
功德无量　猶如大海　智淵无邊　法水具足

BD01356號　金光明經(異卷)卷二　(4-1)

復當得廣宣是經尒時四天王即從坐起偏
袒右肩右膝著地長跪合掌於世尊前以偈
讚曰
佛月清淨　滿足莊嚴　佛日暉曜　放千光明
如來面目　最上明淨　齒白无垢　如蓮華根
功德无量　猶如大海　智淵无邊　法水具足
百千三昧　无有缺減　足下平滿　千輻相現
足指網縵　猶如鵝王
光明晃燿　如寶山王　微妙清淨　如鍊真金
所有福德　不可思議　佛功德山　我今敬礼
佛真法身　猶如虛空　應物現形　如水中月
无有鄣㝵　如炎如化　是故我今　稽首佛月
尒時世尊以偈荅曰
此金光明　諸經之王　甚深最勝　為无有上
十力世尊　之所宣說　汝等四王　應當勤護
以是因緣　是深妙典　能与衆生　无量快樂
為諸衆生　安樂利益　欲久流布　於閻浮提
能滅三千　大千世界　所有惡趣　无量諸苦
閻浮提內　諸人王等　心生慈愍　正法治世
若能流布　此妙經典　則令其土　安隱豐熟
所有衆生　悉受快樂　若有人王　欲愛己身
及其國土　欲令豐盛　應當至心　淨潔洗浴
往法會所　聽受是典　是經能作　所有善事
摧伏一切　內外惡賊　復能除滅　无量怖畏
是諸經王　能与一切　无量衆生　安隱快樂

BD01356號　金光明經(異卷)卷二　(4-2)

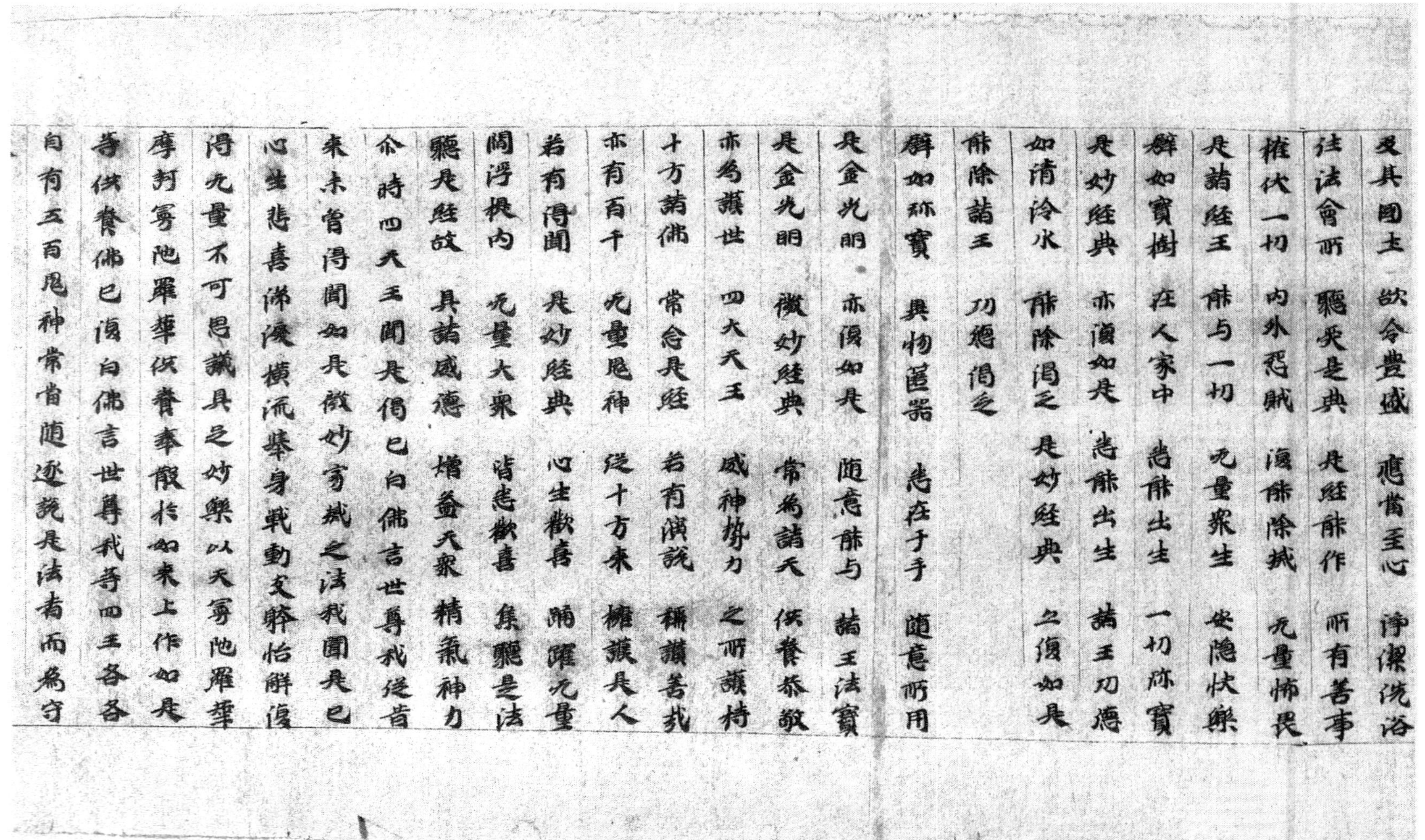

及其國土　欲令豐盛　應當至心　淨潔洗浴
往法會所　聽受是典　是經能作　所有善事
摧伏一切　內外惡賊　復能除滅　無量怖畏
是諸經王　能與一切　無量衆生　安隱快樂
譬如寶樹　在人家中　悉能出生　一切珎寶
是妙經典　亦復如是　悉能出生　諸王功德
如清冷水　能除渴乏　是妙經典　亦復如是
能除諸王　功德渴乏
譬如珎寶　與物匧器　悉在于手　隨意所用
是金光明　亦復如是　隨意能與　諸王法寶
是金光明　微妙經典　常爲諸天　供養恭敬
亦爲護世　四大天王　威神勢力　之所護持
十方諸佛　常念是經　若有演說　稱讚善哉
亦有百千　無量鬼神　從十方來　擁護是人
若有得聞　是妙經典　心生歡喜　踊躍無量
閻浮提內　無量大衆　皆悉歡喜　集聽是法
聽是經故　具諸威德　增益天衆　精氣神力
爾時四天王聞是偈已白佛言世尊我從昔
來未曾得聞如是微妙寂滅之法我聞是已
心生悲喜涕淚橫流舉身戰動支節怡解復
得無量不可思議具足妙樂以天曼陀羅華
摩訶曼陀羅華供養奉散於如來上作如是
等供養佛已復白佛言世尊我等四王各各
自有五百鬼神常當隨逐說是法者而爲守

BD01356號　金光明經（異卷）卷二　（4–3）

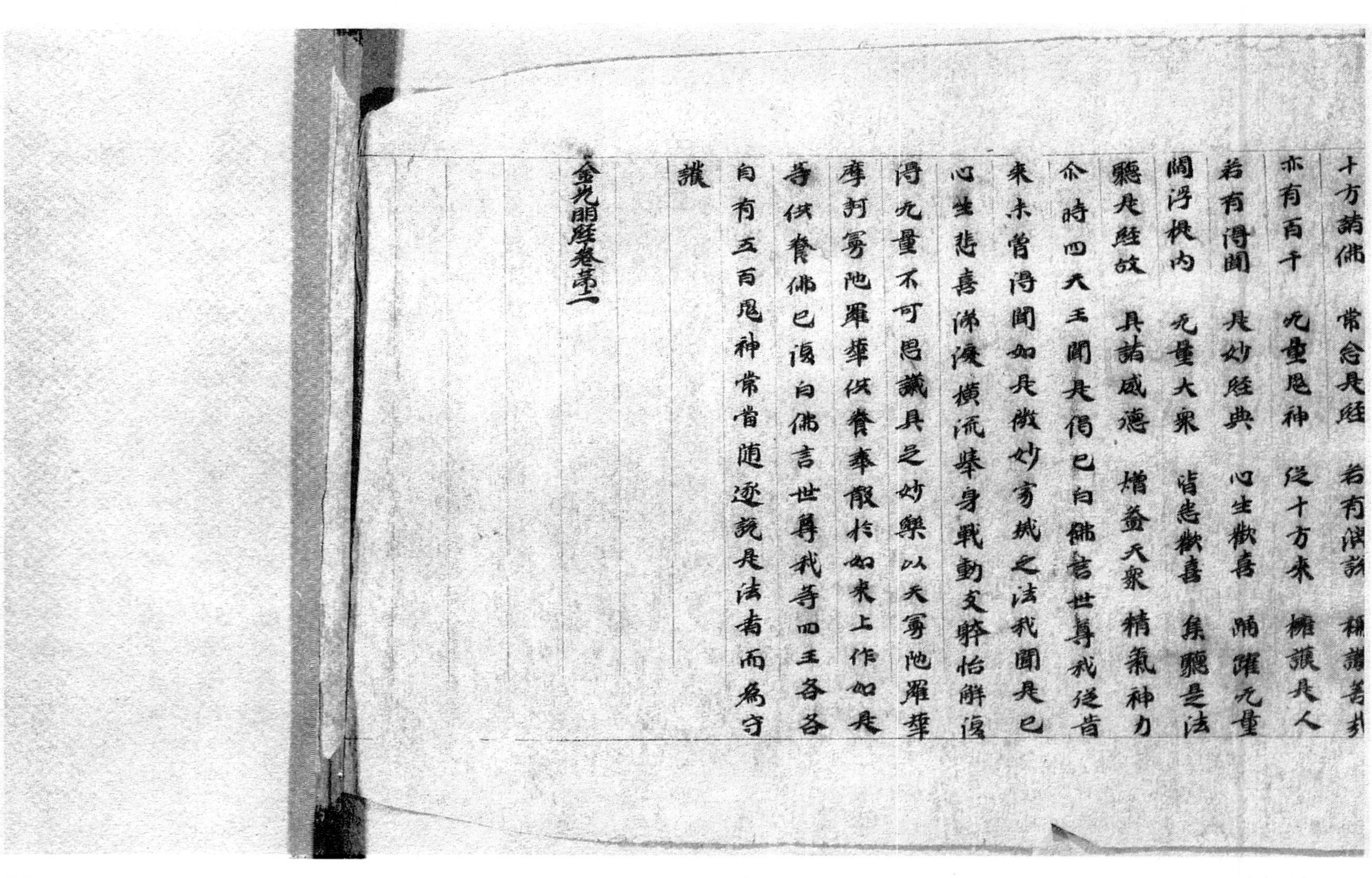

十方諸佛　常念是經　若有演說　稱讚善哉
亦有百千　無量鬼神　從十方來　擁護是人
若有得聞　是妙經典　心生歡喜　踊躍無量
閻浮提內　無量大衆　皆悉歡喜　集聽是法
聽是經故　具諸威德　增益天衆　精氣神力
爾時四天王聞是偈已白佛言世尊我從昔
來未曾得聞如是微妙寂滅之法我聞是已
心生悲喜涕淚橫流舉身戰動支節怡解復
得無量不可思議具足妙樂以天曼陀羅華
摩訶曼陀羅華供養奉散於如來上作如是
等供養佛已復白佛言世尊我等四王各各
自有五百鬼神常當隨逐說是法者而爲守
護

金光明經卷第一

BD01356號　金光明經（異卷）卷二　（4–4）

得聞
得聞是經信心清淨則生實相當知
就第一希有功德世尊是實相者則是
故如來說名實相世尊我今得聞如是
信解受持不足為難若當來世後五百歲
眾生得聞是經信解受持是人則為第
故此人无我相人相眾生相壽者相
即是非相人相眾生相壽者相
以故離一切諸相則名諸佛佛告須
菩提如是如是若復有人得聞是經不驚不怖
畏當知是人甚為希有何以故須菩提如來
說第一波羅蜜非第一波羅蜜是名第一波羅蜜
須菩提忍辱波羅蜜如來說非忍辱波羅蜜
何以故須菩提如我昔為歌利割截身體我於尒
時无我相无人相无眾生相无壽者相何以故我於
往昔節節支解時若有我相人相眾生相壽
者相應生瞋恨須菩提又念過去於五百世作忍
辱仙人於尒所世无我相无人相无眾生相无壽者
相是故須菩提菩薩應離一切相發阿耨多羅三
藐三菩提心不應住色生心不應住聲香味觸法
生心應生无所住心若心有住則為非住是故佛
說菩薩心不應住色布施須菩提菩薩為利
益一切眾生應如是布施如來說一切諸相即是
非相又說一切眾生則非眾生須菩提如來是真
語者實語者如語者不誑語者不異語者須

BD01357號　金剛般若波羅蜜經　（6–1）

生心應生无所住心若心有住則為非住是故佛
說菩薩心不應住色布施須菩提菩薩為利
益一切眾生應如是布施如來說一切諸相即是
非相又說一切眾生則非眾生須菩提如來是真
語者實語者如語者不誑語者不異語者須
菩提如來所得法此法无實无虛須菩提若菩
薩心住於法而行布施如人入闇則无所見若菩
薩心不住法而行布施如人有目日光明照見種
種色須菩提當來之世若有善男子善女人
能於此經受持讀誦則為如來以佛智慧悉
知是人悉見是人皆得成就无量无邊功德須
菩提若有善男子善女人初日分以恒河沙等
身布施中日分復以恒河沙等身布施後日分
亦以恒河沙等身布施如是无量百千万億劫
以身布施若復有人聞此經典信心不逆其福勝
彼何況書寫受持讀誦為人解說須菩提以要
言之是經有不可思議不可稱量无邊功德如來為
發大乘者說為發最上乘者說若有人能受持
讀誦廣為人說如來悉知是人悉見是人皆得成
就不可量不可稱无有邊不可思議功德如是人
等則為荷擔如來阿耨多羅三藐三菩提何以
故須菩提若樂小法者著我見人見眾生見壽
者見則於此經不能聽受讀誦為人解說須菩
提在在處處若有此經一切世間天人阿脩羅所
應供養當知此處則為是塔皆應恭敬作礼
圍遶以諸香華而散其處
復次須菩提若善男子善女人受持讀誦此經
若為人輕賤是人先世罪業應墮惡道以今世

BD01357號　金剛般若波羅蜜經　（6–2）

提在在處處若有此經一切世間天人阿修羅所
應供養當知此處則為是塔皆應恭敬作禮
圍遶以諸香華而散其處
復次須菩提若善男子善女人受持讀誦此經
若為人輕賤是人先世罪業應墮惡道以今世
人輕賤故先世罪業則為消滅當得阿耨多羅
三藐三菩提須菩提我念過去无量阿僧祇劫於
然燈佛前得值八百四千万億那由他諸佛悉皆
供養承事无空過者若復有人於後末世能
受持讀誦此經所得功德於我所供養諸佛功
德百分不及一千万億分乃至筭數譬喻所不
能及須菩提若善男子善女人於後末世有
受持讀誦此經所得功德我若具說者或有人
聞心則狂亂狐疑不信須菩提當知是經義不
可思議果報亦不可思議
尒時須菩提白佛言世尊善男子善女人發阿
耨多羅三藐三菩提心云何應住云何降伏其
心佛告須菩提善男子善女人發阿耨多羅三藐
三菩提者當生如是心我應滅度一切衆生滅度
一切衆生已而无有一衆生實滅度者何以故若
菩薩有我相人相衆生相壽者相則非菩薩所以
者何須菩提實无有法發阿耨多羅三藐三菩
者提
須菩提於意云何如来於然燈佛所有法得阿
耨多羅三藐三菩提不不也世尊如我解佛所說
義佛於然燈佛所无有法得阿耨多羅三藐三
菩提佛言如是如是須菩提實无有法如来得

BD01357號　金剛般若波羅蜜經　（6–3）

者提
須菩提於意云何如来於然燈佛所有法得阿
耨多羅三藐三菩提不不也世尊如我解佛所說
義佛於然燈佛所无有法得阿耨多羅三藐三
菩提佛言如是如是須菩提實无有法如来得
阿耨多羅三藐三菩提須菩提若有法如来得
阿耨多羅三藐三菩提者然燈佛則不與我受記
汝於来世當得作佛号釋迦牟尼以實无有法
得阿耨多羅三藐三菩提是故然燈佛與我受
記作是言汝於来世當得作佛号釋迦牟尼何
以故如来者即諸法如義若有人言如来得阿耨
多羅三藐三菩提須菩提實无有法佛得阿耨
多羅三藐三菩提須菩提如来所得阿耨多
羅三藐三菩提於是中无實无虛是故如来
說一切法皆是佛法須菩提所言一切法者即
非一切法是故名一切法
須菩提譬如人身長大須菩提言世尊如来
說人身長大則為非大身是名大身須菩
提菩薩亦如是若作是言我當滅度无量
衆生則不名菩薩何以故須菩提實无有法
名為菩薩是故佛說一切法无我无人无衆
生无壽者須菩提若菩薩作是言我當
莊嚴佛土是不名菩薩何以故如来說莊
嚴佛土者即非莊嚴是名莊嚴須菩提
若菩薩通達无我法者如来說名真是菩
薩須菩提於意云何如来有肉眼不如是世
尊如来有肉眼須菩提於意云何如来有

BD01357號　金剛般若波羅蜜經　（6–4）

莊嚴佛土是不名菩薩何以故如来說莊
嚴佛土者即非莊嚴是名莊嚴須菩提
若菩薩通達无我法者如来說名真是菩
薩須菩提於意云何如来有肉眼不如是世
尊如来有肉眼須菩提於意云何如来有
眼不如是世尊如来有天眼須菩提於意云
何如来有慧眼不如是世尊如来有慧眼須
菩提於意云何如来有法眼不如是世尊如
来有法眼須菩提於意云何如来有佛眼不
如是世尊如来有佛眼須菩提於意云何如恒河中
所有沙佛說是沙不如是世尊如来說是沙須
菩提於意云何如一恒河中所有沙有如是等
恒河是諸恒河所有沙數佛世界如是寧為
多不甚多世尊佛告須菩提尒所國土中所有
衆生若干種心如来悉知何以故如来說諸心皆
為非心是名為心所以者何須菩提過去心不可得
現在心不可得未来心不可得
須菩提於意云何若有人滿三千大千世界七寶
以用布施是人以是因緣得福多不如是世尊此人以
是因緣得福甚多須菩提若福德有實如来
不說得福德多以福德无故如来說得福德多
須菩提於意云何佛可以具足色身見不不也世
尊如来不應以具足色身見何以故如来說具
足色身即非具足色身是名具足色身須菩提
於意云何如来可以具足諸相見不不也世尊如
来不應以具足諸相見何以故如来說諸相具足即
非具足是名諸相具足須菩提汝勿謂如来作是
所說法莫作是念何以故若人言如来

BD01357 號　金剛般若波羅蜜經　（6–5）

是因緣得福甚多須菩提若福德有實如来
不說得福德多以福德无故如来說得福德多
須菩提於意云何佛可以具足色身見不不也世
尊如来不應以具足色身見何以故如来說具
足色身即非具足色身是名具足色身須菩提
於意云何如来可以具足諸相見不不也世尊如
来不應以具足諸相見何以故如来說諸相具足即
非具足是名諸相具足須菩提汝勿謂如来作是
念我當有所說法莫作是念何以故若人言如来
有所說法即為謗佛不能解我所說故須菩
提說法者无法可說是名說法須菩提白佛言
世尊佛得阿耨多羅三藐三菩提為无所得耶
如是如是須菩提我於阿耨多羅三藐三菩提乃
至无有少法可得是名阿耨多羅三藐三菩提復
次須菩提是法平等无有高下是名阿耨多羅三
藐三菩提以无我无人无衆生无壽者脩一切善法
則得阿耨多羅三藐三菩提須菩提所言善法者
如来說非善法是名善法須菩提若三千大千世
界中所有諸須弥山王如是等七寶聚有人持用
布施若人以此般若波羅蜜經乃至四句偈等
受持讀誦為他人說於前福德百分不及一百千
万億分乃至筭數譬喻所不能及須菩提於意
云何汝等勿謂如来作是念我當度衆生須菩

BD01357 號　金剛般若波羅蜜經　（6–6）

……言……即是菩薩若
……之供養天神故入天寺所謂
在天違陀天迦旃延天所以入者爲
欲調伏諸天人故若言不尒无有是處若言
菩薩不能入於外道邪論知其威儀文章伎
藝僕使鬬諍不能和合不爲男女國王大臣
……故又之……知……諸藥以不知故乃
……文渥如……於怨
親中其心平等如以刀割及香塗身於此二
人不生增益損減之心唯能處中故名如來
如是經律當知是魔之所說也若有說言
菩薩如是示入天寺外學法中出家修道示
現知其威儀禮節能解一切文章伎藝示入書
堂伎巧之處能善和合僕使鬬諍於諸大衆
童男童女後宮妃后人民長者婆羅門等王
及大臣貧窮等中最尊最上復爲是等之所
恭敬亦能示現如是等事雖處諸見不生愛
心猶如蓮華不受塵垢爲度一切諸衆生故
善行如是種種方便隨順世法如是經律當
知即是如來所說若有隨順魔所說者是魔

BD01358號　大般涅槃經（北本　異本）卷七　（26-1）

恭敬……
心猶如蓮華不受塵垢爲度一切諸衆生故
善行如是種種方便隨順世法如是經律當
知即是如來所說若有隨順魔所說者是魔
眷屬若能隨順佛所說者是大菩薩若有說
言如來爲我解說經律若惡法中輕重之罪
及偷蘭遮其性皆重我等律中終不爲之我
久忍受如是之法汝等不信我當云何自捨
己律就汝律耶汝所有律是魔所說我等經
律是佛所制如來先說九部法印如是九印
印我經律初不聞有方等經典一句一字如
來所說无量經律何處有說方等經耶如是
等中未曾聞有十部經名如其有者當知畢
定調達所作調達惡人以滅善法造方等經
我等不信如是等經是魔所說何以故破壞
佛法更相是非故如是之言汝經中有我經
中无我經律中如來說言我涅槃後惡世當
有不正經律所謂大乘方等經典未來之世
當有如是諸惡比丘我又說言過九部經有
方等典若有人能了知其義當知是人正了
經律遠離一切不淨之物微妙清淨猶如滿
月若有說言如來雖爲一一經律說如恒河
沙等義味我律中无將知爲无如其有者如
來何故於我律中而不解說是故我今不能

BD01358號　大般涅槃經（北本　異本）卷七　（26-2）

月若有說言如来雖為一一經律說如恒河
沙等義味我律中无将知為无如其有者如
来何故於我律中而不解說是故我今不能
信受當知是人則為得罪是人復言如是經
律我當受持何以故當為我作知足少欲斷
除煩惱智慧涅槃善法因故如是說者非我
弟子若有說言如来為欲度衆生故說方等
經當知是人真我弟子若有不受方等經者
當知是人非我弟子不為佛法而出家也即
是邪見外道弟子如是經律是佛所說若不
如是是魔所說若有隨順魔所說者是魔眷
屬若有隨順佛所說者即是菩薩
復次善男子若有說言如来不為无量功德
之所成就无常變異以得空法宣說无我不
順世間如是經律名魔所說若有人言如来
正覺不可思議亦為无量阿僧祇等功德所
成是故常住无有變異如是經律是佛所說
若有隨順魔所說者是魔眷屬若有隨順
佛所說者即是菩薩復有人言或有比丘實
不毀犯波羅夷罪衆人皆謂犯波羅夷如斷
多羅而是比丘實无所犯何以故我常說言
四波羅夷若犯一者猶如折石不可還合若
有自說得過人法是則名為犯波羅夷何以
故實无所得詐現得相故如是之人退失人

有自說得過人法是則名為犯波羅夷何以
故實无所得詐現得相故如是之人退失人
法是名波羅夷所謂若有比丘少欲知足持
戒清淨住空閑處王若大臣見是比丘生心
念言謂得羅漢即前讃嘆恭敬礼拜復作是
言如是大師捨是身已當得阿耨多羅三藐
三菩提比丘聞已即荅王言我實未得沙門
道果王莫稱我已得道果唯願大王勿為
我說不知足法不知足者乃至謂得阿耨多
羅三藐三菩提皆嘿然受我今若當嘿然受
者當為諸佛之所訶責知足之行諸佛所讚
是故我欲終身歡樂奉循知足又知足者我
定自知未得道果王稱我得我今不受故名
知足時王荅言大師實得阿羅漢果如佛
无異尒時其王普皆宣告內外人民中宮妃
后悉令皆知得沙門果是故咸令一切聞者
心生敬信供養尊重如是比丘真是梵行清
淨之人以是因緣普令諸人得大福德而是
比丘實不毀犯波羅夷罪何以故前人自生歡
喜之心讃嘆供養故如是比丘當有何罪若
有說言是人得罪當知是經是魔所說復
有比丘說佛秘藏甚深經典一切衆生皆有
佛性以是性故斷无量億諸煩惱結即得成

有說言是人得罪當知是經是魔所說須
有比丘說佛秘藏甚深經典一切衆生皆有
佛性以是性故斷无量億諸煩惱結即得成
於阿耨多羅三藐三菩提除一闡提若王大
臣作如是言比丘汝當作佛不作佛耶有佛
性不比丘答言我今身中定有佛性成以不
成未能審之王言大德如其不作一闡提者
必成无疑比丘言介實如王言是人雖言定
有佛性亦須不犯波羅夷也須有比丘即出
家時作是思惟我今畢定成阿耨多羅三
藐三菩提如是之人雖未得成无上道果已
為得福无量无邊不可稱計假使有人當言
是人犯波羅夷一切比丘无不犯者何以故
我於往昔八十億劫常離一切不淨之物少
欲知足威儀成就善脩如來无上法藏亦自定
知身有佛性是故我今得成阿耨多羅三藐
三菩提得名為佛有大慈悲如是經律是佛
所說若有不能隨順是者是魔眷屬若能隨
順是大菩薩須有說言无四波羅夷十三僧
殘二不定法卅捨墮法九十一墮四懺悔法衆
多學法七滅諍等无偷蘭遮五逆等罪及一
闡提若有比丘犯如是等墮地獄者外道之
人悉應生天何以故諸外道等无戒可犯是
故如來示見怖人故說斯戒若言佛說我諸

BD01358號　大般涅槃經（北本　異本）卷七　（26–5）

闡提若有比丘犯如是等墮地獄者外道之
人悉應生天何以故諸外道等无戒可犯是
故如來示現怖人故說斯戒若言佛說我諸
比丘若欲行婬應捨法服著俗衣裳然後行
婬須應生念婬欲因緣非我過咎如來在世
亦有比丘習行婬欲得正解脫或命終後生
於天上古今有之非獨我作或犯四重或犯
五戒或行一切不淨律儀猶故而得真正解脫
如來雖說犯突吉羅如忉利天日月歲數八
百万歲墮在地獄是亦如來示現怖人言波
羅夷至突吉羅輕重无差是諸律師妄作此
言言是佛制畢定當知非佛所說如是言說
是魔經律若復說言於諸戒中若犯小戒
乃至微細當受苦報无有齊限如是知已防
護自身如龜藏六若有律師復作是言凡所
犯戒都无罪報如是之人不應親近如佛所說
若過一法　是名妄語　不見後世　无惡不造
是故不應親近是人我佛法中清淨如是況
須有犯偷蘭遮罪或犯僧殘及波羅夷而非
罪耶是故應當深自防護如是等法若不守
護更以何法名為禁戒我於經中亦說有犯
四波羅夷乃至微細突吉羅等應當苦治衆
生若不護持禁戒云何當得見於佛性一切
衆生雖有佛性要因持戒然後乃見因見佛

BD01358號　大般涅槃經（北本　異本）卷七　（26–6）

生若不護持禁戒云何當得見於佛性一切
衆生雖有佛性要因持戒然後乃見因見佛
性得成阿耨多羅三藐三菩提九部經中无
方等經是故不說有佛性也經雖不說當知
實有若作是說當知是人真我弟子迦葉菩
薩白佛言世尊如上所說一切衆生有佛性
者九部經中所未曾聞如其說有云何不犯
波羅夷耶佛言善男子如汝所說實不毀犯
波羅夷也善男子辟如有人說言大海唯有
七寶无八種者是人无罪若有說言九部經
中无佛性者亦復无罪何以故我於大乘大
智海中說有佛性二乘之人所不知見是故
說无不得罪也如是境界諸佛所知非是聲
聞緣覺所及善男子若人不聞如來甚深秘
密藏者云何當知有佛性耶何等名為秘密
之藏所謂方等大乘經典善男子有諸外道
或說我常或說我斷如來不尒亦說有我亦
說无我是名中道若有說言佛說中道一切
衆生悉有佛性煩惱覆故不知不見是故應
當懃修方便斷壞煩惱若有能作如是說
者當知是人不犯四重若不能作如是說者
是則名為犯波羅夷若有說言我已成就阿
耨多羅三藐三菩提何以故以有佛性故有

BD01358號　大般涅槃經（北本　異本）卷七　（26–7）

者當知是人不犯四重若不能作如是說者
是則名為犯波羅夷若有說言我已成就阿
耨多羅三藐三菩提何以故以有佛性故有
佛性者必定當成阿耨多羅三藐三菩提以
是因緣我今已得成就菩提當知是人則名
為犯波羅夷罪何以故雖有佛性以未修集
諸善方便是故未見以未見故不能得成阿
耨多羅三藐三菩提善男子以是義故佛法
甚深不可思議迦葉菩薩白佛言世尊有王
問言云何比丘墮過人法佛言迦葉若有比
丘為利養故為飲食故作諸諂諭姦偽欺詐
云何當令諸世間人定實知我是乞士也以是
因緣令我大得利養名譽如是比丘多愚癡
故長夜常念我實未得四沙門果云何當令
諸世間人謂我已得復當云何令諸優婆塞
優婆夷等咸共指我作如是言是人福德真
是聖人如是思惟正為求利非為求法行來
出入進止安詳執持衣鉢不失威儀獨坐空
處如阿羅漢令世間人咸作是言如是比丘
善好第一精懃苦行脩寂滅法以是因緣我
當大得門徒弟子諸人亦當大設供養衣服
飲食卧具醫藥令多女人敬念愛重若有
比丘及比丘尼作如是事墮過人法復有比

BD01358號　大般涅槃經（北本　異本）卷七　（26–8）

當大得門徒弟子諸人亦當大致供養衣服
飲食卧具醫藥令多女人敬念愛重若有
比丘及比丘尼作如是事墮過人法復有比
丘為欲建立无上正法住空寂處非阿羅漢
而欲令人謂是羅漢是好比丘是善比丘寂
静比丘令无量人生於信心以此因緣我得
无量諸比丘等以為眷屬因是得教破戒比
丘及優婆塞悉令持戒以是因緣建立正法
光揚如來无上大事開顯方等大乘法化度
脫一切无量衆生善解如來所說經律輕重
之義復言我今亦有佛性有經名曰如來秘
藏於是經中我當必定得成佛道能盡无
量億煩惱結廣為无量諸優婆塞說言汝
等盡有佛性我之與汝俱當安住如來道地
成阿耨多羅三藐三菩提盡无量億諸煩惱
結作是說者是人不名墮過人法名為菩薩
若言有犯突吉羅者忉利天上日月歲數八
百万歲墮地獄中受諸罪報何況犯偷蘭遮
罪此大乘中若有比丘犯偷羅遮不應親近
何等名為大乘經中偷羅遮罪若有長者造
立佛寺以諸華鬘用供養佛有比丘見華貫
中縷不問輒取犯偷羅遮若知不知亦如是
犯若以貪心破壞佛塔犯偷羅遮如是之人

BD01358號　大般涅槃經（北本　異本）卷七　（26–9）

中縷不問輒取犯偷羅遮若知不知亦如是
犯若以貪心破壞佛塔犯偷羅遮如是之人
不應親近若王大臣見塔朽故為欲脩補供
養舍利於是塔中或得珎寶即寄比丘比丘
得已自在而用如是比丘名為不淨多起鬪
諍善優婆塞不應親近供養恭敬如是比丘
名為无根名為二根名不定根不定根者欲
貪女時身即為女欲貪男時身即為男如是
比丘名為惡根不名為男不名為女不名出
家不名在家如是比丘不應親近供養恭
敬於佛法中沙門法者應生悲心覆育衆
生乃至蟻子應施无畏是沙門法遠離飲酒
乃至嗅香是沙門法不得妄語乃至夢中不
念妄語是沙門法不生欲心乃至夢中亦復
如是沙門法迦葉菩薩白佛言世尊若有
比丘夢行婬欲是犯戒不佛言不也應於婬
欲生臭穢想乃至不生一念淨想遠離女人
煩惱愛想若夢行婬寤應生悔比丘乞食受
供養時應如飢世食子肉想若生婬欲應疾
捨離如是法門當知是佛所說經律若有隨
順魔所說者是魔眷屬若能隨順佛所說
者是名菩薩若有說言常翹一腳寂嘿不言
投淵赴火自隊高巖不避嶮難服毒斷食卧
灰土上自縛手足殺害衆生方道呪術旃陁

BD01358號　大般涅槃經（北本　異本）卷七　（26–10）

投淵赴火自墜高巖不避嶮難服毒斷食卧
灰土上自縛手足殺害衆生方道呪術旃陁
羅子无根二根及不定根身根不具如是等
輩如來悉聽出家爲道是名魔說佛先聽食
五種牛味及以油蜜憍奢耶衣革屣之等除
是之外若有說言聽著摩訶楞伽一切種子
悉聽時畜草木之屬皆有壽命佛說是已便
入涅槃若有經律作是說者當知即是魔
之所說我亦不聽常翹一脚若爲法故聽行
住坐卧又亦不聽服毒斷食五熱炙身繫縛
手足殺害衆生方道呪術珂貝象牙以爲革
屣儲畜種子草木有命著摩訶楞伽若言
世尊作如是說當知是爲外道眷屬非我弟
子我唯聽食五種牛味及油蜜等聽著革屣
憍奢耶衣我說四大无有壽命若有經律作
是說者是名佛說若有隨順佛所說者當知
是等真我弟子若有不隨佛所說者是魔眷
屬若有隨順佛經律者當知是人是大菩薩
善男子魔說佛說差別之相今已爲汝廣宣
分別迦葉白佛言世尊我今始知魔說佛說差
別之相因是得入佛法深義佛讚迦葉善哉
善哉善男子汝能如是曉了分別是名黠慧
善男子所言苦者不名聖諦何以故若言苦

BD01358號　大般涅槃經（北本　異本）卷七　（26–11）

分別迦葉白佛言世尊我今始知魔說佛說差
別之相因是得入佛法深義佛讚迦葉善哉
善哉善男子汝能如是曉了分別是名黠慧
善男子所言苦者不名聖諦何以故若言苦
是苦聖諦者一切牛羊驢馬及地獄衆生應
有聖諦善男子若復有人不知如來甚深境
界常住不變微密法身謂是食身非是法身
不知如來道德威力是名爲苦何以故以不
知故法見非法非法見法當知是人必墮惡
趣輪轉生死增長諸結多受苦惱若有能知
如來常住无有變異或聞常住二字音聲若
一逕耳即生天上後解脫時乃能證知如來常
住无有變易既證知已而作是言我於往昔
曾聞是義今得解脫方乃證知我於本際以
不知故輪轉生死周迴无窮始於今日乃得
真智若如是知真是修苦多所利益若不知
者雖復懃修无所利益是名知苦名苦聖諦
若人不能知是修集是名爲苦非苦聖諦苦
集諦者於真法中不生真智受不淨物所謂
奴婢能以非法言是正法斷滅正法不令久
住以是因緣不知法性以不知故輪轉生死
多受苦惱不得生天及正解脫若有深智不
壞正法以是因緣得生天上及正解脫若有
不知苦集諦處而言正法无有常住悉是滅

BD01358號　大般涅槃經（北本　異本）卷七　（26–12）

多受苦惱不得生天及正解脫若有深智不
壞正法以是因緣得生天上及正解脫若有
不知苦集諦處而言正法无有常住悉是滅
法以是因緣於无量劫流轉生死受諸苦惱
若能知法常住不異是名知集名集聖
諦若人不能如是脩集是名為集非集聖諦
苦滅諦者若有多脩習學空法是為不善何
以故滅一切法故壞於如來真法藏故作是
脩學是名脩空脩苦滅者違於一切諸外道
等若言脩空是滅諦者一切外道亦脩空法
應有滅諦若有說言有如來藏雖不可見若
能滅除一切煩惱尒乃得入若發此心一念因
緣於諸法中而得自在若有脩集如來密藏
无我空寂如是之人於无量世在生死中流
轉受苦若有不作如是脩者雖有煩惱疾能
滅除何以故因知如來秘密藏故是名苦滅
聖諦若能如是脩習滅者是我弟子若有不
能作如是脩是名空脩非滅聖諦道聖諦者
所謂佛法僧寶及正解脫有諸衆生顛倒心
言无佛法僧及正解脫生死流轉猶如幻化
脩集是見以此因緣輪轉三有久受大苦若
能發心見於如來常住无變法僧解脫亦復
如是乘此一念於无量世自在果報隨意而
得何以故我於往昔以四倒故非法計法受於

BD01358號　大般涅槃經（北本　異本）卷七　（26–13）

轉三有久受大苦若
能發心見於如來常住无變法僧解脫亦復
如是乘此一念於无量世自在果報隨意而
得何以故我於往昔以四倒故非法計法受於
无量惡業果報我今已滅如是見故成佛正
覺是名道聖諦若有人言三寶无常脩集
是見是虛妄脩非道聖諦若脩是法為常住
者是我弟子真見脩習四聖諦法是名四聖
諦迦葉菩薩白佛言世尊我今始知脩習
甚深四聖諦法佛告迦葉善男子謂四倒者
於非苦中生於苦想名曰顛倒非苦者名為
如來生苦想者謂於如來无常變異若說如
來是无常者名大罪苦若言如來捨此苦
身入於涅槃如薪盡火滅是名非苦而生苦
想是名顛倒我若說言如來常者即是我見
以我見故有无量罪是故應說如來无常如
說者我則受樂如來无常即為是苦若是苦
者云何生樂以於苦中生樂想故名為顛倒
樂生苦想名為顛倒樂者即是如來苦者如
來无常若說如來是无常者是名樂中生於
苦想如來常住是名為樂若我說言如來是
常云何復得入於涅槃若言如來非是苦者
云何捨身而取滅度以於樂中生苦想故名
為顛倒是名初倒无常常想常无常想是名

BD01358號　大般涅槃經（北本　異本）卷七　（26–14）

云何捨身而取滅度以於槃中生苦想故名
為顛倒是名初倒无常常想常无常想是名
顛倒无常者名不脩空不脩空故壽命短促
若有說言不脩空寂得長壽者是名顛倒是
名第二顛倒无我我想我无我想是名顛倒
世間之人亦說有我佛法之中亦說有我世
間之人雖說有我无有佛性是則名為於无
我中而生我想是名顛倒佛法有我即是佛
性世間之人說佛法无我是名我中生无我
想若言佛法必定无我是故如來勅諸弟子
脩集无我名為顛倒是名第三顛倒淨不淨
想不淨淨想是名顛倒淨者即是如來常住
非雜食身非煩惱身非是肉身非是筋骨
繫縛之身若有說言如來无常是雜食身
乃至筋骨繫縛之身法僧解脫是滅盡者
是名顛倒不淨淨想名顛倒者若有說言我
此身中无有一法是不淨者以无不淨定當
得入清淨之處如來所說脩不淨觀如是之
言是虛妄說是名顛倒是則名為第四顛
倒迦葉菩薩白佛言世尊我從今日始得正
見世尊自是之前我等悉名耶見之人世尊
廿五有有我不也佛言善男子我者即是如
來藏義一切眾生悉有佛性即是我義如
是我義從本以來常為无量煩惱所覆是故眾

BD01358號　大般涅槃經（北本　異本）卷七　（26–15）

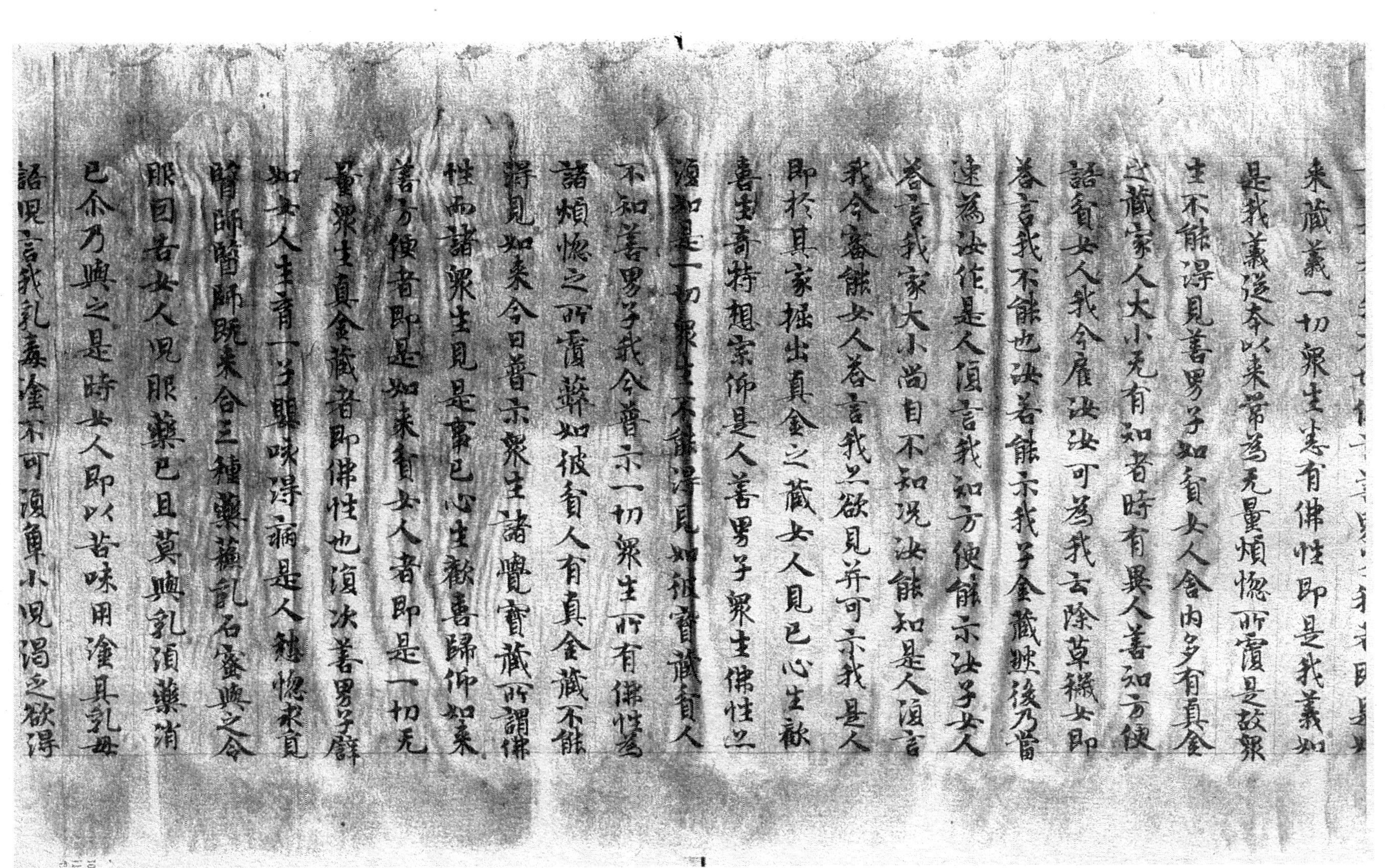
來藏義一切眾生悉有佛性即是我義如
是我義從本以來常為无量煩惱所覆是故眾
生不能得見善男子如貧女人舍內多有真金
之藏家人大小无有知者時有異人善知方便
語貧女人我今雇汝汝可為我芸除草穢女即
答言我不能也汝若能示我子金藏然後乃當
速為汝作是人復言我知方便能示汝子女人
答言我家大小尚自不知況汝能知是人復言
我今審能女人答言我亦欲見并可示我是人
即於其家掘出真金之藏女人見已心生歡
喜生奇特想宗仰是人善男子眾生佛性亦
復如是一切眾生不能得見如彼寶藏貧人
不知善男子我今普示一切眾生所有佛性為
諸煩惱之所覆蔽如彼貧人有真金藏不能
得見如來今日普示眾生諸覺寶藏所謂佛
性而諸眾生見是事已心生歡喜歸仰如來
善方便者即是如來貧女人者即是一切无
量眾生真金藏者即佛性也復次善男子譬
如女人生育一子嬰孩得病是人愁惱求覓
醫師醫師既來合三種藥蘇乳石蜜與之令
服因告女人兒服藥已且莫與乳須藥消
已爾乃與之是時女人即以苦味用塗其乳
語兒言我乳毒塗不可復觸小兒渴乏欲得

BD01358號　大般涅槃經（北本　異本）卷七　（26–16）

已尒乃喚之是時女人即以苦味用塗其乳
語兒言我乳毒塗不可復近小兒渴乏欲得
母乳聞乳毒氣便遠捨去遂至藥消母人以
水淨洗其乳喚其子言來與汝乳是時小
兒雖復飢渴先聞毒氣是故不來母復語
言為汝服藥故以毒塗汝藥已消我已洗
竟汝便可來飲乳无苦是兒聞已漸漸還飲
善男子如來之尒為度一切教諸衆生脩无
我法如是脩已永斷我心入於涅槃為除世
間諸妄見故示現出過世間法故復示世間
計我虛妄非真實故脩无我法清淨身故
喻如女人為其子故以苦味塗乳如來之尒為
脩空故說言諸法悉无有我如彼女人淨洗乳
已而喚其子欲令還服我今之尒說如來藏
是故比丘不應生怖如彼小兒聞母喚已漸
還飲乳比丘之尒應自分別如來祕藏不得
不有迦葉菩薩白佛言世尊實无有我何以
故嬰兒生時无所知曉若有我者即生之日
尋應有知以是義故定知无我若定有我受
生已後應无終沒若使一切皆有佛性是常
住者應无壞相若无壞相云何而有刹利婆
羅門毗舍首陁及旃陁羅畜生差別今見業
緣種種不同諸趣各異若定有我一切衆生
應无勝負以是義故故知佛性非是常法若

BD01358號　大般涅槃經（北本　異本）卷七　（26–17）

羅門毗舍首陁及旃陁羅畜生差別今見業
緣種種不同諸趣各異若定有我一切衆生
應无勝負以是義故故知佛性非是常法若
言佛性定是常者何緣復說有殺盜婬兩舌
惡口妄言綺語貪恚耶見若我性常何故酒
後迷荒醉亂若我性常盲應見色聾應聞
聲瘂應能語拘躄能行若我性常不應避
於大墳大水毒藥刀劒惡人禽獸若我常者
本所更事不應忘失若不忘失何緣復言
我曾何處見是人耶若我常者則不應有少
壯老等衰盛力勢憶念往事若我常者心
住何處為在涕唾青黃赤白諸色中耶若我
常者應遍身中如胡麻油間无空處若斷身
時我亦應斷佛告迦葉善男子譬如王家有
大力士其人眉間有金剛珠與餘力士捔力
相撲而彼力士以頭抵觸其額上珠尋沒膚
中都不自知是珠所在其處有創即命良醫
欲自療治時有明醫善知方藥即知是創因
珠入體是珠入皮即便停住是時良醫尋
問力士卿額上珠為何所在力士驚荅大師
醫王我額上珠乃无去耶是珠今者為何所
在將非幻化憂愁啼哭是時良醫慰喻力士
汝今不應生大愁苦汝因鬪時寶珠入體今

BD01358號　大般涅槃經（北本　異本）卷七　（26–18）

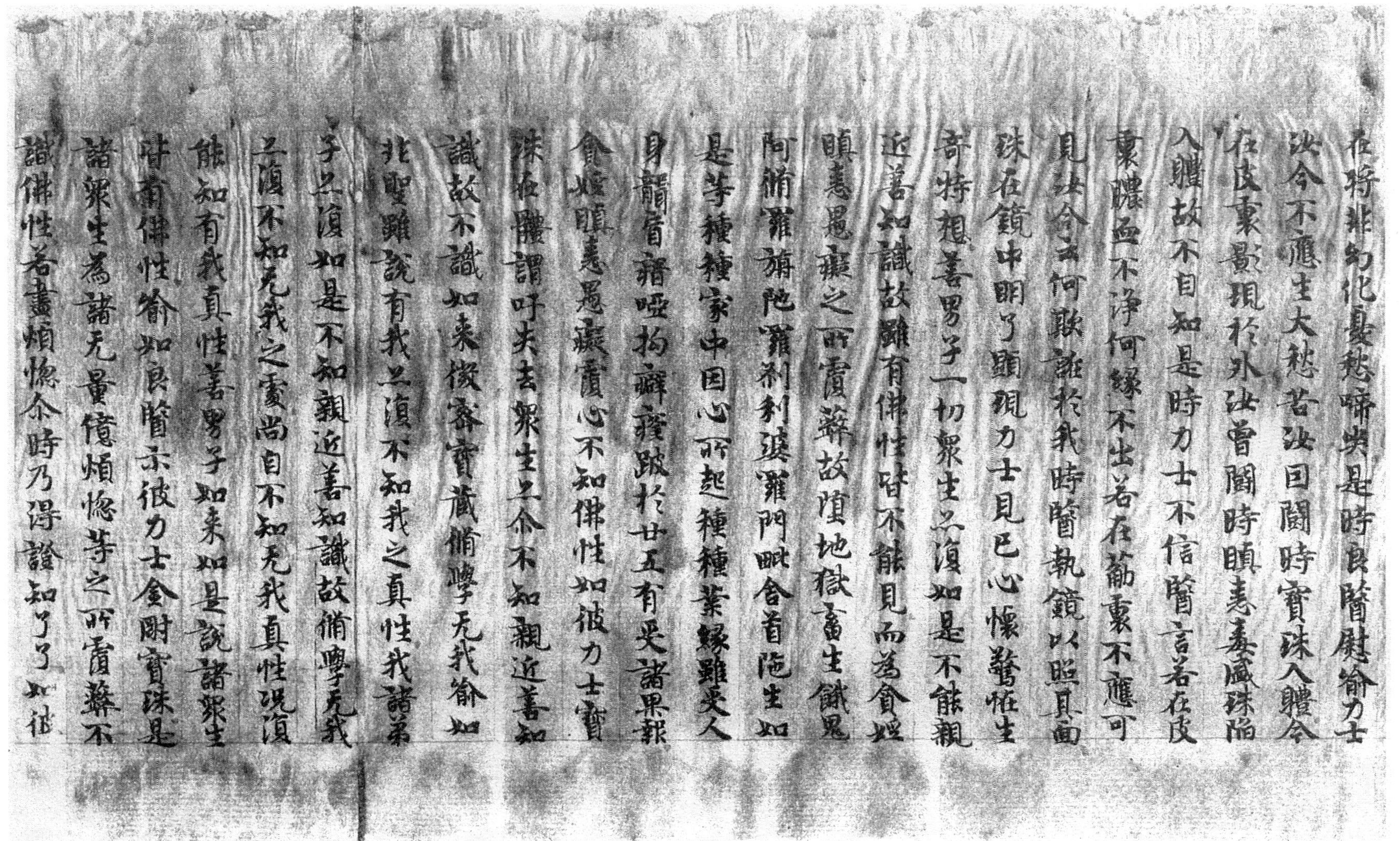
在將非幻化是愁啼哭是時良醫慰喻力士
汝今不應生大愁苦汝因鬪時寶珠入體今
在皮裹影現於外汝曹鬪時瞋恚毒盛珠陷
入體故不自知是時力士不信醫言若在皮
裹膿血不淨何緣不出若在筋裹不應可
見汝今云何欺誑於我時醫執鏡以照其面
珠在鏡中明了顯現力士見已心懷驚怪生
奇特想善男子一切衆生亦復如是不能親
近善知識故雖有佛性皆不能見而爲貪婬
瞋恚愚癡之所覆蔽故墮地獄畜生餓鬼
阿脩羅旃陀羅刹利婆羅門毗舍首陀生如
是等種種家中因心所起種種業緣雖受人
身聾盲瘖瘂拘躄跛於廿五有受諸果報
貪婬瞋恚愚癡覆心不知佛性如彼力士寶
珠在體謂呼失去衆生亦爾不知親近善知
識故不識如來微密寶藏脩學无我喻如
非聖雖說有我亦復不知我之真性我諸弟
子亦復如是不知親近善知識故脩學无我
亦復不知无我之處尚自不知无我真性況復
能知有我真性善男子如來如是說諸衆生
皆有佛性喻如良醫示彼力士金剛寶珠是
諸衆生爲諸无量億煩惱等之所覆蔽不
識佛性若盡煩惱爾時乃得證知了了如彼

BD01358號　大般涅槃經（北本　異本）卷七　（26–19）

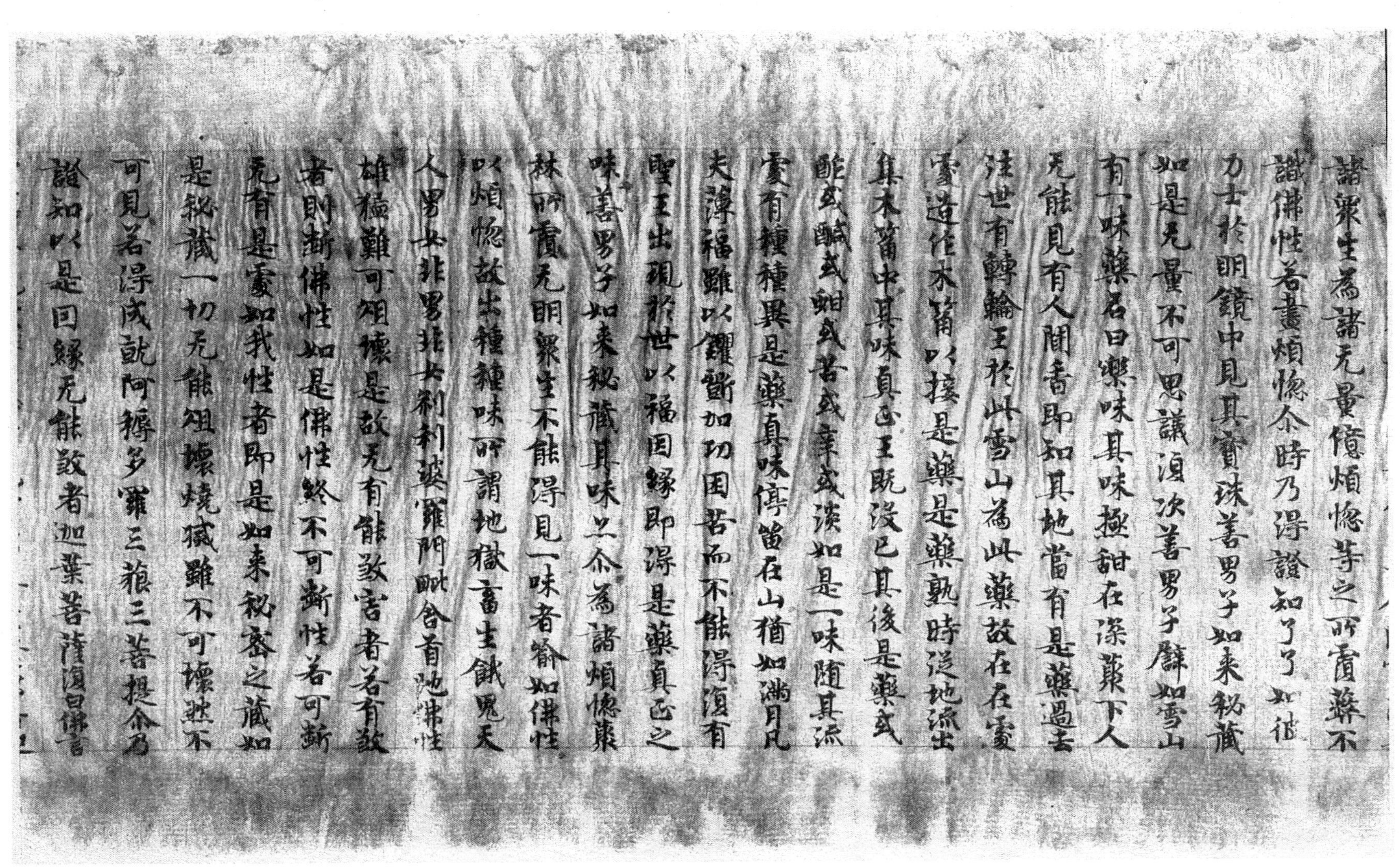
諸衆生爲諸无量億煩惱等之所覆蔽不
識佛性若盡煩惱爾時乃得證知了了如彼
力士於明鏡中見其寶珠善男子如來祕藏
如是无量不可思議復次善男子譬如雪山
有一味藥名曰樂味其味極甜在深叢下人
无能見有人聞香即知其地當有是藥過去
世中有轉輪王於此雪山爲此藥故在在處
處造作木筒以接是藥是藥熟時從地流出
集木筒中其味真正王既沒已其後是藥或
酢或鹹或甜或苦或辛或淡如是一味隨其流
處有種種異是藥真味停留在山猶如滿月
凡夫薄福雖以钁斸加功困苦而不能得復有
聖王出現於世以福因緣即得是藥真正之
味善男子如來祕藏其味亦爾爲諸煩惱叢
林所覆无明衆生不能得見一味者喻如佛性
以煩惱故出種種味所謂地獄畜生餓鬼天
人男女非男非女刹利婆羅門毗舍首陀佛性
雄猛難可沮壞是故无有能殺害者若有殺
者則斷佛性如是佛性終不可斷性若可斷
无有是處如我性者即是如來秘密之藏如
是秘藏一切无能沮壞燒滅雖不可壞然不
可見若得成就阿耨多羅三藐三菩提爾乃
證知以是因緣无能殺者迦葉菩薩復白佛言

BD01358號　大般涅槃經（北本　異本）卷七　（26–20）

可見若得成就阿耨多羅三藐三菩提爾乃
證知以是因緣无能殺者迦葉菩薩白佛言
世尊若无殺者應當无有不善之業佛告迦
葉實有殺生何以故善男子衆生佛性住五
陰中若壞五陰名曰殺生若有殺生即墮惡趣
以業因緣而有刹利婆羅門等毗舍首陀及旃
陀羅若男若女非男非女廿五有差別之相流
轉生死非聖之人横計於我大小諸相猶如
稗子或如米豆乃至拇指如是種種妄生憶
想妄想之相无有真實出世我相名為佛性
如是計我是名最善復次善男子譬如有人
善知伏藏即取利钁斷地直下盤石沙礫直
過无難唯至金剛不能穿徹夫金剛者所
有刀斧不能沮壞善男子衆生佛性亦復如
是一切論者天魔波旬及諸人天所不能壞
五陰之相即是起作起作之相猶如石沙可
穿可壞佛性者喻如金剛不可沮壞以是義
故壞五陰者名為殺生善男子必定當知佛
法如是不可思議善男子方等經者猶如甘
露亦如毒藥迦葉菩薩復白佛言如來何緣
說方等經譬如甘露亦如毒藥佛言善男子
汝今欲知如來祕藏真實義不迦葉言今我
今實欲得知如來祕藏之義尒時世尊而說
偈言

BD01358號　大般涅槃經（北本　異本）卷七　（26–21）

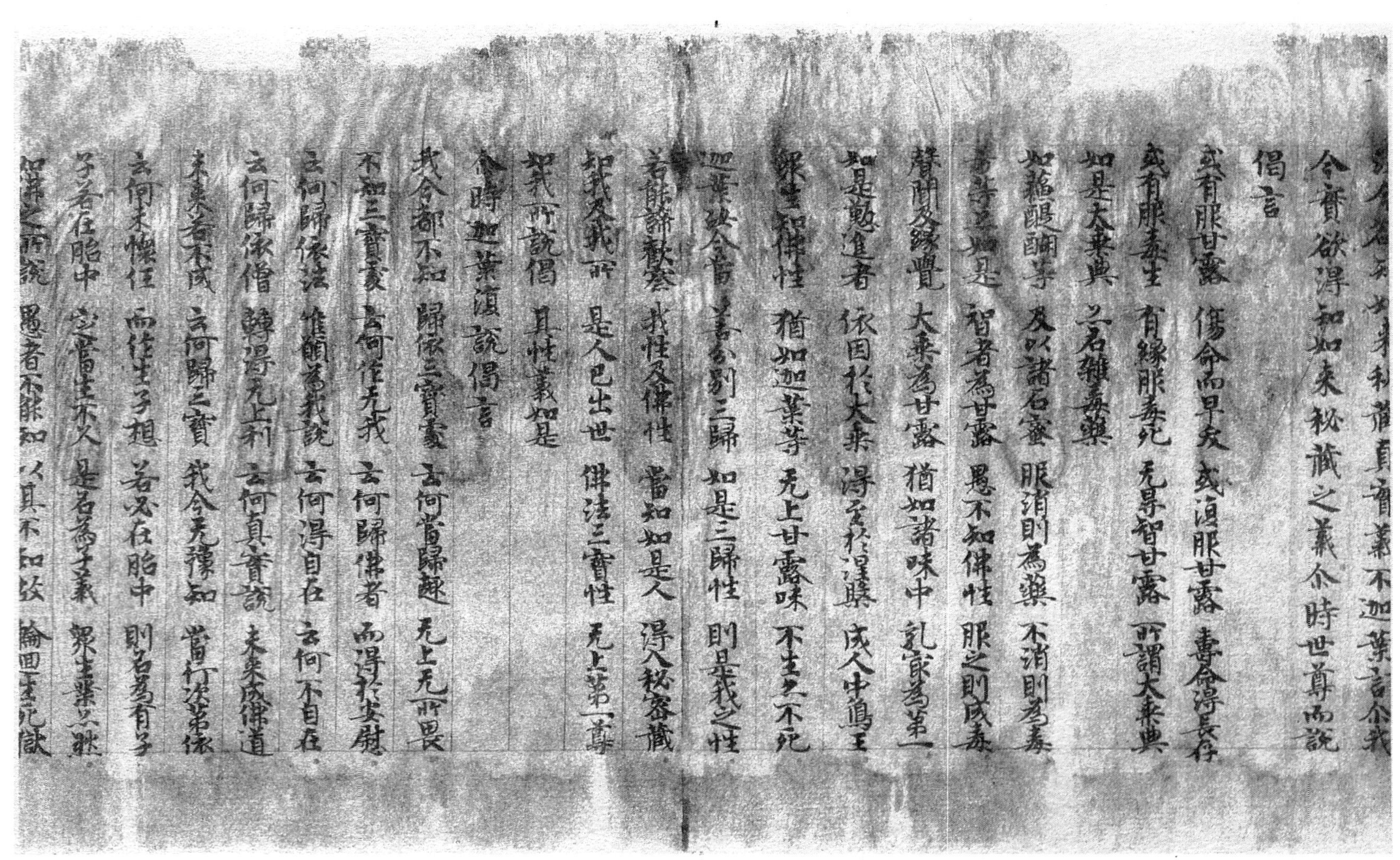
汝今欲知如來祕藏真實義不迦葉言今我
今實欲得知如來祕藏之義尒時世尊而說
偈言
或有服甘露　傷命而早夭　或復服甘露　壽命得長存
或有服毒生　有緣服毒死　无㝵智甘露　所謂大乘典
如是大乘典　亦名雜毒藥
如蘇醍醐等　及以諸石蜜　服消則為藥　不消則為毒
方等亦如是　智者為甘露　愚不知佛性　服之則成毒
聲聞及緣覺　大乘為甘露　猶如諸味中　乳最為第一
如是勤進者　依因於大乘　得至於涅槃　成人中象王
衆生知佛性　猶如迦葉等　无上甘露味　不生亦不死
迦葉汝今當　善分別三歸　如是三歸性　則是我之性
若能諦觀察　我性及佛性　當知如是人　得入祕密藏
知我及我所　是人已出世　佛法三寶性　无上第一尊
知我所說偈　其性義如是
尒時迦葉復說偈言
我今都不知　歸依三寶處　云何當歸趣　无上无所畏
不知三寶處　云何作无我　云何歸佛者　而得於安慰
云何歸依法　唯願為我說　云何得自在　云何不自在
云何歸依僧　轉得无上利　云何真實說　未來成佛道
未來若不成　云何歸三寶　我今无豫知　當行次第依
云何未懷妊　而作生子想　若必在胎中　則名為有子
子若在胎中　定當生不久　是名為子義　衆生業亦然
如佛之所說　愚者不能知　以其不知故　輪迴生死獄

BD01358號　大般涅槃經（北本　異本）卷七　（26–22）

云何未懷任 而作子想 若必在胎中 則名為有子
子若在胎中 定當生不久 是名為子義 衆生業亦然
如佛之所說 愚者不能知 以其不知故 輪迴生死獄
假名優婆塞 不知真實義 唯願廣分別 除斷我疑網
如來大智慧 唯垂哀分別 願說於如來 秘密之寶藏
迦葉汝當知 我今當為汝 善開微密藏 令汝疑得斷
今當至心聽 汝於諸菩薩 則與第七佛 同其一名号
歸依於佛者 真名優婆塞 終不更歸依 其餘諸天神
歸依於法者 則離於殺害 歸依聖僧者 不求於外道
如是歸三寶 則得無所畏
迦葉白佛言 我亦歸三寶 是名為正路 諸佛之境界
三寶平等相 常有大智性 我性及佛性 無二無差別
是道佛所讚 正進安止處 亦名正遍見 故為佛所稱
我亦趣善逝 所讚無上道 是最為甘露 諸有無所有
尒時佛告迦葉菩薩 善男子 汝今不應如諸
聲聞凡夫之人分別三寶 於此大乘無有三
歸分別之相 所以者何 於佛性中即有法僧
為欲化度聲聞凡夫故 分別說三歸異相 善
男子 若欲隨順世間法者 則應分別有三歸
依 善男子 菩薩應作如是思惟 我今此身歸
依於佛 若即此身得成佛道 既成佛已 不當
恭敬禮拜供養於諸世尊 何以故 諸佛平等
等為衆生作歸依故 若欲尊重法身舍利

BD01358號 大般涅槃經（北本 異本）卷七 （26–23）

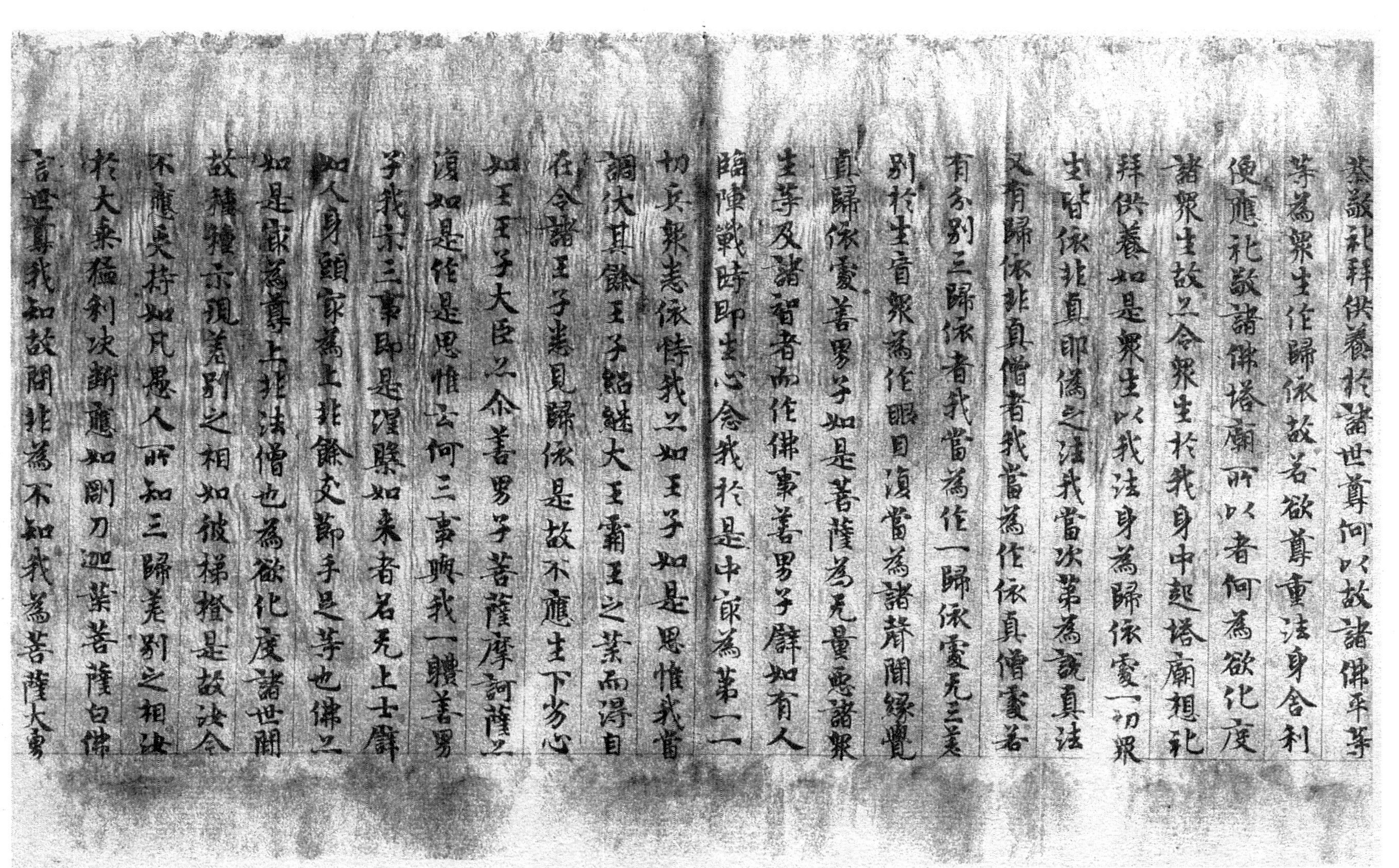
恭敬禮拜供養於諸世尊 何以故 諸佛平等
等為衆生作歸依故 若欲尊重法身舍利
便應禮敬諸佛塔廟 所以者何 為欲化度
諸衆生故 亦令衆生於我身中起塔廟想禮
拜供養 如是衆生以我法身為歸依處 一切衆
生皆依非真耶偽之法 我當次第為說真法
又有歸依非真僧者 我當為作依真僧處 若
有分別三歸依者 我當為作一歸依處 無三差
別 於生盲衆為作眼目 復當為諸聲聞緣覺
真歸依處 善男子 如是菩薩為無量惡諸衆
生等及諸智者而作佛事 善男子 譬如有人
臨陣戰時 即生心念 我於是中最為第一 一
切兵衆悉依恃我 亦如王子 如是思惟 我當
調伏其餘王子 紹繼大王霸王之業 而得自
在 令諸王子悉見歸依 是故不應生下劣心
如王王子 大臣亦尒 善男子 菩薩摩訶薩亦
復如是 作是思惟 云何三事與我一體 善男
子 我示三事即是涅槃 如來者名無上士 譬
如人身 頭最為上 非餘支節手足等也 佛亦
如是 最為尊上 非法僧也 為欲化度諸世間
故 種種示現差別之相 如彼梯橙 是故汝今
不應受持如凡愚人所知三歸差別之相 汝
於大乘猛利決斷 應如剛刀 迦葉菩薩白佛
言 世尊 我知故問 非為不知 我為菩薩大勇

BD01358號 大般涅槃經（北本 異本）卷七 （26–24）

不應更持如凡愚人所知三歸差別之相汝
於大乘猛利決斷應如剛刀迦葉菩薩白佛
言世尊我知故問非爲不知我爲菩薩大勇
猛者問於无垢清淨行處欲令如來爲諸菩
薩廣宣分別奇特之事稱揚大乘方等經典
如來大悲今已善說我之如是安住其中所
說菩薩清淨行處即是宣說大涅槃經世
尊我今亦當廣爲衆生顯揚如是如來祕藏
亦當證知真三歸處若有衆生能信如是大
涅槃經其人則能自然了達三歸依處何以
故如來祕藏有佛性故其有宣說是經典者
皆言身中盡有佛性如是之人則不遠求三
歸依處何以故於未來世我身即當成就三
寶是故聲聞緣覺之人及餘衆生皆依於
我恭敬禮拜善男子以是義故應當正學大
乘經典迦葉復言佛性如是不可思議卅三
相八十種好亦不可思議
尒時佛讚迦葉菩薩善哉善哉善男子汝已
成就深利智慧我今當更善爲汝說入如來
藏若我住者即是常法不離於苦若无我者
脩行淨行无所利益若言諸法皆无有我是
即斷見若言我住即是常見若言一切行无
常者即是斷見諸行常者復是常見若言苦

BD01358 號　大般涅槃經（北本　異本）卷七　（26–25）

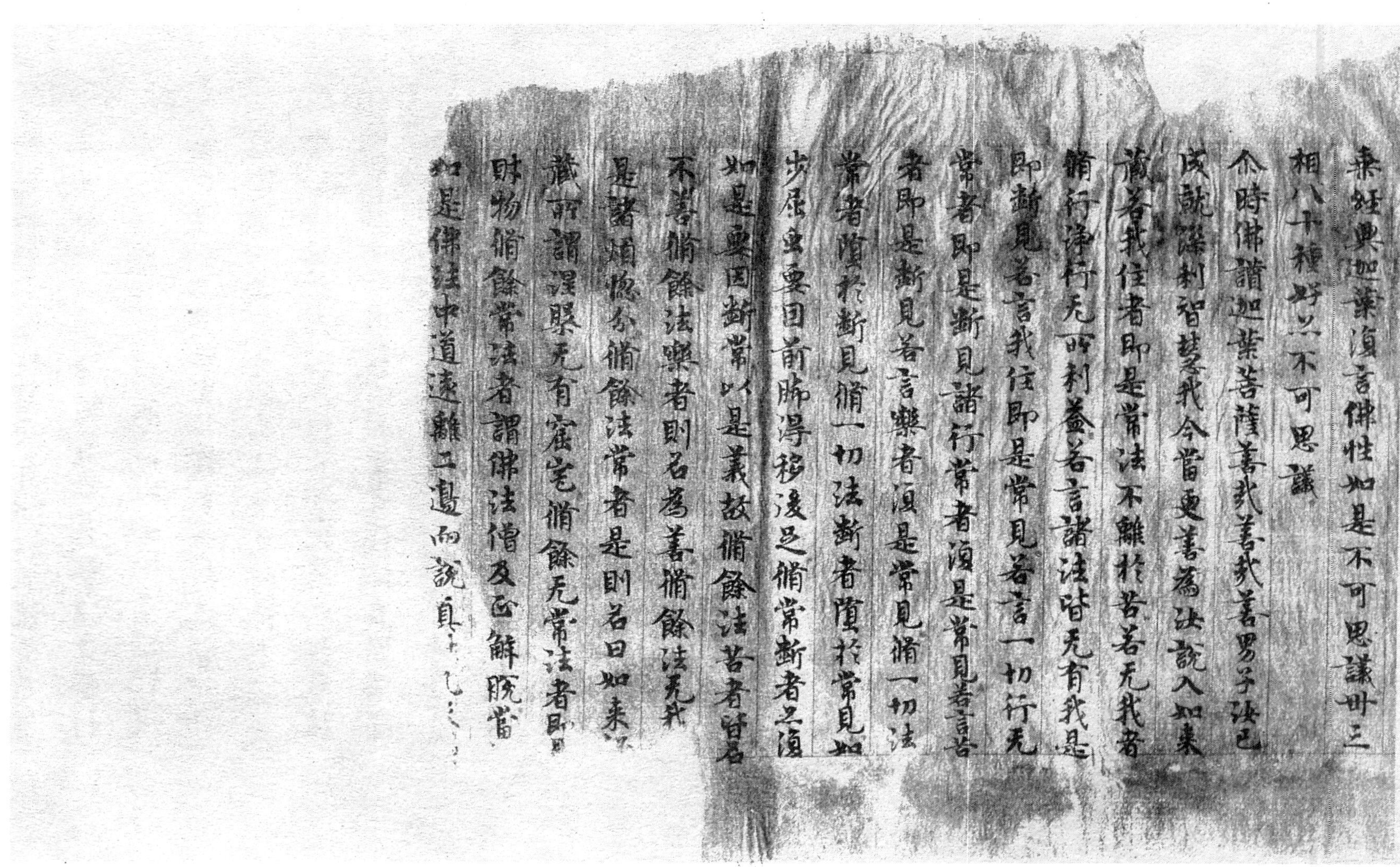
乘經典迦葉復言佛性如是不可思議卅三
相八十種好亦不可思議
尒時佛讚迦葉菩薩善哉善哉善男子汝已
成就深利智慧我今當更善爲汝說入如來
藏若我住者即是常法不離於苦若无我者
脩行淨行无所利益若言諸法皆无有我是
即斷見若言我住即是常見若言一切行无
常者即是斷見諸行常者復是常見若言苦
者即是斷見若言樂者復是常見脩一切法
常者墮於斷見脩一切法斷者墮於常見如
步屈虫要因前腳得移後足脩常斷者亦復
如是要因斷常以是義故脩餘法苦者皆名
不善脩餘法樂者則名爲善脩餘法无我
是諸煩惱分脩餘法常者是則名曰如來祕
藏所謂涅槃无有窟宅脩餘无常法者即是
財物脩餘常法者謂佛法僧及正解脫當
知是佛法中道遠離二邊而說真

BD01358 號　大般涅槃經（北本　異本）卷七　（26–26）

希有難得汝若不取後必憂悔如此種種羊
車鹿車牛車今在門外可以遊戲汝等於此
火宅宜速出來隨汝所欲皆當與汝尒時諸
子聞父所說珍玩之物適其願故心各勇鋭
互相推排競共馳走爭出火宅是時長者見
諸子等安隱得出皆於四衢道中露地而坐
无復障礙其心泰然歡喜踊躍時諸子等各
白父言父先所許玩好之具羊車鹿車牛車
願時賜與舍利弗尒時長者各賜諸子等一
大車其車高廣衆寶莊校周帀欄楯四面懸
鈴又於其上張設幰蓋亦以珍奇雜寶而嚴
飾之寶繩交絡垂諸華纓重敷綩綖安置丹
枕駕以白牛膚色充潔形體姝好有大筋力
行步平正其疾如風又多僕從而侍衛之所
以者何是大長者財富无量種種諸藏悉皆
充溢而作是念我財物无極不應以下劣小
車與諸子等今此幼童皆是吾子愛无偏黨
我有如是七寶大車其數无量應當等心各
各與之不宜差別所以者何以我此物周給
一國猶尚不匱何況諸子是時諸子各乘大
車得未曾有非本所望舍利弗於汝意云何
是長者等與諸子珍寶大車寧有虛妄不舍
利弗言不也世尊是長者但令諸子得免火
難全其軀命非為虛妄何以故若全身命便

BD01359號　妙法蓮華經卷二　（2–1）

白父言父先所許玩好之具羊車鹿車牛車
願時賜與舍利弗尒時長者各賜諸子等一
大車其車高廣衆寶莊校周帀欄楯四面懸
鈴又於其上張設幰蓋亦以珍奇雜寶而嚴
飾之寶繩交絡垂諸華纓重敷綩綖安置丹
枕駕以白牛膚色充潔形體姝好有大筋力
行步平正其疾如風又多僕從而侍衛之所
以者何是大長者財富无量種種諸藏悉皆
充溢而作是念我財物无極不應以下劣小
車與諸子等今此幼童皆是吾子愛无偏黨
我有如是七寶大車其數无量應當等心各
各與之不宜差別所以者何以我此物周給
一國猶尚不匱何況諸子是時諸子各乘大
車得未曾有非本所望舍利弗於汝意云何
是長者等與諸子珍寶大車寧有虛妄不舍
利弗言不也世尊是長者但令諸子得免火
難全其軀命非為虛妄何以故若全身命便
為已得玩好之具況復方便於彼火宅而拔
濟之世尊若是長者乃至不與取小一車猶
不虛妄何以故是長者先作是意我以方便
令子得出以是因緣无虛妄也何況長者自

BD01359號　妙法蓮華經卷二　（2–2）

大乘無量壽經
如是我聞一時薄伽梵在舍衛國祇樹給孤獨園與大苾芻僧千二百五十人大菩薩摩
訶薩衆俱同會坐尒時世尊告曼殊室利童子曼殊上方有世界名無量功德
聚彼土有佛號無量智決定王如來阿羅訶三藐三菩提現爲衆生開示說法
曼殊諦聽南閻浮提人皆短壽大限百年於中殀枉橫死者衆曼殊是無
量壽如來功德名稱法要若有衆生得聞名號若自書或使人書能爲經卷受
持讀誦若於舍宅所在之處以種種花鬘瓔珞塗香末香而爲供養如其命盡復
得延年滿足百歲如是曼殊若有衆生得聞是無量壽智決定王如來一百八
名號者益其長壽若有衆生大命將盡憶念是如來名號更得增壽如是
曼殊若有善男子善女人欲求長命於是無量壽如來一百八名號有得聞者
或自書若使人書及受持讀誦得如是等果報福德具足陁羅尼曰
南謨薄伽勃底一阿波唎蜜多二阿喻紇硯娜三須毗你悲指陁四羅佐耶五怛他羯他耶六怛
姪他唵七薩婆桑悉迦羅八波唎輸底九達磨底十伽迦娜十一莎訶某持迦底十二
薩婆婆毗輸底十三摩訶娜耶十四波唎婆蘩莎訶十五
世尊復告曼殊室利如是如來一百八名號若有自書或使人書爲經卷受持讀誦如壽
命盡復滿百年壽終此身後得往生無量福智世界無量壽淨土陁羅尼曰
南謨薄伽勃底一阿波唎蜜多二阿喻紇硯娜三須毗你悲指陁四羅佐耶五怛他羯他耶六
怛姪他唵七薩婆桑悉迦羅八波唎輸底九達磨底十伽迦娜十一莎訶某持迦底十二
薩婆婆毗輸底十三摩訶娜耶十四波唎婆蘩莎訶十五
尒時有九十九殑佛等一時同聲說是無量壽宗要經陁羅尼曰
南謨薄伽勃底一阿波唎蜜多二阿喻紇硯娜三須毗你悲指陁四羅佐耶五怛他羯他耶六
怛姪他唵七薩婆桑悉迦羅八波唎輸底九達磨底十伽迦娜十一莎訶某持迦底十二薩
婆婆毗輸底十三摩訶娜耶十四波唎婆蘩莎訶十五
尒時復有一百四殑佛一時同聲說是無量壽宗要經陁羅尼曰
南謨薄伽勃底一阿波唎蜜多二阿喻紇硯娜三須毗你悲指陁四羅佐耶五怛他羯他耶六
怛姪他唵七薩婆桑悉迦羅八波唎輸底九達磨底十伽迦娜十一莎訶某持迦底十二

BD01360號　無量壽宗要經　（5–1）

薩婆婆毗輸底十三摩訶娜耶十四波唎婆蘩莎訶十五
尒時有九十九殑佛等一時同聲說是無量壽宗要經陁羅尼曰
南謨薄伽勃底一阿波唎蜜多二阿喻紇硯娜三須毗你悲指陁四羅佐耶五怛他羯他耶六
怛姪他唵七薩婆桑悉迦羅八波唎輸底九達磨底十伽迦娜十一莎訶某持迦底十二薩
婆婆毗輸底十三摩訶娜耶十四波唎婆蘩莎訶十五
尒時復有一百四殑佛一時同聲說是無量壽宗要經陁羅尼曰
南謨薄伽勃底一阿波唎蜜多二阿喻紇硯娜三須毗你悲指陁四羅佐耶五怛他羯他耶六
怛姪他唵七薩婆桑悉迦羅八波唎輸底九達磨底十伽迦娜十一莎訶某持迦底十二
薩婆婆毗輸底十三摩訶娜耶十四波唎婆蘩莎訶十五
尒時復有七殑佛一時同聲說是無量壽宗要經陁羅尼曰
南謨薄伽勃底一阿波唎蜜多二阿喻紇硯娜三須毗你悲指陁四羅佐耶五怛他羯他耶六
怛姪他唵七薩婆桑悉迦羅八波唎輸底九達磨底十伽迦娜十一莎訶某持迦底十二
薩婆婆毗輸底十三摩訶娜耶十四波唎婆蘩莎訶十五
尒時復有六十五殑佛一時同聲說是無量壽宗要經陁羅尼曰
南謨薄伽勃底一阿波唎蜜多二阿喻紇硯娜三須毗你悲指陁四羅佐耶五怛他羯他耶六
怛姪他唵七薩婆桑悉迦羅八波唎輸底九達磨底十伽迦娜十一莎訶某持迦底十二
薩婆婆毗輸底十三摩訶娜耶十四波唎婆蘩莎訶十五
尒時復有五十五殑佛一時同聲說是無量壽宗要經陁羅尼曰
南謨薄伽勃底一阿波唎蜜多二阿喻紇硯娜三須毗你悲指陁四羅佐耶五怛他羯他耶六
怛姪他唵七薩婆桑悉迦羅八波唎輸底九達磨底十伽迦娜十一莎訶某持迦底十二
薩婆婆毗輸底十三摩訶娜耶十四波唎婆蘩莎訶十五
尒時復有四十五殑佛一時同聲說是無量壽宗要經陁羅尼曰
南謨薄伽勃底一阿波唎蜜多二阿喻紇硯娜三須毗你悲指陁四羅佐耶五怛他羯他耶六
怛姪他唵七薩婆桑悉迦羅八波唎輸底九達磨底十伽迦娜十一莎訶某持羯底十二
薩婆婆毗輸底十三摩訶娜耶十四波唎婆蘩莎訶十五
尒時復有三十六殑佛一時同聲說是無量壽宗要經陁羅尼曰
南謨薄伽勃底一阿波唎蜜多二阿喻紇硯娜三須毗你悲指陁四羅佐耶五怛他羯他耶六
怛姪他唵七薩婆桑悉迦羅八波唎輸底九達磨底十伽迦娜十一莎訶某持迦底十二
薩婆婆毗輸底十三摩訶娜耶十四波唎婆蘩莎訶十五
尒時復有二十五殑佛一時同聲說是無量壽宗要經陁羅尼曰
南謨薄伽勃底一阿波唎蜜多二阿喻紇硯娜三須毗你悲指陁四羅佐耶五怛他羯他耶六

BD01360號　無量壽宗要經　（5–2）

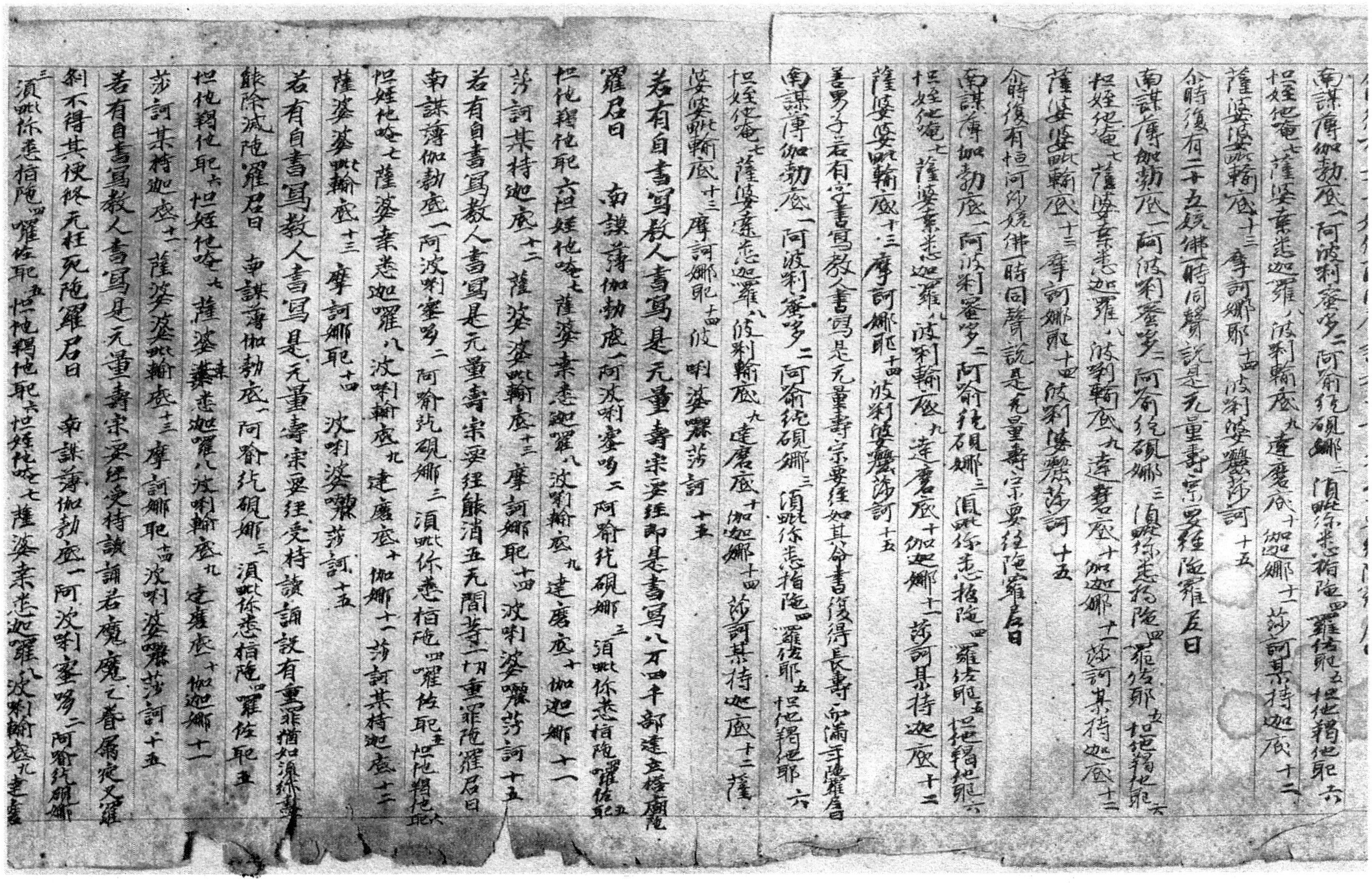

南謨薄伽勃底一阿波唎蜜多二阿俞紇硯娜三須毗你悉指陁四羅佐耶五怛他羯他耶六
怛姪他唵七薩婆桑悉迦羅八波唎輸底九達磨底十伽迦娜十一莎訶某持迦底十二
薩婆婆毗輸底十三摩訶娜耶十四波唎婆曬莎訶十五
尒時復有二十五殑佛一時同聲說是无量壽宗要經陁羅尼曰
南謨薄伽勃底一阿波唎蜜多二阿俞紇硯娜三須毗你悉指陁四羅佐耶五怛他羯他耶六
怛姪他唵七薩婆桑悉迦羅八波唎輸底九達磨底十伽迦娜十一莎訶某持迦底十二
薩婆婆毗輸底十三摩訶娜耶十四波唎婆曬莎訶十五
尒時復有恒河沙殑佛一時同聲說是无量壽宗要經陁羅尼曰
南謨薄伽勃底一阿波唎蜜多二阿俞紇硯娜三須毗你悉指陁四羅佐耶五怛他羯他耶六
怛姪他唵七薩婆桑悉迦羅八波唎輸底九達磨底十伽迦娜十一莎訶某持迦底十二
薩婆婆毗輸底十三摩訶娜耶十四波唎婆曬莎訶十五
善男子若有自書寫教人書寫是无量壽宗要經如其命盡復得長壽命滿百年陁羅尼曰
南謨薄伽勃底一阿波唎蜜多二阿俞紇硯娜三須毗你悉指陁四羅佐耶五怛他羯他耶六
怛姪他唵七薩婆桑悉迦羅八波唎輸底九達磨底十伽迦娜十一莎訶某持迦底十二薩
婆婆毗輸底十三摩訶娜耶十四波唎婆曬莎訶十五
若有自書寫教人書寫是无量壽宗要經即是書寫八万四千部建立塔廟陁
羅尼曰　南謨薄伽勃底一阿波唎蜜多二阿俞紇硯娜三須毗你悉指陁囉佐耶五
怛他羯他耶六怛姪他唵七薩婆桑悉迦羅八波唎輸底九達磨底十伽迦娜十一
莎訶某持迦底十二薩婆婆毗輸底十三摩訶娜耶十四波唎婆曬莎訶十五
若有自書寫教人書寫是无量壽宗要經能消五无間等一切重罪陁羅尼曰
南謨薄伽勃底一阿波唎蜜多二阿俞紇硯娜三須毗你悉指陁四囉佐耶五怛他羯他耶六
怛姪他唵七薩婆桑悉迦羅八波唎輸底九達磨底十伽迦娜十一莎訶某持迦底十二
薩婆婆毗輸底十三摩訶娜耶十四波唎婆曬莎訶十五
若有自書寫教人書寫是无量壽宗要經受持讀誦設有重罪猶如須彌
能除滅陁羅尼曰　南謨薄伽勃底一阿俞紇硯娜三須毗你悉指陁四羅佐耶五
怛他羯他耶六怛姪他唵七薩婆桑悉迦羅八波唎輸底九達磨底十伽迦娜十一
莎訶某持迦底十二薩婆婆毗輸底十三摩訶娜耶十四波唎婆曬莎訶十五
若有自書寫教人書寫是无量壽宗要經受持讀誦若魔魔之眷屬夜叉羅
剎不得其便終无枉死陁羅尼曰　南謨薄伽勃底一阿波唎蜜多二阿俞紇硯娜
三須毗你悉指陁四囉佐耶五怛他羯他耶六怛姪他唵七薩婆桑悉迦羅八波唎輸底九達

BD01360號　無量壽宗要經　（5–3）

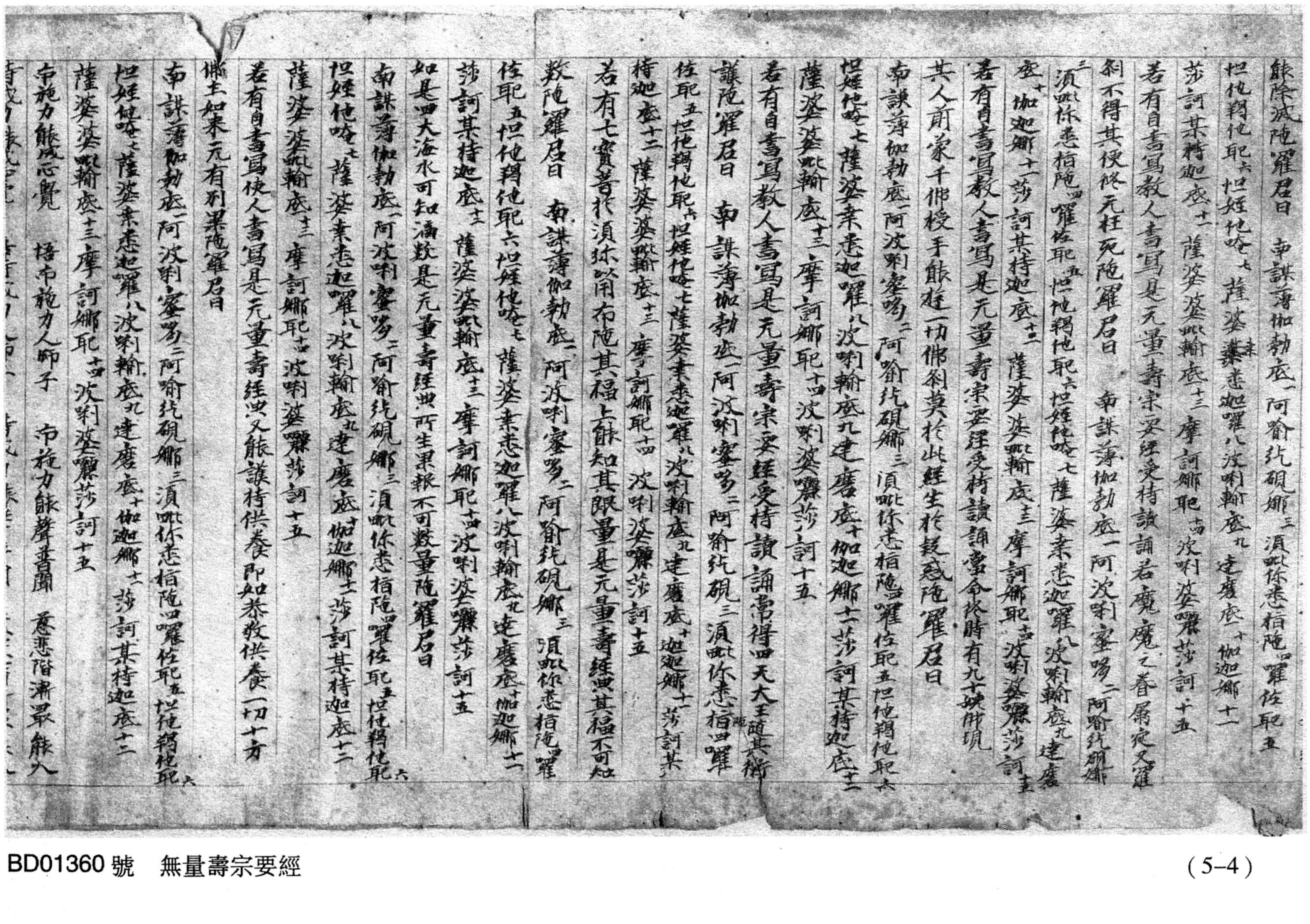

能除滅陁羅尼曰　南謨薄伽勃底一阿俞紇硯娜三須毗你悉指陁四羅佐耶五
怛他羯他耶六怛姪他唵七薩婆桑悉迦羅八波唎輸底九達磨底十伽迦娜十一
莎訶某持迦底十二薩婆婆毗輸底十三摩訶娜耶十四波唎婆曬莎訶十五
若有自書寫教人書寫是无量壽宗要經受持讀誦若魔魔之眷屬夜叉羅
剎不得其便終无枉死陁羅尼曰　南謨薄伽勃底一阿波唎蜜多二阿俞紇硯娜
三須毗你悉指陁四囉佐耶五怛他羯他耶六怛姪他唵七薩婆桑悉迦羅八波唎輸底九達磨
底十伽迦娜十一莎訶某持迦底十二薩婆婆毗輸底十三摩訶娜耶十四波唎婆曬莎訶十五
若有自書寫教人書寫是无量壽宗要經受持讀誦當命終時有九十姟佛現
其人前衆千佛授手能遊一切佛剎莫於此經生於疑惑陁羅尼曰
南謨薄伽勃底一阿波唎蜜多二阿俞紇硯娜三須毗你悉指陁四囉佐耶五怛他羯他耶六
怛姪他唵七薩婆桑悉迦羅八波唎輸底九達磨底十伽迦娜十一莎訶某持迦底十二
薩婆婆毗輸底十三摩訶娜耶十四波唎婆曬莎訶十五
若有自書寫教人書寫是无量壽宗要經受持讀誦常得四天大王隨其衛
護陁羅尼曰　南謨薄伽勃底一阿波唎蜜多二阿俞紇硯三須毗你悉指陁四囉
佐耶五怛他羯他耶六怛姪他唵七薩婆桑悉迦羅八波唎輸底九達磨底十伽迦娜十一莎訶某
持迦底十二薩婆婆毗輸底十三摩訶娜耶十四波唎婆曬莎訶十五
若有七寶善於須弥山布施其福上能知其限量是无量壽經典其福不可知
數陁羅尼曰　南謨薄伽勃底一阿波唎蜜多二阿俞紇硯娜三須毗你悉指陁四囉
佐耶五怛他羯他耶六怛姪他唵七薩婆桑悉迦羅八波唎輸底九達磨底十伽迦娜十一
莎訶某持迦底十二薩婆婆毗輸底十三摩訶娜耶十四波唎婆曬莎訶十五
如是四大海水可知滴數是无量壽經典所生果報不可數量陁羅尼曰
南謨薄伽勃底一阿波唎蜜多二阿俞紇硯娜三須毗你悉指陁四囉佐耶五怛他羯他耶六
怛姪他唵七薩婆桑悉迦羅八波唎輸底九達磨底十伽迦娜十一莎訶某持迦底十二
薩婆婆毗輸底十三摩訶娜耶十四波唎婆曬莎訶十五
若有自書寫使人書寫是无量壽經典又能讓持供養即如恭敬供養一切十方
佛土如來无有別異陁羅尼曰
南謨薄伽勃底一阿波唎蜜多二阿俞紇硯娜三須毗你悉指陁四囉佐耶五怛他羯他耶六
怛姪他唵七薩婆桑悉迦羅八波唎輸底九達磨底十伽迦娜十一莎訶某持迦底十二
薩婆婆毗輸底十三摩訶娜耶十四波唎婆曬莎訶十五
布施力能成正覺　悟布施力人師子　布施力能聲普聞　慈悲階漸眾能入

BD01360號　無量壽宗要經　（5–4）

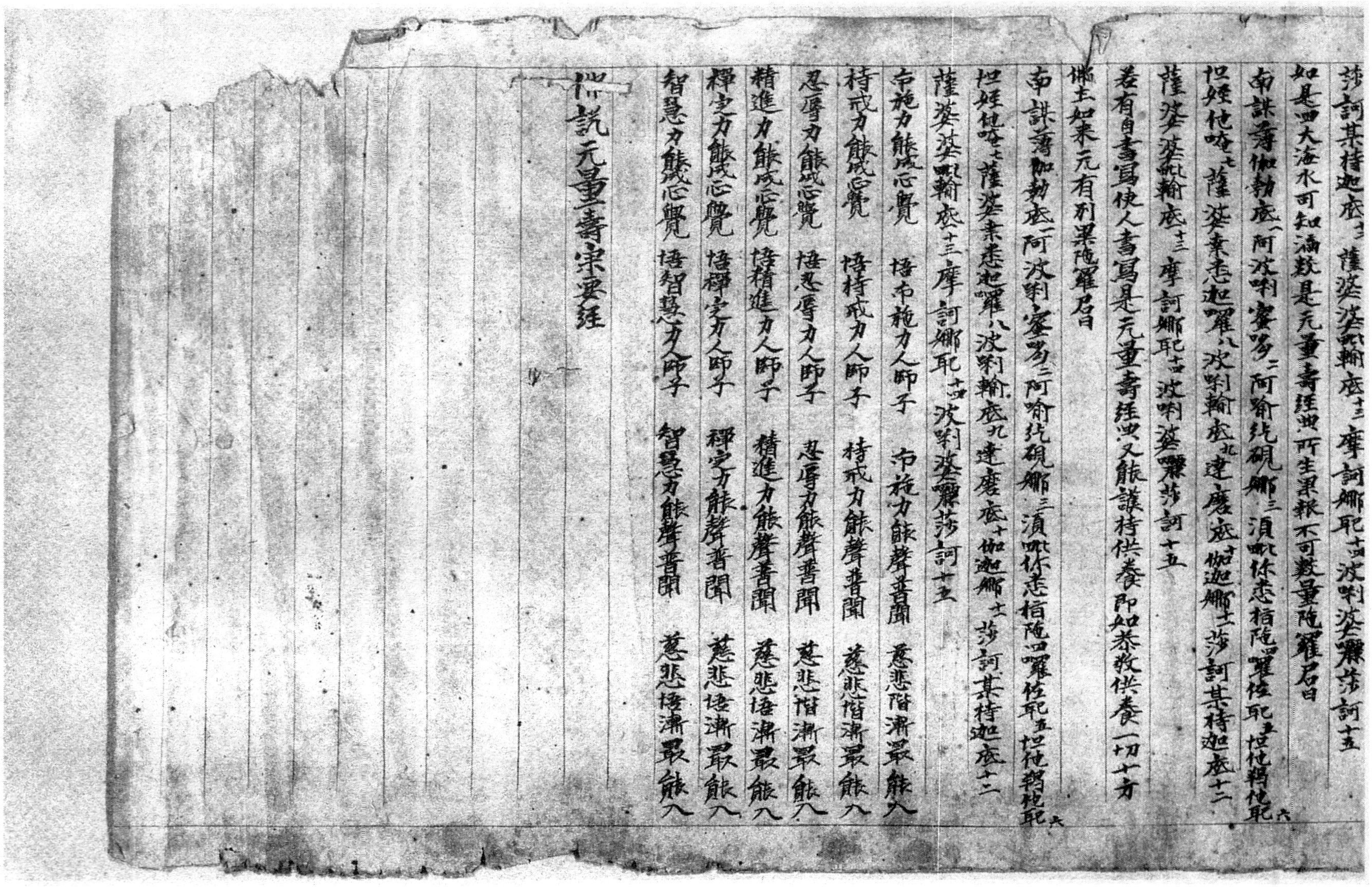

莎訶其特迦底十二 薩婆婆毗輸底十三 摩訶娜耶十四 波唎婆囉莎訶十五
如是四大海水可知滴數是無量壽經典所生果報不可數量陁羅尼曰
南謨薄伽勃底一 阿波唎蜜哆二 阿喻紇硯娜三 須毗你悉指陁四 囉佐耶五 怛他羯他耶六
怛姪他唵七 薩婆桑悉迦囉八 波唎輸底九 達磨底十 伽迦娜十一 莎訶其特迦底十二
薩婆婆毗輸底十三 摩訶娜耶十四 波唎婆囉莎訶十五
若有自書寫使人書寫是無量壽經典又能讓持供養即如恭敬供養一切十方
佛土如來無有別異陁羅尼曰
南謨薄伽勃底一 阿波唎蜜哆二 阿喻紇硯娜三 須毗你悉指陁四 囉佐耶五 怛他羯他耶六
怛姪他唵七 薩婆桑悉迦囉八 波唎輸底九 達磨底十 伽迦娜十一 莎訶其特迦底十二
薩婆婆毗輸底十三 摩訶娜耶十四 波唎婆囉莎訶十五
布施力能成正覺 悟布施力人師子 布施力能聲普聞 慈悲階漸最能入
持戒力能成正覺 悟持戒力人師子 持戒力能聲普聞 慈悲階漸最能入
忍辱力能成正覺 悟忍辱力人師子 忍辱力能聲普聞 慈悲階漸最能入
精進力能成正覺 悟精進力人師子 精進力能聲普聞 慈悲悟漸最能入
禪定力能成正覺 悟禪定力人師子 禪定力能聲普聞 慈悲悟漸最能入
智慧力能成正覺 悟智慧力人師子 智慧力能聲普聞 慈悲悟漸最能入
佛說無量壽宗要經

BD01360號　無量壽宗要經　（5–5）

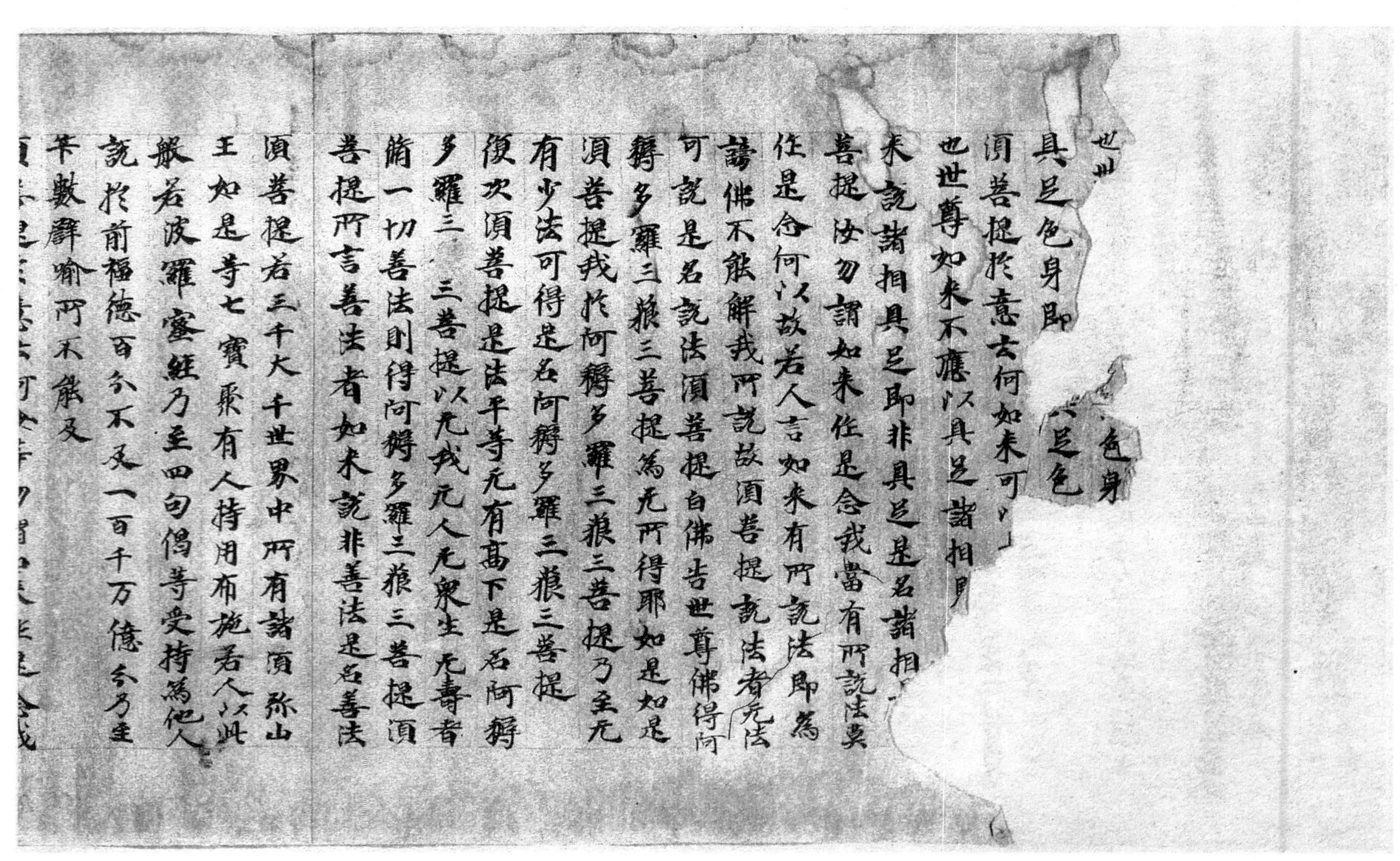
也世
具足色身即……足色身
須菩提於意云何如來可以……
也世尊如來不應以具足諸相見……
來說諸相具足即非具足是名諸相……
菩提汝勿謂如來作是念我當有所說法莫
作是念何以故若人言如來有所說法即為
謗佛不能解我所說故須菩提說法者無法
可說是名說法須菩提白佛告世尊佛得阿
耨多羅三藐三菩提為無所得耶如是如是
須菩提我於阿耨多羅三藐三菩提乃至無
有少法可得是名阿耨多羅三藐三菩提
復次須菩提是法平等無有高下是名阿耨
多羅三　三菩提以無我無人無衆生無壽者
脩一切善法則得阿耨多羅三藐三菩提須
菩提所言善法者如來說非善法是名善法
須菩提若三千大千世界中所有諸須弥山
王如是等七寶聚有人持用布施若人以此
般若波羅蜜經乃至四句偈等受持為他人
說於前福德百分不及一百千万億分乃至
筭數譬喻所不能及

BD01361號　金剛般若波羅蜜經　（4–1）

般若波羅蜜經乃至四句偈等受持爲他人
說於前福德百分不及一百千万億分乃至
筭數譬喻所不能及
須菩提於意云何汝等勿謂如來作是念我
當度衆生須菩提莫作是念何以故實无有
衆生如來度者若有衆生如來度者如來
則有我人衆生壽者須菩提如來說有我者
則非有我而凡夫之人以爲有我須菩提凡
夫者如來說則非凡夫須菩提於意云何可
以卅二相觀如來不須菩提言如是如是以卅
二相觀如來佛言須菩提若卅二相觀如
來者轉輪聖王則是如來須菩提白佛言世
尊如我解佛所說義不應以卅二相觀如來
尒時世尊而說偈言
若以色見我　以音聲求我　是人行邪道　不能見如來
須菩提汝若作是念如來不以具足相故得
阿耨多羅三藐三菩提須菩提莫作是念如
來不以具足相故得阿耨多羅三藐三菩提
須菩提汝若作是念發阿耨多羅三藐三菩提
者說諸法斷滅莫作是念何以故發阿耨多
羅三藐三菩提者於法不說斷滅相須菩提
若菩薩以滿恒河沙等世界七寶布施若復
有人知一切法无我得成於忍此菩薩勝前
菩薩所得功德須菩提以諸菩薩不受福
德故須菩提白佛言世尊云何菩薩不受福德
須菩提菩薩所作福德不應貪著是故說

BD01361號　金剛般若波羅蜜經　（4–2）

有人知一切法无我得成於忍此菩薩勝前
菩薩所得功德須菩提以諸菩薩不受福
德故須菩提白佛言世尊云何菩薩不受福德
須菩提菩薩所作福德不應貪著是故說
不受福德須菩提若有人言如來若來若去
若坐若卧是人不解我所說義何以故如來
者无所從來亦无所去故名如來須菩提若
善男子善女人三千大千世界碎爲微塵
於意云何是微塵衆寧爲多不甚多世尊
何以故若是微塵衆實有者佛則不說是微
塵衆所以者何佛說微塵衆則非微塵衆是
名微塵衆世尊如來所說三千大千世界則非
世界是名世界何以故若世界實有者則是
一合相如來說一合相則非一合相是名一
合相須菩提一合相者則是不可說但凡夫
之人貪著其事須菩提若人言佛說我見人
見衆生見壽者見須菩提於意云何是人解
我所說義不世尊是人不解如來所說義何
以故世尊說我見人見衆生見壽者見即非
我見人見衆生見壽者見是名我見人見衆
生見壽者見須菩提發阿耨多羅三藐三菩
提心者於一切法應如是知如是見如是信
解不生法相須菩提所言法相如來說即非
法相是名法相須菩提若有人以滿无量阿
僧祇世界七寶持用布施若有善男子善女
人發菩薩心者持於此經乃至四句偈等受
持讀誦爲人演說其福勝彼云何爲人演說

BD01361號　金剛般若波羅蜜經　（4–3）

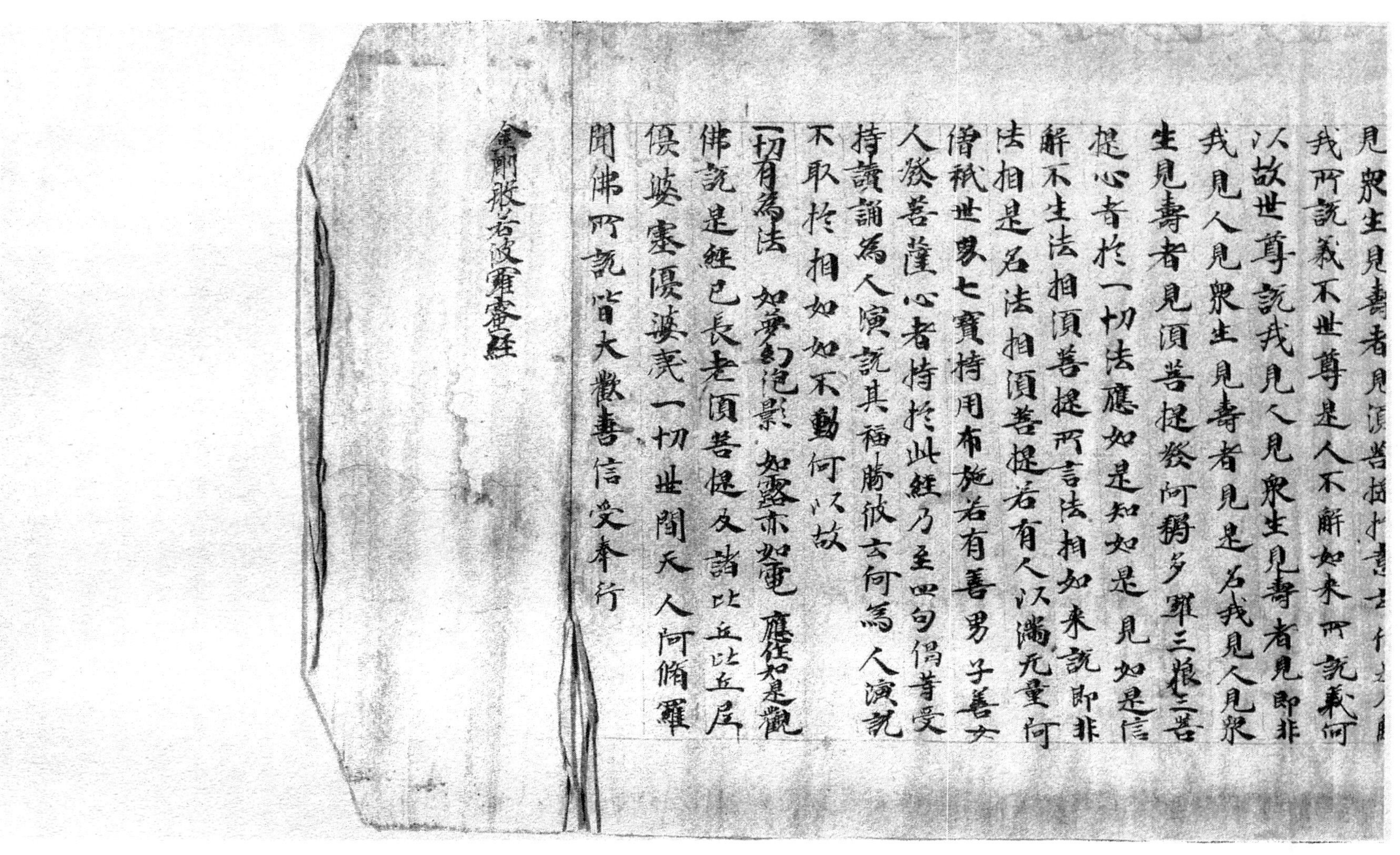

BD01361 號　金剛般若波羅蜜經　　（4–4）

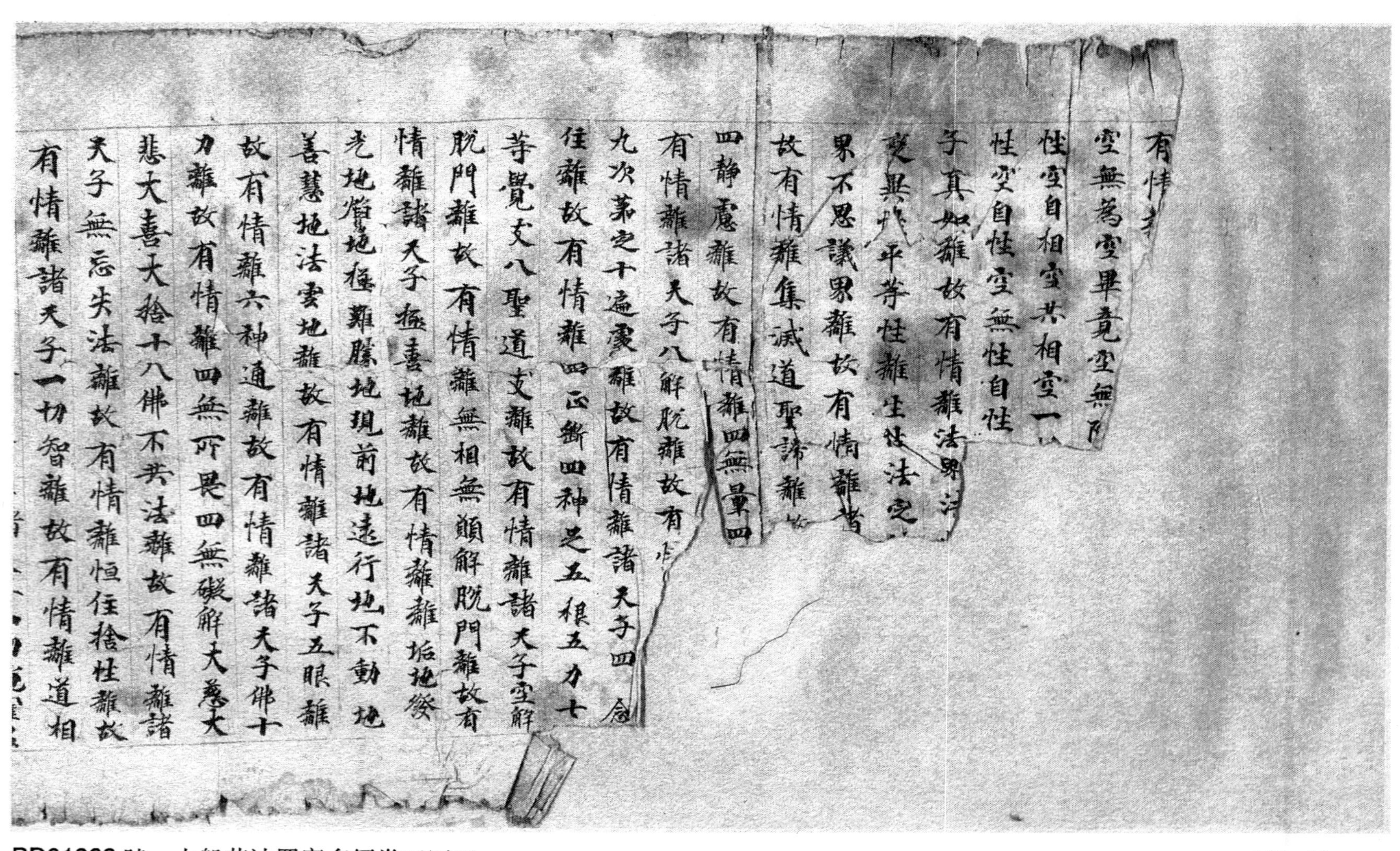

BD01362 號　大般若波羅蜜多經卷三四三　　（21–1）

故有情離六神通離故有情離諸天子佛十
力離故有情離四無所畏四無礙解大慈大
悲大喜大捨十八佛不共法離故有情離諸
天子無忘失法離故有情離恒住捨性離故
有情離諸天子一切智離故有情離道相
智一切相智離故有情離諸天子一切陁羅尼
門離故有情離一切三摩地門離故有情離
諸天子預流果離故有情離一來不還阿羅
漢果離故有情離諸天子獨覺菩提離故有
情離諸天子一切菩薩摩訶薩行離故有情
離諸天子諸佛無上正等菩提離故有情離
諸天子一切智智離故有情離
復次諸天子色離故布施淨戒安忍精進靜
慮般若波羅蜜多離受想行識離故布施淨
戒安忍精進靜慮般若波羅蜜多離諸天子
色離故內空外空內外空空空大空勝義空有
為空無為空畢竟空無際空散空無變異
空本性空自相空共相空一切法空不可得
空無性空自性空無性自性空離受想行識
離故內空乃至無性自性空離諸天子色離
故真如法界法性不虛妄性不變異性平等
性離生性法定法住實際虛空界不思議界
離受想行識離故真如乃至不思議界離諸
天子色離故苦集滅道聖諦離受想行識離
故苦集滅道聖諦離諸天子色離故四靜慮
四無量四無色定離受想行識離故四靜慮

BD01362號　大般若波羅蜜多經卷三四三　（21–2）

性離生性法定法住實際虛空界不思議界
離受想行識離故真如乃至不思議界離諸
天子色離故苦集滅道聖諦離受想行識離
故苦集滅道聖諦離諸天子色離故四靜慮
四無量四無色定離受想行識離故四靜慮
四無量四無色定離諸天子色離故八解脫八
勝處九次第定十遍處離受想行識離故
八解脫八勝處九次第定十遍處離諸天子
色離故四念住四正斷四神足五根五力七
等覺支八聖道支離受想行識離故四念住
乃至八聖道支離諸天子色離故空無相無
願解脫門離受想行識離故空無相無願解
脫門離諸天子色離故極喜地離垢地發光
地焰慧地極難勝地現前地遠行地不動地
善慧地法雲地離受想行識離故極喜地乃
至法雲地離諸天子色離故五眼六神通離
受想行識離故五眼六神通離諸天子色離
故佛十力四無所畏四無礙解大慈大悲大
喜大捨十八佛不共法離受想行識離故佛
十力乃至十八佛不共法離諸天子色離故
無忘失法恒住捨性離受想行識離故無忘
失法恒住捨性離諸天子色離故一切智道
相智一切相智離受想行識離故一切智道
相智一切相智離諸天子色離故一切陁羅
尼門三摩地門離受想行識離故一切陁羅
尼門三摩地門離諸天子色離故預流一來

BD01362號　大般若波羅蜜多經卷三四三　（21–3）

相智一切相智離受想行識離故一切智道
相智一切相智離諸天子色離故一切陁羅
尼門三摩地門離受想行識離故一切陁羅
尼門三摩地門離諸天子色離故預流一來
不還阿羅漢果離受想行識離故預流一來
不還阿羅漢果離諸天子色離故獨覺菩提
離受想行識離故獨覺菩提離諸天子色離
故一切菩薩摩訶薩行離受想行識離故一
切菩薩摩訶薩行離諸天子色離故諸佛無
上正等菩提離受想行識離故諸佛無上正
等菩提離諸天子色離故一切智智離受想
行識離故一切智智離
復次諸天子眼處離故布施淨戒安忍精進
靜慮般若波羅蜜多離耳鼻舌身意處離
故布施淨戒安忍精進靜慮般若波羅蜜多
離諸天子眼處離故內空外空內外空空空大
空勝義空有為空無為空畢竟空無際空散
空無變異空本性空自相空共相空一切法
空不可得空無性空自性空無性自性空離
耳鼻舌身意處離故內空乃至無性自性空
離諸天子眼處離故真如法界法性不虛妄
性不變異性平等性離生性法定法住實際
虛空界不思議界離耳鼻舌身意處離故真
如乃至不思議界離諸天子眼處離故苦集
滅道聖諦離耳鼻舌身意處故苦集滅道
聖諦離諸天子眼處離故四靜慮四無量四

BD01362號　大般若波羅蜜多經卷三四三　（21-4）

性不變異性平等性離生性法定法住實際
虛空界不思議界離耳鼻舌身意處離故真
如乃至不思議界離諸天子眼處離故苦集
滅道聖諦離耳鼻舌身意處故苦集滅道
聖諦離諸天子眼處離故四靜慮四無量四
無色定離耳鼻舌身意處離故四靜慮四無
量四無色定離諸天子眼處離故八解脫八勝
處九次第定十遍處離耳鼻舌身意處離
故八解脫八勝處九次第定十遍處離諸天
子眼處離故四念住四正斷四神足五根五
力七等覺支八聖道支離耳鼻舌身意處
離故四念住乃至八聖道支離諸天子眼處離
故空無相無願解脫門離耳鼻舌身意處離
故空無相無願解脫門離諸天子眼處離故
極喜地離垢地發光地焰慧地極難勝地現
前地遠行地不動地善慧地法雲地離耳鼻
舌身意處離故極喜地乃至法雲地離諸天
子眼處離故五眼六神通離耳鼻舌身意處
離故五眼六神通離諸天子眼處離故佛十
力四無所畏四無礙解大慈大悲大喜大捨
十八佛不共法離耳鼻舌身意處離故佛十
力乃至十八佛不共法離諸天子眼處離故無
忘失法恒住捨性離耳鼻舌身意處離故
無忘失法恒住捨性離諸天子眼處離故一
切智道相智一切相智離耳鼻舌身意處離
故一切智道相智一切相智離諸天子眼處離

BD01362號　大般若波羅蜜多經卷三四三　（21-5）

力乃至十八佛不共法離諸天子眼處離故無
忘失法恒住捨性離耳鼻舌身意處離故
無忘失法恒住捨性離諸天子眼處離故一
切智道相智一切相智離耳鼻舌身意處離
故一切智道相智一切相智離諸天子眼處離
故一切陀羅尼門三摩地門離耳鼻舌身意
處離故一切陀羅尼門三摩地門離諸天子
眼處離故預流一來不還阿羅漢果離耳鼻
舌身意處離故預流一來不還阿羅漢果離
諸天子眼處離故獨覺菩提離耳鼻舌身
意處離故獨覺菩提離諸天子眼處離故一
切菩薩摩訶薩行離耳鼻舌身意處離故一
切菩薩摩訶薩行諸天子眼處離故諸佛
無上正等菩提離耳鼻舌身意處離故諸佛
無上正等菩提離諸天子眼處離故一切智
智離耳鼻舌身意處離故一切智智離
復次諸天子色處離故布施淨戒安忍精進
靜慮般若波羅蜜多離聲香味觸法處離故
布施淨戒安忍精進靜慮般若波羅蜜多離
諸天子色處離故內空外空內外空空空大
空勝義空有為空無為空畢竟空無際空散
空無變異空本性空自相空共相空一切法空
不可得空無性空自性空無性自性空離
聲香味觸法處離故內空乃至無性自性空
離諸天子色處離故真如法界法性不虛妄
性不變異性平等性離生性法定法住實際

不可得空無性空自性空無性自性空離
聲香味觸法處離故內空乃至無性自性空
離諸天子色處離故真如法界法性不虛妄
性不變異性平等性離生性法定法住實際
虛空界不思議界離聲香味觸法處離故真
如乃至不思議界離諸天子色處離故苦集
滅道聖諦離聲香味觸法處離故苦集滅道
聖諦離諸天子色處離故四靜慮四無量四無
色定離聲香味觸法處離故四靜慮四無
量四無色定離諸天子色處離故八解脫八
勝處九次第定十遍處離聲香味觸法處離
故八解脫八勝處九次第定十遍處離諸天子
色處離故四念住四正斷四神足五根五力
七等覺支八聖道支離聲香味觸法處離
故四念住乃至八聖道支離諸天子色處離
故空無相無願解脫門離聲香味觸法處離
故空無相無願解脫門離諸天子色處離故
極喜地離垢地發光地焰慧地極難勝地現
前地遠行地不動地善慧地法雲地離聲香
味觸法處離故極喜地乃至法雲地離諸天
子眼處離故五眼六神通離聲香味觸法處
離故五眼六神通離諸天子色處離故佛十
力四無所畏四無礙解大慈大悲大喜大捨
十八佛不共法離聲香味觸法處離故佛十
力乃至十八佛不共法離諸天子色處離故
無忘失法恒住捨性離聲香味觸法處離故

十八佛不共法離聲香味觸法處離故佛十
力乃至十八佛不共法離諸天子色處離故
無忘失法恒住捨性離聲香味觸法處離故
無忘失法恒住捨性離諸天子色處離故一
切智道相智一切相智離聲香味觸法處
離故一切智道相智一切相智離諸天子色處
離故一切陁羅尼門三摩地門離聲香味觸
法處離故一切陁羅尼門三摩地門離諸天
子色處離故預流一来不還阿羅漢果離聲
香味觸法處離故預流一来不還阿羅漢果
離諸天子色處離故獨覺菩提離聲香味
觸法處離故獨覺菩提諸天子色處離故一
切菩薩摩訶薩行離聲香味觸法處離故一
切菩薩摩訶薩行離諸天子色處離故諸佛
無上正等菩提離聲香味觸法處離故諸佛
無上正等菩提離諸天子色處離故一切智
智離聲香味觸法處離故一切智智離
復次諸天子眼界離故布施淨戒安忍精進
靜慮般若波羅蜜多離耳鼻舌身意界離故
布施淨戒安忍精進靜慮般若波羅蜜多離
諸天子眼界離故內空外空內外空空空大空
勝義空有為空無為空畢竟空無際空散
空無變異空本性空自相空共相空一切法
空不可得空無性空自性空無性自性空離
耳鼻舌身意界離故內空乃至無性自性空
離諸天子眼界離故真如法界法性不虛妄

BD01362號　大般若波羅蜜多經卷三四三　（21–8）

空不可得空無性空自性空無性自性空離
耳鼻舌身意界離故內空乃至無性自性空
離諸天子眼界離故真如法界法性不虛妄
性不變異性平等性離生性法定法住實際
虛空界不思議界離耳鼻舌身意界離故真
如乃至不思議界離諸天子眼界離故苦集
滅道聖諦離耳鼻舌身意界離故苦集滅道
聖諦離諸天子眼界離故四靜慮四無量四
無色定離耳鼻舌身意界離故四靜慮四無
量四無色定離諸天子眼界離故八解脫八
勝處九次第定十遍處離耳鼻舌身意界離
故八解脫八勝處九次第定十遍處離諸天
子眼界離故四念住四正斷四神足五根五
力七等覺支八聖道支離耳鼻舌身意界離
故四念住乃至八聖道支離諸天子眼界離
故空無相無願解脫門離耳鼻舌身意界離
故空無相無願解脫門離諸天子眼界離故
極喜地離垢地發光地焰慧地極難勝地現
前地遠行地不動地善慧地法雲地離耳鼻
舌身意界離故極喜地乃至法雲地離諸天
子眼界離故五眼六神通離耳鼻舌身意界
離故五眼六神通離諸天子眼界離故佛十力
四無所畏四無礙解大慈大悲大喜大捨
十八佛不共法離耳鼻舌身意界離故佛十
力乃至十八佛不共法離諸天子眼界離故
無忘失法恒住捨性離耳鼻舌身意界離故

BD01362號　大般若波羅蜜多經卷三四三　（21–9）

四無所畏四無礙解大慈大悲大喜大捨
十八佛不共法離耳鼻舌身意界離故佛十
力乃至十八佛不共法離諸天子眼界離故
無忘失法恒住捨性離耳鼻舌身意界離故
無忘失法恒住捨性離諸天子眼界離故一
切智道相智一切相智離耳鼻舌身意界離
故一切智道相智一切相智離諸天子眼界
離故一切陁羅尼門三摩地門離耳鼻舌身
意界離故一切陁羅尼門三摩地門離諸天
子眼界離故預流一來不還阿羅漢果離耳
鼻舌身意界離故預流一來不還阿羅漢果
離諸天子眼界離故獨覺菩提離耳鼻舌身
意界離故獨覺菩提離諸天子眼界離故一
切菩薩摩訶薩行離耳鼻舌身意界離故一
切菩薩摩訶薩行離諸天子眼界離故諸佛
無上正等菩提離耳鼻舌身意界離故諸佛
無上正等菩提離諸天子眼界離故一切智
智離耳鼻舌身意界離故一切智智離
復次諸天子色界離故布施淨戒安忍精進
靜慮般若波羅蜜多離聲香味觸法界離故
布施淨戒安忍精進靜慮般若波羅蜜多離
諸天子色界離故內空外空內外空空空大
空勝義空有為空無為空畢竟空無際空散
空無變異空本性空自相空共相空一切法
空不可得空無性空自性空無性自性空離
聲香味觸法界離故內空乃至無性自性空
離諸天子色界離故真如法界法性不虛妄

BD01362號　大般若波羅蜜多經卷三四三　（21–10）

空勝義空有為空無為空畢竟空無際空散
空無變異空本性空自相空共相空一切法
空不可得空無性空自性空無性自性空離
聲香味觸法界離故內空乃至無性自性空
離諸天子色界離故真如法界法性不虛妄
性不變異性平等性離生性法定法住實際
虛空界不思議界離聲香味觸法界離故真
如乃至不思議界離諸天子色界離故苦集
滅道聖諦離聲香味觸法界離故苦集滅道
聖諦離諸天子色界離故四靜慮四無量四
無色定離聲香味觸法界離故四靜慮四無
量四無色定離諸天子色界離故八解脫八
勝處九次第定十遍處離聲香味觸法界離
故八解脫八勝處九次第定十遍處離諸天
子色界離故四念住四正斷四神足五根五力
七等覺支八聖道支離聲香味觸法界離
故四念住乃至八聖道支離諸天子色界離故
空無相無願解脫門離聲香味觸法界離
故空無相無願解脫門離諸天子色界離故
極喜地離垢地發光地焰慧地極難勝地現
前地遠行地不動地善慧地法雲地離聲香
味觸法界離故極喜地乃至法雲地離諸天子
色界離故五眼六神通離聲香味觸法界離
故五眼六神通離諸天子色界離故佛十力
四無所畏四無礙解大慈大悲大喜大捨十
八佛不共法離聲香味觸法界離故佛十
力乃至十八佛不共法離諸天子色界離故

BD01362號　大般若波羅蜜多經卷三四三　（21–11）

故五眼六神通離諸天子色界離故佛十力
四無所畏四無礙解大慈大悲大喜大捨十
八佛不共法離聲香味觸法界離故佛十
力乃至十八佛不共法離諸天子色界離故
無忘失法恒住捨性離聲香味觸法界離故
無忘失法恒住捨性離諸天子色界離故一
切智道相智一切相智離聲香味觸法界離
故一切智道相智一切相智離諸天子色界離
故一切陁羅尼門三摩地門離聲香味觸
法界離故一切陁羅尼門三摩地門離諸天
子色界離故預流一來不還阿羅漢果離聲
香味觸法界離故預流一來不還阿羅漢果
離諸天子色界離故獨覺菩提離聲香味觸
法界離故獨覺菩提離諸天子色界離故一
切菩薩摩訶薩行離聲香味觸法界離故一
切菩薩摩訶薩行離諸天子色界離故諸佛
無上正等菩提離聲香味觸法界離故諸佛
無上正等菩提離諸天子色界離故一切智
智離聲香味觸法界離故一切智智離
復次諸天子眼識界離故布施淨戒安忍精
進靜慮般若波羅蜜多離耳鼻舌身意識
界離故布施淨戒安忍精進靜慮般若波羅蜜
多離諸天子眼識界離故內空外空內外空空
空大空勝義空有為空無為空畢竟空無
際空散空無變異空本性空自相空共相空

多離諸天子眼識界離故內空外空內外空空
空大空勝義空有為空無為空畢竟空無
際空散空無變異空本性空自相空共相空
一切法空不可得空無性空自性空無性自
性空離耳鼻舌身意識界離故內空乃至無
性自性空離諸天子眼識界離故真如法界
法性不虛妄性不變異性平等性離生性法
定法住實際虛空界不思議界離耳鼻舌身
意識界離故真如乃至不思議界離諸天子
眼識界離故苦集滅道聖諦離耳鼻舌身意
識界離故苦集滅道聖諦離諸天子眼識界
離故四靜慮四無量四無色定離耳鼻舌身
意識界離故四靜慮四無量四無色定離諸天
子眼識界離故八解脫八勝處九次第定十
遍處離耳鼻舌身意識界離故八解脫八
勝處九次第定十遍處離諸天子眼識界離
故四念住四正斷四神足五根五力七等覺支
八聖道支離耳鼻舌身意識界離故四念
住乃至八聖道支離諸天子眼識界離故空
無相無願解脫門離耳鼻舌身意識界離
故空無相無願解脫門離諸天子眼識界離故
極喜地離垢地發光地焰慧地極難勝地現
前地遠行地不動地善慧地法雲地離耳鼻
舌身意識界離故極喜地乃至法雲地離
諸天子眼識界離故五眼六神通離耳鼻舌

前地遠行地不動地善慧地法雲地離耳鼻
舌身意識界離故極喜地乃至法雲地離
諸天子眼識界離故五眼六神通離耳鼻舌
身意識界離故五眼六神通離諸天子眼識
界離故佛十力四無所畏四無礙解大慈大悲
大喜大捨十八佛不共法離耳鼻舌身意識
界離故佛十力乃至十八佛不共法離諸天子
眼識界離故無忘失法恒住捨性離耳鼻
舌身意識界離故無忘失法恒住捨性諸
天子眼識界離故一切智道相智一切相智
離耳鼻舌身意識界離故一切智道相智一
切相智離諸天子眼識界離故一切陁羅尼
門三摩地門離耳鼻舌身意識界離故一切
陁羅尼門三摩地門離諸天子眼識界離故
預流一來不還阿羅漢果離耳鼻舌身意識
界離故預流一來不還阿羅漢果離諸天子
眼識界離故獨覺菩提離耳鼻舌身意識界
離故獨覺菩提離諸天子眼識界離故一切
菩薩摩訶薩行離耳鼻舌身意識界離故一
切菩薩摩訶薩行離諸天子眼識界離故諸
佛無上正等菩提離耳鼻舌身意識界離故
諸佛無上正等菩提離諸天子眼識界離故
一切智智離耳鼻舌身意識界離故一切智
智離
復次諸天子眼觸離故布施淨戒安忍精進
靜慮般若波羅蜜多離耳鼻舌身意觸離

BD01362號　大般若波羅蜜多經卷三四三　（21–14）

智離
復次諸天子眼觸離故布施淨戒安忍精進
靜慮般若波羅蜜多離耳鼻舌身意觸離
故布施淨戒安忍精進靜慮般若波羅蜜多
離諸天子眼觸離故內空外空內外空空大
空勝義空有為空無為空畢竟空無際空散
空無變異空本性空自相空共相空一切法
空不可得空無性空自性空無性自性空離耳
鼻舌身意觸離故內空乃至無性自性空離
諸天子眼觸離故真如法界法性不虛妄
性不變異性平等性離生性法定法住實際
虛空界不思議界離耳鼻舌身意觸離故真
如乃至不思議界離諸天子眼觸離故苦集
滅道聖諦離耳鼻舌身意觸離故苦集滅道
聖諦離諸天子眼觸離故四靜慮四無量四
無色定離耳鼻舌身意觸離故四靜慮四無
量四無色定離諸天子眼觸離故八解脫八
勝處九次第定十遍處離耳鼻舌身意觸
離故解脫八勝九次第定十遍處離諸天子
眼觸離故四念住四正斷四神足五根五力
七等覺支八聖道支離耳鼻舌身意觸離
故四念住乃至八聖道支離諸天子眼觸離
故空無相無願解脫門離耳鼻舌身意觸離
故空無相無願解脫門離諸天子眼觸離故
極喜地離垢地發光地焰慧地極難勝地現
前地遠行地不動地善慧地法雲地離耳鼻

BD01362號　大般若波羅蜜多經卷三四三　（21–15）

故空無相無願解脫門離耳鼻舌身意觸離
故空無相無願解脫門離諸天子眼觸離故
極喜地離垢地發光地焰慧地極難勝地現
前地遠行地不動地善慧地法雲地離耳鼻
舌身意觸離故極喜地乃至法雲地離諸天
子眼觸離故五眼六神通離耳鼻舌身意
觸離故五眼六神通離諸天子眼觸離故佛十
力四無所畏四無礙解大慈大悲大喜大捨
十八佛不共法離耳鼻舌身意觸離故佛十
力乃至十八佛不共法離諸天子眼觸離故
無忘失法恒住捨性離耳鼻舌身意觸離故
無忘失法恒住捨性離諸天子眼觸離故一
切智道相智一切相智離耳鼻舌身意觸離
故一切智道相智一切相智離諸天子眼觸
離故一切陀羅尼門三摩地門離耳鼻舌身
意觸離故一切陀羅尼門三摩地門離諸天
子眼觸離故預流一來不還阿羅漢果離耳
鼻舌身意觸離故預流一來不還阿羅漢果
離諸天子眼觸離故獨覺菩提離耳鼻舌身
意觸離故獨覺菩提離諸天子眼觸故故一
切菩薩摩訶薩行離耳鼻舌身意觸離故一
切菩薩摩訶薩行離諸天子眼觸離故諸佛
無上正等菩提離耳鼻舌身意觸離故一切智
無上正等菩提離諸天子眼觸離故一切智
智離耳鼻舌身意觸離故一切智智離
復次諸天子眼觸為緣所生諸受離故布施淨

無上正等菩提離耳鼻舌身意觸離故諸佛
無上正等菩提離諸天子眼觸離故一切智
智離耳鼻舌身意觸離故一切智智離
復次諸天子眼觸為緣所生諸受離故布施淨
戒安忍精進靜慮般若波羅蜜多離耳鼻
舌身意觸為緣所生諸受離故布施淨戒安
忍精進靜慮般若波羅蜜多離諸天子眼觸
為緣所生諸受離故內空外空內外空空空
大空勝義空有為空無為空畢竟空無際空
散空無變異空本性空自相空共相空一切
法空不可得空無性空自性空無性自性空
離耳鼻舌身意觸為緣所生諸受離故內空
乃至無性自性空離諸天子眼觸為緣所生諸
受離故真如法界法性不虛妄性不變異
性平等性離生性法定法住實際虛空界不
思議界離耳鼻舌身意觸為緣所生諸受離
故真如乃至不思議界離諸天子眼觸為緣
所生諸受離故苦集滅道聖諦離耳鼻舌身
意觸為緣所生諸受離故苦集滅道聖諦離
諸天子眼觸為緣所生諸受離故四靜慮四
無量四無色定離耳鼻舌身意觸為緣所生
諸受離故四靜慮四無量四無色定離諸天
子眼觸為緣所生諸受離故八解脫八勝處
九次第定十遍處離耳鼻舌身意觸為緣所
生諸受離故八解脫八勝處九次第定十遍處
離諸天子眼觸為緣所生諸受離故四念

九次第定十遍處離耳鼻舌身意觸為緣所
生諸受離故八解脫八勝處九次第定十遍處
離諸天子眼觸為緣所生諸受離故四念
住四正斷四神足五根五力七等覺支八聖
道支離耳鼻舌身意觸為緣所生諸受離故
四念住乃至八聖道支離諸天子眼觸為緣
所生諸受離故空無相無願解脫門離耳鼻
舌身意觸為緣所生諸受離故空無相無願
解脫門離諸天子眼觸為緣所生諸受離故
極喜地離垢地發光地焰慧地極難勝地現
前地遠行地不動地善慧地法雲地離耳鼻
舌身意觸為緣所生諸受離故極喜地乃至
法雲地離諸天子眼觸為緣所生諸受離故
五眼六神通離耳鼻舌身意觸為緣所生諸
受離故五眼六神通離諸天子眼觸為緣所
生諸受離故佛十力四無所畏四無礙解大慈
大悲大喜大捨十八佛不共法離耳鼻舌
身意觸為緣所生諸受離故佛十力乃至十八
佛不共法離諸天子眼觸為緣所生諸受離
故無忘失法恒住捨性離耳鼻舌身意觸為
緣所生諸受離故無忘失法恒住捨性離諸
天子眼觸為緣所生諸受離故一切智道相
智一切相智離耳鼻舌身意觸為緣所生諸
受離故一切智道相智一切相智離諸天子
眼觸為緣所生諸受離故一切陀羅尼門三

BD01362號　大般若波羅蜜多經卷三四三　（21–18）

天子眼觸為緣所生諸受離故一切智道相
智一切相智離耳鼻舌身意觸為緣所生諸
受離故一切智道相智一切相智離諸天子
眼觸為緣所生諸受離故一切陀羅尼門三
摩地門離耳鼻舌身意觸為緣生諸受離
故一切陀羅尼門三摩地門離諸天子眼觸
為緣所生諸受離故預流一來不還阿羅漢果
離耳鼻舌身意觸為緣所生諸受離故預
流一來不還阿羅漢果離諸天子眼觸為緣
所生諸受離故獨覺菩提離耳鼻舌身意觸
為緣所生諸受離故獨覺菩提離諸天子眼
觸為緣所生諸受離故一切菩薩摩訶薩行
離耳鼻舌身意觸為緣所生諸受離故一切
菩薩摩訶薩行離諸天子眼觸為緣所生諸
受離故諸佛無上正等菩提離耳鼻舌身意
觸為緣所生諸受離故諸佛無上正等菩提
離諸天子眼觸為緣所生諸受離故一切智
智離耳鼻舌身意觸為緣所生諸受離故一
切智智離
復次諸天子地界離故布施淨戒安忍精進
靜慮般若波羅蜜多離水火風空識界離故
布施淨戒安忍精進靜慮般若波羅蜜多離
諸天子地界離故內空外空內外空空空大
空勝義空有為空無為空畢竟空無際空散
空無變異空本性空自相空共相空一切法
空不可得空無性空自性空無性自性空離

BD01362號　大般若波羅蜜多經卷三四三　（21–19）

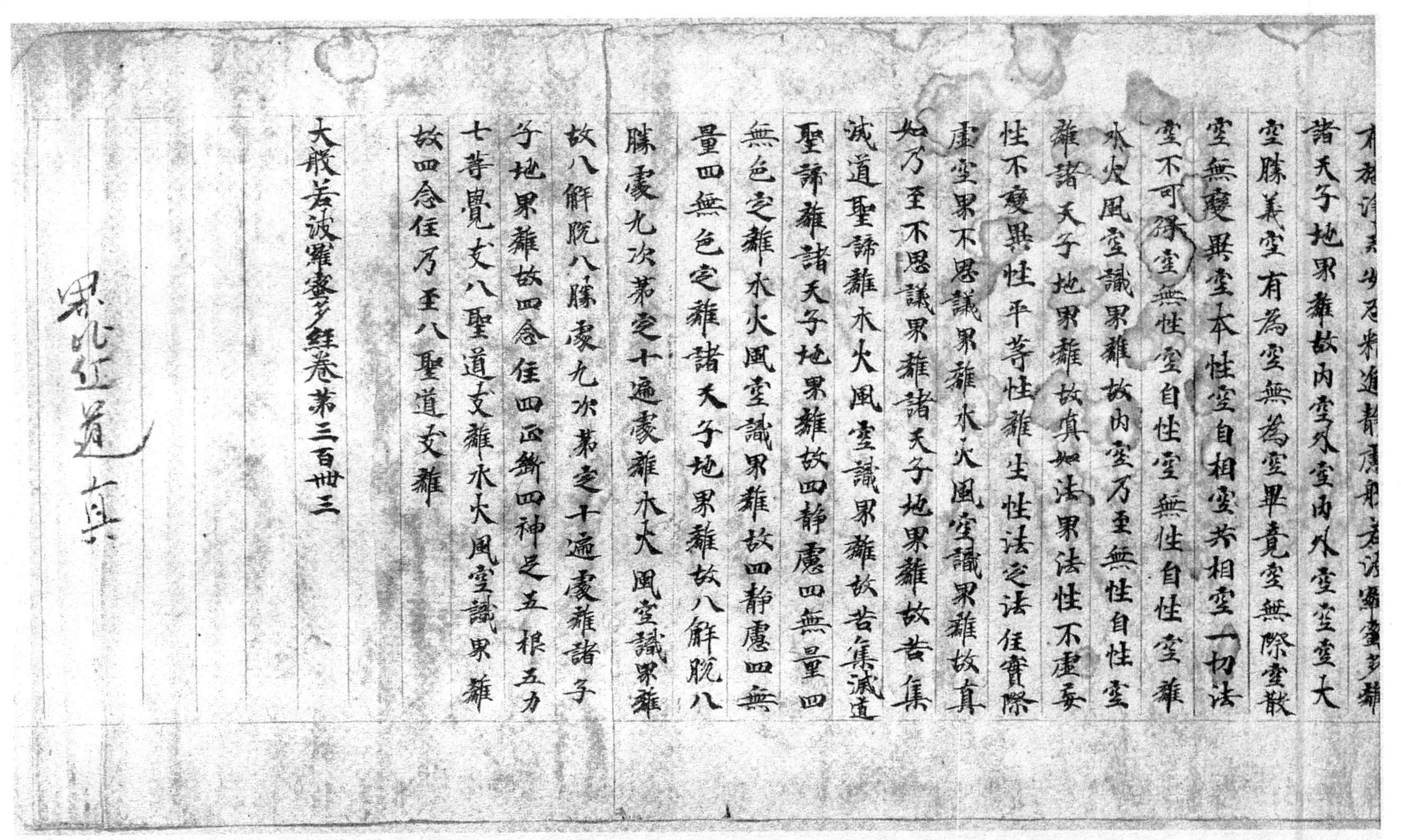

諸天子地界雜故內空外空內外空空空大
空勝義空有為空無為空畢竟空無際空散
空無變異空本性空自相空共相空一切法
空不可得空無性空自性空無性自性空雜
水火風空識界雜故內空乃至無性自性空
雜諸天子地界雜故真如法界法性不虛妄
性不變異性平等性離生性法定法住實際
虛空界不思議界雜水火風空識界雜故真
如乃至不思議界雜諸天子地界雜故苦集
滅道聖諦雜水火風空識界雜故苦集滅道
聖諦雜諸天子地界雜故四靜慮四無量四
無色定雜水火風空識界雜故四靜慮四無
量四無色定雜諸天子地界雜故八解脫八
勝處九次第定十遍處雜水火風空識界雜
故八解脫八勝處九次第定十遍處雜諸子
子地界雜故四念住四正斷四神足五根五力
七等覺支八聖道支雜水火風空識界雜
故四念住乃至八聖道支雜

大般若波羅蜜多經卷第三百冊三

界比丘道真

BD01362 號　大般若波羅蜜多經卷三四三　（21–20）

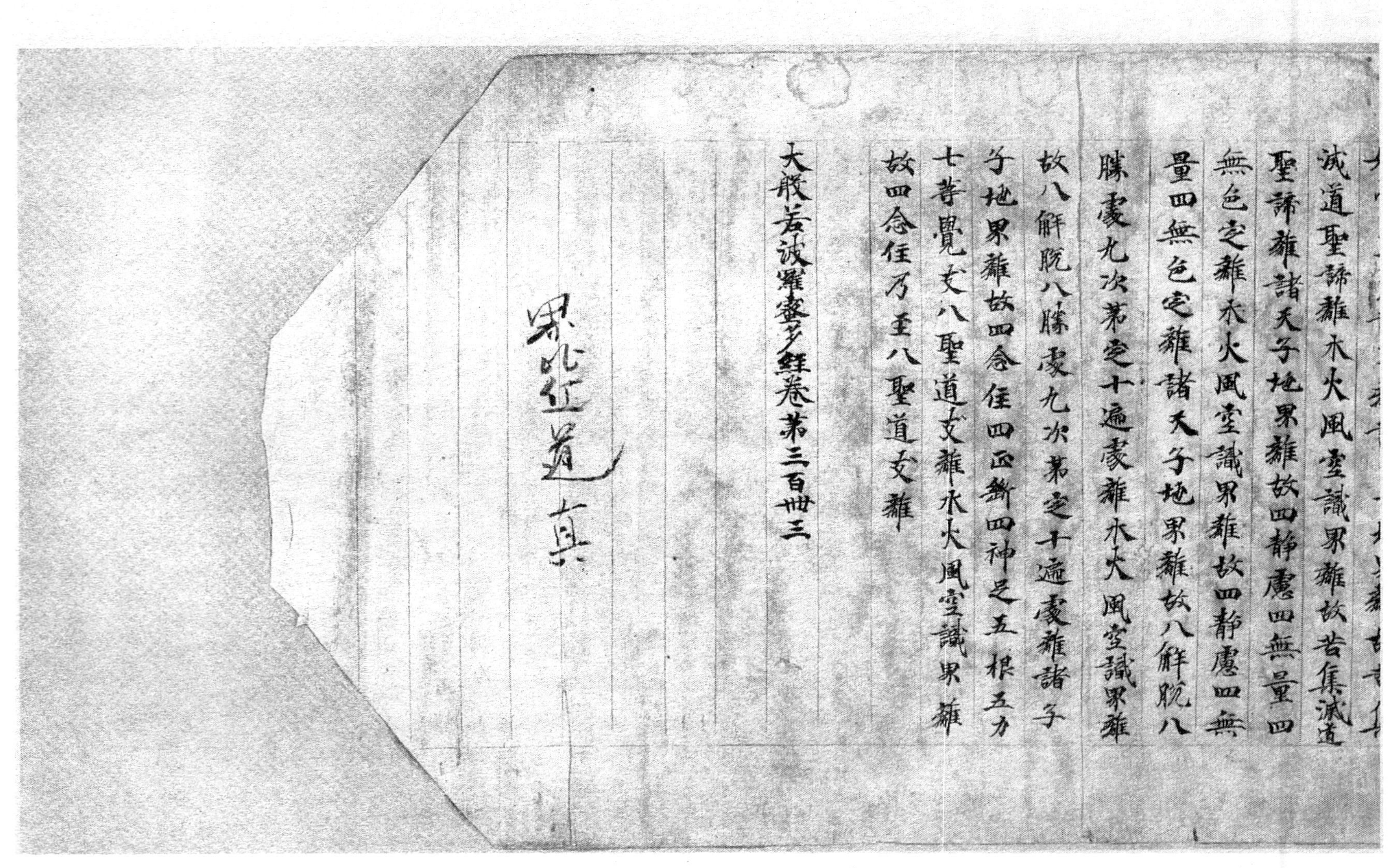

滅道聖諦雜水火風空識界雜故苦集滅道
聖諦雜諸天子地界雜故四靜慮四無量四
無色定雜水火風空識界雜故四靜慮四無
量四無色定雜諸天子地界雜故八解脫八
勝處九次第定十遍處雜水火風空識界雜
故八解脫八勝處九次第定十遍處雜諸子
子地界雜故四念住四正斷四神足五根五力
七等覺支八聖道支雜水火風空識界雜
故四念住乃至八聖道支雜

大般若波羅蜜多經卷第三百冊三

界比丘道真

BD01362 號　大般若波羅蜜多經卷三四三　（21–21）

BD01362 號背　勘記　（1–1）

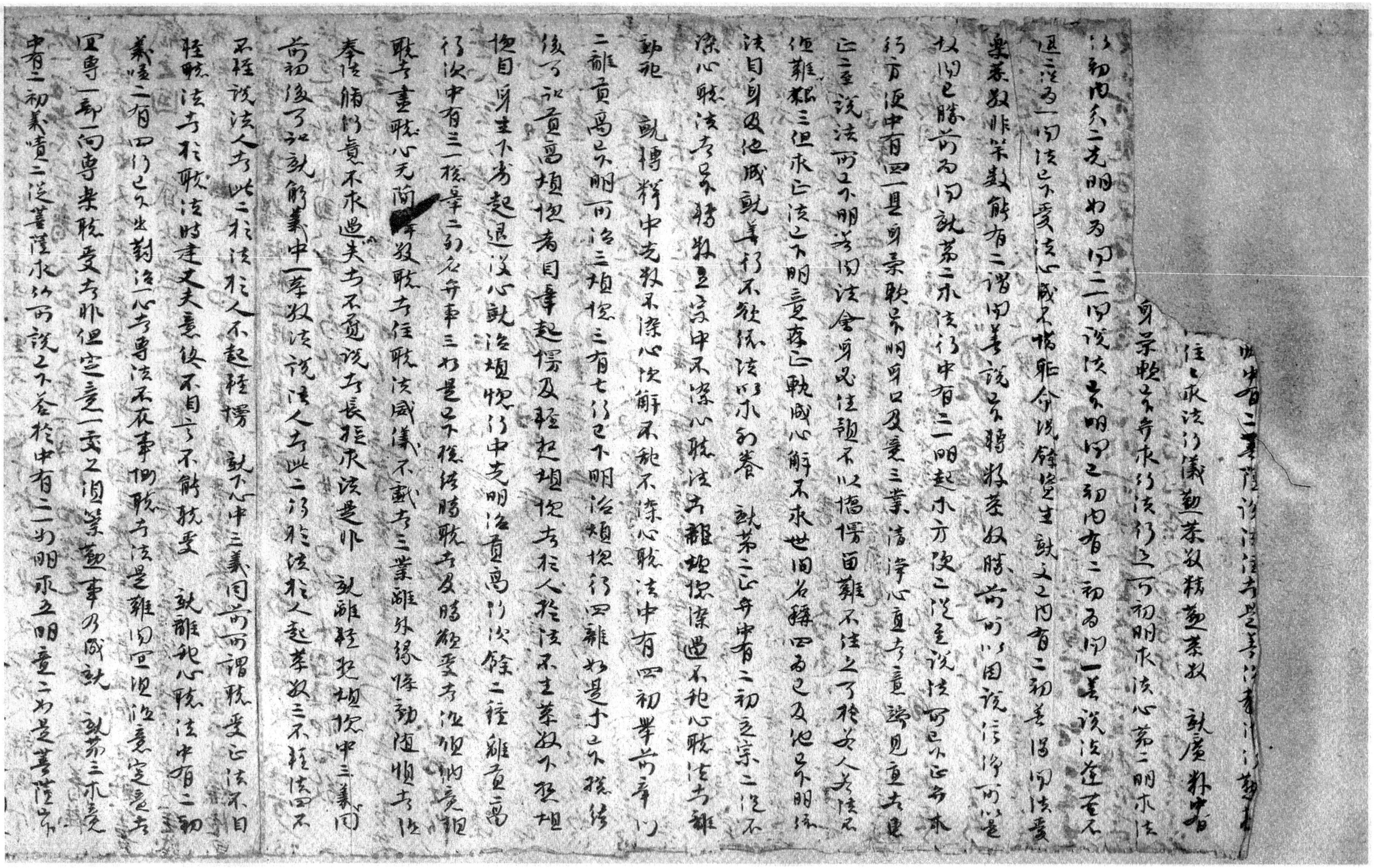

BD01363號　菩薩地持經疏（擬）

（26–1）

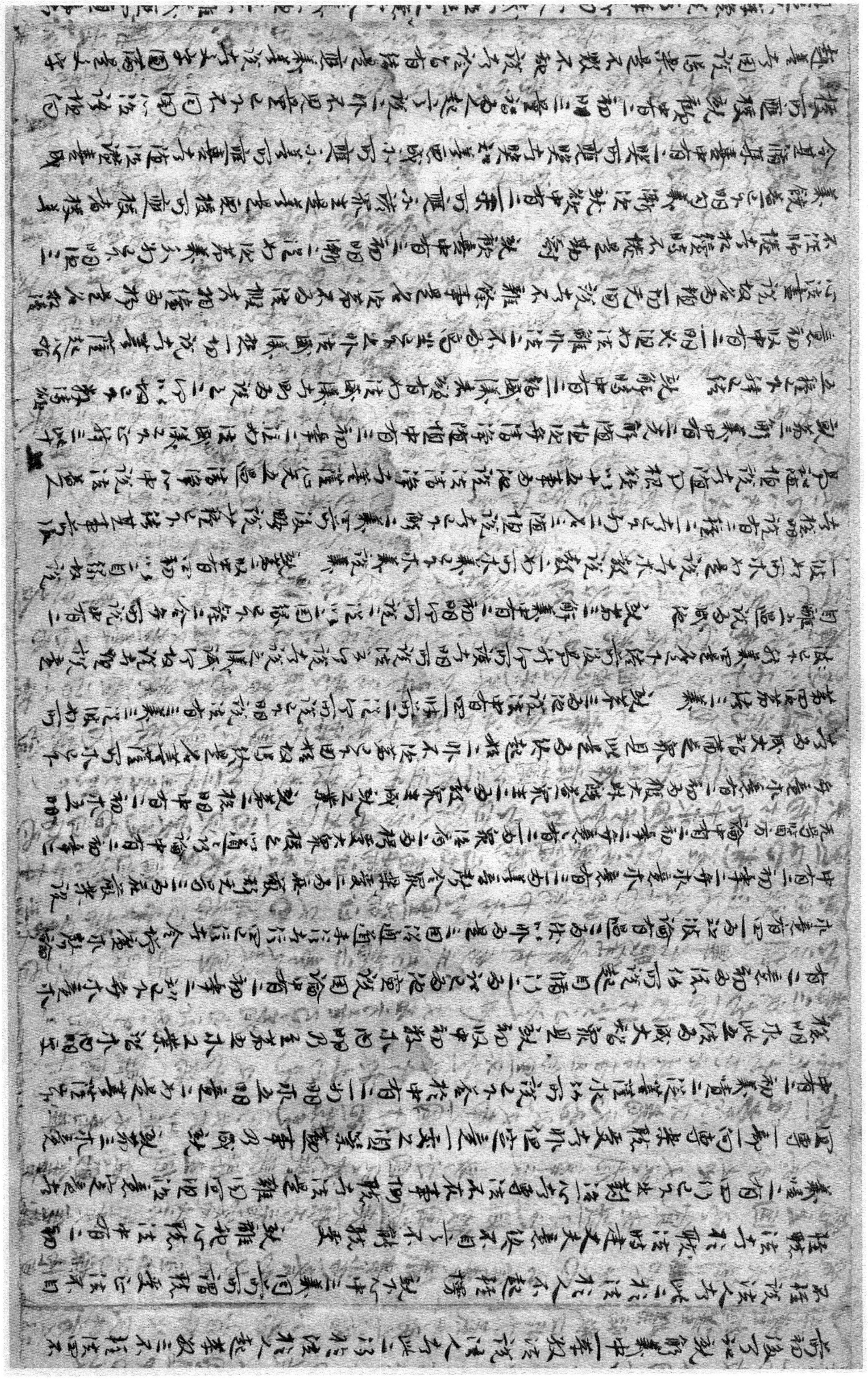

BD01363號　菩薩地持經疏（擬）

（26–2）

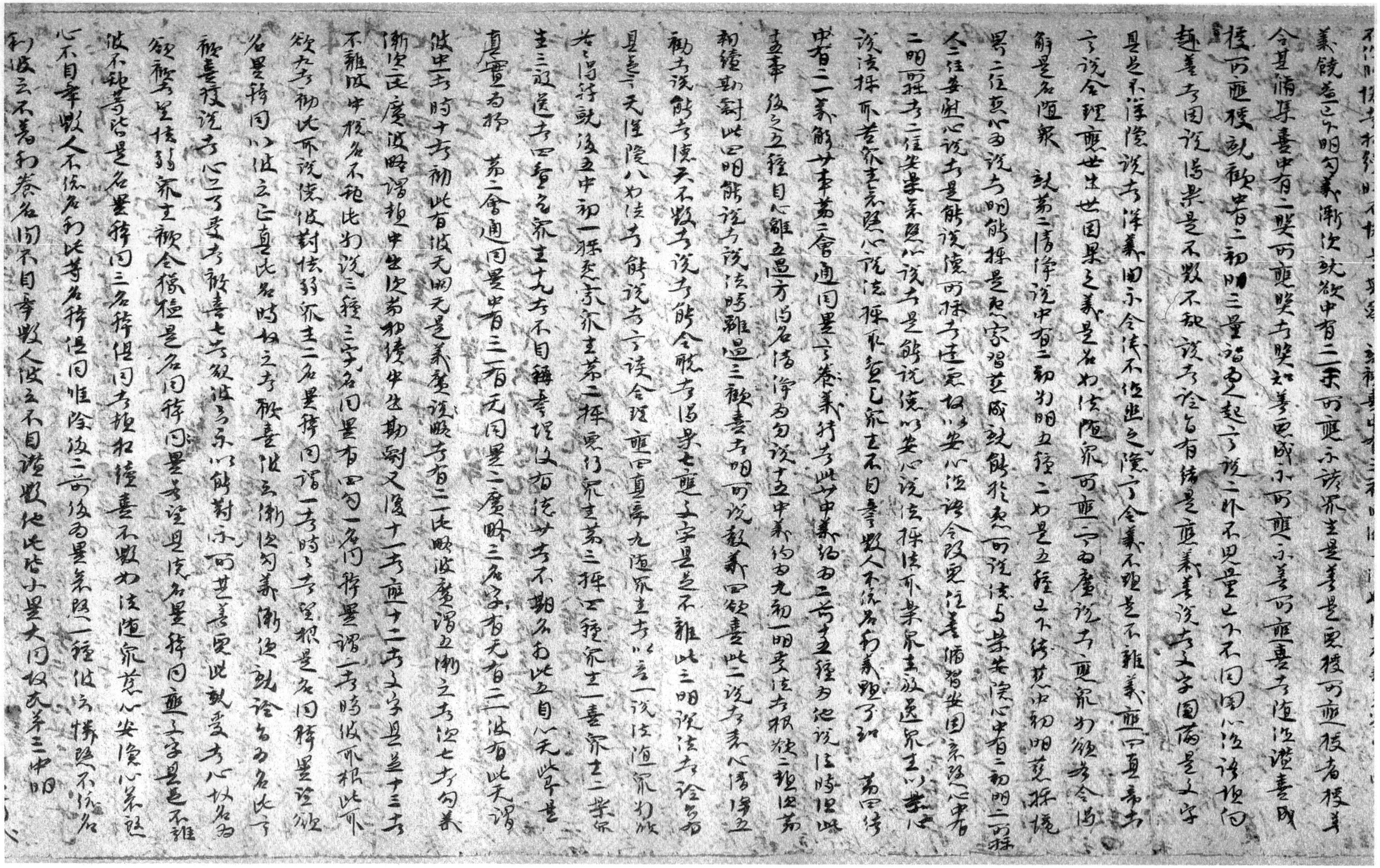

BD01363號　菩薩地持經疏（擬）

（26–3）

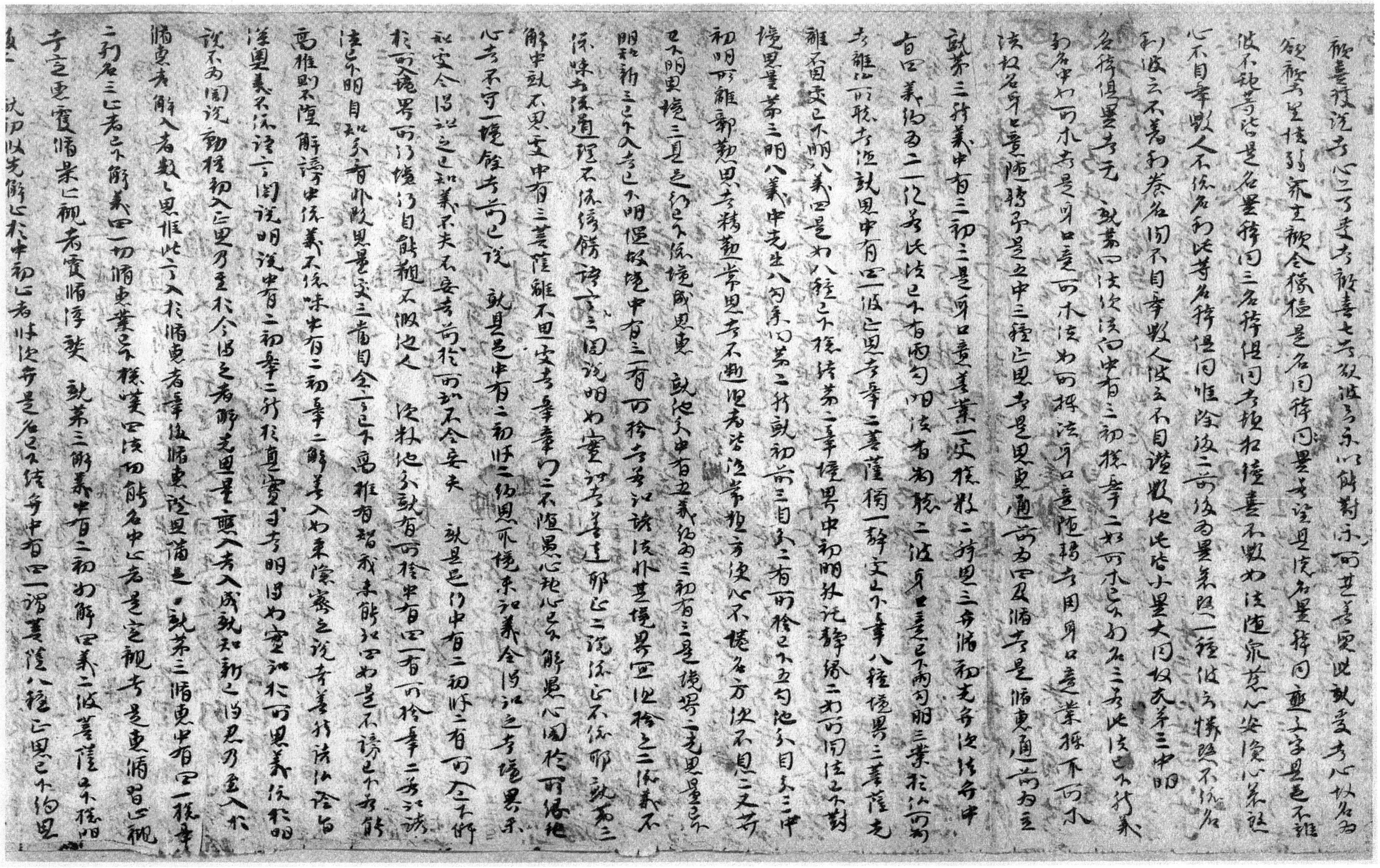

BD01363號　菩薩地持經疏（擬）

（26–4）

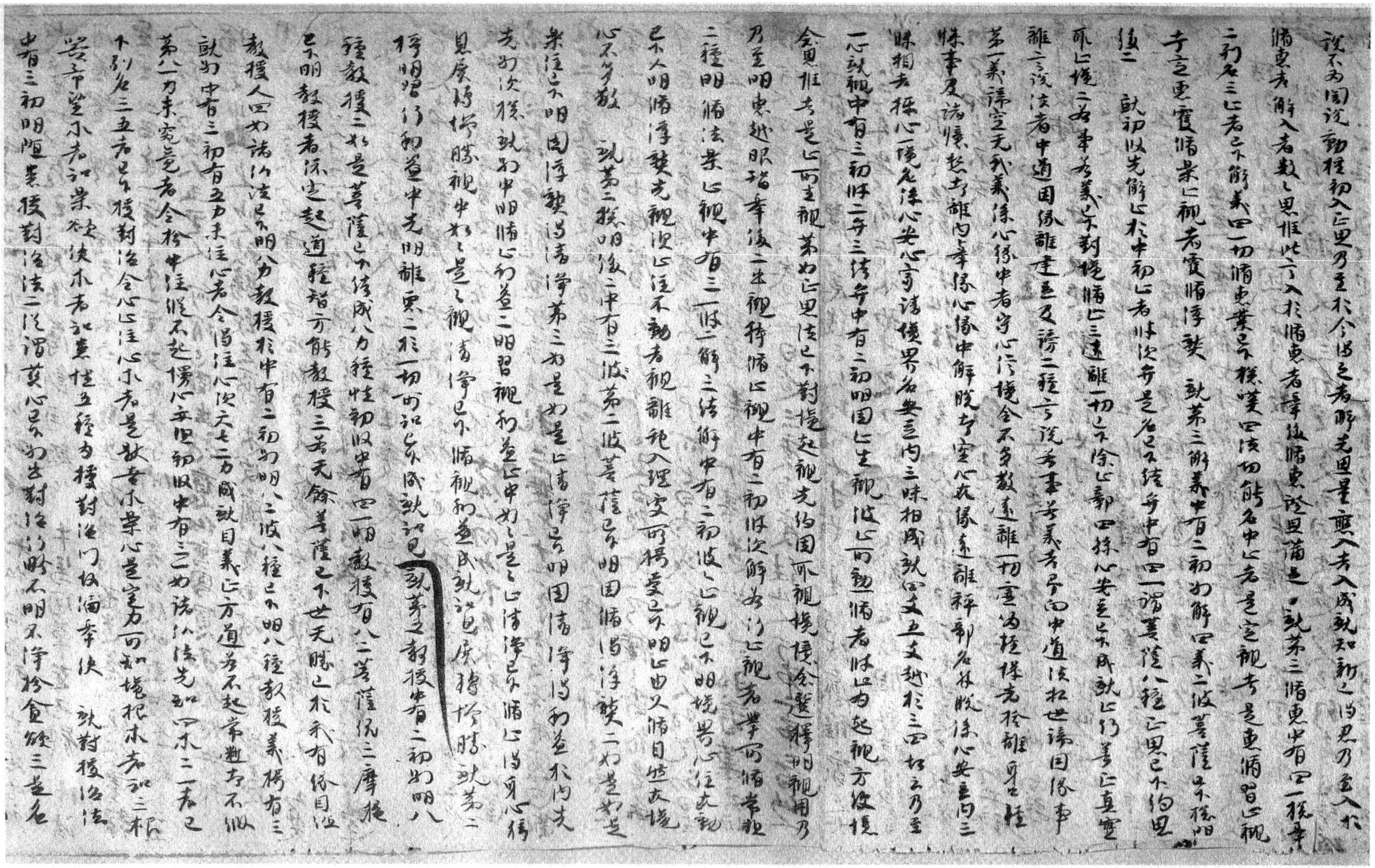

BD01363號　菩薩地持經疏（擬）　（26–5）

BD01363號　菩薩地持經疏（擬）

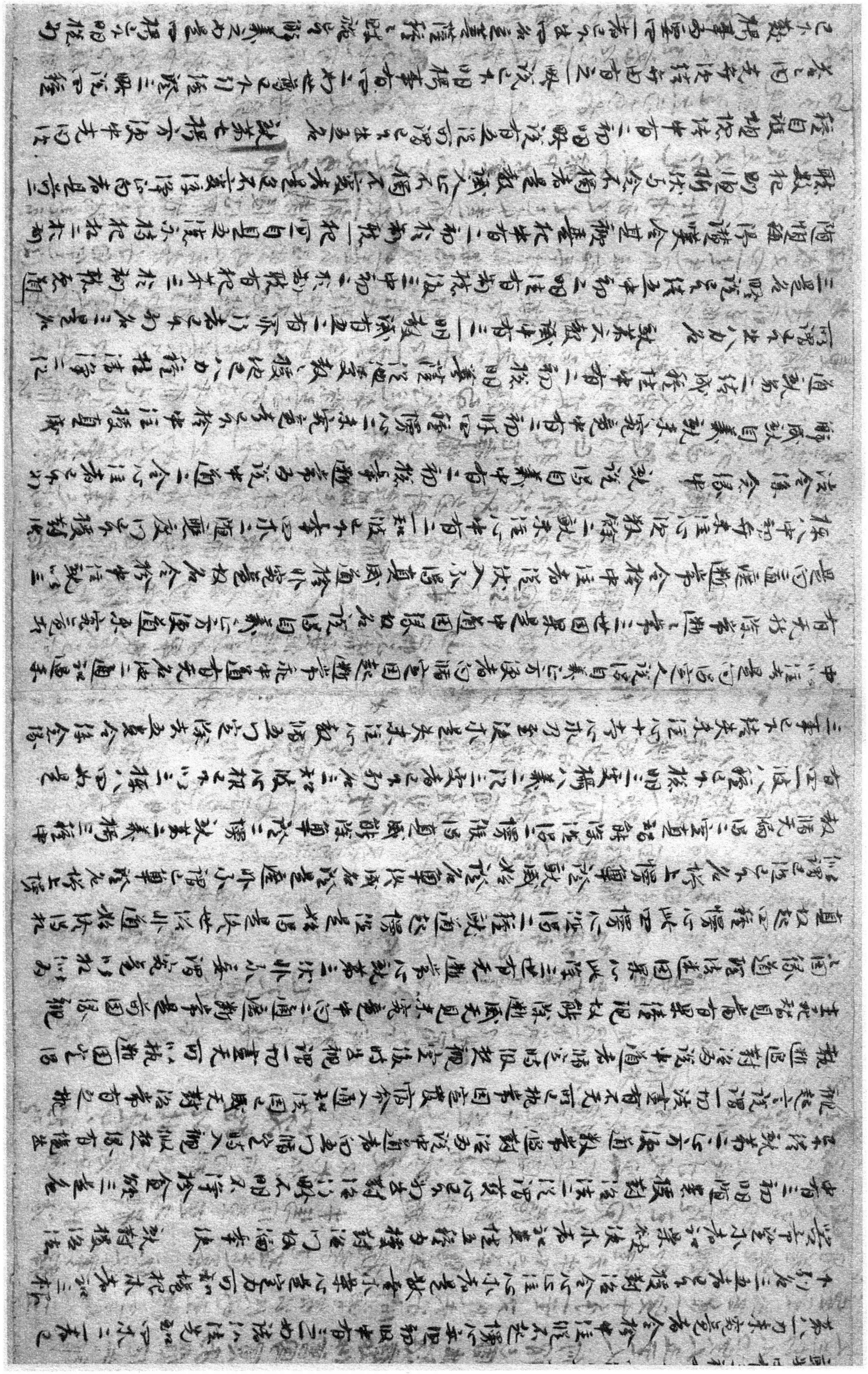

（26–6）

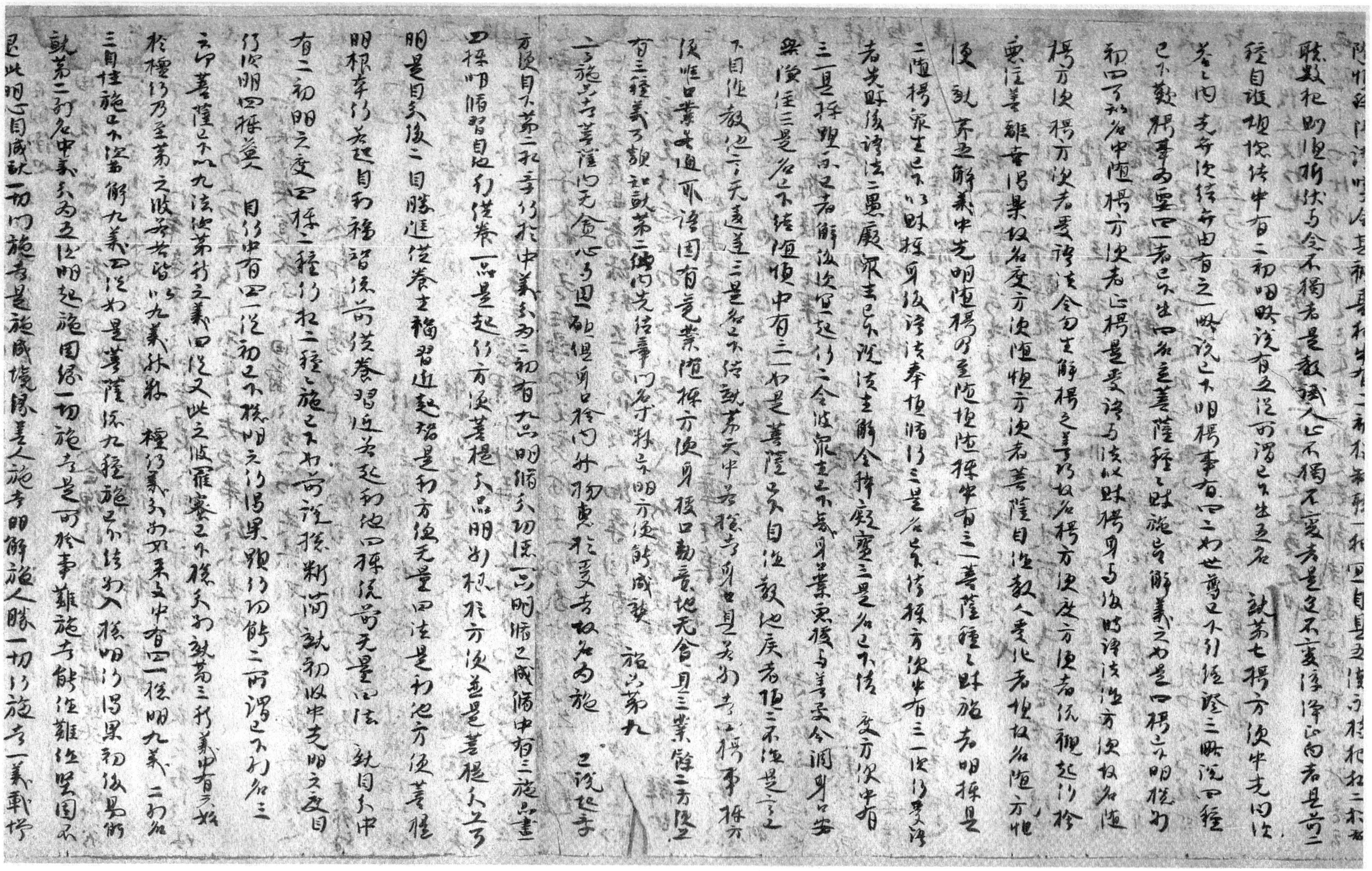

BD01363號　菩薩地持經疏（擬）

（26–7）

（26–8）

BD01363號　菩薩地持經疏（擬）

（26–9）

BD01363號　菩薩地持經疏（擬）

（26–10）

BD01363號　菩薩地持經疏（擬）

（26–11）

BD01363號　菩薩地持經疏（擬）

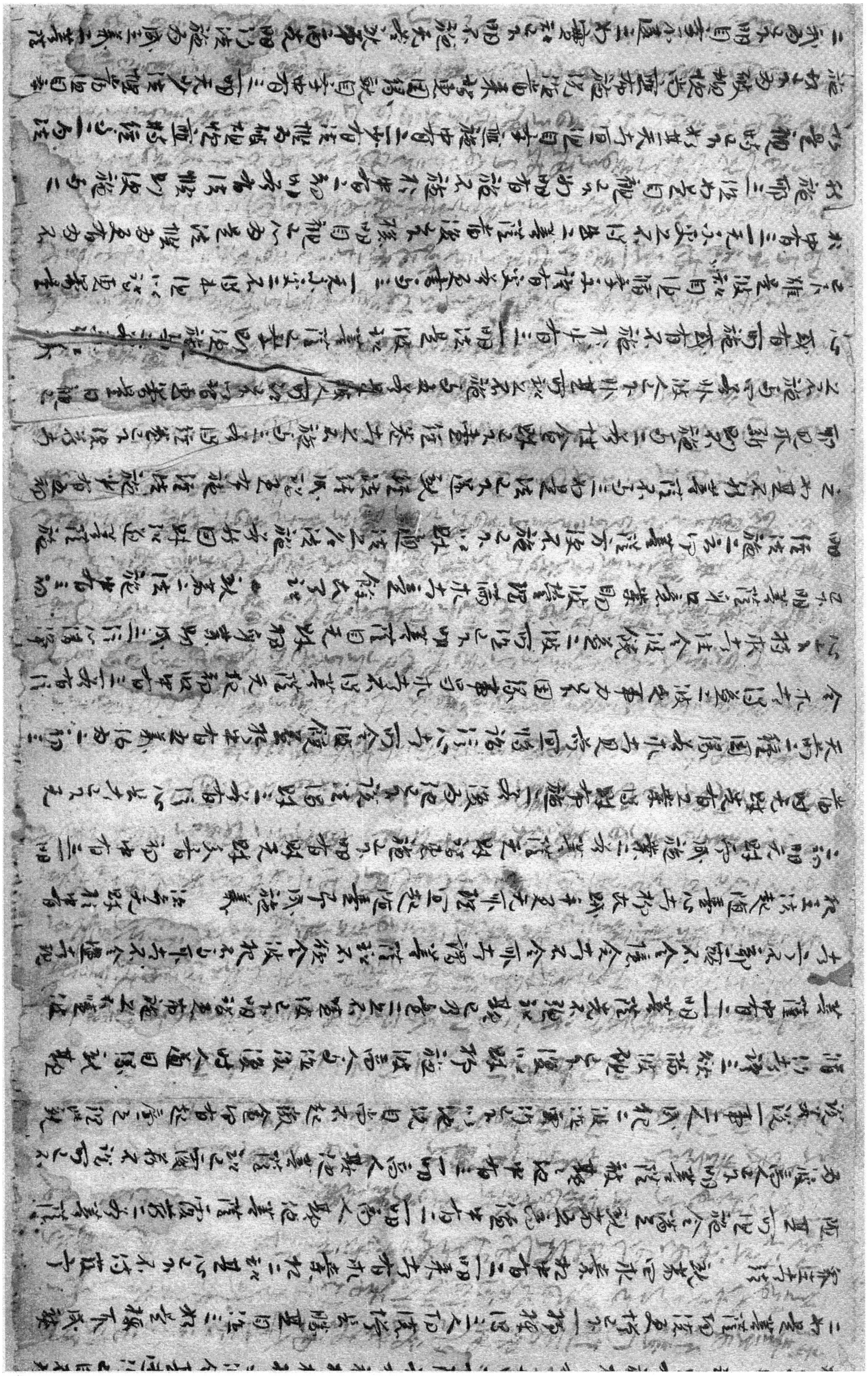

（26–12）

BD01363號　菩薩地持經疏（擬）

（26–13）

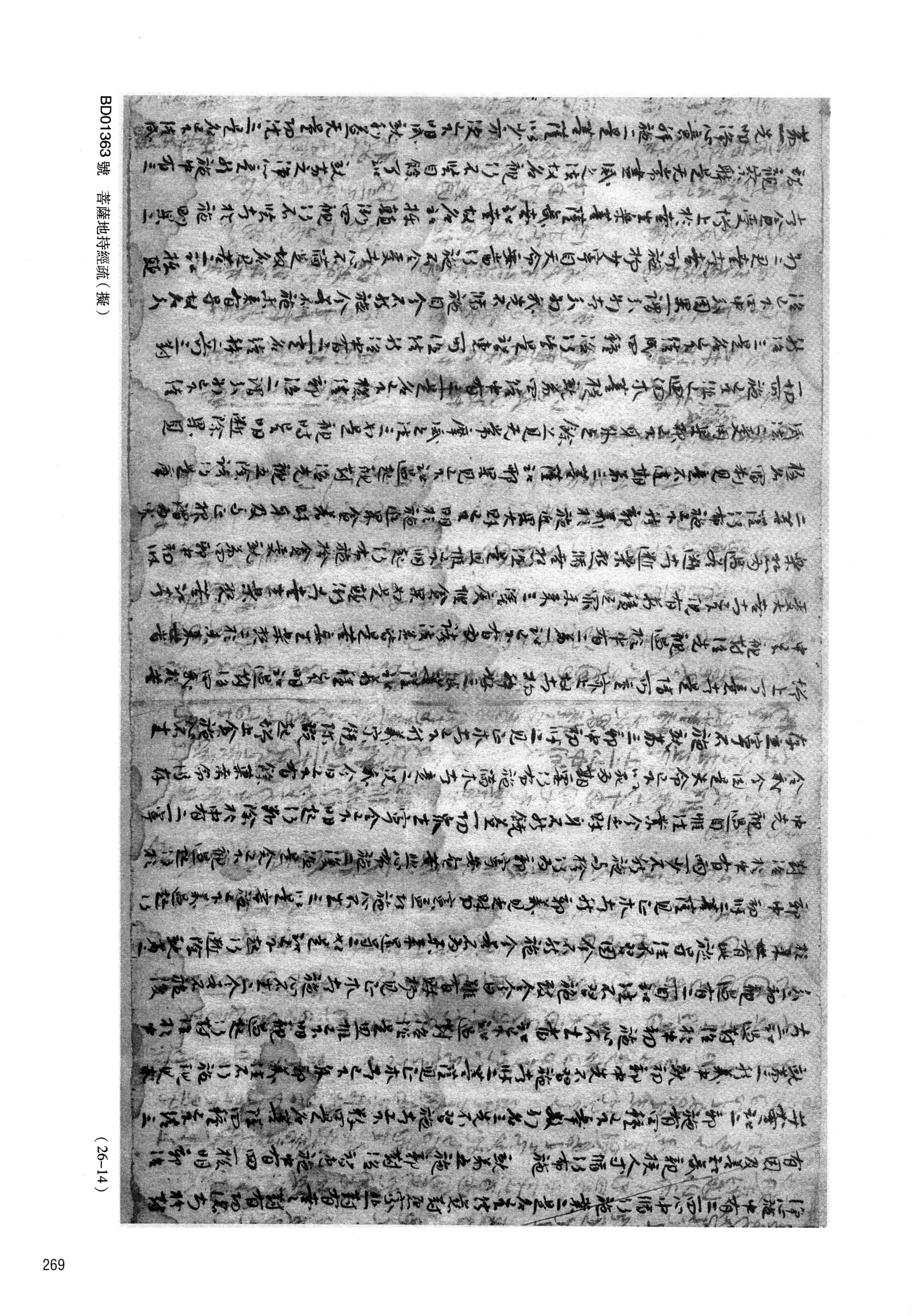

BD01363號　菩薩地持經疏（擬）

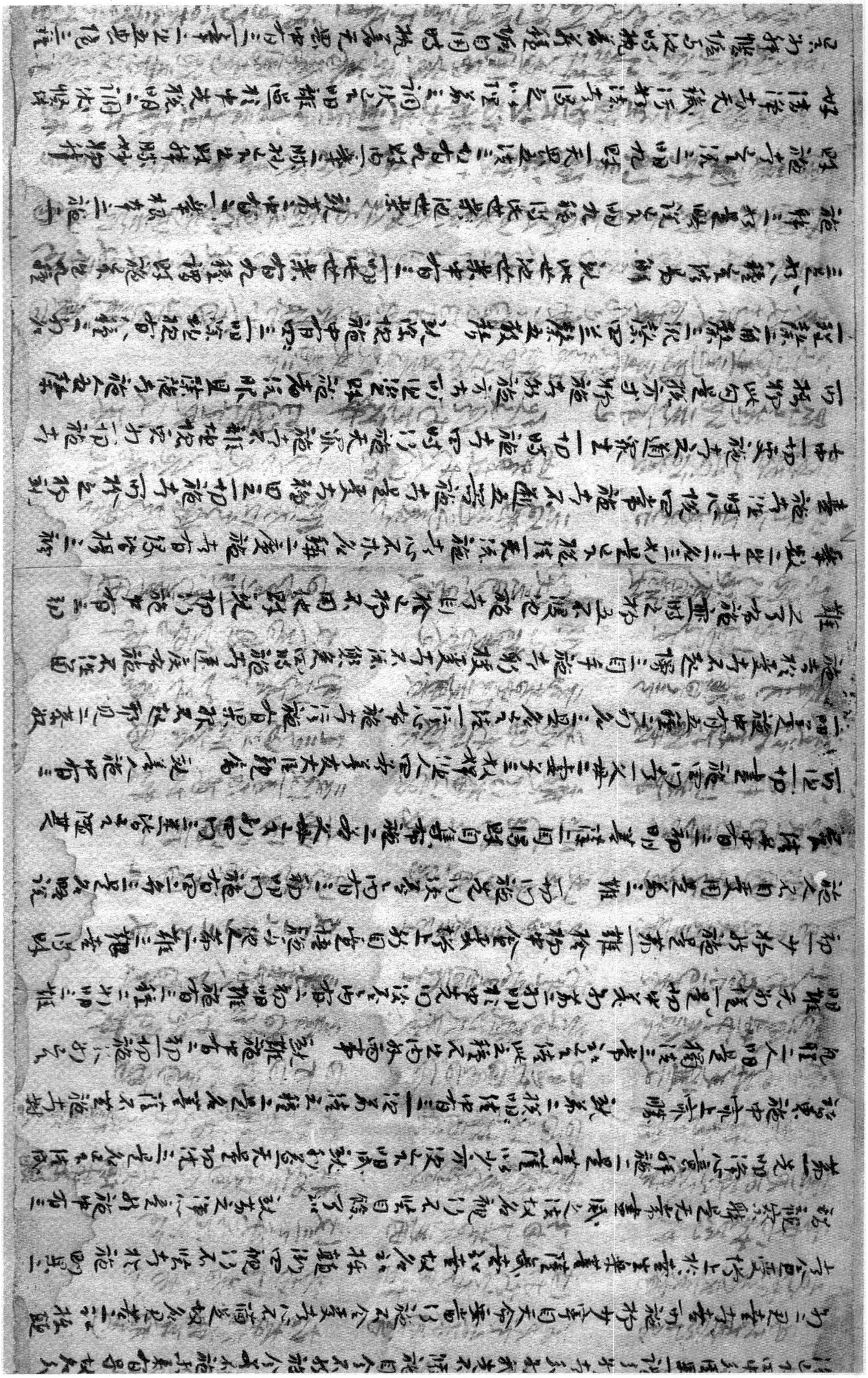

（26–15）

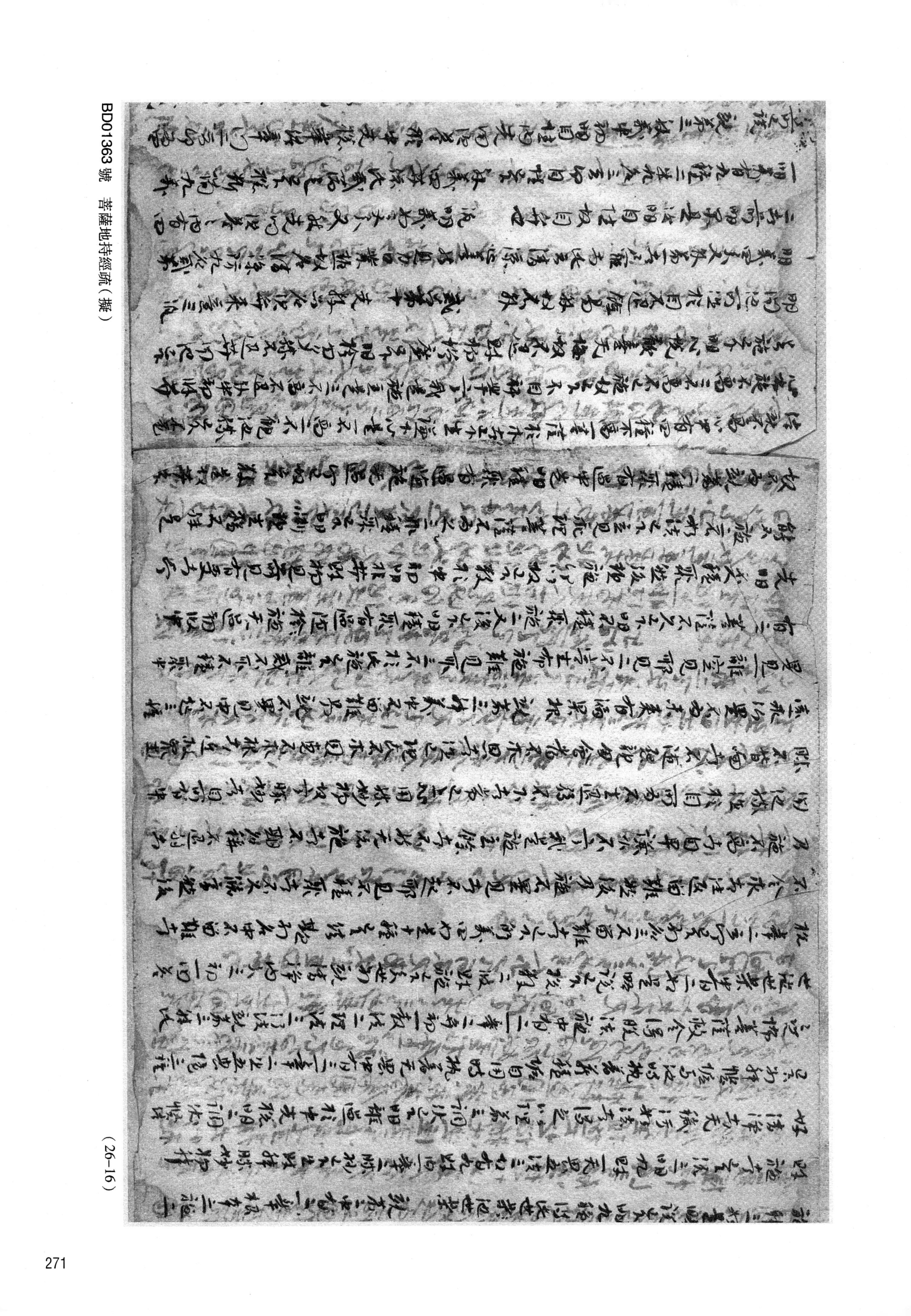

BD01363號　菩薩地持經疏（擬）

（26–16）

BD01363號　菩薩地持經疏（擬）

（26–17）

BD01363號　菩薩地持經疏（擬）

（26–18）

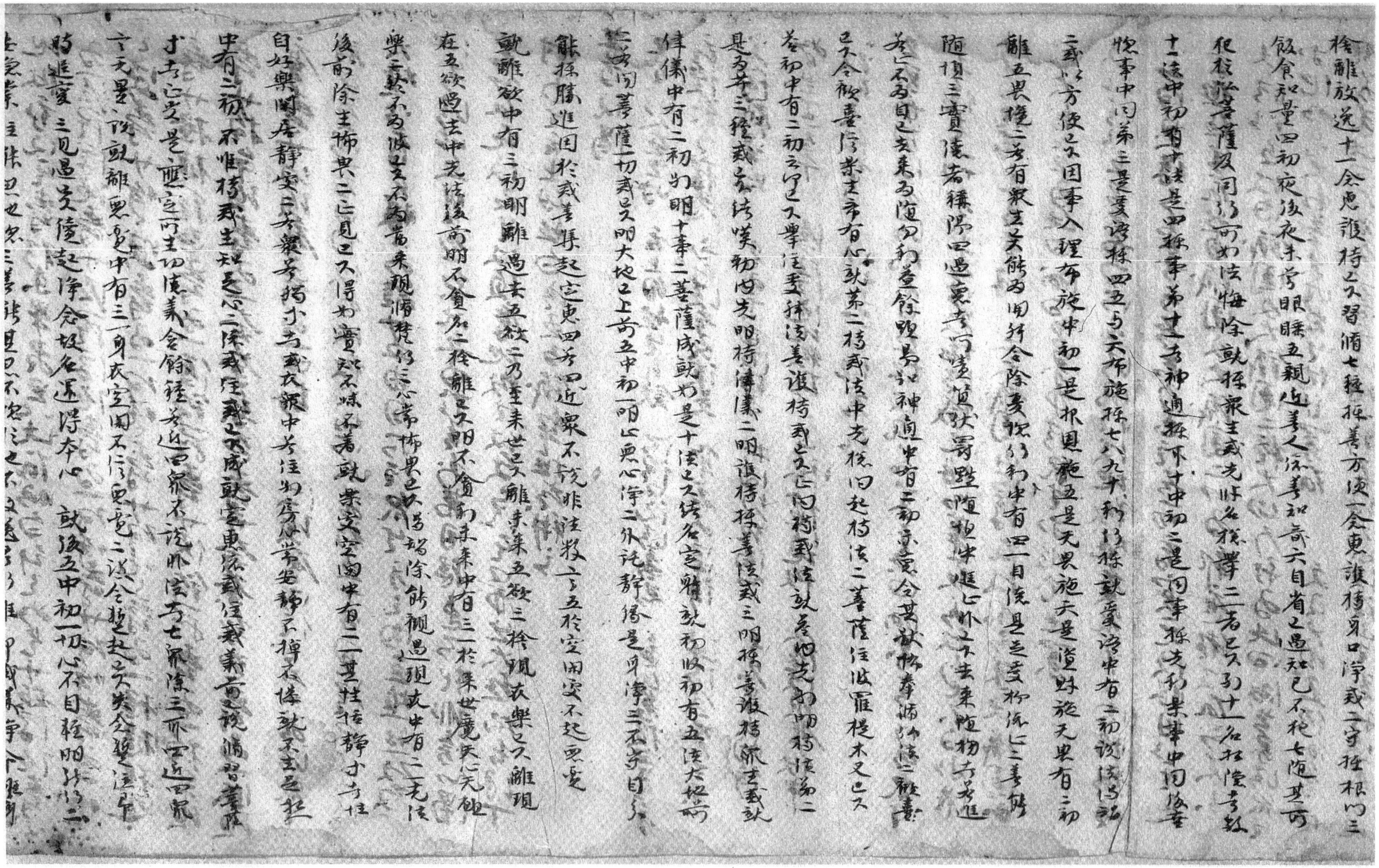

BD01363號　菩薩地持經疏（擬）

（26–19）

BD01363號　菩薩地持經疏（擬）

（26–20）

BD01363號　菩薩地持經疏（擬）

（26–21）

BD01363號　菩薩地持經疏（擬）

（26–22）

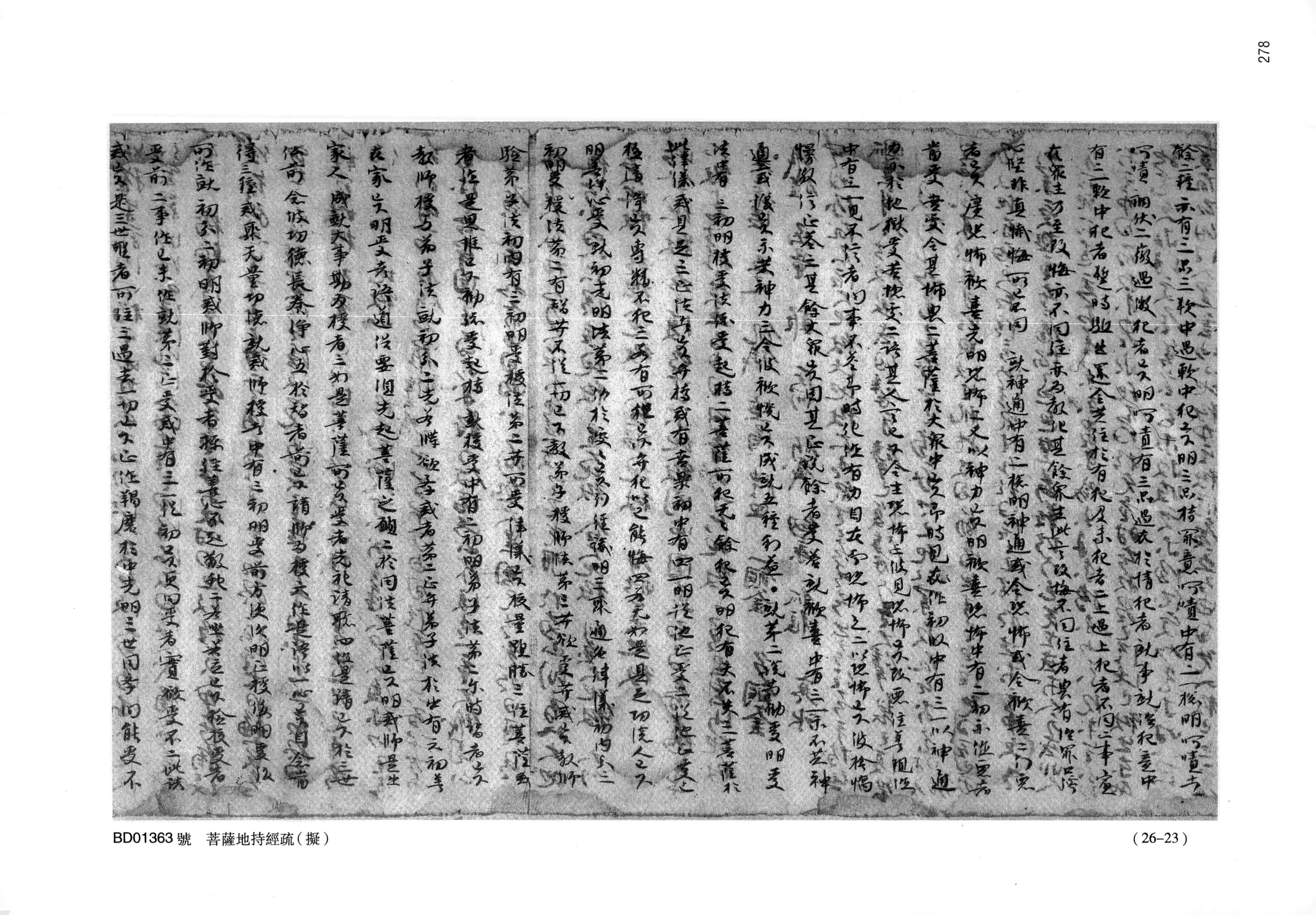

BD01363 號　菩薩地持經疏（擬）　　（26–23）

BD01363號　菩薩地持經疏（擬）

（26–24）

BD01363號　菩薩地持經疏（擬）

（26–25）

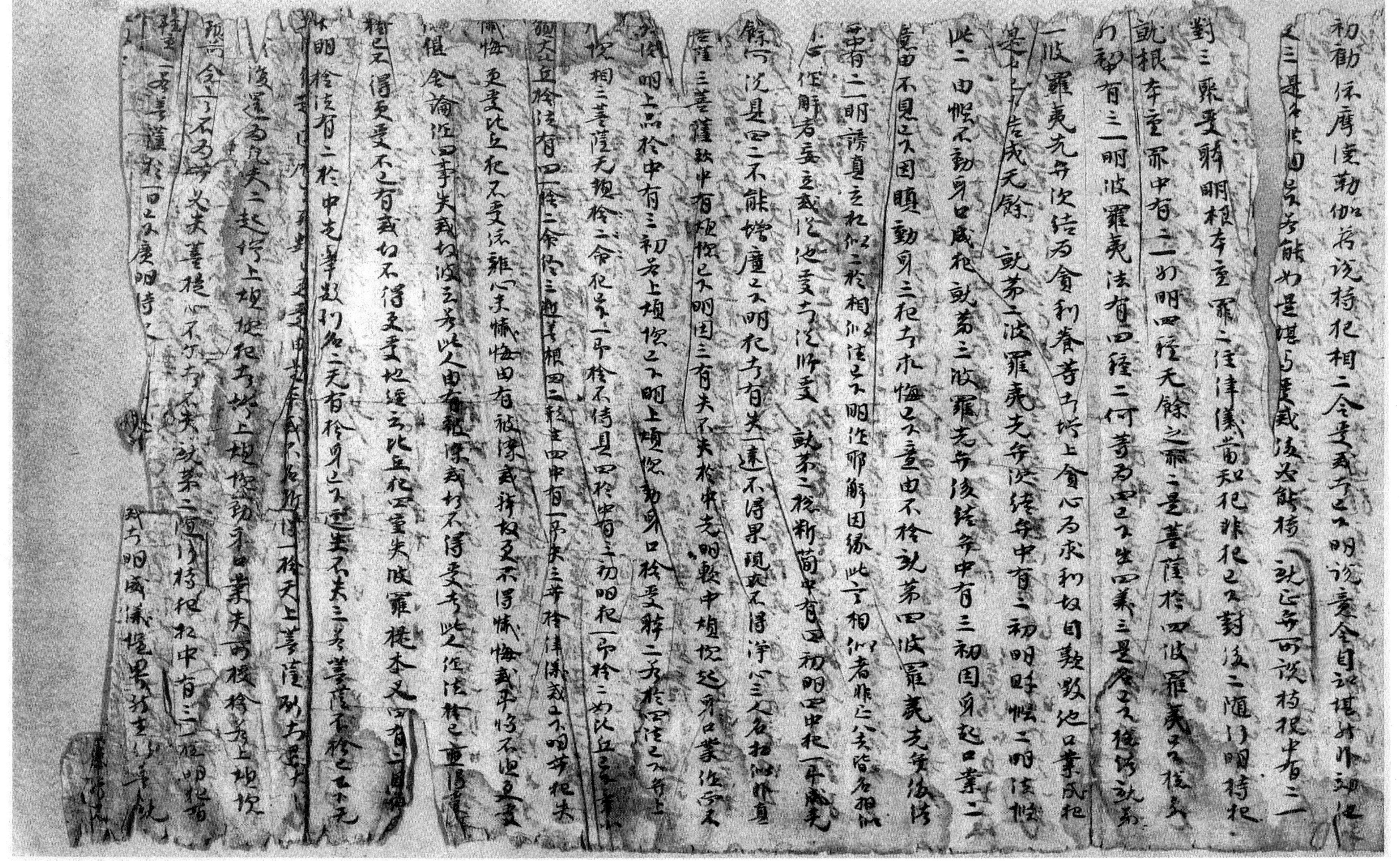

BD01363號　菩薩地持經疏（擬）

（26–26）

BD01363號背 1　起世經鈔（擬）　　（26–1）

BD01363號背1　起世經鈔（擬）

（26–2）

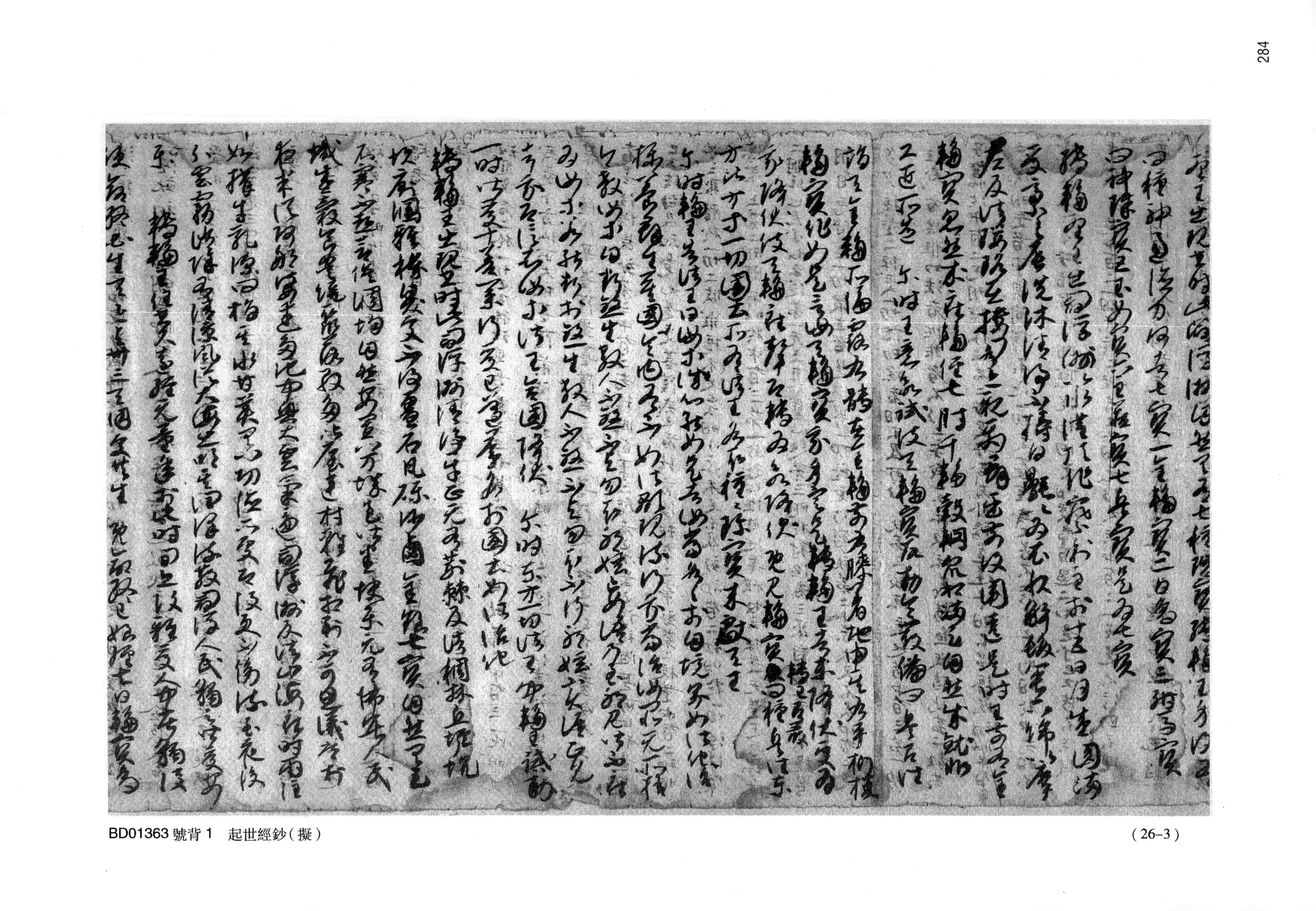

BD01363號背1　起世經鈔（擬）

（26–3）

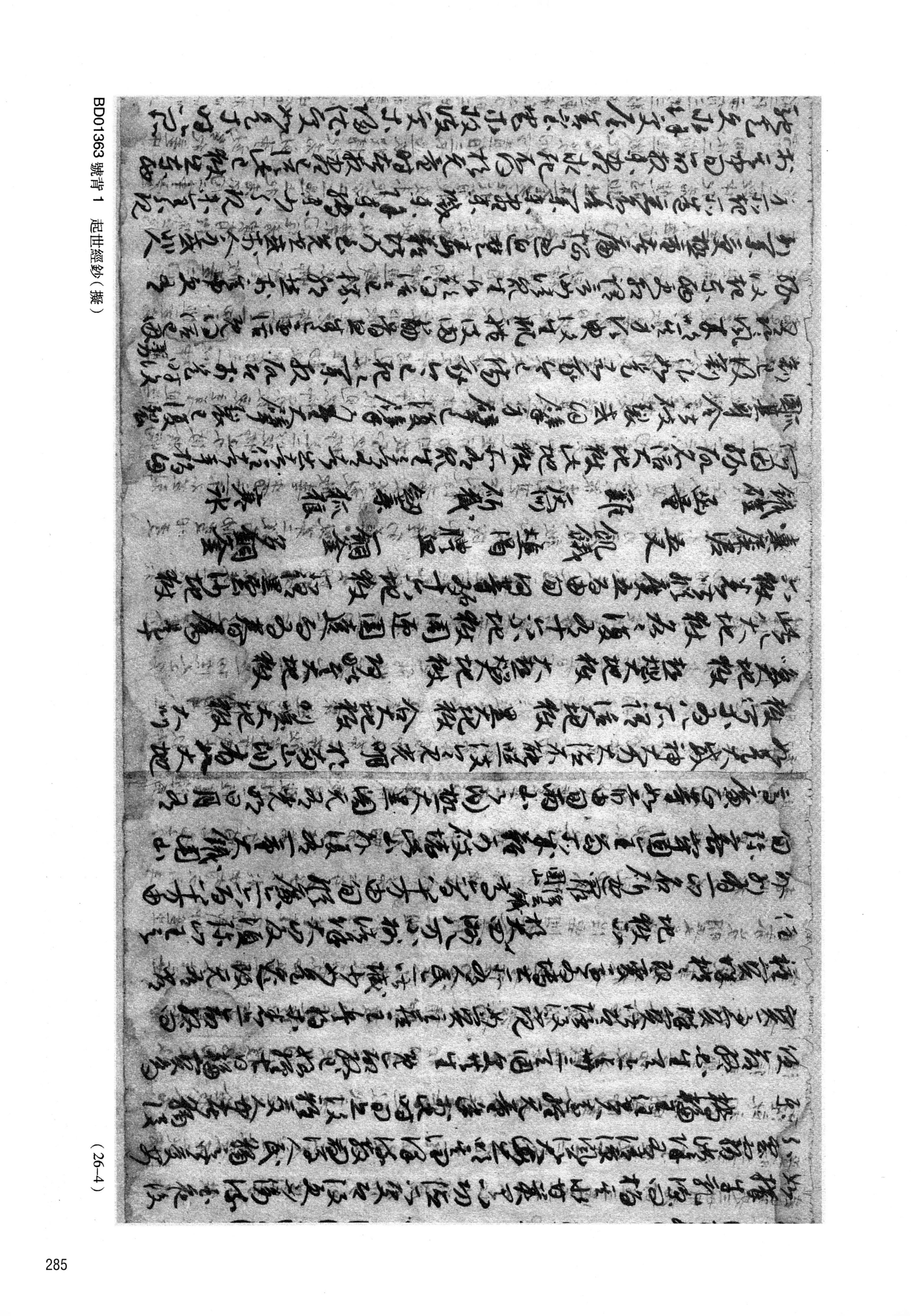

BD01363號背1　起世經鈔（擬）

（26–4）

BD01363 號背 1　起世經鈔（擬）

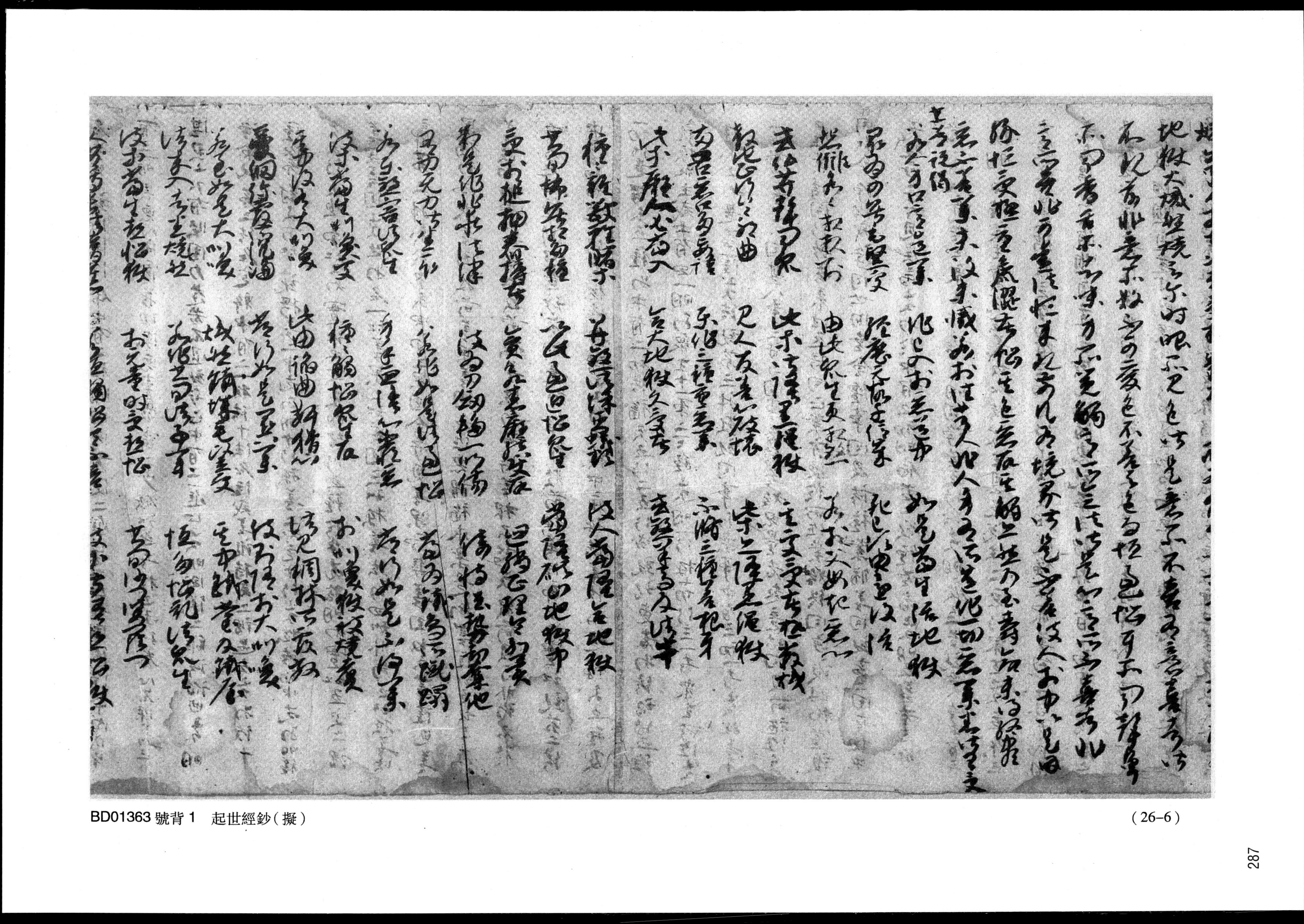

BD01363 號背 1　起世經鈔（擬）　　（26–6）

BD01363號背1　起世經鈔（擬）

BD01363號背1　起世經鈔（擬）

（26–8）

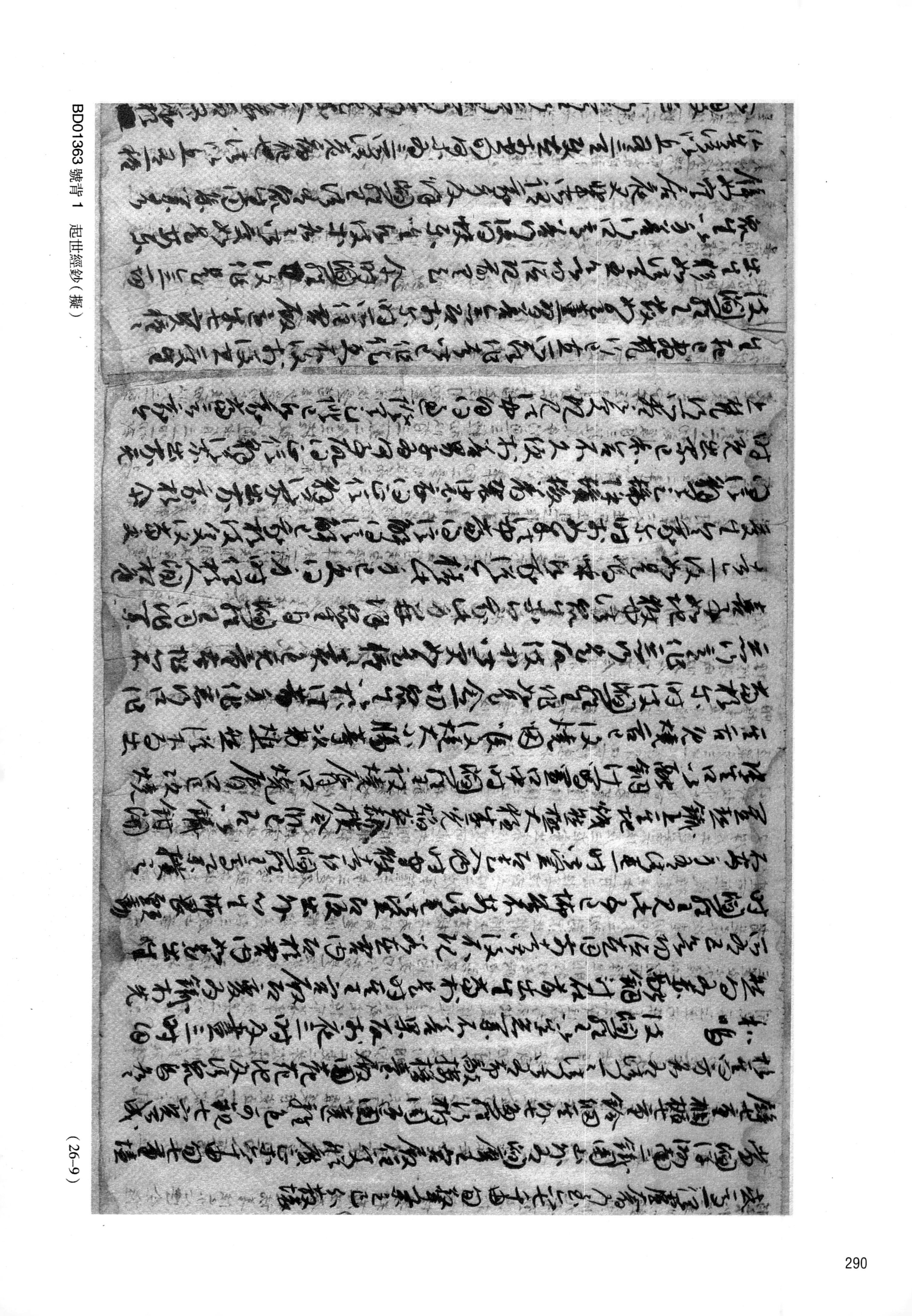

BD01363號背1　起世經鈔（擬）

（26–9）

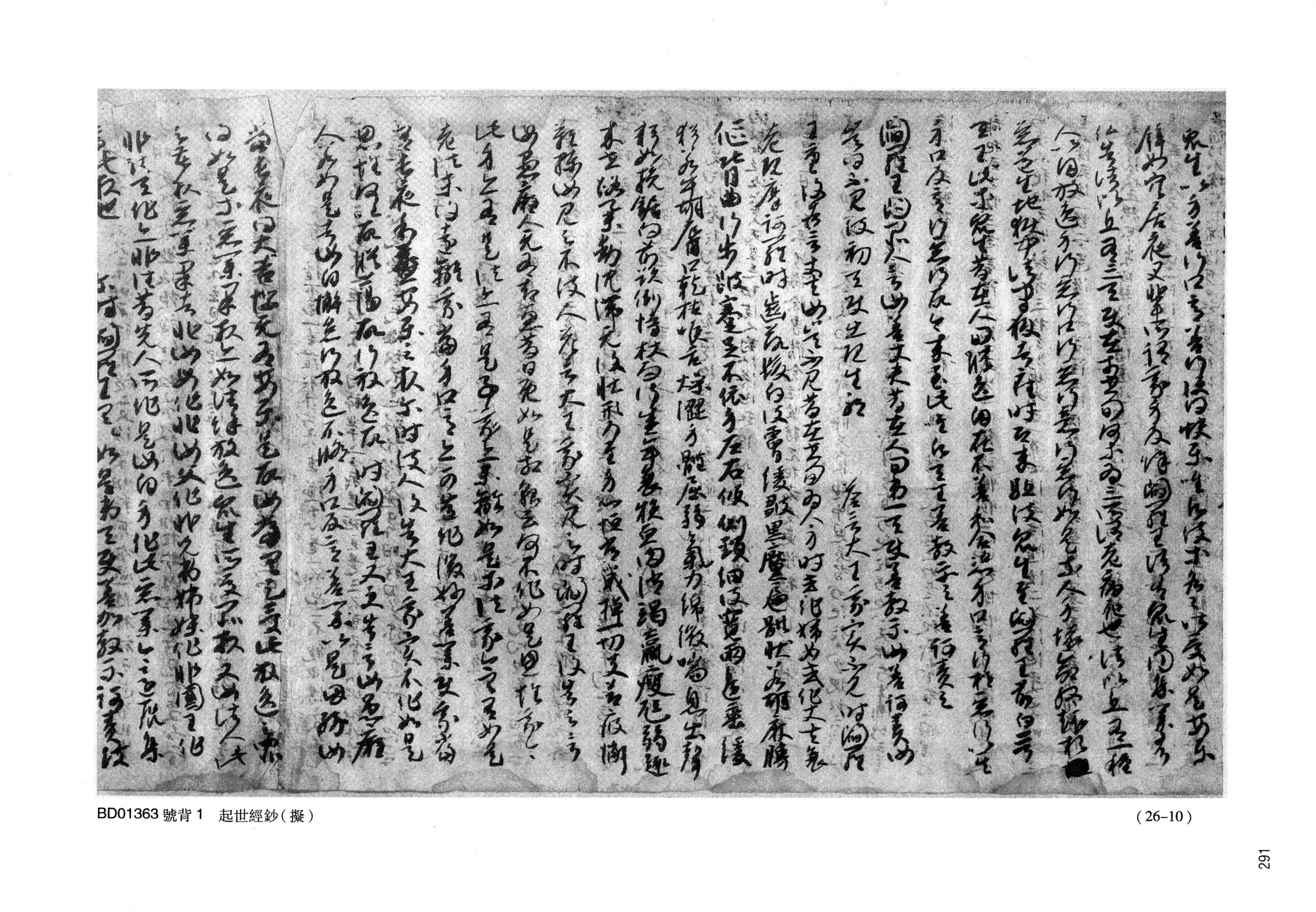

BD01363號背1　起世經鈔（擬）

（26–10）

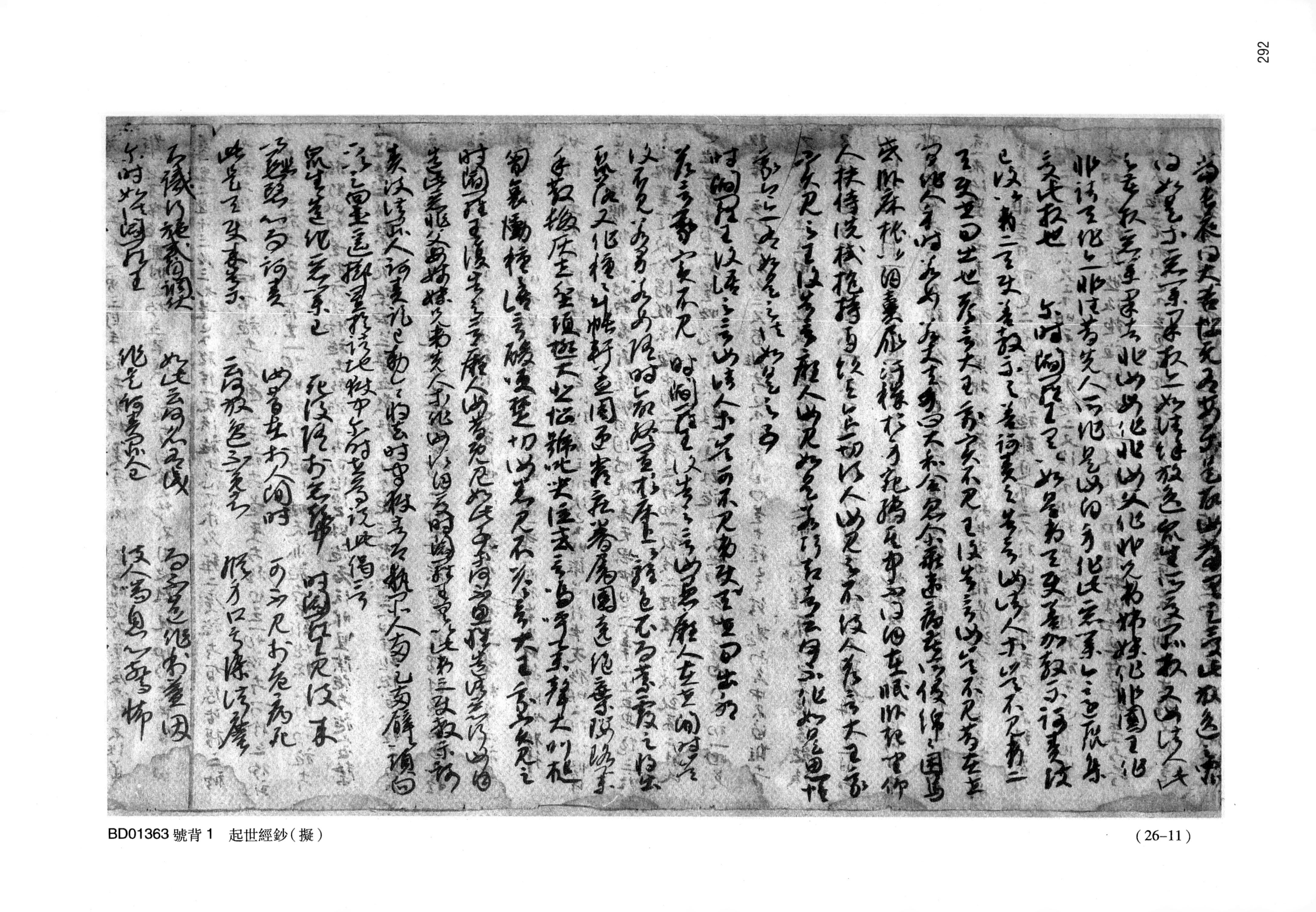

BD01363號背 1　起世經鈔（擬）　（26–11）

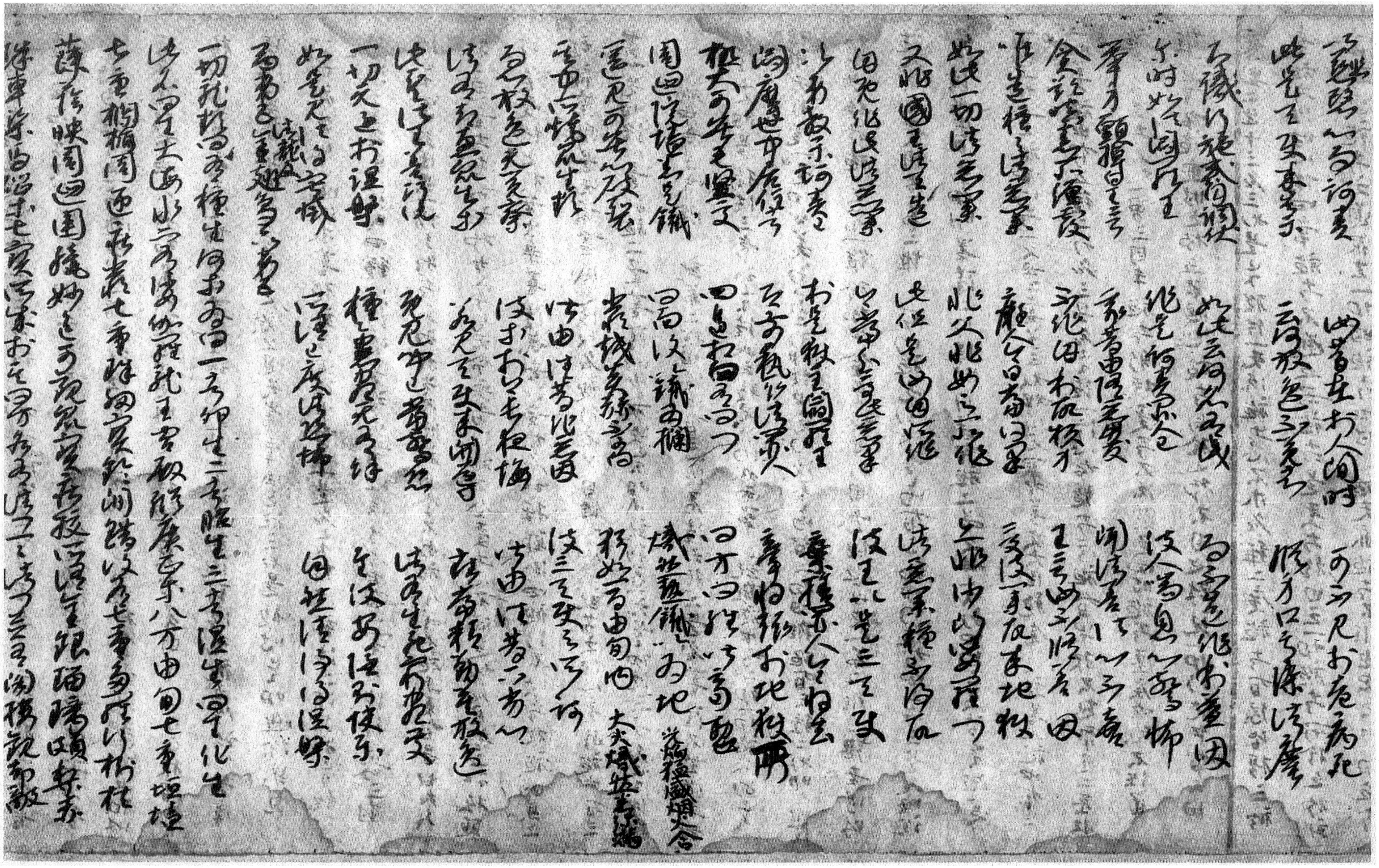

BD01363 號背 1　起世經鈔（擬）

（26–12）

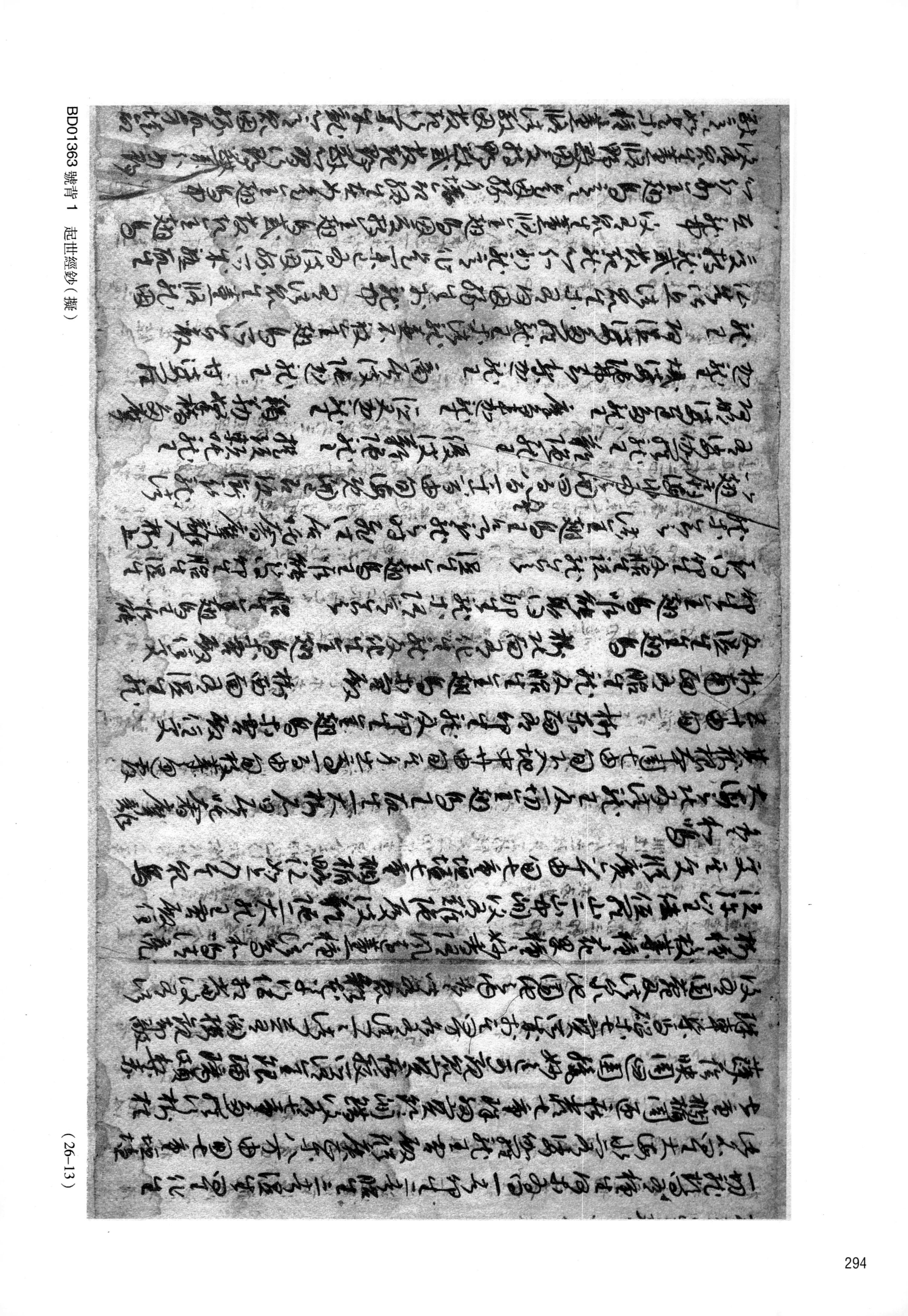

BD01363號背 1　起世經鈔（擬）

（26–13）

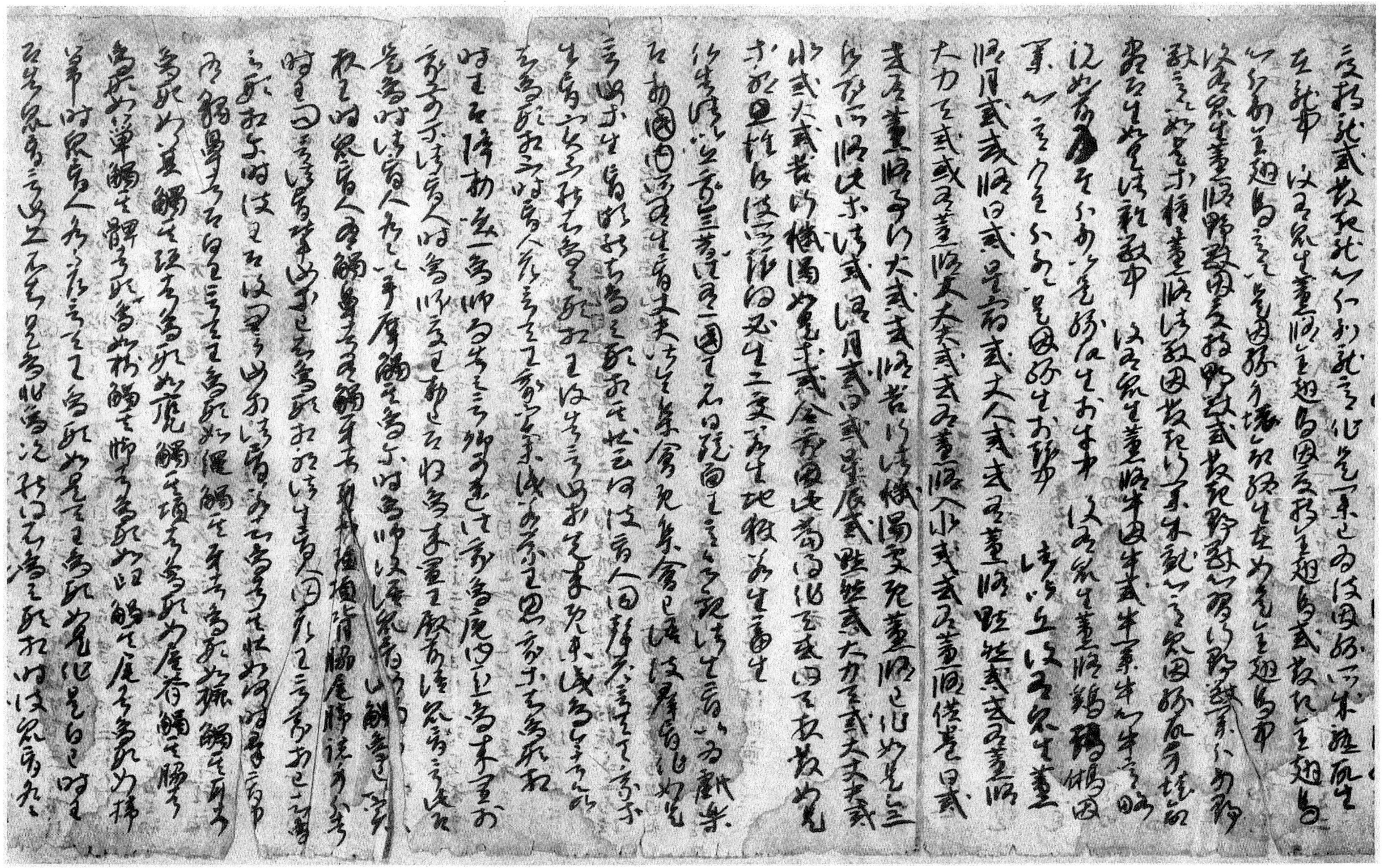

BD01363 號背 1　起世經鈔（擬）　（26–14）

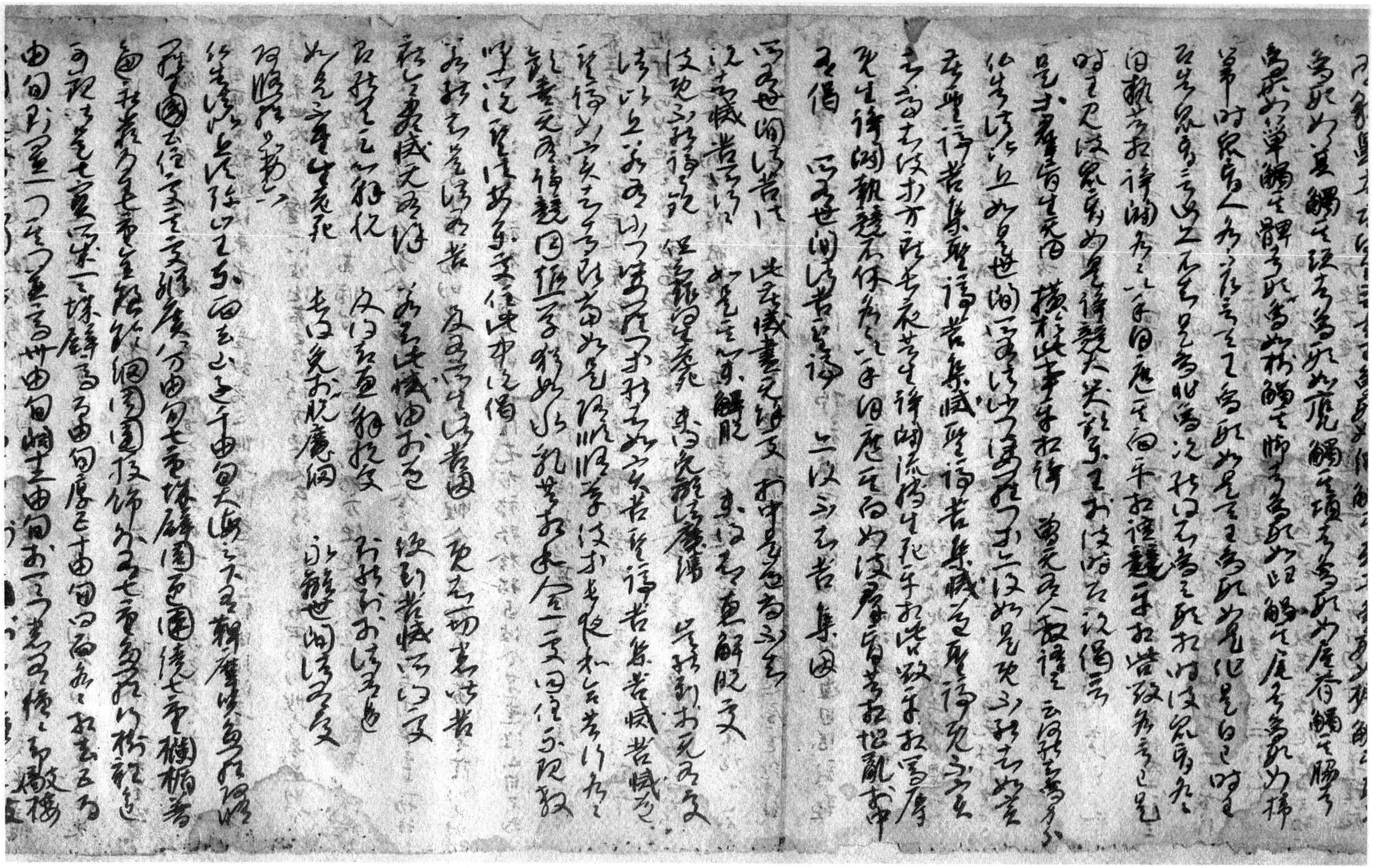

BD01363號背1　起世經鈔（擬）

（26–15）

BD01363 號背 1　起世經鈔（擬）
BD01363 號背 2　雜緣起抄

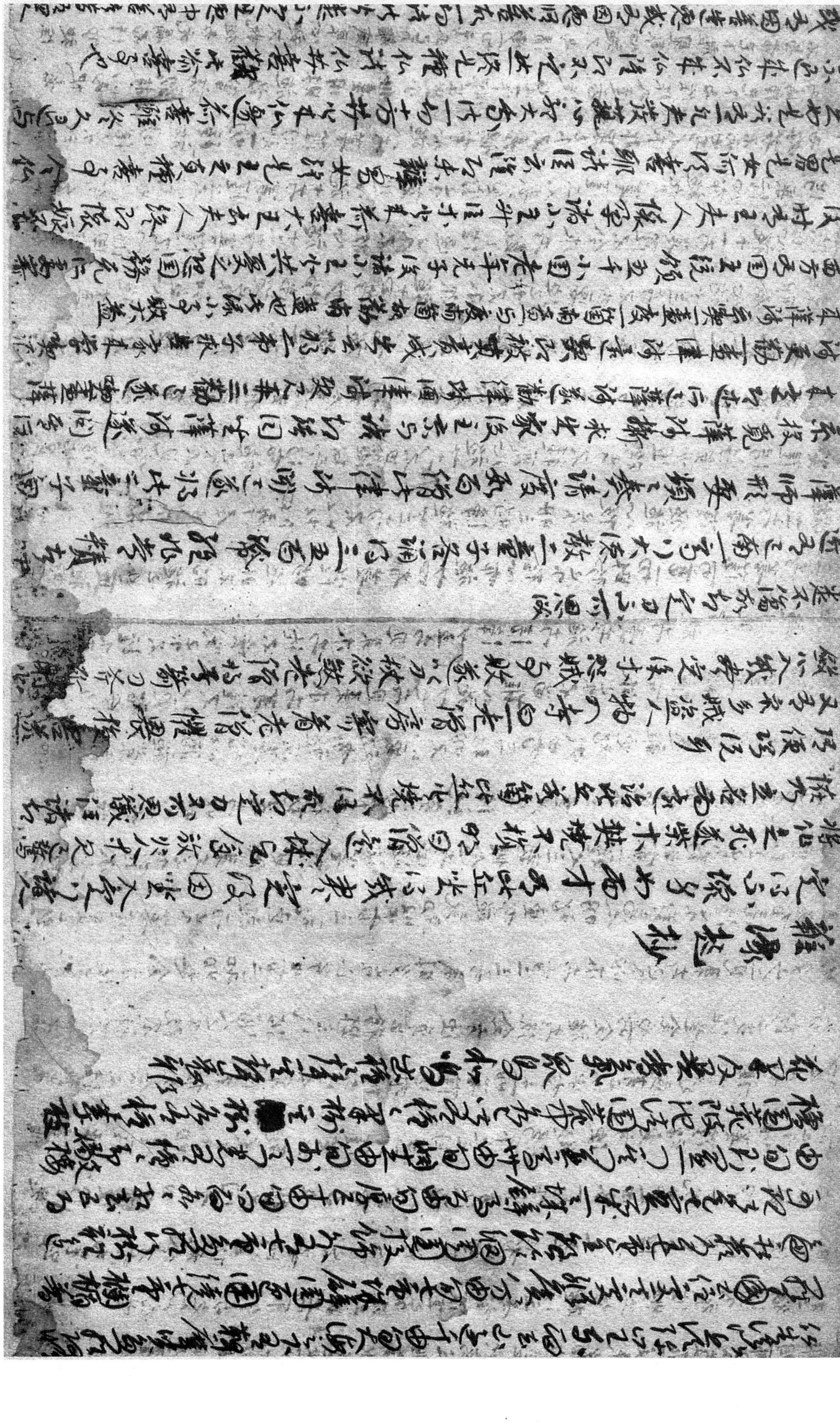

（26–16）

BD01363號背2　雜緣起抄

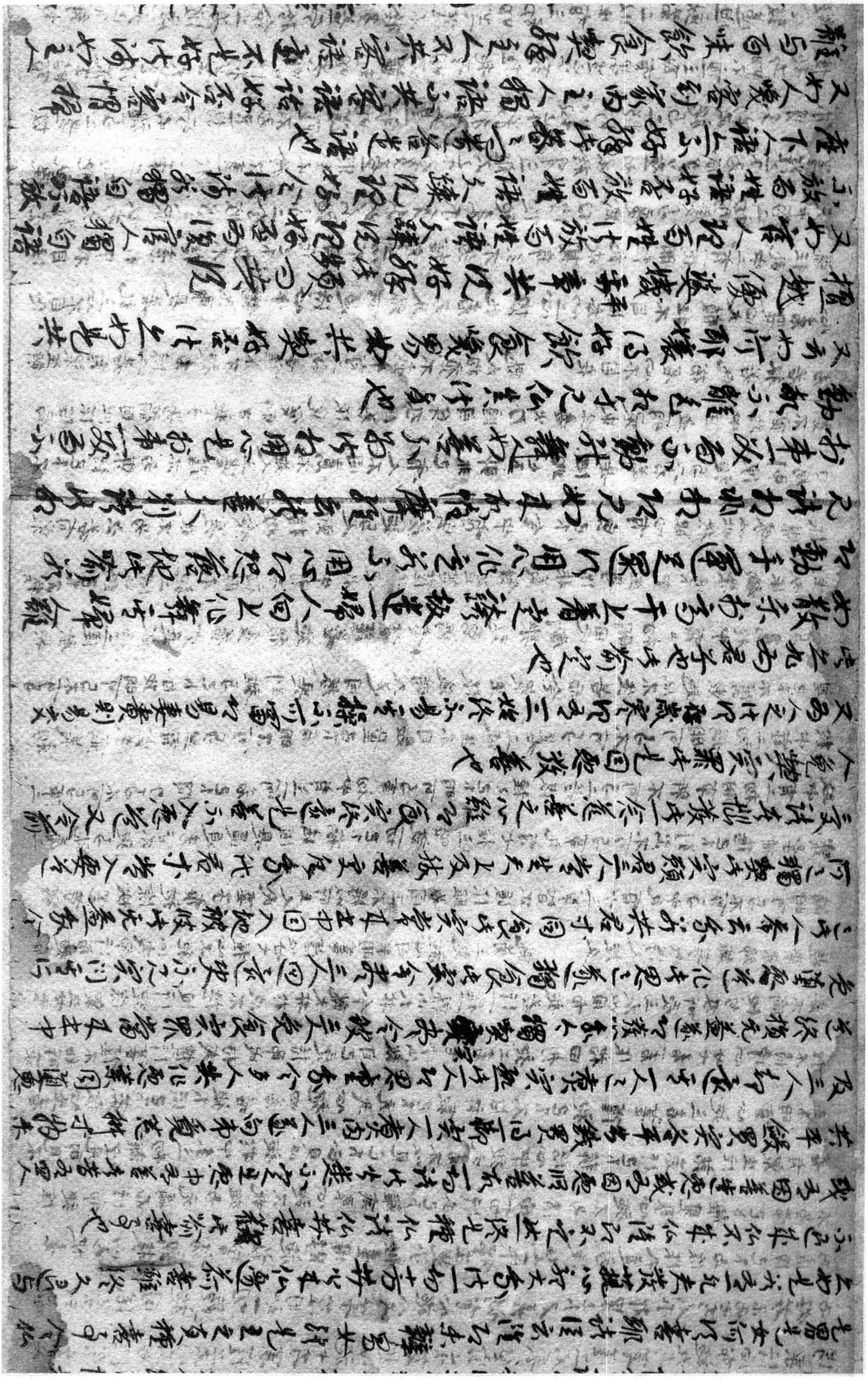

（26–17）

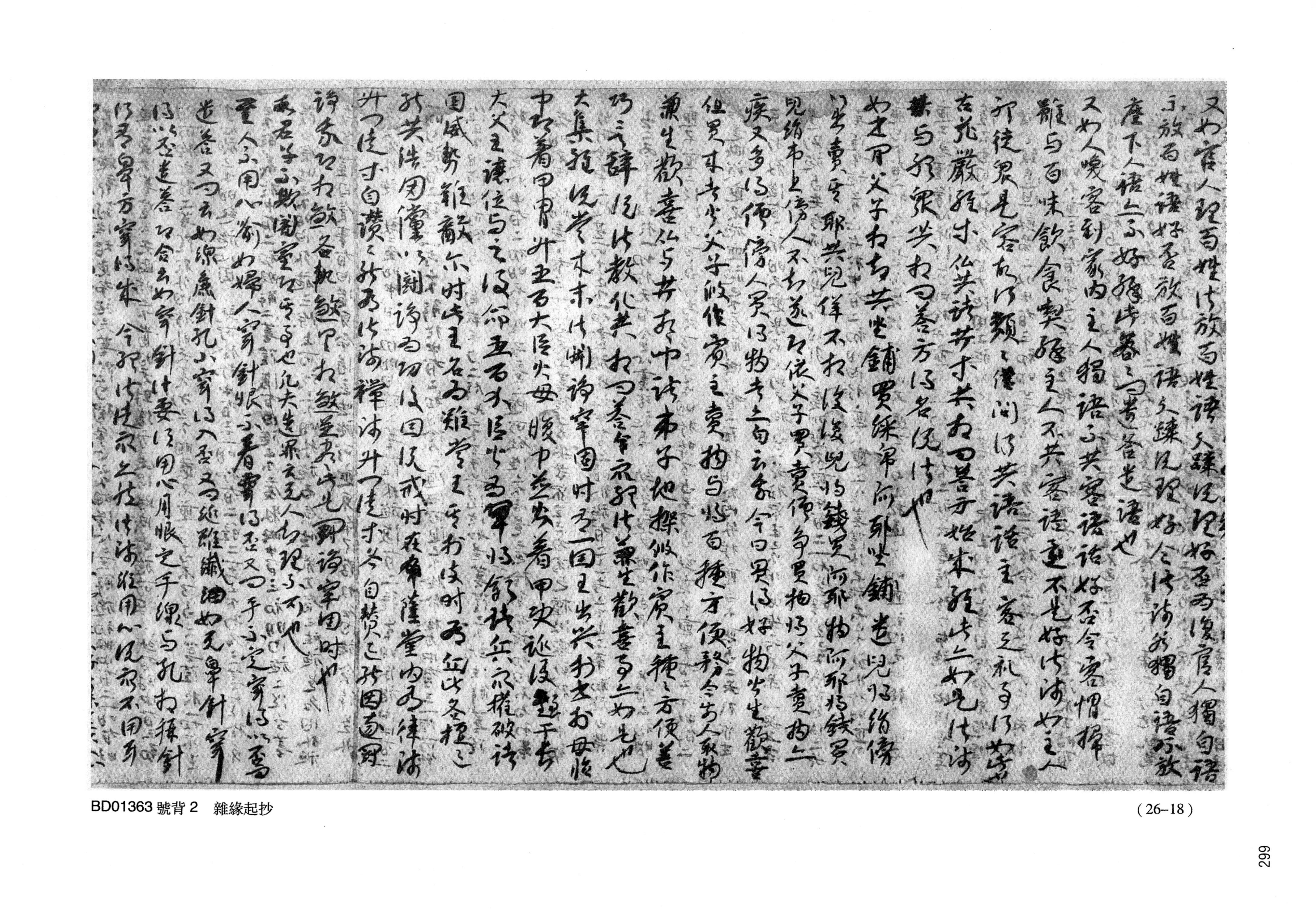

BD01363 號背 2　雜緣起抄

（26–18）

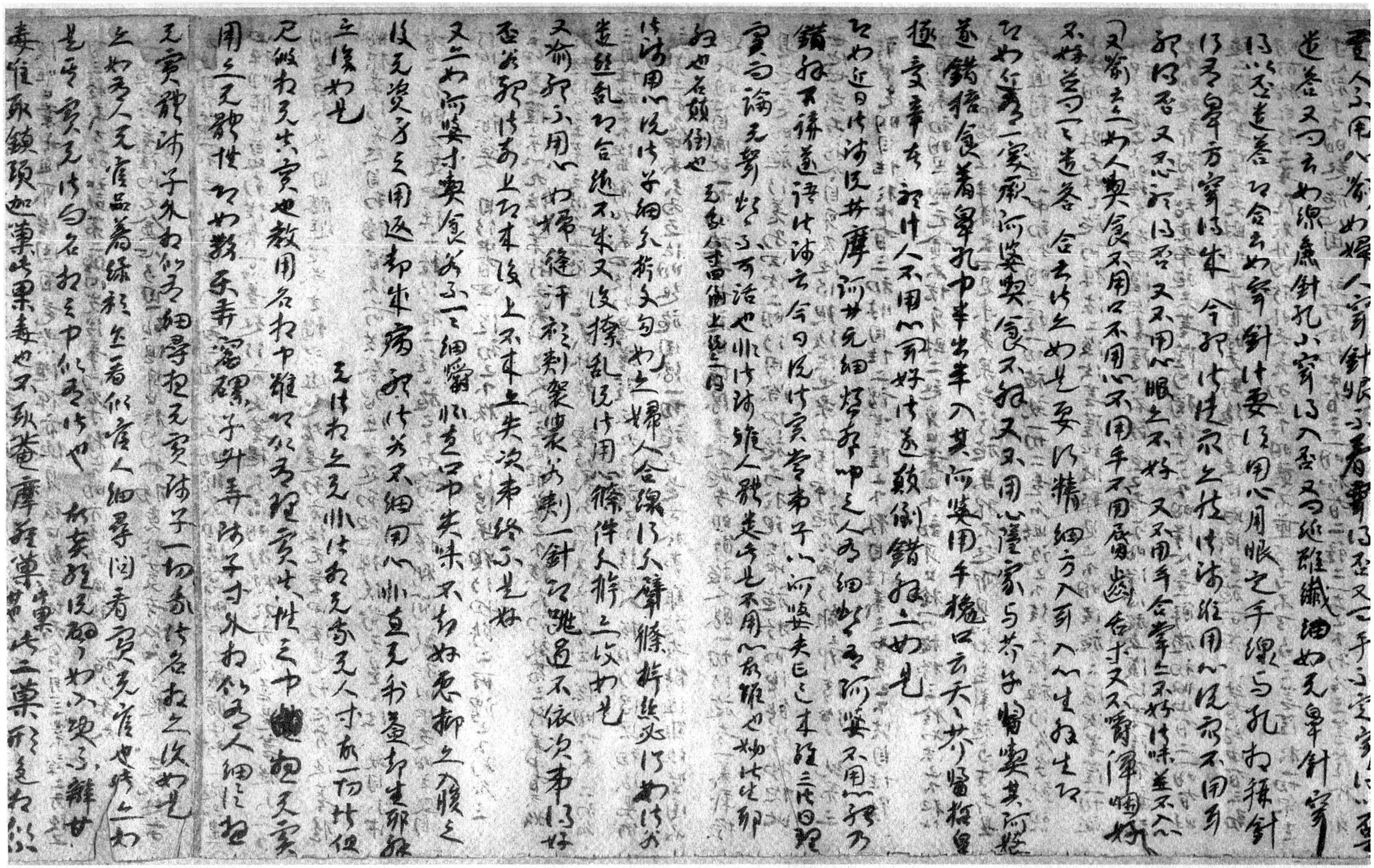

BD01363 號背 2　雜緣起抄

BD01363號背 2　雜緣起抄

（26–20）

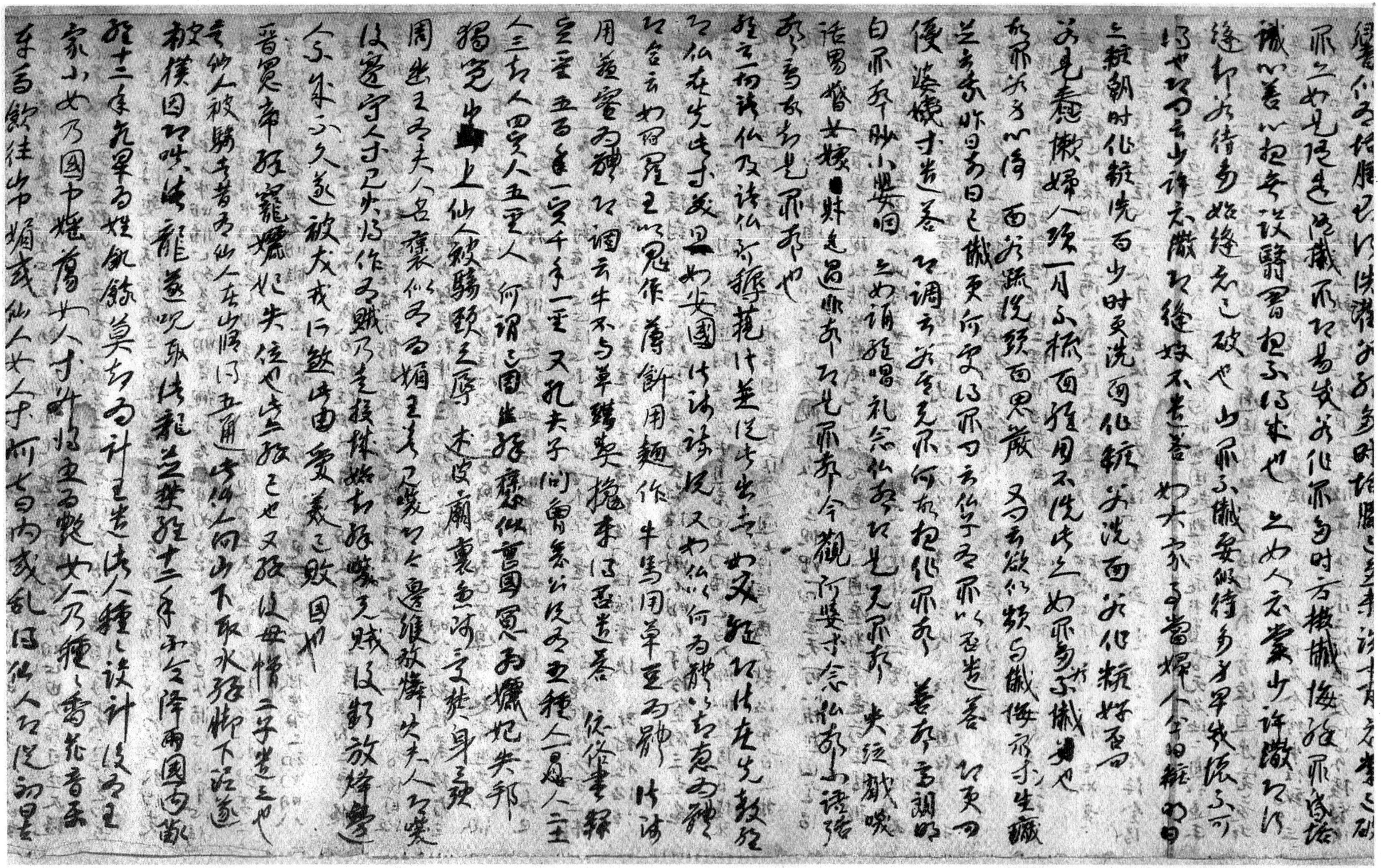

BD01363號背 2　雜緣起抄

（26–21）

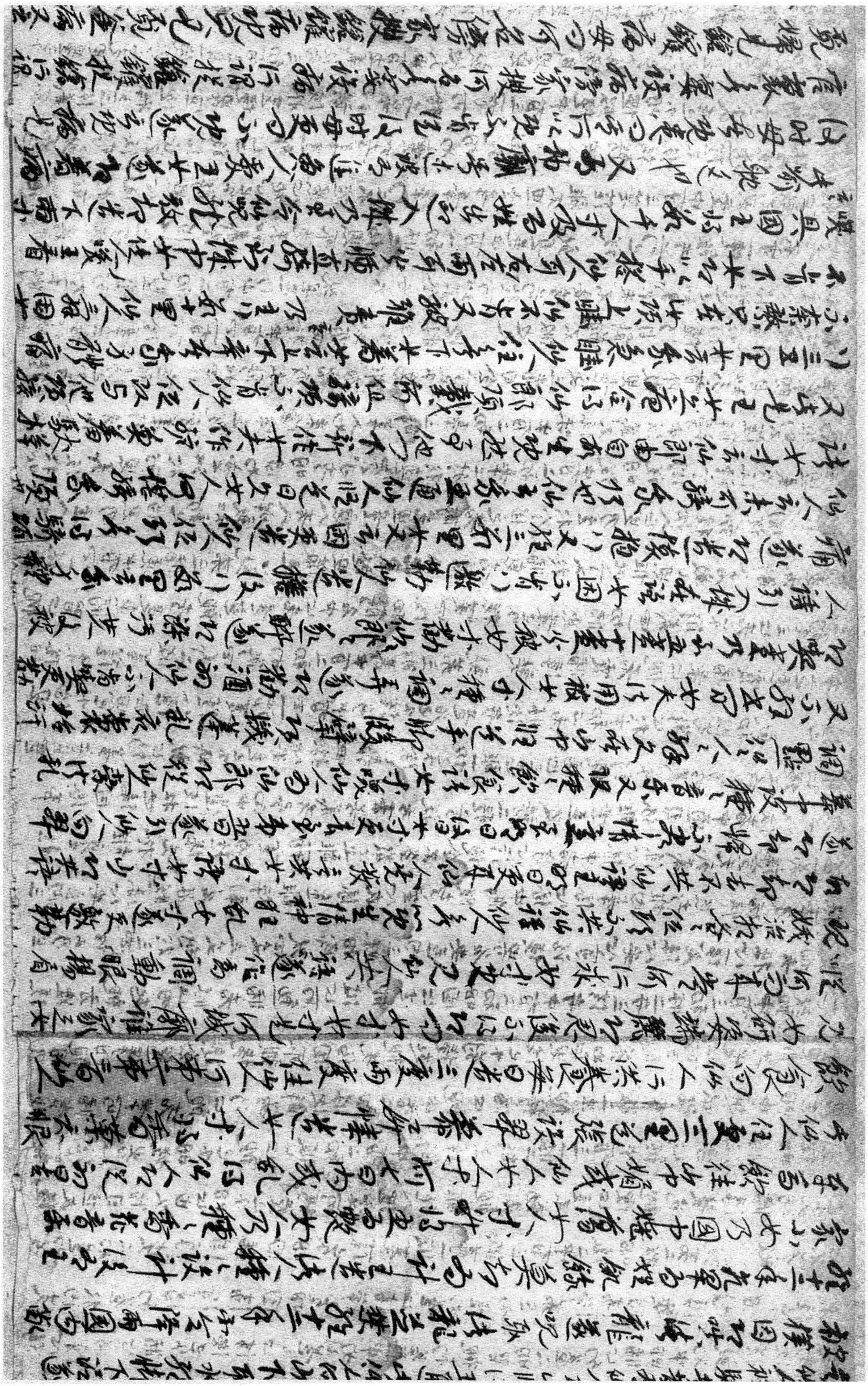

BD01363 號背 2　雜緣起抄

（26–22）

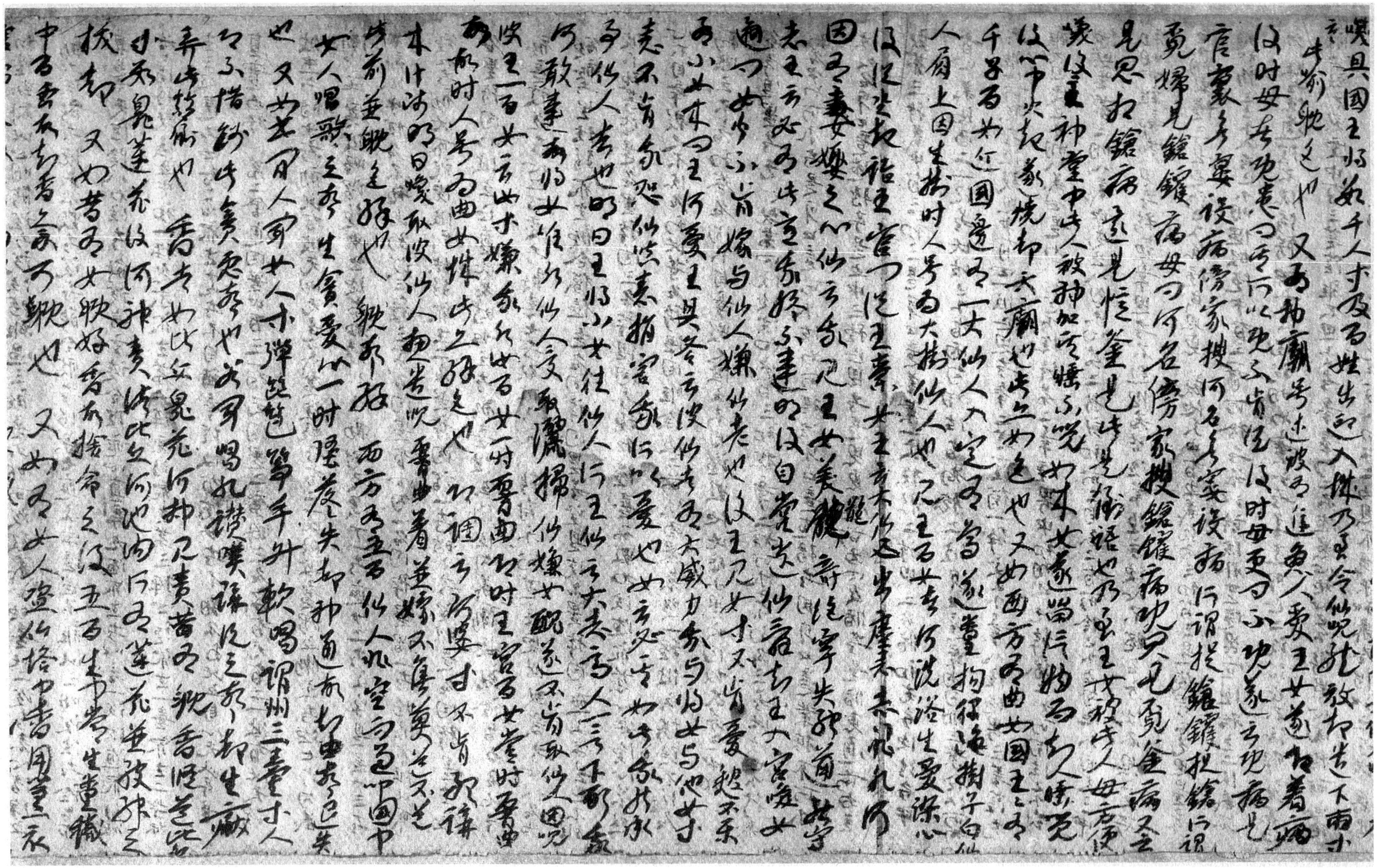

BD01363號背2 雜緣起抄

（26–23）

BD01363 號背 2　雜緣起抄　　（26–24）

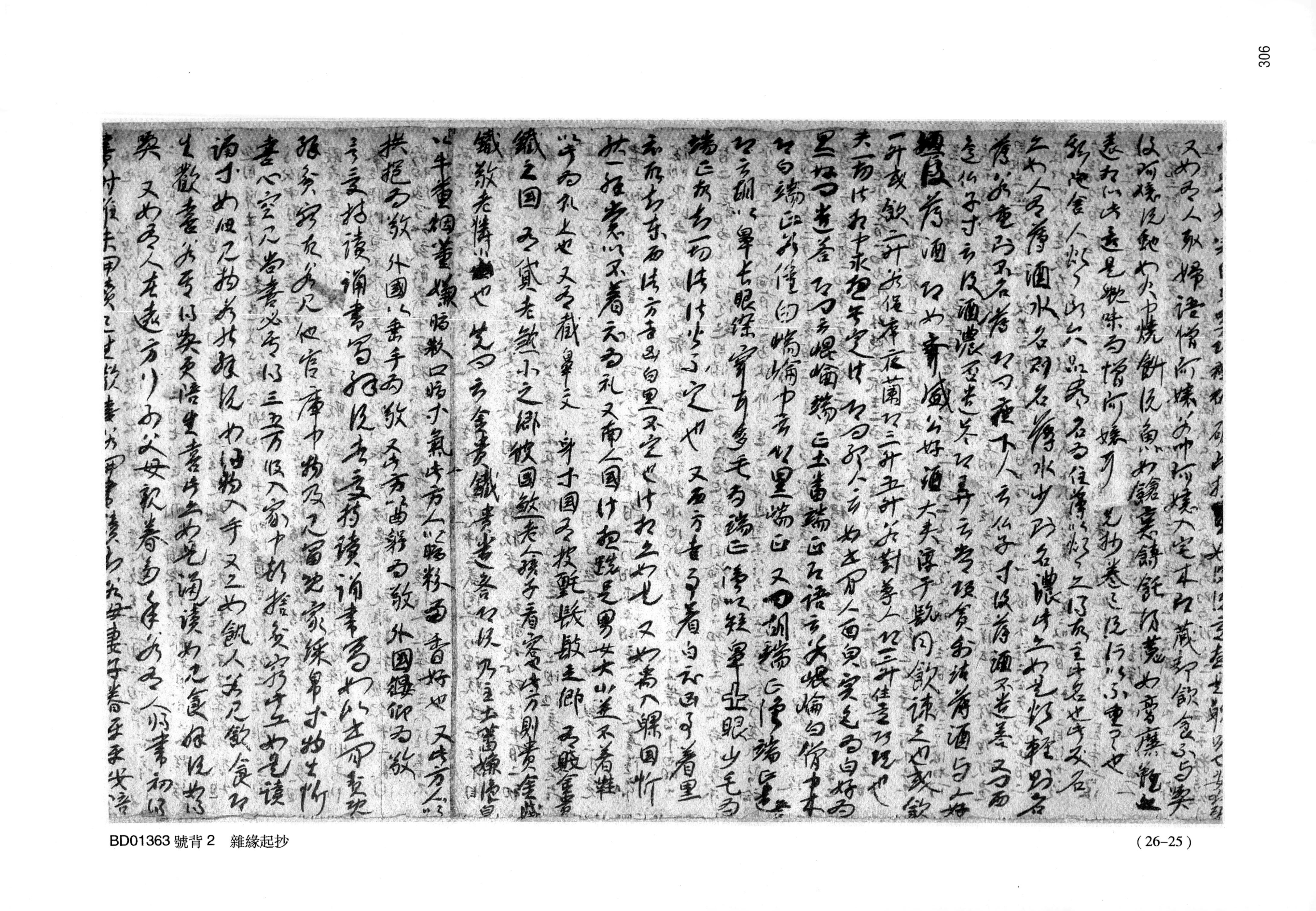

BD01363號背 2　雜緣起抄

（26–25）

BD01363號背2　雜緣起抄

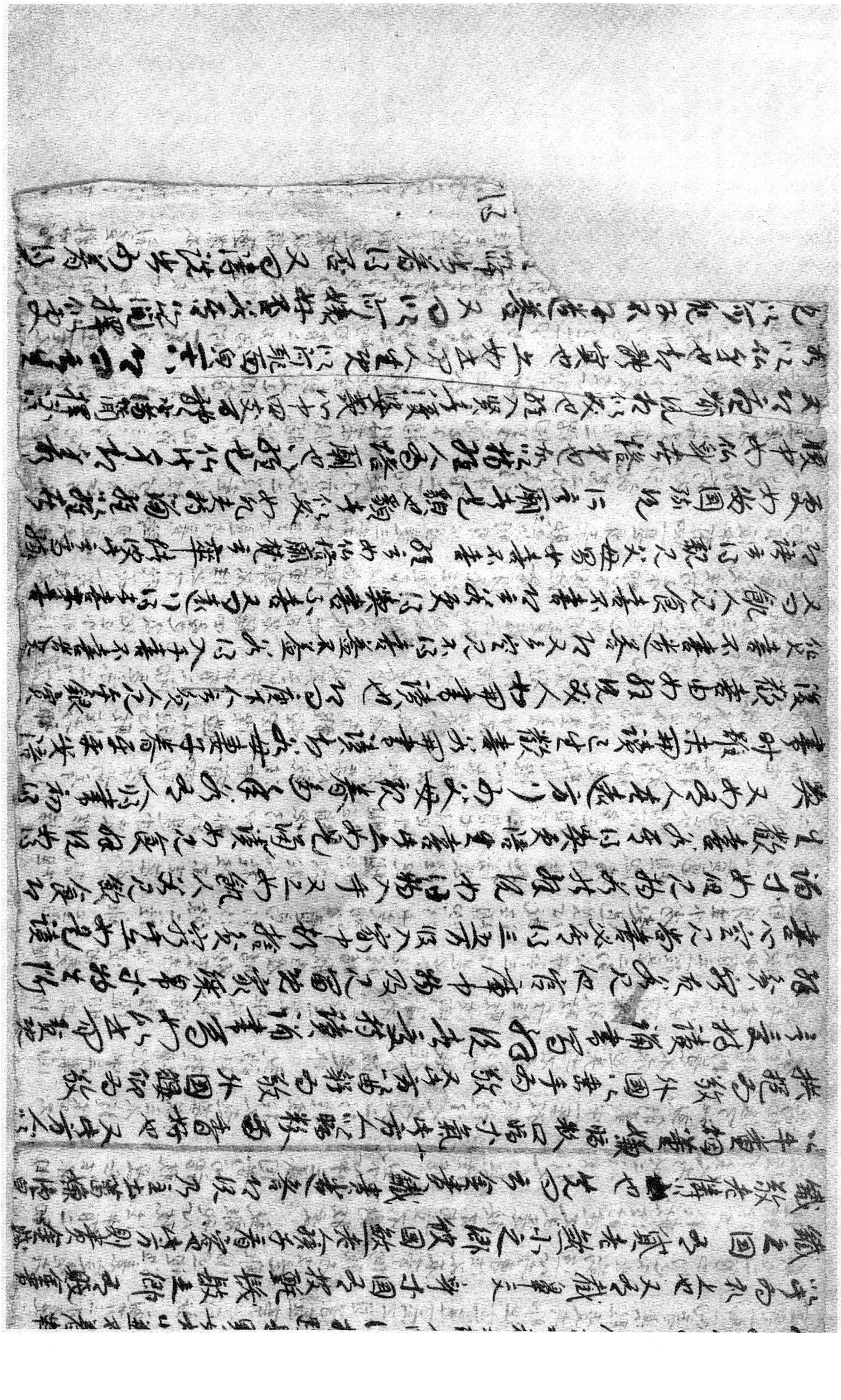

（26–26）

……樂是樂
五塵安□□□中出不從外來
亦如是行實心獨梵行得十善業道清
穢是名內樂問曰此樂何界繫欲界繫
界無色界繫耶答曰是樂欲界繫亦不繫
已無色亦繫今言譬如比丘入第三禪若
是色界繫不應言譬如比丘得第三禪以是
事故如此色界繫此欲界心生善樂一切徧
身譬如濡積婆界柔濡和樂不繫者得般若
波羅蜜觀諸法不生不滅得實智慧心無
所著無相之樂是為不繫問曰佛言涅槃第
一樂何以言第三禪樂答曰有二種樂有受
樂有受〻盡〻樂〻一切五陰盡更不生是無
餘涅槃樂能除憂愁煩惱心中歡喜是名樂
受如是樂受滿足在第三禪中以是故言如
問曰初禪亦有樂受何以故
但言第三禪答曰樂有上中下〻者初禪中
者二禪上者三禪初禪有二種樂根善根三

BD01364號　大智度論卷八（3–1）

……心中歡喜是名樂
受如是樂受滿足在第三禪中以是故言如
問曰初禪亦有樂受何以故
但言第三禪答曰樂有上中下〻者初禪中
者二禪上者三禪初禪有二種樂根善根三
識相應樂根意識相應喜根二禪中言意識
相應喜根三禪意識相應樂根一切三界中
除三禪更無意識相應樂根是五識不能分
別不知名字相眼識生如彈指頃意識已生
以是故五識相應樂根不能滿足樂意識相
應樂根能滿足樂以是故三禪中諸功德少
樂名故無背捨勝處一切入過是三禪更無
樂以是故言譬如比丘入第三禪一切衆生
皆得好慧持戒自守不嬈衆生問曰何以故
次樂後言好慧答曰分未得樂能作功德既
得樂以心著樂名故不作功德是故樂後次
第心得好〻慧〻者持戒自守不嬈衆生問
曰持戒是名自守亦名不嬈衆生何以故復
言自守不嬈衆生耶答曰身口善是名持戒
撿心離戒善是名自守亦名不嬈衆生一切
諸功德皆戒衆定衆慧衆所攝言好持戒是戒
衆攝好自守是定衆攝不嬈衆生禪中慈等諸功
德是慧衆攝問曰亦無有人言不好持戒者
今何以言好持戒答曰有如婆羅門旨世界
法者言捨家好持戒是為斷種人無以自力
得財廣作功德如是有福出家乞食自身不

BD01364號　大智度論卷八（3–2）

德是慧衆攝。問曰：亦无有人言不好持戒者，
今何以言好持戒？答曰：有如婆羅門嗜世界
法者言：捨家好持戒，是為斷種人，无以自力
得財廣作功德。如是有福出家乞食，自身不
給，何能作諸功德？如是為呵好持戒而有著
世界治道人呵好自守者言：人當以法治世，
賞善罰惡，法不可犯。不恤尊親，立法清世，所
益者大，何用獨善其身，自守无事，世亂而不
理，人急而不救？如是名為呵好自守。而有人
呵好不燒衆生者，言有怨不報，有賊不能擊，
惡人不能治，有罪无以肅，不能却患救難，嘿
然无益，何用此為？如是為呵好不燒衆生。如說：
人而无勇健，何用生世間？親難而不救，如木人在地。
如是等種種不善語，名為呵不燒衆生。是諸
天人皆等得好慧持戒自守不燒衆生，行是
善法，身心安隱，无所畏難，无熱无惱，有好名
善譽，人所愛敬，是為涅槃門。命終時見福
心歡以喜，无悔着。未得涅槃，生諸佛國若生
天上。故言得好慧持戒自守不燒衆生。

摩訶衍經卷第八　丈光義品第土

BD01364 號　大智度論卷八　（3–3）

BD01364 號背　勘記　（1–1）

飾安隱豐樂天人熾盛瑠璃為地有八交道
黃金為繩以界其側其傍各有七寶行樹常
有華菓華光如来亦以三乘教化眾生舍利
弗彼佛出時雖非惡世以本願故說三乘法
其劫名大寶莊嚴何故名曰大寶莊嚴其國
中以菩薩為大寶故彼諸菩薩无量无邊不
可思議筭數譬喻所不能及非佛智力无能
知者若欲行時寶華承足此諸菩薩非初發
意皆久殖德本於无量百千万億佛所淨脩
梵行恒為諸佛之所稱歎常脩佛慧具大神
通善知一切諸法之門質直无偽志念堅固
如是菩薩充滿其國舍利弗華光佛壽十二
小劫除為王子未作佛時其國人民壽八小
劫華光如来過十二小劫授堅滿菩薩阿耨
多羅三藐三菩提記告諸比丘是堅滿菩薩
次當作佛号曰華足安行多陁阿伽度阿羅
訶三藐三佛陁其佛國土亦復如是舍利弗
是華光佛滅度之後正法住世三十二小劫
像法住世亦三十二小劫尒時世尊欲重宣
此義而說偈言
舍利弗来世　成佛普智尊　号名曰華光　當度无量眾
供養无數佛　具足菩薩行　十力等功德　證於无上道

BD01365號　妙法蓮華經卷二　（4–1）

[illegible]
是華光佛滅度之後正法住世三十二小劫
像法住世亦三十二小劫尒時世尊欲重宣
此義而說偈言
舍利弗来世　成佛普智尊　号名曰華光　當度无量眾
供養无數佛　具足菩薩行　十力等功德　證於无上道
過无量劫已　劫名大寶嚴　世界名離垢　清淨无瑕穢
以瑠璃為地　金繩界其道　七寶雜色樹　常有華菓實
彼國諸菩薩　志念常堅固　神通波羅蜜　皆已悉具足
於无數佛所　善學菩薩道　如是等大士　華光佛所化
佛為王子時　棄國捨世榮　於最末後身　出家成佛道
華光佛住世　壽十二小劫　其國人民眾　壽命八小劫
佛滅度之後　正法住於世　三十二小劫　廣度諸眾生
正法滅盡已　像法三十二　舍利廣流布　天人普供養
華光佛所為　其事皆如是　其兩足聖尊　最勝无倫匹
彼即是汝身　宜應自欣慶
尒時四部眾比丘比丘尼優婆塞優婆夷天
龍夜叉乾闥婆阿脩羅迦樓羅緊那羅摩睺
羅伽等大眾見舍利弗於佛前受阿耨多羅
三藐三菩提記心大歡喜踊躍无量各各脫
身所著上衣以供養佛釋提桓因梵天王等
與无數天子亦以天妙衣天曼陁羅華摩訶
曼陁羅華等供養於佛所散天衣住虛空中
而自迴轉諸天伎樂百千万種於虛空中一
時俱作雨眾天華而作是言佛昔於波羅柰
初轉法輪今乃復轉无上最大法輪尒時諸

BD01365號　妙法蓮華經卷二　（4–2）

與无數天子亦以天妙衣天曼陁羅華摩訶
曼陁羅華等供養於佛所散天衣住虛空中
而自迴轉諸天伎樂百千万種於虛空中一
時俱作雨衆天華而作是言佛昔於波羅柰
初轉法輪今乃復轉无上最大法輪尒時諸
天子欲重宣此義而說偈言
昔於波羅柰　轉四諦法輪　分別說諸法　五衆之生滅
今復轉最妙　无上大法輪　是法甚深奧　少有能信者
我等從昔來　數聞世尊說　未曾聞如是　深妙之上法
世尊說是法　我等皆隨喜　大智舍利弗　今得受尊記
我等亦如是　必當得作佛　於一切世間　最尊无有上
佛道叵思議　方便隨宜說　我所有福業　今世若過世
及見佛功德　盡迴向佛道
尒時舍利弗白佛言世尊我今无復疑悔親
於佛前得受阿耨多羅三藐三菩提記是諸
千二百心自在者昔住學地佛常教化言我
法能離生老病死究竟涅槃是學无學人亦
各自以離我見及有无見等謂得涅槃而今
於世尊前聞所未聞皆墮疑惑善哉世尊願
為四衆說其因緣令離疑悔尒時佛告舍利
弗我先不言諸佛世尊以種種因緣譬喻言
辭方便說法皆為阿耨多羅三藐三菩提耶
是諸所說皆為化菩薩故然舍利弗今當復
以譬喻更明此義諸有智者以譬喻得解舍
利弗若國邑聚落有大長者其年衰邁財富
无量多有田宅及諸僮僕其家廣大唯有一

BD01365號　妙法蓮華經卷二　（4–3）

是諸所說皆為化菩薩故然舍利弗今當復
以譬喻更明此義諸有智者以譬喻得解舍
利弗若國邑聚落有大長者其年衰邁財富
无量多有田宅及諸僮僕其家廣大唯有一
門多諸人衆一百二百乃至五百人止住其
中堂閣朽故墻壁頹落柱根腐敗梁棟傾危
周帀俱時欻然火起焚燒舍宅長者諸子若
十二十或至三十在此宅中長者見是大火
從四面起即大驚怖而作是念我雖能於此
所燒之門安隱得出而諸子等於火宅內樂
著嬉戲不覺不知不驚不怖火來逼身苦痛
切己心不厭患无求出意舍利弗是長者作
是思惟我身手有力當以衣裓若以几案從
舍出之復更思惟是舍唯有一門而復狹小
諸子幼稚未有所識戀著戲處或當墮落為
火所燒我當為說怖畏之事此舍已燒宜時
疾出无令為火之所燒害作是念已如所思
惟具告諸子汝等速出父雖憐愍善言誘喻
而諸子等樂著嬉戲不肯信受不驚不畏了
无出心亦復不知何者是火何者為舍云何
為失但東西走戲視父而已尒時長者即作
是念此舍已為大火所燒我及諸子若不時
出必為所焚我今當設方便令諸子等得免
斯害父知諸子先心各有所好種種珍玩奇
異之物情必樂著而告之言汝等所可玩好

BD01365號　妙法蓮華經卷二　（4–4）

善[illegible]意云何若人滿三
寶以用布施是人所得福德寧
提言甚多世尊何以故是福德即非福德性
是故如來說福德多若復有人於此經中受
持乃至四句偈等為他人說其福勝彼何以
故須菩提一切諸佛及諸佛阿耨多羅三藐
三菩提法皆從此經出須菩提所謂佛法者
即非佛法
須菩提於意云何須陁洹能作是念我得須
陁洹果不須菩提言不也世尊何以故須陁
洹名為入流而无所入不入色聲香味觸法
是名須陁洹須菩提於意云何斯陁含能作
是念我得斯陁含果不須菩提言不也世尊
何以故斯陁含名一往來而實无往來是名
斯陁含須菩提於意云何阿那含能作是念
我得阿那含果不須菩提言不也世尊何以
故阿那含名為不來而實无來是故名阿那
含須菩提於意云何阿羅漢能作是念我得
阿羅漢道不須菩提言不也世尊何以故實
无有法名阿羅漢世尊若阿羅漢作是念我
得阿羅漢道即為著我人衆生壽者世尊佛
說我得无諍三昧人中最為第一是第一離
欲阿羅漢我不作是念我是離欲阿羅漢世

BD01366 號　金剛般若波羅蜜經　（13–1）

含須菩提於意云何阿羅漢能作是念我得
阿羅漢道不須菩提言不也世尊何以故實
无有法名阿羅漢世尊若阿羅漢作是念我
得阿羅漢道即為著我人衆生壽者世尊佛
說我得无諍三昧人中最為第一是第一離
欲阿羅漢我不作是念我是離欲阿羅漢世
尊我若作是念我得阿羅漢道世尊則不說
須菩提是樂阿蘭那行者以須菩提實无所
行而名須菩提是樂阿蘭那行
佛告須菩提於意云何如來昔在然燈佛所
於法有所得不不也世尊如來在然燈佛所
於法實无所得須菩提於意云何菩薩莊嚴
佛土不不也世尊何以故莊嚴佛土者則非
莊嚴是名莊嚴是故須菩提諸菩薩摩訶薩
應如是生清淨心不應住色生心不應住聲
香味觸法生心應无所住而生其心須菩提
譬如有人身如須弥山王於意云何是身為
大不須菩提言甚大世尊何以故佛說非身
是名大身
須菩提如恒河中所有沙數如是沙等恒河
於意云何是諸恒河沙寧為多不須菩提言
甚多世尊但諸恒河尚多无數何况其沙須
菩提我今實言告汝若有善男子善女人以
七寶滿尒所恒河沙數三千大千世界以用
布施得福多不須菩提言甚多世尊佛告須

BD01366 號　金剛般若波羅蜜經　（13–2）

甚多世尊但諸恒河尚多无數何况其沙須
菩提我今實言告汝若有善男子善女人以
七寶滿尒所恒河沙數三千大千世界以用
布施得福多不須菩提言甚多世尊佛告須
菩提若善男子善女人於此經中乃至受持
四句偈等為他人說而此福德勝前福德
復次須菩提隨說是經乃至四句偈等當知
此處一切世間天人阿脩羅皆應供養如佛
塔廟何况有人盡能受持讀誦須菩提當知
是人成就最上第一希有之法若是經典所
在之處則為有佛若尊重弟子
尒時須菩提白佛言世尊當何名此經我等
云何奉持佛告須菩提是經名為金剛般若
波羅蜜以是名字汝當奉持所以者何須菩
提佛說般若波羅蜜則非般若波羅蜜須菩
提於意云何如來有所說法不須菩提白佛言
世尊如來无所說須菩提於意云何三千大
千世界所有微塵是為多不須菩提言甚多
世尊須菩提諸微塵如來說非微塵是名微
塵如來說世界非世界是名世界須菩提於
意云何可以三十二相見如來不不也世尊
何以故如來說三十二相即是非相是名三
十二相須菩提若有善男子善女人以恒河
沙等身命布施若復有人於此經中乃至受
持四句偈等為他人說其福甚多

BD01366號　金剛般若波羅蜜經　（13–3）

何以故如來說三十二相即是非相是名三
十二相須菩提若有善男子善女人以恒河
沙等身命布施若復有人於此經中乃至受
持四句偈等為他人說其福甚多
尒時須菩提聞說是經深解義趣涕淚悲泣
而白佛言希有世尊佛說如是甚深經典我
從昔來所得慧眼未曾得聞如是之經世尊
若復有人得聞是經信心清淨則生實相當
知是人成就第一希有功德世尊是實相者
則是非相是故如來說名實相世尊我今得
聞如是經典信解受持不足為難若當來世
後五百歲其有眾生得聞是經信解受持是
人則為第一希有何以故此人无我相人相
眾生相壽者相所以者何我相即是非相人
相眾生相壽者相即是非相何以故離一切
諸相則名諸佛
佛告須菩提如是如是若復有人得聞是經
不驚不怖不畏當知是人甚為希有何以故
須菩提如來說第一波羅蜜非第一波羅蜜
是名第一波羅蜜須菩提忍辱波羅蜜如來
說非忍辱波羅蜜何以故須菩提如我昔為
歌利王割截身體我於尒時无我相无人相
无眾生相无壽者相何以故我於往昔節節
支解時若有我相人相眾生相壽者相應生
瞋恨須菩提又念過去於五百世作忍辱仙
人於尒所世无我相无人相无眾生相无壽

BD01366號　金剛般若波羅蜜經　（13–4）

歌利王割截身體我於尒時无我相无人相
无衆生相无壽者相何以故我於往昔節節
支解時若有我相人相衆生相壽者相應生
瞋恨須菩提又念過去於五百世作忍辱仙
人於尒所世无我相无人相无衆生相无壽
者相是故須菩提菩薩應離一切相發阿耨
多羅三藐三菩提心不應住色生心不應住
聲香味觸法生心應生无所住心若心有住
則為非住是故佛說菩薩心不應住色布施
須菩提菩薩為利益一切衆生應如是布施
如來說一切諸相即是非相又說一切衆生
則非衆生須菩提如來是真語者實語者如
語者不誑語者不異語者須菩提如來所得
法此法无實无虛須菩提若菩薩心住於法
而行布施如人入闇則无所見若菩薩心不
住法而行布施如人有目日光明照見種種
色須菩提當來之世若有善男子善女人能
於此經受持讀誦則為如來以佛智慧悉知
是人悉見是人皆得成就无量无邊功德
須菩提若有善男子善女人初日分以恒河
沙等身布施中日分復以恒河沙等身布施
後日分亦以恒河沙等身布施如是无量百
千万億劫以身布施若復有人聞此經典信
心不逆其福勝彼何况書寫受持讀誦為人
解說須菩提以要言之是經有不可思議不

BD01366號　金剛般若波羅蜜經　（13–5）

後日分亦以恒河沙等身布施如是无量百
千万億劫以身布施若復有人聞此經典信
心不逆其福勝彼何况書寫受持讀誦為人
解說須菩提以要言之是經有不可思議不
可稱量无邊功德如來為發大乘者說為發
最上乘者說若有人能受持讀誦廣為人說
如來悉知是人悉見是人皆成就不可量不
可稱无有邊不可思議功德如是人等則為
荷擔如來阿耨多羅三藐三菩提何以故須
菩提若樂小法者著我見人見衆生見壽者
見則於此經不能聽受讀誦為人解說須菩
提在在處處若有此經一切世間天人阿脩
羅所應供養當知此處則為是塔皆應恭敬
作禮圍繞以諸華香而散其處
復次須菩提善男子善女人受持讀誦此經
若為人輕賤是人先世罪業應墮惡道以今
世人輕賤故先世罪業則為消滅當得阿耨
多羅三藐三菩提須菩提我念過去无量阿
僧祇劫於然燈佛前得值八百四千万億那
由他諸佛悉皆供養承事无空過者若復有
人於後末世能受持讀誦此經所得功德於
我所供養諸佛功德百分不及一千万億分
乃至算數譬喻所不能及須菩提若善男子
善女人於後末世有受持讀誦此經所得功
德我若具說者或有人聞心則狂亂狐疑不

BD01366號　金剛般若波羅蜜經　（13–6）

我所供養諸佛功德百分不及一千万億分
乃至筭數譬喻所不能及須菩提若善男子
善女人於後末世有受持讀誦此經所得功
德我若具說者或有人聞心則狂亂狐疑不
信須菩提當知是經義不可思議果報亦不
可思議
尒時須菩提白佛言世尊善男子善女人發
阿耨多羅三藐三菩提心云何應住云何降
伏其心佛告須菩提善男子善女人發阿耨
多羅三藐三菩提者當生如是心我應滅度
一切衆生滅度一切衆生已而无有一衆生
實滅度者何以故若菩薩有我相人相衆生
相壽者相則非菩薩所以者何須菩提實无
有法發阿耨多羅三藐三菩提者須菩提於
意云何如來於然燈佛所有法得阿耨多羅
三藐三菩提不不也世尊如我解佛所說義
佛於然燈佛所无有法得阿耨多羅三藐三
菩提佛言如是如是須菩提實无有法如來
得阿耨多羅三藐三菩提須菩提若有法如
來得阿耨多羅三藐三菩提然燈佛則不與
我受記汝於來世當得作佛号釋迦牟尼以
實无有法得阿耨多羅三藐三菩提是故然
燈佛與我受記作是言汝於來世當得作佛
号釋迦牟尼何以故如來者即諸法如義若
有人言如來得阿耨多羅三藐三菩提須菩

實无有法得阿耨多羅三藐三菩提是故然
燈佛與我受記作是言汝於來世當得作佛
号釋迦牟尼何以故如來者即諸法如義若
有人言如來得阿耨多羅三藐三菩提須菩
提實无有法佛得阿耨多羅三藐三菩提須
菩提如來所得阿耨多羅三藐三菩提於是
中无實无虗是故如來說一切法皆是佛法
須菩提所言一切法者即非一切法是故名
一切法須菩提譬如人身長大須菩提言世
尊如來說人身長大則為非大身是名大身
須菩提菩薩亦如是若作是言我當滅度无
量衆生則不名菩薩何以故須菩提无有法
名為菩薩是故佛說一切法无我无人无衆
生无壽者須菩提若菩薩作是言我當莊嚴
佛土是不名菩薩何以故如來說莊嚴佛土
者即非莊嚴是名莊嚴須菩提若菩薩通達
无我法者如來說名真是菩薩
須菩提於意云何如來有肉眼不如是世尊
如來有肉眼須菩提於意云何如來有天眼
不如是世尊如來有天眼須菩提於意云何
如來有慧眼不如是世尊如來有慧眼須菩
提於意云何如來有法眼不如是世尊如來
有法眼須菩提於意云何如來有佛眼不如
是世尊如來有佛眼須菩提於意云何如恒
河中所有沙佛說是沙不如是世尊如來說
是沙須菩提於意云何如一恒河中所有沙

有法眼須菩提於意云何如來有佛眼不如
是世尊如來有佛眼須菩提於意云何如恒
河中所有沙佛說是沙不如是世尊如來說
是沙須菩提於意云何如一恒河中所有沙
有如是等恒河是諸恒河所有沙數佛世界
如是寧為多不甚多世尊佛告須菩提尒所
國土中所有衆生若干種心如來悉知何以
故如來說諸心皆為非心是名為心所以者
何須菩提過去心不可得現在心不可得未
來心不可得須菩提於意云何若有人滿三
千大千世界七寶以用布施是人以是因緣
得福多不如是世尊此人以是因緣得福甚
多須菩提若福德有實如來不說得福德多
以福德无故如來說得福德多
須菩提於意云何佛可以具足色身見不不
也世尊如來不應以具足色身見何以故如
來說具足色身即非具足色身是名具足色
身須菩提於意云何如來可以具足諸相見
不不也世尊如來不應以具足諸相見何以
故如來說諸相具足即非具足是名諸相具
足須菩提汝勿謂如來作是念我當有所說
法莫作是念何以故若人言如來有所說法
即為謗佛不能解我所說故須菩提說法者
无法可說是名說法
須菩提白佛言世尊佛得阿耨多羅三藐三

BD01366 號　金剛般若波羅蜜經　（13–9）

法莫作是念何以故若人言如來有所說法
即為謗佛不能解我所說故須菩提說法者
无法可說是名說法
須菩提白佛言世尊佛得阿耨多羅三藐三
菩提為无所得耶如是如是須菩提我於阿
耨多羅三藐三菩提乃至无有少法可得是
名阿耨多羅三藐三菩提
復次須菩提是法平等无有高下是名阿耨
多羅三藐三菩提以无我无人无衆生无壽
者修一切善法則得阿耨多羅三藐三菩提
須菩提所言善法者如來說非善法是名善
法須菩提若三千大千世界中所有諸須弥
山王如是等七寶聚有人持用布施若人以
此般若波羅蜜經乃至四句偈等受持讀誦
為他人說於前福德百分不及一百千万億
分乃至筭數譬喻所不能及
須菩提於意云何汝等勿謂如來作是念我
當度衆生須菩提莫作是念何以故實无有
衆生如來度者若有衆生如來度者如來則
有我人衆生壽者須菩提如來說有我者則
非有我而凡夫之人以為有我須菩提凡夫
者如來說則非凡夫須菩提於意云何可以
三十二相觀如來不須菩提言如是如是以
三十二相觀如來佛言須菩提若以三十二
相觀如來者轉輪聖王則是如來須菩提白

BD01366 號　金剛般若波羅蜜經　（13–10）

非有我而凡夫之人以為有我須菩提凡夫
者如来說則非凡夫須菩提於意云何可以
三十二相觀如来不須菩提言如是如是以
三十二相觀如来佛言須菩提若以三十二
相觀如来者轉輪聖王則是如来須菩提白
佛言世尊如我解佛所說義不應以三十二
相觀如来尒時世尊而說偈言
若以色見我 以音聲求我 是人行邪道 不能見如来
須菩提汝若作是念如来不以具足相故得
阿耨多羅三藐三菩提須菩提莫作是念如
来不以具足相故得阿耨多羅三藐三菩提
須菩提汝若作是念發阿耨多羅三藐三菩
提者說諸法斷滅相莫作是念何以故發阿
耨多羅三藐三菩提者於法不說斷滅相須
菩提若菩薩以滿恒河沙等世界七寶布施
若復有人知一切法无我得成於忍此菩薩
勝前菩薩所得功德何以故須菩提以諸菩
薩不受福德故須菩提白佛言世尊云何菩
薩不受福德須菩提菩薩所作福德不應貪
著是故說不受福德須菩提若有人言如来
若来若去若坐若卧是人不解我所說義何
以故如来者无所從来亦无所去故名如来
須菩提若善男子善女人以三千大千世界
碎為微塵於意云何是微塵衆寧為多不甚
多世尊何以故若是微塵衆實有者佛則不

BD01366號　金剛般若波羅蜜經　（13–11）

若来若去若坐若卧是人不解我所說義何
以故如来者无所從来亦无所去故名如来
須菩提若善男子善女人以三千大千世界
碎為微塵於意云何是微塵衆寧為多不甚
多世尊何以故若是微塵衆實有者佛則不
說是微塵衆所以者何佛說微塵衆則非微
塵衆是名微塵衆世尊如来所說三千大千
世界則非世界是名世界何以故若世界實
有者則是一合相如来說一合相則非一合
相是名一合相須菩提一合相者則是不可
說但凡夫之人貪著其事須菩提若人言佛
說我見人見衆生見壽者見須菩提於意云
何是人解我所說義不世尊是人不解如来
所說義何以故世尊說我見人見衆生見壽
者見即非我見人見衆生見壽者見是名我
見人見衆生見壽者見須菩提發阿耨多羅
三藐三菩提心者於一切法應如是知如是
見如是信解不生法相須菩提所言法相如
来說即非法相是名法相須菩提若有人以
滿无量阿僧祇世界七寶持用布施若有善
男子善女人發菩薩心者持於此經乃至四
句偈等受持讀誦為人演說其福勝彼云何
為人演說不取於相如如不動何以故
一切有為法 如夢幻泡影 如露亦如電 應作如是觀
佛說是經已長老須菩提及諸比丘比丘尼

BD01366號　金剛般若波羅蜜經　（13–12）

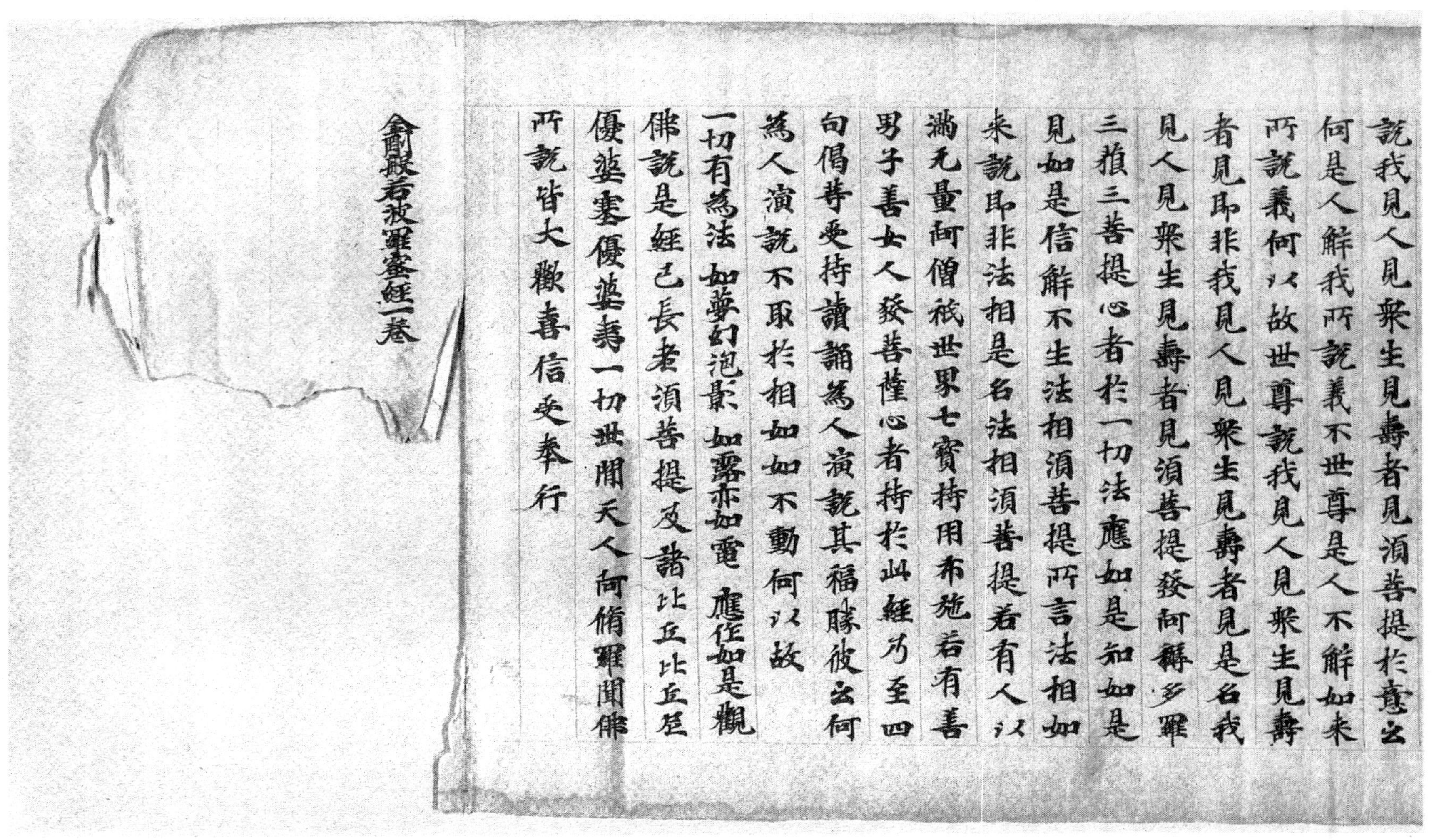
説我見人見衆生見壽者見須菩提於意云
何是人解我所説義不世尊是人不解如來
所説義何以故世尊説我見人見衆生見壽
者見即非我見人見衆生見壽者見是名我
見人見衆生見壽者見須菩提發阿耨多羅
三藐三菩提心者於一切法應如是知如是
見如是信解不生法相須菩提所言法相如
來説即非法相是名法相須菩提若有人以
滿无量阿僧祇世界七寶持用布施若有善
男子善女人發菩薩心者持於此經乃至四
句偈等受持讀誦為人演説其福勝彼云何
為人演説不取於相如如不動何以故
一切有為法　如夢幻泡影　如露亦如電　應作如是觀
佛説是經已長老須菩提及諸比丘比丘尼
優婆塞優婆夷一切世間天人阿脩羅聞佛
所説皆大歡喜信受奉行

金剛般若波羅蜜經一卷

BD01366號　金剛般若波羅蜜經　（13–13）

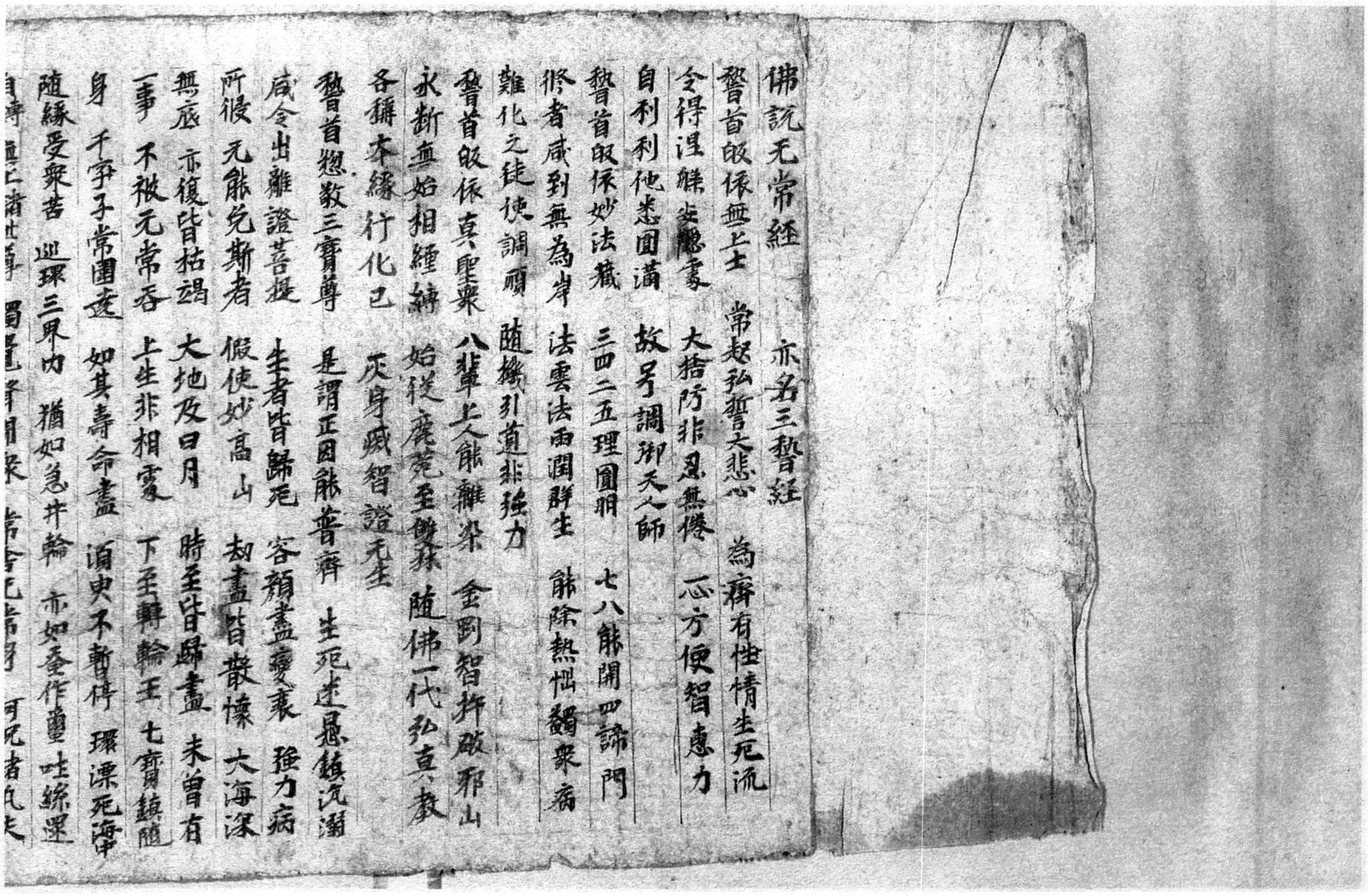

佛説无常經　亦名三啓經

稽首皈依無上士　常起弘誓大悲心　為濟有情生死流
令得涅槃安隱處　大捨防非忍無倦　一心方便智惠力
自利利他悉圓滿　故号調御天人師
稽首皈依妙法藏　三四二五理圓明　七八能開四諦門
修者咸到無為岸　法雲法雨潤群生　能除熱惱蠲衆病
難化之徒使調順　隨機引道非強力
稽首皈依真聖衆　八輩上人能離染　金剛智杵破邪山
永斷無始相纏縛　始從鹿苑至雙林　隨佛一代弘真教
各稱本緣行化已　灰身滅智證无生
稽首總敬三寶尊　是謂正因能普濟　生死迷愚鎮沉溺
咸令出離證菩提
生者皆歸死　容顔盡變衰　強力病
所侵　无能免斯者　假使妙高山　劫盡皆壞散　大海深
無底　亦復皆枯竭　大地及日月　時至皆歸盡　未曾有
一事　不被无常吞　上至非想處　下至轉輪王　七寶鎮隨
身　千子常圍遶　如其壽命盡　須臾不暫停　還漂死海
隨緣受衆苦　迴環三界內　猶如汲井輪　亦如蠶作繭　吐絲還
自縛　無上諸世尊　獨覺聲聞衆　尚捨无常身　何况於凡夫

BD01367號　無常經　（3–1）

無底 亦復皆枯竭 大地及日月 時至皆歸盡 未曾有
一事 不被无常吞 上至非想處 下至轉輪王 七寶鎮隨
身 千子常圍遶 如其壽命盡 須臾不暫停 還漂死海中
隨緣受衆苦 迴環三界內 猶如汲井輪 亦如蠶作繭 吐絲還
自縛 無上諸世尊 獨覺聲聞衆 尚舍无常身 何況諸凡夫
父母及妻子 兄弟并眷屬 目覩生死隔 云何不愁歎
是故勸諸人 諦聽真實法 共捨無常處 當行不死門
佛教如甘露 除熱得清涼 一心應善聽 能滅諸煩惱
如是我聞 一時薄伽梵在室羅筏城住逝多林給孤獨園
尒時佛告諸苾芻 有三種法 於諸世間是不可愛 是不
光澤 是不可念 是不稱意 何者為三 謂老病死 汝諸苾芻 此
老病死 世間無者 如來應正等覺不出於世 為諸衆生 說
所正法及調伏事 是故應知 此老病死 於諸世間 實不可愛
實不光澤 實不可念 實不稱意 由此三事 如來應正等覺出
現於世 為諸衆生 說所正法及調伏事 尒時世尊重說頌曰
外事莊綵咸歸壞 內身衰變亦同然 唯有聖法不滅亡
諸有智人應善察 此老病死皆共嫌 形儀醜惡極可厭
小年容貌暫時間 不久咸悉成枯悴 假使壽命滿百年
終歸不免无常逼 老病死苦常隨逐 恒與衆生作無利
尒時世尊說是經已 諸苾芻衆 一切世間天龍藥叉乾闥婆
阿蘇洛等 聞佛所說 皆大歡喜 信受奉行
常求諸欲境 不行於善是 云何保形命 不覺死來侵
命根氣欲盡 支節悉分離 衆苦與死俱 此時徒歎恨
兩目俱飜上 死刀隨業下 意想痛慞惶 无能相救濟
長喘連胸急 喉氣喘中乾 死王催伺命 親徒屬相守
諸識皆昏昧 行入險城中 親知咸棄捨 任彼繩牽去
將至琰摩王 隨業而受報 勝因生善道 惡業墮泥犂
明眼无過慧 黑闇不過癡 病不越怨家 大怖无過死
有生皆必死 造罪苦切身 當懃策三業 恒修於福智
眷屬皆捨去 財貨任他將 但持自善根 險道充糧食

BD01367號 無常經 （3–2）

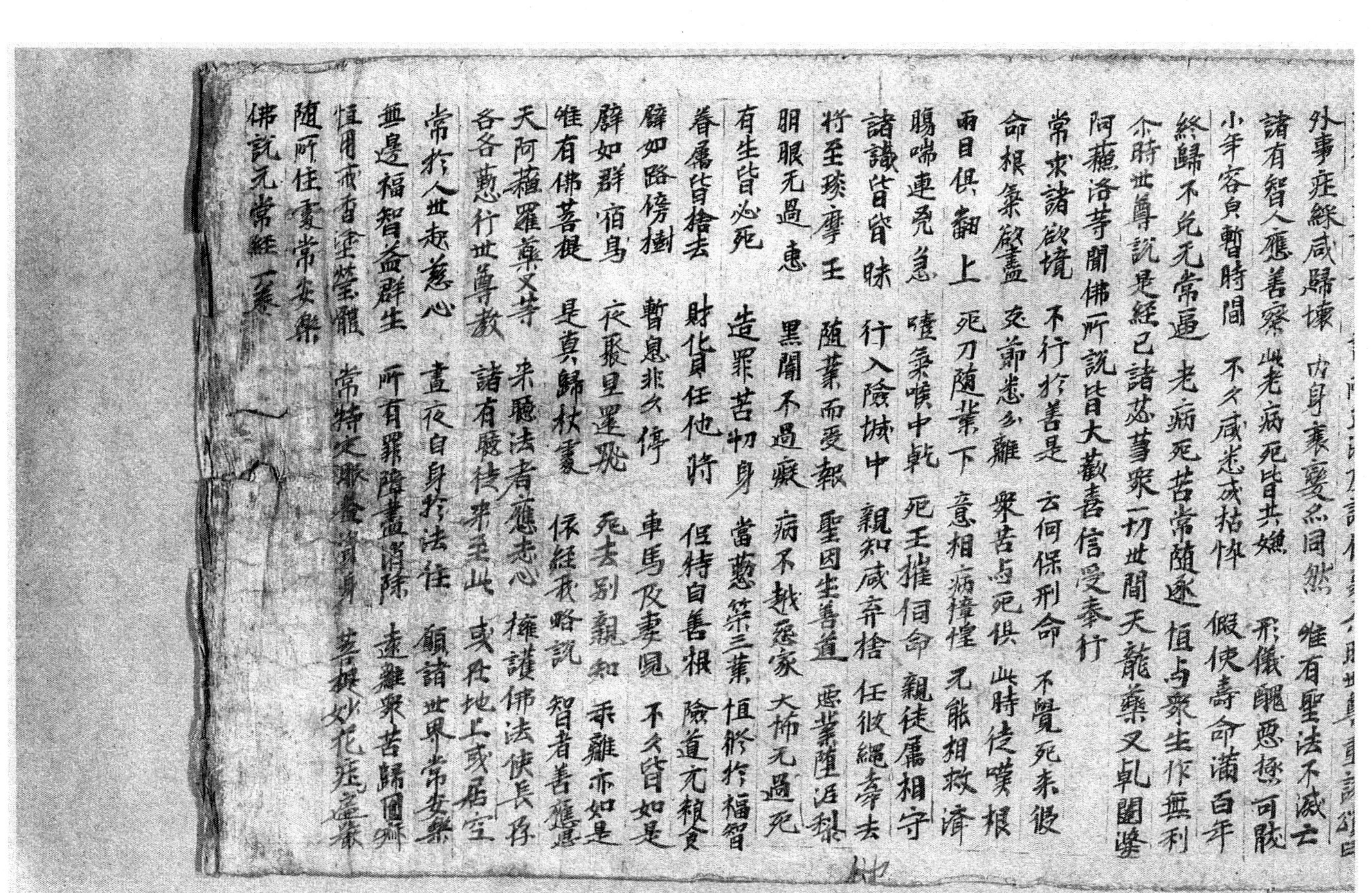

外事莊綵咸歸壞 內身衰變亦同然 唯有聖法不滅亡
諸有智人應善察 此老病死皆共嫌 形儀醜惡極可厭
小年容貌暫時間 不久咸悉成枯悴 假使壽命滿百年
終歸不免无常逼 老病死苦常隨逐 恒與衆生作無利
尒時世尊說是經已 諸苾芻衆 一切世間天龍藥叉乾闥婆
阿蘇洛等聞佛所說 皆大歡喜 信受奉行
常求諸欲境 不行於善是 云何保形命 不覺死來侵
命根氣欲盡 支節悉分離 衆苦與死俱 此時徒歎恨
兩目俱飜上 死刀隨業下 意想痛慞惶 无能相救濟
長喘連胸急 喉氣喘中乾 死王催伺命 親徒屬相守
諸識皆昏昧 行入險城中 親知咸棄捨 任彼繩牽去
將至琰摩王 隨業而受報 勝因生善道 惡業墮泥犂
明眼无過慧 黑闇不過癡 病不越怨家 大怖无過死
有生皆必死 造罪苦切身 當懃策三業 恒修於福智
眷屬皆捨去 財貨任他將 但持自善根 險道充糧食
譬如路傍樹 暫息非久停 車馬及妻兒 不久皆如是
譬如群宿鳥 夜聚旦還飛 死去別親知 乖離亦如是
唯有佛菩提 是真歸仗處 依經我略說 智者善應思
天阿蘇羅藥叉等 來聽法者應志心 擁護佛法使長存
各各懃行世尊教 諸有聽徒來至此 或在地上或居空
常於人世起慈心 晝夜自身依法住 願諸世界常安樂
無邊福智益群生 所有罪障盡消除 遠離衆苦歸圓寂
恒用戒香塗瑩體 常持定服以資身 菩提妙花遍莊嚴
隨所住處常安樂
佛說无常經一卷

BD01367號 無常經 （3–3）

擁護

典於說法者生世尊

采女眷屬生慈哀心和顏与

之具供養法師是汝尒時既勸化已即生无

量歡喜快樂心懷悅豫倍復自慶不生疲惓

多作利益於說法者倍生恭敬尒時佛告四

天大王尒時人王應著白淨鮮潔之衣種種

瓔珞奇妙莊嚴執持素白微妙上蓋服飾容

儀不失常則躬出奉迎說法之人何以故是

王如是隨其舉足之步步之中即是供養值遇

百千億那由他諸佛世尊復得超越如是等

劫生死之難復於來世尒所劫中常得封受

轉輪王位隨其步步亦得如是現世功德不

可思議自在之利常得寂勝極妙七寶人天

宮殿在在生處增益壽命言語辯了人所信

用无所畏忌有大名稱常為人天之所恭敬

天上人中受上妙樂得大勢力具之威德身

色微妙端嚴第一常值諸佛遇善知識成就

具之无量福聚汝等四王如是人王見如是等

種種无量功德利益是故此王應當躬出奉

迎法師若一由旬至百千由旬於說法師應

生佛想應作是念今日釋迦如來正遍知入

於我宮受我供養為我說法我聞是法即不

種種无量功德利益是故此王應當躬出奉

迎法師若一由旬至百千由旬於說法師應

生佛想應作是念今日釋迦如來正遍知入

於我宮受我供養為我說法我聞是法即不

退轉於阿耨多羅三藐三菩提已為得值百

千万億那由他佛為已供養過去未來現在

諸佛已得畢竟三惡道苦我今已種百千无

量轉輪聖王釋梵之因已種无邊善根種子

已令无量百千万億諸衆生等度於生死已

集无量无邊福聚後宮眷屬已得擁護宮宅

諸衰患已消滅國土无有怨賊抄劫他方怨

敵不能侵陵汝等四王如是人王應作如是

供養正法清淨聽受是妙經典恭敬供養尊

重讚嘆持是經典四部之衆亦當迴此所得

寂勝功德之分施与汝等及餘眷屬諸天鬼

神衆集如是諸善功德現世常得无量无邊

不可思議自在之利威德勢力成就具足能

以正法摧伏諸惡

尒時四天王白佛言世尊若未來世有諸人

王作如是等恭敬正法至心聽受是妙經典

及恭敬供養尊重讚嘆持是經典四部之衆嚴

治舍宅香汁灑地專心正念聽說法時我等

四王亦當在中共聽此法願諸人王為自利

故以已所得功德少分施与我等世尊是諸

王作如是言恭敬正法至心聽受是妙經典
及恭敬供養尊重讚嘆持是經典四部之衆嚴
治舍宅香汁灑地專心正念聽說法時我等
四王亦當在中共聽此法願諸人王為自利
故以己所得功德少分施与我等世尊是諸
人王於說法者所坐之處為我等故燒種種
香供養是經是妙香氣於一念頃即至我等
諸天宮殿其香即時變成香蓋其香微妙金
光晃耀照我等宮釋宮梵宮大辯神天功德
神天堅牢地神散脂鬼神衆大將軍二十八部
鬼神大將摩醯首羅金剛密迹摩尼跋陀鬼
神大將及鬼子母与五百鬼子週匝圍遶阿
耨達龍王娑竭羅龍王如是等衆自於宮殿
各各得聞是妙香氣及見香蓋光明普照是
香蓋光亦照一切諸天宮殿佛告四王是香
光明非但至汝四王宮殿何以故是諸人王
手擎香爐供養經時其香遍布於一念頃遍
至三千大千世界百億日月百億大海百億
須弥山百億大鐵圍山小鐵圍山及諸山王
百億四天下百億四天王百億三十三天乃
至百億非想非非想天於此三千大千世界
百億三十三天一切龍鬼乾闥婆阿脩羅迦樓
羅緊那羅摩睺羅伽宮殿虛空悉滿種種香
烟雲蓋其蓋金光亦照宮殿如是三千大千
世界所有種種香烟香蓋皆是此經威神力
故是諸人王手擎香爐供養經時種種香氣

BD01368號　金光明經（異卷）卷二　（8-3）

百億三十三天一切龍鬼乾闥婆阿脩羅迦樓
羅緊那羅摩睺羅伽宮殿虛空悉滿種種香
烟雲蓋其蓋金光亦照宮殿如是三千大千
世界所有種種香烟香蓋皆是此經威神力
故是諸人王手擎香爐供養經時種種香氣
不但遍此大千世界於一念頃亦遍十方无
量无邊恒河沙等百千万億諸佛世界於諸
佛上虛空之中亦成香蓋金色普照亦復如
是是諸世尊聞是妙香見是香蓋及金色光
於十方界恒河沙等諸佛世尊作如是等神
力變化已異口同音於說法者稱讚善哉善
哉大士汝能廣宣流布如是甚深微妙經典
則為成就无量无邊不可思議功德之聚若
有聞是甚深經典所得功德則為不少況持
讀誦為他衆生開示分別廣說其義何以故
善男子此金光明微妙經典无量无邊億那
由他諸菩薩等若得聞者即不退於阿耨多
羅三藐三菩提尒時十方无量无邊恒河沙
等諸佛世界現在諸佛異口同音作如是言
善男子汝於未世必定當得坐於道場菩提
樹下於三界中最尊勝出過一切衆生之
上懃脩力故受諸苦行善能莊嚴菩提道場
能燒三千大千世界外道耶論摧伏諸魔怨
賊異形覺了諸法第一寂滅清淨无垢甚深
无上菩提之道善男子汝以能坐金剛坐處

BD01368號　金光明經（異卷）卷二　（8-4）

上慧循力故受諸苦行善能莊嚴菩提道場
能壞三千大千世界外道耶論摧伏諸魔怨
賊異形覺了諸法第一寂滅清淨无垢甚深
无上菩提之道善男子汝以能坐金剛坐處
轉於无上諸佛所讚十二種行甚深法輪能
擊无上最大法鼓能吹无上極妙法蠡能竪
无上最勝法幢能然无上熾明法炬能雨无
无上甘露法雨能斷无量煩惱惡結能令无
量百千万億那由他衆度於无崖可畏大海
解脫生死无際輪轉值遇无量百千万億那
由他佛
尒時四天王復白佛言世尊是金光明微妙
經典能得未來現在種種无量功德是故人
王若得聞是微妙經典則為以於百千万億
无量佛所種諸善根我以敬念是人王故復
見无量福德利故我等四王及餘眷屬无量
百千万億鬼神於自宮殿見是種種香烟雲
蓋瑞應之時我當隱蔽不現其身為聽法故
當至是王所上宮殿講法之處大梵天王釋
提桓因大辯天神功德天神堅牢地神散脂
鬼神大將軍等二十八部鬼神大將摩醯首羅
金剛密迹摩尼跋陀鬼神大將并鬼子母及
五百鬼子周迊圍遶阿耨達龍王娑竭羅龍
王无量百千万億那由他鬼神諸天如是等衆

BD01368號　金光明經（異卷）卷二　（8-5）

鬼神大將軍等二十八部鬼神大將摩醯首羅
金剛密迹摩尼跋陀鬼神大將并鬼子母及
五百鬼子周迊圍遶阿耨達龍王娑竭羅龍
王无量百千万億那由他鬼神諸天如是等衆
為聽法故悉自隱蔽不現其身至是人王所
上宮殿講法之處世尊我等四王及餘眷屬
无量鬼神悉當同上以是人王為善知識同
共一行善相應行能為无上大法施主以甘
露味充足我等我等應當擁護是王除其衰
患令得安樂及其宮宅國土城邑諸惡災患
悉令消滅世尊若有人王於此經典心生捨
離不樂聽聞其心不欲恭敬供養尊重讚嘆
若四部衆有受持讀誦讚說之者亦復不能
恭敬供養尊重讚嘆我等四王及餘眷屬无
量鬼神即便不得聞此正法背甘露味失大
法利无有勢力及以威德減損天衆增長惡
趣世尊我等四王及无量鬼神捨其國土不
但我等亦有无量守護國土諸舊善神皆悉
捨去我等諸天及諸鬼神既捨離已其國當
有種種災異一切人民失其善心唯有繫縛
瞋恚鬪訟手相破壞多諸疾疫彗星現怪流
星崩落五星諸宿違失常度兩日並現日月
博蝕白黑惡虹數數出現大地震動發大音
聲暴風惡雨无日不有穀米勇貴飢饉凍餓
多有他方惡賊侵掠其國人民多受苦惱其

BD01368號　金光明經（異卷）卷二　（8-6）

嗔恚鬪訟手相破壞多諸疾疫彗星現怪流
星崩落五星諸宿違失常度兩日並現日月
慱蝕白黑惡虹數數出現大地震動發大音
聲暴風惡雨无日不有穀米勇貴飢饉凍餓
多有他方怨賊侵掠其國人民多受苦惱其
地无有可愛樂處世尊我等四王及諸无量
百千鬼神并守國土諸舊善神遠離去時生
如是等无量惡事世尊若有人王欲得自護
及王國土多受安樂欲令國土一切衆生悉
皆成就具足快樂欲得摧伏一切外敵欲得
擁護一切國土欲以正法正治國土欲得除
滅衆生怖畏世尊是人王等應當畢定聽是
經典及恭敬供養讚誦受持是經典者我等
四王及无量鬼神以是法食善根因緣得服
甘露无上法味增長身力心進勇銳增益諸
天何以故以是人王至心聽受是經典故如
諸梵天說出欲論釋提桓因種種善論五通
之人神仙之論世尊天梵釋提桓因五神通
人雖有百千万億那由他无量勝論是金光
明於中冣勝所以者何如來說是金光明經
為衆生故為令一切閻浮提內諸人王等以
正法治為与一切衆生安樂為欲愛護一切
衆生欲令衆生无諸苦惱无有他方怨賊蕀
刺所有諸惡背而不向欲令國土无有憂惱
以正法故无有諍訟是故人王各於國土應

BD01368號　金光明經（異卷）卷二　（8-7）

四王及无量鬼神以是法食善根因緣得服
甘露无上法味增長身力心進勇銳增益諸
天何以故以是人王至心聽受是經典故如
諸梵天說出欲論釋提桓因種種善論五通
之人神仙之論世尊天梵釋提桓因五神通
人雖有百千万億那由他无量勝論是金光
明於中冣勝所以者何如來說是金光明經
為衆生故為令一切閻浮提內諸人王等以
正法治為与一切衆生安樂為欲愛護一切
衆生欲令衆生无諸苦惱无有他方怨賊蕀
刺所有諸惡背而不向欲令國土无有憂惱
以正法故无有諍訟是故人王各於國土應
然法炬熾然正法增益天衆我等四王及无
量鬼神閻浮提內諸天善神以是因緣得服
甘露法味充足得大威德進力具足閻浮提
內安隱豐樂人民熾盛安樂具處復於來世
无量百千不可思議那由他劫常受微妙第
一快樂復得值遇无量諸佛種諸善根然後
證成阿耨多羅三藐三菩提如是等无量功
德悉是如來正遍知說如來過於百千万億

BD01368號　金光明經（異卷）卷二　（8-8）

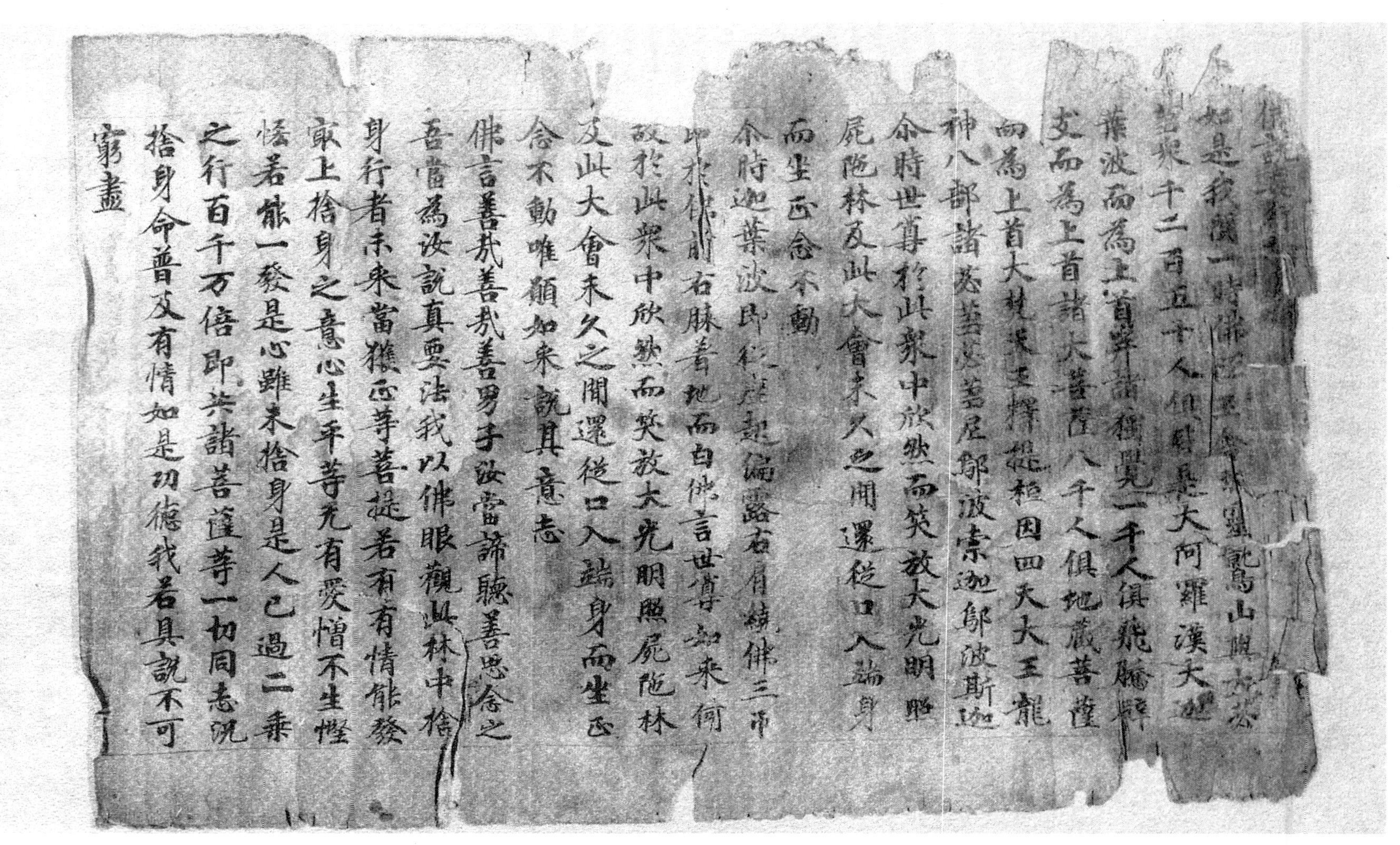
佛說要行捨身經
如是我聞一時佛在王舍城耆闍崛山與大苾
芻衆千二百五十人俱皆是大阿羅漢大迦
葉波而爲上首辟支佛一千人俱龍樹
支而爲上首諸大菩薩八千人俱地藏菩薩
而爲上首大梵天王釋提桓因四大天王龍
神八部諸苾芻苾芻尼鄔波索迦鄔波斯迦
尒時世尊於此衆中欣然而笑放大光明照
屍陁林及此大會未久之間還從口入遶身
而坐正念不動
尒時迦葉波即從座起偏露右肩繞佛三帀
却住佛前右膝著地而白佛言世尊如來何
故於此衆中欣然而笑放大光明照屍陁林
及此大會未久之間還從口入遶身而坐正
念不動唯願如來說其意志
佛言善哉善哉善男子汝當諦聽善思念之
吾當爲汝說真要法我以佛眼觀此林中捨
身行者未來當獲正等菩提若有有情能發
哀上捨身之意心生平等无有愛憎不生慳
悋者能一發是心雖未捨身是人已過二乘
之行百千万倍即共諸菩薩等一切同志況
捨身命普及有情如是功德我若具說不可
窮盡

BD01369 號　要行捨身經　　（1–1）

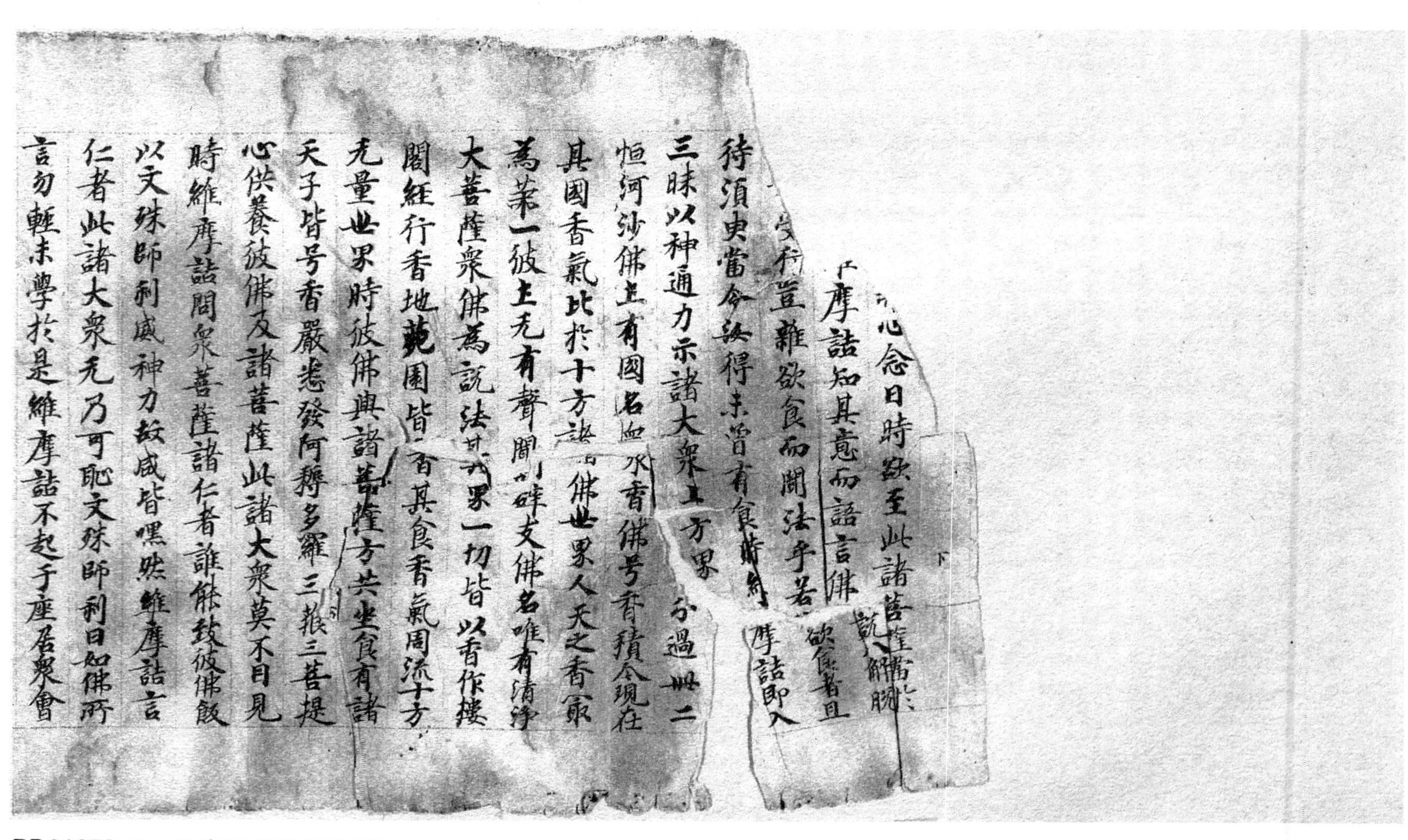
心念日時欲至此諸菩薩當於何食
摩詰知其意而語言佛說八解脫
行豈雜欲食而聞法乎若欲食者且
待須臾當令汝得未曾有食時維摩詰即入
三昧以神通力示諸大衆上方界分過四十二
恒河沙佛土有國名衆香佛号香積今現在
其國香氣比於十方諸佛世界人天之香最
爲第一彼土无有聲聞辟支佛名唯有清淨
大菩薩衆佛爲說法其界一切皆以香作樓
閣經行香地苑園皆香其食香氣周流十方
无量世界時彼佛與諸菩薩方共坐食有諸
天子皆号香嚴悉發阿耨多羅三藐三菩提
心供養彼佛及諸菩薩此諸大衆莫不目見
時維摩詰問衆菩薩諸仁者誰能致彼佛飯
以文殊師利威神力故咸皆嘿然維摩詰言
仁者此諸大衆无乃可恥文殊師利曰如佛所
言勿輕未學於是維摩詰不起于座居衆會

BD01370 號　維摩詰所說經卷下　　（22–1）

天子皆号香嚴悉發阿耨多羅三藐三菩提
心供養彼佛及諸菩薩此諸大衆莫不目見
時維摩詰問衆菩薩諸仁者誰能致彼佛飯
以文殊師利威神力故咸皆嘿然維摩詰言
仁者此諸大衆无乃可恥文殊師利日如佛所
言勿輕未學於是維摩詰不起于座居衆會
前化作菩薩相好光明威德殊勝蔽於衆會
而告之日汝往上方界分度如卌二恒河沙佛土
有國名衆香佛号香積與諸菩薩方共坐食
汝往到彼如我辭日維摩詰稽首世尊足下
致敬无量問訊起居少病少惱氣力安不願
得世尊所食之餘當於娑婆世界施作佛事
令此樂小法者得弘大道亦使如來名聲普
聞時化菩薩即於會前昇于上方舉衆皆見
其去到衆香界礼彼佛足又聞其言維摩詰
稽首世尊足下致敬无量問訊起居少病少
惱氣力安不願得世尊所食之餘欲於娑婆
世界施作佛事使此樂小法者得弘大道亦
使如來名聲普聞彼諸大士見化菩薩歎未
曾有今此上人從何所來娑婆世界為在何
許云何名為樂小法者即以問佛佛告之日
下方度如卌二恒河沙佛土有世界名娑婆佛
号釋迦牟尼今現在於五濁惡世為樂小法
衆生敷演道教彼有菩薩名維摩詰住不可
思議解脱為諸菩薩說法故遣化來稱揚我
名并讚此土令彼菩薩增益功德彼菩薩言

BD01370號　維摩詰所說經卷下　（22–2）

号釋迦牟尼今現在於五濁惡世為樂小法
衆生敷演道教彼有菩薩名維摩詰住不可
思議解脱為諸菩薩說法故遣化來稱揚我
名并讚此土令彼菩薩增益功德彼菩薩言
其人何如乃作是化德力无畏神足若斯佛
言甚大一切十方皆遣化往施作佛事饒益
衆生於是香積如來以衆香鉢盛滿香飯
與化菩薩時彼九百万菩薩俱發聲言我欲
詣娑婆世界供養釋迦牟尼佛并欲見維摩
詰等諸菩薩衆佛言可往攝汝身香无令
彼諸衆生起惑著心又當捨汝本形勿使彼國
求菩薩者而自鄙恥又汝於彼莫懷輕賤而
作閡想所以者何十方國土皆如虛空又諸
佛為欲化諸樂小法者不盡現其清淨土爾
時化菩薩既受鉢飯與彼九百万菩薩俱承
佛威神及維摩詰力於彼世界忽然不現須
臾之間至維摩詰舍維摩詰即化作九百万
師子之座嚴好如前諸菩薩皆坐其上化菩
薩以滿鉢香飯與維摩詰飯香普薰毗耶
離城及三千大千世界時毗耶離婆羅門居士
等聞是香氣身意快然歎未曾有於是長
者主月蓋從八万四千人來入維摩詰舍見
其室中菩薩甚多諸師子座高廣嚴好皆
大歡喜礼衆菩薩及大弟子却住一面諸地
神虛空神及欲色界諸天聞此香氣亦皆來

BD01370號　維摩詰所說經卷下　（22–3）

者主月盖從八方四千人來入維摩詰舍見
其室中菩薩甚多諸師子座高廣嚴好皆
大歡喜礼衆菩薩及大弟子却住一面諸地
神虛空神及欲色界諸天聞此香氣亦皆來
入維摩詰舍時維摩詰語舍利弗等諸大聲
聞仁者可食如來甘露味飯大悲所薰无以限
意食之使不消也有異聲聞念是飯少而此
大衆人人當食化菩薩曰勿以聲聞小德小智
稱量如來无量福慧四海有竭此飯无盡使
一切人食揣若須弥乃至一劫猶不能盡所
以者何无盡戒定智慧解脫解脫知見功德
具足者所食之餘終不可盡於是鉢飯悉飽
衆會猶故不澌其諸菩薩聲聞天人食此飯
者身安快樂辟如一切樂莊嚴國諸菩薩也
又諸毛孔皆出妙香亦如衆香國土諸樹之香
尒時維摩詰問衆香菩薩香積如來以何
說法彼菩薩曰我土如來无文字說但以衆香
令諸天人得入律行菩薩各各坐香樹下聞斯
妙香即獲一切德藏三昧得是三昧者菩
薩所有功德皆悉具足彼諸菩薩問維摩詰
今世尊釋迦牟尼以何說法維摩詰言此土衆
生剛強難化故佛為說剛強之語以調伏之
言是地獄是畜生是餓鬼是諸難處是愚
人生處是身邪行是身邪行報是口邪行是
口邪行報是意邪行是意邪行報是殺生是
殺生報是不與取是不與取報是邪婬是邪

BD01370號　維摩詰所說經卷下　（22–4）

生剛強難化故佛為說剛強之語以調伏之
言是地獄是畜生是餓鬼是諸難處是愚
人生處是身邪行是身邪行報是口邪行是
口邪行報是意邪行是意邪行報是殺生是
殺生報是不與取是不與取報是邪婬是邪
婬報是妄語是妄語報是兩舌是兩舌報是
惡口是惡口報是无義語是无義語報是貪
嫉是貪嫉報是瞋惱是瞋惱報是邪見是邪
見報是慳悋是慳悋報是毀戒是毀戒報是
瞋恚是瞋恚報是懈怠是懈怠報是亂意
是亂意報是愚癡是愚癡報是結戒是持戒
是犯戒是應作是不應作是鄣閡是不鄣閡是
得罪是離罪是淨是垢是有漏是无漏是邪道
是正道是有為是无為是世間是涅槃以難化之
人心如猨猴故以若干種法制御其心乃可調伏辟
如狂象儱悷不調加諸楚毒乃至徹骨然後調伏如
是剛強難化衆生故以一切苦切之言乃可入律彼諸
菩薩聞說是已皆曰未曾有也如世尊釋迦牟尼
佛隱其无量自在之力乃以貧所樂法度脫衆生
斯諸菩薩亦能勞謙以无量大悲生是佛土維
摩詰言此土菩薩於諸衆生大悲堅固誠如所
言然其一世饒益衆生多於彼國百千劫行
所以者何此娑婆世界有十事善法諸餘淨
土之所无有何等為十以布施攝貧窮以淨
戒攝毀禁以忍辱攝瞋恚以精進攝懈怠以
禪定攝亂意以智慧攝愚癡說除難法度

BD01370號　維摩詰所說經卷下　（22–5）

言照其一世饒益衆生多於彼國百千劫行
所以者何此娑婆世界有十事善法諸餘淨
土之所无有何等爲十以布施攝貧窮以淨
戒攝毀禁以忍辱攝瞋恚以精進攝懈怠以
禪定攝亂意以智慧攝愚癡說除難法度
八難者以大乘法度樂小乘者以諸善根濟
无德者常以四攝成就衆生是爲十彼菩薩
曰菩薩成就幾法於此世界行无瘡疣生于
淨土維摩詰言菩薩成就八法於此世界行
无瘡疣生于淨土何等爲八饒益衆生而不
望報代一切衆生受諸苦惱所作功德盡以
施之等心衆生謙下无閡於諸菩薩視之如
佛所未聞經聞之不疑不與聲聞而相違背
不嫉彼供不高己利而於其中調伏其心常
省己過不訟彼短恒以一心求諸功德是爲八
維摩詰文殊師利於大衆中說是法時百千
天人皆發阿耨多羅三藐三菩提心十千菩薩
得无生法忍

菩薩行品第十一

是時佛說法於菴羅樹園其地忽然廣博嚴
事一切衆會皆作金色阿難白佛言世尊以何
因緣有此瑞應是處忽然廣博嚴事一切
衆會皆作金色佛告阿難是維摩詰文殊
師利與諸大衆恭敬圍遶發意欲來故先爲
此瑞應於是維摩詰語文殊師利可共見佛與
諸菩薩礼事供養文殊師利

因緣有此瑞應是處忽然廣博嚴事一切
衆會皆作金色佛告阿難是維摩詰文殊
師利與諸大衆恭敬圍遶發意欲來故先爲
此瑞應於是維摩詰語文殊師利可共見佛與
諸菩薩礼事供養文殊師利言善哉行矣今
正是時維摩詰即以神力持諸大衆并師子座
置於右掌往詣佛所到已著地稽首佛足右繞
七帀一心合掌在一面立其諸菩薩即皆避
座稽首佛足亦繞七帀於一面立諸大弟
子釋梵四天王等亦皆避座稽首佛足在一
面立於是世尊如法慰問諸菩薩已各令復
座即皆受教衆坐已定佛語舍利弗汝見菩
薩大士自在神力之所爲乎唯然已見汝意
云何世尊我覩其爲不可思議非意所圖非
度所測尒時阿難白佛言世尊今所聞香自
昔未有是爲何香佛告阿難是彼菩薩毛孔
之香於是舍利弗語阿難言我等毛孔亦出
是香阿難言此所從來曰是長者維摩詰從
衆香國取佛餘飯於舍食者一切毛孔皆香
若此阿難問維摩詰是香氣住當久如維摩
詰言至此飯消曰此飯久如當消曰此飯勢
力至于七日然後乃消又阿難若聲聞人未入
正位食此飯者得入正位然後乃消已入正位
食此飯者得心解脫然後乃消若未發大

詰言至此飯消曰此飯久如當消曰此飯勢
力至于七日然後乃消又阿難若聲聞人未入
正位食此飯者得入正位然後乃消已入正位
食此飯者得心解脫然後乃消若未發大
乘意食此飯者至發意乃消已發意食此
飯者得无生忍然後乃消已得无生忍食此飯
者至一生補處然後乃消辟如有藥名曰上
味其有服者身諸毒滅然後乃消此飯如是
滅除一切諸煩惱毒然後乃消阿難白佛言未
曾有也世尊如此香飯能作佛事佛言如是如
是阿難或有佛土以佛光明而作佛事有以
諸菩薩而作佛事有以佛所化人而作佛事有
以菩提樹而作佛事有以佛衣服臥具而作佛
事有以飯食而作佛事有以園林臺觀而作
佛事有以卅二相八十隨形好而作佛事有以
佛身而作佛事有以虛空而作佛事衆生應以
此緣得入律行有以夢幻影響鏡中像水中月熱
時炎如是等喻而作佛事有以音聲語言文字而
作佛事或有清淨佛土寂漠无言无說无示无
識无作无為而作佛事如是阿難諸佛威儀進
止諸所施為无非佛事阿難有此四魔八万四千
諸煩惱門而諸衆生為之疲勞諸佛即以此法
而作佛事是名入一切諸佛法門菩薩入此門
者若見一切淨好佛土不以為喜不貪不高

BD01370 號　維摩詰所説經卷下　（22–8）

止諸所施為无非佛事阿難有此四魔八万四千
諸煩惱門而諸衆生為之疲勞諸佛即以此法
而作佛事是名入一切諸佛法門菩薩入此門
者若見一切淨好佛土不以為喜不貪不高
若見一切不淨佛土不以為憂不閡不沒但
於諸佛生清淨心歡喜恭敬未曾有也諸佛
如來功德平等為教化衆生故而現佛土不
同阿難汝見諸佛國土地有若干而虛空无
若干也如是見諸佛色身有若干耳其无閡
慧无若干也阿難諸佛色身威相種性戒定
智慧解脫解脫知見力无所畏不共之法大
慈大悲威儀所行及其壽命說法教化成就
衆生淨佛國土具諸佛法悉皆同等是故名
為三藐三佛陀名為多陀阿伽度名為佛陀
阿難若我廣說此三句義汝以劫壽不能盡
受正使三千大千世界滿中衆生皆如阿難多
聞第一得念總持此諸人等以劫之壽亦不能
受如是阿難諸佛阿耨多羅三藐三菩提无
有限量智慧辯才不可思議阿難白佛言我
從今已往不敢自謂以為多聞佛告阿難勿
起退意所以者何我說汝於聲聞中為最多
聞非謂菩薩且止阿難其有智者不應限
度諸菩薩也一切海淵尚可測量菩薩禪定
智慧總持辯才一切功德不可量也阿難汝

BD01370 號　維摩詰所説經卷下　（22–9）

起退意所以者何我說汝於聲聞中爲最多
聞非謂菩薩且止阿難其有智者不應限
度諸菩薩也一切海淵尚可測量菩薩禪定
智慧總持辯才一切功德不可量也阿難汝
等捨置菩薩所行是維摩詰一時所現神通之
力一切聲聞辟支佛於百千劫盡力變化所不能作
尒時衆香世界菩薩來者合掌白佛言世尊
我等初見此土生下劣想今自悔責捨離是
心所以者何諸佛方便不可思議爲度衆生故
隨其所應現佛國異唯然世尊願賜少法還
於彼土當念如來佛告諸菩薩有盡无盡
解脫法門汝等當學何謂爲盡謂有爲法何
謂无盡謂无爲法如菩薩者不盡有爲不住
无爲何謂不盡有爲謂不離大慈不捨大悲
深發一切智心而不忽忘教化衆生終不猒惓
於四攝法常念順行護持正法不惜軀命種諸
善根无有疲猒志常安住方便迴向求法不
懈說法无悋勤供諸佛故入生死而无所畏於
諸榮辱心无憂喜不輕未學敬學如佛墮煩惱
者令發正念於遠離樂不以爲貴不著己樂慶
於彼樂在諸禪定如地獄想於生死中如園觀想
見來求者爲善師想捨諸所有具一切智想見毀
戒人起救護想諸波羅蜜爲父母想於道品法
爲眷屬想發行善根无有齊限以諸淨國嚴飾

BD01370號　維摩詰所說經卷下　（22–10）

於彼樂在諸禪定如地獄想於生死中如園觀想
見來求者爲善師想捨諸所有具一切智想見毀
戒人起救護想諸波羅蜜爲父母想於道品法
爲眷屬想發行善根无有齊限以諸淨國嚴飾
之事成己佛道行无限施具足相好除一切惡身口意
淨生死无數劫意而有勇聞佛无量德志而不惓以
智慧劒破煩惱賊出陰界入荷負衆生永使解
脫以大精進摧伏魔軍常求无念實相智慧行
少欲知足不捨世間法不壞威儀而能隨俗起神通
慧引導衆生得念總持所聞不忘善別諸根斷
衆生疑以樂說辯演法无閡淨十善道受天人福脩
四无量開梵天道勸請說法隨喜讚善得佛音
聲身口意善得佛威儀深脩善法所行轉勝以
大乘教成菩薩僧心无放逸不失衆善行如此
法是名菩薩不盡有爲何謂菩薩不住无爲
謂脩學空不以空爲證脩學无相无作不以
无相无作爲證脩學无起不以无起爲證觀
於无常而不猒善本觀世間苦而不惡生死觀
於无我而誨人不惓觀於寂滅而不永寂滅觀
於遠離而身心脩善觀无所歸而歸趣善法
觀於无生而以生法荷負一切觀於无漏而不斷
諸漏觀无所行而以行法教化衆生觀於空无而不
捨大悲觀正法位而不隨小乘觀諸法虛妄无牢
无人无主无相本願未滿而不虛福德禪定智慧
脩如此法是名菩薩不住无爲又具福德故不住

BD01370號　維摩詰所說經卷下　（22–11）

諸漏觀无所行而以行法教化衆生觀於空无而不
捨大悲觀正法位而不隨小乘觀諸法虛妄无牢
无人无主无相本願未滿而不虛福德禪定智慧
脩如此法是名菩薩不住无為又具福德故不住
无為具智慧故不盡有為大慈悲故不住无為
滿本願故不盡有為集法藥故不住无為隨授
藥故不盡有為知衆生病故不住无為滅衆生
病故不盡有為諸正士菩薩已脩此法不盡有
為不住无為是名盡无盡解脫法門汝等當
學尒時彼諸菩薩聞說是法皆大歡喜以衆妙
華若干種色若干種香散遍三千大千世界供
養於佛及此經法并諸菩薩已稽首佛足歎
未曾有言釋迦牟尼佛乃能於此善行方便言
已忽然不現還到彼國

見阿閦佛品第十二

尒時世尊問維摩詰汝欲見如來為以何等觀
如來乎維摩詰言如自觀身實相觀佛亦然我
觀如來前際不來後際不去今則不住不觀色
不觀色如不觀色性不觀受想行識不觀識如
不觀識性非四大起同於虛空六入无積眼耳鼻
舌身心已過不在三界三垢已離順三脫門三明與
无明等不一相不異相不自相不他相非无相非有
相不此岸不彼岸不中流而化衆生觀於寂滅亦
不永滅不此不彼不以此不以彼不可以智知可
[illegible]

舌身心已過不在三界三垢已離順三脫門三明與
无明等不一相不異相不自相不他相非无相非有
相不此岸不彼岸不中流而化衆生觀於寂滅亦
不永滅不此不彼不以此不以彼不可以智知可
以識識无晦无明无名无相无強无弱非淨非
穢不在方不離方非有為非无為无示无說不施
不慳不戒不犯不忍不恚不進不怠不定不亂不
智不愚不誠不欺不來不去不出不入一切言語道
斷非福田非不福田非應供養非不應供養非
取非捨非有相非无相同真際等法性不可稱不
可量過諸稱量非大非小非見非聞非覺非知離
衆結縛等諸智同衆生於諸法无分別一切无失
无濁无惱无作无起无生无滅无畏无憂无喜无
猒无著无已有无當有无今有不可以一切言說
分別顯示世尊如來身為若此作如是觀以斯
觀者名為正觀若他觀者名為邪觀尒時舍利
弗問維摩詰汝於何沒而來生此維摩詰言汝
所得法有沒生乎舍利弗言无沒生也若諸法无
沒生相云何問言汝於何沒而來生此於意云何
辟如幻師幻作男女寧沒生邪舍利弗言无沒生
邪汝豈不聞佛說諸法如幻相乎答曰如是若一
切法如幻相者云何問言汝於何沒而來生此舍利
弗沒者為虛誑法壞敗之相生者為虛誑法相
續之相菩薩雖沒不盡善本雖生不長諸惡是
時佛告舍利弗有國名妙喜佛号无動是維摩

邪汝豈不聞佛說諸法如幻相乎答曰如是若一
切法如幻相者云何問言汝於何沒而來生此舍利
弗沒者爲虛誑法壞敗之相生者爲虛誑法相
續之相菩薩雖沒不盡善本雖生不長諸惡是
時佛告舍利弗有國名妙喜佛号无動是維摩
詰於彼國沒而來生此舍利弗言未曾有也世
尊是人乃能捨清淨土而來樂此多怨害處維
摩詰語舍利弗於意云何日光出時與冥合乎
答曰不也日光出時則无衆冥維摩詰言夫日
何故行閻浮提答曰欲以明照爲之除冥維摩
詰言菩薩如是雖生不淨佛土爲化衆生不與
愚闇而共合也但滅衆生煩惱闇耳是時大衆渴
仰欲見妙喜世界无動如來及其菩薩聲聞之衆
佛知一切衆會所念告維摩詰言善男子爲此衆
會現妙喜國无動如來及諸菩薩聲聞之衆衆皆
欲見於是維摩詰心念吾當不起于座接妙喜國鐵
圍山川溪谷江河大海泉源須彌諸山及日月星宿
天龍鬼神梵天等宮并諸菩薩聲聞之衆城邑
聚落男女大小乃至无動如來及菩提樹諸妙
蓮華能於十方作佛事者三道寶階從閻浮提
至忉利天以此寶階諸天來下悉爲礼敬无動如
來聽受經法閻浮提人亦登其階上昇忉利見
彼諸天妙喜世界成就如是无量功德上至阿迦
膩吒天下至水際以右手斷取如陶家輪入此世界

BD01370號　維摩詰所說經卷下　（22–14）

至忉利天以此寶階諸天來下悉爲礼敬无動如
來聽受經法閻浮提人亦登其階上昇忉利見
彼諸天妙喜世界成就如是无量功德上至阿迦
膩吒天下至水際以右手斷取如陶家輪入此世界
猶持華鬘示一切衆作是念已入於三昧現神通
力以其右手斷取妙喜世界置於此土彼得神通
菩薩及聲聞衆并餘天人俱發聲言唯然世尊
誰取我去願見救護无動佛言非我所爲是維
摩詰神力所作其餘未得神通者不覺不知己
之所往妙喜世界雖入此土而不增減於是世界
亦不迫隘如本无異尒時釋迦牟尼佛告諸大衆
汝等且觀妙喜世界无動如來其國嚴飾菩薩行
淨弟子清白皆曰唯然已見佛言若菩薩欲得如
是清淨佛土當學无動如來所行之道現此妙
喜國時娑婆世界十四那由他人發阿耨多羅三
藐三菩提心皆願生於妙喜佛土釋迦牟尼佛
即記之曰當生彼國時妙喜世界於此國土所應
饒益其事訖已還復本處舉衆皆見佛告舍
利弗汝見此妙喜世界及无動佛不唯然已見世
尊願使一切衆生得清淨土如无動佛獲神通
力如維摩詰世尊我等快得善利得見是人親
近供養其諸衆生若今現在若佛滅後聞此經
者亦得善利况復聞已信解受持讀誦解說如
法脩行若有手持是經典者便爲已得法寶之
藏若有讀誦解釋其義如說脩行則爲諸佛之

BD01370號　維摩詰所說經卷下　（22–15）

近供養其諸衆生若今現在若佛滅後聞此經
者亦得善利況復聞已信解受持讀誦解說如
法脩行若有手持是經典者便為已得法寶之
藏若有讀誦解釋其義如說脩行則為諸佛之
所護念其有供養如是人者當知則為供養於佛
其有書持此經卷者當知其室則有如來若聞
是經能隨喜者斯人則為取一切智若能信解
此經乃至四句偈為他說者當知此人即是受於
阿耨多羅三藐三菩提記

法供養品第十三

尒時釋提桓因於大衆中白佛言世尊我雖
從佛及文殊師利聞百千經未曾聞此不可
思議自在神通決定實相經典如我解佛所說
義趣若有衆生聞是經法信解受持讀誦
之者必得是法不疑何況如說脩行斯人則為
閉衆惡趣開諸善門常為諸佛之所護念降
伏外學摧滅魔怨脩持菩提安處道場履踐
如來所行之跡世尊若有受持讀誦如說脩行
者我當與諸眷屬供養給事所在聚落城邑
山林曠野有是經處我亦與諸眷屬聽受法
故共到其所其未信者當令生信其已信者當
為作護佛言善哉善哉天帝如汝所說吾助
汝喜此經廣說過去未來現在諸佛不可思
議阿耨多羅三藐三菩提是故天帝若善男
子善女人受持讀誦供養是經者則為供養

BD01370號　維摩詰所說經卷下　（22–16）

為作護佛言善哉善哉天帝如汝所說吾助
汝喜此經廣說過去未來現在諸佛不可思
議阿耨多羅三藐三菩提是故天帝若善男
子善女人受持讀誦供養是經者則為供養
去來今佛天帝正使三千大千世界如來滿中
譬如甘蔗竹葦稻麻叢林若有善男子善女
人或一劫或減一劫恭敬尊重讚嘆供養奉
諸所安至諸佛滅後以一一全身舍利起七寶
塔縱廣一四天下高至梵天表刹莊嚴以一切
華香瓔珞幢幡伎樂微妙第一若一劫若減一
劫而供養之於天帝意云何其人殖福寧為多
不釋提桓因言多矣世尊彼之福德若以百
千億劫說不能盡佛告天帝當知是善男子
善女人聞是不可思議解脫經典信解受持讀誦
脩行福多於彼所以者何諸佛菩提皆從是生菩
提之相不可限量以是因緣福不可量佛告天帝
過去无量阿僧祇劫時世有佛号曰藥王如來
應供正遍知明行足善逝世間解无上士調御
丈夫天人師佛世尊世界曰大莊嚴劫曰莊嚴佛
壽廿小劫其聲聞僧卅六億那由他菩薩僧有
十二億天帝是時有轉輪聖王名曰寶蓋七
寶具足王四天下王有千子端正勇健能伏怨
敵尒時寶蓋與其眷屬供養藥王如來施
諸所安至滿五劫過五劫已告其千子　汝等

BD01370號　維摩詰所說經卷下　（22–17）

寶具足王四天下王有千子端正勇健能伏怨
敵尒時寶蓋與其眷屬供養藥王如來施
諸所安至滿五劫過五劫已告其千子汝等
亦當如我以深心供養於佛於是千子受父王
命供養藥王如來復滿五劫一切施安其王一
子名曰月蓋獨坐思惟寧有供養殊過此者
以佛神力空中有天曰善男子法之供養勝諸供
養即問何謂法之供養天曰汝可往問藥王如來
當廣為汝說法之供養即時月蓋王子行詣藥王
如來稽首佛足却住一面白佛言世尊諸供養中
法供養勝云何為法供養佛言善男子法供養
者諸佛所說深經一切世間難信難受微妙難
見清淨无染非但分別思惟之所能得菩薩法藏
所攝陁羅尼印印之至不退轉成就六度善
分別義順菩提法衆經之上入大慈悲離衆魔
事及諸邪見順因緣法无我无人无衆生无壽
命空无相无作无起能令衆生坐於道場而
轉法輪諸天龍神乾闥婆等所共歎譽能令衆
生入佛法藏攝諸賢聖一切智慧說衆菩
薩所行之道依於諸法實相之義明宣无常
苦空无我寂滅能救一切毀禁衆生諸魔外
道及貪著者能使怖畏諸佛賢聖所共稱嘆
背生死苦示涅槃樂十方三世諸佛所說若聞
如是等經信解受持讀誦以方便力為諸衆

BD01370號　維摩詰所說經卷下　（22–18）

苦空无我寂滅能救一切毀禁衆生諸魔外
道及貪著者能使怖畏諸佛賢聖所共稱嘆
背生死苦示涅槃樂十方三世諸佛所說若聞
如是等經信解受持讀誦以方便力為諸衆
生分別解說顯示分明守護法故是名法之供
養又於諸法如說脩行隨順十二因緣離諸邪
見得无生忍決定无我无有衆生而於因緣果
報无違无諍離諸我所依於義不依語依於
智不依識依了義經不依不了義經依於法
不依人隨順法相无所入无所歸无明畢竟
滅故諸行亦畢竟滅乃至生畢竟滅故老死
亦畢竟滅作如是觀十二因緣无有盡相不
復起見是名最上法之供養
佛告天帝王子月蓋從藥王佛聞如是法得
柔順忍即解寶衣嚴身之具以供養佛白佛
言世尊如來滅後我當行法供養守護正法
願以威神加哀建立令我得降魔怨脩菩薩
行佛知其深心所念而記之曰汝於末後守護
法城天帝時王子月蓋見法清淨聞佛授記
以信出家脩集善法精進不久得五神通菩
薩道得陁羅尼无斷辯才於佛滅後以其所
得神通揔持辯才之力滿十小劫藥王如來所
轉法輪隨而分布月蓋比丘以護持法勤行
精進即於此身化百万億人於阿耨多羅三
藐三菩提立不退轉十四那由他人深發聲

BD01370號　維摩詰所說經卷下　（22–19）

薩道得陁羅尼无斷辯才於佛滅後以其所
得神通揔持辯才之力滿十小劫藥王如來所
轉法輪隨而分布月蓋比丘以護持法勤行
精進即於此身化百万億人於阿耨多羅三
藐三菩提立不退轉十四那由他人深發聲
聞辟支佛心无量衆生得生天上天帝時王
寶蓋豈異人乎今現得佛号寶炎如來其
王千子即賢劫中千佛是也從迦羅鳩孫䭾
爲始得佛最後如來号曰樓至月蓋比丘則
我身是如是天帝當知此要以法供養於諸
供養爲上爲最第一无比是故天帝當以法
之供養供養於佛

囑累品第十四

於是佛告弥勒菩薩言弥勒我今以是无量
億阿僧祇劫所集阿耨多羅三藐三菩提付
囑於汝如是輩經於佛滅後末世之中汝等
當以神力廣宣流布於閻浮提无令斷絶所
以者何未來世中當有善男子善女人及天龍
鬼神乾闥婆羅刹等發阿耨多羅三藐三菩
提心樂于大法若使不聞如是等經則失善
利如此輩人聞是等經必多信樂發希有心
當以頂受隨諸衆生所應得利而爲廣說弥
勒當知菩薩有二相何謂爲二一者好於雜句
文飾之事二者不畏深義如實能入若好雜句
文飾事者當知是爲新學菩薩若於如是

提心樂于大法若使不聞如是等經則失善
利如此輩人聞是等經必多信樂發希有心
當以頂受隨諸衆生所應得利而爲廣說弥
勒當知菩薩有二相何謂爲二一者好於雜句
文飾之事二者不畏深義如實能入若好雜句
文飾事者當知是爲新學菩薩若於如是无
染无著甚深經典无有恐畏能入其中聞已心
淨受持讀誦如說脩行當知是爲久脩道行
弥勒復有二法名新學者不能決定於甚深法
等爲二一者所未聞深經聞之驚怖生疑不能
隨順毀謗不信而作是言我初不聞從何所來二
者若有護持解說如是深經者不肯親近供養
恭敬或時於中說其過惡有此二法當知是新學
菩薩爲自毀傷不能於深法中調伏其心弥勒復
有二法菩薩雖信解深法猶自毀傷而不能得
无生法忍何等爲二一者輕慢新學菩薩而不教
誨二者雖解深法而取相分別是爲二法
弥勒菩薩聞說是已白佛言世尊未曾有也如
佛所說我當遠離如斯之惡奉持如來无數
阿僧祇劫所集阿耨多羅三藐三菩提法若
未來世善男子善女人求大乘者當令手得
如是等經與其念力使受持讀誦爲他廣說
世尊若後末世有能受持讀誦爲他說者當
知是弥勒神力之所建立佛言善哉善哉弥
勒如汝所說佛助尒喜於是一切菩薩合掌

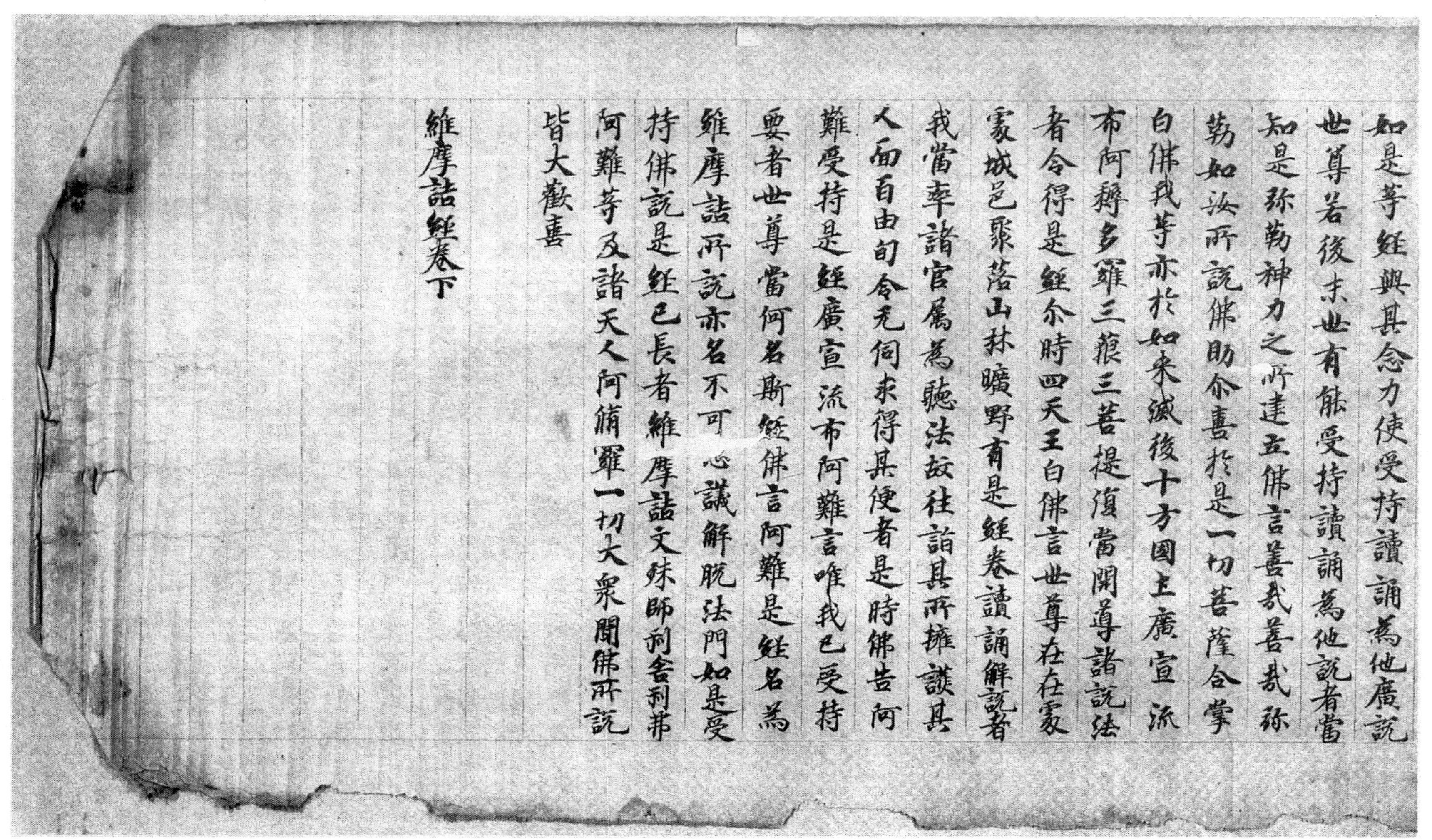

如是等經與其念力使受持讀誦為他廣說
世尊若後末世有能受持讀誦為他說者當
知是弥勒神力之所建立佛言善哉善哉弥
勒如汝所說佛助尒喜於是一切菩薩合掌
白佛我等亦於如來滅後十方國土廣宣流
布阿耨多羅三藐三菩提復當開導諸說法
者令得是經尒時四天王白佛言世尊在在處
處城邑聚落山林曠野有是經卷讀誦解說者
我當率諸官屬為聽法故往詣其所擁護其
人面百由旬令无伺求得其便者是時佛告阿
難受持是經廣宣流布阿難言唯我已受持
要者世尊當何名斯經佛言阿難是經名為
維摩詰所說亦名不可思議解脫法門如是受
持佛說是經已長者維摩詰文殊師利舍利弗
阿難等及諸天人阿脩羅一切大衆聞佛所說
皆大歡喜

維摩詰經卷下

BD01370號　維摩詰所說經卷下　（22–22）

以此譬喻　說一佛乘　汝等若能　信受是語
一切皆當　得成佛道　是乘微妙　清淨第一
於諸世間　為无有上　佛所悅可　一切衆生
所應稱讚　供養礼拜　无量億千　諸力解脫
禪定智慧　及佛餘法　得如是乘　令諸子等
日夜劫數　常得遊戲　與諸菩薩　及聲聞衆
乘此寶乘　直至道場　以是因緣　十方諦求
更无餘乘　除佛方便　告舍利弗　汝諸人等
皆是吾子　我則是父　汝等累劫　衆苦所燒
我皆濟拔　令出三界　我雖先說　汝等滅度
但盡生死　而實不滅　今所應作　唯佛智慧
若有菩薩　於是衆中　能一心聽　諸佛實法
諸佛世尊　雖以方便　所化衆生　皆是菩薩
若人小智　深著愛欲　為此等故　說於苦諦
衆生心喜　得未曾有　佛說苦諦　真實无異
若有衆生　不知苦本　深著苦因　不能暫捨
為是等故　方便說道　諸苦所因　貪欲為本
若滅貪欲　无所依止　滅盡諸苦　名第三諦
為滅諦故　脩行於道　離諸苦縛　名得解脫
是人於何　而得解脫　但離虛妄　名為解脫
其實未得　一切解脫　佛說是人　未實滅度

BD01371號　妙法蓮華經卷二　（3–1）

衆生心喜 得未曾有 佛說苦諦 真實无異
若有衆生 不知苦本 深著苦因 不能暫捨
為是等故 方便說道 諸苦所因 貪欲為本
若滅貪欲 无所依止 滅盡諸苦 名第三諦
為滅諦故 脩行於道 離諸苦縛 名得解脫
是人於何 而得解脫 但離虛妄 名為解脫
其實未得 一切解脫 佛說是人 未實滅度
斯人未得 无上道故 我意不欲 令至滅度
我為法王 於法自在 安隱衆生 故現於世
汝舍利弗 我此法印 為欲利益 世間故說
在所遊方 勿妄宣傳 若有聞者 隨喜頂受
當知是人 阿鞞跋致 若有信受 此經法者
是人已曾 見過去佛 恭敬供養 亦聞是法
若人有能 信汝所說 則為見我 亦見於汝
及比丘僧 并諸菩薩 斯法華經 為深智說
淺識聞之 迷惑不解 一切聲聞 及辟支佛
於此經中 力所不及 汝舍利弗 尚於此經
以信得入 況餘聲聞 其餘聲聞 信佛語故
隨順此經 非己智分 又舍利弗 憍慢懈怠
計我見者 莫說此經 凡夫淺識 深著五欲
聞不能解 亦勿為說 若人不信 毀謗此經
則斷一切 世間佛種 或復顰蹙 而懷疑惑
汝當聽說 此人罪報 若佛在世 若滅度後
其有誹謗 如斯經典 見有讀誦 書持經者
輕賤憎嫉 而懷結恨 此人罪報 汝今復聽

BD01371 號　妙法蓮華經卷二　（3–2）

則斷一切 世間佛種 或復顰蹙 而懷疑惑
汝當聽說 此人罪報 若佛在世 若滅度後
其有誹謗 如斯經典 見有讀誦 書持經者
輕賤憎嫉 而懷結恨 此人罪報 汝今復聽
其人命終 入阿鼻獄 具足一劫 劫盡更生
如是展轉 至无數劫 從地獄出 當墮畜生
若狗野干 其形領瘦 黧黮疥癩 人所觸嬈
又復為人 之所惡賤 常困飢渴 骨肉枯竭
生受楚毒 死被瓦石 斷佛種故 受斯罪報
若作駱駝 或生驢中 身常負重 加諸杖捶
但念水草 餘无所知 謗斯經故 獲罪如是
有作野干 來入聚落 身體疥癩 又无一目
為諸童子 之所打擲 受諸苦痛 或時致死
於此死已 更受蟒身 其形長大 五百由旬
聾騃无足 宛轉腹行 為諸小虫 之所唼食
晝夜受苦 无有休息 謗斯經故 獲罪如是
若得為人 諸根暗鈍 矬陋攣躄 盲
有所言說 人不信受 口氣常臭
貧窮下賤 為人所使 多病痟瘦
雖親附人 人不在意 若有所得
若脩醫道 順方治病 更增他疾

BD01371 號　妙法蓮華經卷二　（3–3）

訶薩最尊最勝最上最妙具大勢力能脩行
無等等無忘失法恒住捨性能圓滿無等等
無忘失法恒住捨性能具足無等等無忘失
法恒住捨性能得無等等自體所謂無邊殊
勝相好妙莊嚴身能證無等等妙法所謂無
上正等菩提世尊脩行般若波羅蜜多諸菩
薩摩訶薩最尊最勝最上最妙具大勢力能
脩行無等等一切智道相智一切相智能圓
滿無等等一切智道相智一切相智能具足
無等等一切智道相智一切相智能得無等
等自體所謂無邊殊勝相好妙莊嚴身能證
無等等妙法所謂無上正等菩提
世尊如來亦由脩行般若波羅蜜多能脩行
安住圓滿具足種種功德故得無等等色得
無等等受想行識證無等等菩提轉無等等
法輪度脫無量諸有情類令獲殊勝利益安
樂過去未來現在諸佛亦於般若波羅蜜多
精勤脩學種種功德皆悉圓滿已證無上正
等菩提當證無上正等菩提現證無上正等
菩提轉妙法輪度無量衆令獲殊勝利益安
樂是故世尊若菩薩摩訶薩欲於一切法度

BD01372號　大般若波羅蜜多經卷一〇　　(14–1)

精勤脩學種種功德皆悉圓滿已證無上正
等菩提當證無上正等菩提現證無上正等
菩提轉妙法輪度無量衆令獲殊勝利益安
樂是故世尊若菩薩摩訶薩欲於一切法度
至彼岸者當學般若波羅蜜多世尊脩行般
若波羅蜜多諸菩薩摩訶薩一切世間若天
若人阿素洛等皆應供養恭敬尊重讚歎守
護令於般若波羅蜜多精進脩行無障無礙
尒時世尊告諸聲聞及諸菩薩摩訶薩等言
如是如是如汝所說脩行般若波羅蜜多諸
菩薩摩訶薩一切世間若天若人阿素洛等
皆應供養恭敬尊重讚歎守護令於般若波
羅蜜多精進脩行無障無礙何以故由此菩
薩摩訶薩故世間得有人天出現所謂刹帝
利大族婆羅門大族長者大族居士大族若
轉輪王若四大王衆天三十三天夜摩天覩
史多天樂變化天他化自在天若梵衆天梵
輔天梵會天大梵天若光天少光天無量光
天極光淨天若淨天少淨天無量淨天遍淨
天若廣天少廣天無量廣天廣果天若無想
有情天若無繁天無熱天善現天善見天色
究竟天若空無邊處天識無邊處天無所有
處天非想非非想處天出現於世由此菩薩
摩訶薩故得有預流一來不還阿羅漢獨覺
菩薩摩訶薩及諸如來應正等覺出現於世
由此菩薩摩訶薩故世間得有三寶出現與

BD01372號　大般若波羅蜜多經卷一〇　　(14–2)

處天非想非非想處天出現於世由此菩薩
摩訶薩故得有預流一來不還阿羅漢獨覺
菩薩摩訶薩及諸如來應正等覺出現於世
由此菩薩摩訶薩故世間得有三寶出現與
諸有情作大饒益由此菩薩摩訶薩故世間
得有種種資生樂具出現所謂飲食衣服卧
具房舍燈明末尼真珠瑠璃螺貝璧玉珊瑚
金銀等寶出現於世以要言之一切世間人
天等樂及涅槃樂無不皆由如是菩薩摩訶
薩有所以者何是菩薩摩訶薩自正修行布
施淨戒安忍精進靜慮般若波羅蜜多亦教
他修行自正安住內空外空內外空空空大
空勝義空有為空無為空畢竟空無際空
散空無變異空本性空自相空共相空一切法
空不可得空無性空自性空無性自性空亦
教他安住自安住真如法界法性不虛妄性
不變異性平等性離生性法定法住實際虛
空界不思議界亦教他安住自正修行四念
住四正斷四神足五根五力七等覺支八聖
道支亦教他修行自正安住苦集滅道聖諦
亦教他安住自正修行四靜慮四無量四無
色定亦教他修行自正修行八解脫八勝處
九次第定十遍處亦教他修行自正修行空
無相無願解脫門亦教他修行自正修行
陁羅尼門三摩地門亦教他修行自正修行
諸菩薩地亦教他修行自正修行五眼六神通
亦教他修行自正修行佛十力四無所畏四

BD01372號　大般若波羅蜜多經卷一〇　（14–3）

九次第定十遍處亦教他修行自正修行空
無相無願解脫門亦教他修行自正修行
陁羅尼門三摩地門亦教他修行自正修行
諸菩薩地亦教他修行自正修行五眼六神通
亦教他修行自正修行佛十力四無所畏四
無礙解大慈大悲大喜大捨十八佛不共法
亦教他修行自正修行無忘失法恒住捨性
亦教他修行自正修行一切智道相智一切相
智亦教他修行是故由此修行般若波羅
蜜多諸菩薩摩訶薩一切有情皆得殊勝利
益安樂

初分現舌相品第六

尒時世尊現廣長舌相遍覆三千大世界復
從舌相出無量無數種種色光普照十方
殑伽沙等諸佛世界是時東方殑伽沙等諸
佛土中各有無量無數菩薩摩訶薩覩斯光
已各詣其佛頂礼恭敬白言世尊是誰神力
復以何緣而有此瑞時彼諸佛各告菩薩摩
訶薩言善男子於此西方有佛世界名曰堪
忍佛号釋迦牟尼如來應正等覺明行圓滿
善逝世間解無上丈夫調御士天人師佛薄
伽梵今為菩薩摩訶薩衆說大般若波羅蜜
多現廣長舌相遍覆三千大千世界復從舌
相出無量無數種種色光普照十方殑伽沙
等諸佛世界今所見光即是彼佛舌相所現
時諸菩薩摩訶薩聞是事已歡喜踊躍各白
佛言我等欲往堪忍世界覲礼供養釋迦牟

BD01372號　大般若波羅蜜多經卷一〇　（14–4）

相出無量無數種種色光普照十方殑伽沙
等諸佛世界今所見光即是彼佛舌相所現
時諸菩薩摩訶薩聞是事已歡喜踊躍各白
佛言我等欲往堪忍世界觀礼供養釋迦牟
尼佛及諸菩薩摩訶薩衆并聽般若波羅蜜
多唯願世尊哀愍聽許時彼諸佛各各告言
今正是時隨汝意往一一佛土無量無數菩
薩摩訶薩衆各礼佛足右繞七帀嚴持無量
寶幢幡蓋香鬘瓔珞金銀等華奏擊種種
上妙伎樂經須臾間至此佛所供養恭敬尊
重讚歎頂礼佛足却住一面
尒時南方殑伽沙等諸佛土中各有無量無
數菩薩摩訶薩覩斯光已各詣其佛頂礼
恭白言世尊是誰神力復以何緣而有此瑞
時彼諸佛各告菩薩摩訶薩言善男子於此
北方有佛世界名曰堪忍佛号釋迦牟尼如
來應正等覺明行圓滿善逝世間解無上丈
夫調御士天人師佛薄伽梵今為菩薩摩訶
薩衆說大般若波羅蜜多現廣長舌相遍覆
三千大千世界復從舌相出無量無數種種
色光普照十方殑伽沙等諸佛世界今所見
光即是彼佛舌相所現時諸菩薩摩訶薩聞
是事已歡喜踊躍各白佛言我等欲往堪忍
世界觀礼供養釋迦牟尼佛及諸菩薩摩訶
薩衆并聽般若波羅蜜多唯願世尊哀愍
聽許時彼諸佛各各告言今正是時隨汝意

BD01372號　大般若波羅蜜多經卷一〇　（14–5）

光即是彼佛舌相所現時諸菩薩摩訶薩聞
是事已歡喜踊躍各白佛言我等欲往堪忍
世界觀礼供養釋迦牟尼佛及諸菩薩摩訶
薩衆并聽般若波羅蜜多唯願世尊哀愍
聽許時彼諸佛各各告言今正是時隨汝意
一一佛土無量無數菩薩摩訶薩衆各礼佛
足右繞七帀嚴持無量寶幢幡蓋香鬘瓔珞
金銀等華奏擊種種上妙伎樂經須臾間至
此佛所供養恭敬尊重讚歎頂礼佛足却住
一面
尒時西方殑伽沙等諸佛土中各有無量無
數菩薩摩訶薩覩斯光已各詣其佛頂礼恭
敬白言世尊是誰神力復以何緣而有此瑞
時彼諸佛各告菩薩摩訶薩言善男子於此
東方有佛世界名曰堪忍佛号釋迦牟尼如
來應正等覺明行圓滿善逝世間解無上丈
夫調御士天人師佛薄伽梵今為菩薩摩訶
薩衆說大般若波羅蜜多現廣長舌相遍覆
三千大千世界復從舌相出無量無數種種
色光普照十方殑伽沙等諸佛世界今所見
光即是彼佛舌相所現時諸菩薩摩訶薩聞
是事已歡喜踊躍各白佛言我等欲往堪忍
世界觀礼供養釋迦牟尼佛及諸菩薩摩訶
薩衆并聽般若波羅蜜多唯願世尊哀愍聽
許時彼諸佛各各告言今正是時隨汝意往
一一佛土無量無數菩薩摩訶薩衆各礼佛

BD01372號　大般若波羅蜜多經卷一〇　（14–6）

世界觀礼供養釋迦牟尼佛及諸菩薩摩訶
薩衆并聽般若波羅蜜多唯願世尊哀愍聽
許時彼諸佛各各告言今正是時隨汝意往
一一佛土無量無數菩薩摩訶薩衆各礼佛
足右繞七帀嚴持無量寶幢幡蓋香鬘瓔珞
金銀等華奏擊種種上妙伎樂經須臾間至
此佛所供養恭敬尊重讚歎頂礼佛足却住
一面
尒時北方殑伽沙等諸佛土中各有無量無
數菩薩摩訶薩覩斯光已各詣其佛頂礼恭
敬白言世尊是誰神力復以何緣而有此瑞
時彼諸佛各告菩薩摩訶薩言善男子於此
南方有佛世界名曰堪忍佛号釋迦牟尼如
来應正等覺明行圓滿善逝世間解無上丈
夫調御士天人師佛薄伽梵今為菩薩摩訶
薩衆說大般若波羅蜜多現廣長舌相遍覆
三千大千世界復從舌相出無量無數種種
色光普照十方殑伽沙等諸佛世界令所見
光即是彼佛舌相所現時諸菩薩摩訶薩聞
是事已歡喜踊躍各白佛言我等欲往堪忍
世界觀礼供養釋迦牟尼佛及諸菩薩摩訶
薩衆并聽般若波羅蜜多唯願世尊哀愍聽
許時彼諸佛各各告言今正是時隨汝意往
一一佛土無量無數菩薩摩訶薩衆各礼佛
足右繞七帀嚴持無量寶幢幡蓋香鬘瓔珞
金銀等華奏擊種種上妙伎樂經須臾間至

BD01372號　大般若波羅蜜多經卷一〇　（14–7）

一一佛土無量無數菩薩摩訶薩衆各礼佛
足右繞七帀嚴持無量寶幢幡蓋香鬘瓔珞
金銀等華奏擊種種上妙伎樂經須臾間至
此佛所供養恭敬尊重讚歎頂礼佛足却住
一面
尒時東北方殑伽沙等諸佛土中各有無量
無數菩薩摩訶薩覩斯光已各詣其佛頂礼
恭敬白言世尊是誰神力復以何緣而有此
瑞時彼諸佛各告菩薩摩訶薩言善男子於
此西南方有佛世界名曰堪忍佛号釋迦牟
尼如来應正等覺明行圓滿善世間解無
上丈夫調御士天人師佛薄伽梵今為菩薩
摩訶薩衆說大般若波羅蜜多現廣長舌相
遍覆三千大千世界復從舌相出無量無數
種種色光普照十方殑伽沙等諸佛世界令
所見光即是彼佛舌相所現時諸菩薩摩訶
薩聞是事已歡喜踊躍各白佛言我等欲往
堪忍世界觀礼供養釋迦牟尼佛及諸菩薩
摩訶薩衆并聽般若波羅蜜多唯願世尊哀
愍聽許時彼諸佛各各告言今正是時隨汝
意往一一佛土無量無數菩薩摩訶薩衆各
礼佛足右繞七帀嚴持無量寶幢幡蓋香鬘
瓔珞金銀等華奏擊種種上妙伎樂經須臾
間至此佛所供養恭敬尊重讚歎頂礼佛足
却住一面
尒時東南方殑伽沙等諸佛土中各有無量

BD01372號　大般若波羅蜜多經卷一〇　（14–8）

瓔珞金銀等華奏擊種種上妙伎樂經須臾
間至此佛所供養恭敬尊重讚歎頂礼佛足
却住一面
尒時東南方殑伽沙等諸佛土中各有無量
無數菩薩摩訶薩覩斯光已各詣其佛頂礼
恭敬白言世尊是誰神力復以何緣而有此
瑞時彼諸佛各告菩薩摩訶薩言善男子於
此西北方有佛世界名曰堪忍佛號釋迦牟
尼如來應正等覺明行圓滿善逝世間解無
上丈夫調御士天人師佛薄伽梵今為菩薩
摩訶薩衆說大般若波羅蜜多現廣長舌相
遍覆三千大千世界復從舌相出無量無數
種種色光普照十方殑伽沙等諸佛世界今
所見光即是彼佛舌相所現時諸菩薩摩訶
薩聞是事已歡喜踴躍各白佛言我等欲往
堪忍世界觀礼供養釋迦牟尼佛及諸菩薩
摩訶薩衆并聽般若波羅蜜多唯願世尊哀
愍聽許時彼諸佛各各告言今正是時隨汝
意往一一佛土無量無數菩薩摩訶薩衆各
礼佛足右繞七帀嚴持無量寶幢幡蓋香
鬘瓔珞金銀等華奏擊種種上妙伎樂經須臾
間至此佛所供養恭敬尊重讚歎頂礼佛足
却住一面
尒時西南方殑伽沙等諸佛土中各有無量
無數菩薩摩訶薩覩斯光已各詣其佛頂礼
恭敬白言世尊是誰神力復以何緣而有此

BD01372號　大般若波羅蜜多經卷一〇　（14–9）

却住一面
尒時西南方殑伽沙等諸佛土中各有無量
無數菩薩摩訶薩覩斯光已各詣其佛頂礼
恭敬白言世尊是誰神力復以何緣而有此
瑞時彼諸佛各告菩薩摩訶薩言善男子於
此東北方有佛世界名曰堪忍佛號釋迦牟
尼如來應正等覺明行圓滿善逝世間解無
上丈夫調御士天人師佛薄伽梵今為菩薩
摩訶薩衆說大般若波羅蜜多現廣長舌相
遍覆三千大千世界復從舌相出無量無數
種種色光普照十方殑伽沙等諸佛世界今
所見光即是彼佛舌相所現時諸菩薩摩訶
薩聞是事已歡喜踴躍各白佛言我等欲往
堪忍世界觀礼供養釋迦牟尼佛及諸菩薩
摩訶薩衆并聽般若波羅蜜多唯願世尊
哀愍聽許時彼諸佛各各告言今正是時隨汝
意往一一佛土無量無數菩薩摩訶薩衆各
礼佛足右繞七帀嚴持無量寶幢幡蓋香鬘
瓔珞金銀等華奏擊種種上妙伎樂經須臾
間至此佛所供養恭敬尊重讚歎頂礼佛足
却住一面
尒時西北方殑伽沙等諸佛土中各有無量
無數菩薩摩訶薩覩斯光已各詣其佛頂礼
恭敬白言世尊是誰神力復以何緣而有此
瑞時彼諸佛各告菩薩摩訶薩言善男子於
此東南方有佛世界名曰堪忍佛號釋迦牟

BD01372號　大般若波羅蜜多經卷一〇　（14–10）

無數菩薩摩訶薩覩斯光已各詣其佛頂礼
恭敬白言世尊是誰神力復以何緣而有此
瑞時彼諸佛各告菩薩摩訶薩言善男子於
此東南方有佛世界名曰堪忍佛号釋迦牟
尼如來應正等覺明行圓滿善逝世間解無
上丈夫調御士天人師佛薄伽梵今為菩薩
摩訶薩衆說大般若波羅蜜多現廣長舌相
遍覆三千大千世界復從舌相出無量無數
種種色光普照十方殑伽沙等諸佛世界今
所見光即是彼佛舌相所現時諸菩薩摩訶
薩聞是事已歡喜踊躍各白佛言我等欲往
堪忍世界觀礼供養釋迦牟尼佛及諸菩薩
摩訶薩衆并聽般若波羅蜜多唯願世尊哀
愍聽許時彼諸佛各各告言今正是時隨汝
意往一一佛土無量無數菩薩摩訶薩衆各
礼佛足右繞七帀嚴持無量寶幢幡蓋香鬘
瓔珞金銀等華奏擊種種上妙伎樂經須臾
間至此佛所供養恭敬尊重讚歎頂礼佛足
却住一面
尒時下方殑伽沙等諸佛土中各有無量無
數菩薩摩訶薩覩斯光已各詣其佛頂礼恭
敬白言世尊是誰神力復以何緣而有此瑞
時彼諸佛各告菩薩摩訶薩言善男子於此
上方有佛世界名曰堪忍佛号釋迦牟尼如
來應正等覺明行圓滿善逝世間解無上丈
夫調御士天人師佛薄伽梵今為菩薩摩訶

時彼諸佛各告菩薩摩訶薩言善男子於此
上方有佛世界名曰堪忍佛号釋迦牟尼如
來應正等覺明行圓滿善逝世間解無上丈
夫調御士天人師佛薄伽梵今為菩薩摩訶
薩衆說大般若波羅蜜多現廣長舌相遍覆
三千大千世界復從舌相出無量無數種種
色光普照十方殑伽沙等諸佛世界今所見
光即是彼佛舌相所現時諸菩薩摩訶薩聞
是事已歡喜踊躍各白佛言我等欲往堪忍
世界觀礼供養釋迦牟尼佛及諸菩薩摩訶
薩衆并聽般若波羅蜜多唯願世尊哀愍聽
許時彼諸佛各各告言今正是時隨汝意往
一一佛土無量無數菩薩摩訶薩衆各礼佛
足右繞七帀嚴持無量寶幢幡蓋香鬘瓔珞
金銀等華奏擊種種上妙伎樂經須臾間至
此佛所供養恭敬尊重讚歎頂礼佛足却住
一面
尒時上方殑伽沙等諸佛土中各有無量無
數菩薩摩訶薩覩斯光已各詣其佛頂礼恭
敬白言世尊是誰神力復以何緣而有此瑞
時彼諸佛各告菩薩摩訶薩言善男子於此
下方有佛世界名曰堪忍佛号釋迦牟尼如
來應正等覺明行圓滿善逝世間解無上丈
夫調御士天人師佛薄伽梵今為菩薩摩訶
薩衆說大般若波羅蜜多現廣長舌相遍覆
三千大千世界復從舌相出無量無數種種
色光普照十方殑伽沙等諸佛世界今所見

夫調御士天人師佛薄伽梵各為菩薩摩訶
薩衆說大般若波羅蜜多現廣長舌相遍覆
三千大千世界復從舌相出無量無數種種
色光普照十方殑伽沙等諸佛世界今所見
光即是彼佛舌相所現時諸菩薩摩訶薩聞
是事已歡喜踊躍各白佛言我等欲往堪忍
世界觀礼供養釋迦牟尼佛及諸菩薩摩訶
薩衆并聽般若波羅蜜多唯願世尊哀愍
聽時彼諸佛各各告言今正是時隨汝意往
一一佛土無量無數菩薩摩訶薩衆各礼佛
足右繞七帀嚴持無量寶幢幡蓋香鬘瓔珞
金銀等華奏擊種種上妙伎樂經須臾間至
此佛所供養恭敬尊重讚歎頂礼佛足却住
一面
尒時四大王衆天乃至他化自在天梵衆天
乃至色究竟天各持無量種種香鬘所謂塗
香末香燒香樹香葉香諸雜和香悅意華鬘
生類華鬘龍錢華鬘并無量種衆雜華鬘及
持無量種種天華嗢鉢羅華鉢特摩華俱某
陁華奔茶利華微妙音華大微妙音華及餘
無量種種天華來至佛所供養恭敬尊重
讚歎頂礼佛足却住一面
尒時十方諸來菩薩摩訶薩衆及餘無量欲
色界天所獻種種寶幢幡蓋珎妙瓔珞種種
香華以佛神力上踴雲中合成臺蓋遍覆三
千大千佛土臺頂四角各有寶幢臺蓋寶幢
皆垂瓔珞幡幡妙綵珎異華鬘種種莊嚴甚

BD01372號　大般若波羅蜜多經卷一〇　（14–13）

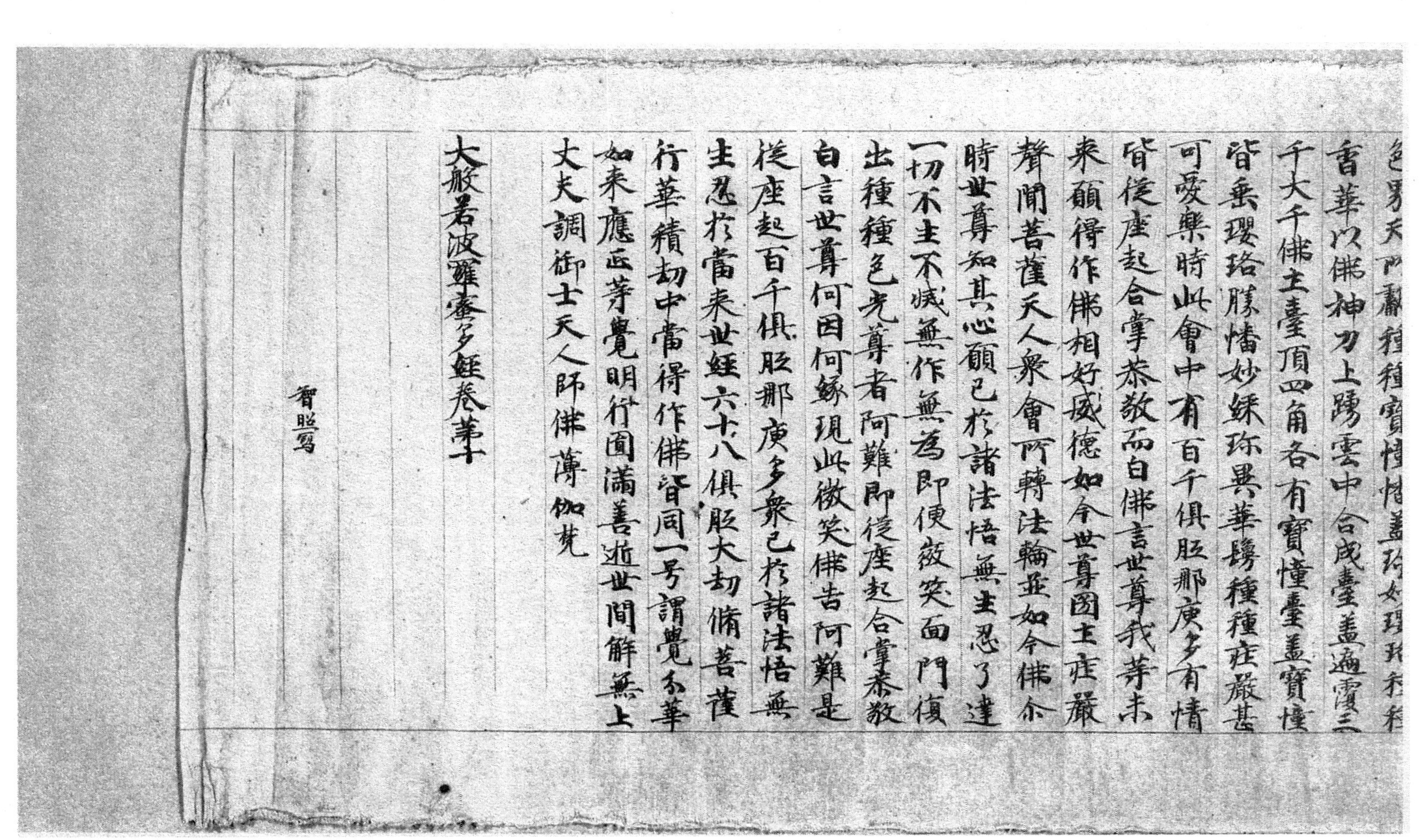
色界天所獻種種寶幢幡蓋珎妙瓔珞種種
香華以佛神力上踴雲中合成臺蓋遍覆三
千大千佛土臺頂四角各有寶幢臺蓋寶幢
皆垂瓔珞幡幡妙綵珎異華鬘種種莊嚴甚
可愛樂時此會中有百千俱胝那庾多有情
皆從座起合掌恭敬而白佛言世尊我等未
來願得作佛相好威德如今世尊國土莊嚴
聲聞菩薩天人衆會所轉法輪並如今佛尒
時世尊知其心願已於諸法悟無生忍了達
一切不生不滅無作無為即便微笑面門復
出種種色光尊者阿難即從座起合掌恭敬
白言世尊何因何緣現此微笑佛告阿難是
從座起百千俱胝那庾多衆已於諸法悟無
生忍於當來世經六十八俱胝大劫脩菩薩
行華積劫中當得作佛皆同一号謂覺分華
如來應正等覺明行圓滿善逝世間解無上
丈夫調御士天人師佛薄伽梵

大般若波羅蜜多經卷第十

智照寫

BD01372號　大般若波羅蜜多經卷一〇　（14–14）

[illegible]
分無別無斷故一切智智[illegible]
界[illegible]鼻觸為緣所生諸受
至鼻觸為緣所生諸受清淨故恒
淨何以故若一切智智清淨若香界
觸為緣所生諸受清淨若恒住捨
二無二分無別無斷故善現一切
故舌界清淨舌界清淨故恒住捨性清淨何
以故若一切智智清淨若舌界清淨若恒住
捨性清淨無二無二分無別無斷故一切智
智清淨故味界舌識界及舌觸舌觸為緣所
生諸受清淨味界乃至舌觸為緣所生諸受
清淨故恒住捨性清淨何以故若一切智智
清淨若味界乃至舌觸為緣所生諸受清淨
若恒住捨性清淨無二無二分無別無斷故
善現一切智智清淨故身界清淨身界清淨
故恒住捨性清淨何以故若一切智智清淨
若身界清淨若恒住捨性清淨無二無二分
無別無斷故一切智智清淨故觸界身識界
及身觸身觸為緣所生諸受清淨觸界乃至
身觸為緣所生諸受清淨故恒住捨性清淨
何[illegible]一切智智清淨若觸界乃至身觸

BD01373 號　大般若波羅蜜多經卷二七九　（6–1）

若身界清淨若恒住捨性清淨無二無二分
無別無斷故一切智智清淨故觸界身識界
及身觸身觸為緣所生諸受清淨觸界乃至
身觸為緣所生諸受清淨故恒住捨性清淨
何以故若一切智智清淨若觸界乃至身觸
為緣所生諸受清淨若恒住捨性清淨無二
無二分無別無斷故善現一切智智清淨故
意界清淨意界清淨故恒住捨性清淨何以
故若一切智智清淨若意界清淨若恒住捨
性清淨無二無二分無別無斷故一切智智
清淨故法界意識界及意觸意觸為緣所
生諸受清淨法界乃至意觸為緣所生諸受清
淨故恒住捨性清淨何以故若一切智智清
淨若法界乃至意觸為緣所生諸受清淨若
恒住捨性清淨無二無二分無別無斷故善
現一切智智清淨故地界清淨地界清淨故
恒住捨性清淨何以故若一切智智清淨若
地界清淨若恒住捨性清淨無二無二分無
別無斷故一切智智清淨故水火風空識界
清淨水火風空識界清淨故恒住捨性清淨
何以故若一切智智清淨若水火風空識界
清淨若恒住捨性清淨無二無二分無別無
斷故善現一切智智清淨故無明清淨無明
清淨故恒住捨性清淨何以故若一切智智
清淨若無明清淨若恒住捨性清淨無二無
二分無別無斷故一切智智清淨故行識名

BD01373 號　大般若波羅蜜多經卷二七九　（6–2）

斷故善現一切智智清淨故無明清淨無明
清淨故恒住捨性清淨何以故若一切智智
清淨若無明清淨若恒住捨性清淨無二無
二分無別無斷故一切智智清淨故行識名
色六處觸受愛取有生老死愁歎苦憂惱清
淨行乃至老死愁歎苦憂惱清淨故恒住捨
性清淨何以故若一切智智清淨若行乃至
老死愁歎苦憂惱清淨若恒住捨性清淨無
二無二分無別無斷故
善現一切智智清淨故布施波羅蜜多清
淨布施波羅蜜多清淨故恒住捨性清淨何以
故若一切智智清淨若布施波羅蜜多清淨
若恒住捨性清淨無二無二分無別無斷故
一切智智清淨故淨戒安忍精進靜慮般若
波羅蜜多清淨淨戒乃至般若波羅蜜多清
淨故恒住捨性清淨何以故若一切智智清
淨若淨戒乃至般若波羅蜜多清淨若恒住
捨性清淨無二無二分無別無斷故善現一
切智智清淨故內空清淨內空清淨故恒住
捨性清淨何以故若一切智智清淨若內空
清淨若恒住捨性清淨無二無二分無別無
斷故一切智智清淨故外空內外空空空大
空勝義空有為空無為空畢竟空無際空散
空無變異空本性空自相空共相空一切法
空不可得空無性空自性空無性自性空清
淨外空乃至無性自性空清淨故恒住捨性

BD01373號　大般若波羅蜜多經卷二七九　（6–3）

空勝義空有為空無為空畢竟空無際空散
空無變異空本性空自相空共相空一切法
空不可得空無性空自性空無性自性空清
淨外空乃至無性自性空清淨故恒住捨性
清淨何以故若一切智智清淨若外空乃至
無性自性空清淨若恒住捨性清淨無二無
二分無別無斷故善現一切智智清淨故真
如清淨真如清淨故恒住捨性清淨何以故
若一切智智清淨若真如清淨若恒住捨性
清淨無二無二分無別無斷故一切智智清
淨故法界法性不虛妄性不變異性平等性
離生性法定法住實際虛空界不思議界清
淨法界乃至不思議界清淨故恒住捨性清
淨何以故若一切智智清淨若法界乃至不
思議界清淨若恒住捨性清淨無二無二分
無別無斷故善現一切智智清淨故苦聖諦
清淨苦聖諦清淨故恒住捨性清淨何以故
若一切智智清淨若苦聖諦清淨若恒住捨
性清淨無二無二分無別無斷故一切智智
清淨故集滅道聖諦清淨集滅道聖諦清
淨故恒住捨性清淨何以故若一切智智淨清
若集滅道聖諦清淨若恒住捨性清淨無二
無二分無別　善現一切智智清淨故
四靜慮清淨四靜慮清淨故恒住捨性清淨
何以故若一切智智清淨若四靜慮清淨若
恒住捨性清淨無二無二分無別無斷故一

BD01373號　大般若波羅蜜多經卷二七九　（6–4）

若集滅道聖諦清淨若恒住捨性清淨無二
無二分無別　善現一切智智清淨故
四靜慮清淨四靜慮清淨故恒住捨性清淨
何以故若一切智智清淨若四靜慮清淨若
恒住捨性清淨無二無二分無別無斷故一
切智智清淨故四無量四無色定清淨四無
量四無色定清淨故恒住捨性清淨何以故
若一切智智清淨若四無量四無色定清淨
若恒住捨性清淨無二無二分無別無斷故
善現一切智智清淨故八解脫清淨八解脫
清淨故恒住捨性清淨何以故若一切智智
清淨若八解脫清淨若恒住捨性清淨無二
無二分無別無斷故一切智智清淨故八勝
處九次第定十遍處清淨八勝處九次第定
十遍處清淨故恒住捨性清淨何以故若一
切智智清淨若八勝處九次第定十遍處清
淨若恒住捨性清淨無二無二分無別無斷
故善現一切智智清淨故四念住清淨四念
住清淨故恒住捨性清淨何以故若一切智
智清淨若四念住清淨若恒住捨性清淨無
二無二分無別無斷故一切智智清淨故四
正斷四神足五根五力七等覺支八聖道支
清淨四正斷乃至八聖道支清淨故恒住捨
性清淨何以故若一切智智清淨若四正斷
乃至八聖道支清淨若恒住捨性清淨無二
無二分無別無斷故善現一切智智清淨故

BD01373號　大般若波羅蜜多經卷二七九　（6-5）

正斷四神足五根五力七等覺支八聖道支
清淨四正斷乃至八聖道支清淨故恒住捨
性清淨何以故若一切智智清淨若四正斷
乃至八聖道支清淨若恒住捨性清淨無二
無二分無別無斷故善現一切智智清淨故
空解脫門清淨空解脫門清淨故恒住捨性
清淨何以故若一切智智清淨若空解脫門
清淨若恒住捨性清淨無二無二分無別無
斷故一切智智清淨故無相無願解脫門清
淨無相無願解脫門清淨故恒住捨性清淨
何以故若一切智智清淨若無相無願解脫
門清淨若恒住捨性清淨無二無二分無別
無斷故善現一切智智清淨故菩薩十地清
淨菩薩十地清淨故恒住捨性清淨何以故
若一切智智清淨若菩薩十地清淨若恒住
捨性清淨無二無二分無別無斷故
善現一切智智清淨故五眼清淨五眼清淨
故恒住捨性清淨何以故若一切智智清淨
若五眼清淨若恒住捨性清淨無二無二分
無別無斷故一切智智清淨故六神通清淨
六神通清淨故恒住捨性清淨何以故若一

BD01373號　大般若波羅蜜多經卷二七九　（6-6）

BD01373 號背　雜寫　　（1–1）

BD01374 號背　大般若波羅蜜多經卷五〇護首　　（1–1）

大般若波羅蜜多經卷第五十
初分大乘鎧品第十四之二　三藏法師玄奘奉　詔譯
尒時具壽善現白佛言世尊如我解佛所說
義菩薩摩訶薩不攝功德鎧當知是為攝大
乘鎧何以故以一切法自相空故所以者何
世尊色相空受想行識受想行識相空眼
處眼處相空耳鼻舌身意處耳鼻舌身意處
相空色處色處相空聲香味觸法處聲香味
觸法處相空眼界眼界相空色界眼識界及

BD01374號　大般若波羅蜜多經卷五〇　（6–1）

乘鎧何以故以一切法自相空故所以者何
世尊色相空受想行識受想行識相空眼
處眼處相空耳鼻舌身意處耳鼻舌身意處
相空色處色處相空聲香味觸法處聲香味
觸法處相空眼界眼界相空色界眼識界及
眼觸眼觸為緣所生諸受色界乃至眼觸為
緣所生諸受相空耳界耳界相空聲界耳識
界及耳觸耳觸為緣所生諸受聲界乃至耳
觸為緣所生諸受相空鼻界鼻界相空香界
鼻識界及鼻觸鼻觸為緣所生諸受香界乃
至鼻觸為緣所生諸受相空舌界舌界相空
味界舌識界及舌觸舌觸為緣所生諸受味
界乃至舌觸為緣所生諸受相空身界身界
相空觸界身識界及身觸身觸為緣所
受觸界乃至身觸為緣所生諸受相空
意界相空法界意識界及意觸意觸為緣
生諸受法界乃至意觸　緣所生諸受相
地界地界相空水火風空識界水火風空識
界相空苦聖諦苦聖諦相空集滅道聖諦集
滅道聖諦相空無明無明相空行識名色六
處觸受愛取有生老死愁歎苦憂惱行乃至
老死愁歎苦憂惱相空內空內空相空外空
內外空空空大空勝義空有為空無為空畢
竟空無際空散空無變異空本性空自相空
共相空一切法空不可得空無性空自性空
無性自性空外空乃至無性自性空相空四
靜慮四靜慮相空四無量四無色定四無量

BD01374號　大般若波羅蜜多經卷五〇　（6–2）

竟空無際空散空無變異空本性空自相空
共相空一切法空不可得空無性空自性空
無性自性空外空乃至無性自性空相空四
靜慮四靜慮相空四無量四無色定四無量
四無色定相空四念住四念住相空四正斷
四神足五根五力七等覺支八聖道支四正
斷乃至八聖道支相空空解脫門空解脫門
相空無相無願解脫門無相無願解脫門相
空布施波羅蜜多布施波羅蜜多相空淨戒
安忍精進靜慮般若波羅蜜多淨戒乃至般
若波羅蜜多相空 眼五眼相空六神通六
神通相空佛十力 十力相空四無所畏四
無礙解大慈大悲 喜大捨十八佛不共法
一切智道相智一切相智四無所畏乃至一
切相智相空菩薩菩薩相空攝功德鎧攝功
德鎧相空世尊由此因緣菩薩摩訶薩不攝
功德鎧當知是為攝大乘鎧佛告善現如是
如是如汝所說
善現當知一切智智無造無作一切有情亦
無造無作菩薩摩訶薩為是事故攝大乘鎧
具壽善現白佛言世尊何因緣故一切智智
無造無作一切有情亦無造無作菩薩摩訶
薩為是事故攝大乘鎧佛言善現由諸作者
不可得故一切智智無造無作一切有情亦
無造無作所以者何善現我非造非不造非
作非不作何以故我畢竟不可得故有情命
者生者養者士夫補特伽羅意生儒童作者

BD01374號　大般若波羅蜜多經卷五〇　（6–3）

不可得故一切智智無造無作一切有情亦
無造無作所以者何善現我非造非不造非
作非不作何以故我畢竟不可得故有情命
者生者養者士夫補特伽羅意生儒童作者
使作者起者使起者受者使受者知者見者
非造非不造非作非不作何以故有情乃至
見者畢竟不可得故善現幻事非造非不造
非作非不作何以故幻事畢竟不可得故夢
境像響光影空花陽焰尋香城變化事非造
非不造非作非不作何以故夢境乃至變化
事畢竟不可得故善現色非造非不造非作
非不作何以故色畢竟不可得故受想行識
非造非不造非作非不作何以故受想行識
畢竟不可得故善現眼處非造非不造非作
非不作何以故眼處畢竟不可得故耳鼻舌
身意處非造非不造非作非不作何以故耳
鼻舌身意處畢竟不可得故善現色處非造
非不造非作非不作何以故色處畢竟不可
得故聲香味觸法處非造非不造非作非不
作何以故聲香味觸法處畢竟不可得故善
現眼界非造非不造非作非不作何以故眼
界畢竟不可得故色界眼識界及眼觸眼觸
為緣所生諸受非造非不造非作非不作何
以故色界乃至眼觸為緣所生諸受畢竟不
可得故善現耳界非造非不造非作非不作
何以故耳界畢竟不可得故聲界耳識界及
耳觸耳觸為緣所生諸受非造非不造非作

BD01374號　大般若波羅蜜多經卷五〇　（6–4）

可得故善現耳界非造非不造非作非不作
何以故耳界畢竟不可得故聲界耳識界及
耳觸耳觸為緣所生諸受非造非不造非作
非不作何以故聲界乃至耳觸為緣所生諸
受畢竟不可得故善現鼻界非造非不造非
作非不作何以故鼻界畢竟不可得故香界
鼻識界及鼻觸鼻觸為緣所生諸受非造非
不造非作非不作何以故香界乃至鼻觸為
緣所生諸受畢竟不可得故善現舌界非造
非不造非作非不作何以故舌界畢竟不可
得故味界舌識界及舌觸舌觸為緣所生諸
受非造非不造非作非不作何以故味界乃
至舌觸為緣所生諸受畢竟不可得故善現
身界非造非不造非作非不作何以故身界
畢竟不可得故觸界身識界及身觸身觸為
緣所生諸受非造非不造非作非不作何以
故觸界乃至身觸為緣所生諸受畢竟不可
得故善現意界非造非不造非作非不作何
以故意界畢竟不可得故法界意識界及意
觸意觸為緣所生諸受非造非不造非作非
不作何以故法界乃至意觸為緣所生諸受
畢竟不可得故善現地界非造非不造非作
非不作何以故地界畢竟不可得故水火風
空識界非造非不造非作非不作何以故水
火風空識界畢竟不可得故善現苦聖諦非
造非不造非作非不作何以故苦聖諦畢竟
不可得故集滅道聖諦非造非不造非作非

BD01374號　大般若波羅蜜多經卷五〇　（6–5）

得故善現意界非造非不造非作非不作何
以故意界畢竟不可得故法界意識界及意
觸意觸為緣所生諸受非造非不造非作非
不作何以故法界乃至意觸為緣所生諸受
畢竟不可得故善現地界非造非不造非作
非不作何以故地界畢竟不可得故水火風
空識界非造非不造非作非不作何以故水
火風空識界畢竟不可得故善現苦聖諦非
造非不造非作非不作何以故苦聖諦畢竟
不可得故集滅道聖諦非造非不造非作非
不作何以故集滅道聖諦畢竟不可得故善
現無明非造非不造非作非不作何以故無
明畢竟不可得故行識名色六處觸受愛取
有生老死愁歎苦憂惱非造非不造非作非
不作何以故行乃至老死愁歎苦憂惱畢竟
不可得故善現內空非造非不造非作非不
作何以故內空畢竟不可得故外空內外空
空空大空勝義空有為空無為空畢竟空無
際空散空無變異空本性空自相空共相空

BD01374號　大般若波羅蜜多經卷五〇　（6–6）

故般若波羅蜜多難可測量舍利子諸佛无
上正等菩提真如難測量故般若波羅蜜多
難可測量
時舍利子復白佛言世尊如是般若波羅蜜
多最為无量佛言如是舍利子色真如无量
故般若波羅蜜多无量受想行識真如无量
故般若波羅蜜多无量舍利子眼處真如无
量故般若波羅蜜多无量耳鼻舌身意處真
如无量故般若波羅蜜多无量舍利子色處
真如无量故般若波羅蜜多无量聲香味觸
法處真如无量故般若波羅蜜多无量舍利
子眼界真如无量故般若波羅蜜多无量色
界眼識界及眼觸眼觸為緣所生諸受真如
无量故般若波羅蜜多无量
舍利子耳界真如无量故般若波羅蜜多无
量聲界耳識界及耳觸耳觸為緣所生諸受
真如无量故般若波羅蜜多无量舍利子鼻
界真如无量故般若波羅蜜多无量香界鼻
識界及鼻觸鼻觸為緣所生諸受真如无量
故般若波羅蜜多无量舍利子舌界真如无
量故般若波羅蜜多无量味界舌識界及舌

BD01375號　大般若波羅蜜多經卷二九八　（9–1）

真如无量故般若波羅蜜多无量舍利子鼻
界真如无量故般若波羅蜜多无量香界鼻
識界及鼻觸鼻觸為緣所生諸受真如无量
故般若波羅蜜多无量舍利子舌界真如无
量故般若波羅蜜多无量味界舌識界及舌
觸舌觸為緣所生諸受真如无量故般若波
羅蜜多无量舍利子身界真如无量故般若
波羅蜜多无量觸界身識界及身觸身觸為
緣所生諸受真如无量故般若波羅蜜多无
量舍利子意界真如无量故般若波羅蜜多
无量法界意識界及意觸意觸為緣所生諸
受真如无量故般若波羅蜜多无量舍利子
地界真如无量故般若波羅蜜多无量水火
風空識界真如无量故般若波羅蜜多无量
舍利子无明真如无量故般若波羅蜜多无
量行識名色六處觸受愛取有生老死愁歎
苦憂惱真如无量故般若波羅蜜多无量舍
利子布施波羅蜜多真如无量故般若波羅
蜜多无量淨戒安忍精進靜慮般若波羅蜜
多真如无量故般若波羅蜜多无量舍利子
內空真如无量故般若波羅蜜多无量外空
內外空空空大空勝義空有為空无為空畢
竟空无際空散空无變異空本性空自相空
共相空一切法空不可得空无性空自性空
无性自性空真如无量故般若波羅蜜多无
量舍利子真如真如无量故般若波羅蜜多
无量法界法性不虛妄性不變異性平等性

BD01375號　大般若波羅蜜多經卷二九八　（9–2）

无性自性空真如无量故般若波羅蜜多无
量舍利子真如真如无量故般若波羅蜜多
无量法界法性不虛妄性不變異性平等性
離生性法定法住實際虛空界不思議界真
如无量故般若波羅蜜多无量舍利子苦聖
諦真如无量故般若波羅蜜多无量集滅道
聖諦真如无量故般若波羅蜜多无量舍利
子四靜慮真如无量故般若波羅蜜多无量
四无量四无色定真如无量故般若波羅蜜
多无量舍利子八解脫真如无量故般若波
羅蜜多无量八勝處九次第定十遍處真如
無量故般若波羅蜜多无量舍利子四念住
真如無量故般若波羅蜜多无量四正斷四
神足五根五力七等覺支八聖道支真如无
量故般若波羅蜜多无量舍利子空解脫門
真如无量故般若波羅蜜多无量无相无願
解脫門真如无量故般若波羅蜜多无量舍
利子菩薩十地真如无量故般若波羅蜜多
无量
舍利子五眼真如无量故般若波羅蜜多无
量六神通真如无量故般若波羅蜜多无量
舍利子佛十力真如无量故般若波羅蜜多
无量四无所畏四无礙解大慈大悲大喜大
捨十八佛不共法真如无量故般若波羅蜜
多无量舍利子无忘失法真如无量故般若
波羅蜜多无量恒住捨性真如无量故般若
波羅蜜多无量舍利子一切智真如无量故

BD01375號　大般若波羅蜜多經卷二九八　（9–3）

捨十八佛不共法真如无量故般若波羅蜜
多无量舍利子无忘失法真如无量故般若
波羅蜜多无量恒住捨性真如无量故般若
波羅蜜多无量舍利子一切智真如无量故
般若波羅蜜多无量道相智一切相智真如
无量故般若波羅蜜多无量舍利子一切陁
羅尼門真如无量故般若波羅蜜多无量一
切三摩地門真如无量故般若波羅蜜多无
量
舍利子預流果真如无量故般若波羅蜜多
无量一來不還阿羅漢果真如无量故般若
波羅蜜多无量舍利子獨覺菩提真如无量
故般若波羅蜜多无量舍利子一切菩薩摩
訶薩行真如无量故般若波羅蜜多无量舍
利子諸佛无上正等菩提真如无量故般若
波羅蜜多无量
尒時舍利子白佛言世尊云何菩薩摩訶薩
行般若波羅蜜多佛言舍利子若菩薩摩訶
薩行般若波羅蜜多時不行色甚深性是行
般若波羅蜜多不行受想行識甚深性是行
般若波羅蜜多何以故舍利子色甚深性則
非色受想行識甚深性則非受想行識故舍
利子若菩薩摩訶薩行般若波羅蜜多時不
行眼處甚深性是行般若波羅蜜多不行耳
鼻舌身意處甚深性是行般若波羅蜜多何
以故舍利子眼處甚深性則非眼處耳鼻舌
身意處甚深性則非耳鼻舌身意處故舍利

BD01375號　大般若波羅蜜多經卷二九八　（9–4）

鼻舌身意處甚深性是行般若波羅蜜多何以故舍利子眼處甚深性則非眼處耳鼻舌身意處甚深性則非耳鼻舌身意處故舍利子若菩薩摩訶薩行般若波羅蜜多時不行色處甚深性是行般若波羅蜜多不行聲香味觸法處甚深性是行般若波羅蜜多何以故舍利子色處甚深性則非色處聲香味觸法處甚深性則非聲香味觸法處故

舍利子若菩薩摩訶薩行般若波羅蜜多時不行眼界甚深性是行般若波羅蜜多不行色界眼識界及眼觸眼觸為緣所生諸受甚深性是行般若波羅蜜多何以故舍利子眼界甚深性則非眼界色界乃至眼觸為緣所生諸受甚深性則非色界乃至眼觸為緣所生諸受故舍利子若菩薩摩訶薩行般若波羅蜜多時不行耳界甚深性是行般若波羅蜜多不行聲界耳識界及耳觸耳觸為緣所生諸受甚深性是行般若波羅蜜多何以故舍利子耳界甚深性則非耳界聲界乃至耳觸為緣所生諸受甚深性則非聲界乃至耳觸為緣所生諸受故舍利子若菩薩摩訶薩行般若波羅蜜多時不行鼻界甚深性是行般若波羅蜜多不行香界鼻識界及鼻觸鼻觸為緣所生諸受甚深性是行般若波羅蜜多何以故舍利子鼻界甚深性則非鼻界香界乃至鼻觸為緣所生諸受甚深性則非香界乃至鼻觸為緣所生諸受故舍利子若菩

BD01375 號　大般若波羅蜜多經卷二九八　（9–5）

多何以故舍利子鼻界甚深性則非鼻界香界乃至鼻觸為緣所生諸受甚深性則非香界乃至鼻觸為緣所生諸受故舍利子若菩薩摩訶薩行般若波羅蜜多時不行舌界甚深性是行般若波羅蜜多不行味界舌識界及舌觸舌觸為緣所生諸受甚深性是行般若波羅蜜多何以故舍利子舌界甚深性則非舌界味界乃至舌觸為緣所生諸受甚深性則非味界乃至舌觸為緣所生諸受故舍利子若菩薩摩訶薩行般若波羅蜜多時不行身界甚深性是行般若波羅蜜多不行觸界身識界及身觸身觸為緣所生諸受甚深性是行般若波羅蜜多何以故舍利子身界甚深性則非身界觸界乃至身觸為緣所生諸受甚深性則非觸界乃至身觸為緣所生諸受故舍利子若菩薩摩訶薩行般若波羅蜜多時不行意界甚深性是行般若波羅蜜多不行法界意識界及意觸意觸為緣所生諸受甚深性是行般若波羅蜜多何以故舍利子意界甚深性則非意界法界乃至意觸為緣所生諸受甚深性則非法界乃至意觸為緣所生諸受故舍利子若菩薩摩訶薩行般若波羅蜜多時不行地界甚深性是行般若波羅蜜多不行水火風空識界甚深性是行般若波羅蜜多何以故舍利子地界甚深性則非地界水火風空識界甚深性則非水火風空識界故舍利子若菩薩摩訶薩行般

BD01375 號　大般若波羅蜜多經卷二九八　（9–6）

行般若波羅蜜多何以故舍利子地界甚深
性則非地界水火風空識界甚深性則非水
火風空識界故舍利子若菩薩摩訶薩行般
若波羅蜜多時不行无明甚深性是行般若
波羅蜜多不行行識名色六處觸受愛取
有生老死愁歎苦憂惱甚深性是行般若波羅
蜜多何以故舍利子无明甚深性則非无明
行乃至老死愁歎苦憂惱甚深性則非行乃
至老死愁歎苦憂惱故
舍利子若菩薩摩訶薩行般若波羅蜜多時
不行布施波羅蜜多甚深性是行般若波羅
蜜多不行淨戒安忍精進靜慮般若波羅蜜
多甚深性是行般若波羅蜜多何以故舍利
子布施波羅蜜多甚深性則非布施波羅蜜
多淨戒乃至般若波羅蜜多甚深性則非淨
戒乃至般若波羅蜜多故舍利子若菩薩摩
訶薩行般若波羅蜜多時不行內空甚深性
是行般若波羅蜜多不行外空內外空空空
大空勝義空有為空无為空畢竟空无際空
散空无變異空本性空自相空共相空一切法
空不可得空无性空自性空无性自性空
甚深性是行般若波羅蜜多何以故舍利子
內空甚深性則非內空外空乃至无性自性
空甚深性則非外空乃至无性自性空故舍
利子若菩薩摩訶薩行般若波羅蜜多時不
行真如甚深性是行般若波羅蜜多不行法
界法性不虛妄性不變異性平等性離生性

BD01375號　大般若波羅蜜多經卷二九八　（9–7）

空甚深性則非外空乃至无性自性空故舍
利子若菩薩摩訶薩行般若波羅蜜多時不
行真如甚深性是行般若波羅蜜多不行法
界法性不虛妄性不變異性平等性離生性
法定法住實際虛空界不思議界甚深性是
行般若波羅蜜多何以故舍利子真如甚深
性則非真如法界乃至不思議界甚深性則
非法界乃至不思議界故舍利子若菩薩摩
訶薩行般若波羅蜜多時不行苦聖諦甚深
性是行般若波羅蜜多不行集滅道聖諦甚
深性是行般若波羅蜜多何以故舍利子苦
聖諦甚深性則非苦聖諦集滅道聖諦甚深
性則非集滅道聖諦故舍利子若菩薩摩訶
薩行般若波羅蜜多時不行四靜慮甚深性
是行般若波羅蜜多不行四无量四无色定
甚深性是行般若波羅蜜多何以故舍利子
四靜慮甚深性則非四靜慮四无量四无色
定甚深性則非四无量四无色定故舍利子
若菩薩摩訶薩行般若波羅蜜多時不行八
解脫甚深性是行般若波羅蜜多不行八勝
處九次第定十遍處甚深性是行般若波羅
蜜多何以故舍利子八解脫甚深性則非八
解脫八勝處九次第定十遍處甚深性則非
八勝處九次第定十遍處故舍利子若菩薩
摩訶薩行般若波羅蜜多時不行四念住甚
深性是行般若波羅蜜多不行四正斷四神
足五根五力七等覺支八聖道支甚深性是
行般若波羅蜜多何以故舍利子四念住甚

BD01375號　大般若波羅蜜多經卷二九八　（9–8）

八勝處九次第定十遍處故舍利子若菩
摩訶薩行般若波羅蜜多時不行念住甚
深性是行般若波羅蜜多不行四正斷四神
足五根五力七等覺支八聖道支甚深性是
行般若波羅蜜多何以故舍利子四念住甚
深性則非四念住四正斷乃至八聖道支甚
性深則非四正斷乃至八聖道支故舍利子
若菩薩摩訶薩行若波羅蜜多時不行空
解脫門甚深性是行般若波羅蜜多不行无
相无願解脫門甚深性是行般若波羅蜜多
何以故舍利子空解脫門甚深性則非空解
脫門无相无願解脫門甚深性則非无相无
願解脫門故舍利子若菩薩摩訶薩行般若
波羅蜜多時不行菩薩十地甚深性是行般
若波羅蜜多何以故舍利子菩薩十地甚深
性則非菩薩十地故舍利子若菩薩摩訶薩
行般若波羅蜜多時不行五眼甚深性是行
般若波羅蜜多不行六神通甚深性是行般
若波羅蜜多何以故舍利子五眼甚深性則
非五眼六神通甚深性則非六神通故

大般若波羅蜜多經卷第二百九十八

BD01375號　大般若波羅蜜多經卷二九八　（9–9）

大乘无量壽經
如是我聞一時薄伽梵在舍衛國祇樹給孤獨園與大苾芻僧千二百五十人大菩薩
摩訶薩衆俱會坐尒時世尊告曼殊室利童子曼殊上方有世界名无量功德聚彼
土有佛号无量壽智決定王如來阿耨多羅三藐三菩提現為衆生開示說法曼殊諦聽
南閻浮提人皆短壽大限百年於中夭枉橫死者衆曼殊如是无量壽如來功德名稱
法要若有衆生得聞名号若自書或使人書能為經卷受持讀誦若於舍宅所住之處
以種種花鬘瓔珞塗香末香而為供養命盡復得延年滿足百歲如是曼殊若有
衆生得聞是无量壽智決定王如來一百八名号者益其長壽若有衆生大命將盡憶念
是如來名号更得增壽如是曼殊若有善男子善女人欲求長壽於是无量壽如來一百
八名号有得聞者或自書若使人書受持讀誦得如是等果報福德具足陀羅尼曰
南謨薄伽勃底一阿波唎蜜多二阿喻紇硯娜三須毗你尸指多四囉佐耶五怛他羯他耶六
怛姪他唵七薩婆桑悉迦囉八波唎輸底九達磨底十伽迦娜十一莎訶其特迦底十二
薩婆婆毗輸底十三摩訶娜耶十四波唎婆㘑莎訶十五
世尊復告曼殊室利如是如來一百八名号若有自書或使人書能為經卷受持讀誦
如壽命盡復滿百年壽終此身後得往生无量福智世界无量壽淨土陀羅尼曰
南謨薄伽勃底一阿波唎蜜多二阿喻紇硯娜三須毗你尸指多四囉佐耶五怛他羯他耶六
怛姪他唵七薩婆桑悉迦囉八波唎輸底九達磨底十伽迦娜十一莎訶其特迦底十二
薩婆婆毗輸底十三摩訶娜耶十四波唎婆㘑莎訶十五
尒時復有九十九姟佛等一時同聲說是无量壽宗要經陀羅尼曰
南謨薄伽勃底一阿波唎蜜多二阿喻紇硯娜三須毗你尸指多四囉佐耶五怛他羯他耶六
怛姪他唵七薩婆桑悉迦囉八波唎輸底九達磨底十伽迦娜十一莎訶其特迦底十二
薩婆婆毗輸底十三摩訶娜耶十四波唎婆㘑莎訶十五

BD01376號　無量壽宗要經　（6–1）

怛姪他唵七薩婆桒悉迦囉八波唎輸底九達磨底十伽迦娜十一莎訶其特迦底十二
薩婆婆毗輸底十三摩訶娜耶十四波唎婆羅莎訶十五
尒時復有九十九殑佛等一時同聲說是无量壽宗要經陁羅尼曰
南謨薄伽勃底一阿波唎蜜多二阿喻紇硯娜三須毗你尸指多四囉佐耶五怛他羯他耶六
怛姪他唵七薩婆桒悉迦囉八波唎輸底九達磨底十伽迦娜十一莎訶其特迦底十二
薩婆婆毗輸底十三摩訶娜耶十四波唎婆羅莎訶十五
尒時復有一百四殑佛一時同聲說是无量壽宗要經陁羅尼曰
南謨薄伽勃底一阿波唎蜜多二阿喻紇硯娜三須毗你尸指多四囉佐耶五怛他羯他耶六
怛姪他唵七薩婆桒悉迦囉八波唎輸底九達磨底十伽迦娜十一莎訶其特迦底十二
薩婆婆毗輸底十三摩訶娜耶十四波唎婆羅莎訶十五
尒時復有七殑佛一時同聲說是无量壽宗要經陁羅尼曰
南謨薄伽勃底一阿波唎蜜多二阿喻紇硯娜三須毗你尸指多四囉佐耶五怛他羯他耶六
怛姪他唵七薩婆桒悉迦囉八波唎輸底九達磨底十伽迦娜十一莎訶其特迦底十二
薩婆婆毗輸底十三摩訶娜耶十四波唎婆羅莎訶十五
尒時復有六十五殑佛一時同聲說是无量壽宗要經陁羅尼曰
南謨薄伽勃底一阿波唎蜜多二阿喻紇硯娜三須毗你尸佰多四囉佐耶五怛他羯他耶六
怛姪他唵七薩婆桒悉迦囉八波唎輸底九達磨底十伽迦娜十一莎訶其特迦底十二
薩婆婆毗輸底十三摩訶娜耶十四波唎婆羅莎訶十五
尒時復有五十五殑佛一時同聲說是无量壽宗要經陁羅尼曰
南謨薄伽勃底一阿波唎蜜多二阿喻紇硯娜三須毗你尸指多四囉佐耶五怛他羯他耶六
怛姪他唵七薩婆桒悉迦囉八波唎輸底九達磨底十伽迦娜十一莎訶其特迦底十二
薩婆婆毗輸底十三摩訶娜耶十四波唎婆羅莎訶十五
尒時復有四十五殑佛一時同聲說是无量壽宗要經陁羅尼曰
南謨薄伽勃底一阿波唎蜜多二阿喻紇硯娜三須毗你尸指多四囉佐耶五怛他羯他耶六
怛姪他唵七薩婆桒悉迦囉八波唎輸底九達磨底十伽迦娜十一莎訶其特迦底十二
薩婆婆毗輸底十三摩訶娜耶十四波唎婆羅莎訶十五
尒時復有三十六殑佛一時同聲說是无量壽宗要經陁羅尼曰
南謨薄伽勃底一阿波唎蜜多二阿喻紇硯娜三須毗你尸指多四囉佐耶五怛他羯他耶六
怛姪他唵七薩婆桒悉迦囉八波唎輸底九達磨底十伽迦娜十一莎訶其特迦底十二
薩婆婆毗輸底十三摩訶娜耶十四波唎婆羅莎訶十五

BD01376 號　無量壽宗要經　（6–2）

薩婆婆毗輸底十三摩訶娜耶十四波唎婆羅莎訶十五
尒時復有三十六殑佛一時同聲說是无量壽宗要經陁羅尼曰
南謨薄伽勃底一阿波唎蜜多二阿喻紇硯娜三須毗你尸指多四囉佐耶五怛他羯他耶六
怛姪他唵七薩婆桒悉迦囉八波唎輸底九達磨底十伽迦娜十一莎訶其特迦底十二
薩婆婆毗輸底十三摩訶娜耶十四波唎婆羅莎訶十五
尒時復有二十五殑佛一時同聲說是无量壽宗要經陁羅尼曰
南謨薄伽勃底一阿波唎蜜多二阿喻紇硯娜三須毗你尸指多四囉佐耶五怛他羯他耶
怛姪他唵七薩婆桒悉迦囉八波唎輸底九達磨底十伽迦娜十一莎訶其特迦底
薩婆婆毗輸底十三摩訶娜耶十四波唎婆羅莎訶十五
尒時復有恒河沙殑佛一時同聲說是无量壽宗要經陁羅尼曰
南謨薄伽勃底一阿波唎蜜多二阿喻紇硯娜三須毗你尸指多四囉佐耶五怛他羯他
耶六怛姪他唵七薩婆桒悉迦囉八波唎輸底九達磨底十伽迦娜十一莎訶其特迦底
薩婆婆毗輸底十三摩訶娜耶十四波唎婆羅莎訶十五
善男子若有自書寫教人書寫是无量壽宗要經如其命盡復得長壽而滿百年陁羅尼曰
南謨薄伽勃底一阿波唎蜜多二阿喻紇硯娜三須毗你尸佰多四囉佐耶五怛他羯他耶六
怛姪他唵七薩婆桒悉迦囉八波唎輸底九達磨底十伽迦娜十一莎訶其特迦底十二
薩婆婆毗輸底十三摩訶娜耶十四波唎婆羅莎訶十五
若有自書寫教人書寫是无量壽宗要經讀誦受持畢竟不墮地獄在在所生得宿命智
陁羅尼曰　南謨薄伽勃底一阿波唎蜜多二阿喻紇硯娜三須毗你尸佰多四囉佐耶五
怛他羯他耶六怛姪他唵七薩婆桒悉迦囉八波唎輸底九達磨底十伽迦娜十一莎
訶其特迦底十二薩婆婆毗輸底十三摩訶娜耶十四波唎婆羅莎訶十五
若有自書寫教人書寫是无量壽宗要經受持讀誦如同書寫八万四千一切經典陁羅尼曰
南謨薄伽勃底一阿波唎蜜多二阿喻紇硯娜三須毗你尸指多四囉佐耶五怛他羯他
耶六怛姪他唵七薩婆桒悉迦囉八波唎輸底九達磨底十伽迦娜十一莎訶其特
迦底十二薩婆婆毗輸底十三摩訶娜耶十四波唎婆羅莎訶十五
若有自書寫教人書寫是无量壽宗要經即是書寫八万四千部建立塔廟陁羅尼曰
南謨薄伽勃底一阿波唎蜜多二阿喻紇硯娜三須毗你尸指多四囉佐耶五怛他羯他
耶六怛姪他唵七薩婆桒悉迦囉八波唎輸底九達磨底十伽迦娜十一莎訶其特
迦底十二薩婆婆毗輸底十三摩訶娜耶十四波唎婆羅莎訶十五

BD01376 號　無量壽宗要經　（6–3）

若有自書寫教人書寫是无量壽宗要經是人即是書寫八万四千部建立塔廟陀羅尼曰
南謨薄伽勃底一阿波唎蜜多二阿喻紇硯娜三須毗你尸指多四囉佐耶五怛他羯他
耶六怛姪他唵七薩婆桑悉迦囉八波唎輸底九達磨底十伽迦娜十一莎呵某特
迦底十二薩婆婆毗輸底十三摩訶娜耶十四波唎婆囉莎呵十五
若有自書寫教人書寫是无量壽宗要經能消五无間等一切重罪陀羅尼曰
南謨薄伽勃底一阿波唎蜜多二阿喻紇硯娜三須毗你尸指多四囉佐耶五怛他羯
他耶六怛姪他唵七薩婆桑悉迦囉八波唎輸底九達磨底十伽迦娜十一莎呵某特迦
底十二薩婆婆毗輸底十三摩訶娜耶十四波唎婆囉莎呵十五
若有自書寫教人書寫是无量壽宗要經受持讀誦設有重罪猶如須弥盡能除滅陀羅
尼曰 南謨薄伽勃底一阿波唎蜜多二阿喻紇硯娜三須毗你尸指多四囉佐耶五怛他羯
他耶六怛姪他唵七薩婆桑悉迦囉八波唎輸底九達磨底十伽迦娜十一莎呵某
特迦底十二薩婆婆毗輸底十三摩訶娜耶十四波唎婆囉莎呵十五
若有自書寫教人書寫是无量壽宗要經受持讀誦若魔魔之眷屬夜叉羅剎不得
其便終无枉死陀羅尼曰 南謨薄伽勃底一阿波唎蜜多二阿喻紇硯娜三須毗你尸指
多四囉佐耶五怛他羯他耶六怛姪他唵七薩婆桑悉迦囉八波唎輸底九達磨底十伽
迦娜十一莎呵某特迦底十二薩婆婆毗輸底十三摩訶娜耶十四波唎婆囉莎呵十五
若有自書寫教人書寫是无量壽宗要經受持讀誦當命終時有九十九姟佛現其
人前來千佛授手能遊一切佛剎莫於此經生於疑惑陀羅尼曰
南謨薄伽勃底一阿波唎蜜多二阿喻紇硯娜三須毗你尸指多四囉佐耶五怛他羯
他耶六怛姪他唵七薩婆桑悉迦囉八波唎輸底九達磨底十伽迦娜十一莎呵某
特迦底十二薩婆婆毗輸底十三摩訶娜耶十四波唎婆囉莎呵十五
若有自書寫教人書寫是无量壽宗要經受持讀誦常得四天大王隨其衛護陀羅尼曰
南謨薄伽勃底一阿波唎蜜多二阿喻紇硯娜三須毗你尸指多四囉佐耶五怛他羯他耶六
怛姪他唵七薩婆桑悉迦囉八波唎輸底九達磨底十伽迦娜十一莎呵某特迦底
十二薩婆婆毗輸底十三摩訶娜耶十四波唎婆囉莎呵十五
若有自書寫教人書寫是无量壽宗要經受持讀誦當得往生西方極樂世界阿弥陀淨土
陀羅尼曰 南謨薄伽勃底一阿波唎蜜多二阿喻紇硯娜三須毗你尸指多四囉佐耶五怛
他羯他耶六怛姪他唵七薩婆桑悉迦囉八波唎輸底九達磨底十伽迦娜十一莎呵某特
迦底十二薩婆婆毗輸底十三摩訶娜耶十四波唎婆囉莎呵十五
若有方所自書寫使人書寫是无量壽經典之處則爲是塔皆應恭敬作礼

BD01376號　無量壽宗要經　（6–4）

陀羅尼曰 南謨薄伽勃底一阿波唎蜜多二阿喻紇硯娜三須毗你尸指多四囉佐耶五怛
他羯他耶六怛姪他唵七薩婆桑悉迦囉八波唎輸底九達磨底十伽迦娜十一莎呵某特
迦底十二薩婆婆毗輸底十三摩訶娜耶十四波唎婆囉莎呵十五
若有方所自書寫使人書寫是无量壽經典之處則爲是塔皆應恭敬作礼
若是畜生或爲鳥獸得聞是經如是等類皆當不久得成一切種智陀羅尼曰
南謨薄伽勃底一阿波唎蜜多二阿喻紇硯娜三須毗你尸指多四囉佐耶五怛他羯
他耶六怛姪他唵七薩婆桑悉迦囉八波唎輸底九達磨底十伽迦娜十一莎呵某
特迦底十二薩婆婆毗輸底十三摩訶娜耶十四波唎婆囉莎呵十五
若有於是无量壽經自書使人書畢竟不受女人之身陀羅尼曰
南謨薄伽勃底一阿波唎蜜多二阿喻紇硯娜三須毗你尸指多四囉佐耶五怛地
羯地耶六怛姪他唵七薩婆桑悉迦囉八波唎輸底九達磨底十伽迦娜十一
莎呵某特迦底十二薩婆婆毗輸底十三摩訶娜耶十四波唎婆囉莎呵十五
若有能於是經少分能惠施者等於三千大千世界滿中七寶布施陀羅尼曰
南謨薄伽勃底一阿波唎蜜多二阿喻紇硯娜三須毗你尸指多四囉佐耶五怛地羯地耶
六怛姪他唵七薩婆桑悉迦囉八波唎輸底九達磨底十伽迦娜十一莎呵某特迦底十
二薩婆婆毗輸底十三摩訶娜耶十四波唎婆囉莎呵十五
若有能供養是經者則是供養一切諸等无有異陀羅尼曰
南謨薄伽勃底一阿波唎蜜多二阿喻紇硯娜三須毗你尸指多四囉佐耶五怛地羯地耶六
怛姪他唵七薩婆桑悉迦囉八波唎輸底九達磨底十伽迦娜十一莎呵某特迦底十二
薩婆婆毗輸底十三摩訶娜耶十四波唎婆囉莎呵十五
如是毗婆尸佛尸弃佛毗舍浮佛俱留孫佛俱那含牟尼佛迦葉佛釋迦牟尼佛
若有人以七寶供養如是七佛其福有限書寫受持是无量壽經典所有功德不可限量陀羅
尼曰 南謨薄伽勃底一阿波唎蜜多二阿喻紇硯娜三須毗你尸指多四囉佐耶五怛地羯地耶
怛姪他唵七薩婆桑悉迦囉八波唎輸底九達磨底十伽迦娜十一莎呵某特迦底十二
薩婆婆毗輸底十三摩訶娜耶十四波唎婆囉莎呵十五
若有七寶等於須弥以用布施其福上能知其限量是无量壽經典其福不可知數陀羅尼曰
南謨薄伽勃底一阿波唎蜜多二阿喻紇硯娜三須毗你尸指多四囉佐耶五怛地羯地耶六
怛姪他唵七薩婆桑悉迦囉八波唎輸底九達磨底十伽迦娜十一莎呵某特迦底
十二薩婆婆毗輸底十三摩訶娜耶十四波唎婆囉莎呵十五
如是四大海水可知滴數是无量壽經典所生果報不可數量陀羅尼曰

BD01376號　無量壽宗要經　（6–5）

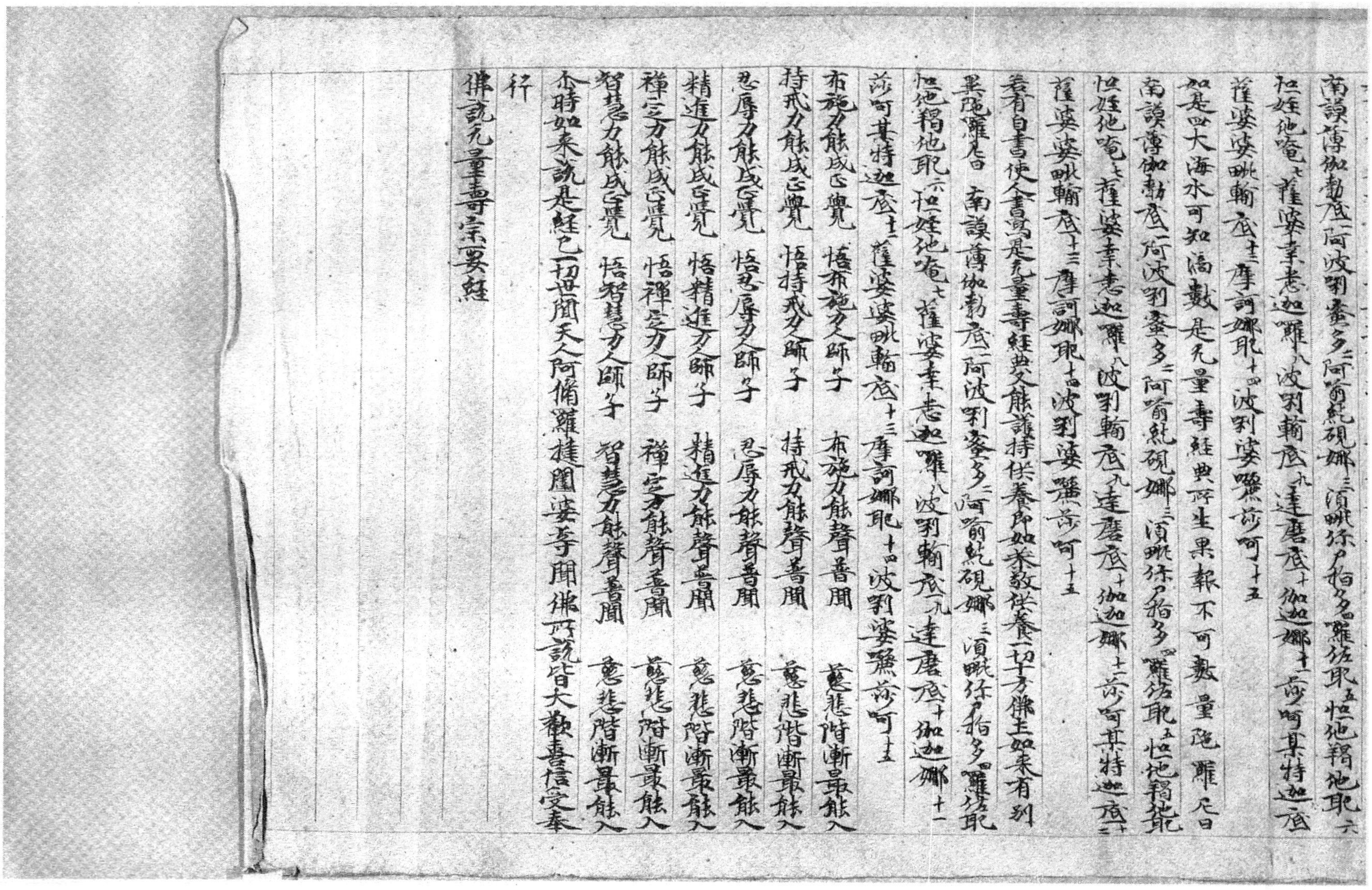

南謨薄伽勃底一 阿波唎蜜多二 阿喻紇硯娜三 須毗你只指多四 囉佐耶五 怛他羯他耶六
怛姪他唵七 薩婆桑悉迦囉八 波唎輸底九 達磨底十 伽迦娜十一 莎訶其特迦底十二
薩婆婆毗輸底十三 摩訶娜耶十四 波唎婆嚟莎訶十五
如是四大海水可知滴數，是无量壽經典所生果報不可數量。陁羅尼曰：
南謨薄伽勃底一 阿波唎蜜多二 阿喻紇硯娜三 須毗你只指多四 囉佐耶五 怛他羯他耶六
怛姪他唵七 薩婆桑悉迦囉八 波唎輸底九 達磨底十 伽迦娜十一 莎訶其特迦底十二
薩婆婆毗輸底十三 摩訶娜耶十四 波唎婆嚟莎訶十五
若有自書使人書寫是无量壽經典，受持供養，即如恭敬供養一切十方佛土如來有別
異。陁羅尼曰：南謨薄伽勃底一 阿波唎蜜多二 阿喻紇硯娜三 須毗你只指多四 囉佐耶
怛他羯他耶六 怛姪他唵七 薩婆桑悉迦囉八 波唎輸底九 達磨底十 伽迦娜十一
莎訶其特迦底十二 薩婆婆毗輸底十三 摩訶娜耶十四 波唎婆嚟莎訶十五
布施力能成正覺　悟布施力人師子　布施力能聲普聞　慈悲階斷最能入
持戒力能成正覺　悟持戒力人師子　持戒力能聲普聞　慈悲階斷最能入
忍辱力能成正覺　悟忍辱力人師子　忍辱力能聲普聞　慈悲階斷最能入
精進力能成正覺　悟精進力人師子　精進力能聲普聞　慈悲階斷最能入
禪定力能成正覺　悟禪定力人師子　禪定力能聲普聞　慈悲階斷最能入
智慧力能成正覺　悟智慧力人師子　智慧力能聲普聞　慈悲階斷最能入
尒時如來說是經已，一切世間天人阿脩羅揵闥婆等聞佛所說，皆大歡喜，信受奉
行。
佛說无量壽宗要經

BD01376號　無量壽宗要經　（6–6）

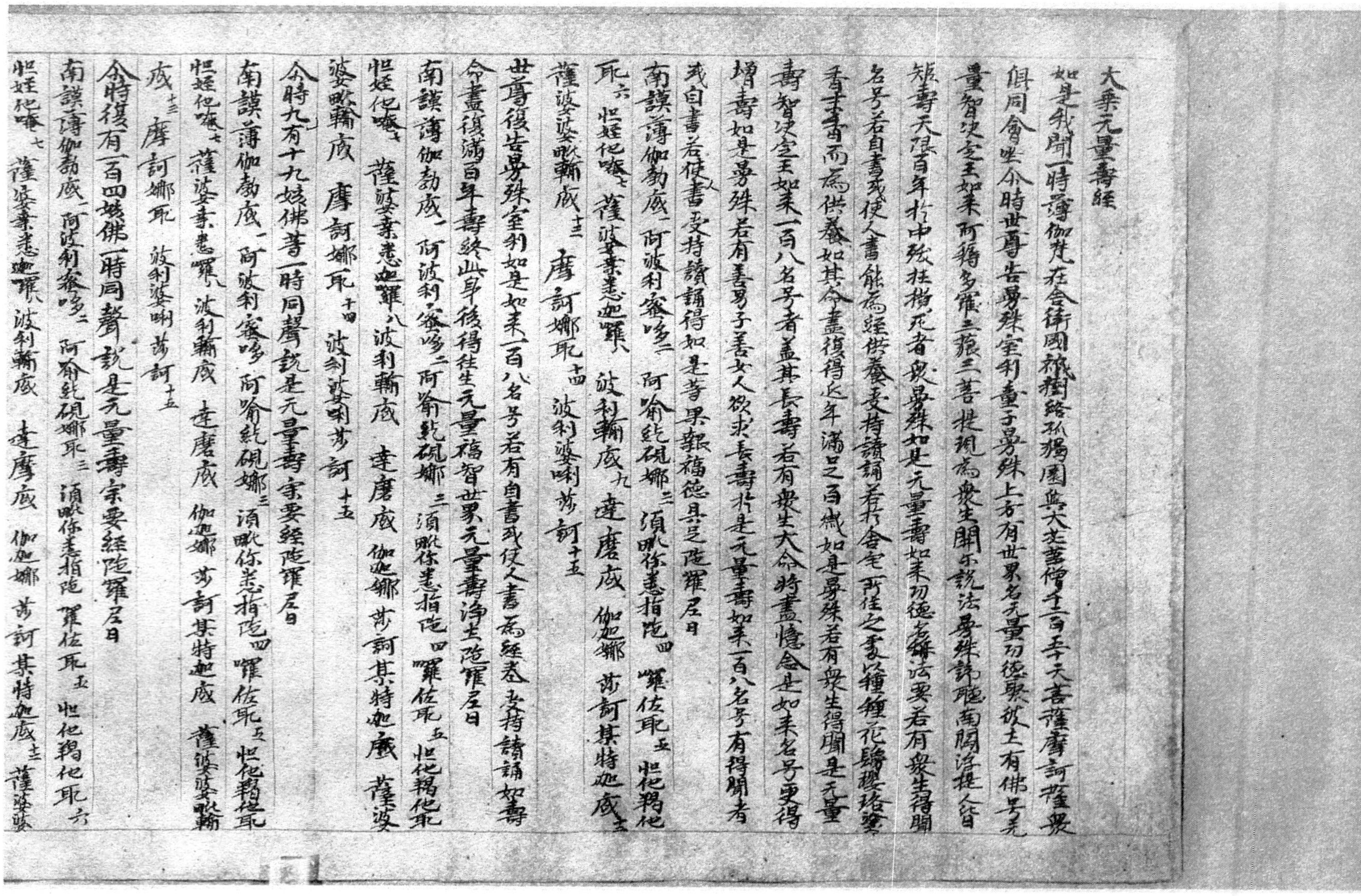

大乘无量壽經
如是我聞：一時薄伽梵在舍衛國祇樹給孤獨園，與大苾芻僧千二百五十人、菩薩摩訶薩衆
俱，同會坐。尒時世尊告曼殊室利童子：曼殊，上方有世界名无量功德聚，彼土有佛号无
量智決定王如來、阿羅訶、三藐三菩提，現為衆生開示說法。曼殊，諦聽，南閻浮提人皆
短壽，大限百年，於中殀枉橫死者衆。曼殊，如是无量壽如來功德名稱法要，若有衆生得聞
名号，若自書，或使人書，能為經供養受持讀誦，若於舍宅所住之處，以種種花鬘瓔珞塗
香末香而為供養，如其命盡，復得延年，滿足百歲。如是曼殊，若有衆生得聞是无量
壽智決定王如來一百八名号者，益其長壽。若有衆生大命將盡，憶念是如來名号，更得
增壽。如是曼殊，若有善男子善女人欲求長壽，於是无量壽如來一百八名号有得聞者，
或自書，若使人書，受持讀誦，得如是等果報福德具足。陁羅尼曰：
南謨薄伽勃底一 阿波唎蜜哆二 阿喻紇硯娜三 須毗你只指陁四 囉佐耶五 怛他羯他
耶六 怛姪他唵七 薩婆桑悉迦囉八 波唎輸底九 達磨底 伽迦娜 莎訶其特迦底十二
薩婆婆毗輸底十三 摩訶娜耶十四 波唎婆唎莎訶十五
世尊復告曼殊室利：如是如來一百八名号，若有自書，或使人書，為經卷受持讀誦，如壽
命盡，復滿百年，壽終已身後得往生无量福智世界无量壽淨土。陁羅尼曰：
南謨薄伽勃底一 阿波唎蜜哆二 阿喻紇硯娜三 須毗你只指陁四 囉佐耶五 怛他羯他耶
怛姪他唵七 薩婆桑悉迦囉八 波唎輸底 達磨底 伽迦娜 莎訶其特迦底 薩婆
婆毗輸底 摩訶娜耶十四 波唎婆唎莎訶十五
尒時九十九姟佛等一時同聲說是无量壽宗要經陁羅尼曰：
南謨薄伽勃底一 阿波唎蜜哆 阿喻紇硯娜三 須毗你只指陁四 囉佐耶五 怛他羯他耶
怛姪他唵七 薩婆桑悉迦囉八 波唎輸底 達磨底 伽迦娜 莎訶其特迦底 薩婆婆毗輸
底十三 摩訶娜耶 波唎婆唎莎訶十五
尒時復有一百四姟佛一時同聲說是无量壽宗要經陁羅尼曰：
南謨薄伽勃底一 阿波唎蜜哆二 阿喻紇硯娜耶三 須毗你只指陁 囉佐耶五 怛他羯他耶六
怛姪他唵七 薩婆桑悉迦囉八 波唎輸底 達磨底 伽迦娜 莎訶其特迦底十二 薩婆婆

BD01377號　無量壽宗要經　（6–1）

南謨薄伽勃底一 阿波唎蜜哆二 阿喻紇硯娜三 須毗你悉指陀四 囉佐耶五 怛他羯他耶六
怛姪他唵七 薩婆桑悉迦囉八 波唎輸底 達磨底 伽迦娜 莎訶娑特迦底 薩婆婆輸
底十三 摩訶娜耶十四 波唎婆唎莎訶十五
尒時復有一百四姟佛一時同聲說是无量壽宗要經陀羅尼曰
南謨薄伽勃底一 阿波唎蜜哆二 阿喻紇硯娜耶三 須毗你悉指陀 囉佐耶五 怛他羯他耶六
怛姪他唵七 薩婆桑悉迦囉八 波唎輸底 達磨底 伽迦娜 莎訶娑特迦底十二 薩婆婆
毗輸底十三 摩訶娜耶十四 波唎婆唎莎訶十五
尒時復有七姟佛一時同聲說是无量壽宗要經陀羅尼曰
南謨薄伽勃底 阿波唎蜜哆二 阿喻紇硯娜三 須毗你悉指陀四 囉佐耶五 怛他羯他耶六
怛姪他唵七 薩婆桑悉迦囉八 波唎輸底九 達磨底十 伽迦娜十一 莎訶娑特迦底十二 薩婆
婆毗輸底十三 摩訶娜耶十四 波唎婆唎莎訶十五
尒時復有六十五姟佛一時同聲說是无量壽宗要經陀羅尼曰
南謨薄伽勃底一 阿波唎蜜哆二 阿喻紇硯娜 須毗你悉指陀四 囉佐耶五 怛他羯他耶六
怛姪他唵七 薩婆桑悉迦囉八 波唎輸底 達磨底 伽迦底 莎訶娑特迦底 薩婆
婆毗輸底 摩訶娜耶十四 波唎婆唎莎訶十五
尒時復有五十五姟佛一時同聲說是无量壽宗要經陀羅尼曰
南謨薄伽勃底一 阿波唎蜜哆二 阿喻紇硯娜 須毗你悉指陀四 囉佐耶五 怛他羯他耶六
怛姪他唵 薩婆桑悉迦囉八 波唎輸底 達磨底 伽迦娜 莎訶娑特迦底 薩婆婆
毗輸底 摩訶娜耶十四 波唎婆唎莎訶十五
尒時復有四十五姟佛一時同聲說是无量壽宗要經陀羅尼曰
南謨薄伽勃底一 阿波唎蜜哆二 阿喻紇硯娜三 須毗你悉指陀 囉佐耶五 怛他羯他耶六 怛姪
他唵七 薩婆桑悉迦囉八 波唎輸底 達磨底 伽迦娜 莎訶娑特迦底 薩婆婆
毗輸底 摩訶娜耶十四 波唎婆唎莎訶十五
尒時復有三十六姟佛一時同聲說是无量壽宗要經陀羅尼曰
南謨薄伽勃底一 阿波唎蜜哆二 阿喻紇硯娜三 須毗你悉指陀四 囉佐耶五 怛他羯
他耶六 怛姪他唵七 薩婆桑悉迦囉八 波唎輸底 達磨底 伽迦娜 莎訶娑特迦底
薩婆婆毗輸底 摩訶娜耶十四 波唎婆唎莎訶十五
尒時復有二十五姟佛一時同聲說是无量壽宗要經陀羅尼曰
南謨薄伽勃底一 阿波唎蜜哆二 阿喻紇硯娜 須毗你悉指陀 囉佐耶五 怛他羯他耶六
怛姪他唵七 薩婆桑悉迦囉八 波唎輸底 達磨底 伽迦娜 莎訶娑特迦底 薩婆婆

BD01377號　無量壽宗要經　（6–2）

他耶六 怛姪他唵 薩婆桑悉迦囉 波唎輸底 達磨底 伽迦娜 莎訶娑特迦底
薩婆婆毗輸底 摩訶娜耶十四 波唎婆唎莎訶十五
尒時復有二十五姟佛一時同聲說是无量壽宗要經陀羅尼曰
南謨薄伽勃底一 阿波唎蜜哆二 阿喻紇硯娜 須毗你悉指陀 囉佐耶五 怛他羯他耶六
怛姪他唵七 薩婆桑悉迦囉八 波唎輸底 達磨底 伽迦娜 莎訶娑特迦底 薩婆婆
毗輸底 摩訶娜耶十四 波唎婆唎莎訶十五
尒時復有恒河沙姟佛一時同說是无量壽宗要經陀羅尼曰
南謨薄伽勃底 阿波唎蜜哆二 阿喻紇硯娜三 須毗你悉指陀 囉佐耶五 怛他羯他耶六
怛姪他唵七 薩婆桑悉迦囉八 波唎輸底 達磨底 伽迦娜 莎訶娑特迦底十二 薩婆婆輸
底 摩訶娜耶十四 波唎婆唎莎訶十五
善男子若有自書寫教人書寫是无量壽宗要經如其命盡復得長壽而滿百年陀羅尼曰
南謨薄伽勃底 阿波唎蜜哆二 阿喻紇硯娜 須毗你悉指陀 囉佐耶五 怛他羯他耶六
怛姪他唵七 薩婆桑悉迦囉八 波唎輸底九 達磨底 伽迦娜 莎訶娑特迦底 薩婆婆
毗輸底 摩訶娜耶十四 波唎婆唎莎訶十五
若有自書寫教人書寫是无量壽宗要經讀誦受持畢竟不墮地獄在在所生得宿命智
陀羅尼曰 南謨薄伽勃底一 阿波唎蜜哆二 阿喻紇硯娜三 須毗你悉指陀四 囉佐耶五
怛他羯他耶六 怛姪他唵七 薩婆桑悉迦囉八 波唎輸底 達磨底 伽迦娜 莎訶娑特迦底十二
薩婆婆毗輸底 摩訶娜耶十四 波唎婆唎莎訶十五
若有自書寫教人書寫是无量壽宗經受持讀誦如同書八万四千一切經陀羅尼曰
南謨薄伽勃底 阿波唎蜜哆二 阿喻紇硯娜三 須毗你悉指陀四 囉佐耶五 怛他羯他耶六
怛姪他唵七 薩婆桑悉迦囉八 波唎輸底九 達磨底十 伽迦娜十一 莎訶娑特迦底十二 薩婆婆毗
輸底 摩訶娜耶十四 波唎婆唎莎訶十五
若有自書寫教人書寫是无量壽宗要經受持讀誦八万四千部建立塔廟陀羅尼曰
南謨薄伽勃底一 阿波唎蜜哆二 阿喻紇硯娜三 須毗你悉指陀四 囉佐耶五 怛他羯他耶六
怛姪他唵七 薩婆桑悉迦囉八 波唎輸底九 達磨底 伽迦娜十一 莎訶娑特迦底十二 薩婆婆毗輸
底 摩訶娜耶十四 波唎婆唎莎訶十五
若有自書寫教人書寫是无量壽宗要經能消五无間等一切重罪陀羅尼曰
南謨薄伽勃底一 阿波唎蜜哆二 阿喻紇硯娜三 須毗你悉指陀 囉佐耶五 怛他羯他耶六 怛姪
他唵七 薩婆桑悉迦囉八 波唎輸底 達磨底 伽迦娜 莎訶娑特迦底十二 薩婆婆毗輸
底 摩訶娜耶十四 波唎婆唎莎訶十五
若有自書寫教人書寫是无量壽宗要經受持讀誦有重罪猶如須彌盡能除滅陀

BD01377號　無量壽宗要經　（6–3）

南謨薄伽勃底一 阿波唎蜜哆二 阿喻紇硯娜三 須毗你悉指陀囉佐耶五 怛他羯他耶六 怛姪
他唵七 薩婆桑悉迦囉八 波唎輸底 達磨底 伽迦娜 莎訶某特迦底十三 薩婆婆毗輸
底 摩訶娜耶十四 波唎婆唎莎訶 十五
若有自書寫教人書寫是無量壽宗要經受持讀誦設有重罪猶如須弥盡能除滅陀
羅尼曰 南謨薄伽勃底一 阿波唎蜜哆二 阿喻紇硯娜 須毗你悉指陀四 囉佐耶五 怛他羯
他耶六 怛姪他唵七 薩婆桑悉迦囉八 波唎輸底 達磨底 伽迦娜 莎訶某特迦底 薩婆
婆毗輸底 摩訶娜耶十四 波唎婆唎莎訶 十五
若有自書寫教人書寫是無量壽宗要經受持讀誦若魔魔之眷屬夜叉羅剎不
得其便終無狂死陀羅尼曰
南謨薄伽勃底 阿波唎蜜哆二 阿喻紇硯娜 須毗你悉指陀 囉佐耶五 怛他羯他耶六 怛姪他
唵七 薩婆桑悉迦囉八 波唎輸底 達磨底 伽迦娜 莎訶某特迦底十二 薩婆婆毗輸底
摩訶娜耶十四 波唎婆唎莎訶 十五
若有自書寫教人書寫是無量壽宗要經受持讀誦當命終時有九十九姟佛現其人
前豪千佛授手能遊一切佛剎莫於此經生於疑或陀羅尼曰
南謨薄伽勃底一 阿波唎蜜哆 阿喻紇硯娜三 須毗你悉指陀 囉佐耶 怛他羯他耶六 怛姪他唵七
薩婆桑悉迦囉八 波唎輸底 達磨底 伽迦娜 莎訶某特迦底 薩婆婆毗輸底
摩訶娜耶十四 波唎婆唎莎訶 十五
若有自書寫教人書寫是無量壽宗要經受持讀誦常得四天大王隨其衛護陀羅尼曰
南謨薄伽勃底一 阿波唎蜜哆二 阿喻紇硯娜三 須毗你悉指陀四 囉佐耶五 怛他羯他耶六 怛姪
他唵七 薩婆桑悉迦囉 波唎輸底 達磨底 伽迦娜 薩婆婆毗輸底 摩訶娜
耶十四 波唎婆唎莎訶 十五
若有自書寫教人書寫是無量壽宗要經受持讀誦當往生西方極樂世界阿弥陀
淨土陀羅尼曰
南謨薄伽勃底一 阿波唎蜜哆二 阿喻紇硯娜三 須毗你悉指陀四 囉佐耶五 囉佐耶六 怛他羯
他耶六 怛姪他唵七 薩婆桑悉迦囉八 波唎輸底 達磨底 伽迦娜 莎訶某特迦底十二
薩婆婆毗輸底十三 摩訶娜耶 波唎婆唎莎訶 十五
若有方所自書寫是無量壽經典之處則為是塔皆應恭敬作禮若是畜生
或為獸得聞是經如是類等皆當不久得成一切種智陀羅尼曰
南謨薄伽勃底一 阿波唎蜜哆二 阿喻紇硯娜三 須毗你悉指陀 囉佐耶五 怛他羯他
耶六 怛姪他唵七 薩婆桑悉迦囉八 波唎輸底 達磨底 伽迦娜 莎訶某特迦底十二 薩婆
婆毗輸底 摩訶娜耶十四 波唎婆唎莎訶 十五

BD01377號　無量壽宗要經　（6–4）

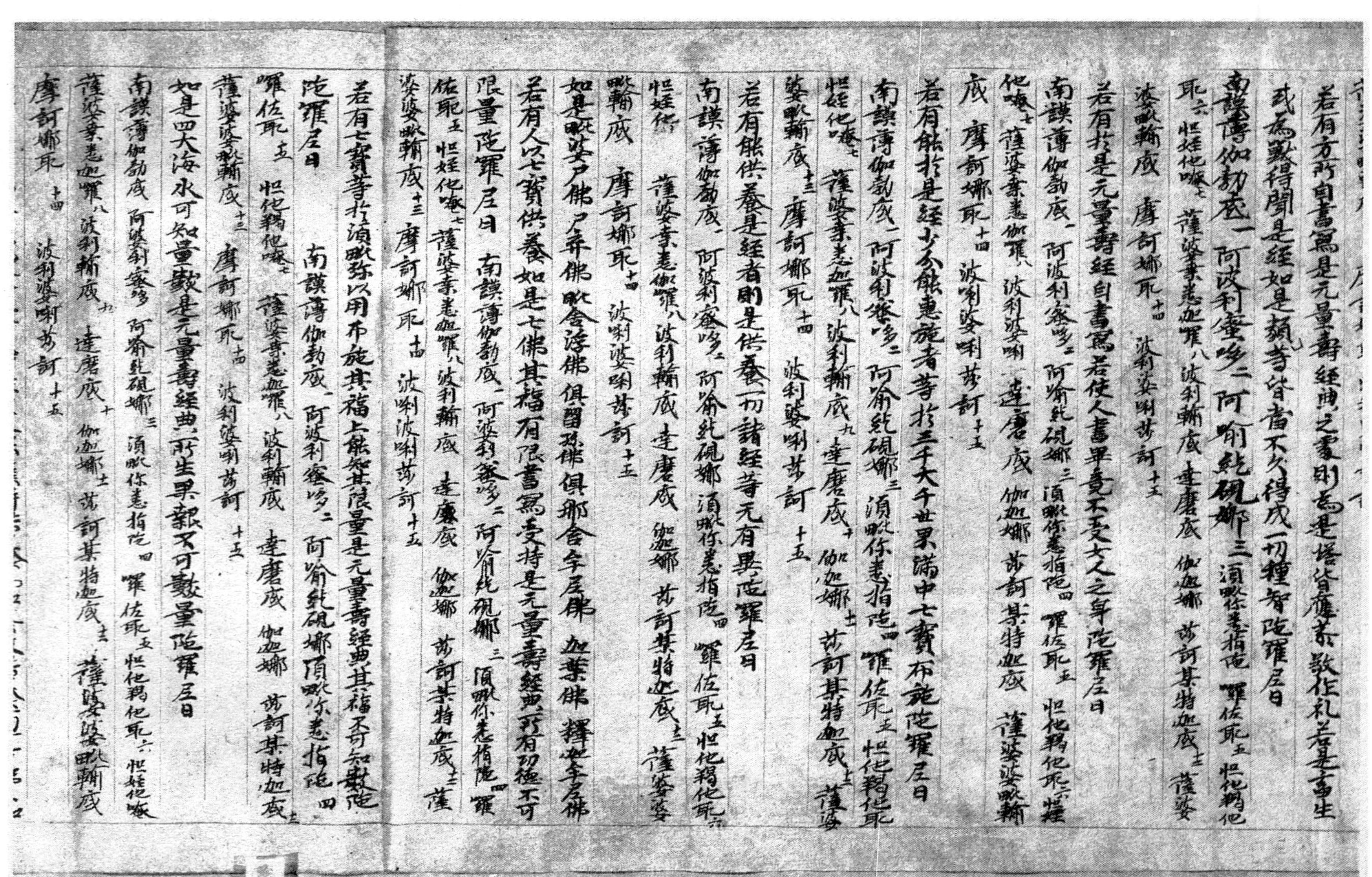
若有方所自書寫是無量壽經典之處則為是塔皆應恭敬作禮若是畜生
或為獸得聞是經如是類等皆當不久得成一切種智陀羅尼曰
南謨薄伽勃底一 阿波唎蜜哆二 阿喻紇硯娜三 須毗你悉指陀 囉佐耶五 怛他羯他
耶六 怛姪他唵七 薩婆桑悉迦囉八 波唎輸底 達磨底 伽迦娜 莎訶某特迦底十二 薩婆
婆毗輸底 摩訶娜耶十四 波唎婆唎莎訶 十五
若有於是無量壽經自書寫若使人書畢竟不受女人之身陀羅尼曰
南謨薄伽勃底一 阿波唎蜜哆二 阿喻紇硯娜三 須毗你悉指陀四 囉佐耶五 怛他羯他耶六 怛姪
他唵七 薩婆桑悉迦囉八 波唎婆唎 達磨底 伽迦娜 莎訶某特迦底 薩婆婆毗輸
底 摩訶娜耶十四 波唎婆唎莎訶 十五
若有能於是經少分能惠施者等於三千大千世界滿中七寶布施陀羅尼曰
南謨薄伽勃底一 阿波唎蜜哆二 阿喻紇硯娜三 須毗你悉指陀四 囉佐耶五 怛他羯他耶
怛姪他唵七 薩婆桑悉迦囉八 波唎輸底九 達磨底十 伽迦娜十一 莎訶某特迦底十二 薩婆
婆毗輸底十三 摩訶娜耶十四 波唎婆唎莎訶 十五
若有能供養是經者則是供養一切諸經等無有異陀羅尼曰
南謨薄伽勃底一 阿波唎蜜哆二 阿喻紇硯娜 須毗你悉指陀四 囉佐耶五 怛他羯他耶六
怛姪他 薩婆桑悉迦囉八 波唎輸底 達磨底 伽迦娜 莎訶某特迦底十二 薩婆婆
毗輸底 摩訶娜耶十四 波唎婆唎莎訶 十五
如是毗婆尸佛尸弃佛毗舍浮佛俱留孫佛俱那含牟尼佛迦葉佛釋迦牟尼佛
若有人以七寶供養如是七佛其福有限書寫受持是無量壽經典所有功德不可
限量陀羅尼曰 南謨薄伽勃底一 阿波唎蜜哆二 阿喻紇硯娜三 須毗你悉指陀四 囉
佐耶五 怛姪他唵七 薩婆桑悉迦囉八 波唎輸底 達磨底 伽迦娜 莎訶某特迦底十二 薩
婆婆毗輸底十三 摩訶娜耶十四 波唎波唎莎訶 十五
若有七寶等於須彌以用布施其福上能知其限量是無量壽經典其福不可知數陀
羅尼曰 南謨薄伽勃底一 阿波唎蜜哆二 阿喻紇硯娜須毗你悉指陀 四
囉佐耶五 怛他羯他唵七 薩婆桑悉迦囉八 波唎輸底 達磨底 伽迦娜 莎訶某特迦底十二
薩婆婆毗輸底十三 摩訶娜耶十四 波唎婆唎莎訶 十五
如是四大海水可知量數是無量壽經典所生果報不可數量陀羅尼曰
南謨薄伽勃底 阿波唎蜜哆 阿喻紇硯娜三 須毗你悉指陀四 囉佐耶五 怛他羯他耶六 怛姪他唵
薩婆桑悉迦囉八 波唎輸底九 達磨底十 伽迦娜十一 莎訶某特迦底十二 薩婆婆毗輸底
摩訶娜耶十四 波唎婆唎莎訶 十五

BD01377號　無量壽宗要經　（6–5）

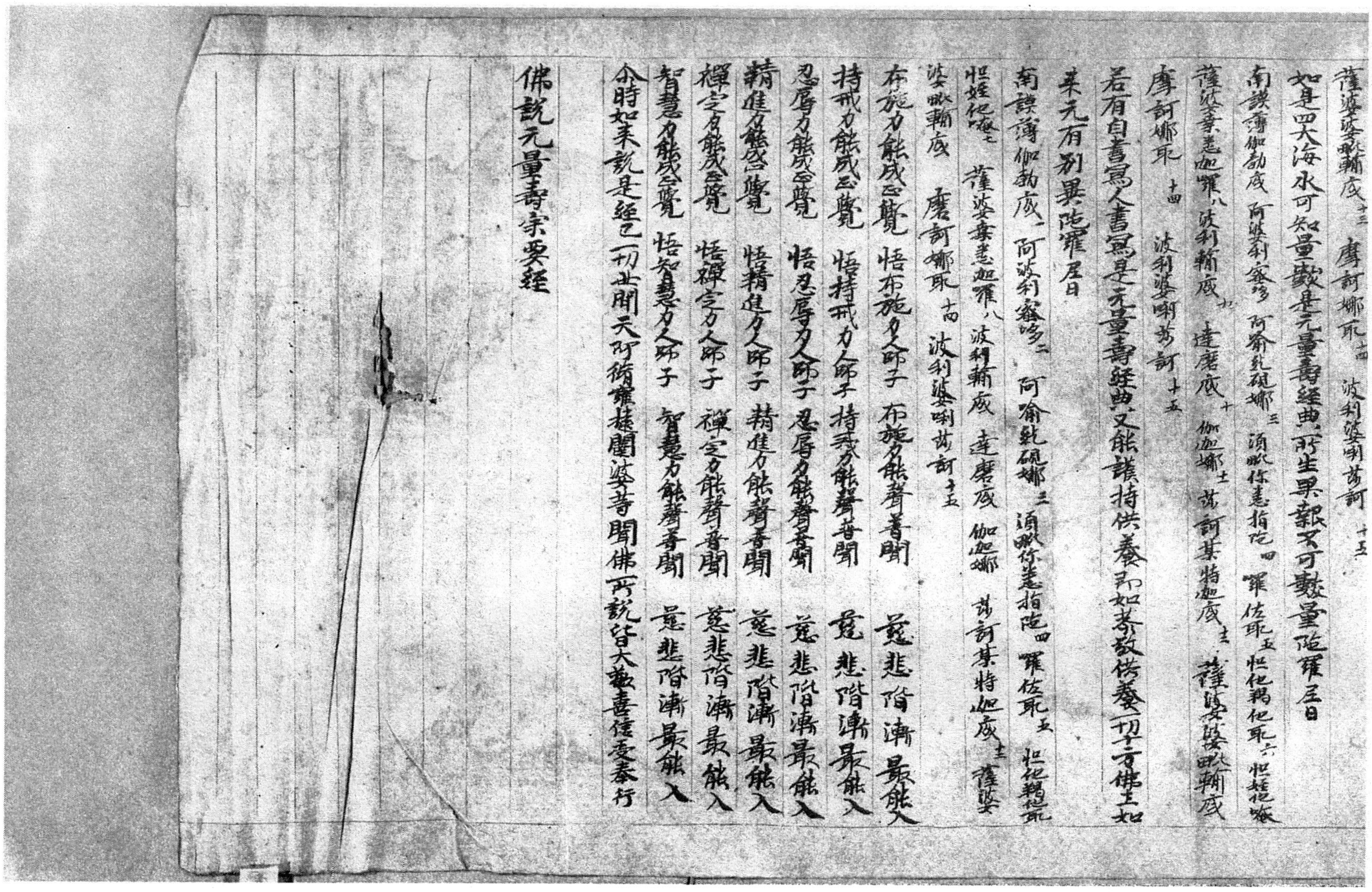

薩婆婆毗輸底十三 摩訶娜耶十四 波利婆唎莎訶十五
如是四大海水可知量數，是无量壽經典，所生果報不可數量。陀羅尼曰
南謨薄伽勃底 阿波利蜜哆 阿喻紇硯娜三 須毗你悉指陀四 羅佐耶五 怛他羯他耶六 怛姪他唵
薩婆桑悉迦羅八 波利輸底九 達磨底十 伽迦娜十一 莎訶某特迦底十二 薩婆婆毗輸底
摩訶娜耶十四 波利婆唎莎訶十五
若有自書寫人書寫是无量壽經典，文能讀持供養，所如恭敬供養一切十方佛土如
來，无有別異。陀羅尼曰
南謨薄伽勃底一 阿波利蜜哆二 阿喻紇硯娜三 須毗你悉指陀四 羅佐耶五 怛他羯他耶
怛姪他唵七 薩婆桑悉迦羅八 波利輸底 達磨底 伽迦娜 莎訶某特迦底十二 薩婆
婆毗輸底 摩訶娜耶十四 波利婆唎莎訶十五
布施力能成正覺 悟布施力人師子 布施力能聲普聞 慈悲階漸最能入
持戒力能成正覺 悟持戒力人師子 持戒力能聲普聞 慈悲階漸最能入
忍辱力能成正覺 悟忍辱力人師子 忍辱力能聲普聞 慈悲階漸最能入
精進力能成正覺 悟精進力人師子 精進力能聲普聞 慈悲階漸最能入
禪定力能成正覺 悟禪定力人師子 禪定力能聲普聞 慈悲階漸最能入
智慧力能成正覺 悟智慧力人師子 智慧力能聲普聞 慈悲階漸最能入
爾時如來說是經已，一切世間天阿脩羅揵闥婆等，聞佛所說，皆大歡喜，信受奉行。
佛說无量壽宗要經

BD01377號　無量壽宗要經　（6-6）

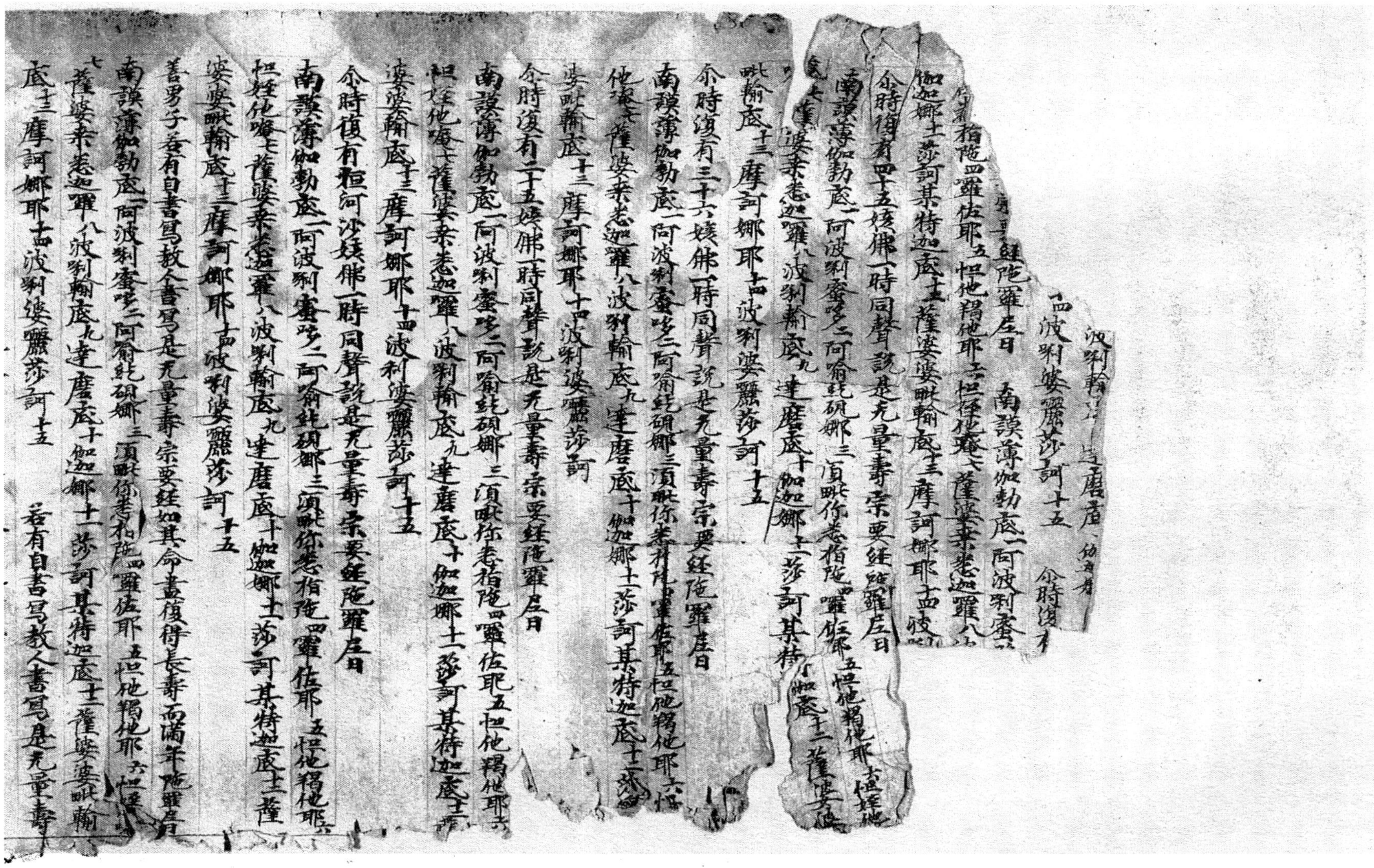

波唎輸[illegible]達磨底伽[illegible]
十四波唎婆羅莎訶十五　爾時復有[illegible]
[illegible]經陀羅尼曰　南謨薄伽勃底一阿波唎蜜[illegible]
[illegible]指陀四羅佐耶五怛他羯他耶六怛姪他唵七薩婆桑悉迦羅八波[illegible]
伽迦娜十一莎訶某特迦底十二薩婆婆毗輸底十三摩訶娜耶十四波唎[illegible]
爾時復有四十五姟佛一時同聲說是无量壽宗要經陀羅尼曰
南謨薄伽勃底一阿波唎蜜哆二阿喻紇硯娜三須毗你悉指陀四羅佐耶五怛他羯他耶六怛姪他
[illegible]七薩婆桑悉迦羅八波唎輸底九達磨底十伽迦娜十一莎訶某特迦底十二薩婆婆[illegible]
毗輸底十三摩訶娜耶十四波唎婆羅莎訶十五
爾時復有三十六姟佛一時同聲說是无量壽宗要經陀羅尼曰
南謨薄伽勃底一阿波唎蜜哆二阿喻紇硯娜三須毗你悉指陀四羅佐耶五怛他羯他耶六怛
姪他唵七薩婆桑悉迦羅八波唎輸底九達磨底十伽迦娜十一莎訶某特迦底十二薩婆
婆毗輸底十三摩訶娜耶十四波唎婆羅莎訶
爾時復有二十五姟佛一時同聲說是无量壽宗要經陀羅尼曰
南謨薄伽勃底一阿波唎蜜哆二阿喻紇硯娜三須毗你悉指陀四羅佐耶五怛他羯他耶六
怛姪他唵七薩婆桑悉迦羅八波唎輸底九達磨底十伽迦娜十一莎訶某特迦底十二薩
婆婆毗輸底十三摩訶娜耶十四波利婆羅莎訶十五
爾時復有恒河沙姟佛一時同聲說是无量壽宗要經陀羅尼曰
南謨薄伽勃底一阿波唎蜜哆二阿喻紇硯娜三須毗你悉指陀四羅佐耶五怛他羯他耶六
怛姪他唵七薩婆桑悉迦羅八波唎輸底九達磨底十伽迦娜十一莎訶某特迦底十二薩
婆婆毗輸底十三摩訶娜耶十四波唎婆羅莎訶十五
善男子，若有自書寫、教人書寫是无量壽宗要經，如其命盡，復得長壽，而滿年。陀羅尼曰
南謨薄伽勃底一阿波唎蜜哆二阿喻紇硯娜三須毗你悉指陀四羅佐耶五怛他羯他耶六怛姪
他唵七薩婆桑悉迦羅八波唎輸底九達磨底十伽迦娜十一莎訶某特迦底十二薩婆婆毗輸
底十三摩訶娜耶十四波唎婆羅莎訶十五
若有自書寫、教人書寫是无量壽[illegible]

BD01378號　無量壽宗要經　（5-1）

善男子若有自書寫教人書寫是无量壽宗要經如其命盡復得長壽而滿年陁羅尼曰
南謨薄伽勃底一阿波唎蜜哆二阿喻紇硯娜三須毗你悉指陁四囉佐耶五怛他羯他耶六怛姪
七薩婆桑悉迦囉八波唎輸底九達磨底十伽迦娜十一莎訶某特迦底十二薩婆婆毗輸
底十三摩訶娜耶十四波唎婆囉莎訶十五　若有自書寫教人書寫是无量壽
宗要經讀誦受持畢竟不墮地獄在在所生得壽命智陁羅尼曰
南謨薄伽勃底一阿波唎蜜哆二阿喻紇硯娜三須毗你悉指陁四囉佐耶五怛他羯他耶六怛
姪他唵七薩婆桑悉迦囉八波唎輸底九達磨底十伽迦娜十一莎訶某特迦底十二薩婆婆毗輸
底十三摩訶娜耶十四波唎婆囉莎訶十五　若有自書寫教人書寫是无量壽宗要
經受持讀誦如同書寫八万四千一切經典陁羅尼曰
南謨薄伽勃底一阿波唎蜜哆二阿喻紇硯娜三須毗你悉指陁四囉佐耶五怛他羯他耶六
怛姪他唵七薩婆桑悉迦囉八波唎輸底九達磨底十伽迦娜十一莎訶某特迦底十二薩婆
婆毗輸底十三摩訶娜耶十四波唎婆囉莎訶十五
若有自書寫教人書寫是无量壽宗要經即是書寫八万四千部建立塔廟陁羅尼曰
南謨薄伽勃底一阿波唎蜜哆二阿喻紇硯娜三須毗你悉指陁四囉佐耶五怛他羯他耶六怛姪
他唵七薩婆桑悉迦囉八波唎輸底九達磨底十伽迦娜十一莎訶某特迦底十二薩婆婆毗輸
底十三摩訶娜耶十四波唎婆囉莎訶十五
若有自書寫教人書寫是无量壽宗要經能消五无間等一切重罪陁羅尼曰
南謨薄伽勃底一阿波唎蜜哆二阿喻紇硯娜三須毗你悉指陁四囉佐耶五怛他羯他耶六怛
姪他唵七薩婆桑悉迦囉八波唎輸底九達磨底十伽迦娜十一莎訶某特迦底十二薩婆婆毗輸
底十三摩訶娜耶十四波唎婆囉莎訶十五　若有自書寫教人書寫是无量壽宗
要經受持讀誦設有重罪猶如須弥盡能除滅陁羅尼曰
南謨薄伽勃底一阿波唎蜜哆二阿喻紇硯娜三須毗你悉指陁四囉佐耶五怛他羯他耶六怛姪
他唵七薩婆桑悉迦囉八波唎輸底九達磨底十伽迦娜十一莎訶某特迦底十二薩婆婆毗輸
底十三摩訶娜耶十四波唎婆囉莎訶十五
若有自書寫教人書寫是无量壽宗要經受持讀誦若魔魔之眷屬夜叉羅剎不得其
便終无枉死陁羅尼曰　南謨薄伽勃底一阿波唎蜜哆二阿喻紇硯娜三須毗你悉指陁四囉
佐耶五怛他羯他耶六怛姪他唵七薩婆桑悉迦囉八波唎輸底九達磨底十伽迦娜十一莎訶某
特迦底十二薩婆婆毗輸底十三摩訶娜耶十四波唎婆囉莎訶十五
若有自書教人書寫是无量壽宗要經受持讀誦當命終時有九十九殑佛現其人前來千

BD01378 號　無量壽宗要經　（5–2）

若有自書寫教人書寫是无量壽宗要經受持讀誦若魔魔之眷屬夜叉羅剎不得其
便終无枉死陁羅尼曰　南謨薄伽勃底一阿波唎蜜哆二阿喻紇硯娜三須毗你悉指陁四囉
佐耶五怛他羯他耶六怛姪他唵七薩婆桑悉迦囉八波唎輸底九達磨底十伽迦娜十一莎訶某
特迦底十二薩婆婆毗輸底十三摩訶娜耶十四波唎婆囉莎訶十五
若有自書教人書寫是无量壽宗要經受持讀誦當命終時有九十九殑佛現其人前來千
佛授手能遊一切佛剎莫於此經生於疑惑陁羅尼曰
南謨薄伽勃底一阿波唎蜜哆二阿喻紇硯娜三須毗你悉指陁四囉佐耶五怛他羯他耶六怛
姪他唵七薩婆桑悉迦囉八波唎輸底九達磨底十伽迦娜十一莎訶某特迦底十二薩婆婆毗
輸底十三摩訶娜耶十四波唎婆囉莎訶十五
若有自書寫教人書寫是无量壽宗要經受持讀誦常得四天大王隨其衛護陁羅尼曰
南謨薄伽勃底一阿波唎蜜哆二阿喻紇硯娜三須毗你悉指陁四囉佐耶五怛他羯他耶六怛姪他唵
七薩婆桑悉迦囉八波唎輸底九達磨底十伽迦娜十一莎訶某特迦底十二薩婆婆毗輸底十三
摩訶娜耶十四波唎婆囉莎訶十五
若有自書寫教人書寫是无量壽宗要經受持讀誦當得往生西方極樂世界阿弥陁淨土
陁羅尼曰　南謨薄伽勃底一阿波唎蜜哆二阿喻紇硯娜三須毗你悉指陁四囉佐耶五
怛他羯他耶六怛姪他唵七薩婆桑悉迦囉八波唎輸底九達磨底十伽迦娜十一莎訶某特迦
底十二薩婆婆毗輸底十三摩訶娜耶十四波唎婆囉莎訶十五
若有方所自書寫使人書寫是无量壽經典之處則為是塔皆應恭敬作礼若是畜生
或為鳥獸得聞是經如是等類皆當不久得成一切種智陁羅尼曰
南謨薄伽勃底一阿波唎蜜哆二阿喻紇硯娜三須毗你悉指陁四囉佐耶五怛他羯他耶六怛
姪他唵七薩婆桑悉迦囉八波唎輸底九達磨底十伽迦娜十一莎訶某特迦底十二薩婆婆
毗輸底十三摩訶娜耶十四波唎婆囉莎訶十五
若有於是无量壽經自書寫若使人書畢竟不受女人之身陁羅尼曰
南謨薄伽勃底一阿波唎蜜哆二阿喻紇硯娜三須毗你悉指陁四囉佐耶五怛他羯他耶六怛
姪他唵七薩婆桑悉迦囉八波唎輸底九達磨底十伽迦娜十一莎訶某特迦底十二薩婆婆
毗輸底十三摩訶娜耶十四波唎婆囉莎訶十五
若有能於是經少分捨施者等於三千大千世界滿中七寶布施陁羅尼曰
南謨薄伽勃底一阿波唎蜜哆二阿喻紇硯娜三須毗你悉指陁四囉佐耶五怛他羯他耶六怛姪
他唵七薩婆桑悉迦囉八波唎輸底九達磨底十伽迦娜十一莎訶某特迦底十二薩婆婆
毗輸底十三摩訶娜耶十四波唎婆囉莎訶十五

BD01378 號　無量壽宗要經　（5–3）

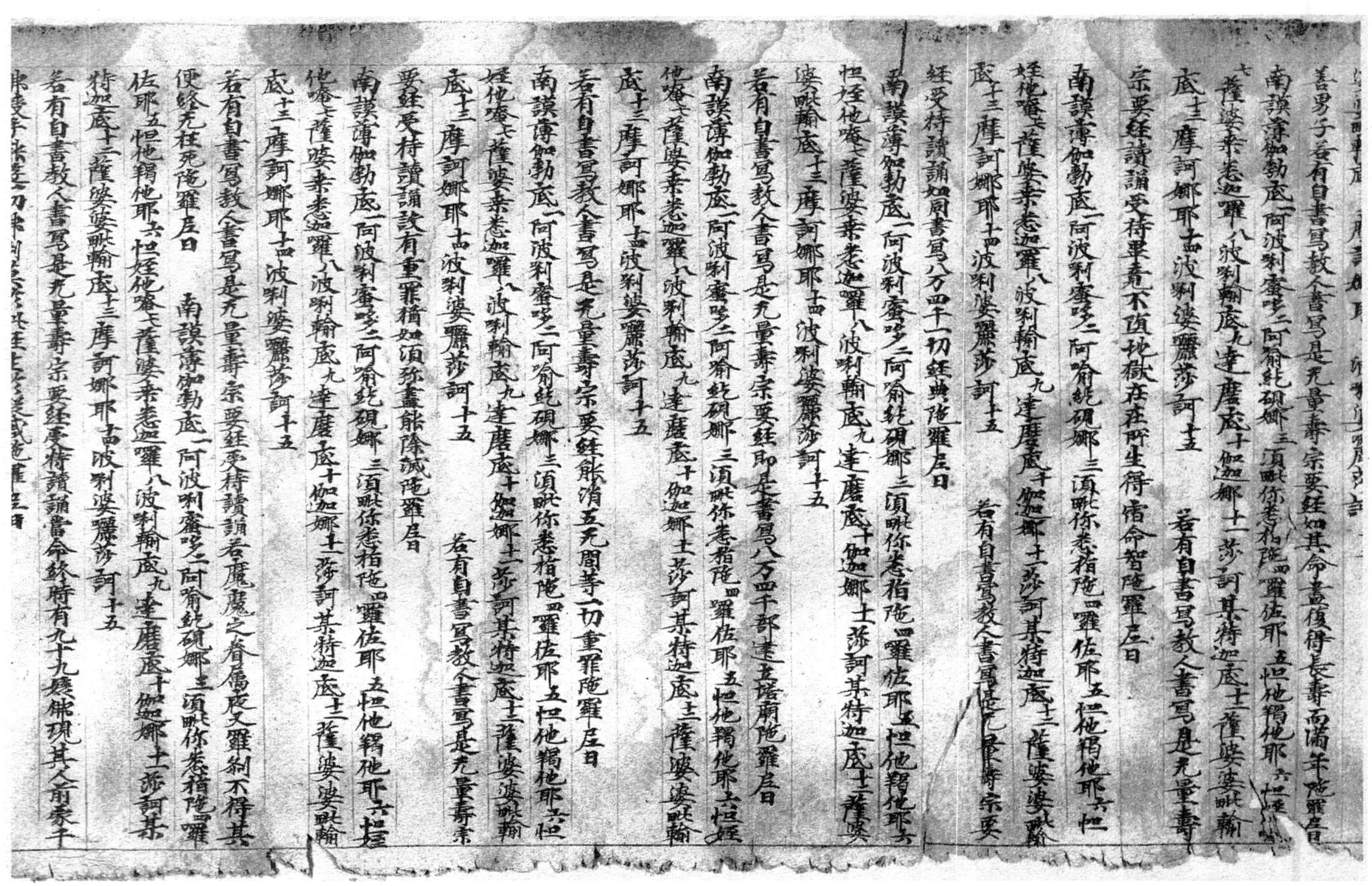

毗輸底十三摩訶娜耶十四波唎婆囉莎訶十五

若有能於是經少分能惠施者等於三千大千世界滿中七寶布施陀羅尼曰

南謨薄伽勃底一阿波唎蜜哆二阿喻紇硯娜三須毗你悉指陀四囉佐耶五怛他羯他耶六怛姪

他唵七薩婆桑悉迦囉八波唎輸底九達摩底十伽迦娜十一莎訶某特迦底十二莎婆婆

毗輸底十三摩訶娜耶十四波唎婆囉莎訶十五

若有能供養是經者則是供養一切諸經等無有異陀羅尼曰

南謨薄伽勃底一阿波唎蜜哆二阿喻紇硯娜三須毗你悉指陀四囉佐耶五怛他羯他耶六怛

姪他唵七薩婆桑悉迦囉八波唎輸底九達摩底十伽迦娜十一莎訶某特迦底十二薩婆婆

毗輸底十三摩訶娜耶十四波唎婆囉莎訶十五

如是毗婆尸佛尸棄佛毗舍浮佛俱留孫佛俱那含牟尼佛迦葉佛釋迦牟尼佛

若有人以七寶供養如是七佛其福有限書寫受持是無量壽經典所有功德不可限量

陀羅尼曰　南謨薄伽勃底一阿波唎蜜哆二阿喻紇硯娜三須毗你悉指陀四囉佐耶五怛他羯

他耶六怛姪他唵七薩婆桑悉迦囉八波唎輸底九達摩底十伽迦娜十一莎訶某特迦底十二薩

婆婆毗輸底十三摩訶娜耶十四波唎婆囉莎訶十五

若有七寶等於須彌以用布施其福上能知其限量是無量壽經典其福不可知數陀羅尼曰

南謨薄伽勃底一阿波唎蜜哆二阿喻紇硯娜三須毗你悉指陀四囉佐耶五怛他羯他耶六怛姪他唵

七薩婆桑悉迦囉八波唎輸底九達摩底十伽迦娜十一莎訶某特迦底十二薩婆婆毗輸底十三摩

訶娜耶十四波唎婆囉莎訶十五

如是四大海水可知滴數是無量壽經典所生果報不可數量陀羅尼曰

南謨薄伽勃底一阿波唎蜜哆二阿喻紇硯娜三須毗你悉指陀四囉佐耶五怛他羯他耶六怛姪

他唵七薩婆桑悉迦囉八波唎輸底九達摩底十伽迦娜十一莎訶某特迦底十二薩婆婆毗

輸底十三摩訶娜耶十四波唎婆囉莎訶十五

若有自書使人書寫是無量壽經典又能護持供養即如恭敬供養一切十方佛土如來無

有別異陀羅尼曰　南謨薄伽勃底一阿波唎蜜哆二阿喻紇硯娜三須毗你悉指陀四囉佐

耶五怛他羯他耶六怛姪他唵七薩婆桑悉迦囉八波唎輸底九達摩底十伽迦娜十一莎訶某特迦

底十二薩婆婆毗輸底十三摩訶娜耶十四波唎婆囉莎訶十五

布施力能成正覺　悟布施力人師子　布施力能聲普聞　慈悲階漸最能入

持戒力能成正覺　悟持戒力人師子　持戒力能聲普聞　慈悲階漸最能入

忍辱力能成正覺　悟忍辱力人師子　忍辱力能聲普聞　慈悲階漸最能入

精進力能成正覺　悟精進力人師子　精進力能聲普聞　慈悲階漸最能入

禪定力能成正覺　悟禪定力人師子　禪定力能聲普聞　慈悲階漸最能入

智慧力能成正覺　悟智慧力人師子　智慧力能聲普聞　慈悲階漸最能入

BD01378號　無量壽宗要經　（5–4）

若有自書使人書寫是無量壽經典又能護持供養即如恭敬供養一切十方佛土如來無

有別異陀羅尼曰　南謨薄伽勃底一阿波唎蜜哆二阿喻紇硯娜三須毗你悉指陀四囉佐

耶五怛他羯他耶六怛姪他唵七薩婆桑悉迦囉八波唎輸底九達摩底十伽迦娜十一莎訶某特迦

底十二薩婆婆毗輸底十三摩訶娜耶十四波唎婆囉莎訶十五

布施力能成正覺　悟布施力人師子　布施力能聲普聞　慈悲階漸最能入

持戒力能成正覺　悟持戒力人師子　持戒力能聲普聞　慈悲階漸最能入

忍辱力能成正覺　悟忍辱力人師子　忍辱力能聲普聞　慈悲階漸最能入

精進力能成正覺　悟精進力人師子　精進力能聲普聞　慈悲階漸最能入

禪定力能成正覺　悟禪定力人師子　禪定力能聲普聞　慈悲階漸最能入

智慧力能成正覺　悟智慧力人師子　智慧力能聲普聞　慈悲階漸最能入

爾時如來說是經已一切世間天人阿脩羅揵闥婆等聞佛所說皆大歡喜信受奉行

佛說無量壽宗要經

BD01378號　無量壽宗要經　（5–5）

尒時毗耶離城有長者子名曰寶積與五百
長者子俱持七寶蓋來詣佛所頭面礼足各
以其蓋共供養佛佛之威神令諸寶蓋合成
一蓋遍覆三千大千世界而此世界廣長之
相悉於中現又此三千大千世界諸須弥山雪
山目真隣陁山摩訶目真隣陁山香山寶山
金山黑山鐵圍山大鐵圍山大海江河川流泉
源及日月星辰天宮龍宮諸尊神宮悉現
於寶蓋中又十方諸佛諸佛說法亦現於
寶蓋中尒時一切大衆覩佛神力歎未曾
有合掌礼佛瞻仰尊顔目不蹔捨長者子
寶積即於佛前以偈頌曰
目淨脩廣如青蓮　心淨已度諸禪定
久積淨業稱无量　導衆以寂故稽首
既見大聖以神變　普現十方无量土
其中諸佛演說法　於是一切悉見聞
法王法力超羣生　常以法財施一切
能善分別諸法相　於第一義而不動
已於諸法得自在　是故稽首此法王
說法不有亦不无　以因緣故諸法生

BD01379號　維摩詰所說經卷上　（2–1）

目淨脩廣如青蓮　心淨已度諸禪定
久積淨業稱无量　導衆以寂故稽首
既見大聖以神變　普現十方无量土
其中諸佛演說法　於是一切悉見聞
法王法力超羣生　常以法財施一切
能善分別諸法相　於第一義而不動
已於諸法得自在　是故稽首此法王
說法不有亦不无　以因緣故諸法生
无我无造无受者　善惡之業亦不亡
始在佛樹力降魔　得甘露滅覺道成
已无心意无受行　而悉摧伏諸外道
三轉法輪於大千　其輪本來常清淨
天人得道此爲證　三寶於是現世間
以斯妙法濟群生　一受不退常寂然
度老病死大醫王　當礼法海德无邊
毀譽不動如須弥　於善不善等
心行平等如虛空　孰聞人寶
今奉世尊此微蓋　於
諸天龍神所居
悉見世間
衆覩希有

BD01379號　維摩詰所說經卷上　（2–2）

南无垢稱[illegible]
南无寶杖功德王光佛
南无无盡智慧佛
南无寶幢佛 / 南无光明輪藏佛
南无奮迅恭敬稱佛
南无高勝山王佛
南无雲讃佛 / 南无師子奮迅佛
南无讃妙法幢寶佛
南无寶輪威德佛
南无勝光明功德佛
南无无量國土佛
南无愛星宿佛
南无无量光明佛
南无有德佛 / 南无十方清淨佛
南无善智慧佛 / 南无勝廣佛
南无大莊嚴佛 / 南无勝心佛
南无心智佛 / 南无華藏佛
南无大力佛 / 南无帝釋智慧佛
南无无邊光佛 / 南无師子聲佛

BD01380號　佛名經（十六卷本）卷五　（6–1）

南[illegible] / [illegible]
南无大莊嚴佛 / 南无勝心佛
南无心智佛 / 南无華藏佛
南无大力佛 / 南无帝釋智慧佛
南无无邊光佛 / 南无師子聲佛
南无妙智佛 / 南无波頭摩藏佛
南无那羅延藏佛
南无帝決定智佛
南无福德光明佛 / 南无上首光佛
南无快身佛 / 南无无垢義佛
南无應威德佛 / 南无成就智佛
南无應威德佛 / 南无成就智佛
南无德乳佛 / 南无含地佛
南无妙光佛 / 南无決定思佛
南无寶日佛 / 南无威德光明佛
南无華威德佛 / 南无勝成佛
南无稱高佛 / 南无信功德佛
南无法燈佛 / 南无信勝佛
南无上愛面佛 / 南无師子奮迅佛
南无衆山天佛 / 南无海智佛
南无華藏佛 / 南无寶仙佛
從此以上四千三百佛十二部經一切賢聖
南无婆羅王佛 / 南无日光明佛

BD01380號　佛名經（十六卷本）卷五　（6–2）

南无華藏佛　南无寶仙佛
從此以上四千三百佛十二部經一切賢聖
南无娑羅王佛　南无日光明佛
南无趣菩提佛　南无寂根佛
南无日光佛　南无柔隨利香佛
南无弥留光佛　南无月面佛
南无妙步佛　南无觀十方佛
南无德光明佛　南无清淨戒佛
南无无邊智佛　南无无邊步佛
南无堅精進佛　南无天供養佛
南无善智佛　南无寂光佛
南无仁威德佛　南无功德橋梁佛
南无堅固脩佛　南无彌聖佛
南无彌幢佛　南无不異心佛
南无善信佛　南无天威德佛
南无應供養佛　南无上功德佛
南无成就義脩行佛
南无愛供養佛
南无善護佛　南无信菩提佛
南无心意佛　南无出智佛
南无山聲佛　南无性日佛
南无雲聲佛　南无大爽聚佛

BD01380號　佛名經（十六卷本）卷五　（6-3）

南无心意佛　南无出智佛
南无山聲佛　南无性日佛
南无雲聲佛　南无大爽聚佛
南无勝積佛　南无无憂佛
南无天國土佛　南无師子欣聲佛
南无无量明佛　南无見愛佛
南无燈王佛　南无勝高佛
南无十方聞名佛　南无愛見佛
南无月高佛　南无能与无畏佛
南无星宿王佛　南无月天佛
南无光明日佛　南无大彌佛
南无真聲佛　南无愛說佛
南无彌上佛　南无天王佛
南无彌　南无樂聲佛
南无心意佛　南无地住佛
南无寂過佛　南无多羅王佛
南无无畏佛　南无清淨智佛
南无能破疑佛　南无慈勝佛
南无勝上佛　南无種種日佛
南无善見佛　南无見月佛
南无降伏魔佛　南无大首佛
南无師子奮迅王佛　南无威德光佛

BD01380號　佛名經（十六卷本）卷五　（6-4）

南无勝上佛　南无…
南无普見佛　南无見月佛
南无降伏魔佛　南无大首佛
南无師子奮迅王佛　南无威德光佛
南无成就義威德佛
南无善護佛
南无成就義威德佛
南无光明日佛
南无見聚佛
南无清淨意佛　南无香山佛
次礼十二部尊經大藏法輪
南无法社經　南无憂婆離經
南无吳本起經　南无離无三昧經
南无罵王經　南无大比丘清淨經
南无長龍樹自緣經
南无須大洹四切德八室祥經
南无呪吒經　南无神九呪經
南无人民求願經　南无建章女經
南无七女經　南无自庱經
南无至心經　南无四願經
南无三昧經
從此以上四千四百佛十二部經一切賢聖
南无應行經　南无陽經

BD01380號　佛名經（十六卷本）卷五　（6–5）

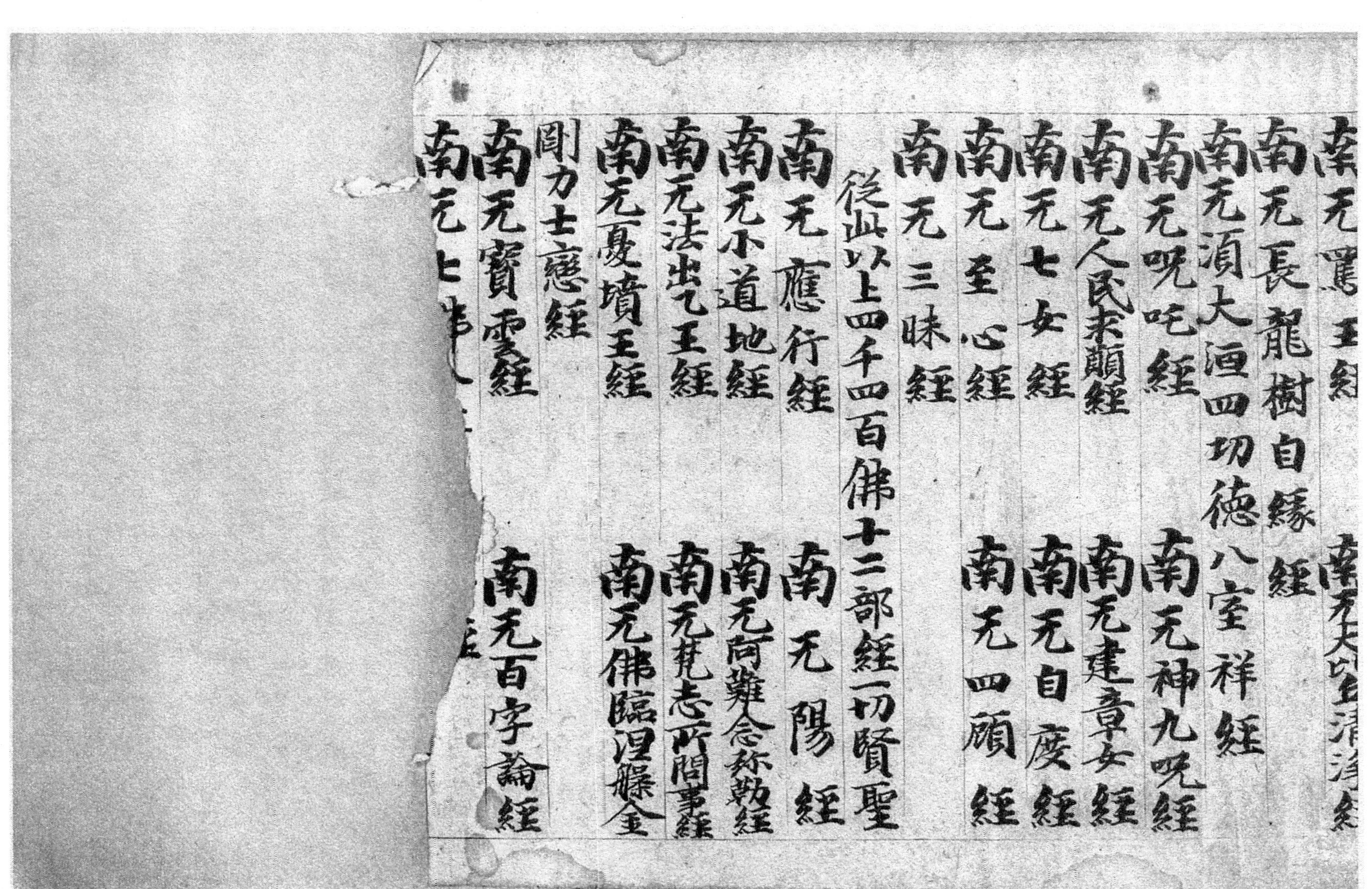
南无罵王經　南无大比丘清淨經
南无長龍樹自緣經
南无須大洹四切德八室祥經
南无呪吒經　南无神九呪經
南无人民求願經　南无建章女經
南无七女經　南无自庱經
南无至心經　南无四願經
南无三昧經
從此以上四千四百佛十二部經一切賢聖
南无應行經　南无陽經
南无不道地經　南无阿難念弥數經
南无法出王經　南无梵志所問事經
南无憂墳王經　南无佛臨涅槃金
剛力士戀經
南无寶雲經　南无百字論經
南无七佛…　…經

BD01380號　佛名經（十六卷本）卷五　（6–6）

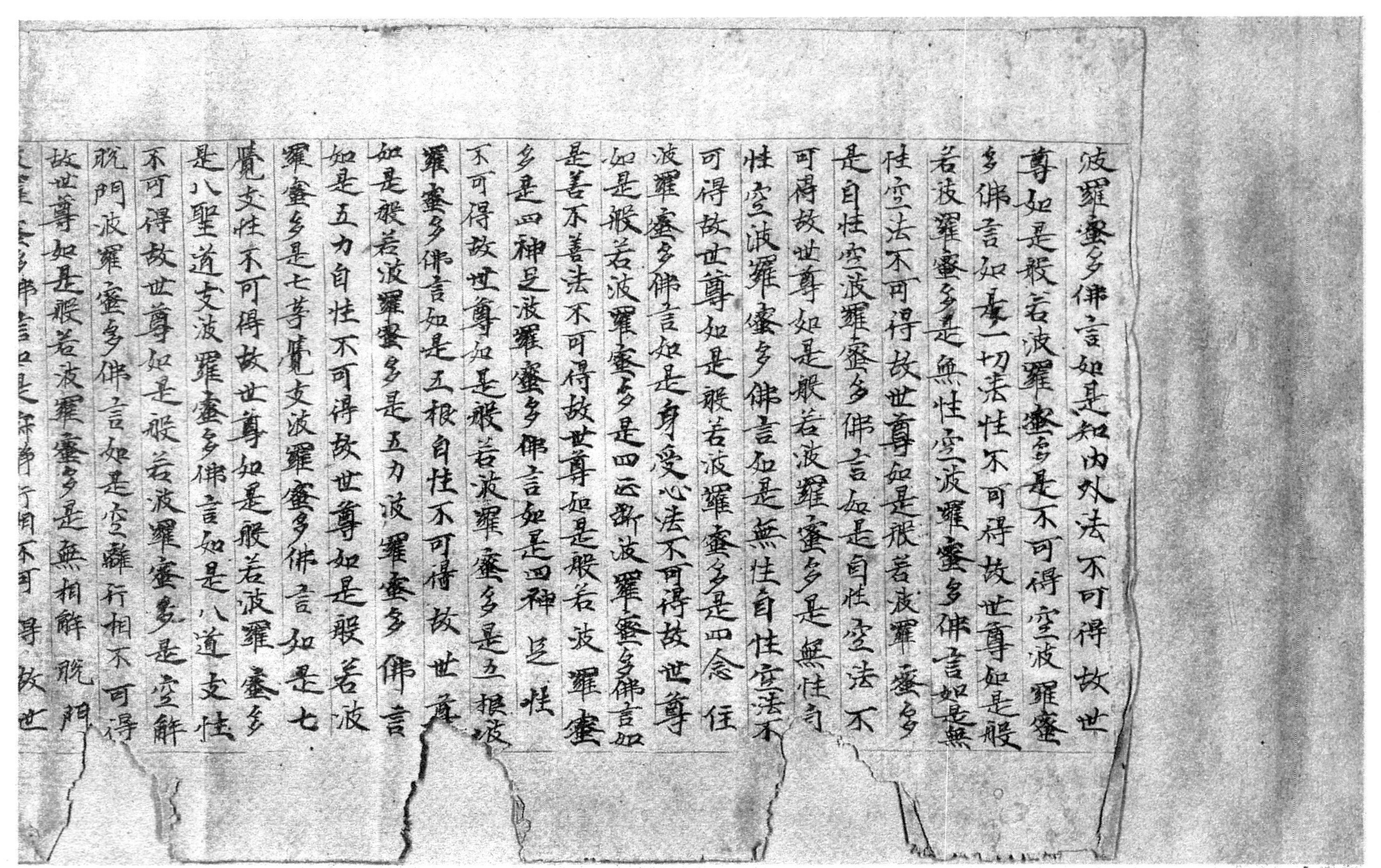

波羅蜜多佛言如是知内外法不可得故世
尊如是般若波羅蜜多是不可得空波羅蜜
多佛言如是一切法性不可得故世尊如是般
若波羅蜜多是無性空波羅蜜多佛言如是無
性空法不可得故世尊如是般若波羅蜜多
是自性空波羅蜜多佛言如是自性空法不
可得故世尊如是般若波羅蜜多是無性自
性空波羅蜜多佛言如是無性自性空法不
可得故世尊如是般若波羅蜜多是四念住
波羅蜜多佛言如是身受心法不可得故世尊
如是般若波羅蜜多是四正斷波羅蜜多佛言如
是善不善法不可得故世尊如是般若波羅蜜
多是四神足波羅蜜多佛言如是四神足性
不可得故世尊如是般若波羅蜜多是五根波
羅蜜多佛言如是五根自性不可得故世尊
如是般若波羅蜜多是五力波羅蜜多佛言
如是五力自性不可得故世尊如是般若波
羅蜜多是七等覺支波羅蜜多佛言如是七
覺支性不可得故世尊如是般若波羅蜜多
是八聖道支波羅蜜多佛言如是八道支性
不可得故世尊如是般若波羅蜜多是空解
脫門波羅蜜多佛言如是空離行相不可得
故世尊如是般若波羅蜜多是無相解脫門
波羅蜜多佛言如是寂靜行相不可得故世

BD01381號　大般若波羅蜜多經卷四三七　（3–1）

覺支性不可得故世尊如是般若波羅蜜多
是八聖道支波羅蜜多佛言如是八道支性
不可得故世尊如是般若波羅蜜多是空解
脫門波羅蜜多佛言如是空離行相不可得
故世尊如是般若波羅蜜多是無相解脫門
波羅蜜多佛言如是寂靜行相不可得故世
尊如是般若波羅蜜多是無願波羅蜜多佛
言如是無願行相不可得故世尊如是般若
波羅蜜多是八解脫波羅蜜多佛言如是八
解脫性不可得故世尊如是般若波羅蜜多
是九次第定波羅蜜多佛言如是九次第定
性不可得故世尊如是般若波羅蜜多是布
施波羅蜜多佛言如是此中慳貪不可得故
世尊如是般若波羅蜜多是淨戒波羅蜜多
佛言如是此中破戒不可得故世尊如是般
若波羅蜜多是安忍波羅蜜多佛言如是此
中瞋恚不可得故世尊如是般若波羅蜜多
是精進波羅蜜多佛言如是此中懈怠不可
得故世尊如是般若波羅蜜多是靜慮波羅
蜜多佛言如是此中亂心不可得故世尊如是
般若波羅蜜多是般若波羅蜜多佛言如
是此中惡慧不可得故世尊如是般若波羅
蜜多是佛十力波羅蜜多佛言如是達一切
法難屈伏故世尊如是般若波羅蜜多是四
無所畏波羅蜜多佛言如是得道相智无退
沒故世尊如是般若波羅蜜多是四无礙解
波羅蜜多佛言如是得一切智一切相智无
罣礙故世尊如是般若波羅蜜多是大慈悲
喜捨波羅蜜多佛言如是於諸有情不棄捨

BD01381號　大般若波羅蜜多經卷四三七　（3–2）

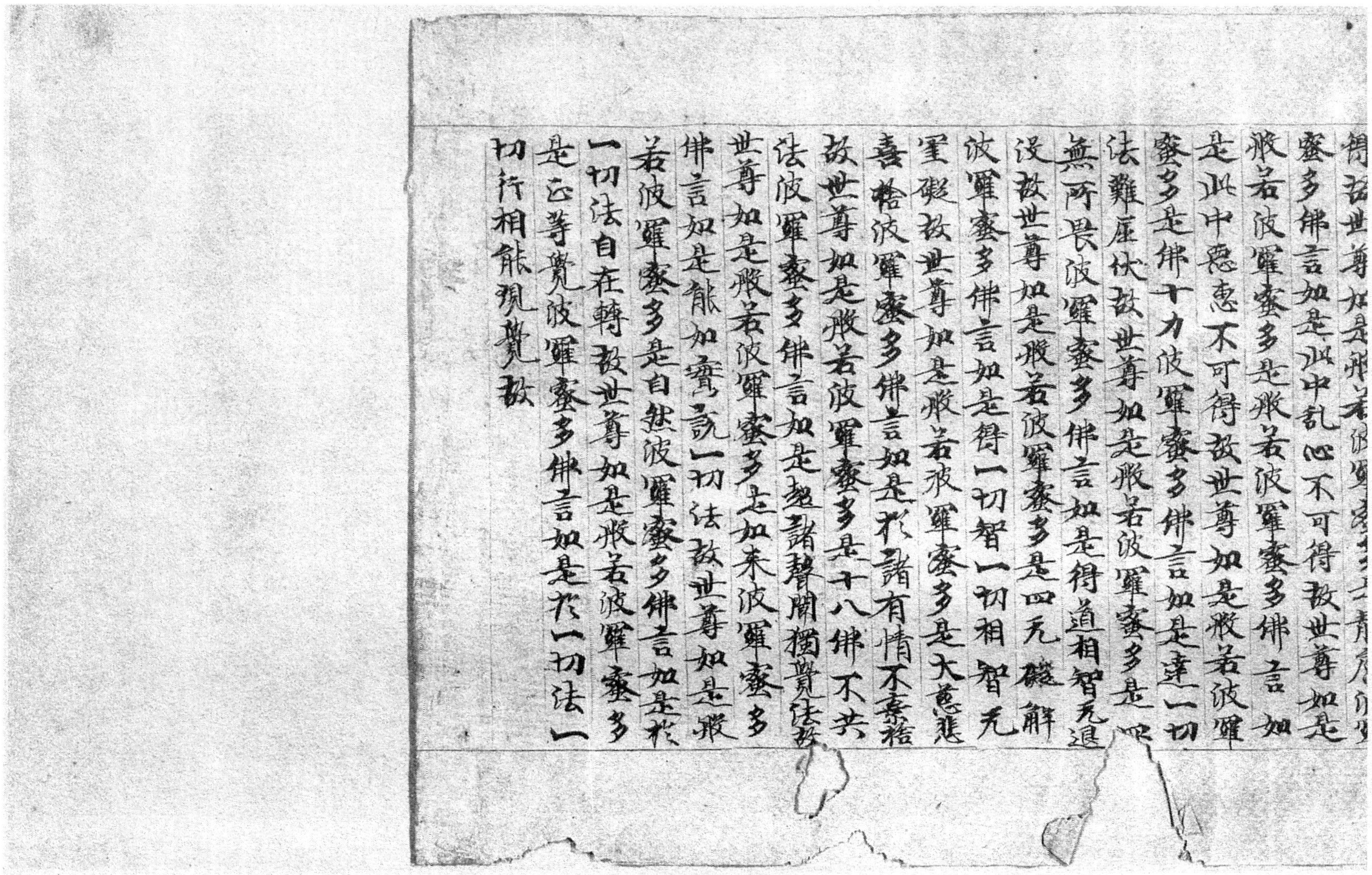

得訖世尊如是般若波羅蜜多是大龍象所
蜜多佛言如是以中亂心不可得故世尊如是
般若波羅蜜多是般若波羅蜜多佛言如
是此中惡慧不可得故世尊如是般若波羅
蜜多是佛十力波羅蜜多佛言如是達一切
法難屈伏故世尊如是般若波羅蜜多是四
無所畏波羅蜜多佛言如是得道相智无退
沒故世尊如是般若波羅蜜多是四无礙解
波羅蜜多佛言如是得一切智一切相智无
罣礙故世尊如是般若波羅蜜多是大慈悲
喜捨波羅蜜多佛言如是於諸有情不棄捨
故世尊如是般若波羅蜜多是十八佛不共
法波羅蜜多佛言如是超諸聲聞獨覺法故
世尊如是般若波羅蜜多是如來波羅蜜多
佛言如是能如實說一切法故世尊如是般
若波羅蜜多是自然波羅蜜多佛言如是於
一切法自在轉故世尊如是般若波羅蜜多
是正等覺波羅蜜多佛言如是於一切法一
切行相能現覺故

BD01381 號　大般若波羅蜜多經卷四三七　　（3–3）

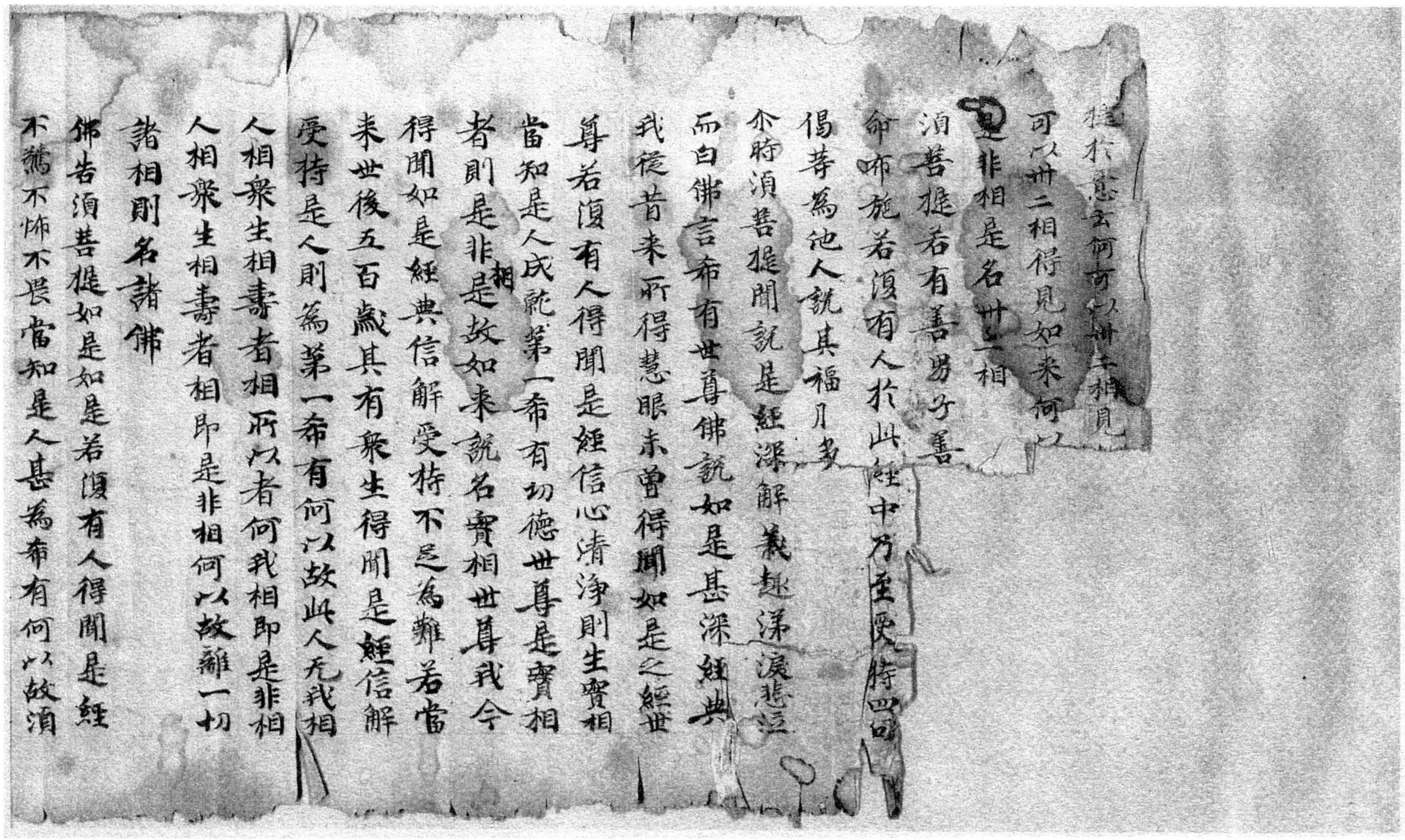

提於意云何可以卅二相見
可以卅二相得見如来何以
是非相是名卅二相
須菩提若有善男子善
命布施若復有人於此經中乃至受持四句
偈等為他人說其福甚多
尒時須菩提聞說是經深解義趣涕淚悲泣
而白佛言希有世尊佛說如是甚深經典
我從昔来所得慧眼未曾得聞如是之經世
尊若復有人得聞是經信心清淨則生實相
當知是人成就第一希有功德世尊是實相
者則是非相是故如来說名實相世尊我今
得聞如是經典信解受持不足為難若當
来世後五百歲其有眾生得聞是經信解
受持是人則為第一希有何以故此人无我相
人相眾生相壽者相所以者何我相即是非相
人相眾生相壽者相即是非相何以故離一切
諸相則名諸佛
佛告須菩提如是如是若復有人得聞是經
不驚不怖不畏當知是人甚為希有何以故須

BD01382 號　金剛般若波羅蜜經　　（5–1）

受持是人則爲第一希有何以故此人无我相
人相衆生相壽者相所以者何我相即是非相
人相衆生相壽者相即是非相何以故離一切
諸相則名諸佛
佛告須菩提如是如是若復有人得聞是經
不驚不怖不畏當知是人甚爲希有何以故須
菩提如来說第一波羅蜜非第一波羅蜜是
名第一波羅蜜
須菩提忍辱波羅蜜如来說非忍辱波羅蜜
何以故須菩提如我昔爲歌利王割截身體
我於尒時无我相无人相无衆生相无壽者相
何以故我於往昔節節支解時若有我相人
相衆生相壽者相應生瞋恨須菩提又念過
去於五百世作忍辱仙人於尒所世无我相
无人相无衆生相无壽者相是故須菩提菩薩
應離一切相發阿耨多羅三藐三菩提心不應
住色生心不應住聲香味觸法生心應生无所
住心若心有住則爲非住是故佛說菩薩心
不應住色布施須菩提菩薩爲利益一切衆
生應如是布施如来說一切諸相即是非相又
說一切衆生則非衆生
須菩提如来真語者實語者如語者不誑
語者不異語者須菩提如来所得法此法无
實无虛
須菩提若菩薩心住於法而行布施如人入

BD01382號　金剛般若波羅蜜經　（5–2）

說一切衆生則非衆生
須菩提如来真語者實語者如語者不誑
語者不異語者須菩提如来所得法此法无
實无虛
須菩提若菩薩心住於法而行布施如人入
闇則无所見若菩薩心不住法而行布施如人
有目日光明照見種種色
須菩提當来之若善男子善女人能於此經受
持讀誦則爲如来以佛智慧悉知是人悉見
是人皆成就无量无邊功德
須菩提若有善男子善女人初日分以恒河沙
等身布施中日分復以恒河沙等身布施後
日分亦以恒河沙等身布施如是无量百千
万億劫以身布施若復有人聞此經典信心
不逆其福勝彼何況書寫受持讀誦爲
人解說
須菩提以要言之是經有不可思議不可稱
量无邊功德如来爲發大乘者說爲發㝡上
乘者說若有人能受持讀誦廣爲人說如来
悉知是人悉見是人皆得成就不可量不可
稱无有邊不可思議功德如是人等則爲荷
擔如来阿耨多羅三藐三菩提何以故須菩
提若樂小法者著我見人見衆生見壽者見
則於此經不能聽受讀誦爲人解說須菩提

BD01382號　金剛般若波羅蜜經　（5–3）

稱无有邊不可思議功德如是人等則爲荷
擔如來阿耨多羅三藐三菩提何以故須菩
提若樂小法者著我見人見衆生見壽者見
則於此經不能聽受讀誦爲人解說須菩提
在在處處若有此經一切世間天人阿脩羅
所應供養當知此處則爲是塔皆應恭敬作
禮圍遶以諸華香而散其處
復次須菩提善男子善女人受持讀誦此經
若爲人輕賤是人先世罪業應墮惡道以今
世人輕賤故先世罪業則爲消滅當得阿耨
多羅三藐三菩提須菩提我念過去无量阿
僧祇劫於然燈佛前得值八百四千万億那
由他諸佛悉皆供養承事无空過者若復有
人於後末世能受持讀誦此經所得功德於我
所供養諸佛功德百分不及一千万億分乃至
筭數譬喻所不能及須菩提若善男子善女
人於後末世有受持讀誦此經所得功德我
若具說者或有人聞心則狂亂狐疑不信須
菩提當知是經義不可思議果報亦不可思議
尒時須菩提白佛言世尊善男子善女人發
阿耨多羅三藐三菩提心云何應住云何降伏
其心佛告須菩提善男子善女人發阿耨多
羅三藐三菩提者當生如是心我應滅度一
切衆生滅度一切衆生已而无有一衆生實滅

BD01382 號　金剛般若波羅蜜經　（5–4）

人於後末世能受持讀誦此經所得功德於我
所供養諸佛功德百分不及一千万億分乃至
筭數譬喻所不能及須菩提若善男子善女
人於後末世有受持讀誦此經所得功德我
若具說者或有人聞心則狂亂狐疑不信須
菩提當知是經義不可思議果報亦不可思議
尒時須菩提白佛言世尊善男子善女人發
阿耨多羅三藐三菩提心云何應住云何降伏
其心佛告須菩提善男子善女人發阿耨多
羅三藐三菩提者當生如是心我應滅度一
切衆生滅度一切衆生已而无有一衆生實滅
度者何以故若菩薩有我相人相衆生相壽
者相則非菩薩所以者何須菩提實无有
法發阿耨多羅三藐三菩提者
須菩提於意云何如來於然燈佛所有法得
阿耨多羅三藐三菩提不不也世尊如我解佛
所說義佛於然燈佛所无有法

BD01382 號　金剛般若波羅蜜經　（5–5）

那由他劫其佛本坐道場破魔軍已垂得阿
耨多羅三藐三菩提而諸佛法不現在前如是
一小劫乃至十小劫結跏趺坐身心不動而
諸佛法猶不在前尒時忉利諸天先為彼
佛於菩提樹下敷師子座高一由旬佛於此
坐當得阿耨多羅三藐三菩提適坐此座時
諸梵天王雨衆天華面百由旬香風時來吹
去萎華更雨新者如是不絕滿十小劫供養
於佛乃至滅度常雨此華四王諸天為供養
佛常擊天鼓其餘諸天作天妓樂滿十小劫
至于滅度亦復如是諸比丘大通智勝佛過
十小劫諸佛之法乃現在前成阿耨多羅三
藐三菩提其佛未出家時有十六子其第一
者名曰智積諸子各有種種珎異玩好之具
聞父得成阿耨多羅三藐三菩提皆捨所珎
往詣佛所諸母涕泣而隨送之其祖轉輪聖
王與一百大臣及餘百千万億人民皆共圍繞
隨至道場咸欲親近大通智勝如來供養
恭敬尊重讃嘆到已頭面礼足繞佛畢已一

BD01383號　妙法蓮華經卷三　（4–1）

聞父得成阿耨多羅三藐三菩提皆捨所珎
往詣佛所諸母涕泣而隨送之其祖轉輪聖
王與一百大臣及餘百千万億人民皆共圍繞
隨至道場咸欲親近大通智勝如來供養
恭敬尊重讃嘆到已頭面礼足繞佛畢已一
心合掌瞻仰世尊以偈頌曰
大威德世尊　為度衆生故　於无量億劫　尒乃得成佛
諸願已具足　善哉吉无上　世尊甚希有　一坐十小劫
身體及手足　靜然安不動　其心常惔怕　未曾有散亂
究竟永寂滅　安住无漏法　今者見世尊　安隱成佛道
我等得善利　稱慶大歡喜　衆生常苦惱　盲瞑无導師
不識苦盡道　不知求解脫　長夜增惡趣　減損諸天衆
從瞑入於瞑　永不聞佛名　今佛得最上　安隱无漏法
我等及天人　為得最大利　是故咸稽首　歸命无上尊
尒時十六王子偈讃佛已勸請世尊轉於法
輪咸作是言世尊說法多所安隱憐愍饒益
諸天人民重說偈言
世雄无等倫　百福自莊嚴　得无上智慧　願為世間說
度脫於我等　及諸衆生類　為分別顯示　令得是智慧
若我等得佛　衆生亦復然　世尊知衆生　深心之所念
亦知所行道　又知智慧力　欲樂及修福　宿命所行業
世尊悉知已　當轉无上輪
佛告諸比丘大通智勝佛得阿耨多羅三藐
三菩提時十方各五百萬億諸佛世界六種
震動其國中間幽冥之處日月威光所不能
照而皆大明其中衆生各得相見咸作是言

BD01383號　妙法蓮華經卷三　（4–2）

佛告諸比丘大通智勝佛得阿耨多羅三藐
三菩提時十方各五百萬億諸佛世界六種
震動其國中間幽冥之處日月威光所不能
照而皆大明其中衆生各得相見咸作是言
此中云何忽生衆生又其國界諸天宮殿乃至
梵宮六種震動大光普照遍滿世界勝諸天
光尒時東方五百萬億諸國土中梵天宮殿
光明照曜倍於常明諸梵天王各作是念今
者宮殿光明昔所未有以何因緣而現此相
是時諸梵天王即各相詣共議此事時彼
衆中有一大梵天王名救一切爲諸梵衆而
說偈言
我等諸宮殿　光明昔未有　此是何因緣　宜各共求之
爲大德天生　爲佛出世間　而此大光明　遍照於十方
尒時五百萬億國土諸梵天王與宮殿俱各以
衣裓盛諸天華共詣西方推尋是相見大通
智勝如來處于道場菩提樹下坐師子座
諸天龍王乾闥婆緊那羅摩睺羅伽人非人
等恭敬圍繞及十六王子請佛轉法輪即
時諸梵天王頭面禮佛繞百千匝即以天華
而散佛上其所散華如須弥山并以供養佛
菩提樹其菩提樹高十由旬華供養已各以
宮殿奉上彼佛而作是言唯見哀愍饒益我
等所獻宮殿願垂納處時諸梵天王即於佛
前一心同聲以偈頌曰
世尊甚希有　難可得值遇　具无量功德　能救護一切

BD01383號　妙法蓮華經卷三　（4-3）

而散佛上其所散華如須弥山并以供養佛
菩提樹其菩提樹高十由旬華供養已各以
宮殿奉上彼佛而作是言唯見哀愍饒益我
等所獻宮殿願垂納處時諸梵天王即於佛
前一心同聲以偈頌曰
世尊甚希有　難可得值遇　具无量功德　能救護一切
天人之大師　哀愍於世間　十方諸衆生　普皆蒙饒益
我等所從來　五百万億國　捨深禪定樂　爲供養佛故
我等先世福　宮殿甚嚴飾　今以奉世尊　唯願哀納受
尒時諸梵天王偈讚佛已各作是言唯願世尊
尊轉於法輪度脫衆生開涅槃道時諸梵天
王一心同聲而說偈言
世雄兩足尊　唯願演說法　以大慈悲力　度苦惱衆生
尒時大通智勝如來默然許之又諸比丘東南
方五百万億國土諸大梵王各自見宮殿光明
照曜昔所未有歡喜踊躍生希有心即各相

BD01383號　妙法蓮華經卷三　（4-4）

海本相如故諸龍鬼神阿脩羅等不覺不知
已之所入於此衆生亦无所嬈又舍利弗住
不可思議解脫菩薩斷取三千大千世界如
陶家輪著右掌中擲過恒河沙世界之外其
中衆生不覺不知已之所往又復還置本處
都不使人有往來想而此世界本相如故又
舍利弗或有衆生樂久住世而可度者菩薩
即演七日以為一劫令彼衆生謂之一劫或
有衆生不樂久住而可度者菩薩即促一劫
以為七日令彼衆生謂之七日又舍利弗住
不可思議解脫菩薩以一切佛土嚴飾之事
集在一國示於衆生又菩薩以一佛土衆生
置之右掌飛到十方遍示一切而不動本處
又舍利弗十方衆生供養諸佛之具菩薩於
一毛孔皆令得見又十方國土所有日月星
宿於一毛孔普使見之又舍利弗十方世界
所有諸風菩薩悉能吸著口中而身无損外
諸樹木亦不摧折又十方世界劫盡燒時以
一切火內於腹中火事如故而不為害又於
下方過恒河沙等諸佛世界取一佛土舉著
上方過恒河沙无數世界如持針鋒舉一棗
葉而无所嬈又舍利弗住不可思議解脫菩
薩能以神通現作佛身或現辟支佛身或現

BD01384號　維摩詰所說經卷中

（4–1）

下方過恒河沙等諸佛世界取一佛土舉著
上方過恒河沙无數世界如持針鋒舉一棗
葉而无所嬈又舍利弗住不可思議解脫菩
薩能以神通現作佛身或現辟支佛身或現
聲聞身或現帝釋身或現梵王身或現世主
身或現轉輪王身又十方世界所有衆聲上
中下音皆能變之令作佛聲演出无常苦空
无我之音及十方諸佛所說種種之法皆於
其中普令得聞舍利弗我今略說菩薩不可
思議解脫之力若廣說者窮劫不盡是時迦
葉聞說菩薩不可思議解脫法門歎未曾有
謂舍利弗譬如有人於盲者前現衆色像非
彼所見一切聲聞聞是不可思議解脫法門
不能解了為若此也智者聞是其誰不發阿
耨多羅三藐三菩提心我等何為永絕其根
於此大乘已如敗種一切聲聞聞是不可思
議解脫法門皆應號泣聲震三千大千世界
一切菩薩應大喜慶頂受此法若有菩薩信
解不可思議解脫門者一切魔衆无如之何
大迦葉說是語時三万二千天子皆發阿耨
多羅三藐三菩提心
尒時維摩詰語大迦葉仁者十方无量阿僧
祇世界中作魔王者多是住不可思議解脫
菩薩以方便力教化衆生現作魔王又迦葉
十方无量菩薩或有人從乞手足耳鼻頭目
髓腦血肉皮骨聚落城邑妻子奴婢象馬車
乘金銀瑠璃車𤦲馬瑙珊瑚虎珀真珠珂貝

BD01384號　維摩詰所說經卷中

（4–2）

祇世界中作魔王者多是住不可思議解脫
菩薩以方便力教化衆生現作魔王又迦葉
十方无量菩薩或有人從乞手足耳鼻頭目
髓腦血肉皮骨聚落城邑妻子奴婢象馬車
乘金銀瑠璃車𤦲馬瑙珊瑚虎珀真珠珂貝
衣服飲食如此乞者多是住不可思議解脫
菩薩以方便力而往試之令其堅固所以者
何住不可思議解脫菩薩有威德力故行逼
迫示諸衆生如是難事凡夫下劣无有力勢
不能如是逼迫菩薩譬如龍象蹴蹋非驢所
堪是名住不可思議解脫菩薩智慧方便之門

觀衆生品第七

尒時文殊師利問維摩詰言菩薩云何觀於
衆生維摩詰言譬如幻師見所幻人菩薩觀
衆生為若此如智者見水中月如鏡中見其
面像如熱時焰如呼聲響如空中雲如水聚
沫如水上泡如芭蕉堅如電久住如第五大
如第六陰如第七情如十三入如十九界菩
薩觀衆生為若此如无色界色如燋穀牙如
須陁洹身見如阿那含入胎如阿羅漢三毒
如得忍菩薩貪恚毀禁如佛煩惱習如盲者
見色如入滅盡定出入息如空中鳥跡如石
女兒如化人煩惱如夢所見已悟如滅度者
受身如无烟之火菩薩觀衆生為若此
文殊師利言若菩薩作是觀者云何行慈維
摩詰言菩薩作是觀已自念我當為衆生
説如斯法是即真實慈也行寂滅慈无所生故

BD01384號　維摩詰所説經卷中　（4–3）

面像如熱時焰如呼聲響如空中雲如水聚
沫如水上泡如芭蕉堅如電久住如第五大
如第六陰如第七情如十三入如十九界菩
薩觀衆生為若此如无色界色如燋穀牙如
須陁洹身見如阿那含入胎如阿羅漢三毒
如得忍菩薩貪恚毀禁如佛煩惱習如盲者
見色如入滅盡定出入息如空中鳥跡如石
女兒如化人煩惱如夢所見已悟如滅度者
受身如无烟之火菩薩觀衆生為若此
文殊師利言若菩薩作是觀者云何行慈維
摩詰言菩薩作是觀已自念我當為衆生
説如斯法是即真實慈也行寂滅慈无所生故
行不熱慈无煩惱故行等之慈等三世故行
无諍慈无所起故行不二慈内外不合故行
不壞慈畢竟盡故行堅固慈心无毀故行清
淨慈諸法性淨故行无邊慈如虛空故行阿
羅漢慈破結賊故行菩薩慈安衆生故行如
來慈得如相故行佛之慈覺衆生故行自然
慈无因得故行菩提慈等一味故行无比慈
斷諸愛故行大悲慈導以大乘故行无猒慈
觀空无我故行法施慈无遺惜故行持戒慈

BD01384號　維摩詰所説經卷中　（4–4）

知衆
以無數方便　化
度脫無量衆　皆悉得
內祕菩薩行　外現是聲聞　少欲
示衆有三毒　又現邪見相　我弟子如是　方便度衆生
若我具足說　種種現化事　衆生聞是者　心則懷疑惑
今此富樓那　於昔千億佛　勤修所行道　宣護諸佛法
為求無上慧　而於諸佛所　現居弟子上　多聞有智慧
所說無所畏　能令衆歡喜　未曾有疲倦　而以助佛事
已度大神通　具四無礙智　知諸根利鈍　常說清淨法
演暢如是義　教諸千億衆　令住大乘法　而自淨佛土
未來亦供養　無量無數佛　護助宣正法　亦自淨佛土
常以諸方便　說法無所畏　度不可計衆　成就一切智
供養諸如來　護持法寶藏　其後得成佛　号名曰法明
其國名善淨　七寶所合成　劫名為寶明　菩薩衆甚多
其數無量億　皆度大神通　威德力具足　充滿其國土
聲聞亦無數　三明八解脫　得四無礙智　以是等為僧
其國諸衆生　婬欲皆已斷　純一變化生　具相莊嚴身
法喜禪悅食　更無餘食想　無有諸女人　亦無諸惡道

BD01385號　妙法蓮華經卷四　（6–1）

其國名善淨　七寶所合成　劫名為寶明　菩薩衆甚多
其數無量億　皆度大神通　威德力具足　充滿其國土
聲聞亦無數　三明八解脫　得四無礙智　以是等為僧
其國諸衆生　婬欲皆已斷　純一變化生　具相莊嚴身
法喜禪悅食　更無餘食想　無有諸女人　亦無諸惡道
富樓那比丘　功德悉成滿　當得斯淨土　賢聖衆甚多
如是無量事　我今但略說
尒時千二百阿羅漢心自在者作是念　我等歡
喜得未曾有　若世尊各見授記如餘大弟
子者　不亦快乎　佛知此等心之所念　告摩訶
迦葉　是千二百阿羅漢　我今當現前次第與
授阿耨多羅三藐三菩提記　於此衆中我大
弟子憍陳如比丘　當供養六萬二千億佛　然
後得成為佛　号曰普明如來應供正遍知明
行足善逝世間解無上士調御丈夫天人師
佛世尊　其五百阿羅漢　優樓頻螺迦葉伽
耶迦葉那提迦葉迦留陀夷優陀夷阿㝹樓馱
離婆多劫賓那薄拘羅周陀莎伽陀等　皆當
得阿耨多羅三藐三菩提　盡同一号　名曰普
明　尒時世尊欲重宣此義而說偈言
憍陳如比丘　當見無量佛　過阿僧祇劫　乃成等正覺
常放大光明　具足諸神通　名聞遍十方　一切之所敬
常說無上道　故号為普明　其國土清淨　菩薩皆勇猛
咸昇妙樓閣　遊諸十方國　以無上供具　奉獻於諸佛

BD01385號　妙法蓮華經卷四　（6–2）

憍陳如比丘　當見無量佛　過阿僧祇劫　乃成等正覺
常放大光明　具足諸神通　名聞遍十方　一切之所敬
常說無上道　故號為普明　其國土清淨　菩薩皆勇猛
咸昇妙樓閣　遊諸十方國　以無上供具　奉獻於諸佛
作是供養已　心懷大歡喜　須臾還本國　有如是神力
佛壽六萬劫　正法住倍壽　像法復倍是　法滅天人憂
其五百比丘　次第當作佛　同號曰普明　轉次而授記
我滅度之後　某甲當作佛　其所化世間　亦如我今日
國土之嚴淨　及諸神通力　菩薩聲聞眾　正法及像法
壽命劫多少　皆如上所說　迦葉汝已知　五百自在者
餘諸聲聞眾　亦當復如是　其不在此會　汝當為宣說
尒時五百阿羅漢於佛前得受記歡喜踊
躍即從座起到於佛前頭面礼足悔過自責
世尊我等常作是念自謂已得究竟滅度
今乃知之如無智者所以者何我等應得如來
智慧而便自以小智為足世尊譬如有人至
親友家醉酒而卧是時親友官事當行以無
價寶珠繫其衣裏與之而去其人醉卧都不
覺知起已遊行到於他國為衣食故懃力求
索甚大艱難若少有所得便以為足於後親
友會遇見之而作是言咄哉丈夫何為衣食
乃至如是我昔欲令汝得安樂五欲自恣於
某年日月以無價寶珠繫汝衣裏今故現在
而汝不知懃苦憂惱以求自活甚為癡也汝

BD01385號　妙法蓮華經卷四　（6–3）

友會遇見之而作是言咄哉丈夫何為衣食
乃至如是我昔欲令汝得安樂五欲自恣於
某年日月以無價寶珠繫汝衣裏今故現在
而汝不知懃苦憂惱以求自活甚為癡也汝
今可以此寶貿易所須常可如意無所乏短
佛亦如是為菩薩時教化我等令發一切智
心而尋廢忘不知不覺既得阿羅漢道自謂
滅度資生艱難得少為足一切智願猶在
不失今者世尊覺悟我等作如是言諸比丘
汝等所得非究竟滅我久令汝等種佛善根
以方便故示涅槃相而汝謂為實得滅度世
尊我今乃知實是菩薩得受阿耨多羅三
藐三菩提記以是因緣甚大歡喜得未曾
有尒時阿若憍陳如等欲重宣此義而說偈言
我等聞無上　安隱授記聲　歡喜未曾有　礼無量智佛
今於世尊前　自悔諸過咎　於無量佛寶　得少涅槃分
如無智愚人　便自以為足　譬如貧窮人　往至親友家
其家甚大富　具設諸餚饍　以無價寶珠　繫著內衣裏
嘿與而捨去　時卧不覺知　是人既已起　遊行詣他國
求衣食自濟　資生甚艱難　得少便為足　更不願好者
不覺內衣裏　有無價寶珠　與珠之親友　後見此貧人
苦切責之已　示以所繫珠　貧人見此珠　其心大歡喜
富有諸財物　五欲而自恣　我等亦如是　世尊於長夜
常愍見教化　令種無上願　我等無智故　不覺亦不知
得少涅槃分　自足不求餘　今佛覺悟我　言非實滅度

BD01385號　妙法蓮華經卷四　（6–4）

苦切責之已　示以所繫珠　貧人見此珠　其心大歡喜
富有諸財物　五欲而自恣　我等亦如是　世尊於長夜
常愍見教化　令種無上願　我等無智故　不覺亦不知
得少涅槃分　自足不求餘　今佛覺悟我　言非實滅度
得佛無上慧　尒乃為真滅　我今從佛聞　受記莊嚴事
及轉次受決　身心遍歡喜

妙法蓮華經授學無學人記品第九

尒時阿難羅睺羅而作是念我等每自思惟
設得受記不亦快乎即從座起到於佛前頭
面禮足俱白佛言世尊我等於此亦應有分
唯有如來我等所歸又我等為一切世間天
人阿脩羅所見知識阿難常為侍者護持法
藏羅睺羅是佛之子若佛見授阿耨多羅
三藐三菩提記者我願既滿衆望亦足尒時學
無學聲聞弟子二千人皆從座起偏袒右肩
到於佛前一心合掌瞻仰世尊如阿難羅睺
羅所願住立一面尒時佛告阿難汝於來世當
得作佛号山海慧自在通王如來應供正遍
知明行足善逝世間解無上士調御丈夫天人
師佛世尊當供養六十二億諸佛護持法藏
然後得阿耨多羅三藐三菩提教化二十千
萬億恒河沙諸菩薩等令成阿耨多羅
三藐三菩提國名常立勝幡其土清淨琉璃
為地劫名妙音遍滿其佛壽命無量千萬

為地劫名妙音遍滿其佛壽命無量千萬
億阿僧祇劫若人於千萬億無量阿僧祇
劫若人於千萬億無量阿僧祇劫中筭數
校計不能得知正法住世倍於壽命像法住
世復倍正法阿難是山海慧自在通王佛為
十方無量千萬億恒河沙等諸佛如來所
共讚歎稱其功德尒時世尊欲重宣此義而
說偈言
我今僧中說　阿難持法者　當供養諸佛　然後成正覺
号曰山海慧　自在通王佛　其國土清淨　名常立勝幡
教化諸菩薩　其數如恒沙　佛有大威德　名聞滿十方
壽命無有量　以愍衆生故　正法倍壽命　像法復倍是
如恒河沙等　無數諸衆生　於此佛法中　種佛道因緣
尒時會中新發意菩薩八千人咸作是念我等
尚不聞諸大菩薩得如是記有何因緣而諸
聲聞得如是決尒時世尊知諸菩薩心之所
念而告之曰諸善男子我與阿難等於空王
佛所同時發阿耨多羅三藐三菩提心阿難
常樂多聞我常勤精進是故我已得成阿
耨多羅三藐三菩提而阿難護持我法亦
護持未來諸佛法藏教化成就諸菩薩衆其

知略廣之相善現若菩薩摩訶薩如
實了知八解脫法界相如實了知八勝處九
次第定十遍處法界相是菩薩摩訶薩於一
切法如實了知略廣之相善現若菩薩摩訶
薩如實了知四念住法界相如實了知四正
斷四神足五根五力七等覺支八聖道支法
界相是菩薩摩訶薩於一切法如實了知略
廣之相善現若菩薩摩訶薩如實了知空解
脫門法界相如實了知無相無願解脫門法
界相是菩薩摩訶薩於一切法如實了知略
廣之相
善現若菩薩摩訶薩如實了知五眼法界相
如實了知六神通法界相是菩薩摩訶薩於一
切法如實了知略廣之相善現若菩薩摩
訶薩如實了知佛十力法界相如實了知四
無所畏四無礙解大慈大悲大喜大捨十八
佛不共法法界相是菩薩摩訶薩於一切法
如實了知略廣之相善現若菩薩摩訶薩如
實了知無忘失法法界相如實了知恒住捨
性法界相是菩薩摩訶薩於一切法如實了
知略廣之相善現若菩薩摩訶薩如實了知
一切智法界相如實了知道相智一切相智
法界相是菩薩摩訶薩於一切法如實了知
略廣之相善現若菩薩摩訶薩如實了知一

BD01386號　大般若波羅蜜多經卷三五八　（14-1）

性法界相是菩薩摩訶薩於一切法如實了
知略廣之相善現若菩薩摩訶薩如實了知
一切智法界相如實了知道相智一切相智
法界相是菩薩摩訶薩於一切法如實了知
略廣之相善現若菩薩摩訶薩如實了知一
切陁羅尼門法界相如實了知一切三摩地
門法界相是菩薩摩訶薩於一切法如實了
知略廣之相
善現若菩薩摩訶薩如實了知預流果法界
相如實了知一來不還阿羅漢果法界相是
菩薩摩訶薩於一切法如實了知略廣之相
善現若菩薩摩訶薩如實了知獨覺菩提法
界相是菩薩摩訶薩於一切法如實了知略
廣之相善現若菩薩摩訶薩如實了知一切
菩薩摩訶薩行法界相是菩薩摩訶薩於一
切法如實了知略廣之相善現若菩薩摩訶
薩如實了知諸佛無上正等菩提法界相是
菩薩摩訶薩於一切法如實了知略廣之相
尒時具壽善現白佛言世尊云何色法界相
云何受想行識法界相諸菩薩摩訶薩如實
了知而於中學於一切法如實了知略廣之
相佛言善現色界虛空界是名色法界此色
法界無斷無別而可施設是名色法界相受
想行識界虛空界是名受想行識法界此受
想行識法界亦無斷無別而可施設是名受
想行識法界相諸菩薩摩訶薩如實了知當
於中學於一切法如實了知略廣之相世尊

BD01386號　大般若波羅蜜多經卷三五八　（14-2）

法界無斷無別而可施設是名色法界相受
想行識界虛空界是名受想行識法界此受
想行識法界亦無斷無別而可施設是名受
想行識法界相諸菩薩摩訶薩如實了知當
於中學於一切法如實了知略廣之相世尊
云何眼處法界相云何耳鼻舌身意處法界
相諸菩薩摩訶薩如了知而於中學於一
切法如實了知略廣之相善現眼處界虛空
界是名眼處法界此眼處法界無斷無別而
可施設是名眼處法界相耳鼻舌身意處界
虛空界是名耳鼻舌身意處法界此耳鼻舌
身意處法界亦無斷無別而可施設是名耳
鼻舌身意處法界相諸菩薩摩訶薩如實了
知當於中學於一切法如實了知略廣之相
世尊云何色處法界相云何聲香味觸法處
法界相諸菩薩摩訶薩如實了知而於中學
於一切法如實了知略廣之相善現色處界
虛空界是名色處法界此色處法界無斷無
別而可施設是名色處法界相聲香味觸法
處界虛空界是名聲香味觸法處法界此聲
香味觸法處法界亦無斷無別而可施設是
名聲香味觸法處法界相諸菩薩摩訶薩如
實了知當於中學於一切法如實了知略廣
之相世尊云何眼界法界相云何耳鼻舌身
意界法界相諸菩薩摩訶薩如實了知而於
中學於一切法如實了知略廣之相善現眼
界界虛空界是名眼界法界此眼界法界無
斷無別而可施設是名眼界法界相耳鼻舌

BD01386號　大般若波羅蜜多經卷三五八　（14–3）

意界法界相諸菩薩摩訶薩如實了知而於
中學於一切法如實了知略廣之相善現眼
界界虛空界是名眼界法界此眼界法界無
斷無別而可施設是名眼界法界相耳鼻舌
身意界界虛空界是名耳鼻舌身意界法界
此耳鼻舌身意界法界亦無斷無別而可施
設是名耳鼻舌身意界法界相諸菩薩摩訶
薩如實了知當於中學於一切法如實了知
略廣之相世尊云何色界法界相云何聲香
味觸法界法界相諸菩薩摩訶薩如實了知而
於中學於一切法如實了知略廣之相善現
色界界虛空界是名色界法界此色界法界無
斷無別而可施設是名色界法界相聲香味
觸法界界盡空界是名聲香味觸法界法界
此聲香味觸法界法界亦無斷無別而可施
設是名聲香味觸法界法界相諸菩薩摩訶
薩如實了知當於中學於一切法如實了知
略廣之相世尊云何眼識界法界相云何耳
鼻舌身意識界法界相諸菩薩摩訶薩如實
了知而於中學於一切法如實了知略廣之
相善現眼識界界虛空界是名眼識界法界
此眼識界法界無斷無別而可施設是名眼
識界法界相耳鼻舌身意識界界虛空界是
名耳鼻舌身意識界法界此耳鼻舌身意識
界法界亦無斷無別而可施設是名耳鼻舌
身意識界法界相諸菩薩摩訶薩如實了知
當於中學於一切法如實了知略廣之相世
尊云何眼觸法界相云何耳鼻舌身意觸法

BD01386號　大般若波羅蜜多經卷三五八　（14–4）

界法界亦無斷無別而可施設是名耳鼻舌
身意識界法界相諸菩薩摩訶薩如實了知
當於中學於一切法如實了知略廣之相世
尊云何眼觸法界相云何耳鼻舌身意觸法
界相諸菩薩摩訶薩如實了知而於中學於
一切法如實了知略廣之相善現眼觸界虛
空界是名眼觸法界此眼觸法界無斷無別
而可施設是名眼觸法界相耳鼻舌身意觸
界虛空界是名耳鼻舌身意觸法界此耳鼻
舌身意觸法界亦無斷無別而可施設是名
耳鼻舌身意觸法界相諸菩薩摩訶薩如實
了知當於中學於一切法如實了知略廣之
相世尊云何眼觸為緣所生諸受法界相云
何耳鼻舌身意觸為緣所生諸受法界相諸
菩薩摩訶薩如實了知而於中學於一切法
如實了知略廣之相善現眼觸為緣所生諸
受界盡空界是名眼觸為緣所生諸受法界
此眼觸為緣所生諸受法界無斷無別而可
施設是名眼觸為緣所生諸受法界相耳鼻
舌身意觸為緣所生諸受界虛空界是名耳
鼻舌身意觸為緣所生諸受法界此耳鼻舌
身意觸為緣所生諸受法界亦無斷無別而
可施設是名耳鼻舌身意觸為緣所生諸受
法界相諸菩薩摩訶薩如實了知當於中學
於一切法如實了知略廣之相世尊云何地
界法界相云何水火風空識界法界相諸菩
薩摩訶薩如實了知而於中學於一切法如
實了知略廣之相善現地界界盡空界是名

BD01386號　大般若波羅蜜多經卷三五八　（14–5）

法界相諸菩薩摩訶薩如實了知當於中學
於一切法如實了知略廣之相世尊云何地
界法界相云何水火風空識界法界相諸菩
薩摩訶薩如實了知而於中學於一切法如
實了知略廣之相善現地界界盡空界是名
地界法界此地界法界無斷無別而可施設
是名地界法界相水火風空識界界虛空界
是名水火風空識界法界此水火風空識界
法界亦無斷無別而可施設是名水火風空
識界法界相諸菩薩摩訶薩如實了知當於
中學於一切法如實了知略廣之相世尊云
何無明法界相云何行識名色六處觸受愛
取有生老死愁歎苦憂惱法界相諸菩薩摩
訶薩如實了知而於中學於一切法如實了
知略廣之相善現無明界虛空界是名無明
法界此無明法界無斷無別而可施設是名
無明法界相行乃至老死愁歎苦憂惱界虛
空界是名行乃至老死愁歎苦憂惱法界此
行乃至老死愁歎苦憂惱法界亦無斷無別
而可施設是名行乃至老死愁歎苦憂惱法
界相諸菩薩摩訶薩如實了知當於中學
一切法如實了知略廣之相
世尊云何布施波羅蜜多法界相云何淨戒
安忍精進靜慮般若波羅蜜多法界相諸菩
薩摩訶薩如實了知而於中學於一切法如
實了知略廣之相善現布施波羅蜜多界虛
空界是名布施波羅蜜多法界此布施波羅
蜜多法界無斷無別而可施設是名布施波

BD01386號　大般若波羅蜜多經卷三五八　（14–6）

薩摩訶薩如實了知而於中學於一切法如
實了知略廣之相善現布施波羅蜜多界虛
空界是名布施波羅蜜多法界此布施波羅
蜜多法界無斷無別而可施設是名布施波
羅蜜多法界相淨戒乃至般若波羅蜜多界
虛空界是名淨戒乃至般若波羅蜜多法界
此淨戒乃至般若波羅蜜多法界亦無斷無
別而可施設是名淨戒乃至般若波羅蜜多
法界相諸菩薩摩訶薩如實了知當於中學
於一切法如實了知略廣之相世尊云何內
空法界相云何外空內外空空空大空勝義
空有為空無為空畢竟空無際空散空無變
異空本性空自相空共相空一切法空不可
得空無性空自性空無性自性空法界相諸
菩薩摩訶薩如實了知而於中學於一切法
如實了知略廣之相善現內空界虛空界是
名內空法界此內空法界無斷無別而可施
設是名內空法界相外空乃至無性自性空
界虛空界是名外空乃至無性自性空法界
此外空乃至無性自性空法界亦無斷無別
而可施設是名外空乃至無性自性空法界
相諸菩薩摩訶薩如實了知當於中學於一
切法如實了知略廣之相世尊云何真如法
界相云何法界法性不虛妄性不變異性平
等性離生性法定法住實際虛空界不思議
界法界相諸菩薩摩訶薩如實了知而於中
學於一切法如實了知略廣之相善現真如
界虛空界是名真如法界此真如法界無斷

BD01386號　大般若波羅蜜多經卷三五八　（14–7）

界法界相諸菩薩摩訶薩如實了知而於中
學於一切法如實了知略廣之相善現真如
界虛空界是名真如法界此真如法界無斷
無別而可施設是名真如法界相法界乃至
不思議界界虛空界是名法界乃至不思議
界法界此法界乃至不思議界法界亦無斷
無別而可施設是名法界乃至不思議界法
界相諸菩薩摩訶薩如實了知當於中學於
一切法如實了知略廣之相世尊云何苦聖
諦法界相云何集滅道聖諦法界相諸菩薩
摩訶薩如實了知而於中學於一切法如實
了知略廣之相善現苦聖諦界虛空界是名
苦聖諦法界此苦聖諦法界無斷無別而可
施設是名苦聖諦法界相集滅道聖諦界虛
空界是名集滅道聖諦法界此集滅道聖諦
法界亦無斷無別而可施設是名集滅道聖
諦法界相諸菩薩摩訶薩如實了知當於中
學於一切法如實了知略廣之相世尊云何
四靜慮法界相云何四無量四無色定法界
相諸菩薩摩訶薩如實了知而於中學於一
切法如實了知略廣之相善現四靜慮界虛
空界是名四靜慮法界此四靜慮法界無斷
無別而可施設是名四靜慮法界相四無量
四無色定界虛空界是名四無量四無色定
法界此四無量四無色定法界亦無斷無別
而可施設是名四無量四無色定法界相諸
菩薩摩訶薩如實了知當於中學於一切法

BD01386號　大般若波羅蜜多經卷三五八　（14–8）

四無色定界虛空界是名四無量四無色定
法界此四無量四無色定法界亦無斷無別
而可施設是名四無量四無色定法界相諸
菩薩摩訶薩如實了知當於中學於一切法
如實了知略廣之相世尊云何八解脫法界
相云何八勝處九次第定十遍處法界相諸
菩薩摩訶薩如實了知而於中學於一切法
如實了知略廣之相善現八解脫界虛空界
是名八解脫法界此八解脫法界無斷無別
而可施設是名八解脫法界相八勝處九次
第定十遍處界虛空界是名八勝處九次第
定十遍處法界此八勝處九次第定十遍處
法界亦無斷無別而可施設是名八勝處九
次第定十遍處法界相諸菩薩摩訶薩如實
了知當於中學於一切法如實了知略廣之
相世尊云何四念住法界相云何四正斷四
神足五根五力七等覺支八聖道支法界相
諸菩薩摩訶薩如實了知而於中學於一切
法如實了知略廣之相善現四念住界虛空
界是名四念住法界此四念住法界無斷無
別而可施設是名四念住法界相四正斷乃
至八聖道支界虛空界是名四正斷乃至八
聖道支法界此四正斷乃至八聖道支法界
亦無斷無別而可施設是名四正斷乃至八
聖道支法界相諸菩薩摩訶薩如實了知當
於中學於一切法如實了知略廣之相世尊
云何空解脫門法界相云何無相無願解脫
門法界相諸菩薩摩訶薩如實了知而於中

BD01386號　大般若波羅蜜多經卷三五八　（14–9）

亦無斷無別而可施設是名四正斷乃至八
聖道支法界相諸菩薩摩訶薩如實了知當
於中學於一切法如實了知略廣之相世尊
云何空解脫門法界相云何無相無願解脫
門法界相諸菩薩摩訶薩如實了知而於中
學於一切法如實了知略廣之相善現空解
脫門界虛空界是名空解脫門法界此空解
脫門法界無斷無別而可施設是名空解脫
門法界相無相無願解脫門界虛空界是名
無相無願解脫門法界此無相無願解脫門
法界亦無斷無別而可施設是名無相無願
解脫門法界相諸菩薩摩訶薩如實了知當
於中學於一切法如實了知略廣之相
世尊云何五眼法界相云何六神通法界相
諸菩薩摩訶薩如實了知而於中學於一切
法如實了知略廣之相善現五眼界虛空界
是名五眼法界此五眼法界無斷無別而可
施設是名五眼法界相六神通界虛空界是
名六神通法界此六神通法界亦無斷無別
而可施設是名六神通法界相諸菩薩摩訶
薩如實了知當於中學於一切法如實了知
略廣之相世尊云何佛十力法界相云何四
無所畏四無礙解大慈大悲大喜大捨十八
佛不共法法界相諸菩薩摩訶薩如實了知
而於中學於一切法如實了知略廣之相善
現佛十力界虛空界是名佛十力法界此佛
十力法界無斷無別而可施設是名佛十力
法界相四無所畏乃至十八佛不共法界虛

BD01386號　大般若波羅蜜多經卷三五八　（14–10）

現佛十力界虛空界是名佛十力法界此佛
十力法界無斷無別而可施設是名佛十力
法界相四無所畏乃至十八佛不共法界虛
空界是名四無所畏乃至十八佛不共法法
界此四無所畏乃至十八佛不共法法界亦
無斷無別而可施設是名四無所畏乃至十
八佛不共法法界相諸菩薩摩訶薩如實了
知當於中學於一切法如實了知略廣之相
世尊云何無忘失法法界相云何恒住捨性
法界相諸菩薩摩訶薩如實了知而於中學
於一切法如實了知略廣之相善現無忘失
法界虛空界是名無忘失法法界此無忘失
法法界無斷無別而可施設是名無忘失法
法界相恒住捨性界虛空界是名恒住捨性
法界此恒住捨性法界亦無斷無別而可施
設是名恒住捨性法界相諸菩薩摩訶薩如
實了知當於中學於一切法如實了知略廣
之相世尊云何一切智法界相云何道相智
一切相智法界相諸菩薩摩訶薩如實了知
而於中學於一切法如實了知略廣之相善
現一切智界虛空界是名一切智法界此一
切智法界無斷無別而可施設是名一切智
法界相道相智一切相智界虛空界是名道
相智一切相智法界此道相智一切相智法
界亦無斷無別而可施設是名道相智一切
相智法界相諸菩薩摩訶薩如實了智當於
中學於一切法如實了知略廣之相世尊云

相智一切相智法界此道相智一切相智法
界亦無斷無別而可施設是名道相智一切
相智法界相諸菩薩摩訶薩如實了智當於
中學於一切法如實了知略廣之相世尊云
何一切陁羅尼門法界相云何一切三摩地
門法界相諸菩薩摩訶薩如實了知而於中
學於一切法如實了知略廣之相善現一切
陁羅尼門界虛空界是名一切陁羅尼門法
界此一切陁羅尼門法界無斷無別而可施
設是名一切陁羅尼門法界相一切三摩地
門界虛空界是名一切三摩地門法界此一
切三摩地門法界亦無斷無別而可施設是
名一切三摩地門法界相諸菩薩摩訶薩如
實了智當於中學於一切法如實了知略廣
之相
世尊云何預流果法界相云何一來不還阿
羅漢果法界相諸菩薩摩訶薩如實了知而
於中學於一切法如實了知略廣之相善現
預流果界虛空界是名預流果法界此預流
果法界無斷無別而可施設是名預流果法
界相一來不還阿羅漢果界虛空界是名一
來不還阿羅漢果法界此一來不還阿羅漢
果法界亦無斷無別而可施設是名一來不
還阿羅漢果法界相諸菩薩摩訶薩如實了
知當於中學於一切法如實了知略廣之相
世尊云何獨覺菩提法界相諸菩薩摩訶薩
如實了知而於中學於一切法如實了知略

知當於中學於一切法如實了知略廣之相
世尊云何獨覺菩提法界相諸菩薩摩訶薩
如實了知而於中學於一切法如實了知略
廣之相善現獨覺菩提界虛空界是名獨覺
菩提法界此獨覺菩提法界無斷無別而可
施設是名獨覺菩提法界相諸菩薩摩訶薩
如實了知當於中學於一切法如實了知略
廣之相世尊云何一切菩薩摩訶薩行法界
相諸菩薩摩訶薩如實了知而於中學於一
切法如實了知略廣之相善現一切菩薩摩
訶薩行界虛空界是名一切菩薩摩訶薩行
法界此一切菩薩摩訶薩行法界無斷無別
而可施設是名一切菩薩摩訶薩行法界相
諸菩薩摩訶薩如實了知當於中學於一切
法如實了知略廣之相世尊云何諸佛無上
正等菩提法界相諸菩薩摩訶薩如實了知
而於中學於一切法如實了知略廣之相善
現諸佛無上正等菩提界虛空界是名諸佛
無上正等菩提法界此諸佛無上正等菩提
法界無斷無別而可施設是名諸佛無上正
等菩提法界相諸菩薩摩訶薩如實了知當
於中學於一切法如實了知略廣之相

大般若波羅蜜多經卷第三百五十八

BD01386號　大般若波羅蜜多經卷三五八　（14–13）

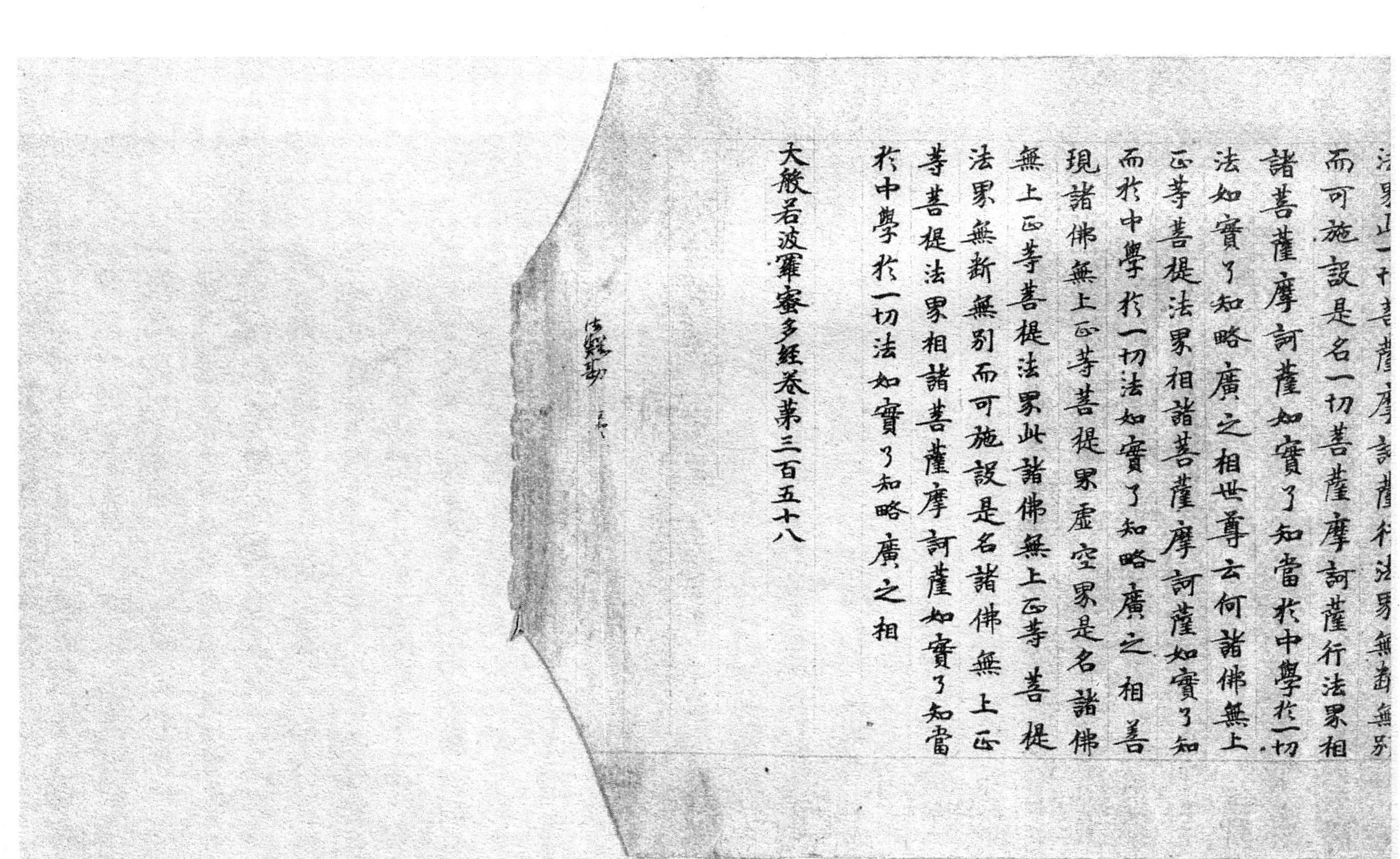

法界此一切菩薩摩訶薩行法界無斷無別
而可施設是名一切菩薩摩訶薩行法界相
諸菩薩摩訶薩如實了知當於中學於一切
法如實了知略廣之相世尊云何諸佛無上
正等菩提法界相諸菩薩摩訶薩如實了知
而於中學於一切法如實了知略廣之相善
現諸佛無上正等菩提界虛空界是名諸佛
無上正等菩提法界此諸佛無上正等菩提
法界無斷無別而可施設是名諸佛無上正
等菩提法界相諸菩薩摩訶薩如實了知當
於中學於一切法如實了知略廣之相

大般若波羅蜜多經卷第三百五十八

BD01386號　大般若波羅蜜多經卷三五八　（14–14）

今可於斯贍部洲　普雨七寶瓔珞具
所有匱乏資財者　皆得隨心受安樂
即便遍雨於七寶　悉皆充足四洲中
瓔珞嚴身隨所須　衣服飲食皆充足
尒時國主善生王　見此四洲雨珎寶
咸持供養寶髻佛　所有遺教苾蒭僧
應知過去善生王　即我釋迦牟尼是
為於昔時捨大地　及諸珎寶滿四洲
昔時寶積大法師　為彼善生說妙法
因彼開演經王故　東方現成不動佛
以我曾聽此經王　合掌一言稱隨喜
及施七寶諸功德　獲此最勝金剛身
金光百福相莊嚴　所有見者皆歡喜
一切有情无不愛　俱胝天衆亦同然
過去曾經九十九　俱胝億劫作輪王
亦於小國為人王　復經无量百千劫
於无量劫為帝釋　亦復曾為大梵王
供養十力大慈尊　彼之數量難窮盡
我昔聞經隨喜善　所有福聚量難知
由斯福故證菩提　獲得法身真妙智
尒時大衆聞是說已　歎未曾有皆願奉持
金光明經流通不絕

BD01387號　金光明最勝王經卷九　（5–1）

供養十力大慈尊　彼之數量難窮盡
我昔聞經隨喜善　所有福聚量難知
由斯福故證菩提　獲得法身真妙智
尒時大衆聞是說已　歎未曾有皆願奉持
金光明經流通不絕
金光明最勝王經諸天藥叉護持品第廿二
尒時世尊告大吉祥天女曰若有淨信善男
子善女人欲於過去未來現在諸佛以不可
思議廣大微妙供養之具而為奉獻及欲解
了三世諸佛甚深行處是人應當決定至心
隨是經王所在之處城邑聚落或山澤中廣
為衆生敷演流布其聽法者應除亂想攝耳
用心世尊即為彼天及諸大衆說伽他曰
若欲於諸佛　不思議供養　復了諸如來　甚深境界者
若見演說此　最勝金光明　應親詣彼方　至其所住處
此經難思議　能生諸功德　无邊大苦海　解脫諸有情
我觀此經王　初中後皆善　甚深不可測　譬喻无能比
假使恒河沙　大地塵海水　虛空諸山石　无能喻少分
欲入深法界　應先聽是經　法性之制底　甚深善安住
於斯制底內　見我牟尼尊　悅意妙音聲　演說斯經典
由此俱胝劫　數量難思議　生在人天中　常受勝妙樂
若聽是經者　應作如是心　我得不思議　无邊功德蘊
假使大火聚　滿百踰繕那　為聽此經王　直過无辭苦
既至彼住處　得聞如是經　能滅於罪業　及除諸惡夢
惡星諸變怪　蠱道邪魅等　得聞是經時　諸惡皆捨離
應嚴勝高座　淨妙若蓮花　法師處其上　猶如大龍坐
於斯安坐已　說此甚深經　書寫及誦持　并為解[illegible]義

BD01387號　金光明最勝王經卷九　（5–2）

[illegible]

假使大火聚　滿百踰繕那　為聽此經王　直過无辭苦
既至彼住處　得聞如是經　能滅於罪業　及除諸惡夢
惡星諸變怪　蠱道邪魅等　得聞是經時　諸惡皆捨離
應嚴勝高座　淨妙若蓮花　法師處其上　猶如大龍坐
於斯安坐已　說此甚深經　書寫及誦持　并為解其義
法師捨此座　往詣餘方所　於此高座中　神通非一相
或見法師像　猶在高座上　或時見世尊　及以諸菩薩
或作普賢像　或如妙吉祥　或見慈氏尊　身處於高座
或見希奇相　及以諸天像　暫得覩容儀　忽然還不現
成就諸吉祥　所作皆隨意　功德悉圓滿　世尊如是說
最勝有名稱　能滅諸煩惱　他國賊皆除　戰時常得勝
惡夢悉皆无　及消諸毒害　所作三業罪　經力能除滅
於此贍部洲　名稱咸充滿　所有諸怨結　悉皆相捨離
設有怨敵至　聞名便退散　不假動兵戈　兩陣生歡喜
梵王帝釋主　護世四天王　及金剛藥叉　正了知大將
无熱池龍王　及以娑揭羅　緊那羅樂神　蘇羅金翅王
大辯才天女　并大吉祥天　斯等上首天　各領諸天眾
常供養諸佛　法寶不思議　恒生歡喜心　於經起恭敬
斯等諸天眾　皆悉共思惟　遍觀修福者　共作如是說
應觀此有情　咸是大福德　善根精進力　當來生我天
為聽甚深經　敬心來至此　供養法制底　尊重正法故
憐愍於眾生　而作大饒益　於此深經典　能為法寶器
入此法門者　能入於法性　於此金光明　至心應聽受
是人曾供養　无量百千佛　由彼諸善根　得聞此經典
如是諸天主　天女大辯才　并彼吉祥天　及以四王眾
无數藥叉眾　勇猛有神通　各於其四方　常來相擁護
日月天帝釋　風水火諸神　吠率怒大有　閻羅辯才等

是人曾供養　无量百千佛　由彼諸善根　得聞此經典
如是諸天主　天女大辯才　并彼吉祥天　及以四王眾
无數藥叉眾　勇猛有神通　各於其四方　常來相擁護
日月天帝釋　風水火諸神　吠率怒大有　閻羅辯才等
一切諸護世　勇猛具威神　擁護持經者　晝夜常不離
大力藥叉王　那羅延自在　正了知為首　二十八藥叉
餘藥叉百千　神通有大力　恒於恐怖處　常來護此人
金剛藥叉王　并五百眷屬　諸大菩薩眾　常來護此人
寶王藥叉王　及以滿賢王　曠野金毗羅　賓度羅黃色
此等藥叉王　各五百眷屬　見聽此經者　皆來共擁護
彩軍健闥婆　華王常戰勝　珠頸及青頸　并勃里沙王
大最勝大黑　蘇跋拏雞舍　半之迦羊足　及以大婆伽
小渠并護法　及以獼猴王　針毛及日友　寶髮皆來護
大渠諸狗羅　旃檀欲中勝　舍羅及雪山　及以娑多山
皆有大神通　雄猛具大力　見持此經者　皆來相擁護
阿那婆答多　及以娑揭羅　目真醫羅葉　難陀小難陀
於百千龍中　神通具威德　共護持經人　晝夜常不離
婆稚羅睺羅　毗摩質多羅　母首苫跋羅　大有及歡喜
及餘蘇羅王　并无數天眾　大力有勇健　皆來護是人
訶利底母神　五百藥叉眾　於彼人睡覺　常來相擁護
旃荼旃荼利　藥叉旃稚女　昆富拘吒齒　吸眾生精氣
如是諸神眾　大力有神通　常護持經者　晝夜恒不離
上首辯才天　无量諸天女　吉祥天為首　并餘諸眷屬
此大地神女　果實園林神　樹神江河神　制底諸神等
如是諸天神　心生大歡喜　彼皆來擁護　讀誦此經人
見有持經者　增壽命色力　威光及福德　妙相以莊嚴
星宿現災變　困厄當此人　夢見惡徵祥　皆悉令除滅

皆有大神通　雄猛具大力　見持此經者　皆來相擁護
阿那婆答多　及以娑揭羅　目真鄰陀龍　難陀小難陀
於百千龍中　神通具威德　共護持經人　晝夜常不離
婆稚羅睺羅　毗摩質多羅　母首昔跋羅　大肩及歡喜
及餘蘇羅王　并无數天衆　大力有勇健　皆來護是人
訶利底母神　五百藥叉衆　於彼人睡覺　常來相擁護
旃荼旃荼利　藥叉旃稚女　昆帝拘吒齒　吸衆生精氣
如是諸神衆　大力有神通　常護持經者　晝夜恒不離
上首辯才天　无量諸天女　吉祥天為首　并餘諸眷屬
此大地神女　果實園林神　樹神江河神　制底諸神等
如是諸天神　心生大歡喜　彼皆來擁護　讀誦此經人
見有持經者　增壽命色力　威光及福德　妙相以莊嚴
星宿現災變　困厄當此人　夢見惡徵祥　皆悉令除滅
此大地神女　堅固有威勢　由此經力故　法味常充足
地肥若流下　過百踰繕那　地神令味上　滋潤於大地
此地厚六萬　八千踰繕那　乃至金剛際　地味皆令上
由聽此經王　獲大功德蘊　能使諸天衆　悉蒙其利益
復令諸天衆　威力有光明　歡喜常安樂　捨離於衰相
於此南洲內　林果苗稼神　由此經威力　心常得歡喜
苗實皆成就　處處有妙花　果實並滋繁　充滿於大地
所有諸果樹　及以衆園林　悉皆生妙花　香氣常芬馥
衆草諸樹木　咸出微妙花　及生甘美果　隨處皆充遍
於此瞻部洲　无量諸龍女　心生大歡喜　皆共入池中

BD01387 號　金光明最勝王經卷九　（5–5）

說人身長大則為非大身是名大身
須菩提菩薩亦如是若作是言我當滅度无
量衆生則不名菩薩何以故須菩提實无
有法名為菩薩是故佛說一切法无我无人
无衆生无壽者須菩提若菩薩作是言我
當莊嚴佛土是不名菩薩何以故如來說莊
嚴佛土者即非莊嚴是名莊嚴須菩提若
菩薩通達无我法者如來說名真是菩薩
須菩提於意云何如來有肉眼不如是世尊
如來有肉眼須菩提於意云何如來有天眼
不如是世尊如來有天眼須菩提於意云何
如來有慧眼不如是世尊如來有慧眼須菩
提於意云何如來有法眼不如是世尊如來
有法眼須菩提於意云何如來有佛眼不如
是世尊如來有佛眼須菩提於意云何如恒
河中所有沙佛說是沙不如是世尊如來說
是沙須菩提於意云何如一恒河中所有沙
有如是等恒河是諸恒河所有沙數佛世界
如是寧為多不甚多世尊佛告須菩提尒
所國土中所有衆生若干種心如來悉知何
以故如來說諸心皆為非心是名為心所以者
何須菩提過去心不可得現在心不可得未

BD01388 號　金剛般若波羅蜜經　（5–1）

是沙須菩提於意云何如一恒河中所有沙
有如是等恒河是諸恒河所有沙數佛世界
如是寧為多不甚多世尊佛告須菩提尒
所國土中所有衆生若干種心如來悉知何
以故如來說諸心皆為非心是名為心所以者
何須菩提過去心不可得現在心不可得未
來心不可得須菩提於意云何若有人滿三
千大千世界七寶以用布施是人以是因緣
得福多不如是世尊此人以是因緣得福甚
多須菩提若福德有實如來不說得福德
多以福德无故如來說得福德多
須菩提於意云何佛可以具足色身見不不
也世尊如來不應以具足色身見何以故如
來說具足色身即非具足色身是名具足色
身須菩提於意云何如來可以具足諸相見
不不也世尊如來不應以具足諸相見何以
故如來說諸相具足即非具足是名諸相具
足須菩提汝勿謂如來作是念我當有所說
法莫作是念何以故若人言如來有所說法
即為謗佛不能解我所說故須菩提說法
者无法可說是名說法
須菩提白佛言世尊佛得阿耨多羅三藐三
菩提為无所得耶如是如是須菩提我於阿
耨多羅三藐三菩提乃至无有少法可得是
名阿耨多羅三藐三菩提復次須菩提是法
平等无有高下是名阿耨多羅三藐三菩提
以无我无人无衆生无壽者脩一切善法則

BD01388號　金剛般若波羅蜜經　（5–2）

耨多羅三藐三菩提乃至无有少法可得是
名阿耨多羅三藐三菩提復次須菩提是法
平等无有高下是名阿耨多羅三藐三菩提
以无我无人无衆生无壽者脩一切善法則
得阿耨多羅三藐三菩提須菩提所言善
法者如來說非善法是名善法
須菩提若三千大千世界中所有諸須弥山
王如是等七寶聚有人持用布施若人以此般
若波羅蜜經乃至四句偈等受持讀誦為
他人說於前福德百分不及一百千万億分
乃至筭數譬喻所不能及
須菩提於意云何汝等勿謂如來作是念我
當度衆生須菩提莫作是念何以故實无
有衆生如來度者若有衆生如來度者如來
則有我人衆生壽者須菩提如來說有我者
則非有我而凡夫之人以為有我須菩提凡
夫者如來說則非凡夫
須菩提於意云何可以卅二相觀如來不須
菩提言如是如是以卅二相觀如來佛言須菩
提若以卅二相觀如來者轉輪聖王則是如
來須菩提白佛言世尊如我解佛所說義
不應以卅二相觀如來尒時世尊而說偈言
若以色見我以音聲求我是人行邪道不能見如來
須菩提汝若作是念如來不以具足相故得
阿耨多羅三藐三菩提須菩提莫作是念如
來不以具足相故得阿耨多羅三藐三菩提
須菩提汝若作是念發阿耨多羅三藐三菩

BD01388號　金剛般若波羅蜜經　（5–3）

若以色見我 以音聲求我 是人行邪道 不能見如來
須菩提汝若作是念如來不以具足相故得
阿耨多羅三藐三菩提須菩提莫作是念如
來不以具足相故得阿耨多羅三藐三菩提
須菩提汝若作是念發阿耨多羅三藐三菩
提者說諸法斷滅莫作是念何以故發阿耨
多羅三藐三菩提者於法不說斷滅相須菩
提若菩薩以滿恒河沙等世界七寶布施若
復有人知一切法无我得成於忍此菩薩勝前
菩薩所得功德須菩提以諸菩薩不受福
德故須菩提白佛言世尊云何菩薩不受福
德須菩提菩薩所作福德不應貪著是故
說不受福德
須菩提若有人言如來若來若去若坐若卧
是人不解我所說義何以故如來者无所從
來亦无所去故名如來
須菩提若善男子善女人以三千大千世界
碎為微塵於意云何是微塵衆寧為多不
甚多世尊何以故若是微塵衆實有者佛
則不說是微塵衆所以者何佛說微塵則
非微塵衆是名微塵衆世尊如來所說三
千大千世界則非世界是名世界何以故若世
界實有者則是一合相如來說一合相則非
一合相是名一合相須菩提一合相者則是
不可說但凡夫之人貪著其事須菩提若人
言佛說我見人見衆生見壽者見須菩提

BD01388號　金剛般若波羅蜜經　（5–4）

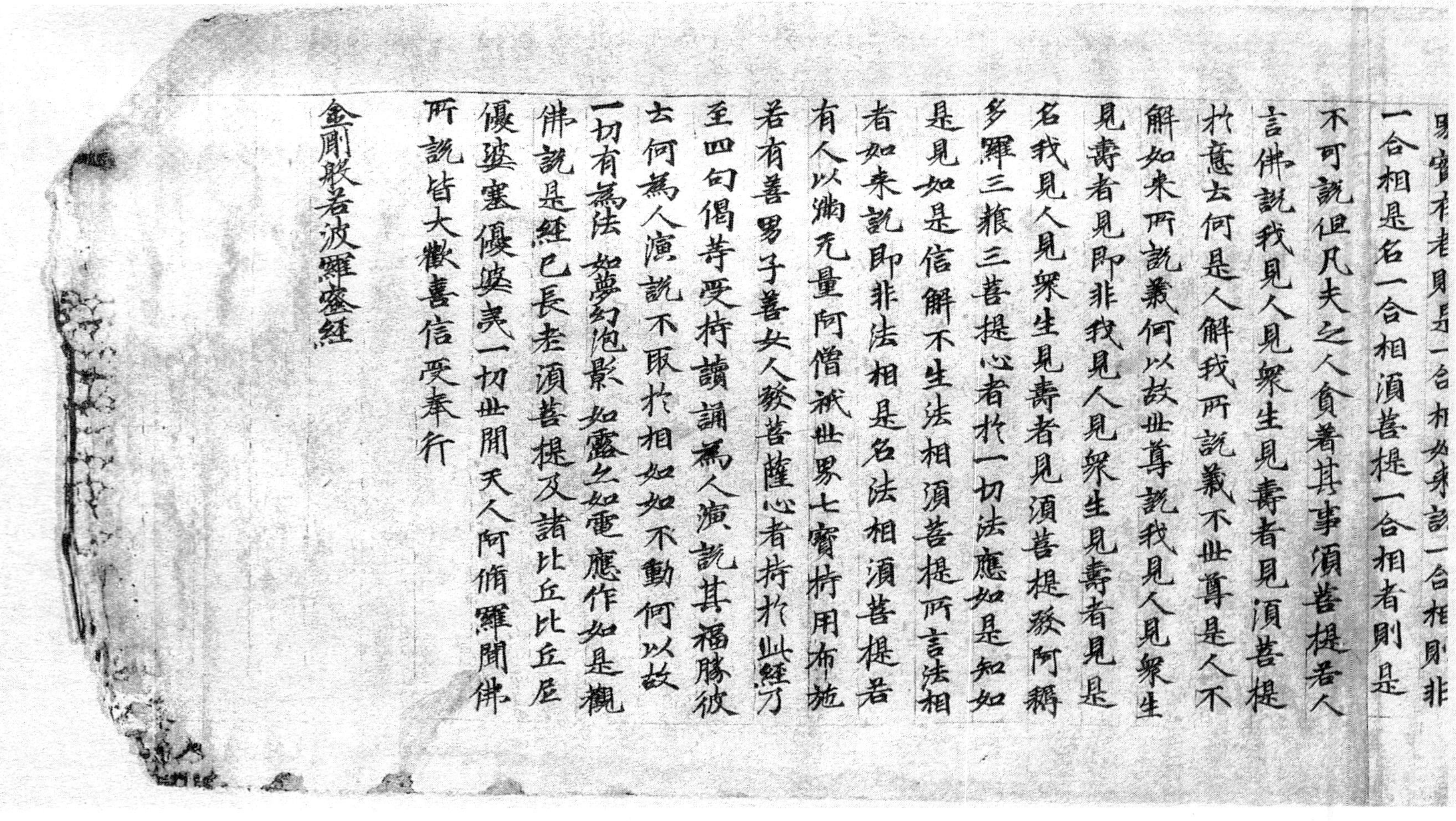
界實有者則是一合相如來說一合相則非
一合相是名一合相須菩提一合相者則是
不可說但凡夫之人貪著其事須菩提若人
言佛說我見人見衆生見壽者見須菩提
於意云何是人解我所說義不世尊是人不
解如來所說義何以故世尊說我見人見衆生
見壽者見即非我見人見衆生見壽者見是
名我見人見衆生見壽者見須菩提發阿耨
多羅三藐三菩提心者於一切法應如是知如
是見如是信解不生法相須菩提所言法相
者如來說即非法相是名法相須菩提若
有人以滿无量阿僧祇世界七寶持用布施
若有善男子善女人發菩薩心者持於此經乃
至四句偈等受持讀誦為人演說其福勝彼
云何為人演說不取於相如如不動何以故
一切有為法 如夢幻泡影 如露亦如電 應作如是觀
佛說是經已長老須菩提及諸比丘比丘尼
優婆塞優婆夷一切世間天人阿脩羅聞佛
所說皆大歡喜信受奉行
金剛般若波羅蜜經

BD01388號　金剛般若波羅蜜經　（5–5）

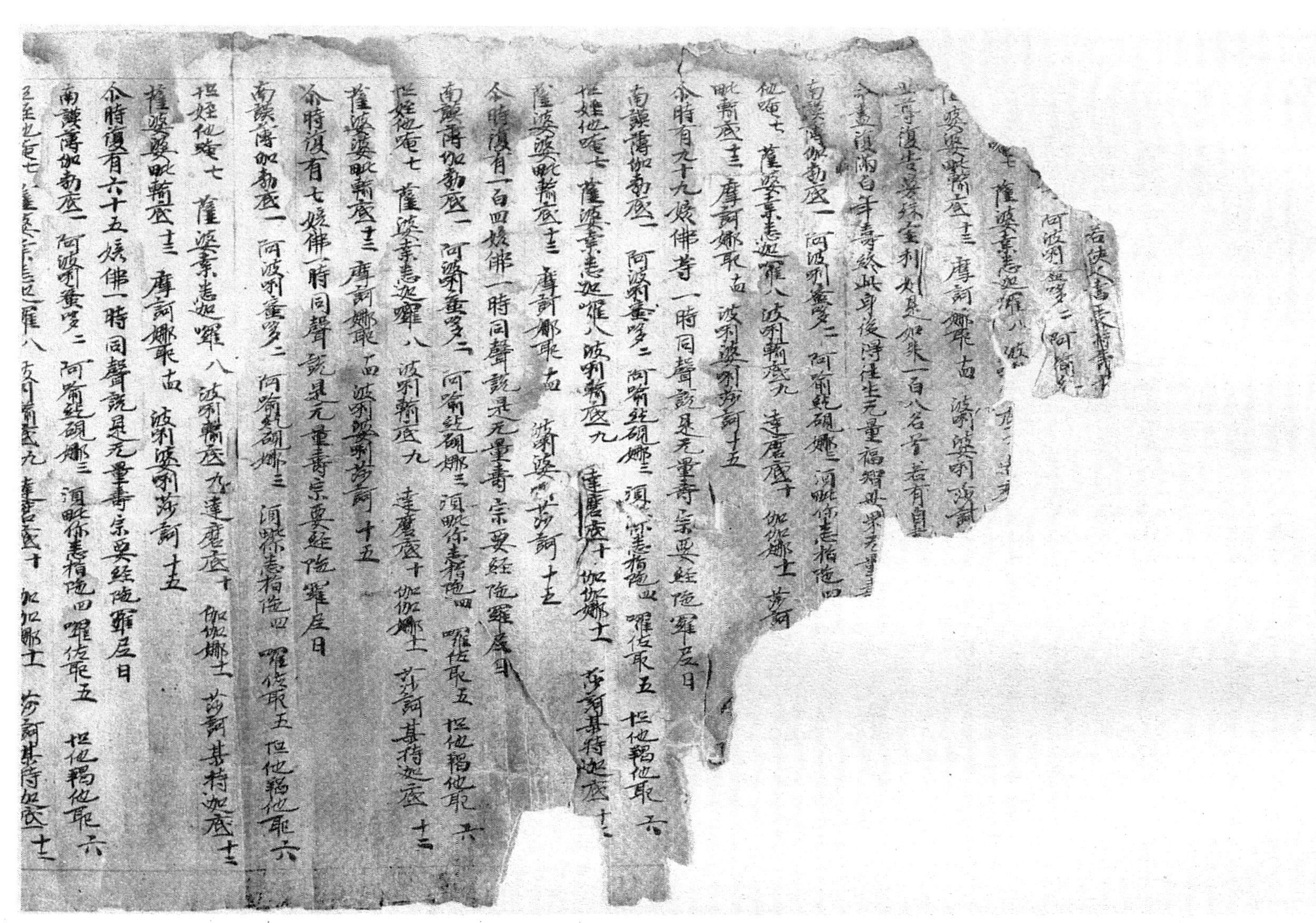

若使人書……
阿波唎蜜多二 阿喻……
……唵七 薩婆桑悉迦囉八 波……
薩婆婆毗輸底十三 摩訶娜耶十四 波唎婆唎莎訶
……壽復生……如是如來一百八名號若有自書
命盡復滿百年壽終此身後得往生无量福智世界无量壽……
南謨薄伽勃底一 阿波唎蜜多二 阿喻紇硯娜三 須毗你悉指陀四
他唵七 薩婆桑悉迦囉八 波唎輸底九 達磨底十 伽伽娜十一 莎訶
毗輸底十三 摩訶娜耶十四 波唎婆唎莎訶十五
尒時有九十九殑佛等一時同聲說是无量壽宗要經陀羅尼曰
南謨薄伽勃底一 阿波唎蜜多二 阿喻紇硯娜三 須毗你悉指陀四 囉佐耶五 怛他羯他耶六
怛姪他唵七 薩婆桑悉迦囉八 波唎輸底九 達磨底十 伽伽娜十一 莎訶其持迦底十二
薩婆婆毗輸底十三 摩訶娜耶十四 波唎婆唎莎訶十五
尒時復有一百四殑佛一時同聲說是无量壽宗要經陀羅尼曰
南謨薄伽勃底一 阿波唎蜜多二 阿喻紇硯娜三 須毗你悉指陀四 囉佐耶五 怛他羯他耶六
怛姪他唵七 薩婆桑悉迦囉八 波唎輸底九 達磨底十 伽伽娜十一 莎訶其持迦底十二
薩婆婆毗輸底十三 摩訶娜耶十四 波唎婆唎莎訶十五
尒時復有七殑佛一時同聲說是无量壽宗要經陀羅尼曰
南謨薄伽勃底一 阿波唎蜜多二 阿喻紇硯娜三 須毗你悉指陀四 囉佐耶五 怛他羯他耶六
怛姪他唵七 薩婆桑悉迦囉八 波唎輸底九 達磨底十 伽伽娜十一 莎訶其持迦底十二
薩婆婆毗輸底十三 摩訶娜耶十四 波唎婆唎莎訶十五
尒時復有六十五殑佛一時同聲說是无量壽宗要經陀羅尼曰
南謨薄伽勃底一 阿波唎蜜多二 阿喻紇硯娜三 須毗你悉指陀四 囉佐耶五 怛他羯他耶六
怛姪他唵七 薩婆桑悉迦囉八 波唎輸底九 達磨底十 伽伽娜十一 莎訶其持迦底十二

BD01389號　無量壽宗要經　（6–1）

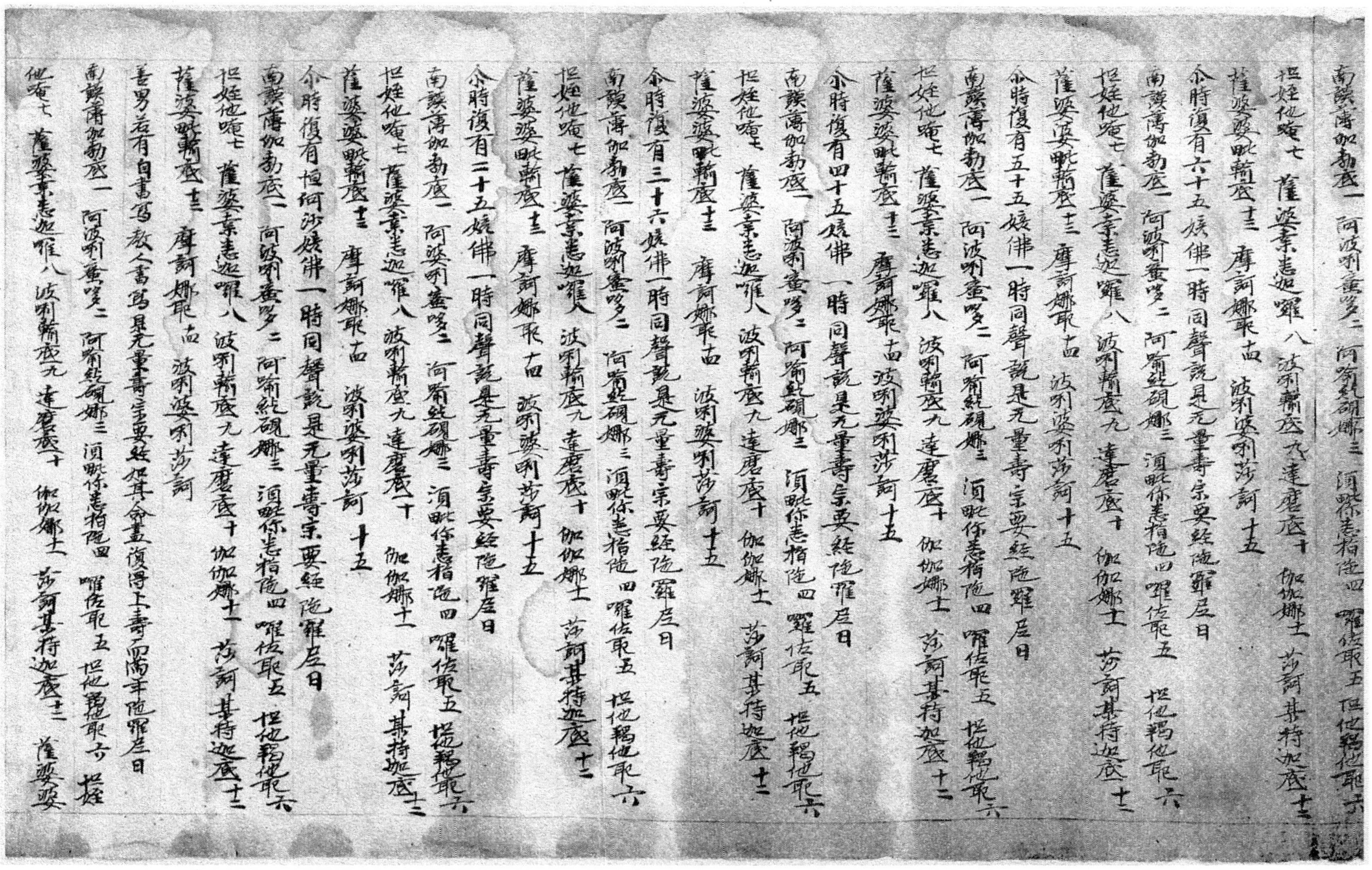

南謨薄伽勃底一 阿波唎蜜多二 阿喻紇硯娜三 須毗你悉指陀四 囉佐耶五 怛他羯他耶六
怛姪他唵七 薩婆桑悉迦囉八 波唎輸底九 達磨底十 伽伽娜十一 莎訶其持迦底十二
薩婆婆毗輸底十三 摩訶娜耶十四 波唎婆唎莎訶十五
尒時復有六十五殑佛一時同聲說是无量壽宗要經陀羅尼曰
南謨薄伽勃底一 阿波唎蜜多二 阿喻紇硯娜三 須毗你悉指陀四 囉佐耶五 怛他羯他耶六
怛姪他唵七 薩婆桑悉迦囉八 波唎輸底九 達磨底十 伽伽娜十一 莎訶其持迦底十二
薩婆婆毗輸底十三 摩訶娜耶十四 波唎婆唎莎訶十五
尒時復有五十五殑佛一時同聲說是无量壽宗要經陀羅尼曰
南謨薄伽勃底一 阿波唎蜜多二 阿喻紇硯娜三 須毗你悉指陀四 囉佐耶五 怛他羯他耶六
怛姪他唵七 薩婆桑悉迦囉八 波唎輸底九 達磨底十 伽伽娜十一 莎訶其持迦底十二
薩婆婆毗輸底十三 摩訶娜耶十四 波唎婆唎莎訶十五
尒時復有四十五殑佛一時同聲說是无量壽宗要經陀羅尼曰
南謨薄伽勃底一 阿波唎蜜多二 阿喻紇硯娜三 須毗你悉指陀四 囉佐耶五 怛他羯他耶六
怛姪他唵七 薩婆桑悉迦囉八 波唎輸底九 達磨底十 伽伽娜十一 莎訶其持迦底十二
薩婆婆毗輸底十三 摩訶娜耶十四 波唎婆唎莎訶十五
尒時復有三十六殑佛一時同聲說是无量壽宗要經陀羅尼曰
南謨薄伽勃底一 阿波唎蜜多二 阿喻紇硯娜三 須毗你悉指陀四 囉佐耶五 怛他羯他耶六
怛姪他唵七 薩婆桑悉迦囉八 波唎輸底九 達磨底十 伽伽娜十一 莎訶其持迦底十二
薩婆婆毗輸底十三 摩訶娜耶十四 波唎婆唎莎訶十五
尒時復有二十五殑佛一時同聲說是无量壽宗要經陀羅尼曰
南謨薄伽勃底一 阿波唎蜜多二 阿喻紇硯娜三 須毗你悉指陀四 囉佐耶五 怛他羯他耶六
怛姪他唵七 薩婆桑悉迦囉八 波唎輸底九 達磨底十 伽伽娜十一 莎訶其持迦底十二
薩婆婆毗輸底十三 摩訶娜耶十四 波唎婆唎莎訶十五
尒時復有恒河沙殑佛一時同聲說是无量壽宗要經陀羅尼曰
南謨薄伽勃底一 阿波唎蜜多二 阿喻紇硯娜三 須毗你悉指陀四 囉佐耶五 怛他羯他耶六
怛姪他唵七 薩婆桑悉迦囉八 波唎輸底九 達磨底十 伽伽娜十一 莎訶其持迦底十二
薩婆婆毗輸底十三 摩訶娜耶十四 波唎婆唎莎訶
善男子若有自書寫教人書寫是无量壽宗要經得壽命盡復得上壽滿百年陀羅尼曰
南謨薄伽勃底一 阿波唎蜜多二 阿喻紇硯娜三 須毗你悉指陀四 囉佐耶五 怛他羯他耶六 怛姪
他唵七 薩婆桑悉迦囉八 波唎輸底九 達磨底十 伽伽娜十一 莎訶其持迦底十二 薩婆婆

BD01389號　無量壽宗要經　（6–2）

南謨薄伽勃底一 阿波唎蜜哆二 阿喻紇硯娜三 須毗你志指陁四 囉佐耶五 怛他羯他耶六
怛姪他唵七 薩婆桑悉迦囉八 波唎輸底九 達磨底十 伽伽娜十一 莎訶某持迦底十二
薩婆婆毗輸底十三 摩訶娜耶十四 波唎婆唎莎訶
善男若有自書寫教人書寫是无量壽宗要經如其命盡復得上壽而滿百年陁羅尼曰
南謨薄伽勃底一 阿波唎蜜哆二 阿喻紇硯娜三 須毗你志指陁四 囉佐耶五 怛他羯他耶六 怛姪
他唵七 薩婆桑悉迦囉八 波唎輸底九 達磨底十 伽伽娜十一 莎訶某持迦底十二 薩婆婆
毗輸底十三 摩訶娜耶十四 波唎婆唎莎訶十五
若有自書寫教人書寫是无量壽宗要經受持讀誦畢竟不墮地獄在在所生得宿命智
陁羅尼曰
南謨薄伽勃底一 阿波唎蜜哆二 阿喻紇硯娜三 須毗你志指陁四 囉佐耶五 怛他羯他耶六
怛姪他唵七 薩婆桑悉迦羅八 波唎輸底九 達磨底十 伽伽娜十一 莎訶某持迦底十二
薩婆婆毗輸底十三 摩訶娜耶十四 波唎婆唎莎訶十五
若有自書寫教人書寫是无量壽宗要經受持讀誦如自書寫八万四千一切藏陁羅尼曰
南謨薄伽勃底一 阿波唎蜜哆二 阿喻紇硯娜三 須毗你志指陁四 囉佐耶五 怛他羯他耶六
怛姪他唵七 薩婆桑悉迦囉八 波唎輸底九 達磨底十 伽伽娜十一 莎訶某持迦底十二
薩婆婆毗輸底十三 摩訶娜耶十四 波唎婆唎莎訶十五
若有自書寫教人書寫是无量壽宗要經即是書寫八万四千部建立塔廟陁羅尼曰
南謨薄伽勃底一 阿波唎蜜哆二 阿喻紇硯娜三 須毗你志指陁四 囉佐耶五 怛他羯他耶六
怛姪他唵七 薩婆桑悉迦囉八 波唎輸底九 達磨底十 伽伽娜十一 莎訶某持迦底十二
薩婆婆毗輸底十三 摩訶娜耶十四 波唎婆唎莎訶十五
若有自書寫教人書寫是无量壽宗要經能消五无間等一切重罪陁羅尼曰
南謨薄伽勃底一 阿波唎蜜哆二 阿喻紇硯娜三 須毗你志指陁四 囉佐耶五 怛他羯他耶六
怛姪他唵七 薩婆桑悉迦囉八 波唎輸底九 達磨底十 伽伽娜十一 莎訶某持迦底十二 薩
婆婆毗輸底十三 摩訶娜耶十四 波唎婆唎莎訶十五
若有自書寫教人書寫是无量壽宗要經受持讀誦設有重罪猶如須弥盡能除
滅陁羅尼曰
南謨薄伽勃底一 阿波唎蜜哆二 阿喻紇硯娜三 須毗你志指陁四 囉佐耶五 怛他羯他耶六
怛姪他唵七 薩婆桑悉迦囉八 波唎輸底九 達磨底十 伽伽娜十一 莎訶某持迦底十二
薩婆婆毗輸底十三 摩訶娜耶十四 波唎婆唎莎訶十五
若有自書寫教人書寫是无量壽宗要經受持讀誦若魔魔之眷屬夜叉羅刹不

BD01389 號　無量壽宗要經　（6–3）

若有自書寫教人書寫是无量壽宗要經受持讀誦設有重罪猶如須弥盡能除
滅陁羅尼曰
南謨薄伽勃底一 阿波唎蜜哆二 阿喻紇硯娜三 須毗你志指陁四 囉佐耶五 怛他羯他耶六
怛姪他唵七 薩婆桑悉迦囉八 波唎輸底九 達磨底十 伽伽娜十一 莎訶某持迦底十二
薩婆婆毗輸底十三 摩訶娜耶十四 波唎婆唎莎訶十五
若有自書寫教人書寫是无量壽宗要經受持讀誦若魔魔之眷屬夜叉羅刹不
得其便終无枉死陁羅尼曰
南謨薄伽勃底一 阿波唎蜜哆二 阿喻紇硯娜三 須毗你志指陁四 囉佐耶五 怛他羯他耶六 怛
姪他唵七 薩婆桑悉迦囉八 波唎輸底九 達磨底十 伽伽娜十一 莎訶某持迦底十二
薩婆婆毗輸底十三 摩訶娜耶十四 波唎婆唎莎訶十五
若有自書寫教人書寫是无量壽宗要經受持讀誦當命終時有九十九姟佛現其人
前乘千佛授手能遊一切佛刹莫於此經生於疑惑陁羅尼曰
南謨薄伽勃底一 阿波唎蜜哆二 阿喻紇硯娜三 須毗你志指陁四 囉佐耶五 怛他羯他耶六
怛姪他唵七 薩婆桑悉迦囉八 波唎輸底九 達磨底十 伽伽娜十一 莎訶某持迦底十二
薩婆婆毗輸底十三 摩訶娜耶十四 波唎婆唎莎訶十五
若有自書寫教人書寫是无量壽宗要經受持讀誦常得四天大王隨其衛護陁羅尼曰
南謨薄伽勃底一 阿波唎蜜哆二 阿喻紇硯娜三 須毗你志指陁四 囉佐耶五 怛他羯他耶六
怛姪他唵七 薩婆桑悉迦囉八 波唎輸底九 達磨底十 伽伽娜十一 莎訶某持迦底十二
薩婆婆毗輸底十三 摩訶娜耶十四 波唎婆唎莎訶十五
若有自書寫是无量壽宗要經受持讀誦當得往生西方極樂世界阿弥陁淨土陁羅尼曰
南謨薄伽勃底一 阿波唎蜜哆二 阿喻紇硯娜三 須毗你志指陁四 囉佐耶五 怛他羯他耶六
怛姪他唵七 薩婆桑悉迦囉八 波唎輸底九 達磨底十 伽伽娜十一 莎訶某持迦底十二
薩婆婆毗輸底十三 摩訶娜耶十四 波唎婆唎莎訶十五
若有方所自書使人書寫是无量壽經典之處則為是塔皆應恭敬作禮若是畜生或
為鳥獸得聞是經如是等類皆當不久得成一切種智陁羅尼曰
南謨薄伽勃底一 阿波唎蜜哆二 阿喻紇硯娜三 須毗你志指陁四 囉佐耶五 怛他羯他耶六
怛姪他唵七 薩婆桑悉迦囉八 波唎輸底九 達磨底十 伽伽娜十一 莎訶某持迦底十二
薩婆婆毗輸底十三 摩訶娜耶十四 波唎婆唎莎訶十五
有若於是无量壽經自書寫若使人書畢竟不受女人之身陁羅尼曰
南謨薄伽勃底一 阿波唎蜜哆二 阿喻紇硯娜三 須毗你志指陁四 囉佐耶五 怛他羯他耶六
怛姪他唵七 薩婆桑悉迦羅八 波唎輸底九 達磨底十 伽伽娜十一 莎訶某持迦底十二 薩

BD01389 號　無量壽宗要經　（6–4）

怛姪他唵七 薩婆桑悉迦囉八 波唎輸底九 達磨底十 伽伽娜十一 莎訶甚持迦底十二
薩婆婆毗輸底十三 摩訶娜耶十四 波唎婆唎莎訶十五
有若於是无量壽經自書寫若使人書畢竟不受女人之身陀羅尼曰
南謨薄伽勃底一 阿波唎蜜哆二 阿喻紇硯娜三 須毗你悉指陀四 囉佐耶五 怛他羯他耶六
怛姪他唵七 薩婆桑悉迦囉八 波唎輸底九 達磨底十 伽伽娜十一 莎訶甚持迦底十二 薩
婆婆毗輸底十三 摩訶娜耶十四 波唎波唎莎訶十五
若有能於是經少分能惠施者昔於三千大千世界滿中七寶布施陀羅尼曰
南謨薄伽勃底一 阿波唎蜜哆二 阿喻紇硯娜三 須毗你悉指陀四 囉佐耶五 怛他羯他耶六
怛姪他唵七 薩婆桑悉迦囉八 波唎輸底九 達磨底十 伽伽娜十一 莎訶甚持迦底十二
薩婆婆毗輸底十三 摩訶娜耶十四 波唎婆唎莎訶十五
若有能供養是經者如供養一切諸經等无有異陀羅尼曰
南謨薄伽勃底一 阿波唎蜜哆二 阿喻紇硯娜三 須毗你悉指陀四 囉佐耶五 怛他羯他耶六
怛姪他唵七 薩婆桑悉迦囉八 波唎輸底九 達磨底十 伽伽娜十一 莎訶甚持迦底十二 薩婆婆
毗輸底十三 摩訶娜耶十四 波唎婆唎莎訶十五
如是毗婆尸佛 尸弃佛 毗舍浮佛 俱留孫佛 俱那含牟尼佛 迦葉佛 釋迦牟尼佛
若有人以七寶供養 如是七佛其福有限量 書寫受持是无量壽經典所有功德不可
限量陀羅尼曰
南謨薄伽勃底一 阿波唎蜜哆二 阿喻紇硯娜三 須毗你悉指陀四 囉佐耶五 怛他羯他耶六
怛姪他唵七 薩婆桑悉迦囉八 波唎輸底九 達磨底十 伽伽娜十一 莎訶甚持迦底十二 薩
婆婆毗輸底十三 摩訶娜耶十四 波唎婆唎莎訶十五
若有七寶等於須彌以用布施其福上能知其限量是无量壽經典其福不可知數
陀羅尼曰
南謨薄伽勃底一 阿波唎蜜哆二 阿喻紇硯娜三 須毗你悉指陀四 囉佐耶五 怛他羯他耶六
怛他姪唵七 薩婆桑悉迦囉八 波唎輸底九 達磨底十 伽伽娜十一 莎訶甚持迦底十二
薩婆婆毗輸底十三 摩訶娜耶十四 波唎婆唎莎訶十五
如是四大海水可知滴數是无量壽經典所生果報不可數量陀羅尼曰
南謨薄伽勃底一 阿波唎蜜哆二 阿喻紇硯娜三 須毗你悉指陀四 囉佐耶五 怛他羯他耶六
怛姪他唵七 薩婆桑悉迦囉八 波唎輸底九 達磨底十 伽伽娜十一 莎訶甚持迦底十二 薩
婆婆毗輸底十三 摩訶娜耶十四 波唎婆唎莎訶十五
若有自書寫使人書寫是无量壽經典又能讀持供養即如恭敬供養一切十方佛土如

怛姪他唵七 薩婆桑悉迦囉八 波唎輸底九 達磨底十 伽伽娜十一 莎訶甚持迦底十二 薩
婆婆毗輸底十三 摩訶娜耶十四 波唎婆唎莎訶十五
若有七寶等於須彌以用布施其福上能知其限量是无量壽經典其福不可知數
陀羅尼曰
南謨薄伽勃底一 阿波唎蜜哆二 阿喻紇硯娜三 須毗你悉指陀四 囉佐耶五 怛他羯他耶六
怛他姪唵七 薩婆桑悉迦囉八 波唎輸底九 達磨底十 伽伽娜十一 莎訶甚持迦底十二
薩婆婆毗輸底十三 摩訶娜耶十四 波唎婆唎莎訶十五
如是四大海水可知滴數是无量壽經典所生果報不可數量陀羅尼曰
南謨薄伽勃底一 阿波唎蜜哆二 阿喻紇硯娜三 須毗你悉指陀四 囉佐耶五 怛他羯他耶六
怛姪他唵七 薩婆桑悉迦囉八 波唎輸底九 達磨底十 伽伽娜十一 莎訶甚持迦底十二 薩
婆婆毗輸底十三 摩訶娜耶十四 波唎婆唎莎訶十五
若有自書寫使人書寫是无量壽經典又能讀持供養即如恭敬供養一切十方佛土如
來无有異別陀羅尼曰
南謨薄伽勃底一 阿波唎蜜哆二 阿須阿硯娜三 須毗你悉指陀四 囉佐耶五 怛他羯他耶六
怛姪他唵七 薩婆桑悉迦囉八 波唎輸底九 達磨底十 伽伽娜十一 莎訶甚持迦底十二
薩婆婆毗輸底十三 摩訶娜耶十四 波唎婆唎莎訶
布施力能成正覺 悟布施力人師子 布施力能聲普聞 慈悲階漸眾能入
持戒力能成正覺 悟持戒力人師子 持戒力能聲普聞 慈悲階漸眾能入
忍辱力能成正覺 悟忍辱力人師子 忍辱力能聲普聞 慈悲階漸眾能入
精進力能成正覺 悟精進力人師子 精進力能聲普聞 慈悲階漸眾能入
禪定力能成正覺 悟禪定力人師子 禪定力能聲普聞 慈悲階漸眾能入
智慧力能成正覺 悟智慧力人師子 智慧力能聲普聞 慈悲階漸眾能入
尒時如來說是經已一切世間天人阿脩羅揵闥婆等聞佛所說[illegible]
受奉行
佛說无量壽宗要經

婆美天龍夜叉乾闥婆阿脩羅迦樓羅緊那
羅摩睺羅伽人非人及諸小王轉輪聖王等
是諸大衆得未曾有歡喜合掌一心觀佛尒
時如来放眉間白豪相光照東方万八千佛
土靡不周遍如今所見是諸佛土弥勒當知
尒時會中有二十億菩薩樂欲聽法是諸菩
薩見此光明普照佛土得未曾有欲知此光
所為因緣時有菩薩名曰妙光有八百弟子
是時日月燈明佛從三昧起因妙光菩薩說
大乘經名妙法蓮華教菩薩法佛所護念六
十小劫不起于坐時會聽者亦坐一處六十
小劫身心不動聽佛所說謂如食頃是時衆
中无有一人若身若心而生懈惓日月燈明
佛於六十小劫說是經已即於梵魔沙門婆
羅門及天人阿脩羅衆中而宣此言如来於
今日中夜當入无餘涅槃時有菩薩名曰德
藏日月燈明佛即授其記告諸比丘是德藏
菩薩次當作佛号曰淨身多陁阿伽度阿羅
呵三藐三佛陁佛授記已便於中夜入无餘
涅槃佛滅度後妙光菩薩持妙法蓮華經滿
八十小劫為人演說日月燈明佛八子皆師
妙光妙光教化令其堅固阿耨多羅三藐三

BD01390號　妙法蓮華經卷一　（5–1）

菩薩次當作佛号曰淨身多陁阿伽度阿羅
呵三藐三佛陁佛授記已便於中夜入无餘
涅槃佛滅度後妙光菩薩持妙法蓮華經滿
八十小劫為人演說日月燈明佛八子皆師
妙光妙光教化令其堅固阿耨多羅三藐三
菩提是諸王子供養无量百千万億佛已皆
成佛道其最後成佛者名曰然燈八百弟子
中有一人号曰求名貪著利養雖復讀誦衆
經而不通利多所忘失故号求名是人亦以
種諸善根因緣故得值无量百千万億諸佛
供養恭敬尊重讚歎弥勒當知尒時妙光菩
薩豈異人乎我身是也求名菩薩汝身是也
今見此瑞與本无異是故惟忖今日如来當
說大乘經名妙法蓮華教菩薩法佛所護念
尒時文殊師利於大衆中欲重宣此義而說
偈言
我念過去世　无量无數劫　有佛人中尊　号日月燈明
世尊演說法　度无量衆生　无數億菩薩　令入佛智慧
佛未出家時　所生八王子　見大聖出家　亦隨脩梵行
時佛說大乘　經名无量義　於諸大衆中　而為廣分別
佛說此經已　即於法坐上　跏趺坐三昧　名无量義處
天雨曼陁華　天鼓自然鳴　諸天龍鬼神　供養人中尊
一切諸佛土　即時大震動　佛放眉間光　現諸希有事
此光照東方　万八千佛土　示一切衆生　生死業報處
又見諸佛土　以衆寶莊嚴　琉璃頗梨色　斯由佛光照

BD01390號　妙法蓮華經卷一　（5–2）

佛說此經已　即於法座上　跏趺坐三昧　名无量義處
天雨曼陁華　天鼓自然鳴　諸天龍鬼神　供養人中尊
一切諸佛土　即時大震動　佛放眉間光　現諸希有事
此光照東方　万八千佛土　示一切衆生　生死業報處
又見諸佛土　以衆寶莊嚴　琉璃頗梨色　斯由佛光照
及見諸天人　龍神夜叉衆　乾闥婆緊那羅　各供養其佛
又見諸如來　自然成佛道　身色如金山　端嚴甚微妙
如淨琉璃中　内現真金像　世尊在大衆　敷演深法義
一一諸佛土　聲聞衆无數　因佛光所照　悉見彼大衆
或有諸比丘　在於山林中　精進持淨戒　猶如護明珠
又見諸菩薩　行施忍辱等　其數如恒沙　斯由佛光照
又見諸菩薩　深入諸禪定　身心寂不動　以求无上道
又見諸菩薩　知法寂滅相　各於其國土　說法求佛道
尒時四部衆　見日月燈佛　現大神通力　其心皆歡喜
各各自相問　是事何因緣　天人所奉尊　適從三昧起
讚妙光菩薩　汝為世間眼　一切所歸信　能奉持法藏
如我所說法　唯汝能證知　世尊既讚歎　令妙光歡喜
說是法華經　滿六十小劫　不起於此坐　所說上妙法
是妙光法師　悉皆能受持　佛說是法華　令衆歡喜已
尋即於是日　告於天人衆　諸法實相義　已為汝等說
我今於中夜　當入於涅槃　汝一心精進　當離於放逸
諸佛甚難值　億劫時一遇　世尊諸子等　聞佛入涅槃
各各懷悲惱　佛滅一何速　聖主法之王　安慰无量衆
我若滅度時　汝等勿憂怖　是德藏菩薩　於无漏實相
心已得通達　其次當作佛　号曰為淨身　亦度无量衆

BD01390號　妙法蓮華經卷一　（5–3）

諸佛甚難值　億劫時一遇　世尊諸子等　聞佛入涅槃
各各懷悲惱　佛滅一何速　聖主法之王　安慰无量衆
我若滅度時　汝等勿憂怖　是德藏菩薩　於无漏實相
心已得通達　其次當作佛　号曰為淨身　亦度无量衆
佛此夜滅度　如薪盡火滅　分布諸舍利　而起无量塔
比丘比丘尼　其數如恒沙　倍復加精進　以求无上道
是妙光法師　奉持佛法藏　八十小劫中　廣宣法華經
是諸八王子　妙光所開化　堅固无上道　當見无數佛
供養諸佛已　隨順行大道　相繼得成佛　轉次而授記
最後天中天　号曰燃燈佛　諸仙之導師　度脫无量衆
是妙光法師　時有一弟子　心常懷懈怠　貪著於名利
求名利无厭　多遊族姓家　棄捨所習誦　廢忘不通利
以是因緣故　号之為求名　亦行衆善業　得見无數佛
供養於諸佛　隨順行大道　具六波羅蜜　今見釋師子
其後當作佛　号名曰弥勒　廣度諸衆生　其數无有量
彼佛滅度後　懈怠者汝是　妙光法師者　今則我身是
我見燈明佛　本光瑞如此　以是知今佛　欲說法華經
今相如本瑞　是諸佛方便　今佛放光明　助發實相義
諸人今當知　合掌一心待　佛當雨法雨　充足求道者
諸求三乘人　若有疑悔者　佛當為除斷　令盡无有餘

妙法蓮華經方便品第二

尒時世尊從三昧安詳而起告舍利弗諸佛
智慧甚深无量其智慧門難解難入一切聲
聞辟支佛所不能知所以者何佛曾親近百
千万億无數諸佛盡行諸佛无量道法勇猛
精進名稱普聞成就甚深未曾有法隨宜所

BD01390號　妙法蓮華經卷一　（5–4）

今相如本瑞　是諸佛方便　今佛放光明　助發實相義
諸人今當知　合掌一心待　佛當雨法雨　充足求道者
諸求三乘人　若有疑悔者　佛當為除斷　令盡无有餘
妙法蓮華經方便品第二
尒時世尊從三昧安詳而起告舍利弗諸佛
智慧甚深无量其智慧門難解難入一切聲
聞辟支佛所不能知所以者何佛曽親近百
千万億无數諸佛盡行諸佛无量道法勇猛
精進名稱普聞成就甚深未曽有法隨宜所

BD01390號　妙法蓮華經卷一　（5–5）

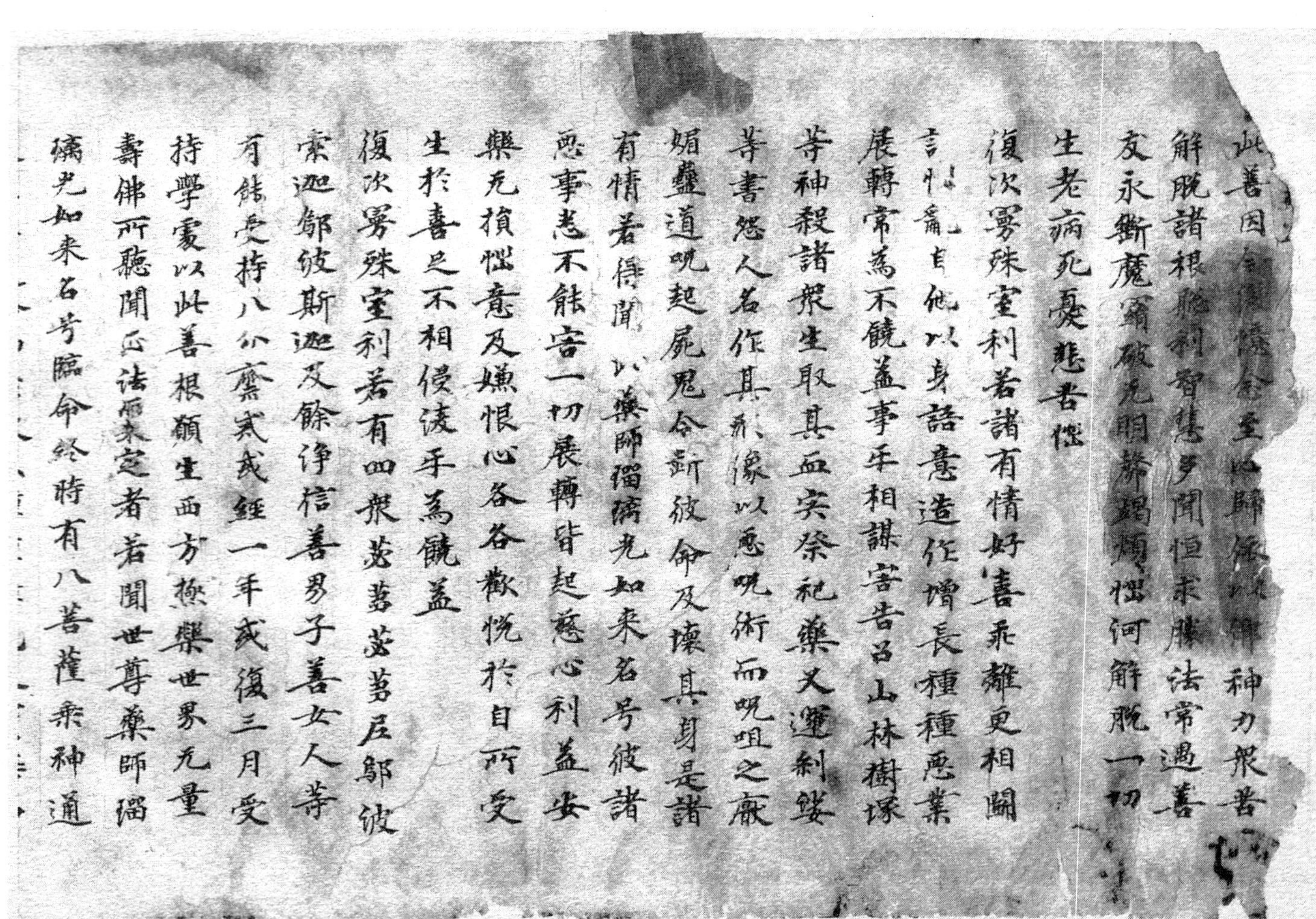
此善因今復憶念至心歸依以佛神力衆苦
解脫諸根聰利智慧多聞恒求勝法常遇善
友永斷魔羂破无明㲉竭煩惱河解脫一切
生老病死憂悲苦惱
復次曼殊室利若諸有情好憙乖離更相鬭
訟惱亂自他以身語意造作增長種種惡業
展轉常為不饒益事互相謀害告召山林樹塚
等神殺諸衆生取其血肉祭祀藥叉羅剎婆
等書怨人名作其形像以惡呪術而呪詛之厭
媚蠱道呪起屍鬼令斷彼命及壞其身是諸
有情若得聞此藥師琉璃光如來名號彼諸
惡事悉不能害一切展轉皆起慈心利益安
樂无損惱意及嫌恨心各各歡悅於自所受
生於喜足不相侵淩互為饒益
復次曼殊室利若有四衆苾芻苾芻尼鄔波
索迦鄔波斯迦及餘淨信善男子善女人等
有能受持八分齋戒或經一年或復三月受
持學處以此善根願生西方極樂世界无量
壽佛所聽聞正法而未定者若聞世尊藥師琉
璃光如來名號臨命終時有八菩薩乘神通

BD01391號　藥師琉璃光如來本願功德經　（4–1）

有能受持八分齋戒或經一年或復三月受
持學處以此善根願生西方極樂世界无量
壽佛所聽聞正法而未定者若聞世尊藥師瑠
璃光如来名号臨命終時有八菩薩乘神通
来示其道路即於彼界種種雜色衆寶華中
自然化生或　因此生於天上雖生天中而本
善根亦未窮盡不復更生諸餘惡趣天上壽
盡還生人間或為輪王統攝四洲威德自在
安立无量百千有情於十善道或生剎帝利
婆羅門居士大家多饒財寶倉庫盈溢形相
端嚴眷屬具足聰明智慧勇健威猛如大力
士若是女人得聞世尊藥師瑠璃光如来名
号至心受持於後不復更受女身
尒時曼殊室利童子白佛言世尊我當誓於
像法轉時以種種方便令諸淨信善男子善
女人等得聞世尊藥師琉璃光如来名号乃
至睡中亦以佛名覺悟其耳世尊若於此經
受持讀誦或復為他演說開示若自書若使
人書恭敬尊重以種種華香塗香末香燒香
花鬘瓔珞幡蓋伎樂而為供養以五色綵作
囊盛之掃灑淨處敷設高座而用安處尒時
　王與其眷屬及餘无量百千天衆皆
詣其所供養守護世尊若此經寶流行之處
有能受持以彼世尊藥師瑠璃光如来本願功
德及聞名号當知是處无復橫死亦復不為

BD01391號　藥師琉璃光如來本願功德經　（4–2）

　王與其眷屬及餘无量百千天衆皆
詣其所供養守護世尊若此經寶流行之處
有能受持以彼世尊藥師瑠璃光如来本願功
德及聞名号當知是處无復橫死亦復不為
諸惡鬼神奪其精氣設已奪者還得如故身
心安樂
佛告曼殊室利如是如是如汝所說曼殊室
利若有淨信善男子善女人等欲供養彼世
尊藥師瑠璃光如来者應先造立彼佛形像
敷清淨座而安處之散種種花燒種種香以
種種幢幡莊嚴其處七日七夜受八分齋戒
食清淨食澡浴香潔著新淨衣應生无垢濁
心无怒害心於一切有情起利益安樂慈悲
喜捨平等之心鼓樂歌讚右遶佛像復應念
彼如来本願功德讀誦此經思惟其義演說
開示隨所樂願一切皆遂求長壽得長壽求
富饒得富饒求官位得官位求男女得男女
若復有人忽得惡夢見諸惡相或恠鳥來集
或於住處百恠出現此人若以衆妙資具恭
敬供養彼世尊藥師瑠璃光如来者惡夢惡
相諸不吉祥皆悉隱沒不能為患或有水火
刀毒懸嶮惡象師子虎狼熊羆毒蛇惡蠍蜈
蚣蚰蜒蚊虻等怖若能至心憶念彼佛恭敬
供養一切怖畏皆得解脫若他國侵擾盜賊
反亂憶念恭敬彼如来者亦皆解脫

BD01391號　藥師琉璃光如來本願功德經　（4–3）

刀毒懸嶮惡象師子虎狼熊羆毒蛇惡蝎蜈
蚣蚰蜒蚊䖟等怖若能至心憶念彼佛恭敬
供養一切怖畏皆得解脫若他國侵擾盜賊
反亂憶念恭敬彼如來者亦皆解脫
復次曼殊室利若有淨信善男子善女人等
乃至盡形不事餘天唯當一心歸佛法僧受
持禁戒若五戒十戒菩薩四百戒苾芻二百
五十戒苾芻尼五百戒於所受中或有毀犯怖
墮惡趣若能專念彼佛名号恭敬供養者必
定不受三惡趣生或有女人臨當產時受於
極苦若能至心稱名禮讚恭敬供養彼如來
者衆苦皆除所生之子身分具足形色端正
見者歡喜利根聰明安隱少病无有非人奪
其精氣
尒時世尊告阿難言如我稱揚彼佛世尊藥
師瑠璃光如來所有功德此是諸佛甚深行
處難可解了汝為信不阿難白言大德世尊
我於如來所說契經不生疑惑所以者何一切
如來身語意業无不清淨世尊此日月輪可令
墮落妙高山王可使傾動諸佛所言无有異

BD01391號　藥師琉璃光如來本願功德經　（4–4）

旺滅業鄣
止方則入於
身毛孔放大光明無量[illegible]
刹土悉現光中十方恒河沙校量辟
惟反五濁惡世為光所照是諸衆生作
業五无間罪誹謗三寶不孝尊親師長
婆羅門衆應墮地獄餓鬼傍生函
至所住處是諸有情見斯光已因光力皆得
安樂端正姝妙色相具足福智莊嚴得見諸
佛是時帝釋一切天衆及恒河女神并諸大
衆蒙光希有皆至佛所右遶三匝退坐一面
尒時天帝釋承佛威力即從座起偏袒右肩
右膝著地合掌向佛而白佛言世尊云何善
男子善女人願求阿耨多羅三藐三菩提脩
行大乘攝受一切邪倒有情曾所造作業障
罪者云何懺悔當得除滅
佛告天帝釋善哉善哉善男子汝今脩行
欲為无量无邊衆生令得清淨解脫安樂怜
愍世間福利一切若有衆生由業障故造諸罪
者應當策勵晝夜六時偏袒右肩右膝著地
合掌恭敬一心專念口自說言歸命頂礼現在

BD01392號　金光明最勝王經卷三　（16–1）

欲為无量无邊衆生令得清淨解脫安樂故
愍世間福利一切若有衆生由業障故造諸罪
者應當晝夜六時偏袒右肩右膝著地
合掌恭敬一心專念口自說言歸命頂禮現在
十方一切諸佛已得阿耨多羅三藐三菩提者
轉妙法輪持照法輪雨大法雨擊大法鼓吹大
法螺建大法幢秉大法炬為欲利益安樂諸
衆生故常行法施誘進群迷令得大果證常
樂故如是等諸佛世尊以身語意稽首歸誠
至心禮敬彼諸世尊以真實慧以真實眼
真實證明真實平等悉知悉見一切衆生
善惡之業我從无始生死以來隨惡流轉
共諸衆生造業障罪為貪瞋癡之所纏縛未
識佛時未識法時未識僧時未識善惡
由身語意造无間罪惡心出佛身血誹謗
正法破和合僧殺阿羅漢殺父害母身三語四
意三種行造十惡業自作教他見作隨喜
於諸善人橫生毀謗斗秤欺誑以偽為真
不淨飲食施與一切於六道中所有父母更相
惱害或盜窣堵波物四方僧物現前僧物自
在而用世尊法律不樂奉行師長教示不相
隨順見行聲聞獨覺大乘行者喜生罵辱
令諸行人心生悔惱見有勝己便懷嫉妒法施
財施常生慳惜无明所覆邪見惑心不修善因
令惡增長於諸佛所而起誹謗法說非法非
法說法如是衆罪佛以真實慧真實眼真

令諸行人心生悔惱見有勝己便懷嫉妒法施
財施常生慳惜无明所覆邪見惑心不修善因
令惡增長於諸佛所而起誹謗法說非法非
法說法如是衆罪佛以真實慧真實眼真
實證明真實平等悉知悉見我今歸命對諸
佛前皆悉發露不敢覆藏未作之罪更不復
作已作之罪今皆懺悔所作業障應墮惡道地
獄傍生餓鬼之中阿蘇羅衆及八難處願我此
生所有業障皆得消滅所有惡報未來不受
亦如過去諸大菩薩修菩提行所有業障悉
已懺悔我之業障今亦懺悔皆悉發露不敢
覆藏已作之罪願得除滅未來之惡更不敢
造亦如未來諸大菩薩脩菩提行所有業障
悉皆懺悔我之業障今亦懺悔咸悉發露不
敢覆藏已作之罪願得除滅未來之惡更不
敢造亦如現在十方世界諸大菩薩修菩提
行所有業障悉亦懺悔我之業障今亦懺悔
皆悉發露不敢覆藏已作之罪願得除滅
未來之惡更不敢造
善男子以是因緣若有造罪一剎那中不得
覆藏何況一日一夜乃至多時若有犯罪欲
求清淨心懷慚愧耻信於未來必有惡報生大
恐怖應如是懺如人被火燒頭燒衣救令速
滅火若未滅心不得安若人犯罪亦復如是
即應懺悔令速除滅若有願生富樂之家多

[illegible]一日一夜乃至多時若有犯罪欲
求清淨心懷慚愧恥信於未來必有惡報生大
恐怖應如是懺如人被火燒頭燒衣救令速
滅火若未滅心不得安若人犯罪亦復如是
即應懺悔令速除滅若有願生富樂之家多
饒財寶復欲發意修習大乘亦應懺悔滅除
業障欲生豪貴婆羅門種剎帝利家及轉輪
王七寶具足亦應懺悔滅除業鄣
善男子若有欲生四天王眾三十三天夜摩
天覩史多天樂變化天他化自在天亦應懺悔
滅除業障若欲生梵眾梵輔大梵天少光
无量光極光淨天少淨无量淨遍淨天无雲
福生廣果无煩无熱善現天善見色究竟天
亦應懺悔滅除業障若欲求預流果一來
果不還果阿羅漢果亦應懺悔滅除業障若
欲願三明六通聲聞獨覺自在菩提至究竟
地求一切智智淨智不思議智不動智三藐
三菩提正遍智者亦應懺悔滅除業障何
以故善男子一切諸法從因緣生如來所說
異相生異相滅因緣異故如是過去諸法皆
已滅盡所有業障无復遺餘是諸行法未得
現生而今得生未來業障更不復起何以故
善男子一切法空如來所說无有我人眾生
壽者亦无生滅亦无行法善男子一切諸法
皆依於本亦不可說何以故過一切相故若
有善男子善女人如是入於微妙真理生信

BD01392號　金光明最勝王經卷三　(16–4)

善男子一切法空如來所說无有我人眾生
壽者亦无生滅亦无行法善男子一切諸法
皆依於本亦不可說何以故過一切相故若
有善男子善女人如是入於微妙真理生信
敬心是名无眾生而有於本以是義故說
於懺悔滅除業障
善男子若人成就四法能除業障永得清淨
云何為四一者不起邪心正念成就二者於甚
深理不生誹謗三者於初行菩薩起一切智
心四者於諸眾生起慈无量是謂為四尒時
世尊而說頌曰
專心護三業　不誹謗深法　作一切智想　慈心淨業障
善男子有四業障難可滅除云何為四一者於
菩薩律儀犯極重惡二者於大乘經心生誹
謗三者於自善根不能增長四者貪著三有
无出離心復有四種對治業障云何為四一者
於十方世界一切如來至心親近說一切罪二
者為一切眾生勸請諸佛說深妙法三
者隨喜一切眾生所有功德四者所有一切功
德善根悉皆迴向阿耨多羅三藐三菩提尒
時天帝釋白佛言世尊世間所有男子女人
於大乘行有能行者有不行者云何能得
隨喜一切眾生功德善根佛言善男子若有
眾生雖於大乘未能修習然於晝夜六時
偏袒右肩右膝著地合掌恭敬一心專念作
隨喜時得福无量應作是言十方世界一切

BD01392號　金光明最勝王經卷三　(16–5)

隨喜一切衆生功德善根佛言善男子若有
衆生雖於大乘未能脩習然於晝夜六時
偏袒右肩右膝著地合掌恭敬一心專念作
隨喜時得福无量應作是言十方世界一切
衆生現在脩行施戒心慧我今皆悉深生隨
喜由作如是隨喜福故必當穫得尊重殊勝
无上无等㝡妙之果如是過去未來一切衆
生所有善根皆悉隨喜又於現在初行菩薩
發菩提心所有功德過百大劫行菩薩行有
大功德穫无生忍至不退輪一生補處如是
一切功德之蘊皆悉至心隨喜讚歎過去未
來一切菩薩所有功德隨喜讚歎亦復如是
復於現在十方世界一切諸佛應正遍知證妙
菩提為度无邊諸衆生故轉无上法輪行
无礙法施擊法鼓吹法螺建法幢雨法雨哀
愍勸化一切衆生咸令信受皆蒙法施悉得
充足无盡安樂又復所有菩薩聲聞獨覺
功德積集善根若有衆生未具如是諸功德
者悉令具足我皆隨喜如是過去未來諸
佛菩薩聲聞獨覺所有功德亦皆至心隨喜
讚歎善男子如是隨喜當得无量功德之聚
如恒河沙三千大千世界所有衆生皆斷煩惱
成阿羅漢若有善男子善女人盡其形壽
常以上妙衣服飲食臥具醫藥而為供養如
是功德不及如前隨喜功德千分之一何以

BD01392 號　金光明最勝王經卷三　（16–6）

成阿羅漢若有善男子善女人盡其形壽
常以上妙衣服飲食臥具醫藥而為供養如
是功德不及如前隨喜功德千分之一何以
故供養功德有數有量不攝一切諸功德故
隨喜功德无量无數能攝三世一切功德是故
若人欲求增長勝善根者應脩如是隨喜功
德若有女人願轉女身為男子者亦應脩習
隨喜功德必得隨心現成男子尒時天帝釋白
佛言世尊已知隨喜功德勸請功德唯願為
說欲令未來一切菩薩當轉法輪現在菩薩正
脩行故佛告帝釋若有善男子善女人願求
阿耨多羅三藐三菩提者應當脩行聲聞獨
覺大乘之道是人當於晝夜六時如前威儀
一心專念作如是言我今歸依十方一切諸佛
世尊已得阿耨多羅三藐三菩提未轉无上法
輪欲捨報身入涅槃者我皆至誠頂礼勸請
轉大法輪雨大法雨燃大法燈照明理趣施
无㝵法莫般涅槃久住於世度脫安樂一切
衆生如前所說乃至无盡安樂我今以此勸
請功德迴向阿耨多羅三藐三菩提如過去
未來現在諸大菩薩勸請功德迴向菩提我
亦如是勸請功德迴向无上正等菩提善男
子假使有人以三千大千世界中七寶供養
如來若復有人勸請如來轉大法輪所得功
德其福勝彼何以故彼是財施此是法施善
男子且置三千大千世界七寶布施若人以

BD01392 號　金光明最勝王經卷三　（16–7）

子假使有人以三千大千世界中七寶供養
如來若復有人勸請如來轉大法輪所得功
德其福勝彼何以故彼是財施此是法施善
男子且置三千大千世界七寶布施若人以
滿恒河沙數大千世界七寶供養一切諸佛
勸請功德亦勝於彼由其法施有五勝利云
何為五一者法施兼利自他財施不尒二者
法施能令衆生出於三界財施之福不出欲
界三者法施能淨法身財施但唯增長於色
四者法施无窮財施有盡五者法施能斷无
明財施唯伏貪愛是故善男子勸請功德无
量无邊難可譬喻如我昔菩薩道時勸請
諸佛轉大法輪由彼善根是故今日一切帝
釋諸梵王等勸請於我轉大法輪善男子
請轉法輪為欲度脫安樂諸衆生故我於
往昔為菩提行勸請如來久住於世莫般涅
槃依此善根我得十力四无所畏四无礙
辯大慈大悲證得无數不共之法我當入於
无餘涅槃我之正法久住於世我法身者清
淨无比種種妙相无量智慧无量自在无量
功德難可思議一切衆生皆蒙利益百千万
劫說不能盡法身攝藏一切諸法一切諸法不
攝法身法身常住不墮常見雖復斷滅亦非斷
見能破衆生種種異見能生衆生種種真見
能解一切衆生之縛无縛可解能植衆生諸
善根本未成熟者令成熟已成熟者令解

攝法身法身常住不墮常見雖復斷滅亦非斷
見能破衆生種種異見能生衆生種種真見
能解一切衆生之縛无縛可解能植衆生諸
善根本未成熟者令成熟已成熟者令解
脫无作无動遠離諠鬧寂靜无為自在安樂
過於三世能現三世出於聲聞獨覺之境諸
大菩薩之所脩行一切如來體无有異此等皆
由勸請功德善根力故如是法身我今已得
是故若有欲得阿耨多羅三藐三菩提者於
諸經中一句一頌為人解說功德善根尚无
限量何況勸請如來轉大法輪久住於世莫
般涅槃
時天帝釋復白佛言世尊若善男子善女人
為求阿耨多羅三藐三菩提故脩三乘道所
有善根云何迴向一切智佛告天帝善男子
若有衆生欲求菩提脩三乘道所有善根
願迴向者當於晝夜六時慇重至心作如是
說我從无始生死以來於三寶所脩行成就
所有善根乃至施與傍生一搏之食或以善
言和解諍訟或受三歸及諸學處或復懺悔
勸請隨喜所有善根我今作意悉皆攝取迴
施一切衆生无悔悋心是解脫分善根所攝
如佛世尊之所知見不可稱量无㝵清淨如
是所有功德善根悉以迴施一切衆生不住相
心不捨相心我亦如是功德善根悉以迴施
一切衆生願皆獲得如意之手撝空出寶

如佛世尊之所知見不可稱量无㝵清淨如
是所有功德善根悉以迴施一切眾生不住相
心不捨相心我亦如是功德善根悉以迴施
一切眾生願皆獲得如意之手擊虛出寶
滿眾生願富樂无盡智慧无窮妙法辯才悉
皆无滯共諸眾生同證阿耨多羅三藐三菩
提得一切智因此善根更復出生无量善法
亦皆迴向无上菩提又如過去諸大菩薩修
行之時功德善根悉皆迴向一切種智現在
未來亦復如是然我所有功德善根亦皆迴
向阿耨多羅三藐三菩提是諸善根願共一
切眾生俱成正覺如餘諸佛坐於道場菩提
樹下不可思議无礙清淨住於无盡法藏陁
羅尼首楞嚴定破魔波旬无量兵眾應見
覺知應可通達如是一切一剎那中悉皆照
了於後夜中獲甘露法證甘露義我及眾生
願皆同證如是妙覺猶如
无量壽佛　勝光佛　妙光佛　阿閦佛
功德善光佛　師子光明佛　百光明佛　網光明佛
寶相佛　寶炎佛　焰明佛　焰盛光明佛
吉祥上王佛　微妙聲佛　妙莊嚴佛　法幢佛
上勝身佛　可愛色身佛　光明遍照佛　梵淨王佛
上性佛
如是等如來應正遍知過去未來及以現在
亦現應化得阿耨多羅三藐三菩提轉无上
法輪為度眾生我亦如是廣說如上

上勝身佛　可愛色身佛　光明遍照佛　梵淨王佛
上性佛
如是等如來應正遍知過去未來及以現在
亦現應化得阿耨多羅三藐三菩提轉无上
法輪為度眾生我亦如是廣說如上
善男子若有淨信男子女人於此金光明最勝
經王滅業障品受持讀誦憶念不忘為他廣
說得无量无邊大功德聚譬如三千大千世
界所有眾生一時皆得成就人身得人身已
成獨覺道若有男子女人盡其形壽恭敬
尊重四事供養一一獨覺各施七寶如須彌山
此諸獨覺入涅槃後皆以珎寶起塔供養其
塔高廣十二踰繕那以諸花香寶幢幡蓋常
為供養善男子於意云何是人所獲功德寧
為多不天帝釋言甚多世尊善男子若復有
人於此金光明微妙經典眾經之王滅業障品
受持讀誦憶念不忘為他廣說所獲功德於
前所說供養功德百分不及一百千万億分
乃至校量譬喻所不能及何以故是善男子
善女人住正行中勸請十方一切諸佛轉无上
法輪皆為諸佛歡喜讚歎善男子如我所
說一切施中法施為勝是故善男子於三寶所
設諸供養不可為比勸受三歸持一切戒无
有毀犯三業不空不可為比一切世界一切眾
生隨力隨能隨所願樂於三乘中勸發菩提
心不可為比於三世中一切世界所有眾生皆

説諸供養不可爲比勸受三歸持一切戒无
有毀犯三業不空不可爲比一切世界一切衆
生隨力隨能隨所願樂於三乘中勸發菩提
心不可爲比於三世中一切世界所有衆生皆
得无礙速令成就无量功德不可爲比三世刹
土一切衆生令无障礙得三菩提不可爲比
三世刹土一切衆生勸令速出四惡道苦不
可爲比三世刹土一切衆生勸令除滅極重
惡業不可爲比一切苦惱令解脫不可爲比一
切怖畏苦惱逼切皆令得解不可爲比三世
佛前一切衆生所有功德勸令隨喜發菩提
願不可爲比勸除惡行罵辱之業一切功德
皆願成就所在生中勸請供養尊重讚歎一
切三寶勸請衆生淨修福行成滿菩提不可
爲比是故當知勸請一切世界三寶勸請滿
足六波羅蜜勸請轉於无上法輪勸請住世
經无量劫演說无量甚深妙法功德甚深无
能比者
尒時天帝釋及恒河女神无量梵王四大天衆
從座而起偏袒右肩右膝著地合掌頂礼
白佛言世尊我等皆得聞是金光明最勝王
經今悉受持讀誦通利爲他廣說依此法住
何以故世尊我等欲求阿耨多羅三藐三菩
提隨順此義種種勝相如法行故尒時梵王
及天帝釋等於說法處皆以種種曼陀羅花
而散佛上三千大千世界地皆大動一切天鼓

BD01392號　金光明最勝王經卷三　（16–12）

何以故世尊我等欲求阿耨多羅三藐三菩
提隨順此義種種勝相如法行故尒時梵王
及天帝釋等於說法處皆以種種曼陀羅花
而散佛上三千大千世界地皆大動一切天鼓
及諸音樂不鼓自鳴放金色光遍世界出妙
音聲時天帝釋白佛言世尊此等皆是金
光明經威神之力慈悲普被種種利益種種
增長菩薩善根滅諸業障佛言如是如是如
汝所說何以故善男子我念往昔過无量百
千阿僧祇劫有佛名寶王大光照如來應正
遍知出現於世住世六百八十億劫尒時寶王
大光照如來爲欲度脫人天釋梵沙門婆羅
門一切衆生令安樂故當出現時初會說
法度百千億億万衆皆得阿羅漢果諸漏已
盡三明六通自在无㝵於第二會復度九十千
億億万衆皆得阿羅漢果諸漏已盡三明
六通自在无礙於第三會復度九十八千千
億万衆皆得阿羅漢果圓滿如上
善男子我於尒時作女人身名福寶光明於
第三會親近世尊受持讀誦是金光明經爲
他廣說求阿耨多羅三藐三菩提故時彼世
尊爲我授記此福寶光明女於未來世當得
作佛号釋迦牟尼如來應正遍知明行足善
逝世間解无上士調御丈夫天人師佛世尊捨
女人身後後是以來越四惡道生人天中受上

BD01392號　金光明最勝王經卷三　（16–13）

尊為我授記此福寶光明女於未來世當得
作佛号釋迦牟尼如來應正遍知明行足善
逝世間解无上士調御丈夫天人師佛世尊捨
女人身後後是以来越四惡道生人天中受上
妙樂八十四百千生作轉輪王至于今日得成正
覺名稱普聞遍滿世界時會大衆忽然皆見
寶王大光照如來轉无上法輪說微妙法善
男子去此索訶世界東方過百千恒河沙數
佛土有世界名寶莊嚴其寶王大光照如來
今現在彼未般涅槃說微妙法廣化羣生汝
等見者即是彼佛
善男子若有善男子善女人聞是寶王大光
照如來名号者於菩薩地得不退轉至大涅
槃若有女人聞是佛名者臨命終時得見彼
佛來至其所即見佛已究竟不復更受女身
善男子是金光明微妙經典種種利益種種
增長菩薩善根滅諸業障善男子若有苾
芻苾芻尼鄔波索迦鄔波斯迦隨在何處為
人講說是金光明微妙經典於其國土皆獲四
種福利善根云何為四一者國王无病離諸災
厄二者壽命長遠无有障礙三者无諸怨敵兵
衆勇健四者安隱豐樂正法流通何以故如是
人王常為釋梵四王藥叉之衆共守護故
尒時世尊告天衆曰善男子是事實不是時
无量釋梵四王及藥叉衆俱時同聲荅世尊言
如是如是若有國土講宣讀誦此妙經王是

BD01392號　金光明最勝王經卷三　（16–14）

人王常為釋梵四王藥叉之衆共守護故
尒時世尊告天衆曰善男子是事實不是時
无量釋梵四王及藥叉衆俱時同聲荅世尊言
如是如是若有國土講宣讀誦此妙經王是
諸國王我等四王常來擁護行住共俱其
王若有一切災障及諸怨敵我等四王皆使消
殄憂愁疾疫亦令除差增益壽命感應禎
祥所願隨心恒生歡喜我等亦能令其國中
所有軍兵悉皆勇健佛言善哉善哉善男子
如汝所說汝當修行何以故是諸國王如法行
時一切人民隨王修習如法行者汝等皆蒙
色力勝利宮殿光明眷屬強盛時釋梵等
白佛言如是世尊佛言若有講讀此妙經典
流通之處於其國中大臣輔相有四種利益
云何為四一者更相親穆尊重愛念二者常
為人王心所愛重亦為沙門婆羅門大國小
國之所遵敬三者輕財重法不求世利嘉名
普暨衆所欽仰四者壽命延長安隱快樂是
名四益若有國土宣說是經沙門婆羅門得
四種勝利云何為四一者衣服飲食卧具醫藥
无所乏少二者皆得安心思惟讀誦三者依
於山林得安樂住四者隨心所願皆得滿足
是名四種勝利若有國土宣說是經一切人
民皆得豐樂无諸疾病商估往還多獲寶
貨具足勝福是名種種功德利益
尒時釋梵四天王及諸大衆白佛言世尊如
是經典甚深之

BD01392號　金光明最勝王經卷三　（16–15）

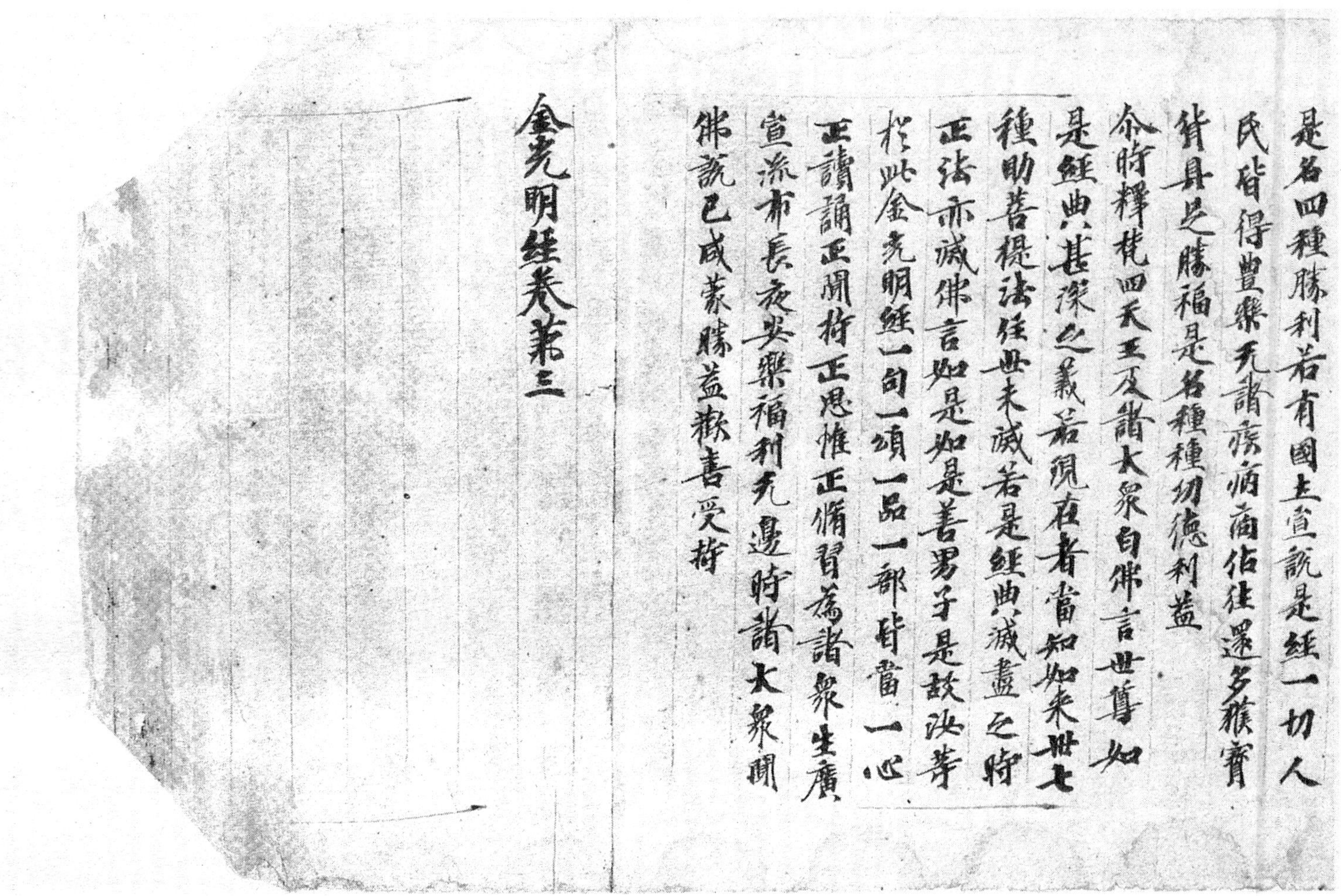
是名四種勝利若有國土宣說是經一切人
民皆得豐樂无諸疾病商估往還多獲寶
貨具足勝福是名種種功德利益
尒時梵釋四天王及諸大衆白佛言世尊如
是經典甚深之義若現在者當知如來卅七
種助菩提法住世未滅若是經典滅盡之時
正法亦滅佛言如是如是善男子是故汝等
於此金光明經一句一頌一品一部皆當一心
正讀誦正聞持正思惟正脩習為諸衆生廣
宣流布長夜安樂福利无邊時諸大衆聞
佛說已咸蒙勝益歡喜受持

金光明經卷第三

BD01392號　金光明最勝王經卷三　（16–16）

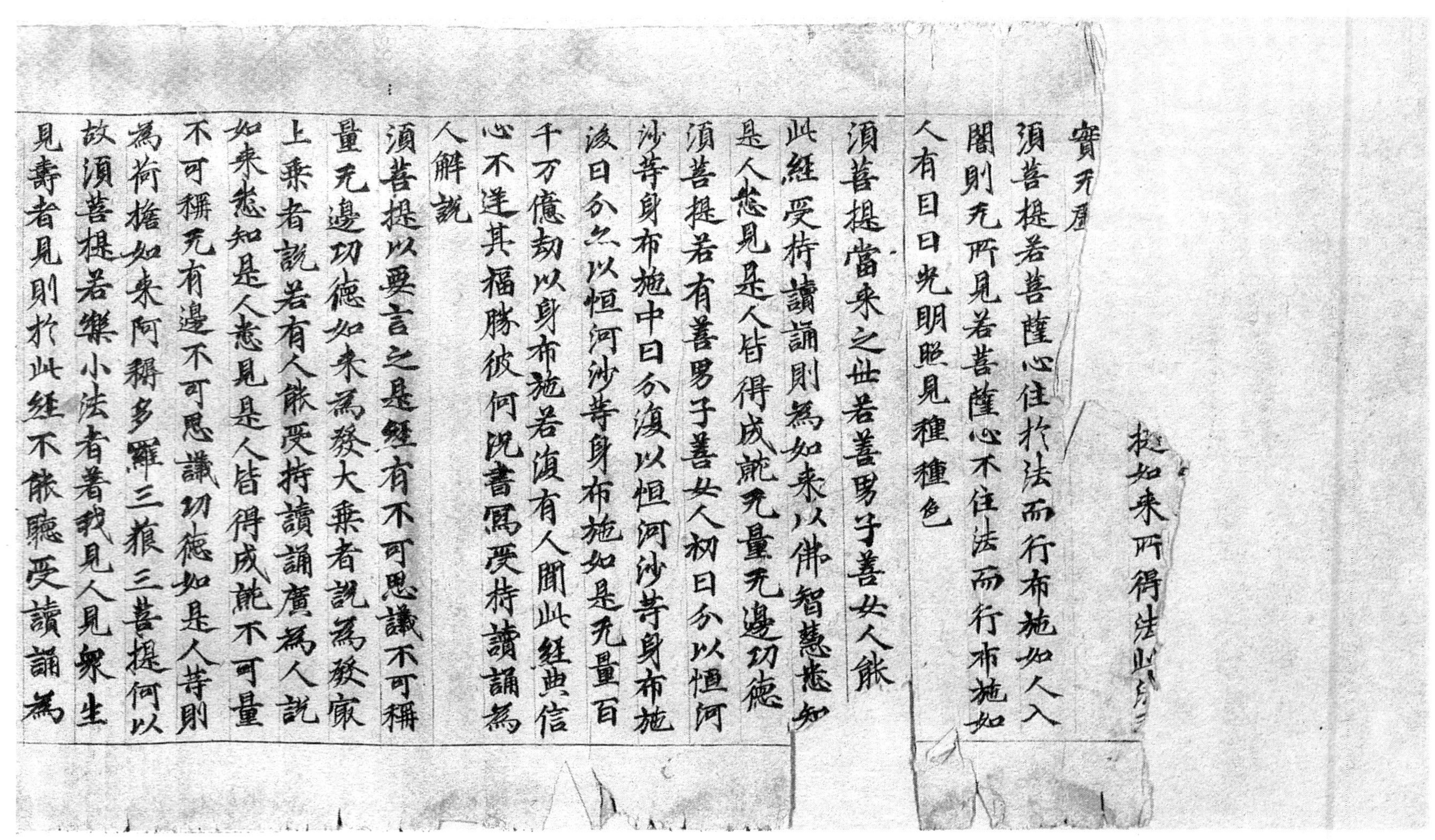
提如來所得法此
實无虛
須菩提若菩薩心住於法而行布施如人入
闇則无所見若菩薩心不住法而行布施如
人有目日光明照見種種色
須菩提當來之世若有善男子善女人能
於此經受持讀誦則為如來以佛智慧悉知
是人悉見是人皆得成就无量无邊功德
須菩提若有善男子善女人初日分以恒河
沙等身布施中日分復以恒河沙等身布施
後日分亦以恒河沙等身布施如是无量百
千万億劫以身布施若復有人聞此經典信
心不逆其福勝彼何況書寫受持讀誦為
人解說
須菩提以要言之是經有不可思議不可稱
量无邊功德如來為發大乘者說為發最
上乘者說若有人能受持讀誦廣為人說
如來悉知是人悉見是人皆得成就不可量
不可稱无有邊不可思議功德如是人等則
為荷擔如來阿耨多羅三藐三菩提何以
故須菩提若樂小法者著我見人見衆生
見壽者見則於此經不能聽受讀誦為

BD01393號　金剛般若波羅蜜經　（3–1）

上乘者說若有人能受持讀誦廣為人說
如來悉知是人悉見是人皆得成就不可量
不可稱无有邊不可思議功德如是人等則
為荷擔如來阿耨多羅三藐三菩提何以
故須菩提若樂小法者著我見人見眾生
見壽者見則於此經不能聽受讀誦為
人解說須菩提在在處處若有此經一切
世間天人阿脩羅所應供養當知此處則為
是塔皆應恭敬作禮圍遶以諸華香而
散其處
復次須菩提善男子善女人受持讀誦此經
若為人輕賤是人先世罪業應墮惡道以今
世人輕賤故先世罪業則為消滅當得阿耨
多羅三藐三菩提須菩提我念過去无量
阿僧祇劫於然燈佛前得值八百四千万億
那由他諸佛悉皆供養承事无空過者若
復有人於後末世能受持讀誦此經所得功
德於我所供養諸佛功德百分不及一千
万億分乃至筭數譬喻所不能及須菩提
若善男子善女人於後末世有受持讀誦此
經所得功德我若具說者或有人聞心則狂
亂狐疑不信須菩提當知是經義不可思議
果報亦不可思議
尒時須菩提白佛言世尊善男子善女人發
阿耨多羅三藐三菩提心云何應住云何降
伏其心佛告須菩提善男子善女人發阿耨
多羅三藐三菩提者當生如是心我應滅度
一切眾生滅度一切眾生已而无有一眾生

BD01393號　金剛般若波羅蜜經　（3–2）

阿耨多羅三藐三菩提心云何應住云何降
伏其心佛告須菩提善男子善女人發阿耨
多羅三藐三菩提者當生如是心我應滅度
一切眾生滅度一切眾生已而无有一眾生
實滅度者何以故若菩薩有我相人相眾生
相壽者相則非菩薩所以者何須菩提實
无有法發阿耨多羅三藐三菩提心者
須菩提於意云何如來於然燈佛所有法得
阿耨多羅三藐三菩提不不也世尊如我解
佛所說義佛於然燈佛所无有法得阿耨
多羅三藐三菩提佛言如是如是須菩提
實无有法如來得阿耨多羅三藐三菩提須
菩提若有法如來得阿耨多羅三藐三菩提
者然燈佛則不與我受記汝於來世當得作
佛号釋迦牟尼以實无有法得阿耨多羅三
藐三菩提是故然燈佛與我受記作是言汝
於來世當得作佛号釋迦牟尼何以故如來
者即諸法如義若有人言如來得阿耨多羅
三藐三菩提須菩提實无有法佛得阿耨多
羅三藐三菩提須菩提如來所得阿耨多羅
三藐三菩提於是中无實无虛是故如來說
一切法皆是佛法須菩提所言一切法者即
非一切法是故名一切法
須菩提譬如人身長大須菩提言世尊如來

BD01393號　金剛般若波羅蜜經　（3–3）

天王頭面礼佛繞百千迊即以天華而散佛
上所散之華如須弥山并以供養佛菩提樹
華供養已各以宮殿奉上彼佛而作是言唯
見哀愍饒益我等所獻宮殿願垂納處尒時
諸梵天王即於佛前一心同聲以偈頌曰
世尊甚難見　破諸煩惱者　過百三十劫　今乃得一見
諸飢渴衆生　以法雨充滿　昔所未曾覩　无量智慧者
如優曇鉢華　今日乃值遇
我等諸宮殿　蒙光故嚴飾　世尊大慈愍　唯願垂納受
尒時諸梵天王偈讚佛已各作是言唯願世
尊轉於法輪令一切世間諸天魔梵沙門婆
羅門皆獲安隱而得度脫時諸梵天王一心
同聲以偈頌曰
唯願天人尊　轉无上法輪　擊于大法鼓　而吹大法蠡
普雨大法雨　度无量衆生　我等咸歸請　當演深遠音
尒時大通智勝如來嘿然許之西南方乃至
下方亦復如是
尒時上方五百万億國土諸大梵王皆悉自
覩所止宮殿光明威曜昔所未有歡喜踊躍
生希有心即各相詣共議此事以何因緣我
等宮殿有斯光明而彼衆中有一大梵天王
名曰尸棄爲諸梵衆而說偈言
今以何因緣　我等諸宮殿　威德光明曜　嚴飾未曾有

BD01394 號　妙法蓮華經卷三　（4-1）

生希有心即各相詣共議此事以何因緣我
等宮殿有斯光明而彼衆中有一大梵天王
名曰尸棄爲諸梵衆而說偈言
今以何因緣　我等諸宮殿　威德光明曜　嚴飾未曾有
如是之妙相　昔所未聞見　爲大德天生　爲佛出世間
尒時五百万億諸梵天王與宮殿俱各以衣
裓盛諸天華共詣下方推尋此相見大通智
勝如來處于道場菩提樹下坐師子座諸天
龍王乾闥婆緊那羅摩睺羅伽人非人等恭
敬圍繞及見十六王子請佛轉法輪時諸梵天
王頭面礼佛繞百千迊即以天華而散佛上
所散之華如須弥山并以供養佛菩提樹
華供養已各以宮殿奉上彼佛而作是言唯
見哀愍饒益我等所獻宮殿願垂納處時諸
梵天王即於佛前一心同聲以偈頌曰
善哉見諸佛　救世之聖尊　能於三界獄　勉出諸衆生
普智天人尊　愍哀群萌類　能開甘露門　廣度於一切
於昔无量劫　空過无有佛　世尊未出時　十方常闇冥
三惡道增長　阿脩羅亦盛　諸天衆轉減　死多墮惡道
不從佛聞法　常行不善事　色力及智慧　斯等皆減少
罪業因緣故　失樂及樂想
住於邪見法　不識善儀則　不蒙佛所化　常墮於惡道
佛爲世間眼　久遠時乃出　哀愍諸衆生　故現於世間
超出成正覺　我等甚欣慶　及餘一切衆　喜歎未曾有
我等諸宮殿　蒙光故嚴飾　今以奉世尊　唯垂哀納受
願以此功德　普及於一切　我等與衆生　皆共成佛道

BD01394 號　妙法蓮華經卷三　（4-2）

佛爲世間眼　久遠時乃出　哀愍諸衆生　故現於世間
超出成正覺　我等甚欣慶　及餘一切衆　喜歎未曾有
我等諸宮殿　蒙光故嚴飾　今以奉世尊　唯垂哀納受
願以此功德　普及於一切　我等與衆生　皆共成佛道
尒時五百万億諸梵天王偈讚佛已各白佛
言唯願世尊轉於法輪多所安隱多所度脫時
諸梵天王而說偈言
世尊轉法輪　擊甘露法鼓　度苦惱衆生　開示涅槃道
唯願受我請　以大微妙音　哀愍而敷演　无量劫集法
尒時大通智勝如來受十方諸梵天王及十
六王子請即時三轉十二行法輪若沙門婆
羅門若天魔梵及餘世間所不能轉謂是苦
是苦集是苦滅是苦滅道及廣說十二因緣
法无明緣行行緣識識緣名色名色緣六入
六入緣觸觸緣受受緣愛愛緣取取緣有有
緣生生緣老死憂悲苦惱无明滅則行滅行
滅則識滅識滅則名色滅名色滅則六入滅
六入滅則觸滅觸滅則受滅受滅則愛滅愛
滅則取滅取滅則有滅有滅則生滅生滅則
老死憂悲苦惱滅佛於天人大衆之中說是
法時六百万億那由他人以不受一切法故
而於諸漏心得解脫皆得深妙禪定三明六
通具八解脫第二第三第四說法時千万億
恒河沙那由他等衆生亦以不受一切法故
而於諸漏心得解脫從是已後諸聲聞衆无
量无邊不可稱數尒時十六王子皆以童子
出家而爲沙弥諸根通利智慧明了已曾供

BD01394號　妙法蓮華經卷三　（4–3）

法時六百万億那由他人以不受一切法故
而於諸漏心得解脫皆得深妙禪定三明六
通具八解脫第二第三第四說法時千万億
恒河沙那由他等衆生亦以不受一切法故
而於諸漏心得解脫從是已後諸聲聞衆无
量无邊不可稱數尒時十六王子皆以童子
出家而爲沙弥諸根通利智慧明了已曾供
養百千万億諸佛淨脩梵行求阿耨多羅三
藐三菩提俱白佛言世尊是諸无量千万億
大德聲聞皆已成就世尊亦當爲我等說阿
耨多羅三藐三菩提法我等聞已皆共脩學
世尊我等志願如來知見深心所念佛自證
知尒時轉輪聖王所將衆中八万億人見十
六王子出家亦求出家王即聽許尒時彼佛
受沙弥請過二万劫已乃於四衆之中說是
大乘經名妙法蓮華教菩薩法佛所護念說
是經已十六沙弥爲阿耨多羅三藐三菩提

BD01394號　妙法蓮華經卷三　（4–4）

求令无閡正此之明呪有大威力若誦呪時
我當速至其所令无障礙隨意成就若持此
呪時應知其法先畫一鋪僧慎尒耶藥叉形
像高四五尺手執鉾鑹於此像前作四方壇
安四滿瓶蜜水或沙糖水塗香抹香燒香及
諸花鬘又於壇前作地火爐中安炭火以蘇
摩芥子燒於爐中口誦前呪一百八遍一遍
一燒乃至我藥叉大將自來現身問呪人曰尒
何所須意所求者即以事荅我即隨言於
所求事皆令滿足或須金銀及諸伏藏或
欲神仙乘空而去或求天眼通或知他心事於
一切有情隨意自在令斷煩惱速得解脫皆
得成就
尒時世尊告正了知藥叉大將曰善哉善哉
汝能如是利益一切衆生說此神呪擁護正
法福利无邊
金光明最勝王經王法正論品第廿
尒時此大地神女名曰堅牢於大衆中從座
而起頂礼佛足合掌恭敬白佛言世尊於諸國
中爲人王者若无正法不能治國安養衆生
及以自身長居勝位唯願世尊慈悲哀愍
當爲我說王法正論治國之要令諸人王得聞
法已如說修行正化於世能令勝位永保安寧
國內居人咸蒙利益
尒時世尊於大衆中告堅牢地神曰汝當諦

BD01395號　金光明最勝王經卷八　（4–1）

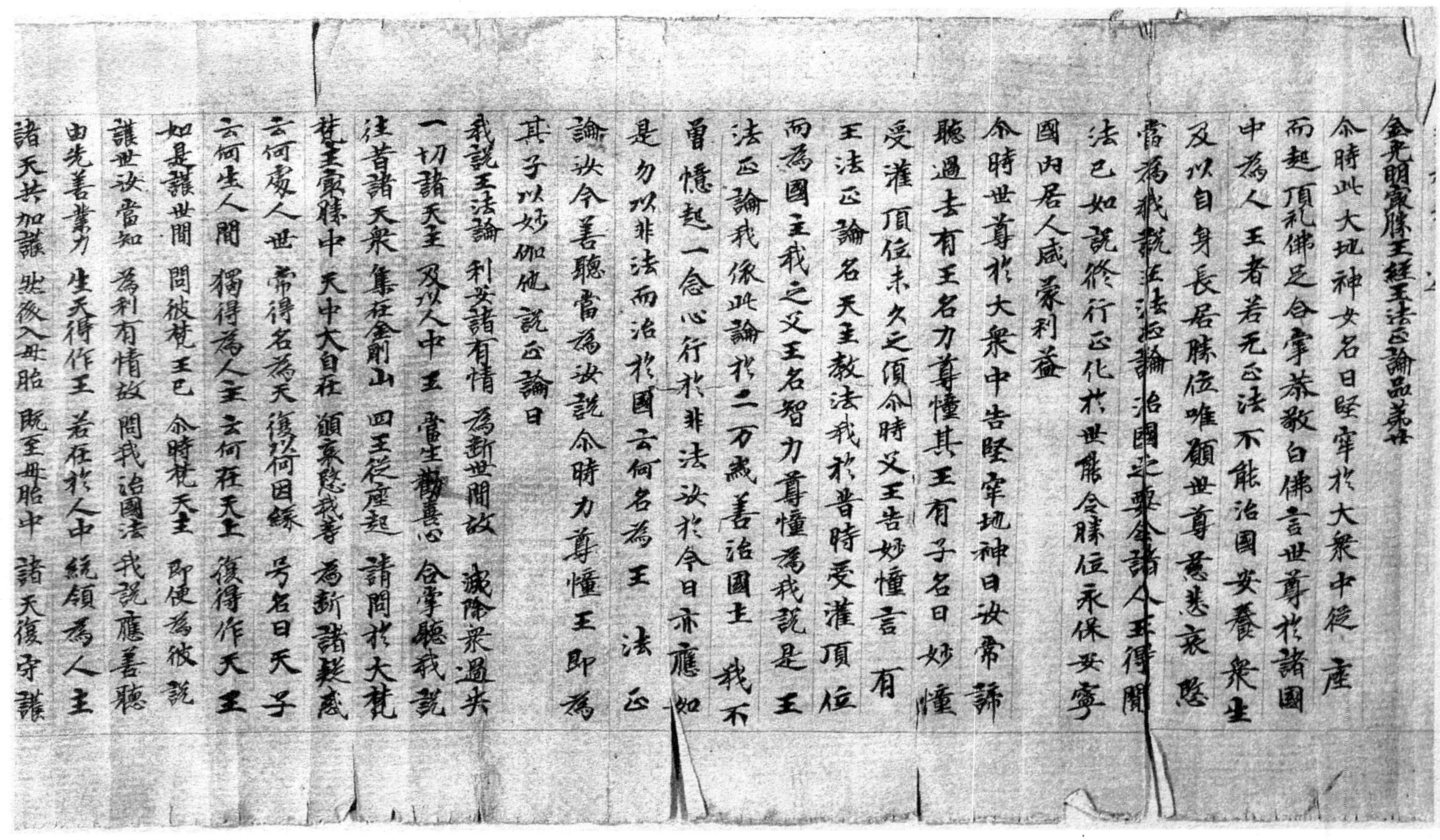
金光明最勝王經王法正論品第廿
尒時此大地神女名曰堅牢於大衆中從座
而起頂礼佛足合掌恭敬白佛言世尊於諸國
中爲人王者若无正法不能治國安養衆生
及以自身長居勝位唯願世尊慈悲哀愍
當爲我說王法正論治國之要令諸人王得聞
法已如說修行正化於世能令勝位永保安寧
國內居人咸蒙利益
尒時世尊於大衆中告堅牢地神曰汝當諦
聽過去有王名力尊幢其王有子名曰妙幢
受灌頂位未久之頃尒時父王告妙幢言有
王法正論名天主教法我於昔時受灌頂位
而爲國主我之父王名智力尊幢爲我說是王
法正論我依此論於二万歲善治國土我不
曾憶起一念心行於非法汝於今日亦應如
是勿以非法而治於國云何名爲王法正
論汝今善聽當爲汝說尒時力尊幢王即爲
其子以妙伽他說正論曰
我說王法論　利安諸有情　爲斷世間疑　滅除衆過失
一切諸天主　及以人中王　當生歡喜心　合掌聽我說
往昔諸天衆　集在金剛山　四王從座起　請問於大梵
梵王最勝中　天中大自在　願哀愍我等　爲斷諸疑惑
云何處人世　當得名爲天　復以何因緣　號名曰天子
云何生人間　獨得爲人主　云何在天上　復得作天王
如是護世間　問彼梵王已　尒時梵天主　即便爲彼說
護世汝當知　爲利有情故　問我治國法　我說應善聽
由先善業力　生天得作王　若在於人中　統領爲人主
諸天共加護　然後入母胎　既至母胎中　諸天復守護

BD01395號　金光明最勝王經卷八　（4–2）

梵王眾勝中 天中大自在 願哀愍我等 為斷諸疑惑
云何處人世 而得名為天 復以何因緣 號名曰天子
云何生人間 獨得為人王 云何在天上 復得作天王
如是護世間 問彼梵王已 爾時梵天主 即便為彼說
護世汝當知 為利有情故 問我治國法 我說應善聽
由先善業力 生天得作王 若在於人中 統領為人主
諸天共加護 然後入母胎 既至母胎中 諸天復守護
雖生在人世 尊勝故名天 由諸天護持 亦得名天子
三十三天主 分力助人王 及一切諸天 亦資自在力
除滅諸非法 惡業令不生 教有情修善 使得生天上
人及蘇羅眾 并健闥婆等 羅剎栴荼羅 悉皆資半力
父母資半力 令捨惡修善 諸天共護持 示其善惡報
若造善惡業 令於現世中 諸天共護持 示其善惡報
國人造惡業 王捨不禁制 斯非順正理 治擯當如法
若見惡不遮 非法便滋長 遂令王國內 姦詐日增多
王見國中人 造惡不遮止 三十三天眾 咸生忿怒心
此國損國政 諂偽行世間 被他怨敵侵 破壞其國土
居家及資具 積財皆散失 種種諂誑生 更互相侵奪
由正法得王 而不行其法 國人皆破散 如象踏蓮池
惡風起無恒 暴雨非時下 妖星多變怪 日月蝕無光
五穀眾花菓 苗實皆不成 國土遭飢饉 由王捨正法
若王捨正法 以惡法化生 諸天處本宮 見已生憂惱
彼諸天王眾 共作如是言 此王作非法 惡黨相親附
王位不久安 諸天皆忿恨 由彼懷忿故 其國當敗亡
以非法教人 流行於國內 鬪諍多姦偽 疾疫生眾苦
天主不護念 餘天咸捨棄 國土當滅亡 王身受苦厄
父母及妻子 兄弟并姊妹 俱遭愛別離 乃至身亡歿
變怪流星墮 二日俱時出 他方怨賊來 國人遭喪亂

BD01395號 金光明最勝王經卷八 （4–3）

若造善惡業 令於現世中 諸天共護持 示其善惡報
國人造惡業 王捨不禁制 斯非順正理 治擯當如法
若見惡不遮 非法便滋長 遂令王國內 姦詐日增多
王見國中人 造惡不遮止 三十三天眾 咸生忿怒心
此國損國政 諂偽行世間 被他怨敵侵 破壞其國土
居家及資具 積財皆散失 種種諂誑生 更互相侵奪
由正法得王 而不行其法 國人皆破散 如象踏蓮池
惡風起無恒 暴雨非時下 妖星多變怪 日月蝕無光
五穀眾花菓 苗實皆不成 國土遭飢饉 由王捨正法
若王捨正法 以惡法化生 諸天處本宮 見已生憂惱
彼諸天王眾 共作如是言 此王作非法 惡黨相親附
王位不久安 諸天皆忿恨 由彼懷忿故 其國當敗亡
以非法教人 流行於國內 鬪諍多姦偽 疾疫生眾苦
天主不護念 餘天咸捨棄 國土當滅亡 王身受苦厄
父母及妻子 兄弟并姊妹 俱遭愛別離 乃至身亡歿
變怪流星墮 二日俱時出 他方怨賊來 國人遭喪亂
國所重大臣 枉橫而身死 所愛象馬等 亦復皆散失
[illegible] 人多非法死 惡鬼來入國 疾疫遍流行

BD01395號 金光明最勝王經卷八 （4–4）

BD01395號背　藏文　（1–1）

……佛　南无世間愛佛
南无妙行佛
南无憂波羅華鬚佛
南无无量樂說光明佛
南无住聖人佛
南无精進功德佛　南无堅甘露增上佛
南无高寶信佛　南无得功德佛
南无福德慧佛　南无大吏佛
南无无量威功德佛　南无師子步佛
南无不動信佛　南无過有佛
南无龍王聲佛　南无住持輪佛
南无勝色佛　南无世愛佛
南无法月佛　南无无量樂稱佛
南无雲幢佛　南无功德去佛
南无善遊佛　南无无量聲佛
南无虛空天佛　南无摩尼王佛
南无清淨行佛　南无然燈佛
南无寶乳聲佛　南无人自在王佛

BD01396號　佛名經（十六卷本）卷五　（5–1）

南无善逝佛　南无……
南无虚空天佛　南无摩尼王佛
南无清淨行佛　南无然燈佛
南无寶吼聲佛　南无人自在王佛
南无羅睺讓佛　南无无畏佛
南无師子慧佛　南无寶稱佛
南无辯義見佛　南无世間華佛
南无高佛　南无等佛
南无樂說王佛　南无差別智佛
南无智自在佛　南无師子遊佛
南无快步佛
南无功德然燈月佛
南无无憂國土佛　南无意思智慧佛
南无法天歎尊佛　南无含調佛
從此以上三千八百佛十二部經一切賢聖
南无增上力佛　南无智慧華佛
南无堅固聲佛　南无常樂佛
南无說義佛　南无信愛佛
南无師子葉結佛　南无怖佛
若善男子善女人能受持讀誦是賢劫千
佛名者必見彌勒世尊及見盧至遠離諸難
南无月光明佛　南无不動佛
南无大莊嚴佛　南无多伽羅香佛

BD01396號　佛名經（十六卷本）卷五　（5–2）

若善男子善女人能受持讀誦是賢劫千
佛名者必見彌勒世尊及見盧至遠離諸難
南无月光明佛　南无不動佛
南无大莊嚴佛　南无多伽羅香佛
南无妙勝佛　南无波頭摩幢佛
南无寶聚佛　南无流水香佛
南无大莊嚴佛　南无喜勝佛
南无海佛　南无大海佛
南无幢佛　南无梵勝佛
南无大香佛　南无大威德佛
南无大寶輪佛　南无无量壽佛
南无大高勝佛　南无大金臺佛
南无大輪佛　南无語作佛
南无大人佛　南无大手佛
南无師子香稱佛
南无供養勝佛
南无自在大佛
南无安樂作勝佛
南无師子華勝佛
南无寂靜幢佛
南无王佛　南无普勝佛
南无怖畏佛　南无无憂勝佛

BD01396號　佛名經（十六卷本）卷五　（5–3）

南无阿[illegible]華勝佛
南无寂静幢佛
南无王佛　南无普勝佛
南无怖畏佛　南无无憂勝佛
南无憂波羅香佛　南无大地佛
南无大龍勝佛　南无清淨王佛
南无大樂佛　南无波頭摩勝佛
南无搭拘蘇摩佛　南无龍妙佛
南无華乘佛　南无香象佛
南无常觀佛　南无正作佛
南无善住佛　南无尼拘律王佛
次礼十二部尊經大藏法輪
南无佛本起甲胄大水月光菩薩王事經
南无大方廣經　南无妙讚經
南无大方廣如来密藏經
南无菩薩本業經
南无波斯匿王十夢經
南无餓鬼報應經
南无摩訶僧祇經
南无龍施經
南无十誦律經　南无明識諦觀經
南无四分律經　南无雲忍辱經
南无弥沙塞經　南无十二門經

BD01396號　佛名經（十六卷本）卷五　（5–4）

南无善住佛　南无尼拘律王佛
次礼十二部尊經大藏法輪
南无佛本起甲胄大水月光菩薩王事經
南无大方廣經　南无妙讚經
南无大方廣如来密藏經
南无菩薩本業經
南无波斯匿王十夢經
南无餓鬼報應經
南无摩訶僧祇經
南无龍施經
南无十誦律經　南无明識諦觀經
南无四分律經　南无雲忍辱經
南无弥沙塞經　南无十二門經
南无佛昇忉利天經　南无迦一比丘經
南无五王經　南无遺教經

BD01396號　佛名經（十六卷本）卷五　（5–5）

施一時歡喜即發无上正真道意
佛言若復有人受佛淨戒遵奉明法不解罪
福唯知明經不及中義不能分別曉了中事
以自貢高恒常瞻憒乃與世間衆魔從事更
作縛著不解行之惑者婦女恩愛之情口爲
說空行在有中不能發覺復不自知但能論
說他人是非如此人輩皆當墮三惡道中聞
我說是藥師瑠璃光本願功德无不歡喜念
欲捨家作沙門者也
佛言世間有人好自稱譽皆是貢高當墮三
惡道中後還爲人牛馬奴婢生下賤中人當
乘其力負重而行困苦疲極亡失人身聞我
說是藥師瑠璃光如來本願功德者皆當一
心歡喜踊躍更作誠敬即得解脫衆苦之患
長得歡喜聰明智慧遠離惡道得生善處與
善知識共相值遇无復憂惱離諸魔縛佛言
世間愚癡人輩兩舌鬪諍惡口罵詈更相嫉
恨或就山神樹下鬼神日月之神南斗北辰
諸鬼神所作諸呪㨖或作名字或作人形像
或作符書以相厭禱呪咀言說聞我說是藥
師瑠璃光本願功德无不兩作和解俱生慈

BD01397號　灌頂章句拔除過罪生死得度經　（10–1）

善知識共相值遇无復憂惱離諸魔縛佛言
世間愚癡人輩兩舌鬪諍惡口罵詈更相嫉
恨或就山神樹下鬼神日月之神南斗北辰
諸鬼神所作諸呪㨖或作名字或作人形像
或作符書以相厭禱呪咀言說聞我說是藥
師瑠璃光本願功德无不兩作和解俱生慈
心惡意悉滅各各歡喜无復惡念
佛言若四輩弟子比丘比丘尼清信士清信
女常脩月六齋年三長齋或晝夜精勤一心
苦行願欲往生西方阿弥陀佛國者憶念晝夜
若一日二日三日四日五日六日七日或復
中悔聞我說是瑠璃光本願功德盡其壽命
欲終之日有八菩薩皆當飛往迎其精神不
逕八難生蓮華中自然音樂而相娛樂
佛言假使壽命自欲盡時臨終之日得聞我
說是瑠璃光佛本願功德者命終皆得上生
天上不復歷三惡道中天上福盡若下生人
間當爲帝王家作子或生豪姓長者居士富
貴家生皆當端正聰明智慧高才勇猛若是
女人化成男子无復憂苦患難者也
佛語文殊我稱譽顯說瑠璃光佛至真等正
覺本所脩集无量行願功德如是文殊師利
從坐而起長跪叉手白佛言世尊佛去世後
當以此法開化十方一切衆生使其受持是
經典之者有男子女人愛樂是經受持讀誦

BD01397號　灌頂章句拔除過罪生死得度經　（10–2）

覺本所脩集无量行願功德如是文殊師利
從坐而起長跪叉手白佛言世尊佛去世後
當以此法開化十方一切衆生使其受持是
經典也若有男子女人愛樂是經受持讀誦
宣通之者復能專念若一日二日三日四日
五日乃至七日憶念不忘能以好素帛書取
是經五色雜綵作囊盛之者是時當有天諸
善神四天大王龍神八部常來榮衛愛敬此
經日日作礼是持經者不墮橫死所在安隱
惡氣消滅諸魔鬼神亦不中害佛言如是如
是如汝所說文殊師利言天尊所說言无不善
佛言文殊若有善男子女人等發心造立藥
師瑠璃光如來形像供養礼拜懸雜色幡蓋
燒香散華歌詠讚歎圍繞百匝還坐本處端
坐思惟念藥師瑠璃光佛无量功德若有男
子女人七日七夜菜食長齋供養礼拜藥師
瑠璃光佛求心中所願者无不獲得求長壽
得長壽求冨饒得冨饒求安隱得安隱求男
女得男女求官位得官位若命過後欲生妙
樂天上者亦當礼敬瑠璃光佛至真等正覺
若欲上卅三天者亦當礼拜必得往生若欲
與明師世世相值者亦當礼敬瑠璃光佛佛
告文殊若欲生十方妙樂國土者亦當礼敬
瑠璃光佛欲得生兜率天見弥勒者亦應礼

BD01397號　灌頂章句拔除過罪生死得度經　（10–3）

與明師世世相值者亦當礼敬瑠璃光佛佛
告文殊若欲生十方妙樂國土者亦當礼敬
瑠璃光佛欲得生兜率天見弥勒者亦應礼
敬瑠璃光佛若欲遠諸耶道亦當礼敬瑠璃
光佛若夜惡夢鳥鳴百怪蜚尸耶忤魍魎鬼
神之所嬈者亦當礼敬瑠璃光佛若為水火
所焚漂者亦當礼敬瑠璃光佛若入山谷為
虎狼熊羆蒺諸狩鳥龍蚖蛇蝮蝎種種雜類
若有惡心來相向者心當存念瑠璃光佛山
中諸難不能為害若他方怨賊偷竊惡人怨
家債主欲來侵陵心當存念瑠璃光佛則不
為害以善男子礼敬瑠璃光如來功德所致
華報如是況報也是故吾今勸諸四輩礼事
瑠璃光佛至真等正覺
佛告文殊我但為汝略說瑠璃光佛礼敬功
德若使我廣說是瑠璃光佛无量功德與一
切人求心中所願者從一劫至一劫故不周遍
其世間人若有著林褥黄困篤惡病連年
累月不差者聞我說是瑠璃光佛名字之時
橫病之厄无不除愈唯宿殃不請耳
佛告文殊若男子女人受三自歸若五戒若
十戒若善信菩薩廿四戒若沙門二百五十
戒若比丘尼五百戒若菩薩戒若破是諸戒
若能至心一懺悔者復聞我說瑠璃光佛終

BD01397號　灌頂章句拔除過罪生死得度經　（10–4）

佛告文殊若男子女人受三自歸若五戒若
十戒若善信菩薩廿四戒若沙門二百五十
戒若比丘尼五百戒若菩薩戒若破是諸戒
若能至心一懺悔者復聞我說瑠璃光佛終
不墮三惡道中必得解脫若人愚癡不受父
母師友教誨不信佛不信經戒不信聖僧應
墮三惡道中者忘失人種受畜生身聞我說
是瑠璃光佛善願功德者即得解脫
佛告文殊世有惡人雖受佛禁戒觸事違犯
或煞无道偷竊他人財寶欺詐妄語婬他婦
女飲酒鬪亂兩舌惡口罵詈毀人犯戒為惡
復祠祀鬼神有如是過罪當墮地獄中若當
屠割若抱銅柱若鐵鉤出舌若洋銅灌口者
聞我說是藥師瑠璃光佛无不即得解脫者
也
佛告文殊其世間人豪貴下賤不信佛不信
經道不信沙門不信有須陁洹不信有斯陁
含不信有阿那含不信有阿羅漢不信有辟
支佛不信有十住菩薩不信有三世之事不
信有十方諸佛不信有本師釋迦文佛不信
人死神明更生善者受福惡者受殃有如是
之罪應墮惡道聞我說是藥師瑠璃光佛名
字之者一切過罪自然消滅
佛告文殊若有善男子善女人聞我說是藥

BD01397號　灌頂章句拔除過罪生死得度經　（10–5）

人死神明更生善者受福惡者受殃有如是
之罪應墮惡道聞我說是藥師瑠璃光佛名
字之者一切過罪自然消滅
佛告文殊若有善男子善女人聞我說是藥
師瑠璃光佛至真等正覺其誰不發无上正
真道意後皆當作佛人居世間仕官不遷治
生不得飢寒田宅亡失財產无復方計聞我
說藥師瑠璃光佛各各得心中所願仕官皆得
高遷財物自然長益飲食充饒皆得富貴
若為縣官所拘錄惡人侵枉若為怨家所得
使者心當存念瑠璃光佛若他婦女生產難者
皆當念是瑠璃光佛兒則易生身體平正无
諸疾病六情完具聰明智慧壽命得長不
遭枉橫善神擁護不為惡鬼奪其頭也
佛說是語時阿難在右邊佛顧語阿難言汝
信我為文殊師利說往昔東方過十恒沙有
佛名藥師瑠璃光本願功德者不阿難白佛言
唯唯天中天佛之所言何敢不信耶佛復
語阿難言世間人雖有眼耳鼻舌身意人常
用是六事以自迷惑信世俗魔耶之言不信
至真至誠度世苦切之語是輩人難可開化
也阿難白佛言世尊世人多有惡逆下賤之
者若聞佛說經開人耳目破治人病除人陰
冥使覩光明解人疑結去人重罪千劫万劫
无復憂患皆因佛說是藥師瑠璃光本願功

BD01397號　灌頂章句拔除過罪生死得度經　（10–6）

也阿難白佛言世尊世人多有愚逹下賤之
者若聞佛說經開人耳目破治人病除人陰
冥使覩光明觧人疑結去人重罪千劫万劫
无復憂患皆由佛說是藥師瑠璃光本願功
德悉令安隱得其福也
佛言阿難汝口爲言善而汝內心狐疑我言
阿難汝莫作是念以自毀敗佛言阿難我見
汝心我知汝意汝知之不阿難即以頭面著地
長跪白佛言審如天中天所說我造次聞佛
說是藥師瑠璃光極大尊貴智慧巍巍難
可度量我心有小疑耳敢不伏首佛言汝智
慧狹劣少見少聞汝聞我說深妙之法无上
空義應生信敬貴重之心必當得至无上正
真道也
文殊問佛言世尊佛說是藥師瑠璃光如來
无量功德如是不審誰肯信此言者佛荅文
殊言唯有百億諸菩薩摩訶薩當信是言耳
唯有十方三世諸佛當信是言
佛言我說是藥師瑠璃光如來本願功德難
可得聞何況得見亦難得說亦難得書寫亦
難得讀文殊師利若有男子女人能信是經受
持讀誦書著竹帛復能爲他人解說中義
此皆先世以發道意今復得聞此微妙經開
化十方无量衆生當知此人必當得至无上

持讀誦書著竹帛復能爲他人解說中義
此皆先世以發道意今復得聞此微妙經開
化十方无量衆生當知此人必當得至无上
正真道也
佛告阿難我作佛以來從生死復至生死勤
苦累劫无所不更无所不歷无所不作无所
不爲如是不可思議況復瑠璃光佛本願功
德者乎汝所以有疑者亦復如是阿難汝聞
佛所說汝諦信之莫作疑惑佛語至誠无有
虛僞亦无二言佛爲信者施不爲疑者說也
阿難汝莫作小疑以毀大乘之業汝却後亦
當發摩訶衍莫以小道毀汝功德也阿難言
唯唯天中天我從今日以去无復尒心唯佛
自知我心耳
佛語阿難此經能照諸天宮殿若三灾起時
中有天人發心念此瑠璃光佛本願功德經
者皆得離於彼處之難是經能除水涸不調
是經能除他方逆賊悉令斷滅四方夷狄各
還正治不相嬈惱國土通交人民歡喜是經能
除穀貴飢凍是經能滅惡星變怪是經能
除疾毒之病是經能救三惡道苦地獄餓鬼
畜生等苦若人得聞此經典者无不解脫厄
難者也
尒時衆中有一菩薩名曰救脫從坐而起整

除疫毒之病是經能救三惡道苦地獄餓鬼
畜生等苦若人得聞此經典者无不解脫厄
難者也
尒時衆中有一菩薩名曰救脫從坐而起整
衣服叉手合掌而白佛言我等今日聞佛世
尊演說過東方恒河沙世界有佛号瑠璃光
一切衆會靡不歡喜救脫菩薩又白佛言若
族姓男女其有危羸著床痛惱无救護者我
今當勸請諸衆僧七日七夜齋戒一心受持
八禁六時行道卌九遍讀是經典勸燃七層
之燈亦勸懸五色續命神幡阿難問救脫菩
薩言續命幡燈法則云何救脫菩薩語阿難
言神幡五色卌九尺燈亦復尒七層之燈一層
七燈燈如車輪若遭厄難閉在牢獄枷鎖
著身亦應造立五色神幡燃卌九燈應放雜
類衆生至卌九可得過度危厄之難不為諸
橫惡鬼所持
救脫菩薩語阿難言若天王大臣及諸輔相
王子妃主宮中婇女若為病苦所惱亦應造
立五色續幡燃燈續明放諸生命散雜色華
燒衆名香王當放赦屋厄之人徒鏁解脫王得
得其福天下太平雨澤以時人民歡樂惡龍
攝毒无病苦者四方夷狄不生逆害國主通
洞慈心相向无諸怨害四海歌詠稱王之德乘

BD01397號　灌頂章句拔除過罪生死得度經　（10–9）

王子妃主宮中婇女若為病苦所惱亦應造
立五色續幡燃燈續明放諸生命散雜色華
燒衆名香王當放赦屋厄之人徒鏁解脫王得
得其福天下太平雨澤以時人民歡樂惡龍
攝毒无病苦者四方夷狄不生逆害國主通
洞慈心相向无諸怨害四海歌詠稱王之德乘
此福祿在意所生見佛聞法信受教誨從是
福報至无上道
阿難又問救脫菩薩言命可續也救脫菩薩
答阿難言我聞世尊說有諸橫勸造幡蓋令
其脩福又言阿難昔沙弥救蟻以脩福故盡
其壽命不更苦患身體安寧福德力強使之
然也阿難因復問救脫菩薩橫有幾種世尊
說言橫乃无數略而言之大橫有九一者橫
病二者橫有口舌三者橫遭縣官四者身羸
无福又持戒不完橫為鬼神之所得便五者
橫為劫賊所剥六者橫為水火焚漂七者橫
為雜類禽獸所噉八者橫為怨讎符書厭禱
耶橫死九者有病不治又不脩福湯藥不順

BD01397號　灌頂章句拔除過罪生死得度經　（10–10）

金光明最勝王經分別三身品第三
尒時虛空藏菩薩摩訶薩
起偏袒右肩右膝着地合
以上微妙金寶之花寶蓋幢幡而爲供養白
佛言世尊云何菩薩摩訶薩於諸如來甚深
秘密如法修行佛言善男子諦聽諦聽善思
念之吾當爲汝分別解說
善男子一切如来有三種身云何爲三一者化
身二者應身三者法身如是三身具足攝
受阿耨多羅三藐三菩提若正了知速出生
死云何菩薩了知化身善男子如来昔在修
行地中爲一切衆生修種種法如是修習至
修行滿修行力故得大自在自在力故隨衆
生意隨衆生行隨衆生界悉皆了別不待時
不過時處相應時相應行相應說法相應現
種種身是名化身善男子云何菩薩了知應
身謂諸如來爲諸菩薩得通達故說於真諦
爲令解了生死涅槃是一味故爲除身見衆
生怖畏歡喜故爲無邊佛法而作本故如實
相應如如如如智本願力故是身得現具三
十二相八十種好項背圓光是名應身善男
子云何菩薩摩訶薩了知法身爲除諸煩

BD01398號　金光明最勝王經卷二　（2–1）

善男子一切如来有三種身云何爲三一者化
身二者應身三者法身如是三身具足攝
受阿耨多羅三藐三菩提若正了知速出生
死云何菩薩了知化身善男子如来昔在修
行地中爲一切衆生修種種法如是修習至
修行滿修行力故得大自在自在力故隨衆
生意隨衆生行隨衆生界悉皆了別不待時
不過時處相應時相應行相應說法相應現
種種身是名化身善男子云何菩薩了知應
身謂諸如來爲諸菩薩得通達故說於真諦
爲令解了生死涅槃是一味故爲除身見衆
生怖畏歡喜故爲無邊佛法而作本故如實
相應如如如如智本願力故是身得現具三
十二相八十種好項背圓光是名應身善
子云何菩薩摩訶薩了知法身爲除諸煩
惱等障爲具諸善法故唯有如如如如智是名
法身前二種身是假名有此第三身是真實
有爲前二身而作根本何以故離法如如離
無分別智一切諸佛無有別法一切諸佛智

BD01398號　金光明最勝王經卷二　（2–2）

也世尊須
可量不
不也世尊　菩提菩薩无住相布施福德亦復
如是不可思量須菩提菩提但應如所教住
須菩提於意云何可以身相見如來不不也
世尊不可以身相得見如來何以故如來所
說身相即非身相佛告須菩提凡所有相皆
是虛妄若見諸相非相則見如來
須菩提白佛言世尊頗有眾生得聞如是言
說章句生實信不佛告須菩提莫作是說如
來滅後後五百歲有持戒脩福者於此章句
能生信心以此為實當知是人不於一佛二佛
三四五佛而種善根已於无量千万佛所種
諸善根聞是章句乃至一念生淨信者須
菩提如來悉知悉見是諸眾生得如是无量
福德何以故是諸眾生无復我相人相眾生
相壽者相无法相亦无非法相何以故是諸
眾生若心取相則為著我人眾生壽者若取
法相即著我人眾生壽者何以故若取非法
相即著我人眾生壽者是故不應取法不應
取非法以是義故如來常說汝等比丘知我
說法如筏喻者法尚應捨何況非法
須菩提於意云何如來得阿耨多羅三藐三
菩提耶如來有所說法耶須菩提言如我解

BD01399號　金剛般若波羅蜜經　（13–1）

取非法以是義故如來常說汝等比丘知我
說法如筏喻者法尚應捨何況非法
須菩提於意云何如來得阿耨多羅三藐三
菩提耶如來有所說法耶須菩提言如我解
佛所說義无有定法名阿耨多羅三藐三菩
提亦无有定法如來可說何以故如來所說
法皆不可取不可說非法非非法所以者何一
切賢聖皆以无為法而有差別
須菩提於意云何若人滿三千大千世界七
寶以用布施是人所得福德寧為多不須菩
提言甚多世尊何以故是福德即非福德性
是故如來說福德多若復有人於此經中受
持乃至四句偈等為他人說其福勝彼何以
故須菩提一切諸佛及諸佛阿耨多羅三藐
三菩提法皆從此經出須菩提所謂佛法者
即非佛法
須菩提於意云何須陁洹能作是念我得須
陁洹果不須菩提言不也世尊何以故須陁洹
名為入流而无所入不入色聲香味觸法是
名須陁洹須菩提於意云何斯陁含能作
是念我得斯陁含果不須菩提言不也世尊
何以故斯陁含名一往來而實无往來是名斯
陁含須菩提於意云何阿那含能作是念我
得阿那含果不須菩提言不也世尊何以故
阿那含名為不來而實无來是故名阿那含
須菩提於意云何阿羅漢能作是念我得阿

BD01399號　金剛般若波羅蜜經　（13–2）

陁含須菩提於意云何阿那含能作是念我
得阿那含果不須菩提言不也世尊何以故
阿那含名為不來而實无來是故名阿那含
須菩提於意云何阿羅漢能作是念我得阿
羅漢道不須菩提言不也世尊何以故實无
有法名阿羅漢世尊若阿羅漢作是念我
得阿羅漢道即為著我人衆生壽者世尊佛
說我得无諍三昧人中最為第一是第一離
欲阿羅漢我不作是念我是離欲阿羅漢世
尊我若作是念我得阿羅漢道世尊則不說
須菩提是樂阿蘭那行者以須菩提實无所
行而名須菩提是樂阿蘭那行
佛告須菩提於意云何如來昔在然燈佛所
於法有所得不世尊如來在然燈佛所於法實
无所得須菩提於意云何菩薩莊嚴佛土不
不也世尊何以故莊嚴佛土者則非莊嚴是
名莊嚴是故須菩提諸菩薩摩訶薩應如
是生清淨心不應住色生心不應住聲香味觸
法生心應无所住而生其心須菩提譬如有人
身如須弥山王於意云何是身為大不須菩
提言甚大世尊何以故佛說非身是名大身
須菩提如恒河中所有沙數如是沙等恒河
於意云何是諸恒河沙寧為多不須菩提
言甚多世尊但諸恒河尚多无數何况其
沙須菩提我今實言告汝若有善男子善女
人以七寶滿尒所恒河沙數三千大千世界以

於意云何是諸恒河沙寧為多不須菩提
言甚多世尊但諸恒河尚多无數何况其
沙須菩提我今實言告汝若有善男子善女
人以七寶滿尒所恒河沙數三千大千世界以
用布施得福多不須菩提言甚多世尊佛
告須菩提若善男子善女人於此經中乃至
受持四句偈等為他人說而此福德勝前福
德復次須菩提隨說是經乃至四句偈等當
知此處一切世間天人阿脩羅皆應供養如
佛塔廟何况有人盡能受持讀誦須菩提
知當是人成就最上第一希有之法若是經典
所在之處則為有佛若尊重弟子
尒時須菩提白佛言世尊當何名此經我等
云何奉持佛告須菩提是經名為金剛般若
波羅蜜以是名字汝當奉持所以者何須菩
提佛說般若波羅蜜則非般若波羅蜜須菩
提於意云何如來有所說法不須菩提白佛
言世尊如來无所說須菩提於意云何三千
大千世界所有微塵是為多不須菩提言甚
多世尊須菩提諸微塵如來說非微塵是名
微塵如來說世界非世界是名世界須菩提
於意云何可以三十二相見如來不不也世尊
不可以三十二相得見如來何以故如來說三
十二相即是非相是名三十二相須菩提若有
善男子善女人以恒河沙等身命布施若復
有人於此經中乃至受持四句偈等為他人

不可以三十二相得見如來何以故如來說三
十二相即是非相是名三十二相須菩提若有
善男子善女人以恒河沙等身命布施若復
有人於此經中乃至受持四句偈等為他人
說其福甚多
尒時須菩提聞說是經深解義趣涕淚悲
泣而白佛言希有世尊佛說如是甚深經典
我從昔來所得慧眼未曾得聞如是之經世
尊若復有人得聞是經信心清淨則生實相
當知是人成就第一希有功德世尊是實相
者則是非相是故如來說名實相世尊我今
得聞如是經典信解受持不足為難若當來
世後五百歲其有眾生得聞是經信解受持是
人則為第一希有何以故此人无我相人相眾
生相壽者相所以者何我相即是非相人相
眾生相壽者相即是非相何以故離一切諸
相則名諸佛
佛告須菩提如是如是若復有人得聞是經
不驚不怖不畏當知是人甚為希有何以故
須菩提如來說第一波羅蜜非第一波羅蜜
是名第一波羅蜜
須菩提忍辱波羅蜜如來說非忍辱波羅蜜
何以故須菩提如我昔為歌利王割截身體
我於尒時无我相无人相无眾生相无壽者
相何以故我於往昔節節支解時若有我相
人相眾生相壽者相應生瞋恨須菩提又念
過去於五百世作忍辱仙人於尒所世无我相

BD01399號　金剛般若波羅蜜經　（13–5）

相何以故我於往昔節節支解時若有我相
人相眾生相壽者相應生瞋恨須菩提又念
過去於五百世作忍辱仙人於尒所世无我相
无人相无眾生相无壽者相是故須菩提
菩薩應離一切相發阿耨多羅三藐三菩提
心不應住色生心不應住聲香味觸法生心
應生无所住心若心有住則為非住是故佛
說菩薩心不應住色布施須菩提菩薩為利
益一切眾生應如是布施如來說一切諸相
即是非相又說一切眾生則非眾生須菩提
如來是真語者實語者如語者不誑語者不
異語者須菩提如來所得法此法无實无虛
須菩提若菩薩心住於法而行布施如人入闇
則无所見若菩薩心不住法而行布施如人
有目日光明照見種種色須菩提當來之世
若有善男子善女人能於此經受持讀誦
則為如來以佛智慧悉知是人悉見是人皆
得成就无量无邊功德
須菩提若有善男子善女人初日分以恒河
沙等身布施中日分復以恒河沙等身布施
後日分亦以恒河沙等身布施如是无量百千
万億劫以身布施若復有人聞此經典信心
不逆其福勝彼何況書寫受持讀誦為人
解說須菩提以要言之是經有不可思議不可
稱量无邊功德如來為發大乘者說為發
最上乘者說若有人能受持讀誦廣為人說

BD01399號　金剛般若波羅蜜經　（13–6）

不逆其福勝彼何況書寫受持讀誦為人
解說須菩提以要言之是經有不可思議不可
稱量无邊功德如來為發大乘者說為發
最上乘者說若有人能受持讀誦廣為人說
如來悉知是人悉見是人皆得成就不可量
不可稱无有邊不可思議功德如是人等則為
荷擔如來阿耨多羅三藐三菩提何以故須
菩提若樂小法者著我見人見衆生見壽者
見則於此經不能聽受讀誦為人解說須
菩提在在處處若有此經一切世間天人阿
脩羅所應供養當知此處則為是塔皆應恭
敬作礼圍繞以諸華香而散其處
復次須菩提善男子善女人受持讀誦此經
若為人輕賤是人先世罪業應墮惡道以今
世人輕賤故先世罪業則為消滅當得阿耨
多羅三藐三菩提須菩提我念過去无量阿
僧祇劫於然燈佛前得值八百四千万億那
由他諸佛悉皆供養承事无空過者若復有
人於後末世能受持讀誦此經所得功德於
我所供養諸佛功德百分不及一千万億分乃
至筭數譬喻所不能及須菩提若善男子善
女人於後末世有受持讀誦此經所得功德
我若具說者或有人聞心則狂亂狐疑不信
須菩提當知是經義不可思議果報亦不可思
議尒時須菩提白佛言世尊善男子善女人發
阿耨多羅三藐三菩提心云何應住云何降伏
其心佛告須菩提善男子善女人發阿耨多

BD01399號　金剛般若波羅蜜經　（13–7）

議尒時須菩提白佛言世尊善男子善女人發
阿耨多羅三藐三菩提心云何應住云何降伏
其心佛告須菩提善男子善女人發阿耨多
羅三藐三菩提者當生如是心我應滅度一
切衆生滅度一切衆生已而无有一衆生實
滅度者何以故若菩薩有我相人相衆生相
壽者相則非菩薩所以者何須菩提實无有
法發阿耨多羅三藐三菩提者須菩提於意
云何如來於然燈佛所有法得阿耨多羅三
藐三菩提不不也世尊如我解佛所說義佛
於然燈佛所无有法得阿耨多羅三藐三
菩提佛言如是如是須菩提實无有法如來
得阿耨多羅三藐三菩提須菩提若有法如
來得阿耨多羅三藐三菩提者然燈佛則不
與我受記汝於來世當得作佛号釋迦牟尼
以實无有法得阿耨多羅三藐三菩提是故
然燈佛與我受記作是言汝於來世當得作
佛号釋迦牟尼何以故如來者即諸法如義
若有人言如來得阿耨多羅三藐三菩提須
菩提實无有法佛得阿耨多羅三藐三菩提
須菩提如來所得阿耨多羅三藐三菩提於
是中无實无虛是故如來說一切法皆是佛
法須菩提所言一切法者即非一切法是故名
一切法須菩提譬如人身長大須菩提言世
尊如來說人身長大則為非大身是名大身須
菩提菩薩亦如是若作是言我當滅度无量

BD01399號　金剛般若波羅蜜經　（13–8）

一切法須菩提譬如人身長大須菩提言世
尊如来說人身長大則為非大身是名大身須
菩提菩薩亦如是若作是言我當滅度无量
衆生則不名菩薩何以故須菩提實无有法
名為菩薩是故佛說一切法无我无人无衆
生无壽者須菩提若菩薩作是言我當莊
嚴佛土是不名菩薩何以故如来說莊嚴佛
土者即非莊嚴是名莊嚴須菩提若菩薩通
達无我法者如来說名真是菩薩
須菩提於意云何如来有肉眼不如是世尊
如来有肉眼須菩提於意云何如来有天眼
不如是世尊如来有天眼須菩提於意云何
如来有慧眼不如是世尊如来有慧眼須菩
提於意云何如来有法眼不如是世尊如来
有法眼須菩提於意云何如来有佛眼不如
是世尊如来有佛眼須菩提於意云何恒河
中所有沙佛說是沙不如是世尊如来說是
沙須菩提於意云何如一恒河中所有沙有
如是等恒河是諸恒河所有沙數佛世界如
是寧為多不甚多世尊佛告須菩提尒所國
土中所有衆生若干種心如来悉知何以故
如来說諸心皆為非心是名為心所以者何須
菩提過去心不可得現在心不可得未来心
不可得須菩提於意云何若有人滿三千大
千世界七寶以用布施是人以是因緣得福
多不如是世尊此人以是因緣得福甚多須

BD01399號　金剛般若波羅蜜經　（13–9）

菩提過去心不可得現在心不可得未来心
不可得須菩提於意云何若有人滿三千大
千世界七寶以用布施是人以是因緣得福
多不如是世尊此人以是因緣得福甚多須
菩提若福德有實如来不說得福德多以福
德无故如来說得福德多
須菩提於意云何佛可以具足色身見不不
也世尊如来不應以具足色身見何以故如来
說具足色身即非具足色身是名具足色身
須菩提於意云何如来可以具足諸相見不不
也世尊如来不應以具足諸相見何以故如来
說諸相具足即非具足是名諸相具足須菩
提汝勿謂如来作是念我當有所說法莫作
是念何以故若人言如来有所說法即為謗
佛不能解我所說故須菩提說法者无法可
說是名說法須菩提白佛言世尊佛得阿
耨多羅三藐三菩提為无所得耶如是如是
須菩提我於阿耨多羅三藐三菩提乃至无
有少法可得是名阿耨多羅三藐三菩提復
次須菩提是法平等无有高下是名阿耨
多羅三藐三菩提以无我无人无衆生无壽者
脩一切善法則得阿耨多羅三藐三菩提須
菩提所言善法者如来說非善法是名善法
須菩提若三千大千世界中所有諸須弥山
王如是等七寶聚有人持用布施若人以此
般若波羅蜜經乃至四句偈等受持讀誦為

BD01399號　金剛般若波羅蜜經　（13–10）

脩一切善法則得阿耨多羅三藐三菩提須
菩提所言善法者如來說非善法是名善法
須菩提若三千大千世界中所有諸須弥山
王如是等七寶聚有人持用布施若人以此
般若波羅蜜經乃至四句偈等受持讀誦為
他人說於前福德百分不及一百千万億分乃
至筭數譬喻所不能及
須菩提於意云何汝等勿謂如來作是念我
當度衆生須菩提莫作是念何以故實无
有衆生如來度者若有衆生如來度者如來
則有我人衆生壽者須菩提如來說有我者
則非有我而凡夫之人以為有我須菩提凡夫
者如來說則非凡夫須菩提於意云何可以
三十二相觀如來不須菩提言如是如是以
三十二相觀如來佛言須菩提若以三十二
相觀如來者轉輪聖王則是如來須菩提白
佛言世尊如我解佛所說義不應以三十二
相觀如來尒時世尊而說偈言
若以色見我以音聲求我是人行邪道不能見如來
須菩提汝若作是念如來不以具足相故得阿
耨多羅三藐三菩提須菩提莫作是念如
來不以具足相故得阿耨多羅三藐三菩提
須菩提汝若作是念發阿耨多羅三藐三菩
提者說諸法斷滅莫作是念何以故發阿
耨多羅三藐三菩提者於法不說斷滅相須
菩提若菩薩以滿恒河沙等世界七寶布施
若復有人知一切法无我得成於忍此菩薩勝

BD01399號　金剛般若波羅蜜經　（13–11）

須菩提汝若作是念發阿耨多羅三藐三菩
提者說諸法斷滅莫作是念何以故發阿
耨多羅三藐三菩提者於法不說斷滅相須
菩提若菩薩以滿恒河沙等世界七寶布施
若復有人知一切法无我得成於忍此菩薩勝
前菩薩所得功德須菩提以諸菩薩不受福
德故須菩提白佛言世尊云何菩薩不受福
德須菩提菩薩所作福德不應貪著是故
說不受福德須菩提若有人言如來若來若
去若坐若臥是人不解我所說義何以故如
來者无所從來亦无所去故名如來
須菩提若善男子善女人以三千大千世界
碎為微塵於意云何是微塵衆寧為多不甚
多世尊何以故若是微塵衆實有者佛則不
說是微塵衆所以者何佛說微塵衆則非微
塵衆是名微塵衆世尊如來所說三千大千
世界則非世界是名世界何以故若世界實有
者則是一合相如來說一合相則非一合相是
名一合相須菩提一合相者則是不可說但凡
夫之人貪著其事須菩提若人言佛說我
見人見衆生見壽者見須菩提於意云
何是人解我所說義不世尊是人不解如來
所說義何以故世尊說我見人見衆生見壽者
見即非我見人見衆生見壽者見是名我見人
見衆生見壽者見須菩提發阿耨多羅三
藐三菩提心者於一切法應如是知如是見
如是信解不生法相須菩提所言法相者如

BD01399號　金剛般若波羅蜜經　（13–12）

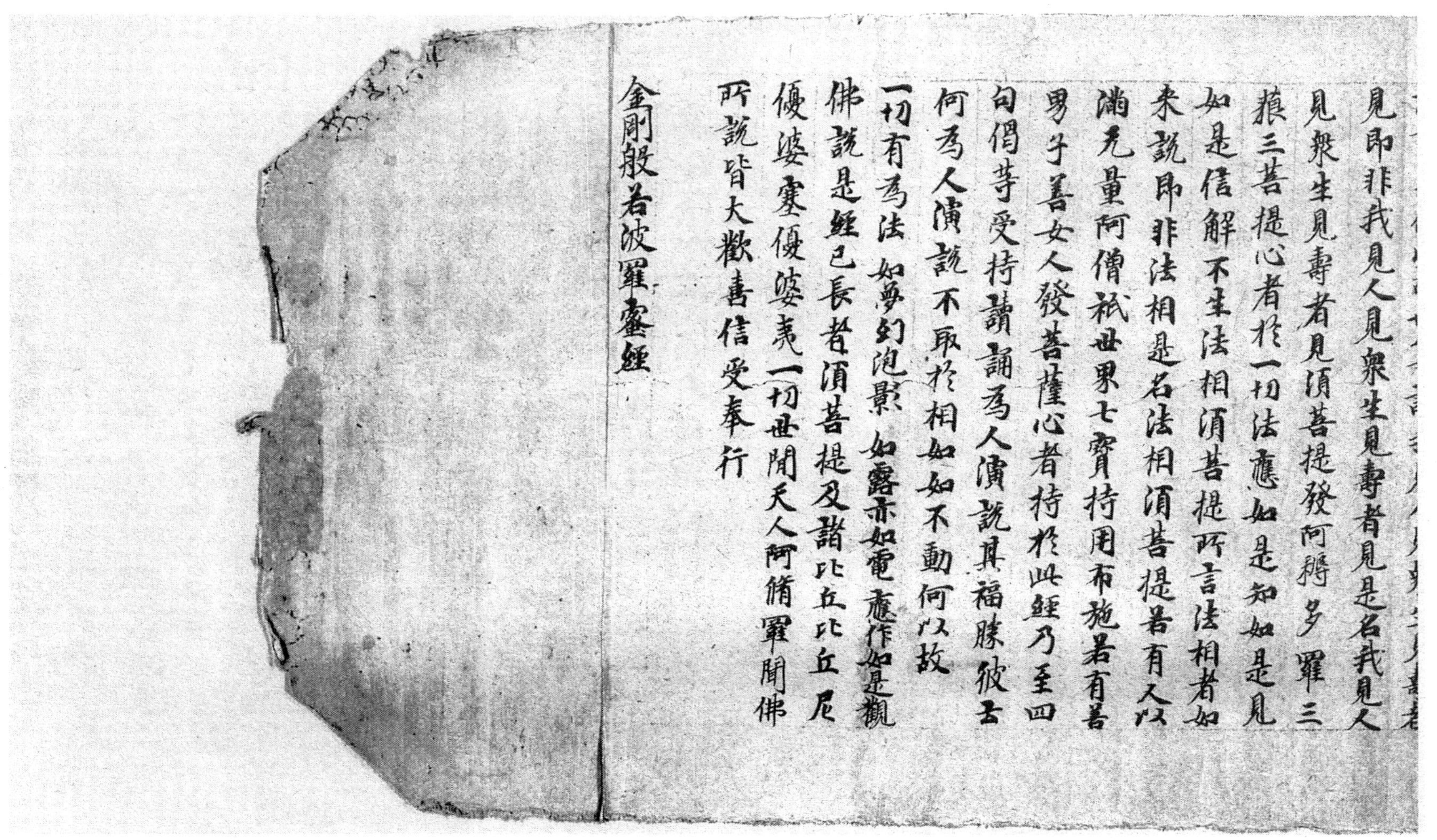

見即非我見人見衆生見壽者見是名我見人
見衆生見壽者見須菩提發阿耨多羅三
藐三菩提心者於一切法應如是知如是見
如是信解不生法相須菩提所言法相者如
來說即非法相是名法相須菩提若有人以
滿无量阿僧祇世界七寶持用布施若有善
男子善女人發菩薩心者持於此經乃至四
句偈等受持讀誦爲人演說其福勝彼云
何爲人演說不取於相如如不動何以故
一切有爲法 如夢幻泡影 如露亦如電 應作如是觀
佛說是經已長者須菩提及諸比丘比丘尼
優婆塞優婆夷一切世間天人阿脩羅聞佛
所說皆大歡喜信受奉行
金剛般若波羅蜜經

BD01399 號　金剛般若波羅蜜經　（13–13）

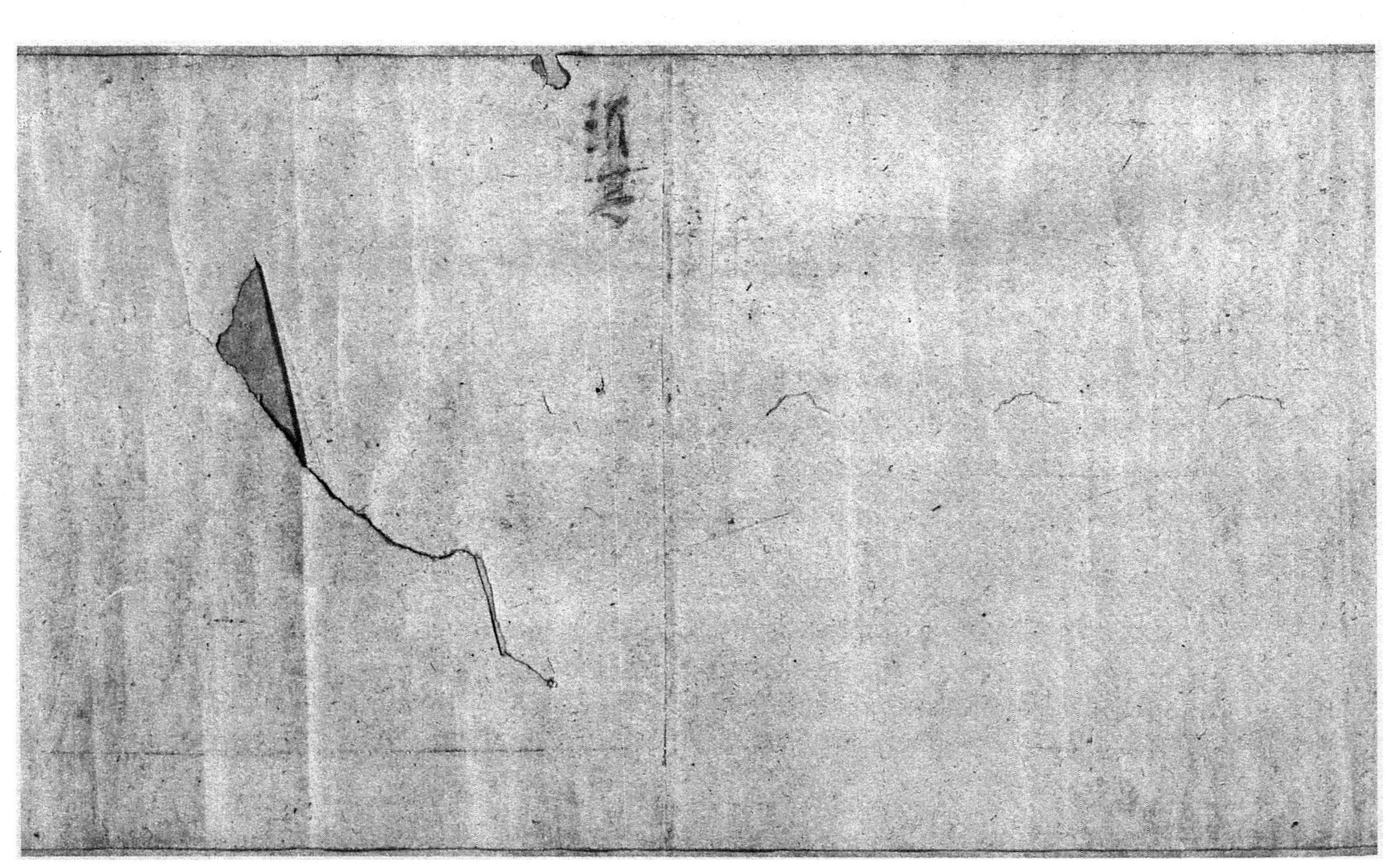

BD01399 號背　雜寫　（1–1）

[illegible]復於法无所行而觀
諸法如實[illegible]不行不分別是名菩薩摩訶
薩行處云何名菩薩摩訶薩親近處菩薩摩
訶薩不親近國王王子大臣官長不親近諸
外道梵志尼揵子等及造世俗文筆讚詠外
書及路伽耶陁逆路伽耶陁者亦不親近諸
有凶戲相扠相撲及那羅等種種變現之戲
又不親近旃陁羅及畜猪羊雞狗田獵魚捕諸
惡律儀如是人等或時來者則為說法无所
悕望又不親近求聲聞比丘比丘尼優婆
塞優婆夷亦不問訊若於房中若經行處若
在講堂中不共住止或時來者隨宜說法无
所悕求文殊師利又菩薩摩訶薩不應於女
人身取能生欲想相而為說法亦不樂見若
入他家不與小女處女寡女等共語亦復不
近五種不男之人以為親厚不獨入他家若
有因緣須獨入時但一心念佛若為女人說
法不露齒笑不現胷臆乃至為法猶不親厚
況復餘事不樂畜年少弟子沙弥小兒亦不
樂與同師常好坐禪在於閑處脩攝其心文
殊師利是名初親近處復次菩薩摩訶薩觀
一切法空如實相不顛倒不動不退不轉如

BD01400號　妙法蓮華經卷五　（26–1）

法不露齒笑不現胷臆乃至為法猶不親厚
況復餘事不樂畜年少弟子沙弥小兒亦不
樂與同師常好坐禪在於閑處脩攝其心文
殊師利是名初親近處復次菩薩摩訶薩觀
一切法空如實相不顛倒不動不退不轉如
虛空无所有性一切語言道斷不生不出不
起无名无相實无所有无量无邊无礙无障
但以因緣有從顛倒生故說常樂觀如是法
相是名菩薩摩訶薩第二親近處尒時世
尊欲重宣此義而說偈言
若有菩薩　於後惡世　无怖畏心　欲說是經
應入行處　及親近處　常離國王　及國王子
大臣官長　凶險戲者　及旃陁羅　外道梵志
亦不親近　增上慢人　貪著小乘　三藏學者
破戒比丘　名字羅漢　及比丘尼　好戲笑者
深著五欲　求現滅度　諸優婆夷　皆勿親近
若是人等　以好心來　到菩薩所　為聞佛道
菩薩則以　无所畏心　不懷悕望　而為說法
寡女處女　及諸不男　皆勿親近　以為親厚
亦莫親近　屠兒魁膾　田獵魚捕　為利煞害
販肉自活　衒賣女色　如是之人　皆勿親近
凶險相撲　種種嬉戲　諸婬女等　盡勿親近
莫獨屏處　為女說法　若說法時　无得戲笑
入里乞食　將一比丘　若无比丘　一心念佛
是則名為　行處近處　以此二處　能安樂說
又復不行　上中下法　有為无為　實不實法
亦不分別　是男是女　不得諸法　不知不見

BD01400號　妙法蓮華經卷五　（26–2）

入里乞食 將一比丘 若无比丘 一心念佛
是則名為 行處近處 以此二處 能安樂說
又復不行 上中下法 有為无為 實不實法
亦不分別 是男是女 不得諸法 不知不見
是則名為 菩薩行處 一切諸法 空无所有
无有常住 亦无起滅 是名智者 所親近處
顛倒分別 諸法有无 是實非實 是生非生
在於閑處 脩攝其心 安住不動 如須弥山
觀一切法 皆无所有 猶如虛空 无有堅固
不生不出 不動不退 常住一相 是名近處
若有比丘 於我滅後 入是行處 及親近處
說斯經時 无有怯弱 菩薩有時 入於靜室
以正憶念 隨義觀法 從禪定起 為諸國王
王子臣民 婆羅門等 開化演暢 說斯經典
其心安隱 无有怯弱 文殊師利 是名菩薩
安住初法 能於後世 說法華經
又文殊師利 如来滅後 於末法中 欲說是經
應住安樂行 若口宣說 若讀經時 不樂說人
及經典過 亦不輕慢 諸餘法師 不說他人好
惡長短 於聲聞人 亦不稱名說其過惡 亦不
稱名讚歎其美 又亦不生怨嫌之心 善脩如
是安樂心故 諸有聽者 不逆其意 有所難問
不以小乘法荅 但以大乘而為解說 令得一
切種智 尒時世尊 欲重宣此義 而說偈言
菩薩常樂 安隱說法 於清淨地 而施床座
以油塗身 澡浴塵穢 著新淨衣 内外俱淨
安處法座 隨問為說 若有比丘 及比丘尼

BD01400號　妙法蓮華經卷五　(26–3)

不以小乘法荅 但以大乘而為解說 令得一
切種智 尒時世尊 欲重宣此義 而說偈言
菩薩常樂 安隱說法 於清淨地 而施床座
以油塗身 澡浴塵穢 著新淨衣 内外俱淨
安處法座 隨問為說 若有比丘 及比丘尼
諸優婆塞 及優婆夷 國王王子 群臣士民
以微妙義 和顏為說 若有難問 隨義而荅
因緣譬喻 敷演分別 以是方便 皆使發心
漸漸增益 入於佛道 除嬾惰意 及懈怠想
離諸憂惱 慈心說法 晝夜常說 无上道教
以諸因緣 无量譬喻 開示衆生 咸令歡喜
衣服臥具 飲食醫藥 而於其中 无所悕望
但一心念 說法因緣 願成佛道 令衆亦尒
是則大利 安樂供養 我滅度後 若有比丘
能演說斯 妙法華經 心无嫉恚 諸惱障礙
亦无憂愁 及罵詈者 又无怖畏 加刀杖等
亦无擯出 安住忍故 智者如是 善脩其心
能住安樂 如我上說 其人功德 千万億劫
筭數譬喻 說不能盡
又文殊師利 菩薩摩訶薩 於後末世法欲滅
時 受持讀誦斯經典者 无懷嫉妬諂誑之心
亦勿輕罵學佛道者 求其長短 若比丘比丘
尼 優婆塞優婆夷 求聲聞者 求辟支佛者 求
菩薩道者 无得惱之 令其疑悔 語其人言 汝
等去道甚遠 終不能得一切種智 所以者何
汝是放逸之人 於道懈怠故 又亦不應戲論
諸法 有所諍競 當於一切衆生 起大悲想 於

BD01400號　妙法蓮華經卷五　(26–4)

菩薩道者无得惱之令其疑悔語其人言汝
等去道甚遠終不能得一切種智所以者何
汝是放逸之人於道懈怠故又亦不應戲論
諸法有所諍競當於一切衆生起大悲想於
諸如來起慈父想於諸菩薩起大師想於十
方諸大菩薩常應深心恭敬禮拜於一切衆
生平等說法以順法故不多不少乃至深愛
法者亦不為多說文殊師利是菩薩摩訶薩
於後末世法欲滅時有成就是第三安樂行
者說是法時无能惱亂得好同學共讀誦是
經亦得大衆而來聽受聽已能持持已能誦
誦已能說說已能書若使人書供養經卷恭
敬尊重讚歎尒時世尊欲重宣此義而說偈言
若欲說是經 當捨嫉恚慢 諂誑邪偽心 常脩質直行
不輕蔑於人 亦不戲論法 不令他疑悔 云汝不得佛
是佛子說法 常柔和能忍 慈悲於一切 不生懈怠心
十方大菩薩 愍衆故行道 應生恭敬心 是則我大師
於諸佛世尊 生无上父想 破於憍慢心 說法无障礙
第三法如是 智者應守護 一心安樂行 无量衆所敬
又文殊師利菩薩摩訶薩於後末世法欲滅
時有持法華經者於在家出家人中生大慈
心於非菩薩人中生大悲心應作是念如是
之人則為大失如來方便隨宜說法不聞不知
不覺不問不信不解其人雖不問不信不
解是經我得阿耨多羅三藐三菩提時隨在
何地以神通力智慧力引之令得住是法中

BD01400號　妙法蓮華經卷五　（26–5）

心於非菩薩人中生大悲心應作是念如是
之人則為大失如來方便隨宜說法不聞不知
不覺不問不信不解其人雖不問不信不
解是經我得阿耨多羅三藐三菩提時隨在
何地以神通力智慧力引之令得住是法中
文殊師利是菩薩摩訶薩於如來滅後有成
就此第四法者說是法時无有過失常為比
丘比丘尼優婆塞優婆夷國王王子大臣人
民婆羅門居士等供養恭敬尊重讚歎虛空
諸天為聽法故亦常隨侍若在聚落城邑空
閑林中有人來欲難問者諸天晝夜常為法
故而衛護之能令聽者皆得歡喜所以者何
此經是一切過去未來現在諸佛神力所護
故文殊師利是法華經於无量國中乃至名
字不可得聞何況得見受持讀誦文殊師利
譬如強力轉輪聖王欲以威勢降伏諸國而
諸小王不順其命時轉輪王起種種兵而往
討伐王見兵衆戰有功者即大歡喜隨功賞
賜或與田宅聚落城邑或與衣服嚴身之具
或與種種珍寶金銀琉璃車𤦲馬瑙珊瑚虎
珀象馬車乘奴婢人民唯髻中明珠不以與
之所以者何獨王頂上有此一珠若以與之
王諸眷屬必大驚怪文殊師利如來亦復如
是以禪定智慧力得法國土王於三界而諸
魔王不肯順伏如來賢聖諸將與之共戰其
有功者心亦歡喜於四衆中為說諸經令其
心悅賜以禪定解脫无漏根力諸法之財又

BD01400號　妙法蓮華經卷五　（26–6）

魔王不肯順伏如来賢聖諸將與之共戰其
有功者心亦歡喜於四衆中為說諸經令其
心悅賜以禪定解脫无漏根力諸法之財又
復賜與涅槃之城言得滅度引導其心令皆
歡喜而不為說是法華經文殊師利如轉輪
王見諸兵衆有大功者心甚歡喜以此難信
之珠久在髻中不妄與人而今與之如来亦復
如是於三界中為大法王以法教化一切
衆生見賢聖軍與五陰魔煩惱魔死魔共戰
有大功勳滅三毒出三界破魔網尒時如来
亦大歡喜此法華經能令衆生至一切智一
切世間多怨難信先所未說而今說之文殊
師利此法華經是諸如来第一之說於諸說
中冣為甚深末後賜與如彼強力之王久護
明珠今乃與之文殊師利此法華經諸佛如
来祕密之藏於諸經中冣在其上長夜守護
不妄宣說始於今日乃與汝等而敷演之尒
時世尊欲重宣此義而說偈言
常行忍辱　哀愍一切　乃能演說　佛所讚經
後末世時　持此經者　於家出家　及非菩薩
應生慈悲　斯等不聞　不信是經　則為大失
我得佛道　以諸方便　為說此法　令住其中
譬如強力　轉輪之王　兵戰有功　賞賜諸物
象馬車乘　嚴身之具　及諸田宅　聚落城邑
或與衣服　種種珍寶　奴婢財物　歡喜賜與
如有勇健　能為難事　王解髻中　明珠賜之
如来亦尒　為諸法王　忍辱大力　智慧寶藏

BD01400號　妙法蓮華經卷五　（26–7）

或與衣服　種種珍寶　奴婢財物　歡喜賜與
如有勇健　能為難事　王解髻中　明珠賜之
如来亦尒　為諸法王　忍辱大力　智慧寶藏
以大慈悲　如法化世　見一切人　受諸苦惱
欲求解脫　與諸魔戰　為是衆生　說種種法
以大方便　說此諸經　既知衆生　得其力已
末後乃為　說是法華　如王解髻　明珠與之
此經為尊　衆經中上　我常守護　不妄開示
今正是時　為汝等說　我滅度後　求佛道者
欲得安隱　演說斯經　應當親近　如是四法
讀是經者　常无憂惱　又无病痛　顏色鮮白
不生貧窮　卑賤醜陋　衆生樂見　如慕賢聖
天諸童子　以為給使　刀杖不加　毒不能害
若人惡罵　口則閉塞　遊行无畏　如師子王
智慧光明　如日之照　若於夢中　但見妙事
見諸如来　坐師子座　諸比丘衆　圍繞說法
又見龍神　阿脩羅等　數如恒沙　恭敬合掌
自見其身　而為說法　又見諸佛　身相金色
放无量光　照於一切　以梵音聲　演說諸法
佛為四衆　說无上法　見身處中　合掌讚佛
聞法歡喜　而為供養　得陁羅尼　證不退智
佛知其心　深入佛道　即為授記　成冣正覺
汝善男子　當於來世　得无量智　佛之大道
國土嚴淨　廣大无比　亦有四衆　合掌聽法
又見自身　在山林中　脩習善法　證諸實相
深入禪定　見十方佛

BD01400號　妙法蓮華經卷五　（26–8）

汝善男子　當於来世　得无量智　佛之大道
國土嚴淨　廣大无比　亦有四衆　合掌聽法
又見自身　在山林中　脩習善法　證諸實相
深入禪定　見十方佛
諸佛身金色　百福相莊嚴　聞法為人說　常有是好夢
又夢作國王　捨宮殿眷屬　及上妙五欲　行詣於道場
在菩提樹下　而處師子座　求道過七日　得諸佛之智
成无上道已　起而轉法輪　為四衆說法　經千万億劫
說无漏妙法　度无量衆生　後當入涅槃　如烟盡燈滅
若後惡世中　說是第一法　是人得大利　如上諸功德
妙法蓮華經從地踊出品第十五
尒時他方國土諸來菩薩摩訶薩過八恒河
沙數於大衆中起合掌作礼而白佛言世尊
若聽我等於佛滅後在此娑婆世界勤加精
進護持讀誦書寫供養是經典者當於此土
而廣說之尒時佛告諸菩薩摩訶薩衆止善
男子不須汝等護持此經所以者何我娑婆
世界自有六万恒河沙等菩薩摩訶薩一一
菩薩各有六万恒河沙眷屬是諸人等能於
我滅後護持讀誦廣說此經佛說是時娑婆
世界三千大千國土地皆震裂而於其中有
无量千万億菩薩摩訶薩同時踊出是諸菩
薩身皆金色三十二相无量光明先盡在此
娑婆世界之下此界虛空中住是諸菩薩聞
釋迦牟尼佛所說音聲從下發來一一菩薩
皆是大衆唱導之首各將六万恒河沙眷屬
況將五万四万三万二万一万恒河沙等眷

BD01400號　妙法蓮華經卷五　（26–9）

娑婆世界之下此界虛空中住是諸菩薩聞
釋迦牟尼佛所說音聲從下發來一一菩薩
皆是大衆唱導之首各將六万恒河沙眷屬
況將五万四万三万二万一万恒河沙等眷
屬者況復乃至一恒河沙半恒河沙四分之
一乃至千万億那由他分之一況復千万億
那由他眷屬況復億万眷屬況復千万百万
乃至一万況復一千一百乃至一十況復將
五四三二一弟子者況復單己樂遠離行如
是等比无量无邊筭數譬喻所不能知是
諸菩薩從地出已各詣虛空七寶妙塔多寶如
來釋迦牟尼佛所到已向二世尊頭面礼足
及至諸寶樹下師子座上佛所亦皆作礼右
繞三帀合掌恭敬以諸菩薩種種讚法而以
讚歎住在一面欣樂瞻仰於二世尊是諸菩
薩摩訶薩從初踊出以諸菩薩種種讚法而
讚於佛如是時間經五十小劫是時釋迦牟
尼佛嘿然而坐及諸四衆亦皆嘿然五十小
劫佛神力故令諸大衆謂如半日尒時四衆
亦以佛神力故見諸菩薩遍滿无量百千万
億國土虛空是菩薩衆中有四導師一名上
行二名无邊行三名淨行四名安立行是四
菩薩於其衆中㝡為上首唱導之師在大衆
前各共合掌觀釋迦牟尼佛而問訊言世尊
少病少惱安樂行不所應度者受教易不不
令世尊生疲勞耶尒時四大菩薩而說偈言

BD01400號　妙法蓮華經卷五　（26–10）

菩薩於其衆中𡔈為上首唱導之師在大衆
前各共合掌觀釋迦牟尼佛而問訊言世尊
少病少惱安樂行不所應度者受教易不不
令世尊生疲勞耶尒時四大菩薩而說偈言
世尊安樂　少病少惱　教化衆生　得无疲惓
又諸衆生　受化易不　不令世尊　生疲勞耶
尒時世尊於菩薩大衆中而作是言如是如
是諸善男子如来安樂少病少惱諸衆生等
易可化度无有疲勞所以者何是諸衆生世
世已来常受我化亦於過去諸佛供養尊重
種諸善根此諸衆生始見我身聞我所說即
皆信受入如来慧除先脩習學小乘者如是
之人我今亦令得聞是経入於佛慧尒時諸
大菩薩而說偈言
善哉善哉　大雄世尊　諸衆生等　易可化度
能問諸佛　甚深智慧　聞已信行　我等隨喜
於時世尊讚歎上首諸大菩薩善哉善哉善
男子汝等能於如来發隨喜心尒時弥勒菩
薩及八千恒河沙諸菩薩衆皆作是念我等
從昔已来不見不聞如是大菩薩摩訶薩衆
從地踊出住世尊前合掌供養問訊如来時
弥勒菩薩摩訶薩知八千恒河沙諸菩薩等
心之所念并欲自决所疑合掌向佛以偈問曰
无量千万億　大衆諸菩薩　昔所未曾見　願兩足尊說
是從何所来　以何因緣集　巨身大神通　智慧叵思議
其志念堅固　有大忍辱力　衆生所樂見　為從何所来

心之所念并欲自决所疑合掌向佛以偈問曰
无量千万億　大衆諸菩薩　昔所未曾見　願兩足尊說
是從何所来　以何因緣集　巨身大神通　智慧叵思議
其志念堅固　有大忍辱力　衆生所樂見　為從何所来
一一諸菩薩　所將諸眷屬　其數无有量　如恒河沙等
或有大菩薩　將六万恒沙　如是諸大衆　一心求佛道
是諸大師等　六万恒河沙　俱来供養佛　及護持此経
將五万恒沙　其數過於是　四万及三万　二万至一万
一千一百等　乃至一恒沙　半及三四分　億万分之一
千万那由他　万億諸弟子　乃至於半億　其數復過上
百万至一万　一千及一百　五十與一十　乃至三二一
單已无眷屬　樂於獨處者　俱来至佛所　其數轉過上
如是諸大衆　若人行籌數　過於恒沙劫　猶不能盡知
是諸大威德　精進菩薩衆　誰為其說法　教化而成就
從誰初發心　稱揚何佛法　受持行誰経　脩習何佛道
如是諸菩薩　神通大智力　四方地震裂　皆從中踊出
世尊我昔来　未曾見是事　願說其所從　國土之名号
我常遊諸國　未曾見是衆　我於此衆中　乃不識一人
忽然從地出　願說其因緣　今此之大會　无量百千億
是諸菩薩等　皆欲知此事　是諸菩薩衆　本末之因緣
无量德世尊　唯願决衆疑
尒時釋迦牟尼佛分身諸佛從无量千万億
他方國土来者在於八方諸寶樹下師子座
上結跏趺坐其佛侍者各各見是菩薩大
於三千大千世界四方從地踊出住於
各白其佛言世尊此諸无量无邊阿僧祇菩
薩大衆從何所来　尒時諸佛各告侍者

他方國土來者在於八方諸寶樹下師子座
上結跏趺坐其佛侍者各各見是菩薩大
於三千大千世界四方從地踊出住於
各白其佛言世尊此諸无量无邊阿僧祇菩
薩大衆從何所來尒時諸佛各告侍者諸善
男子且待須臾有菩薩摩訶薩名弥勒釋迦
牟尼佛之所授記次後作佛已問斯事佛今
荅之汝等自當因是得聞尒時釋迦牟尼佛
告弥勒菩薩善哉善哉阿逸多乃能問佛如
是大事汝等當共一心被精進鎧發堅固意
如來今欲顯發宣示諸佛智慧諸佛自在神
通之力諸佛師子奮迅之力諸佛威猛大勢
之力尒時世尊欲重宣此義而說偈言
當精進一心　我欲說此事　勿得有疑悔　佛智叵思議
汝今出信力　住於忍善中　昔所未聞法　今皆當得聞
我今安慰汝　勿得懷疑懼　佛无不實語　智慧不可量
所得第一法　甚深叵分別　如是今當說　汝等一心聽
尒時世尊說此偈已告弥勒菩薩我今於此
大衆宣告汝等阿逸多是諸大菩薩摩訶薩
无量无數阿僧祇從地踊出汝等昔所未見
者我於是娑婆世界得阿耨多羅三藐三菩
提已教化示導是諸菩薩調伏其心令發道
意此諸菩薩皆於是娑婆世界之下此界虛
空中住於諸經典讀誦通利思惟分別正憶
念阿逸多是諸善男子等不樂在衆多有所
說常樂靜處勤行精進未曾休息亦不依止
人天而住常樂深智无有障礙亦常樂於諸

BD01400號　妙法蓮華經卷五　（26–13）

空中住於諸經典讀誦通利思惟分別正憶
念阿逸多是諸善男子等不樂在衆多有所
說常樂靜處勤行精進未曾休息亦不依止
人天而住常樂深智无有障礙亦常樂於諸
佛之法一心精進求无上慧尒時世尊欲
重宣此義而說偈言
阿逸汝當知　是諸大菩薩　從无數劫來　脩習佛智慧
悉是我所化　令發大道心　此等是我子　依止是世界
常行頭陁事　志樂於靜處　捨大衆憒閙　不樂多所說
如是諸子等　學習我道法　晝夜常精進　為求佛道故
在娑婆世界　下方空中住　志念力堅固　常勤求智慧
說種種妙法　其心无所畏　我於伽耶城　菩提樹下坐
得成最正覺　轉无上法輪　尒乃教化之　令初發道心
今皆住不退　悉當得成佛　我今說實語　汝等一心信
我從久遠來　教化是等衆
尒時弥勒菩薩摩訶薩及无數諸菩薩等心
生疑惑怪未曾有而作是念云何世尊於少
時間教化如是无量无邊阿僧祇諸大菩薩
令住阿耨多羅三藐三菩提即白佛言世尊
如來為太子時出於釋宮去伽耶城不遠坐
於道場得成阿耨多羅三藐三菩提從是已
來始過四十餘年世尊云何於此少時大作
佛事以佛勢力以佛功德教化如是无量大
菩薩衆當成阿耨多羅三藐三菩提世尊此
大菩薩衆假使有人於千万億劫數不能盡
不得其邊斯等久遠已來於无量无邊諸佛
所殖諸善根成就菩薩道常脩梵行世尊如

BD01400號　妙法蓮華經卷五　（26–14）

菩薩衆當成阿耨多羅三藐三菩提世尊此
大菩薩衆假使有人於千万億劫數不能盡
不得其邊斯等久遠已來於无量无邊諸佛
所殖諸善根成就菩薩道常脩梵行世尊如
此之事世所難信譬如有人色美髮黑年二
十五指百歲人言是我子其百歲人亦指年
少言是我父生育我等是事難信佛亦如是
得道已來其實未久而此大衆諸菩薩等已
於无量千万億劫為佛道故勤行精進善入
出住无量百千万億三昧得大神通久脩梵
行善能次第習諸善法巧於問荅人中之寶
一切世間甚為希有今日世尊方云得佛道
時初令發心教化示導令向阿耨多羅三藐
三菩提世尊得佛未久乃能作此大功德事
我等雖復信佛隨宜所說佛所出言未曾虛
妄佛所知者皆悉通達然諸新發意菩薩於
佛滅後若聞是語或不信受而起破法罪業
因緣唯然世尊願為解說除我等疑及未來
世諸善男子聞此事已亦不生疑尒時弥勒
菩薩欲重宣此義而說偈言
佛昔從釋種 出家近伽耶 坐於菩提樹 尒來尚未久
此諸佛子等 其數不可量 久已行佛道 住於神通力
善學菩薩道 不染世間法 如蓮華在水 從地而踊出
皆起恭敬心 住於世尊前 是事難思議 云何而可信
佛得道甚近 所成就甚多 願為除衆疑 如實分別說
譬如少壯人 年始二十五 示人百歲子 髮白而面皺
是等我所生 子亦說是父 父少而子老 舉世所不信

BD01400號　妙法蓮華經卷五　（26–15）

皆起恭敬心 住於世尊前 是事難思議 云何而可信
佛得道甚近 所成就甚多 願為除衆疑 如實分別說
譬如少壯人 年始二十五 示人百歲子 髮白而面皺
是等我所生 子亦說是父 父少而子老 舉世所不信
世尊亦如是 得道來甚近 是諸菩薩等 志固无怯弱
從无量劫來 而行菩薩道 巧於難問荅 其心无所畏
忍辱心決定 端正有威德 十方佛所讚 善能分別說
不樂在人衆 常好在禪定 為求佛道故 於下空中住
我等從佛聞 於此事无疑 願佛為未來 演說令開解
若有於此經 生疑不信者 即當墮惡道 願今為解說
是无量菩薩 云何於少時 教化令發心 而住不退地

妙法蓮華經如來壽量品第十六

尒時佛告諸菩薩及一切大衆諸善男子汝
等當信解如來誠諦之語復告大衆汝等當
信解如來誠諦之語又復告諸大衆汝等當
信解如來誠諦之語是時菩薩大衆弥勒為
首合掌白佛言世尊唯願說之我等當信受
佛語如是三白已復言唯願說之我等當信
受佛語尒時世尊知諸菩薩三請不止而告
之言汝等諦聽如來秘密神通之力一切世
間天人及阿脩羅皆謂今釋迦牟尼佛出釋
氏宮去伽耶城不遠坐於道場得阿耨多羅
三藐三菩提然善男子我實成佛已來无量
无邊百千万億那由他劫譬如五百千万億
那由他阿僧祇三千大千世界假使有人末
為微塵過於東方五百千万億那由他阿僧
祇國乃下一塵如是東行盡是微塵諸善男

BD01400號　妙法蓮華經卷五　（26–16）

无邊百千万億那由他劫辟如五百千万億
那由他阿僧祇三千大千世界假使有人末
為微塵過於東方五百千万億那由他阿僧
祇國乃下一塵如是東行盡是微塵諸善男
子於意云何是諸世界可得思惟校計知其
數不弥勒菩薩等俱白佛言世尊是諸世界
无量无邊非算數所知亦非心力所及一切
聲聞辟支佛以无漏智不能思惟知其限數
我等住阿惟越致地於是事中亦所不達世
尊如是諸世界无量无邊尒時佛告大菩薩
衆諸善男子今當分明宣語汝等是諸世
界若著微塵及不著者盡以為塵一塵一劫
我成佛已來復過於此百千万億那由他阿僧
祇劫自從是來我常在此娑婆世界說法教
化亦於餘處百千万億那由他阿僧祇國導
利衆生諸善男子於是中間我說然燈佛等
又復言其入於涅槃如是皆以方便分別諸
善男子若有衆生來至我所我以佛眼觀其
信等諸根利鈍隨所應度處處自說名字不
同年紀大小亦復現言當入涅槃又以種種
方便說微妙法能令衆生發歡喜心諸善男
子如來見諸衆生樂於小法德薄垢重者為
是人說我少出家得阿耨多羅三藐三菩提
然我實成佛已來久遠若斯但以方便教化
衆生令入佛道作如是說諸善男子如來所
演經典皆為度脫衆生或說已身或說他身
或示已身或示他身或示已事或示他事諸

BD01400號　妙法蓮華經卷五　（26–17）

然我實成佛已來久遠若斯但以方便教化
衆生令入佛道作如是說諸善男子如來所
演經典皆為度脫衆生或說已身或說他身
或示已身或示他身或示已事或示他事諸
所言說皆實不虛所以者何如來如實知見
三界之相无有生死若退若出亦无在世及
滅度者非實非虛非如非異不如三界見於
三界如斯之事如來明見无有錯謬以諸衆
生有種種性種種欲種種行種種憶想分別
故欲令生諸善根以若干因緣辟喻言辞種
種說法所作佛事未曾暫廢如是我成佛已
來甚大久遠壽命无量阿僧祇劫常住不滅
諸善男子我本行菩薩道所成壽命今猶未
盡復倍上數然今非實滅度而便唱言當取
滅度如來以是方便教化衆生所以者何若
佛久住於世薄德之人不種善根貧窮下賤
貪著五欲入於憶想妄見網中若見如來常
在不滅便起憍恣而懷猒怠不能生難遭之
想恭敬之心是故如來以方便說比丘當知
諸佛出世難可值遇所以者何諸薄德人過
无量百千万億劫或有見佛或不見者以此
事故我作是言諸比丘如來難可得見斯衆
生等聞如是語必當生於難遭之想心懷戀
慕渴仰於佛便種善根是故如來雖不實滅
而言滅度又善男子諸佛如來法皆如是為
度衆生皆實不虛辟如良醫智慧聡達明練
方藥善治衆病其人多諸子息若十二十乃

BD01400號　妙法蓮華經卷五　（26–18）

生等聞如是語必當生於難遭之想心懷戀
慕渴仰於佛便種善根是故如來雖不實滅
而言滅度又善男子諸佛如來法皆如是為
度眾生皆實不虛譬如良醫智慧聰達明練
方藥善治眾病其人多諸子息若十二十乃
至百數以有事緣遠至餘國諸子於後飲他
毒藥藥發悶亂宛轉于地是時其父還來歸
家諸子飲毒或失本心或不失者遙見其父
皆大歡喜拜跪問訊善安隱歸我等愚癡誤
服毒藥願見救療更賜壽命父見子等苦惱
如是依諸經方求好藥草色香美味皆悉具
足擣簁和合與子令服而作是言此大良藥
色香美味皆悉具足汝等可服速除苦惱无
復眾患其諸子中不失心者見此良藥色香
俱好即便服之病盡除愈餘失心者見其父
來雖亦歡喜問訊求索治病然與其藥而不
肯服所以者何毒氣深入失本心故於此好
色香藥而謂不美父作是念此子可愍為毒
所中心皆顛倒雖見我喜求索救療如是好
藥而不肯服我今當設方便令服此藥即作
是言汝等當知我今衰老死時已至是好良
藥今留在此汝可取服勿憂不差作是教已
復至他國遣使還告汝父已死是時諸子聞
父背喪心大憂惱而作是念若父在者慈愍
我等能見救護今者捨我遠喪他國自惟孤
露无復恃怙常懷悲感心遂醒悟乃知此藥
色味香美即取服之毒病皆愈其父聞子悉

BD01400號　妙法蓮華經卷五

（26–19）

我等能見救護今者捨我遠喪他國自惟孤
露无復恃怙常懷悲感心遂醒悟乃知此藥
色味香美即取服之毒病皆愈其父聞子悉
已得差尋便來歸咸使見之諸善男子於意
云何頗有人能說此良醫虛妄罪不不也世
尊佛言我亦如是成佛已來无量无邊百千
万億那由他阿僧祇劫為眾生故以方便力言
當滅度亦无有能如法說我虛妄過者尒
時世尊欲重宣此義而說偈言
自我得佛來　所經諸劫數　无量百千万　億載阿僧祇
常說法教化　无數億眾生　令入於佛道　尒來无量劫
為度眾生故　方便現涅槃　而實不滅度　常住此說法
我常住於此　以諸神通力　令顛倒眾生　雖近而不見
眾見我滅度　廣供養舍利　咸皆懷戀慕　而生渴仰心
眾生既信伏　質直意柔軟　一心欲見佛　不自惜身命
時我及眾僧　俱出靈鷲山　我時語眾生　常在此不滅
以方便力故　現有滅不滅　餘國有眾生　恭敬信樂者
我復於彼中　為說无上法　汝等不聞此　但謂我滅度
我見諸眾生　沒在於苦惱　故不為現身　令其生渴仰
因其心戀慕　乃出為說法　神通力如是　於阿僧祇劫
常在靈鷲山　及餘諸住處　眾生見劫盡　大火所燒時
我此土安隱　天人常充滿　園林諸堂閣　種種寶莊嚴
寶樹多華果　眾生所遊樂　諸天擊天鼓　常作眾伎樂
雨曼陀羅華　散佛及大眾　我淨土不毀　而眾見燒盡
憂怖諸苦惱　如是悉充滿　是諸罪眾生　以惡業因緣
過阿僧祇劫　不聞三寶名　諸有脩功德　柔和質直者

BD01400號　妙法蓮華經卷五

（26–20）

雨曼陁羅華　散佛及大衆　我淨土不毀　而衆見燒盡
憂怖諸苦惱　如是悉充滿　是諸罪衆生　以惡業因緣
過阿僧祇劫　不聞三寶名　諸有脩功德　柔和質直者
則皆見我身　在此而說法　或時為此衆　說佛壽无量
久乃見佛者　為說佛難值　我智力如是　慧光照无量
壽命无數劫　久脩業所得　汝等有智者　勿於此生疑
當斷令永盡　佛語實不虛　如醫善方便　為治狂子故
實在而言死　无能說虛妄　我亦為世父　救諸苦患者
為凡夫顛倒　實在而言滅　以常見我故　而生憍恣心
放逸著五欲　墮於惡道中　我常知衆生　行道不行道
隨應所可度　為說種種法　每自作是意　以何令衆生
得入无上道　速成就佛身

妙法蓮華經分別功德品第十七

尒時大會聞佛說壽命劫數長遠如是无量
无邊阿僧祇衆生得大饒益於時世尊告彌
勒菩薩摩訶薩阿逸多我說是如來壽命長
遠時六百八十万億那由他恒河沙衆生得
无生法忍復千倍菩薩摩訶薩得聞持陁羅
尼門復有一世界微塵數菩薩摩訶薩得樂
說无礙辯才復有一世界微塵數菩薩摩訶
薩得百万億无量旋陁羅尼復有三千大千
世界微塵數菩薩摩訶薩能轉不退法輪復
有二千中國土微塵數菩薩摩訶薩能轉清
淨法輪復有小千國土微塵數菩薩摩訶
薩八生當得阿耨多羅三藐三菩提復有四
四天下微塵數菩薩摩訶薩四生當得阿耨

BD01400號　妙法蓮華經卷五　（26–21）

淨法輪復有小千國土微塵數菩薩摩訶
薩八生當得阿耨多羅三藐三菩提復有四
四天下微塵數菩薩摩訶薩四生當得阿耨
多羅三藐三菩提復有三四天下微塵數菩
薩摩訶薩三生當得阿耨多羅三藐三菩提
復有二四天下微塵數菩薩摩訶薩二生當
得阿耨多羅三藐三菩提復有一四天下微
塵數菩薩摩訶薩一生當得阿耨多羅三藐
三菩提復有八世界微塵數衆生皆發阿耨
多羅三藐三菩提心佛說是諸菩薩摩訶薩
得大法利時於虛空中雨曼陁羅華摩訶曼
陁羅華以散无量百千万億寶樹下師子座
上諸佛并散七寶塔中師子座上釋迦牟尼
佛及久滅度多寶如來亦散一切諸大菩薩
及四部衆又雨細末栴檀沉水香等於虛空
中天鼓自鳴妙聲深遠又雨千種天衣垂諸
瓔珞真珠瓔珞摩尼珠瓔珞如意珠瓔珞遍
於九方衆寶香爐燒无價香自然周至供養
大會一一佛上有諸菩薩執持幡蓋次第而
上至于梵天是諸菩薩以妙音聲歌无量頌
讚歎諸佛尒時彌勒菩薩從座而起偏袒右
肩合掌向佛而說偈言
佛說希有法　昔所未曾聞　世尊有大力　壽命不可量
无數諸佛子　聞世尊分別　說得法利者　歡喜充遍身
或住不退地　或得陁羅尼　或无礙樂說　万億旋總持
或有大千界　微塵數菩薩　各各皆能轉　不退之法輪

BD01400號　妙法蓮華經卷五　（26–22）

佛說希有法　昔所未曾聞　世尊有大力　壽命不可量
无數諸佛子　聞世尊分別　說得法利者　歡喜充遍身
或住不退地　或得陁羅尼　或无礙樂說　万億旋捴持
或有大千界　微塵數菩薩　各各皆能轉　不退之法輪
或有中千界　微塵數菩薩　各各皆能轉　清淨之法輪
復有小千界　微塵數菩薩　餘各八生在　當得成佛道
復有四三二　如是四天下　微塵諸菩薩　隨數生成佛
或一四天下　微塵數菩薩　餘有一生在　當成一切智
如是等衆生　聞佛壽長遠　得无量无漏　清淨之果報
復有八世界　微塵數衆生　聞佛說壽命　皆發无上心
世尊說无量　不可思議法　多有所饒益　如虛空无邊
雨天曼陁羅　摩訶曼陁羅　釋梵如恒沙　无數佛土來
雨栴檀沉水　繽紛而亂墜　如鳥飛空下　供散於諸佛
天鼓虛空中　自然出妙聲　天衣千万種　旋轉而來下
衆寶妙香爐　燒无價之香　自然悉周遍　供養諸世尊
其大菩薩衆　執七寶幡蓋　高妙万億種　次第至梵天
一一諸佛前　寶幢懸勝幡　亦以千万偈　歌詠諸如來
如是種種事　昔所未曾有　聞佛壽无量　一切皆歡喜
佛名聞十方　廣饒益衆生　一切具善根　以助无上心
尒時佛告彌勒菩薩摩訶薩阿逸多其有衆
生聞佛壽命長遠如是乃至能生一念信解
所得功德无有限量若有善男子善女人爲
阿耨多羅三藐三菩提於八十万億那由他
劫行五波羅蜜檀波羅蜜尸羅波羅蜜羼提
波羅蜜毗梨耶波羅蜜禪波羅蜜除般若波
羅蜜以是功德比前功德百分千分百千万
億分不及其一乃至算數譬喻所不能知若

BD01400號　妙法蓮華經卷五　（26–23）

劫行五波羅蜜檀波羅蜜尸羅波羅蜜羼提
波羅蜜毗梨耶波羅蜜禪波羅蜜除般若波
羅蜜以是功德比前功德百分千分百千万
億分不及其一乃至算數譬喻所不能知若
善男子有如是功德於阿耨多羅三藐三菩
提退者无有是處尒時世尊欲重宣此義而
說偈言
若人求佛慧　於八十万億　那由他劫數　行五波羅蜜
於是諸劫中　布施供養佛　及緣覺弟子　并諸菩薩衆
珍異之飲食　上服與卧具　栴檀立精舍　以園林莊嚴
如是等布施　種種皆微妙　盡此諸劫數　以迴向佛道
若復持禁戒　清淨无缺漏　求於无上道　諸佛之所歎
若復行忍辱　住於調柔地　設衆惡來加　其心不傾動
諸有得法者　懷於增上慢　爲此所輕惱　如是亦能忍
若復懃精進　志念常堅固　於无量億劫　一心不懈息
又於无數劫　住於空閑處　若坐若經行　除睡常攝心
以是因緣故　能生諸禪定　八十億万劫　安住心不亂
持此一心福　願求无上道　我得一切智　盡諸禪定際
是人於百千　万億劫數中　行此諸功德　如上之所說
有善男女等　聞我說壽命　乃至一念信　其福過於彼
若人悉无有　一切諸疑悔　深心須臾信　其福爲如此
其有諸菩薩　无量劫行道　聞我說壽命　是則能信受
如是諸人等　頂受此經典　願我於未來　長壽度衆生
如今日世尊　諸釋中之王　道場師子吼　說法无所畏
我等未來世　一切所尊敬　坐於道場時　說壽亦如是
若有深心者　清淨而質直　多聞能捴持　隨義解佛語
如是諸人等　於此无有疑

BD01400號　妙法蓮華經卷五　（26–24）

如是諸人等　須受此經典　願我於未來　長壽度衆生
如今日世尊　諸釋中之王　道場師子吼　說法无所畏
我等未來世　一切所尊敬　坐於道場時　說壽亦如是
若有深心者　清淨而質直　多聞能總持　隨義解佛語
如是諸人等　於此无有疑
又阿逸多若有聞佛壽命長遠解其言趣是
人所得功德无有限量能起如來无上之慧
何況廣聞是經若教人聞若自持若教人持
若自書若教人書若以華香瓔珞幢幡繒蓋
香油蘇燈供養經卷是人功德无量无邊能
生一切種智阿逸多若善男子善女人聞我
說壽命長遠深心信解則為見佛常在耆闍
崛山共大菩薩諸聲聞衆圍繞說法又見此
娑婆世界其地瑠璃坦然平正閻浮檀金以
界八道寶樹行列諸臺樓觀皆悉寶成其
菩薩衆咸處其中若有能如是觀者當知是為
深信解相又復如來滅後若聞是經而不毀呰
起隨喜心當知已為深信解相何況讀誦受
持之者斯人則為頂戴如來阿逸多是善
男子善女人不須為我復起塔寺及作僧坊
以四事供養衆僧所以者何是善男子善女
人受持讀誦是經典者為已起塔造立僧坊
供養衆僧則為以佛舍利起七寶塔高廣漸
小至于梵天懸諸幡蓋及衆寶鈴華香瓔珞
末香塗香燒香衆鼓伎樂簫笛箜篌種種儛
戲以妙音聲歌唄讚頌則為於无量千万億
[劫作是供養已阿]逸多若我滅後聞是經典

持之者斯人則為頂戴如來阿逸多是善
男子善女人不須為我復起塔寺及作僧坊
以四事供養衆僧所以者何是善男子善女
人受持讀誦是經典者為已起塔造立僧坊
供養衆僧則為以佛舍利起七寶塔高廣漸
小至于梵天懸諸幡蓋及衆寶鈴華香瓔珞
末香塗香燒香衆鼓伎樂簫笛箜篌種種儛
戲以妙音聲歌唄讚頌則為於无量千万億
劫作是供養已阿逸多若我滅後聞是經典
有能受持若自書若教人書則為起立僧坊
以赤栴檀作諸殿堂三十有二高八多羅樹
高廣嚴好百千比丘於其中止園林浴池經
行禪窟衣服飲食床褥湯藥一切樂具充滿
其中如是僧坊堂閣若干百千万億其數无
量以此現前供養於我及比丘僧是故我說
如來滅後若有受持讀誦為他人說若自書
若教人書供養經卷不須復起塔寺及造僧
坊供養衆僧況復有人能持是經兼行布施
持戒忍辱精進一心智慧其德最勝无量无
邊譬如虛空東西南北四維上下无量无邊

著 錄 凡 例

本目錄採用條目式著錄法。諸條目意義如下：

1.1 著錄編號。用漢語拼音首字“BD”表示，意為“北京圖書館藏敦煌遺書”，簡稱“北敦號”。文獻寫在背面者，標註為“背”。一件遺書上抄有多個文獻者，用數字1、2、3等標示小號。一號中包括幾件遺書，且遺書形態各自獨立者，用字母A、B、C等區別。

1.2 著錄分類號。本條記目錄暫不分類，該項空缺。

1.3 著錄文獻的名稱、卷本、卷次。

1.4 著錄千字文編號。

1.5 著錄縮微膠卷號。

2.1 著錄遺書的總體數據。包括長度、寬度、紙數、正面抄寫總行數與每行字數、背面抄寫總行數與每行字數。如該遺書首尾有殘破，則對殘破部分單獨度量，用加號加在總長度上。凡屬這種情況，長度用括弧標註。

2.2 著錄每紙數據。包括每紙長度及抄寫行數或界欄數。

2.3 著錄遺書的外觀。包括：(1) 裝幀形式。(2) 首尾存況。(3) 護首、軸、軸頭、天竿、縹帶，經名是書寫還是貼簽，有無經名號，扉頁、扉畫。(4) 卷面殘破情況及其位置。(5) 尾部情況。(6) 有無附加物（蟲繭、油污、線繩及其他)。(7) 有無裱補及其年代。(8) 界欄。(9) 修整。(10) 其他需要交待的問題。

2.4 著錄一件遺書抄寫多個文獻的情況。

3.1 著錄文獻首部文字與對照本核對的結果。

3.2 著錄文獻尾部文字與對照本核對的結果。

3.3 著錄錄文。

3.4 著錄對文獻的説明。

4.1 著錄文獻首題。

4.2 著錄文獻尾題。

5 著錄本文獻與對照本的不同之處。

6.1 著錄本遺書首部可與另一遺書綴接的編號。

6.2 著錄本遺書尾部可與另一遺書綴接的編號。

7.1 著錄題記、題名、勘記等。

7.2 著錄印章。

7.3 著錄雜寫。

7.4 著錄護首及扉頁的內容。

8 著錄年代。

9.1 著錄字體。如有武周新字、合體字、避諱字等，予以説明。

9.2 著錄卷面二次加工的情況。包括句讀、點標、科分、間隔號、行間加行、行間加字、硃筆、墨塗、倒乙、刪除、兑廢等。

10 著錄敦煌遺書發現後，近現代人所加內容，裝裱、題記、印章等。

11 備註。著錄揭裱互見、圖版本出處及其他需要説明的問題。

上述諸條，有則著錄，無則空缺。

為避文繁，上述著錄中出現的各種參考、對照文獻，暫且不列版本説明。全目結束時，將統一編制本條記目錄出現的各種參考書目。

本條記目錄為農曆年份標註其公曆紀年時，未經行歲頭年末之換算，請讀者使用時注意自行換算。

條　記　目　錄

BD01315—BD01400

1.1　BD01315 號
1.3　維摩詰所説經卷中
1.4　張 015
1.5　070:1142
2.1　（7+639）×26 厘米；14 紙；正面 360 行，行 17 字。背面 2 行，行字不等。
2.2　01：05.0，02；　02：2+47，28；　03：50.0，28；
04：50.0，28；　05：50.0，28；　06：50.0，28；
07：50.0，28；　08：50.0，28；　09：50.0，28；
10：50.0，28；　11：50.0，28；　12：50.0，28；
13：50.0，28；　14：42.0，22。
2.3　卷軸裝。首殘尾全。接縫處有開裂，卷尾殘破。背有古代裱補。有烏絲欄。
2.4　本遺書包括 2 個文獻：（一）《維摩詰所説經》卷中，360 行，抄寫在正面，今編為 BD01315 號。（二）《樂毅論》，2 行，抄寫在背面裱補紙上，今編為 BD01315 號背。
3.1　首 3 行中上殘→大正 475，14/547A1~3。
3.2　尾全→14/551C27。
4.2　維摩詰經卷中（尾）。
8　9~10 世紀。歸義軍時期寫本。
9.1　楷書。
9.2　有行間校加字。
11　圖版：《敦煌寶藏》，65/456A~465A。

1.1　BD01315 號背
1.3　樂毅論
1.4　張 015
1.5　070:1142
2.4　本遺書由 2 個文獻組成，本號為第 2 個，2 行，抄寫在背面古代裱補紙上。餘參見 BD01315 號之第 2 項、第 11 項。
3.3　録文：
成，時運固然。若乃□…□/
求欲速之攻，使燕齊□…□/
（録文完）
8　7~8 世紀。唐寫本。
9.1　楷書。

1.1　BD01316 號
1.3　文殊師利所説般若波羅蜜經（異本）
1.4　張 016
1.5　093:3495
2.1　839.1×26.6 厘米；18 紙；490 行，行 17 字。
2.2　01：22.5，13；　02：48.9，28；　03：49.1，28；
04：49.2，28；　05：49.2，28；　06：49.0，28；
07：49.1，28；　08：49.1，28；　09：49.1，28；
10：47.2，29；　11：46.9，28；　12：46.8，28；
13：46.8，28；　14：47.5，28；　15：47.4，28；
16：47.5，28；　17：46.8，28；　18：47.0，28。
2.3　卷軸裝。首尾殘。卷面有殘裂、破損及殘洞，有水漬，接縫處多有開裂，第 12、13 紙接縫處脱爲 2 截。有烏絲欄。已修整。
3.4　説明：
本經又名《文殊説摩訶般若經》、《文殊般若經》，爲我國歷代大藏經收錄。但《高麗藏》本與《資福藏》等本行文差異較大，已經形成異本。可參見《大正藏》及《中華藏》的相關校記。
本號將全經列爲四十二分，一一具列標題，使全經綱目清楚，主題突出，並增加偈頌與序言。形態與已經收入大藏經的兩種異本均不相同，是流通過程中，經過中國人加工而產生的新的異本。
6.2　尾→BD00219 號。
8　7~8 世紀。唐寫本。
9.1　楷書。
11　圖版：《敦煌寶藏》，78/285A~295B。

1.1　BD01317 號

1.3　金光明最勝王經卷一
1.4　張017
1.5　083:1459
2.1　（5+194.1+3.5）×26厘米；5紙；120行，行17字。
2.2　01：5+22.2，16；　02：45.5，27；　03：45.5，27；
04：45.4，27；　05：35.5+3.5，23。
2.3　卷軸裝。首尾均殘。卷下邊有殘裂，有等距離水漬。有烏絲欄。
3.1　首3行中殘→大正665，16/404A27~B1。
3.2　尾2行下殘→16/406A1~2。
8　8世紀。唐寫本。
9.1　楷書。
11　圖版：《敦煌寶藏》，67/674B~677A。

1.1　BD01318號
1.3　無量壽宗要經
1.4　張018
1.5　275:7720
2.1　162×31厘米；4紙；115行，行30餘字。
2.2　01：45.0，32；　02：45.0，33；　03：45.0，33；
04：27.0，17。
2.3　卷軸裝。首尾均全。首紙下邊有撕裂，接縫處有開裂，卷面多水漬。有烏絲欄。
3.1　首全→大正936，19/82A3。
3.2　尾全→19/84C29。
4.1　大乘無量壽經（首）。
4.2　佛說無量壽宗要經一卷（尾）。
7.1　第1紙首背有“乘”字，為敦煌寺院大乘寺的題名。
8　8~9世紀。吐蕃統治時期寫本。
9.1　行楷。
11　圖版：《敦煌寶藏》，107/420A~422A。

1.1　BD01319號
1.3　金光明最勝王經卷三
1.4　張019
1.5　083:1618
2.1　（1.7+445.5）×26.5厘米；11紙；270行，行17字。
2.2　01：1.7+26.5，17；　02：46.0，28；　03：46.0，28；
04：46.0，28；　05：46.0，28；　06：45.9，28；
07：45.9，28；　08：46.0，28；　09：46.0，28；
10：45.7，28；　11：05.5，01。
2.3　卷軸裝。首殘尾全。通卷自第3紙以前全部斷爲兩截，首紙有紅色污痕，卷面有水漬、污痕。有烏絲欄。已修整。
3.1　首行下殘→大正665，16/414B22~23。
3.2　尾全→16/417C16。
4.2　金光明經卷第三（尾）。
8　8~9世紀。吐蕃統治時期寫本。
9.1　楷書。
11　圖版：《敦煌寶藏》，68/660B~666A。

1.1　BD01320號
1.3　妙法蓮華經卷五
1.4　張020
1.5　105:5459
2.1　（5+969.3）×25.2厘米；22紙；596行，行17字。
2.2　01：5+40.5，28；　02：45.7，28；　03：45.5，28；
04：45.7，28；　05：45.7，28；　06：45.7，28；
07：45.7，28；　08：45.7，28；　09：45.5，28；
10：45.7，28；　11：45.7，28；　12：45.5，28；
13：45.7，28；　14：45.8，28；　15：45.7，28；
16：45.6，28；　17：45.8，28；　18：45.7，28；
19：45.7，28；　20：45.7，28；　21：45.5，28；
22：15.5，08。
2.3　卷軸裝。首殘尾全。經黄紙。首有殘洞及撕裂，接縫處有開裂。卷面多水漬，尾紙殘破。背有古代裱補。有烏絲欄。
3.1　首3行上下殘→大正262，9/37B7~10。
3.2　尾全→9/46B14。
4.2　妙法蓮華經卷第五（尾）。
7.1　卷首背端有勘記“法華第五卷”。
8　7世紀。唐寫本。
9.1　楷書。
11　圖版：《敦煌寶藏》，92/123B~138A。

1.1　BD01321號
1.3　金剛般若波羅蜜經
1.4　張021
1.5　094:4352
2.1　（8.5+533.3）×25.8厘米；11紙；279行，行17字。
2.2　01：8.5+38.3，24；　02：50.0，28；　03：50.0，27；
04：50.0，26；　05：50.0，28；　06：50.0，28；
07：50.0，28；　08：49.0，27；　09：49.0，28；
10：49.0，28；　11：48.0，07。
2.3　卷軸裝。首殘尾全。卷端有横向破裂，脱落一殘片，上有文字，已綴接。有烏絲欄。已修整。
3.1　首4行中下殘→大正235，8/749A18~22。
3.2　尾全→大正235，8/752C3。
4.2　金剛般若波羅蜜經（尾）。
5　與《大正藏》本對照，本卷經文缺少冥司偈，參見大正8/751C16~19。
8　9~10世紀。歸義軍時期寫本。
9.1　楷書。
11　圖版：《敦煌寶藏》，83/38B~45A。本卷脱落殘片《敦煌寶藏》未攝入。

1.1　BD01322 號
1.3　妙法蓮華經卷七
1.4　張 022
1.5　105:6117
2.1　345×26.5 厘米；8 紙；175 行，行 17 字。
2.2　01：43.0，22；　02：43.0，22；　03：43.0，22；
　　04：42.5，22；　05：38.0，20；　06：42.5，24；
　　07：41.0，23；　08：52.0，20。
2.3　卷軸裝。首脱尾全。卷首有等距離殘洞、黴洞，多水漬，接縫處有開裂。竪欄頂天立地，雙邊欄。有烏絲欄。
3.1　首殘→大正 262，9/60A12。
3.2　尾全→9/62B1。
4.2　妙法蓮華經卷第七（尾）。
8　7 世紀。唐寫本。
9.1　楷書。
11　圖版：《敦煌寶藏》，97/52A～56A。

1.1　BD01323 號
1.3　無量壽宗要經
1.4　張 023
1.5　275:7721
2.1　174.5×31 厘米；4 紙；127 行，行 30 餘字。
2.2　01：44.0，32；　02：44.0，33；　03：43.5，33；
　　04：43.0，29。
2.3　卷軸裝。首尾均全。首紙上下邊有撕裂，卷面多水漬。尾有蟲繭。卷首脱落一塊殘片，可綴接。有烏絲欄。
3.1　首全→大正 936，19/82A3。
3.2　尾全→19/84C27。
4.1　大乘無量壽經（首）。
4.2　佛說無量壽宗要經（尾）。
8　8～9 世紀。吐蕃統治時期寫本。
9.1　行楷。
9.2　有刮改。木筆書寫。
11　圖版：《敦煌寶藏》，107/422B～424B。

1.1　BD01324 號
1.3　瑜伽師地論卷二一
1.4　張 024
1.5　201:7193
2.1　（18.6+99.7）×27.4 厘米；3 紙；68 行，行 17 字。
2.2　01：18.6+14.6，20；　02：45.4，28；　03：39.7，20。
2.3　卷軸裝。首殘尾全。卷首殘缺嚴重，卷面有殘洞。有烏絲欄。
3.1　首 11 行上中殘→大正 1579，30/400C21～401A3。
3.2　尾全→30/401C7。
4.2　瑜伽師地論卷第廿一（尾）。
8　7～8 世紀。唐寫本。
9.1　楷書。
11　圖版：《敦煌寶藏》，104/452B～454A。

1.1　BD01325 號
1.3　妙法蓮華經卷七
1.4　張 025
1.5　105:5880
2.1　（7.5+775.8）×26.5 厘米；20 紙；431 行，行 17 字。
2.2　01：7.5+14，12；　02：40.0，23；　03：40.5，23；
　　04：40.3，23；　05：40.3，23；　06：40.3，23；
　　07：40.3，23；　08：40.0，23；　09：40.4，23；
　　10：40.3，23；　11：40.3，23；　12：40.4，23；
　　13：40.3，23；　14：40.2，23；　15：40.3，23；
　　16：40.2，23；　17：40.2，23；　18：40.2，23；
　　19：40.3，23；　20：37.0，05。
2.3　卷軸裝。首殘尾全。首紙下邊有殘缺，中間有殘洞；卷面多水漬，尾有蟲繭。有烏絲欄，下邊雙欄。
3.1　首 3 行下殘→大正 262，9/56B4～7。
3.2　尾全→9/62B1。
4.2　妙法蓮華經卷第七（尾）。
7.1　卷尾有題記“弟子房鵲子爲己身一心/供養/”。
8　9～10 世紀。歸義軍時期寫本。
9.1　楷書。本卷經文前後字體不同。係爲兩人抄寫。
9.2　有硃筆點刪字。有刪除符號。有剪紙貼補字。
11　圖版：《敦煌寶藏》，95/570B～580A。

1.1　BD01326 號
1.3　大般若波羅蜜多經卷四四四
1.4　張 026
1.5　084:3136
2.1　239.9×25.9 厘米；5 紙；140 行，行 17 字。
2.2　01：48.0，28；　02：48.1，28；　03：47.8，28；
　　04：48.0，28；　05：48.0，28。
2.3　卷軸裝。首尾均脱。卷前部油污嚴重，通卷多有殘裂，尾紙下部有殘缺。有烏絲欄。
3.1　首殘→大正 220，7/239A25。
3.2　尾殘→7/240C19。
8　8～9 世紀。吐蕃統治時期寫本。
9.1　楷書。
11　圖版：《敦煌寶藏》，76/467B～470B。

1.1　BD01327 號
1.3　大方廣佛華嚴經（唐譯八十卷本　兑廢稿）卷六七
1.4　張 027
1.5　002:0064
2.1　47.8×25.7 厘米；1 紙；27 行，行 17 字；
2.3　卷軸裝。首尾均脱。有烏絲欄。已修整。

3.1　首殘→大正 279，10/363B13。
3.2　尾殘→10/363C12。
7.2　尾背騎縫處中部鈐有陽文硃印，殘存 4.4×1.5 厘米，文為“大王印”。
8　9～10 世紀。歸義軍時期寫本。
9.1　楷隸。
9.2　有行間加行。
11　圖版：《敦煌寶藏》，56/266B～267A。

1.1　BD01328 號
1.3　妙法蓮華經卷二
1.4　張 028
1.5　105:4836
2.1　(13.7+281.6+2.9)×26.1 厘米；8 紙；186 行，行 17～18 字。
2.2　01：13.7+14.2，17；　02：40.4，25；　03：40.9，25；
04：40.9，25；　05：41.2，25；　06：41.1，27；
07：40.9，26；　08：22+2.9，16。
2.3　卷軸裝。首尾均殘。卷首、尾殘破嚴重，卷面上邊殘破。有烏絲欄。
3.1　首 8 行上下殘→大正 262，9/11A3～18。
3.2　尾 2 行上下殘→9/13B25～27。
8　8 世紀。唐寫本。
9.1　楷書。
11　圖版：《敦煌寶藏》，87/47B～51B。

1.1　BD01329 號
1.3　妙法蓮華經（八卷本）卷四
1.4　張 029
1.5　105:5391
2.1　(27+144.7)×26 厘米；4 紙；90 行，行 17 字。
2.2　01：27+3.7，17；　02：47.0，28；　03：47.0，28；
04：47.0，17。
2.3　卷軸裝。首殘尾全。經黃紙。尾有原軸，兩端塗黑漆，下軸頭已壞。卷首右上殘缺一塊，有殘洞；卷面有兩排等距離黴洞。有烏絲欄。
3.1　首 15 行上殘→大正 262，9/33B4～18。
3.2　尾全→9/34B22。
4.2　妙法蓮華經卷第四（尾）。
5　與《大正藏》本對照，分卷不同，相當於見寶塔品第十一前部至結束。
8　7～8 世紀。唐寫本。
9.1　楷書。
11　圖版：《敦煌寶藏》，91/270A～272B。

1.1　BD01330 號
1.3　佛名經（十六卷本）卷一三
1.4　張 030
1.5　063:0758
2.1　117.5×27.2 厘米；3 紙；63 行，行 17 字。
2.2　01：39.5，21；　02：39.0，21；　03：39.0，21。
2.3　卷軸裝。首尾均脫。下邊有等距離火灼殘洞。接縫處有開裂。有烏絲欄。
3.1　首殘→《七寺古逸經典研究叢書》，3/第 645 頁第 93 行。
3.2　尾殘→《七寺古逸經典研究叢書》，3/第 650 頁第 159 行。
8　8 世紀。唐寫本。
9.1　楷書。
11　圖版：《敦煌寶藏》，62/162B～164A。

1.1　BD01331 號
1.3　大方廣佛華嚴經（唐譯八十卷本　兌廢稿）卷五六
1.4　張 031
1.5　376:8476
2.1　47.5×26.3 厘米；1 紙；28 行，行 17 字。
2.3　卷軸裝。首尾均脫。有烏絲欄。
3.1　首殘→大正 279，10/295A4。
3.2　尾殘→10/295B2。
8　7～8 世紀。唐寫本。
9.1　楷書。
9.2　有錯抄刪去一行。係兌廢稿。
11　圖版：《敦煌寶藏》，110/434A～B。

1.1　BD01332 號
1.3　四分律比丘戒本
1.4　張 032
1.5　156:6837
2.1　(1+342)×26 厘米；8 紙；222 行，行 19 字。
2.2　01：1+42，29；　02：43.0，28；　03：43.0，28；
04：43.0，28；　05：43.0，28；　06：43.0，28；
07：43.0，28；　08：42.0，25。
2.3　卷軸裝。首尾均殘。卷首尾有殘裂，尾有蟲繭。有烏絲欄。
3.1　首 1 行上下殘→大正 1429，22/1015B26。
3.2　尾殘→22/1018B19。
8　9～10 世紀。歸義軍時期寫本。
9.1　楷書。
9.2　有行間加行、行間校加字。
11　圖版：《敦煌寶藏》，102/159B～163B。

1.1　BD01333 號
1.3　金光明最勝王經卷二
1.4　張 033
1.5　083:1528
2.1　(5.5+427.8)×26.8 厘米；10 紙；237 行，行 17 字。
2.2　01：5.5+38，25；　02：43.7，25；　03：43.8，25；

04：43.7，25；　05：43.6，25；　06：43.8，25；
07：43.7，25；　08：43.7，25；　09：43.5，25；
10：40.3，12。
2.3　卷軸裝。首殘尾全。麻紙。卷面有殘破，卷尾有等距離黴斑。有蟲繭已掉下。背有古代裱補。有燕尾。有烏絲欄。
3.1　首3行中殘→大正665，16/410B14～17。
3.2　尾全→16/413C6。
4.2　金光明最勝王經卷第二（尾）。
5　尾附音釋。
8　7～8世紀。唐寫本。
9.1　楷書。
9.2　有刮改。
11　圖版：《敦煌寶藏》，68/327B～333A。

1.1　BD01334號
1.3　大般若波羅蜜多經卷五九九
1.4　張034
1.5　084:3411
2.1　（639.6＋1.1）×26.3厘米；15紙；408行，行17字。
2.2　01：44.6，28；　02：44.1，28；　03：44.2，28；
04：43.8，28；　05：43.9，28；　06：44.1，28；
07：43.9，28；　08：43.7，28；　09：43.8，28；
10：43.9，28；　11：44.1，28；　12：44.2，28；
13：43.9，28；　14：43.9，28；　15：23.5＋1.1，16。
2.3　卷軸裝。首脱尾殘。首紙殘損嚴重，卷面有等距離黴爛，尾紙上邊殘損。背有古代裱補。有烏絲欄。已修整。
3.1　首殘→大正220，7/1100B29。
3.2　尾行下殘→7/1105B5。
8　8～9世紀。吐蕃統治時期寫本。
9.1　楷書。
11　圖版：《敦煌寶藏》，77/509A～517A。

1.1　BD01335號
1.3　妙法蓮華經卷四
1.4　張035
1.5　105:5414
2.1　216.2×25.3厘米；5紙；120行，行16字。
2.2　01：50.6，28；　02：50.4，28；　03：50.6，28；
04：50.6，28；　05：14.0，08。
2.3　卷軸裝。首脱尾斷。麻紙，曾染潢，受潮褪色。有烏絲欄。
3.1　首殘→大正262，9/35A28。
3.2　尾全→9/37A1。
8　7～8世紀。唐寫本。
9.1　楷書。
11　圖版：《敦煌寶藏》，91/428A～431A。

1.1　BD01336號
1.3　妙法蓮華經卷二
1.4　張036
1.5　105:4728
2.1　（4.5＋966.7＋30.3）×26厘米；22紙；558行，行17字。
2.2　01：4.5＋26.5，17；　02：47.4，27；　03：47.5，27；
04：47.5，27；　05：47.4，27；　06：47.5，27；
07：47.4，27；　08：47.5，27；　09：47.8，27；
10：47.7，27；　11：47.8，27；　12：47.5，27；
13：47.7，27；　14：47.8，27；　15：47.8，27；
16：47.8，27；　17：47.7，27；　18：47.7，27；
19：47.8，27；　20：47.8，27；
21：35.1＋12.6，27；　22：17.7，01。
2.3　卷軸裝。首尾均殘。首紙多處撕裂殘損，接縫處有開裂，卷面有多處殘洞，尾紙殘破嚴重，通卷黴斑嚴重，卷首背面有蟲繭。有烏絲欄。
3.1　首2行下殘→大正262，9/11A27～B1。
3.2　尾8行中下殘→9/19A3～12。
4.2　妙法蓮□…□（尾）。
8　8世紀。唐寫本。
9.1　楷書。
11　圖版：《敦煌寶藏》，85/658A～671B。

1.1　BD01337號
1.3　金剛般若波羅蜜經
1.4　張037
1.5　094:3513
2.1　（477.8＋14.5）×27.5厘米；11紙；287行，行17字。
2.2　01：48，27；　02：47.8，28；　03：47.6，28；
04：47.6，28；　05：47.6，28；　06：47.4，28；
07：45.7，28；　08：48.3，28；　09：48.5，28；
10：49.3，28；　11：14.5，08。
2.3　卷軸裝。首全尾殘。卷中有多處破損。有烏絲欄。已修整。
3.1　首全→大正235，8/748C17。
3.2　尾4行下殘→8/752B6～9。
4.1　金剛般若波羅蜜經（首）。
8　9～10世紀。歸義軍時期寫本。
9.1　楷書。
11　圖版：《敦煌寶藏》，78/385A～391B。

1.1　BD01338號
1.3　金光明最勝王經卷二
1.4　張038
1.5　083:1523
2.1　515.3×26.3厘米；14紙；297行，行17字。
2.2　01：23，13；　02：42.5，25；　03：42.5，25；
04：42.5，25；　05：42.5，25；　06：42.5，25；
07：42.5，25；　08：42.4，25；　09：42.4，25；

10：42.3，25；　11：42.2，24；　12：35.5，22；
13：21.0，12；　14：11.5，01。
2.3　卷軸裝。首斷尾全。卷背有古代裱補多處，正面文字向裏粘貼。其中能隱約辨識文字的3張：《大般若波羅蜜多經》1張，43.5×25.2厘米；《佛說父母恩重經》1張，14.1×25厘米，有尾題；藏文1張，26×14厘米，背面並有藏文雜寫。另有6小塊有文字的裱補紙，其中3張文字朝裏粘貼，因正面紙張殘破，可見裱補紙上若干經文。有燕尾。有烏絲欄。
3.1　首殘→大正665，16/409C7。
3.2　尾全→16/413C6。
4.2　金光明最勝王經卷第二（尾）。
7.3　第12紙背藏文雜寫"sha－na?　－pad－dwan－ji. vge－ma－kyicang－phab－dang－kyi－gso"。
8　7~8世紀。唐寫本。
9.1　楷書。
9.2　有行間校加字、行間加行。
11　圖版：《敦煌寶藏》，68/300A~306A。

1.1　BD01339號
1.3　合部金光明經卷三
1.4　張039
1.5　082:1429
2.1　（7.5+592.8）×26厘米；13紙；346行，行17字。
2.2　01：7.5+23.4，19；　02：47.5，28；　03：47.5，28；
04：47.4，28；　05：47.4，28；　06：47.3，28；
07：47.5，28；　08：47，28；　09：47.5，28；
10：47.5，28；　11：47.6，28；　12：47.6，28；
13：47.6，19。
2.3　卷軸裝。首殘尾全。卷首有等距離殘洞，下部多水漬。有烏絲欄。
3　首5行中下殘→大正664，16/372C15~19。
3.2　尾全→16/377B6。
4.2　金光明經卷第三（尾）。
8　7~8世紀。唐寫本。
9.1　楷書。
11　圖版：《敦煌寶藏》，67/487B~495B。

1.1　BD01340號
1.3　七階佛名經
1.4　張040
1.5　305:8306
2.1　（6.5+337.4）×27.6厘米；6紙；207行，行18字。
2.2　01：6.5+33.5，24；　02：60.5，36；　03：61.0，36；
04：60.6，37；　05：60.8，37；　06：61.0，37。
2.3　卷軸裝。首殘尾脫。首紙有殘裂，第2紙下部殘缺一塊。有烏絲欄。
3.4　説明：

本文獻首4行上殘，尾亦殘。為中國人編纂的禮懺文獻，形態較爲複雜。未為歷代大藏經所收。
8　8~9世紀。吐蕃統治時期寫本。
9.1　楷書。
9.2　有行間校加字。
11　圖版：《敦煌寶藏》，109/597A~601A。

1.1　BD01341號
1.3　金光明最勝王經卷二
1.4　張041
1.5　083:1542
2.1　（2.7+101.5）×26.5厘米；3紙；62行，行17字。
2.2　01：2.7+40.5，25；　02：42.0，25；　03：19.0，12。
2.3　卷軸裝。首脫尾斷。通卷變色，破損嚴重。有烏絲欄。已修整。
3.1　首行下殘→大正665，16/408C28~29。
3.2　尾殘→16/409C6~7。
8　7~8世紀。唐寫本。
9.1　楷書。
9.2　有行間校加字。有用刪除號"卜"整行刪除。
11　圖版：《敦煌寶藏》，68/360B~362A。

1.1　BD01342號
1.3　妙法蓮華經卷二
1.4　張042
1.5　105:4848
2.1　151.1×25.6厘米；3紙；84行，行17字。
2.2　01：50.6，28；　02：50.3，28；　03：50.2，28。
2.3　卷軸裝。首尾均脫。首紙有殘裂，卷面有污漬、斑點。有烏絲欄。
3.1　首殘→大正262，9/11B21。
3.2　尾殘→9/12C8。
8　7~8世紀。唐寫本。
9.1　楷書。
11　圖版：《敦煌寶藏》，87/84A~86A。

1.1　BD01343號
1.3　金有陀羅尼經
1.4　張043
1.5　254:7574
2.1　（6.5+128.1）×26.5厘米；3紙；78行，行字不等。
2.2　01：6.5+38.1，27；　02：45.0，28；　03：45.0，23。
2.3　卷軸裝。首尾均全。卷首右下殘缺。卷尾有藏文。有烏絲欄。
3.1　首2行下殘→大正2910，85/1455C16~19.
3.2　尾全→85/1456C10。

4.1　金有陀羅尼經（首）。
4.2　金有陀羅尼經一卷（尾）。
7.1　卷尾有藏漢題記"tong – dze – tsheng – bris"、"董再清寫"。
8　8 ~ 9 世紀。吐蕃統治時期寫本。
9.1　楷書。
9.2　有倒乙、塗改。
11　圖版：《敦煌寶藏》，107/28B ~ 30A。

1.1　BD01344 號
1.3　仁王般若波羅蜜經卷上
1.4　張 044
1.5　090:3482
2.1　148.6 × 26.8 厘米；3 紙；72 行，行 17 字。
2.2　01：49.6，28；　02：49.4，28；　03：49.6，16。
2.3　卷軸裝。首脱尾全。經黄紙。有烏絲欄。
3.1　首殘→大正 245，8/828C28。
3.2　尾全→8/829C22。
4.2　般若波羅蜜仁王護國經卷上（尾）。
8　7 ~ 8 世紀。唐寫本。
9.1　楷書。
11　圖版：《敦煌寶藏》，78/210A ~ 211B。

1.1　BD01345 號
1.3　妙法蓮華經卷四
1.4　張 045
1.5　105:5231
2.1　（887.5 + 1.5）× 26 厘米；19 紙；正面 576 行，行 17 字。背面 326 行，行 17 字。
2.2　01：48.0，31；　02：48.0，31；　03：48.0，31；
04：48.0，31；　05：48.0，31；　06：47.8，31；
07：47.8，31；　08：47.8，31；　09：47.8，31；
10：47.8，31；　11：47.8，31；　12：47.8，31；
13：47.8，31；　14：47.8，31；　15：47.8，31；
16：47.7，31；　17：47.7，31；　18：47.6，31；
19：25 + 1.5，18。
2.3　卷軸裝。首脱尾殘。經黄打紙，砑光上蠟。卷中有殘洞，第 17 紙中下嚴重破損。卷背有鳥糞。有烏絲欄。
2.4　本遺書包括 8 個文獻：（一）《妙法蓮華經》卷四，576 行，抄寫在正面，今編為 BD01345 號。（二）《彌沙塞部和醯五分律》卷二五，11 行，抄寫在背面，今編爲 BD01345 號背 1。（三）《阿毗曇毗婆沙論》卷三二，44 行，抄寫在背面，今編爲 BD01345 號背 2。（四）《摩訶僧祇律》卷七，63 行，抄寫在背面，今编爲 BD01345 號背 3。（五）《般泥洹後灌臘經》，24 行，抄寫在背面，今編爲 BD01345 號背 4。（六）《沙彌羅經》，29 行，抄寫在背面，今編爲 BD01345 號背 5。（七）《大方廣佛華嚴經》（唐譯八十卷本）卷七三，145 行，抄寫在背面，今編爲 BD01345 號背 6。（八）《金剛仙論》卷一〇，10 行，抄寫在背面，今編爲 BD01345 號背 7。背面 7 個文獻内容大多與神通有關。當時可能是將各經典有關資料抄輯而成的一個抄經。詳情待考。
3.1　首殘→大正 262，9/28B8。
3.2　尾行中下殘→9/36B21。
8　7 ~ 8 世紀。唐寫本。
9.1　楷書。
9.2　有硃筆行間校加字。
11　圖版：《敦煌寶藏》，90/105A ~ 124B。

1.1　BD01345 號背 1
1.3　彌沙塞部和醯五分律卷二五
1.4　張 045
1.5　105:5231
2.4　本遺書由 8 個文獻組成，本號為第 2 個，12 行（因與下一文獻合佔一行，故此處對行數的計算與 BD01345 號 2.4 項行數不一致。下同），抄寫在背面。餘參見 BD01345 號之第 2 項、第 11 項。
3.1　首缺→大正 1421，22/165C21。
3.2　尾缺→22/166A8。
4.1　彌塞沙律廿五卷中（首）。
8　7 ~ 8 世紀。唐寫本。
9.1　楷書。
9.2　有重文號。

1.1　BD01345 號背 2
1.3　阿毗曇毗婆沙論卷三二
1.4　張 045
1.5　105:5231
2.4　本遺書由 8 個文獻組成，本號為第 3 個，44 行，抄寫在背面。餘參見 BD01345 號之第 2 項、第 11 項。
3.1　首缺→大正 1546，28/237A27。
3.2　尾缺→28/237C21。
4.1　阿毗曇毗婆沙論第四秩第卷末説（首）。
8　7 ~ 8 世紀。唐寫本。
9.1　楷書。
9.2　有重文號。

1.1　BD01345 號背 3
1.3　摩訶僧祇律卷七
1.4　張 045
1.5　105:5231
2.4　本遺書由 8 個文獻組成，本號為第 4 個，抄寫在背面，63 行。餘參見 BD01345 號之第 2 項、第 11 項。
3.1　首缺→大正 1425，22/285B2。
3.2　尾缺→22/286A21。
8　7 ~ 8 世紀。唐寫本。

9.1　楷書。有武周新字“天”、“日”、“地”、“國”、“人”。

1.1　BD01345 號背 4
1.3　般泥洹後灌臘經
1.4　張 045
1.5　105:5231
2.4　本遺書由 8 個文獻組成，本號為第 5 個，24 行，抄寫在背面。餘參見 BD01345 號之第 2 項、第 11 項。
3.1　首全→大正 391，12/1114A3。
3.2　尾全→2/1114B3。
4.1　般泥洹後灌臘經（首）。
4.2　般泥洹後灌臘經（尾）。
8　7～8 世紀。唐寫本。
9.1　楷書。有武周新字“國”、“天”、“人”、“日”、“月”、“証”、“地”，使用基本周遍。

1.1　BD01345 號背 5
1.3　沙彌羅經
1.4　張 045
1.5　105:5231
2.4　本遺書由 8 個文獻組成，本號為第 6 個，29 行，抄寫在背面。餘參見 BD01345 號之第 2 項、第 11 項。
3.1　首全→大正 750，17/572B18。
3.2　尾全→17/572C29。
4.1　沙彌羅經（首）。
4.2　沙彌羅經（尾）。
8　7～8 世紀。唐寫本。
9.1　楷書。有武周新字“年”、“天”、“日”、“地”，使用周遍。但“人”字不用武周新字。

1.1　BD01345 號背 6
1.3　大方廣佛華嚴經（唐譯八十卷本）卷七三
1.4　張 045
1.5　105:5231
2.4　本遺書由 8 個文獻組成，本號為第 7 個，145 行，抄寫在背面。餘參見 BD01345 號之第 2 項、第 11 項。
3.1　首缺→大正 279，10/399A2。
3.2　尾全→10/401C9。
4.1　大方廣佛花嚴經入法界品第卅九之十四，卷七十三，新譯（首）。
4.2　大方廣佛華嚴經第七十三（尾）。
5　與《大正藏》本對照，卷首缺文相當於 10/796B10～399A2；卷中漏抄 9/400C16～401B25 偈頌。
8　7～8 世紀。唐寫本。
9.1　楷書。

1.1　BD01345 號背 7
1.3　金剛仙論卷一〇
1.4　張 045
1.5　105:5231
2.4　本遺書由 8 個文獻組成，本號為第 8 個，10 行，抄寫在背面。餘參見 BD01345 號之第 2 項、第 11 項。
3.1　首全→大正 1512，25/872C12。
3.2　尾缺→25/872C24。
4.1　金剛仙論第十，九么（首）。
8　7～8 世紀。唐寫本。
9.1　楷書。

1.1　BD01346 號
1.3　大般若波羅蜜多經卷一〇
1.4　張 046
1.5　084:2036
2.1　（33.3＋216.7）×24.7 厘米；6 紙；148 行，行 17 字。
2.2　01：13.3，8；　02：20＋28.5，28；　03：47.0，28；
04：47.0，28；　05：47.0，28；　06：47.2，28。
2.3　卷軸裝。首殘尾脫。首 2 紙下殘。有烏絲欄。已修整。
3.1　首 19 行下殘→大正 220，5/51A7～25。
3.2　尾殘→5/52C10。
7.1　第 1 紙背面寫有 2 行勘記：第 1 行爲“卷第十”“一袟”。第 2 行爲“第十”“一”“十”，後“十”字爲硃書。上述第一行“一袟”、第二行“一”均為本文獻所屬袟次。第二行中硃書“十”則為本文獻之袟內卷次。
8　7～8 世紀。唐寫本。
9.1　楷書。
11　圖版：《敦煌寶藏》，71/446A～449A。

1.1　BD01347 號
1.3　金剛般若波羅蜜經
1.4　張 047
1.5　094:3931
2.1　（3.5＋403.3）×25.5 厘米；9 紙；225 行，行 17 字。
2.2　01：3.5＋45.5，28；　02：49.1，28；　03：49.1，28；
04：49.1，28；　05：49.5，28；　06：49.0，28；
07：49.0，28；　08：49.0，28；　09：14.0，01。
2.3　卷軸裝。首殘尾全。卷面殘損破裂，接縫處有開裂，通卷黴爛嚴重。有燕尾。背有古代裱補。有烏絲欄。已修整。
3.1　首 2 行上中殘→大正 235，8/749C20～21。
3.2　尾全→8/752C3。
4.2　金剛般若波羅蜜經（尾）。
8　7～8 世紀。唐寫本。
9.1　楷書。
11　圖版：《敦煌寶藏》，81/237B～243A。

1.1　BD01348 號 1

1.3　觀世音經
1.4　張 048
1.5　111:6256
2.1　153×24 厘米；4 紙；87 行，行 15～17 字。
2.2　01：46.0，28；　02：46.5，28；　03：48.5，27；
04：12.0，04。
2.3　卷軸裝。首殘尾全。尾有原軸，上下軸頭被鋸斷。卷面有殘缺。有烏絲欄。
2.4　本遺書包括 2 個文獻：（一）《觀世音經》，69 行，今編為 BD01348 號 1；（二）《般若波羅蜜多心經》，18 行，今編為 BD01348 號 2。
3.1　首 4 行下殘→大正 262，9/57A27～B3。
3.2　尾全→9/58B7。
4.2　觀世音經一卷（尾）
8　7～8 世紀。唐寫本。
9.1　楷書。
11　圖版：《敦煌寶藏》，97/480B～482B。

1.1　BD01348 號 2
1.3　般若波羅蜜多心經
1.4　張 048
1.5　111:6256
2.4　本遺書由 2 個文獻組成，本號為第 2 個，18 行。餘參見 BD01348 號 1 之第 2 項、第 11 項。
3.1　首全→大正 251，8/848C4。
3.2　尾全→8/848C24。
4.1　般若波羅蜜多心經（首）。
4.2　般若多心經（尾）。
8　7～8 世紀。唐寫本。
9.1　楷書。

1.1　BD01349 號
1.3　大般若波羅蜜多經卷二二
1.4　張 049
1.5　084:2062
2.1　（128.5＋11）×25 厘米；3 紙；正面 79 行，行 17 字。背面 5 行，行字不等。
2.2　01：45.0，25；　02：47.0，27；　03：36.5＋11，27。
2.3　卷軸裝。首全尾殘。通卷破損嚴重。背有古代裱補，裱紙正面補寫缺文，裱紙背面抄寫有花嚴經指歸的部分內容。有烏絲欄。
2.4　本遺書包括 2 個文獻：（一）《大般若波羅蜜多經》卷二二，79 行，抄寫在正面，今編為 BD01349 號。（二）《花嚴經指歸》，5 行，抄寫在背面，今編為 BD01349 號背。
3.1　首 8 行下殘→大正 220，5/120A5～24。
3.2　尾 7 行中下殘→5/121A2～8。
4.1　大般若波羅蜜多經卷第廿二，/初分教誡教授品第七之十二，' 三藏法師玄奘奉［詔譯］/（首）。
8　7～8 世紀。唐寫本。
9.1　楷書。
11　從該件上揭下古代裱補紙 1 塊，今編爲 BD16084。
圖版：《敦煌寶藏》，71/536B～538B。

1.1　BD01349 號背
1.3　花嚴經指歸
1.4　張 049
1.5　084:2062
2.4　本遺書由 2 個文獻組成，本號為第 2 個，5 行，抄寫在背面。餘參見 BD01349 號之第 2 項、第 11 項。
3.1　首全→大正 1871，45/589C3。
3.2　尾 4 行下殘→45/589C9。
4.1　花嚴經指歸一卷（首）。
7.3　有雜寫經名“花嚴經指歸一卷”。
8　7～8 世紀。唐寫本。
9.1　楷書。

1.1　BD01350 號 1
1.3　佛頂尊勝陀羅尼經序
1.4　張 050
1.5　229:7334
2.1　（4.5＋280.9）×25.5 厘米；6 紙；158 行，行 17 字。
2.2　01：4.5＋28.8，18；　02：50.6，28；　03：50.5，28；
04：50.2，28；　05：50.5，28；　06：50.3，28。
2.3　卷軸裝。首殘尾脫。經黄紙。卷面殘破、變色，有等距離黴爛，接縫處有開裂。背有古代裱補。有烏絲欄。
2.4　本遺書包括 2 個文獻：（一）《佛頂尊勝陀羅尼經序》，7 行，今編為 BD01350 號 1。（二）《佛頂尊勝陀羅尼經》（佛陀波利本），151 行，今編為 BD01350 號 2。
3.1　首 2 行上殘→大正 967，19/349C12～13。
3.2　尾全→19/349C19。
8　7～8 世紀。唐寫本。
9.1　楷書。
11　圖版：《敦煌寶藏》，105/510A～513B。

1.1　BD01350 號 2
1.3　佛頂尊勝陀羅尼經（佛陀波利本）
1.4　張 050
1.5　229:7334
2.4　本遺書由 2 個文獻組成，本號為第 2 個，151 行。餘參見 BD01350 號 1 之第 2 項、第 11 項。
3.1　首全→大正 967，19/349C23。
3.2　尾殘→19/351C21。
4.1　佛頂尊勝陀羅尼經，罽賓沙門佛陀波利奉詔譯（首）。
5　咒語與《大正藏》本不同，略相當於所附的宋本，參見

19/352A28～B23。
8　7～8世紀。唐寫本。
9.1　楷書。

1.1　BD01351號
1.3　妙法蓮華經卷二
1.4　張051
1.5　105:4898
2.1　248.7×25.6厘米；5紙；140行，行17字。
2.2　01：49.8，28；　02：49.8，28；　03：49.7，28；
04：49.7，28；　05：49.7，28。
2.3　卷軸裝。首尾均脱。接縫處有開裂。有烏絲欄。
3.1　首殘→大正262，9/13A10。
3.2　尾殘→9/15A5。
6.2　尾→BD01371號。
8　7～8世紀。唐寫本。
9.1　楷書。
11　圖版：《敦煌寶藏》，87/182A～185A。

1.1　BD01352號
1.3　大般若波羅蜜多經卷二一四
1.4　張052
1.5　084:2549
2.1　（6+188+2）×25.9厘米；4紙；112行，行17字。
2.2　01：6+43，28；　02：49.0，28；　03：49.0，28；
04：47+2，28。
2.3　卷軸裝。首尾均殘。卷面有殘缺、破裂及殘洞。背有古代裱補。有烏絲欄。已修整。
3.1　首3行下殘→大正220，6/71B1～4。
3.2　尾1行下殘→6/72B27。
8　7～8世紀。唐寫本。
9.1　楷書。
9.2　第1紙下邊有一處墨寫三角。
11　圖版：《敦煌寶藏》，74/50B～53A。

1.1　BD01353號
1.3　維摩詰所說經卷下
1.4　張053
1.5　070:1242
2.1　（9+378.5）×26厘米；8紙；219行，行17字。
2.2　01：9+39.5，28；　02：48.5，28；　03：48.5，28；
04：48.5，28；　05：48.5，28；　06：48.5，28；
07：48.5，28；　08：48.0，23。
2.3　卷軸裝。首殘尾脱。卷首右上殘缺，卷面有等距離殘缺。卷尾紙全而經文未抄完。卷背有鳥糞。有烏絲欄。
3.1　首5行中上殘→大正475，14/552B4～9。
3.2　尾缺→14/555A5。
8　7～8世紀。唐寫本。
9.1　楷書。
11　圖版：《敦煌寶藏》，66/288B～293A。

1.1　BD01354號
1.3　大般若波羅蜜多經卷一四四
1.4　張054
1.5　084:2380
2.1　94.4×28.6厘米；2紙；54行，行17字。
2.2　01：47.2，26；　02：47.2，28。
2.3　卷軸裝。首全尾脱。卷上邊有殘缺，卷面有殘洞。有烏絲欄。
3.1　首全→大正220，5/778B22。
3.2　尾殘→5/779A20。
4.1　大般若波羅蜜多經卷第一百卌四，/初分校量功德品第卅之卌二，三藏法師玄奘奉詔譯/（首）。
8　8～9世紀。吐蕃統治時期寫本。
9.1　楷書。
11　圖版：《敦煌寶藏》，73/113B～114B。

1.1　BD01355號
1.3　金剛般若波羅蜜經
1.4　張055
1.5　094:3988
2.1　（28.8+333.7）×26.5厘米；9紙；228行，行17字。
2.2　01：01.8，01；　02：27+18.5，29；　03：46.0，29；
04：45.8，29；　05：45.8，29；　06：46.0，29；
07：45.8，29；　08：45.5，29；　09：40.3，24。
2.3　卷軸裝。首殘尾全。第2紙上下斷裂，文可綴接；卷面有殘裂。有烏絲欄。
3.1　首30行下殘→大正235，8/749C21～750A24。
3.2　尾全→8/752C3。
4.2　金剛般若波羅蜜經（尾）。
8　7～8世紀。唐寫本。
9.1　楷書。
11　圖版：《敦煌寶藏》，81/416B～421A。

1.1　BD01356號
1.3　金光明經（異卷）卷二
1.4　張056
1.5　081:1396
2.1　123.2×26.5厘米；3紙；62行，行17字。
2.2　01：41.7，23；　02：41.5，22；　03：40.0，17。
2.3　卷軸裝。首殘尾全。尾有原軸。尾題上有經名號，有燕尾。有烏絲欄。
3.1　首殘→大正663，16/344A6。
3.2　尾全→16/344C19。

4.2　金光明經卷第二（尾）。
5　與《大正藏》本對照，分卷不同。本件相當於《大正藏》本卷二"四天王品"第六的後部分。
6.1　首→BD11368 號。
8　5～6 世紀。南北朝寫本。
9.1　隸書。
11　圖版：《敦煌寶藏》，67/330A～331B。

1.1　BD01357 號
1.3　金剛般若波羅蜜經
1.4　張 057
1.5　094:4071
2.1　（16.5＋197.5）×27 厘米；5 紙；129 行，行 19～20 字。
2.2　01：16.5＋9.5，16；　02：47.5，29；　03：47.5，28；
04：47.0，28；　05：46.0，28。
2.3　卷軸裝。首殘尾脫。第 1 紙有橫裂，有小塊殘片脫落，文可綴接；卷面有黴斑。
3.1　首 10 行上下殘→大正 235，8/750A29～B10。
3.2　尾殘→8/752A6。
7.3　卷面空白處有一雜寫"頓"（?）。
8　9～10 世紀。歸義軍時期寫本。
9.1　隸書。
9.2　有倒乙。有行間校加字。
11　圖版：《敦煌寶藏》，82/28B～31A。

1.1　BD01358 號
1.3　大般涅槃經（北本　異本）卷七
1.4　張 058
1.5　115:6326
2.1　（5＋949.3＋9）×25.8 厘米；19 紙；530 行，行 17 字。
2.2　01：5＋17，12；　02：52.5，29；　03：52.5，29；
04：52.8，29；　05：52.8，29；　06：52.8，29；
07：52.8，29；　08：52.8，29；　09：52.7，29；
10：52.7，29；　11：52.8，29；　12：52.8，29；
13：52.8，29；　14：52.8，29；　15：52.8，29；
16：52.7，29；　17：52.8，29；　18：52.7，29；
19：35.7＋9，25。
2.3　卷軸裝。首尾均殘。首紙前部殘缺嚴重，其餘各紙偶有殘缺破損，卷面有黴斑。有烏絲欄。
3.1　首 3 行上殘→大正 374，12/403C9～11。
3.2　尾 5 行下殘→12/410B26～29。
5　與《大正藏》本對照，分卷不同，經文相當於《大正藏》卷七如來性品第四之四的大部及卷八如來性品第四之五的前部。與已知諸藏分卷均不同。因首尾均殘，無從確定其卷次，暫定為卷七。
8　6 世紀。南北朝寫本。
9.1　隸書。
9.2　通卷有硃筆斷句。有硃筆科分"第七頭，七"。
11　圖版：《敦煌寶藏》，98/179A～191B。

1.1　BD01359 號
1.3　妙法蓮華經卷二
1.4　張 059
1.5　105:4883
2.1　49.9×25.6 厘米；1 紙；28 行，行 17 字。
2.3　卷軸裝。首尾均脫。有烏絲欄。
3.1　首殘→大正 262，9/12C8。
3.2　尾殘→9/13A9。
8　7～8 世紀。唐寫本。
9.1　楷書。
11　圖版：《敦煌寶藏》，87/158A～B。

1.1　BD01360 號
1.3　無量壽宗要經
1.4　張 060
1.5　275:7722
2.1　172×31 厘米；4 紙；104 行，行 30 餘字。
2.2　01：43.5，28；　02：43.0，29；　03：43.0，29；
04：42.5，18。
2.3　卷軸裝。首尾均全。卷面有撕裂。有烏絲欄。
3.1　首全→大正 936，19/82A3。
3.2　尾全→19/84C29。
4.1　大乘無量壽經（首）。
4.2　佛說無量壽宗要經（尾）。
5　本卷經文與《大正藏》本對照，在經末尾少寫"爾時如來說是經已"至"信受奉行"數句。
8　8～9 世紀。吐蕃統治時期寫本。
9.1　楷書。
9.2　有倒乙。有行間校加字。
11　圖版：《敦煌寶藏》，107/425A～427A。

1.1　BD01361 號
1.3　金剛般若波羅蜜經
1.4　張 061
1.5　094:4346
2.1　（9＋122）×26.5 厘米；4 紙；73 行，行 17 字。
2.2　01：9＋17，16；　02：47.5，28；　03：47.5，28；
04：10.0，01。
2.3　卷軸裝。首殘尾全。經黄紙。卷端有破裂，接縫處有開裂。有燕尾。有烏絲欄。
3.1　首 5 行中下殘→大正 235，8/751C6～11。
3.2　尾全→8/752C3。
4.2　金剛般若波羅蜜經（尾）。
5　與《大正藏》本對照。本卷經文無冥司偈，文見大正 235，

8/751C16～19。
8　7～8世紀。唐寫本。
9.1　楷書。
11　圖版：《敦煌寶藏》，83/27B～29A。

1.1　BD01362號
1.3　大般若波羅蜜多經卷三四三
1.4　張062
1.5　084:2927
2.1　（17+747.7）×26.1厘米；17紙；434行，行17字。
2.2　01：13.5，8；　02：3.5+44.4，28；　03：48.0，28；
04：48.0，28；　05：48.5，28；　06：48.4，28；
07：48.3，28；　08：48.4，28；　09：48.3，28；
10：48.3，28；　11：48.3，28；　12：48.3，28；
13：48.3，28；　14：48.2，28；　15：48.4，28；
16：48.5，28；　17：27.1，06。
2.3　卷軸裝。首殘尾全。卷面有殘洞、破裂、殘缺，接縫處有開裂，有等距離黴斑、油污。卷背有鳥糞。有燕尾。有烏絲欄。
3.1　首10行下殘→大正220，6/760A12～21。
3.2　尾全→6/765A7。
4.2　大般若波羅蜜多經卷第三百卌三（尾）。
7.1　尾題後有題記："界，比丘道真"。第1紙背面有勘記"□三，卅五"，"卅五"為本文獻所屬袟次。
8　8～9世紀。吐蕃統治時期寫本。
9.1　楷書。
9.2　有刮改。
11　圖版：《敦煌寶藏》，75/509B～519A。

1.1　BD01363號
1.3　菩薩地持經疏（擬）
1.4　張063
1.5　201:7203
2.1　（4.6+950.8+3.8）×28.3厘米；23紙；正面559行，行30～33字。背面582行，行字不等。
2.2　01：4.6+28.5，20；　02：42.3，27；　03：42.4，28；
04：42.6，27；　05：42.4，27；　06：42.5，26；
07：42.5，26；　08：42.5，25；　09：42.6，24；
10：42.6，24；　11：42.6，25；　12：42.5，24；
13：42.5，24；　14：42.3，23；　15：42.2，24；
16：42.4，23；　17：42.2，23；　18：42.5，23；
19：42.4，25；　20：42.5，24；　21：42.5，24；
22：42.2，23；　23：31.1+3.8，20。
2.3　卷軸裝。首尾均殘。卷面有殘損、破裂，接縫處有開裂。
2.4　本遺書包括3個文獻：（一）《菩薩地持經疏》（擬），559行，抄寫在正面，今編為BD01363號；（二）《起世經鈔》（擬），344行，抄寫在背面，今編為BD01363號背1；（三）《雜緣起抄》，238行，抄寫在背面，今編為BD01363號背2。
3.4　説明：
本文獻首3行上殘，尾2行上中殘。《敦煌劫餘録》作《瑜伽師地論》，周叔迦訂正為《菩薩地持經疏》。今考確為《菩薩地持經疏》，所疏為《菩薩地持經》卷三之"力種姓品第八"（首殘）、卷四之"施品第九"與"戒品第十"（後殘）。釋義委悉詳盡，未為歷代大藏經所收。
8　7～8世紀。唐寫本。
9.1　行書。
9.2　有硃筆點標。有倒乙。
11　圖版：《敦煌寶藏》，104/515B～539A。

1.1　BD01363號背1
1.3　起世經鈔（擬）
1.4　張063
1.5　201:7203
2.4　本遺書由3個文獻組成，本號為第2個，344行，抄寫在背面。餘參見BD01363號之第2項、第11項。
3.4　説明：
本文獻首2行上中殘，尾缺。內容為《起世經鈔》（擬）。所抄為《起世經》卷二"鬱單越洲品"至卷六"阿修羅品"。抄寫時撮略文字，並非全文照抄。
8　7～8世紀。唐寫本。
9.1　行草。
9.2　有重文號。有塗抹。有倒乙。

1.1　BD01363號背2
1.3　雜緣起抄
1.4　張063
1.5　201:7203
2.4　本遺書由3個文獻組成，本號為第3個，238行，抄寫在背面。餘參見BD01363號之第2項、第11項。
3.4　説明：
本文獻首全，尾3行上殘。從形態看，全文基本完整。乃抄輯內外諸經論之因緣故事。未為歷代大藏經所收。
4.1　雜緣起抄（首）。
8　7～8世紀。唐寫本。
9.1　行書。

1.1　BD01364號
1.3　大智度論卷八
1.4　張064
1.5　219:7309
2.1　（11+91.7）×26.7厘米；3紙；55行，行17字。
2.2　01：11+15.5，15；　02：38.2，22；　03：38.0，18。
2.3　卷軸裝。首殘尾全。通卷上部等距離殘缺，下邊殘損。已修整。後配《趙城藏》軸。
3.1　首6行上中殘→大正1509，25/120C11～15。

3.2　尾全→25/121B12。
4.2　摩訶衍經卷第八，丈光義品第十一（尾）。
5　與《大正藏》本對照，第7行多“比丘得第三禪”六字。
7.1　卷背有勘記“第十五袟”。
8　4～5世紀。東晉寫本。
9.1　隸書。
9.2　有行間校加字。
11　圖版：《敦煌寶藏》，105/423B～424B。

1.1　BD01365號
1.3　妙法蓮華經卷二
1.4　張065
1.5　105:4849
2.1　148.9＋25.5厘米；3紙；84行，行17字。
2.2　01：49.8，28；　02：49.3，28；　03：49.8，28。
2.3　卷軸裝。首尾均脫。首紙前端略有殘損，下有等距殘損，接縫處有開裂，第2、3紙接縫處脫開。有烏絲欄。
3.1　首殘→大正262，9/11B21。
3.2　尾殘→9/12C8。
8　7世紀。唐寫本。
9.1　楷書。
11　圖版：《敦煌寶藏》，87/86B～88B。

1.1　BD01366號
1.3　金剛般若波羅蜜經
1.4　張066
1.5　094:3820
2.1　（4＋453.3＋12.5）×25.5厘米；11紙；254行，行17字。
2.2　01：04.0，02；　02：50.5，28；　03：50.5，28；
04：50.4，28；　05：50.0，28；　06：50.5，28；
07：50.4，28；　08：50.5，28；　09：50.2，28；
10：50.3，27；　11：12.5，01。
2.3　卷軸裝。首殘尾全。接縫處有開裂，卷尾左下殘缺一塊。有燕尾。有烏絲欄。
3.1　首2行上下殘→大正235，8/749B18～20。
3.2　尾全→8/752C3。
4.2　金剛般若波羅蜜經一卷（尾）。
8　7～8世紀。唐寫本。
9.1　楷書。
11　圖版：《敦煌寶藏》，80/459B～466A。

1.1　BD01367號
1.3　無常經
1.4　張067
1.5　139:6664
2.1　90.8×27.5厘米；3紙；53行，行22字。
2.2　01：09.5，護首；　02：39.8，26；　03：41.5，27。
2.3　卷軸裝。首尾均全。有護首。有烏絲欄。
3.1　首全→大正801，17/745B7。
3.2　尾全→17/746B8。
4.1　佛說無常經，亦名三稽經（首）；
4.2　佛說無常經一卷（尾）。
7.3　下邊有雜寫，字跡不清。
8　9～10世紀。歸義軍時期寫本。
9.1　楷書。
11　圖版：《敦煌寶藏》，101/107A～108A。

1.1　BD01368號
1.3　金光明經（異卷）卷二
1.4　張068
1.5　081:1389
2.1　（4.5＋268.5）×26.3厘米；7紙；153行，行17字。
2.2　01：4.5＋30，20；　02：32.0，18；　03：41.2，23；
04：41.2，23；　05：41.5，23；　06：41.3，23；
07：41.3，23。
2.3　卷軸裝。首殘尾脫。接縫處有開裂。有烏絲欄。
3.1　首3行中下殘→大正663，16/342A21～24。
3.2　尾殘→16/344A6。
6.2　尾→BD01356號。
8　5～6世紀。南北朝寫本。
9.1　隸書。
11　圖版：《敦煌寶藏》，67/316A～319B。

1.1　BD01369號
1.3　要行捨身經
1.4　張069
1.5　299:8296
2.1　40×25.4厘米；1紙；23行，行17字。
2.3　卷軸裝。首全尾脫。卷面殘破嚴重，紙張油污變色。有烏絲欄。
3.1　首全→大正2895，85/1414C22。
3.2　尾殘→85/1415A15。
4.1　佛說要行捨身經（首）。
8　7～8世紀。唐寫本。
9.1　楷書。
11　圖版：《敦煌寶藏》，109/565B。

1.1　BD01370號
1.3　維摩詰所說經卷下
1.4　張070
1.5　070:1230
2.1　（8.5＋796）×25.5厘米；16紙；438行，行17字。
2.2　01：8.5＋40，26；　02：49.5，28；　03：49.5，28；
04：49.5，28；　05：51.0，28；　06：49.5，28；

07：49.5，28；　08：49.5，28；　09：51.0，28；
10：51.0，28；　11：51.0，28；　12：51.0，28；
13：51.0，28；　14：51.0，28；　15：51.0，28；
16：51.0，20。

2.3　卷軸裝。首殘尾全。經黄紙。卷首有殘裂，卷面有蟲繭。有燕尾。有烏絲欄。

3.1　首3行上殘→大正475，14/552A6～8。

3.2　尾全→14/557B26。

4.2　維摩詰經卷下（尾）。

8　7～8世紀。唐寫本。

9.1　楷書。

9.2　部分經文有硃筆斷句。

11　圖版：《敦煌寶藏》，66/173A～184A。

1.1　BD01371號

1.3　妙法蓮華經卷二

1.4　張071

1.5　105:4934

2.1　（90.9+8.7）×25.8厘米；2紙；56行，行16字（偈）。

2.2　01：50.0，28；　02：40.9+8.7，28。

2.3　卷軸裝。首脱尾殘。尾紙上下邊有撕裂殘損。有烏絲欄。

3.1　首殘→大正262，9/15A5。

3.2　尾5行下殘→9/15C16～21。

6.1　首→BD01351號。

8　7～8世紀。唐寫本。

9.1　楷書。

11　圖版：《敦煌寶藏》，87/258A～259B。

1.1　BD01372號

1.3　大般若波羅蜜多經卷一〇

1.4　張072

1.5　084:2034

2.1　523.2×25.4厘米；11紙；303行，行17字。

2.2　01：47.5，28；　02：47.2，28；　03：47.6，28；
04：47.5，28；　05：47.5，28；　06：47.6，28；
07：47.8，28；　08：47.5，28；　09：47.8，28；
10：47.6，28；　11：47.6，23。

2.3　卷軸裝。首脱尾全。接縫處有開裂。有烏絲欄。

3.1　首殘→大正220，5/52C10。

3.2　尾全→5/56A22。

4.2　大般若波羅蜜多經卷第十（尾）。

7.1　卷尾經名後有題記“智照寫”。

8　8世紀。唐寫本。

9.1　楷書。

11　圖版：《敦煌寶藏》，71/432A～438B。

1.1　BD01373號

1.3　大般若波羅蜜多經卷二七九

1.4　張073

1.5　084:2756

2.1　（9+204.2）×26厘米；5紙；123行，行17字。

2.2　01：9+10.5，11；　02：48.5，28；　03：48.5，28；
04：48.4，28；　05：48.3，28。

2.3　卷軸裝。首殘尾脱。卷面有殘缺、殘洞、破裂。背有古代裱補。有烏絲欄。

3.1　首6行下殘→6/414C12～18。

3.2　尾殘→6/416A19。

8　8～9世紀。吐蕃統治時期寫本。

7.3　背面裱補紙上有雜寫“八”。

9.1　楷書。

11　圖版：《敦煌寶藏》，74/660B～663A。

1.1　BD01374號

1.3　大般若波羅蜜多經卷五〇

1.4　張074

1.5　084:2129

2.1　202.9×25厘米；5紙；110行，行17字。

2.2　01：20.0，護首；　02：44.0，26；　03：45.5，28；
04：46.7，28；　05：46.7，28。

2.3　卷軸裝。首全尾脱。有護首，護首有竹質天竿及土灰色絅絲帶，護首背面有長16厘米紺青紙經名簽，上用金粉書寫經名。接縫處有開裂，通卷破損嚴重。背有多處古代裱補。已修整。

3.1　首全→大正220，5/280A9。

3.2　尾殘→5/281B4。

4.1　大般若波羅蜜多經卷第五十，/初分大乘鎧品第十四之二，三藏法師玄奘奉詔譯/（首）。

7.4　護首有經名“大般若波羅蜜多經卷第五十，五”，“五”為本文獻所屬袟次。

8　7～8世紀。唐寫本。

9.1　楷書。

11　從該件上揭下古代裱補紙13塊，今編爲BD16086號（8塊）、BD16087號（4塊）、BD16088號（1塊）。
圖版：《敦煌寶藏》，72/64A～66B。

1.1　BD01375號

1.3　大般若波羅蜜多經卷二九八

1.4　張075

1.5　084:2827

2.1　336.6×26.1厘米；8紙；202行，行17字。

2.2　01：46.5，28；　02：46.0，28；　03：46.0，28；
04：46.0，28；　05：46.0，28；　06：46.0，28；
07：46.0，28；　08：14.1，06。

2.3　卷軸裝。首脱尾全。有烏絲欄。

3.1　首殘→大正220，6/517A27。

3. 2　尾全→6/519B24。
4. 2　大般若波羅蜜多經卷第二百九十八（尾）。
6. 1　首→BD01457 號。
8　8 世紀。唐寫本。
9. 1　楷書。
11　圖版：《敦煌寶藏》，75/192A ~ 196A。

1. 1　BD01376 號
1. 3　無量壽宗要經
1. 4　張 076
1. 5　275:7723
2. 1　217. 5 ×31. 5 厘米；5 紙；138 行，行 30 餘字。
2. 2　01：44. 0，27；　02：43. 5，29；　03：43. 5，29；
04：43. 5，29；　05：43. 0，24。
2. 3　卷軸裝。首尾均全。有烏絲欄。
3. 1　首全→大正 936，19/82A3。
3. 2　尾全→19/84C29。
4. 1　大乘無量壽經（首）。
4. 2　佛說無量壽宗要經（尾）。
8　8 ~ 9 世紀。吐蕃統治時期寫本。
9. 1　行楷。
11　圖版：《敦煌寶藏》，107/427B ~ 430A。

1. 1　BD01377 號
1. 3　無量壽宗要經
1. 4　張 077
1. 5　275:7724
2. 1　220. 5 ×31. 5 厘米；5 紙；140 行，行 30 餘字。
2. 2　01：44. 5，29；　02：44. 0，30；　03：44. 0，30；
04：44. 0 ，30；　05：44. 0，21。
2. 3　卷軸裝。首尾均全。卷尾有撕裂。有烏絲欄。
3. 1　首全→大正 936，19/82A3。
3. 2　尾全→19/84C29。
4. 1　大乘無量壽經（首）。
4. 2　佛說無量壽宗要經（尾）。
8　8 ~ 9 世紀。吐蕃統治時期寫本。
9. 1　楷書。
11　圖版：《敦煌寶藏》，107/430B ~ 433A。

1. 1　BD01378 號
1. 3　無量壽宗要經
1. 4　張 078
1. 5　275:7978
2. 1　（615 +160. 5）×31 厘米；4 紙；104 行，行 30 餘字。
2. 2　01：6. 5 +30. 5，26；　02：43. 0，29；　03：43. 5，30；
04：43. 5，19。
2. 3　卷軸裝。首殘尾全。卷首上下有殘缺，卷面有殘裂和殘洞，上邊有等距離油污，紙張變色，卷尾油污殘破。有烏絲欄。
3. 1　首 5 行上下殘→大正 936，19/82C6 ~ 15。
3. 2　尾全→19/84C29。
4. 2　佛說無量壽宗要經（尾）。
8　8 ~ 9 世紀。吐蕃統治時期寫本。
9. 1　行楷。
11　圖版：《敦煌寶藏》，108/426A ~ 428A。

1. 1　BD01379 號
1. 3　維摩詰所說經卷上
1. 4　張 079
1. 5　070:0925
2. 1　（44. 5 +10）×26 厘米；2 紙；33 行，行 17 字。
2. 2　01：10. 5，06；　02：34 +10，27。
2. 3　卷軸裝。首殘尾脫。卷面有水漬，紙張變色，卷尾左下殘缺。有烏絲欄。
3. 1　首殘→大正 475，14/537B25。
3. 2　尾 6 行下殘→14/537C23 ~ 28。
8　8 ~ 9 世紀。吐蕃統治時期寫本。
9. 1　楷書。
11　圖版：《敦煌寶藏》，64/39。

1. 1　BD01380 號
1. 3　佛名經（十六卷本）卷五
1. 4　張 080
1. 5　063:0644
2. 1　（4. 5 +194. 5 +1. 5）×29. 3 厘米；4 紙；100 行，行 11 字。
2. 2　01：4. 5 +45. 5，25；　02：50. 5，25；　03：50. 5，25；
04：48 +1. 5，25。
2. 3　卷軸裝。首尾均殘。有烏絲欄。
3. 1　首 2 行中下殘→《七寺古逸經典研究叢書》，3/第 255 頁第 482 行。
3. 2　尾 1 行中下殘→《七寺古逸經典研究叢書》，3/第 261 頁第 569 行。
6. 2　尾→BD01597 號。
8　9 ~ 10 世紀。歸義軍時期寫本。
9. 1　楷書。
11　圖版：《敦煌寶藏》，60/638A ~ 640B。

1. 1　BD01381 號
1. 3　大般若波羅蜜多經卷四三七
1. 4　張 081
1. 5　084:3128
2. 1　89. 9 ×27. 5 厘米；2 紙；55 行，行 17 字。
2. 2　01：45. 1，28；　02：44. 8，27。
2. 3　卷軸裝。首尾均脫。卷下方有等距殘損。尾有餘空。有烏絲欄。

3.1　首殘→大正 220，7/203B5。
3.2　尾全→7/204A3。
8　8～9 世紀。吐蕃統治時期寫本。
9.1　楷書。
11　圖版：《敦煌寶藏》，76/450A～451A。

1.1　BD01382 號
1.3　金剛般若波羅蜜經
1.4　張 082
1.5　094:4038
2.1　（7.5＋143.1＋4）×26.5 厘米；3 紙；84 行，行 17 字。
2.2　01：7.5＋44.5，28；　02：51.6，28；　03：47＋4，28。
2.3　卷軸裝。首尾均殘。經黄紙。卷面有破裂，油污變色，尾有蟲繭。有烏絲欄。
3.1　首 4 行下殘→大正 235，8/750A20～24。
3.2　尾 2 行下殘→8/751A18－19。
8　7～8 世紀。唐寫本。
9.1　楷書。
9.2　有行間校加字。
11　圖版：《敦煌寶藏》，81/578A～580A。

1.1　BD01383 號
1.3　妙法蓮華經卷三
1.4　張 083
1.5　105:5135
2.1　127.2×28.9 厘米；3 紙；72 行，行 16～18 字。
2.2　01：42.5，24；　02：42.5，24；　03：42.2，24。
2.3　卷軸裝。首尾均脱。首紙上下邊略殘。有烏絲欄。
3.1　首→大正 262，9/22B20。
3.2　尾殘→9/23B25。
8　7～8 世紀。唐寫本。
9.1　楷書。
11　圖版：《敦煌寶藏》，89/137A～138B。

1.1　BD01384 號
1.3　維摩詰所説經卷中
1.4　張 084
1.5　070:1147
2.1　131×25.5 厘米；3 紙；77 行，行 17 字。
2.2　01：47.5，28；　02：47.5，28；　03：36.0，21。
2.3　卷軸裝。首脱尾殘。經黄紙。通卷下部有水漬。有烏絲欄。
3.1　首殘→大正 475，14/546C1。
3.2　尾殘→14/547B26。
6.1　首→BD01729 號。
6.2　尾→BD01526 號。
8　7～8 世紀。唐寫本。
9.1　楷書。
11　圖版：《敦煌寶藏》，65/477A～478B。

1.1　BD01385 號
1.3　妙法蓮華經卷四
1.4　張 085
1.5　105:5269
2.1　（4.5＋216.5）×26.5 厘米；5 紙；119 行，行 17 字。
2.2　01：4.5＋39.7，25；　02：47.0，25；　03：46.8，25；
04：46.8，25；　05：36.2，19。
2.3　卷軸裝。首尾均殘。首紙有殘洞，有鳥糞。有烏絲欄。
3.1　首 4 行中下殘→大正 262，9/28A11～18。
3.2　尾殘→9/30A7。
8　7～8 世紀。唐寫本。
9.1　楷書。
11　圖版：《敦煌寶藏》，90/440A～443B。

1.1　BD01386 號
1.3　大般若波羅蜜多經卷三五八
1.4　張 086
1.5　084:2984
2.1　（1.5＋503.4）×26.3 厘米；11 紙；303 行，行 17 字。
2.2　01：1.5＋43.7，28；　02：46.0，28；　03：46.0，28；
04：46.0，28；　05：45.8，28；　06：46.0，28；
07：46.0，28；　08：46.0，28；　09：46.0，28；
10：46.1，28；　11：45.8，23。
2.3　卷軸裝。首殘尾全。有燕尾。有烏絲欄。
3.1　首行上下殘→大正 220，6/844A15。
3.2　尾全→6/847C3。
4.2　大般若波羅蜜多經卷第三百五十八（尾）。
6.1　首→BD01499 號。
7.1　尾題後有題記："法凝（？）勘"；"王和和"。
8　8～9 世紀。吐蕃統治時期寫本。
9.1　楷書。
11　圖版：《敦煌寶藏》，76/24B～31A。

1.1　BD01387 號
1.3　金光明最勝王經卷九
1.4　張 087
1.5　083:1919
2.1　（163＋2.5）×25.5 厘米；5 紙；99 行，行 17 字。
2.2　01：10.2，06；　02：46.5，28；　03：46.2，28；
04：46.8，28；　05：13.3＋2.5，09。
2.3　卷軸裝。首尾均殘。首尾殘缺嚴重，尾部脱落一塊殘片；通卷有水漬，卷面有蟲繭。有烏絲欄。
3.1　首殘→大正 665，16/444C5。
3.2　尾行上殘→16/446B28～29。
8　8～9 世紀。吐蕃統治時期寫本。

9.1　楷書。
11　圖版：《敦煌寶藏》，70/667B～669B。

1.1　BD01388 號
1.3　金剛般若波羅蜜經
1.4　張 088
1.5　094:4278
2.1　183.7×26 厘米；3 紙；103 行，行 17 字。
2.2　01：72.0，42；　02：71.7，42；　03：40.0，18。
2.3　卷軸裝。首脱尾全。經黄紙。卷面有蟲繭。有燕尾。有烏絲欄。
3.1　首殘→大正 235，8/751B4。
3.2　尾全→8/752C3。
4.2　金剛般若波羅蜜經（尾）。
8　7～8 世紀。唐寫本。
9.1　楷書。"世"字缺筆，避諱。
11　圖版：《敦煌寶藏》，82/568B～570B。

1.1　BD01389 號
1.3　無量壽宗要經
1.4　張 089
1.5　275:7979
2.1　（11.5+189.5）×31.5 厘米；5 紙；135 行，行 30 餘字。
2.2　01：11.5+16，18；　02：43.5，29；　03：43.5，29；
　　04：43.5，29；　05：43.0，30。
2.3　卷軸裝。首殘尾全。卷首殘破嚴重。有烏絲欄。
3.1　首 8 行上下殘→大正 936，19/82A21～B7。
3.2　尾全→19/84C29。
4.2　佛說無量壽宗要經（尾）。
7.1　尾題後有題名："張英環（?）"。
8　7～8 世紀。唐寫本。
9.1　行楷。
11　圖版：《敦煌寶藏》，108/428B～430B。

1.1　BD01390 號
1.3　妙法蓮華經卷一
1.4　張 090
1.5　105:4575
2.1　151.2×26.1 厘米；3 紙；84 行，行 17 字。
2.2　01：50.3，28；　02：50.5，28；　03：50.4，28。
2.3　卷軸裝。首尾均脱。經黄紙。通卷上部黴變。有烏絲欄。
3.1　首殘→大正 262，9/4A14。
3.2　尾殘→9/5C1。
8　7～8 世紀。唐寫本。
9.1　楷書。
11　圖版：《敦煌寶藏》，84/561B～563B。

1.1　BD01391 號
1.3　藥師琉璃光如來本願功德經
1.4　張 091
1.5　030:0298
2.1　138×25 厘米；3 紙；78 行，行 17 字。
2.2　01：38.0，22；　02：50.0，28；　03：50.0，28。
2.3　卷軸裝。首殘尾脱。通卷破損黴爛嚴重。有烏絲欄。已修整。
3.1　首殘→大正 450，14/406A19。
3.2　尾殘→14/407A23。
8　7～8 世紀。唐寫本。
9.1　楷書。
11　圖版：《敦煌寶藏》，57/666A～668A。

1.1　BD01392 號
1.3　金光明最勝王經卷三
1.4　張 092
1.5　083:1588
2.1　（11.5+580.8）×25 厘米；13 紙；333 行，行 17 字。
2.2　01：11.5+31，25；　02：48.5，28；　03：48.8，28；
　　04：48.8，28；　05：48.7，28；　06：48.7，28；
　　07：48.5，28；　08：48.5，28；　09：48.5，28；
　　10：48.5，28；　11：48.5，28；　12：48.3，27；
　　13：15.5，01。
2.3　卷軸裝。首殘尾全。卷面多水漬，有油污。有燕尾。有烏絲欄。已修整。
3.1　首 7 行上下殘→大正 665，16/413C9～19。
3.2　尾全→16/417C16。
4.1　□…□經滅業障□…□（首）。
4.2　金光明經卷第三（尾）。
8　9～10 世紀。歸義軍時期寫本。
9.1　楷書。
9.2　有行間雜寫，已塗去。
11　圖版：《敦煌寶藏》，68/462A～469B。

1.1　BD01393 號
1.3　金剛般若波羅蜜經
1.4　張 093
1.5　094:4139
2.1　（3.5+102.2）×26 厘米；3 紙；64 行，行 17 字。
2.2　01：3.5+5，05；　02：48.5，29；　03：48.7，30。
2.3　卷軸裝。首殘尾脱。卷面有殘損。有烏絲欄。本件紙張較厚，可揭爲兩層。
3.1　首 2 行上殘→大正 235，8/750B28～29。
3.2　尾殘→8/751B4。
8　7～8 世紀。唐寫本。
9.1　楷書。

11　圖版:《敦煌寶藏》, 82/210B ~ 211B。

1.1　BD01394 號
1.3　妙法蓮華經卷三
1.4　張 094
1.5　105: 5169
2.1　135 × 25.8 厘米; 3 紙; 78 行, 行 17 字。
2.2　01: 48.4, 28;　02: 48.2, 28;　03: 38.4, 22。
2.3　卷軸裝。首脱尾殘。經黄紙。接縫處有開裂。有烏絲欄。
3.1　首殘→大正 262, 9/24A17。
3.2　尾殘→9/25B1。
8　7 ~ 8 世紀。唐寫本。
9.1　楷書。
9.2　有倒乙。
11　圖版:《敦煌寶藏》, 89/303B ~ 305A。

1.1　BD01395 號
1.3　金光明最勝王經卷八
1.4　張 095
1.5　083: 1893
2.1　105.9 × 25.5 厘米; 4 紙; 66 行, 行 17 字。
2.2　01: 06.2, 04;　02: 45.0, 28;　03: 44.5, 28;
04: 10.2, 06。
2.3　卷軸裝。首殘尾斷。卷面多處斷裂, 殘損嚴重。卷背有古代裱補紙, 有文字, 似世俗文書; 另有藏文, 未揭。有烏絲欄。
3.1　首行上殘→大正 665, 16/441C18。
3.2　尾殘→16/443A11 ~ 12。
7.3　裱補紙上有藏文殘句 "shang - sha - va - zhabs - nas - va. / yar - tshod - mtshas - te - bka"。
8　8 ~ 9 世紀。吐蕃統治時期寫本。
9.1　楷書。
11　圖版:《敦煌寶藏》, 70/504A ~ 505A。

1.1　BD01396 號
1.3　佛名經 (十六卷本) 卷五
1.4　張 096
1.5　063: 0639
2.1　(2.5 + 152) × 29.5 厘米; 4 紙; 76 行, 行 16 字。
2.2　01: 02.5, 01;　02: 51.0, 25;　03: 50.5, 25;
04: 50.5, 25。
2.3　卷軸裝。首殘尾脱。有烏絲欄。
3.1　首 1 行上中殘→《七寺古逸經典研究叢書》, 3/第 230 頁第 166 行。
3.2　尾 1 行中下殘→《七寺古逸經典研究叢書》, 3/第 235 頁第 232 行。
5　與七寺本對照, 文字略有不同。
6.1　首→BD01474 號。
6.2　尾→BD01412 號。
8　9 ~ 10 世紀。歸義軍時期寫本。
9.1　楷書。
11　圖版:《敦煌寶藏》, 60/624B ~ 626B。

1.1　BD01397 號
1.3　灌頂章句拔除過罪生死得度經
1.4　張 097
1.5　250: 7498
2.1　365.1 × 25.7 厘米; 7 紙; 196 行, 行 17 字。
2.2　01: 52.3, 28;　02: 52.1, 28;　03: 52.1, 28;
04: 52.2, 28;　05: 52.2, 28;　06: 52.2, 28;
07: 52.0, 28。
2.3　卷軸裝。首尾均脱。經黄紙。接縫處有開裂, 卷尾上下有蟲繭。有烏絲欄。
3.1　首殘→大正 1331, 21/533B5。
3.2　尾殘→21/535C10。
5　與《大正藏》本對照, 有缺文, 可參見 21/533C4 ~ C7。
8　7 ~ 8 世紀。唐寫本。
9.1　楷書。
9.2　偶有硃筆點標。
11　圖版:《敦煌寶藏》, 106/489A ~ 493B。

1.1　BD01398 號
1.3　金光明最勝王經卷二
1.4　張 098
1.5　083: 1536
2.1　(9.5 + 34) × 23.5 厘米; 1 紙; 26 行, 行 17 字。
2.3　卷軸裝。首全尾脱。卷端有天竿。卷背多裱補紙; 用裱補紙做護首。已修整。
3.1　首 5 行中下殘→大正 665, 16/408B2 ~ 9。
3.2　尾殘→16/408C3。
4.1　金光明最勝王經分別三身品第三, 二 (首)
8　8 ~ 9 世紀。吐蕃統治時期寫本。
9.1　楷書。
11　從該卷揭下古代裱補紙 3 塊, 今編爲 BD16061 號。
圖版:《敦煌寶藏》, 68/348B。

1.1　BD01399 號
1.3　金剛般若波羅蜜經
1.4　張 099
1.5　094: 3678
2.1　(5 + 487.4) × 26 厘米; 12 紙; 281 行, 行 17 字。
2.2　01: 03.0, 02;　02: 2 + 45.3, 28;　03: 48.0, 28;
04: 48.0, 28;　05: 48.1, 28;　06: 48.0, 28;
07: 47.8, 28;　08: 48.0, 28;　09: 47.7, 28;
10: 47.5, 28;　11: 48.0, 27;　12: 11.0, 拖尾。

2.3　卷軸裝。首殘尾全。卷面有殘破、撕裂，接縫處有開裂，通卷上部油污。有燕尾。有烏絲欄。

3.1　首3行上殘→大正235，8/749A17～18。

3.2　尾全→8/752C3。

4.2　金剛般若波羅蜜經（尾）。

7.3　卷背有雜寫“須菩”。

8　7～8世紀。唐寫本。

9.1　楷書。

9.2　部分經文有硃筆斷句。

11　圖版：《敦煌寶藏》，79/481B～488A。

1.1　BD01400號

1.3　妙法蓮華經卷五

1.4　張100

1.5　105:5446

2.1　（3.3+971.7）×25.6厘米；21紙；577行，行17字。

2.2　01：3.3+25.2，17；　02：47.3，28；　03：47.3，28；
04：47.3，28；　05：47.3，28；　06：47.3，28；
07：47.3，28；　08：47.5，28；　09：47.4，28；
10：47.3，28；　11：47.3，28；　12：47.3，28；
13：47.3，28；　14：47.3，28；　15：47.3，28；
16：47.3，28；　17：47.4，28；　18：47.4，28；
19：47.4，28；　20：47.3，28；　21：47.2，28。

2.3　卷軸裝。首殘尾脫。經黄紙。卷首有殘洞、殘裂，卷中下有殘缺，卷尾有蟲繭。有烏絲欄。

3.1　首2行中上殘→大正262，9/37A19。

3.2　尾殘→9/45C17。

8　7～8世紀。唐寫本。

9.1　楷書。

11　圖版：《敦煌寶藏》，91/583A～596A。

新舊編號對照表

一、千字文號與北敦號、縮微膠卷號對照表

千字文號	北敦號	縮微膠卷號
張 015	BD01315 號	070：1142
張 015	BD01315 號背	070：1142
張 016	BD01316 號	093：3495
張 017	BD01317 號	083：1459
張 018	BD01318 號	275：7720
張 019	BD01319 號	083：1618
張 020	BD01320 號	105：5459
張 021	BD01321 號	094：4352
張 022	BD01322 號	105：6117
張 023	BD01323 號	275：7721
張 024	BD01324 號	201：7193
張 025	BD01325 號	105：5880
張 026	BD01326 號	084：3136
張 027	BD01327 號	002：0064
張 028	BD01328 號	105：4836
張 029	BD01329 號	105：5391
張 030	BD01330 號	063：0758
張 031	BD01331 號	376：8476
張 032	BD01332 號	156：6837
張 033	BD01333 號	083：1528
張 034	BD01334 號	084：3411
張 035	BD01335 號	105：5414
張 036	BD01336 號	105：4728
張 037	BD01337 號	094：3513
張 038	BD01338 號	083：1523
張 039	BD01339 號	082：1429
張 040	BD01340 號	305：8306
張 041	BD01341 號	083：1542
張 042	BD01342 號	105：4848
張 043	BD01343 號	254：7574
張 044	BD01344 號	090：3482
張 045	BD01345 號	105：5231
張 045	BD01345 號背 1	105：5231
張 045	BD01345 號背 2	105：5231

千字文號	北敦號	縮微膠卷號
張 045	BD01345 號背 3	105：5231
張 045	BD01345 號背 4	105：5231
張 045	BD01345 號背 5	105：531
張 045	BD01345 號背 6	105：5231
張 045	BD01345 號背 7	105：5231
張 046	BD01346 號	084：2036
張 047	BD01347 號	094：3931
張 048	BD01348 號 1	111：6256
張 048	BD01348 號 2	111：6256
張 049	BD01349 號	084：2062
張 049	BD01349 號背	084：2062
張 050	BD01350 號 1	229：7334
張 050	BD01350 號 2	229：7334
張 051	BD01351 號	105：4898
張 052	BD01352 號	084：2549
張 053	BD01353 號	070：1242
張 054	BD01354 號	084：2380
張 055	BD01355 號	094：3988
張 056	BD01356 號	081：1396
張 057	BD01357 號	094：4071
張 058	BD01358 號	115：6326
張 059	BD01359 號	105：4883
張 060	BD01360 號	275：7722
張 061	BD01361 號	094：4346
張 062	BD01362 號	084：2927
張 063	BD01363 號	201：7203
張 063	BD01363 號背 1	201：7203
張 063	BD01363 號背 2	201：7203
張 064	BD01364 號	219：7309
張 065	BD01365 號	105：4849
張 066	BD01366 號	094：3820
張 067	BD01367 號	139：6664
張 068	BD01368 號	081：1389
張 069	BD01369 號	299：8296

張070	BD01370號	070：1230	張086	BD01386號	084：2984
張071	BD01371號	105：4934	張087	BD01387號	083：1919
張072	BD01372號	084：2034	張088	BD01388號	094：4278
張073	BD01373號	084：2756	張089	BD01389號	275：7979
張074	BD01374號	084：2129	張090	BD01390號	105：4575
張075	BD01375號	084：2827	張091	BD01391號	030：0298
張076	BD01376號	275：7723	張092	BD01392號	083：1588
張077	BD01377號	275：7724	張093	BD01393號	094：4139
張078	BD01378號	275：7978	張094	BD01394號	105：5169
張079	BD01379號	070：0925	張095	BD01395號	083：1893
張080	BD01380號	063：0644	張096	BD01396號	063：0639
張081	BD01381號	084：3128	張097	BD01397號	250：7498
張082	BD01382號	094：4038	張098	BD01398號	083：1536
張083	BD01383號	105：5135	張099	BD01399號	094：3678
張084	BD01384號	070：1147	張100	BD01400號	105：5446
張085	BD01385號	105：5269			

二、縮微膠卷號與北敦號、千字文號對照表

縮微膠卷號	北敦號	千字文號	縮微膠卷號	北敦號	千字文號
002：0064	BD01327號	張027	084：2062	BD01349號	張049
030：0298	BD01391號	張091	084：2062	BD01349號背	張049
063：0639	BD01396號	張096	084：2129	BD01374號	張074
063：0644	BD01380號	張080	084：2380	BD01354號	張054
063：0758	BD01330號	張030	084：2549	BD01352號	張052
070：0925	BD01379號	張079	084：2756	BD01373號	張073
070：1142	BD01315號	張015	084：2827	BD01375號	張075
070：1142	BD01315號背	張015	084：2927	BD01362號	張062
070：1147	BD01384號	張084	084：2984	BD01386號	張086
070：1230	BD01370號	張070	084：3128	BD01381號	張081
070：1242	BD01353號	張053	084：3136	BD01326號	張026
081：1389	BD01368號	張068	084：3411	BD01334號	張034
081：1396	BD01356號	張056	090：3482	BD01344號	張044
082：1429	BD01339號	張039	093：3495	BD01316號	張016
083：1459	BD01317號	張017	094：3513	BD01337號	張037
083：1523	BD01338號	張038	094：3678	BD01399號	張099
083：1528	BD01333號	張033	094：3820	BD01366號	張066
083：1536	BD01398號	張098	094：3931	BD01347號	張047
083：1542	BD01341號	張041	094：3988	BD01355號	張055
083：1588	BD01392號	張092	094：4038	BD01382號	張082
083：1618	BD01319號	張019	094：4071	BD01357號	張057
083：1893	BD01395號	張095	094：4139	BD01393號	張093
083：1919	BD01387號	張087	094：4278	BD01388號	張088
084：2034	BD01372號	張072	094：4346	BD01361號	張061
084：2036	BD01346號	張046	094：4352	BD01321號	張021

105：4575	BD01390 號	張 090
105：4728	BD01336 號	張 036
105：4836	BD01328 號	張 028
105：4848	BD01342 號	張 042
105：4849	BD01365 號	張 065
105：4883	BD01359 號	張 059
105：4898	BD01351 號	張 051
105：4934	BD01371 號	張 071
105：5135	BD01383 號	張 083
105：5169	BD01394 號	張 094
105：5231	BD01345 號	張 045
105：5231	BD01345 號背 1	張 045
105：5231	BD01345 號背 2	張 045
105：5231	BD01345 號背 3	張 045
105：5231	BD01345 號背 4	張 045
105：5231	BD01345 號背 5	張 045
105：5231	BD01345 號背 6	張 045
105：5231	BD01345 號背 7	張 045
105：5269	BD01385 號	張 085
105：5391	BD01329 號	張 029
105：5414	BD01335 號	張 035
105：5446	BD01400 號	張 100
105：5459	BD01320 號	張 020
105：5880	BD01325 號	張 025
105：6117	BD01322 號	張 022
111：6256	BD01348 號 1	張 048
111：6256	BD01348 號 2	張 048
115：6326	BD01358 號	張 058
139：6664	BD01367 號	張 067
156：6837	BD01332 號	張 032
201：7193	BD01324 號	張 024
201：7203	BD01363 號	張 063
201：7203	BD01363 號背 1	張 063
201：7203	BD01363 號背 2	張 063
219：7309	BD01364 號	張 064
229：7334	BD01350 號 1	張 050
229：7334	BD01350 號 2	張 050
250：7498	BD01397 號	張 097
254：7574	BD01343 號	張 043
275：7720	BD01318 號	張 018
275：7721	BD01323 號	張 023
275：7722	BD01360 號	張 060
275：7723	BD01376 號	張 076
275：7724	BD01377 號	張 077
275：7978	BD01378 號	張 078
275：7979	BD01389 號	張 089
299：8296	BD01369 號	張 069
305：8306	BD01340 號	張 040
376：8476	BD01331 號	張 031